FRANZ KAFKA / GESAMMELTE WERKE

HERAUSGEGEBEN VON MAX BROD

FRANZ KAFKA

BRIEFE AN FELICE

und andere Korrespondenz
aus der Verlobungszeit

Herausgegeben von
Erich Heller und Jürgen Born
Mit einer Einleitung von
Erich Heller

S. FISCHER VERLAG

240947
German

Copyright © 1967 by SchockenBooks, Inc.
Lizenzausgabe von Schocken Books, Inc., New York City, USA
Satz und Druck: H. Laupp jr Tübingen
Einband: Ladstetter GmbH, Hamburg-Wandsbek
Printed in Germany 1967

EINLEITUNG

›Die folgenden Gesänge sind das Werk eines unbekannten Minnesängers aus der ersten Hälfte des zwanzigsten Jahrhunderts‹. Dürfte man doch mit diesen Worten beginnen! Denn wären sie in jedem Sinn wahr – und nicht nur in dem einen noch zu erhellenden –, so gäbe es für die Herausgeber dieser Briefe nicht das Problem der Rechtfertigung. Dieses aber besteht, und nicht allein deshalb, weil Franz Kafka letztwillig verfügte, daß sein Nachlaß verbrannt werde; und es besteht trotz der Präzedenzfälle ähnlicher Editionen, die jene Verfügung in den Wind schlugen: dadurch aber lassen sich die Skrupel nicht aus der Welt schaffen; denn im Ethischen gibt es kein Gewohnheitsrecht, und schon gar nicht eines, durch das vielleicht nur eine schlechte Gewohnheit zur Norm zu entarten droht. Jedoch dürfte einer derjenigen, die den Leser vor die vollendete Tatsache dieser Ausgabe stellen, nicht auch noch die moralischen Sorgen, die damit verbunden sind, vor ihm ausbreiten, wenn es um nichts anderes ginge, als um die Erleichterung seines eigenen Gewissens. Indessen weist die Erörterung von Kafkas ›Willen‹ über ihren unmittelbaren Anlaß hinaus und vermag vielleicht dem besseren Verständnis des nicht leicht zu verstehenden Wesens zu dienen, welches diese Briefe schrieb. Und da der Briefschreiber eben Franz Kafka ist, dessen Werke, so will es scheinen, einer ganzen Epoche das Rätsel aufgaben, nach welchem es sie verlangte und in welchem sie sich, ohne es lösen zu können, wiedererkannte, mag es dabei sogar auf ein Quentchen Selbstverständnis hinauslaufen. Dieses zu erhöhen und so die Unberatenheit der Zeit ein klein wenig zu vermindern, ist aber doch wohl – wie am Ende vielleicht die Veröffentlichung der Briefe selbst – ein Unternehmen, das sich selbst rechtfertigt.

Die ›Minnelieder‹ also sind Liebesbriefe Franz Kafkas. Er schrieb sie während der Monate und Jahre zwischen dem 20. September 1912 und dem 16. Oktober 1917 an die Frau, die er, wie es zu Zeiten seine Überzeugung war, heiraten wollte, mit der er sich zweimal verlobte und von der er sich zweimal wieder trennte. Sollen Korrespondenzen dieser Art überhaupt veröffentlicht werden? Auch wo der Publikation kein ausdrückliches Verbot entgegensteht, ist es ratsam, die Frage stets von neuem zu erwägen; denn sie fördert die in der literarischen Betriebsamkeit der Zeit sonst immer mehr verkümmernde Kunst, die Quellen, die den Geist bereichern, von denjenigen zu unterscheiden, die nur den Reichtum der Schreibgeschäftemacher vermehren. Es ist also eine nützliche Frage, auch wenn, wie in unserem Fall, die Empfängerin selbst die Briefschaften zur Veröffentlichung nach ihrem Tod bestimmte oder verurteilte und längst schon ganze Bibliotheken sich gründen ließen mit den Bänden gedruckter Herzensergießungen, deren Autoren sich nichts davon träumen ließen, daß eines Tages Scharen halbwüchsiger Schüler und erwachsener Neugieriger ihnen beim Schreiben intimer Briefe posthum über die Schulter schauen würden. Kafka aber, gewitzter Spätling in der romantischen Tradition der geheimsten, privatesten, innerlichsten und schließlich dennoch veröffentlichten Innerlichkeiten, ließ sich zu alledem in bezug auf seine Person von der Möglichkeit solcher Indiskretion träumen. Er war ja selbst, wie auch diese Briefe wieder zeigen, ein eifriger Leser von Autobiographischem, von Episteln, Journalen und Konfessionen, und zog manchmal sogar dann, wenn die Autoren Dichter und Schriftsteller waren, solche Lektüre derjenigen der eigentlichen Werke vor: zum Beispiel liebte er zwar sehr Grillparzers Novelle ›Der arme Spielmann‹ – aus Gründen, die zu persönlich sind, als daß sie als ›rein literarische‹ anzusehen wären –; was aber die übrige Produktion Grillparzers betrifft, so ist mit Gewißheit anzunehmen, daß er lieber und häufiger in dessen Tagebüchern las als in den Dramen.

Daß also die Nachwelt nicht zur Mitleserin seiner Briefe und Tagebücher werde (und auch nicht seiner unveröffentlichten Geschichten und unvollendeten Romane), war der Wunsch, den seine letztwilligen Verfügungen enthielten. Als er diese traf, war er noch weit von dem Ruhm entfernt, der heute auf seinem Namen lastet und gemäß den unausweichlichen Usancen des Zeitgeists, der Literaturwissenschaft und anderer Zweige des literarischen Handels und Gewerbes jedes von ihm beschriebene Blättchen vors Publikum bringt. Und weil er damals also trotz mancher Publikation noch recht unbekannt war, ist die Frage nicht von der Hand zu weisen, ob sich denn die Öffentlichkeit überhaupt je für seine privaten Äußerungen interessiert hätte, wenn der letzte Wille in seinem ganzen Umfang ausgeführt worden wäre. Denn dann wären eben auch ›Amerika‹ (›Der Verschollene‹), ›Der Prozeß‹ und ›Das Schloß‹ vernichtet worden; und gewiß wäre das Gedränge der Kafka-

Interessenten weniger bedrohlich, wenn es diese Bücher nicht gäbe. Sei dem wie immer, er bat, innerlich unfähig oder äußerlich nicht in der Lage, selber an das von ihm Geschriebene Hand anzulegen, für den Fall seines Todes den ungehorsam treuen Freund Max Brod, alles, was sich in seinem Nachlaß »an Tagebüchern, Manuskripten, Briefen ... findet, restlos und ungelesen zu verbrennen...«. Dies, so berichtet Max Brod im Nachwort zur ersten Ausgabe des von Kafka also vergeblich der Vernichtung anheimgegebenen Romanfragments ›Der Prozeß‹, stand in Tintenschrift auf einem undatierten Zettel, der »unter vielem anderen Papier« in Kafkas Schreibtisch lag – also ohne die leiseste Spur der Sorgfalt aufbewahrt wurde, die sonst auf einen letzten Willen verwendet zu werden pflegt. Auch sei die ergebnislose Suche nach einem formellen Testament nicht die erste Gelegenheit gewesen, da Brod jenes Schriftstück gesehen haben will. Kafka habe es ihm schon vorher – im Jahre 1921 – gezeigt und ihm den Auftrag verraten, den es enthielt; worauf er, Brod, sich mit heftiger Deutlichkeit geweigert habe, ein solcher Testamentsvollstrecker zu sein.

Es wurde aber auch noch ein zweiter – mit Bleistift beschriebener – Zettel in jenem Schreibtisch gefunden, wieder eine undatierte letztwillige Bitte, die, wie Meno Spann überzeugend darlegte (›Monatshefte‹, Madison, Wisconsin, November 1955), aus dem Jahre 1922 stammen muß, also, obgleich Brod das Gegenteil annahm, später als der bereits 1921 vorhandene »Tintenzettel« geschrieben wurde. Diese Verfügung gestattete – mit genauen Titelangaben, aber ohne Begeisterung – einiges dem Feuer vorzuenthalten, und zwar sechs Erzählungen, die ohnehin kein Mensch die Macht hatte einzuäschern, denn sie waren damals bereits gedruckt und veröffentlicht oder im Fall der letztgenannten Geschichte vom Autor selbst eben erst zur Publikation bestimmt worden: ›Das Urteil‹, ›Der Heizer‹ (das erste Kapitel des Romans ›Der Verschollene‹), ›Die Verwandlung‹, ›In der Strafkolonie‹, ›Ein Landarzt‹ und ›Ein Hungerkünstler‹. Gewiß, den Romanfragmenten, Briefen und Tagebüchern wurde auch hier kein Pardon gewährt; und was die aufgezählten Werke betraf, so hatte der Autor zwar, wie er sagte, kein Interesse daran, daß sie je neu aufgelegt »und künftigen Zeiten überliefert werden«; »im Gegenteil, sollten sie ganz verlorengehen, entspricht dies meinem eigentlichen Wunsch. Nur hindere ich, da sie schon einmal da sind, niemanden daran, sie zu erhalten, wenn er dazu Lust hat.« Sonderbar, daß er selbst – offenbar kurz danach – Lust zu dergleichen verspürte: die letzte literarische Aufgabe, der sich Kafka widmete, bestand in der Korrektur der Druckbogen zum Band ›Ein Hungerkünstler – Vier Geschichten‹, welcher die Titelgeschichte, die im Oktober 1922 erstmalig in der ›Neuen Rundschau‹ erschienen war, »künftigen Zeiten überlieferte« und außerdem die Geschichten ›Erstes Leid‹, ›Eine kleine Frau‹ und ›Josefine, die Sängerin‹ enthielt, von denen eine, nämlich ›Erstes Leid‹, vor dem ›Hungerkünstler‹ geschrieben war, also gemäß dem Bleistiftzettel ›nicht galt‹ und zu verbrennen gewesen wäre. Dennoch veröffentlichte Kafka sie noch kurz vor seinem Tod.

Als Max Brod beschloß, den Auftrag, den die beiden Zettel enthielten, nicht auszuführen, hatte er also gute Gründe oder doch zumindest gute Zweifel. Einige der Gründe legte er im besagten Nachwort zum ›Prozeß‹ dar. Jedoch gab es noch andere und stärkere, welche er damals übersah oder unterdrückte. Am 26. Juni 1922 – also ungefähr zur Zeit des zweiten testamentarischen Zettels – hatte Kafka dem Freund über das äußerst ambivalente Wesen seiner ›Selbstverurteilung‹ geschrieben, einer Neigung, derentwegen ihn Brod offenbar getadelt hatte. Diese Negativität im Verhalten zu sich selbst und allen seinen Werken habe, so sagte Kafka in diesem Schreiben, zwei Aspekte: einmal drücke sie aus, was er von seinen Produkten wirklich halte, und sei also ›Wahrheit‹; und insofern sie wahr sei, würde es ihn »glücklich machen«, wenn er »die widerliche kleine Geschichte«, die er soeben seinem Verleger Kurt Wolff übergeben hatte – es handelt sich um ›Erstes Leid‹ –, »aus Wolffs Schublade nehmen und aus seinem Gedächtnis wischen könnte«. Das sei also die eine Seite. Die andere Seite aber sei ›Methode‹, die darauf ausgehe, es Wolff unmöglich zu machen, etwa zu sagen: Sie haben ganz recht. Das Zeug taugt nichts. Ich schicke es Ihnen zurück. So zu reden verbiete sich dem Verleger nun nicht etwa aus konventioneller Höflichkeit, sondern eben »kraft der Methode«, die ihn sozusagen zu seiner eigenen Wahrheit verführt; und diese besteht darin, daß er die vom Autor selbst so sehr verurteilte Geschichte gerade deshalb wahrhaftig zu schätzen glaubt. »Was für Untersuchungen!« heißt es dann noch am Ende des Kafka'schen Schreibens.

Ja, was für Untersuchungen! Solche, von denen Kafka in diesen Briefen als von seinen ›Winkelzügen‹ spricht, und die es *jedem* Empfänger des letztwilligen Vernichtungsurteils schwer machen mußten zu entscheiden, was denn Kafkas eigentlicher Wunsch gewesen sei, und ob die >Wahrheit< gelte oder die nicht weniger wahre >Methode<. Wie schwer mußte es da erst der nächste Freund damit haben, dessen geistiges Leben zu einem nicht geringen Teil von der liebenden Bewunderung der Werke des anderen bestimmt war, und der ihn überdies gewarnt hatte, daß er nicht bereit sei, jenes Urteil zu vollziehen! Heinz Politzer trifft in seinem Buch >Franz Kafka, der Künstler< gewiß das Richtige, wenn er meint, Kafka vermochte, »indem er Max Brod zum Testamentsvollstrecker einsetzte, ... auf seiner prinzipiellen Entscheidung zu verharren, daß seine Bücher zu verbrennen wären, während er Menschenkenner genug war, zu wissen, daß diese Entscheidung von Brod mißachtet werden würde.« Ungewiß bleibt nur, wie >prinzipiell< das Prinzip war. Prinzipieller als dasjenige, welches die Heldin von Kafkas letzter Erzählung, die Mäusesängerin Josefine, beseelt, die nur eines will, nämlich »die öffentliche, eindeutige, die Zeiten überdauernde, über alles bisher Bekannte sich weit erhebende Anerkennung ihrer Kunst«? Und um dieses Ziel, das sich ihr hartnäckig versagt, zu erreichen, weigert sie sich eines Tages sogar, überhaupt noch zu singen, ja verschwindet ganz, damit man sie suche und sie bestürme, sie möge doch wieder konzertieren. Sie rechnet aber falsch, »die Kluge, so falsch, daß man glauben sollte, sie rechne gar nicht, sondern werde nur weiter getrieben von ihrem Schicksal«: das Volk der Mäuse drängt sie nicht zum Singen, sondern »zieht weiter seines Weges«, anscheinend ohne viel zu entbehren. Wollte sie also vielleicht gerade dies: »in gesteigerter Erlösung vergessen sein«? Wer weiß es, wer kann es wissen, da nur eines klar ist: »daß Josefine nicht eigentlich das anstrebt, was sie wörtlich verlangt«. – Am 10. Juli 1914 – einen Tag vor jener Reise nach Berlin, die zur Auflösung der ersten Verlobung mit Felice führte – sagte Kafka in einem Brief an seine Schwester Ottla, die, mit den Schwierigkeiten dieser Beziehung vertraut, wohl wissen wollte, was er mit dem Berliner Besuch bezwecke, das Folgende: »Ich schreibe anders als ich rede, ich rede anders als ich denke, ich denke anders als ich denken soll und so geht es weiter bis ins tiefste Dunkel.«

Was also ist Kafkas >wahrer Wille<? In einem seiner letzten Briefe an Felice (1. Oktober 1917) spricht er von zwei Wesen, die in ihm kämpfen, deren Kampf er *ist* und in deren Kampf er untergehen wird, und obgleich er sich, was die Zahl der streitbaren Seelen in

seiner Brust betrifft, sozusagen zu seinen Gunsten verzählt (denn da kämpfen viele Kämpfer, und jeder kämpft gegen jeden), so ist es doch stets ein Zweikampf, der entbrennt, wenn es um die Werke geht. Was diese betrifft, scheinen die Widersacher sogar die zwei berühmten Rollen, die faustische und die mephistophelische, untereinander verteilt zu haben, wenn sie diese auch im müderen Tonfall der späten Zeit sprechen. Was denn daran zu lesen sei, fragt der eine und meint, daß das Ewig-Leere vorzuziehen wäre. Der andere aber hegt den leise hoffnungsvollen Verdacht, daß es diesen Werken zu danken sein würde, sollte die Spur von seinen Erdentagen vielleicht doch nicht in Äonen untergehen; worauf wieder der erste fragt, was selbst dies denn fruchten würde. ›Und wenn schon!‹, hieß das im Jargon von Kafkas Zeit- und Sprachgenossen. Kafka konnte jedoch gar nicht anders, als der Versuchung dieser Gleichgültigkeit widerstehen. Weil sein Hang zum Nichts des Vergeblichen ebenso leidenschaftlicher Natur war wie sein Verlangen nach der Erfülltheit der Zeit, war er solcher Skepsis in keinem Augenblick seiner Kunst und seines Lebens fähig; und zwischen Kunst und Leben waltet hier seines sinnlosen Amtes ein Und, welches nur unter dem Zwang der Sprache verbindet, was, wie wir sehen werden, in Wahrheit sowohl ein und dasselbe wie auch ein unversöhnlicher Gegensatz ist. Stand Kafka also immer von neuem ratlos vor unvereinbaren Möglichkeiten – des Dichterruhms etwa oder der erlösenden Vergessenheit, der Ehe oder der Askese –, so nur deshalb, weil jeweils beide ihm, und gerade ihm, zur Erfüllung aufgegeben schienen; weshalb er oft mit so großer Vehemenz und Intensität schwankte, daß sein Schwanken von weitem fast wie Festigkeit aussah. In solchen Paradoxien wurzelte Kafkas absonderliches Genie, das Max Brod, der es als erster erkannte, dazu bewog, nicht nach dem Wortlaut von Kafkas Willen zu handeln. Von Kafkas Willen? Aber Kafkas Wille hatte keinen Wortlaut und sein Wortlaut keinen Willen.

Hamlet vor ihm war in ähnlicher Lage. Darum kommen Hamlets ›Selbstverurteilungen‹ vom gleichen Ursprung, nämlich von dort, wo es der Innerlichkeit eines Menschen vorbestimmt ist, sich in einer Richtung zu bewegen, die immer mehr aus dem äußeren Dasein wegführt. Wie Fortinbras glauben konnte, fragt Kafka Ende September 1915 im Tagebuch, »Hamlet hätte sich höchst königlich bewährt«? Königliche Bewährung, wo das ›authentische Leben‹, das ja gerade auf dem Einverständnis zwischen Innen und Außen beruht, zur Schimäre wird und das Zaudern zum einzig ›echten‹ Tun? Es sind die sittlich empfindlichsten Wesen, die dieses Mißverhältnis zwischen dem Geist und den Umständen, diese ›Entfremdung‹ des Menschen von der Welt, für welche Hegel den gegenwärtigen Geschichtsstand des Weltgeists selbst verantwortlich machte, ihrer eigenen Person zur Last legen und der Schauspielerei, ja der Lüge und des Betrugs sich zeihen, wo jedwede äußere Zeichensetzung – sei diese nun die Absage an das Elternhaus, oder das Aufgeben eines lästigen Berufs, oder die Ehegründung, oder auch nur das geschriebene Wort – wie eine gröblich falsche Benennung des inneren Zustands erscheint. Bevor Kafka den entsetzlichen und erschütternden Brief vom 1. Oktober 1917 an die Verlobte schrieb – den Brief, in welchem er seine Krankheit so darstellt, als sei sie nur den ›äußeren‹ Symptomen nach Tuberkulose, ›im Inneren‹ aber eine Waffe, mit der er sich selbst nach dem Leben trachtet, weshalb er auch »nicht mehr gesund werden wird« – nun, ehe er diesen Brief schrieb, der sogar die ›äußere‹ Schwindsucht als ein ›lügnerisches‹ Zeichen ansieht, muß sie ihn gefragt haben, ob er immer wahrhaft gegen sie gewesen sei. Mit der moralischen Hypochondrie dessen, der sich, wie gesagt, sogar einen von ihm selbst als unvermeidlich eingesehenen Mißstand als sittliche Verfehlung anrechnet, antwortet er, daß er »sehr wenig« gelogen habe, vorausgesetzt, daß es bei ihm »überhaupt ›sehr wenig‹ Lügen geben kann. Ich bin ein lügnerischer Mensch, ich kann das Gleichgewicht nicht anders halten, mein Kahn ist sehr brüchig«. Das Gleichgewicht, das nicht ohne Lügen zu halten ist, ist ja wohl dasjenige zwischen den inneren und den äußeren Bedingungen, und die Brüchigkeit des Kahns erklärt sich daraus, daß dieser nicht nach denselben Naturgesetzen gezimmert ist, die für das Element gelten, in welchem sich zu bewegen ihm tückischerweise aufgegeben ist. Diesem in seiner ›äußerlichen‹ Einfachheit ›gelogenen‹ Geständnis der Lügenhaftigkeit folgt aber die charakteristische Kafka'sche Komplikation, die der Wahrheit näher kommt, insofern es dem Wortzeichen gegeben sein kann, das zu bezeichnen, zu dessen Bezeichnung es längst nicht mehr taugt. Ja, schreibt also Kafka, er wolle betrügen, »allerdings ohne Betrug«.

Wie Hamlets ›Verstellung‹ nichts anderes ist als die bühnenfähige Chiffre eines Sachverhalts, der den inneren Menschen zwingt, ein anderer zu sein, sobald er im Äußeren agiert, so ist Kafkas ›Betrügen ohne Betrug‹ nur der ehrliche Brückenzoll, entrichtet am Rand des Abgrunds, der zwischen Innen und Außen sich aufgetan hat. ›Betrügen ohne Betrug‹ – es ist die mildere Fassung der Worte, mit denen er sich mehr als drei Jahre vorher, am 23. Juli 1914, in seinem Tagebuch bezeichnet hatte, als er die Berliner Familienszene bei der ersten Auflösung des Verlöbnisses schilderte: »Teuflisch in aller Unschuld«.

Das also ist die Frage, die ungeheuerlich auch wieder diese Briefe stellen: Wie war das Verhältnis dieses Menschen zu dem, was nach der allgemeinen Übereinkunft, welcher er sich selbst mit selbstquälerischer und quasi-religiöser Entschlossenheit anschloß, die Welt heißt oder die Wirklichkeit? Stand sein Inneres, und also sein Wille, in einem ›naturwahren‹ Bezug zur äußeren Existenz? In einem Bezug, der anders als durch das ›Kunstwahre‹ darstellbar war – und auch durch dieses nur eben gerade noch, nämlich auf eine einzigartigere Weise als Kunst je einzigartig war? Ist es auch nur im geringsten sinnvoll, von der Ausführung oder Nichtausführung seines Willens, und sei es auch des letzten, zu reden, da doch dieser vielleicht sich auf nichts bezieht, was ›wirklich‹ gewollt oder getan werden kann? Gesetzt, die Adressatin dieser Briefe hätte sich lange nach diesen zweimaligen vergeblichen Hochzeitsvorbereitungen in zwei Städten, lange nach der endgültigen Auflösung des Verlöbnisses, vielleicht lange nach Kafkas Tod gefragt: Wollte er mich denn je ›wirklich‹ heiraten? War das denn überhaupt ›ich‹, die er zu lieben vermeinte? und hätte Mut gefaßt und dieses ganze Konvolut von Briefen in einem Zug gelesen. Mußte sie nicht zu dem Ergebnis kommen, daß die Frage an der Wirklichkeit oder vielmehr der Unwirklichkeit vorbeiging? Gab es ›sie‹ auf diesen Blättern? Zwar wußte er zur Zeit, als das Ende des Verlöbnisses nahe bevorstand, im September 1917, daß sie ein »Äußerstes an Unglück«, an ›wirklichem‹ Unglück trug, er selbst aber, der Dichter, vermochte nach der Art von Goethes Tasso von sich zu sagen, daß er, wo andere in ihrer Qual verstummen, »im Unglück, vielleicht noch mit dem brennenden Unglückskopf … darüber hinausgehen und in verschiedenen Schnörkeln … darüber einfach oder antithetisch oder mit ganzen Orchestern von Assoziationen phantasieren« könne. Mußte sie nicht, ohne daß er dabei auch nur im geringsten absichtsvoll schuldig geworden wäre, sich hinters Licht geführt fühlen, auch wenn es ihr bei der Lektüre so mancher seiner Briefe geschienen haben mochte, als könne in der Gegenwart dieses heißen, flakkernden, verzehrenden Lichts nichts Dunkles bestehen? Aber von einem gewissen Zeitpunkt an war er ihr ja fortwährend nur mit endlosen Variationen über die sonderbar ›selbstlose‹ Fassung eines berühmten Kierkegaard'schen Satzes, den Kierkegaard freilich allein an sich selbst, nicht an die Verlobte gerichtet hatte, in den Ohren gelegen: »Heirate mich, du wirst es bereuen; heirate mich nicht, du wirst es auch bereuen; heirate mich oder heirate mich nicht, du wirst beides bereuen.« – »Ward je in solcher Laune eine Frau gefreit?« Shakespeare legte diese Worte einem großen Schurken in den Mund. Erstaunlich, daß sie in anderer Intonation auch für den sonderbaren Heiligen gelten, der diese Liebesbriefe schrieb.

Nicht anders als zur Ehe verhielt er sich zum Dichten, zum Gelingen und Ruhm des dichterischen Werks; weshalb denn der ›wahre‹ Testamentsvollstrecker Franz Kafkas ein Magiker hätte sein müssen, ein Regisseur mythischer Szenenfolgen, wo nach dem Verbrennungsakt dafür gesorgt ist, daß aus der Asche in unvergleichlicher Reine und Schöne das geläuterte Werk wieder aufsteigt, eines, welches nichts zeigt als »lauter Licht, lauter Freiheit, lauter Vermögen, keinen Schatten, keine Schranke«. So beschrieb ein anderer großer Purist der deutschen Literaturgeschichte einmal sein höchstes Dichter-Verlangen, auf dessen Erfüllung er seine »ganze Kraft und den ganzen ätherischen Teil« seiner Natur verwenden wollte, »wenn er auch bei dieser Gelegenheit rein sollte aufgebraucht werden«: Schiller schrieb so am 29. November 1795 an Wilhelm von Humboldt. Und Kafka notierte nach der Beendigung seiner Geschichte ›Ein Landarzt‹ Ende September 1917 in seinem Tagebuch, daß ihm das Gelingen solcher Arbeiten zwar noch »zeitweilige Befriedigung« geben könne, Glück aber würde nur sein, falls er »die Welt ins Reine, Wahre, Unveränderliche heben kann«. Oft will es scheinen, als ob Kafka keinen Willen außer diesem hatte; dieser aber war auf eine Welt gerichtet, welche die Verneinung der Willenswelt war, auf jene »geistige Welt«, von der er einmal sagte, es gäbe nichts anderes als sie: »was wir sinnliche Welt nennen, ist das Böse in der geistigen...«; und es war eben sein nie befriedigter Anspruch an die Kunst, seine Kunst, daß sie die einzig wahre Welt, die geistige, von dem Bösen darin reinige: durch die absolute Vollendung des sprachlichen Gehalts. Zwar ist die Sprache das schlechthin Allgemeine unter den Menschen: alle reden, so wie im Volk der

Mäuse ein jeglicher pfeift; aber nur, wenn Kafkas Künstlerin, die Mäusesängerin Josefine pfeift, »ist das Pfeifen frei gemacht von den Fesseln des täglichen Lebens und befreit auch uns für eine kurze Weile«. Flaubert bedeutete Kafka so viel, daß er auch von ihm hätte sagen können, was er auf einer Postkarte an Felice (26. Oktober 1916) von Strindberg sagte: »Nur die Augen schließen und das eigene Blut hält Vorträge über ihn.« Und Flaubert war es, der einmal davon träumte, »ein Buch zu schreiben, das von überhaupt nichts handelte, ein Buch, das nicht die geringste Beziehung zur äußeren Welt hätte und ganz und gar nur durch die innere Kraft seines Stils zusammengehalten würde.« Was sich aber bei Flaubert noch als reiner Ästhetizismus gebärdete, nahm bei Kafka die Maske der absoluten Kunst ab und zeigte in aller Deutlichkeit seine religiösen Züge: Kafka nannte sein Schreiben einmal eine Form des Gebets, und wenn er Felice davon überzeugen wollte, daß er nicht heiraten dürfe, berief er sich fast stets auf sein Schriftstellerdasein, als hinge dieses von der Erfüllung eines mönchischen Eheverbots ab.

Nur wenn es ihm mit dem Schreiben gut gehe, so beteuert er ihr immer wieder, habe er auch die Kraft zu leben. Ja sehr bald schon, am 1. November 1912, gesteht er ihr, daß er »in einer Zeit matten Schreibens niemals den Mut gehabt« hätte, sich ihr zu nähern; gibt es aber einmal diesen seltenen Überschuß, so dürfe er ihn nicht ans Leben vergeuden. Denn lasse ihn seine Kunst im Stich, so fühle er sich gottverlassen und tauge auch zum Umgang mit Menschlichem nicht. – Wenn es je einen *circulus vitiosus* gab, hier ist er. Schon in den ersten Wochen der Korrespondenz rät sie ihm offenbar – mit dem Instinkt der Frau, die sich von einer mächtigen Nebenbuhlerin bedroht fühlt –, maßvoll zu sein in seinem Verhältnis zum Schreiben. Nein, antwortet er am 5. November 1912, ein »heilloser Narr« wäre er, täte er, was sie verlangt: »Schone ich mich darin, dann schone ich mich, richtig gesehen, eigentlich nicht, sondern bringe mich um«; denn sei es auch möglich, daß sein Schreiben nichts ist, so sei dann eben »ganz bestimmt und zweifellos« auch er selber nichts. Und ist seine Angst vor der Ehe auch manchmal eins mit der Angst vor der geschlechtlichen Impotenz, so ist sie doch auch zugleich die Scheu vor der ihm vielleicht verbotenen Lebensform und die äußerste Hinnahme des Verhängnisses, daß die Eindeutigkeit des Liebesakts Lügen gestraft wird von den einander unaufhörlich ins Wort fallenden Stimmen des Inneren, zum Beispiel dieser, die sich im Tagebuch vom 5. Juli 1916 vernehmen läßt: »Mühsal des Zusammenlebens. Erzwungen von Fremdheit, Mitleid, Wollust, Feigheit, Eitelkeit und nur im tiefen Grunde vielleicht ein dünnes Bächlein, würdig Liebe genannt zu werden, unzugänglich dem Suchen, aufblitzend einmal im Augenblick eines Augenblicks«. Dies schrieb er, als er mit Felice in Marienbad war. Im nachhinein aber erschienen ihm diese wenigen Sommertage des Jahres 1916, die er dort mit ihr – wahrscheinlich zum ersten Mal als seiner Geliebten – verbrachte, im Licht eines rätselhaften Glücks, dessen er sich aber auch wieder nur mit Schrecken erinnerte, wie eine Tagebucheintragung von Ende Januar 1922 zeigt. Er war zu dieser späteren Zeit im böhmischen Winterkurort Spindlermühle und erwog, wie es denn wäre, wenn Milena – die Frau, deren Liebe damals sein Leben beherrschte – dorthin käme. Trotz mancher Annehmlichkeiten, meint er, wäre es schrecklich, denn »ich wäre abgestürzt in eine Welt, in der ich nicht leben kann«. Und dann: »Bleibt nur das Rätsel zu lösen, warum ich in Marienbad vierzehn Tage glücklich war...«Was immer die Antwort darauf sei (und eine der möglichen Antworten ist, daß er, nach dem Tagebuch zu schließen, so glücklich nicht war; eine andere, gewissere, daß das Glück auch nicht einmal vierzehn Tage währte) – nun, wie immer es sich mit jener Vergangenheit verhielt, jetzt ist es zu spät; mögen andere lieben, er selbst könne es nicht: »ich bin zu weit, bin ausgewiesen...« Zwar habe er auch Vertreter dort »unten«, seine »Hauptnahrung« aber komme »von andern Wurzeln in anderer Luft«.

Wehte in seinem Schreiben die andere Luft, kam dieses von den anderen Wurzeln? Oft mochte es ihm wohl so scheinen. Dann bestand ihm sein ›wahres‹ Leben in der Verteidigung seines Schreibtisches, war Glück allein im guten Schreiben (und Trübsinn im schlechten), drohte Unheil, wenn das Schreiben stockte. Ging es mit seinen Geschichten nicht voran, klagte er wie über verlorenes Liebesglück: sie entzogen sich, wiesen ihn ab, versagten sich ihm. Schrieb er eine Zeitlang nicht, so war er »im Nichts«. Nur »Schreiben hat das Schwergewicht in der Tiefe«, sagte er Felice am 26. Juni 1913, wissend und doch zugleich ahnungslos, wie er sie kränken mußte, indem er ihr zugleich mitteilte, sie habe mit seinem ihm so mißliebigen Beruf gemeinsam, daß auch sie »oben im Leben sei«, weshalb die Ehe mit ihr sich wohl dem »Bureau« würde zuordnen lassen, aber unvereinbar wäre mit der Tiefenschwere des Schreibens. Für dieses brauche er »Abgeschiedenheit«: nein, nicht wie sie, vielleicht das Thema jenes chinesischen Ehe-Gedichts aufnehmend, das er ihr so oft zitierte, gesagt zu haben scheint, die Abgeschiedenheit eines Einsiedlers, sondern diejenige eines Toten. »Schreiben in diesem Sinn ist ein tieferer Schlaf, also tot, und so wie man einen Toten nicht aus seinem Grab ziehn wird und kann, so auch mich nicht vom Schreibtisch in der Nacht.« Ja, schon ein halbes Jahr vorher, in jenem großen Brief, den er ihr in der Sylvesternacht 1912 schrieb, hatte er sie mit dem grausamen Raffinement seiner zwischen Schreiben und Ehe, jenem und diesem Leben, diesem und jenem Tod schwankenden Liebe erschreckt, in dem er ihren naiven Satz »Wir gehören unbedingt zusammen« folgendermaßen erwiderte: »Das ist, Liebste, tausendfach wahr, ich hätte z. B. jetzt in den ersten Stunden des neuen Jahres keinen größeren und keinen närrischeren Wunsch, als daß wir an den Handgelenken Deiner linken und meiner rechten Hand unlösbar zusammengebunden werden.« Warum ihm gerade dieses Bild einfalle? Vielleicht, weil ein Buch über die Französische Revolution vor ihm liege, und weil es doch immerhin möglich sei, »daß einmal auf solche Weise zusammengebunden ein Paar zum Schafott geführt wurde.« Da weiß er natürlich auch schon, was für ein schlimmer Liebes- und Neujahrsbrief das geworden ist: »Aber was läuft mir denn da alles durch den Kopf«, sagt er; durch denselben Kopf, dem heute so gut wie nichts zum Roman, dem im Entstehen begriffenen Amerika-Roman, eingefallen sei: »Das macht die 13 in der neuen Jahreszahl«. So also war es, wenn er ans Leben und Lieben dachte.

Wurzelte sein ›wahres‹ Leben also im Schreiben? Wie ungebührlich einfach wäre es doch, dies zu behaupten. Ein Amateur-Graphologe, den sie in einem Ferienort kennenlernte, hatte Felice den Charakter Kafkas aus seiner Handschrift ›wahrgesagt‹. Das Ergebnis teilte sie ihm mit. »Der Mann in Eurer Pension soll die Graphologie lassen«, antwortete Kafka am 14. August 1913. Denn die Diagnosen des Schriftkundigen seien alle falsch: weder sei er, Kafka, ›sehr bestimmt‹ in seinen Handlungen noch »überaus sinnlich«; er besitze im Gegenteil »großartige, eingeborene asketische Fähigkeiten«. Und so weiter, und nichts als Unzutreffendes habe der Mann behauptet. Die falscheste aber unter den graphologischen Orakeleien sei diejenige, die ihm nachsagt, er habe literarische Interessen. Das stimme ganz und gar nicht, protestiert Kafka: »Ich habe kein literarisches

Interesse, sondern bestehe aus Literatur, ich bin nichts anderes und kann nichts anderes sein.« Und dann erzählt er eine kleine Episode aus einer Historie des Teufelsglaubens, wo ein Mönch so schön und lieblich singt, daß alle ihm mit größter Lust zuhören. Eines Tages aber glaubt ein anderer Geistlicher in dieser Lieblichkeit die Stimme des Teufels zu erkennen, den er in Gegenwart aller Bewunderer denn auch austreibt. Da bricht der Leib, der nur von seiner Besessenheit belebt war, zusammen und geht sogleich in Verwesung über. »Ähnlich«, schreibt Kafka, »ist das Verhältnis zwischen mir und der Literatur, nur daß meine Literatur nicht so süß ist wie die Stimme jenes Mönches«. Und so werde Felice, wie er sie wieder warnt, »ein klösterliches Leben an der Seite eines verdrossenen, traurigen, schweigsamen, unzufriedenen, kränklichen Menschen« führen, der, was ihr als Irrsinn erscheinen müsse, »mit unsichtbaren Ketten an eine unsichtbare Literatur gekettet ist«. Und zwei Tage darauf beteuert er ihr noch einmal, daß er keinen »Hang zum Schreiben« habe, wie sie das offenbar genannt hat; nein, das sei kein Hang: »Ein Hang ist auszureißen oder niederzudrücken. Aber dieses bin ich selbst.« – Woraus sich ergibt, daß es Beihilfe zu einer Art von posthumem Selbstmord war, was er seinem Testamentsvollstrecker zugemutet hatte.

Er sei also, sagt er, nichts als Literatur; und er sagt es so oft und mit solcher Beständigkeit und in so guter Prosa, wie noch keiner sagte, was er nicht glaubte. Jedoch sagt er mit kaum geringerer Beharrlichkeit und gewiß nicht in schlechterem Stil noch mehr: daß er deshalb sein Seelenheil verwirkt habe. Und wo es eben erst schien, als ob nur das Schreiben seinem Dasein das »Schwergewicht der Tiefe« gäbe, und als ob die Welt allein durch die Kunst ins Reine, Wahre, Unveränderliche gehoben werden könne; als ob Ehe und Beruf, ja das ganze sinnliche Dasein nur das Böse wären in der einzig ›wirklichen‹ Welt, der geistigen, welche – höchste aller Paradoxien! – die Kunst, und nur die Kunst, ›sinnfällig‹ machen könne, ohne dadurch selbst ein Opfer des Bösen zu werden, dort lauert auch schon der Teufel auf seine Beute: nämlich auf denjenigen, der solches glaubt. Denn nur anfallsweise erschien Kafka eine solche Vorrangstellung der Kunst glaubhaft. Glaubwürdiger war ihm stets von neuem das Gegenteil.

In einem langen Brief, den Kafka Anfang Juli 1922 an Max Brod schrieb, erreicht nicht nur die ›Selbstverurteilung‹ seines Künstlertums ihren Höhepunkt, sondern auch die Geschichte einer Selbstdeutung der Kunst, deren Theorie Hegel schrieb und deren Stadien im Bereich der deutschen Literatur an Goethes ›Torquato Tasso‹, an seiner ›Pandora‹, an seinem Euphorion, an Grillparzers ›Sappho‹ und seinem ›Armen Spielmann‹, an Stifters ›Nachsommer‹, an Thomas Manns ›Tonio Kröger‹ und ›Doktor Faustus‹ aufs deutlichste sich zeigen ließen, eine Geschichte, die erst mit dem Ende der Kunst ihr Ende findet. »Das Schreiben erhält mich«, sagt Kafka in jenem Brief, wie er es so oft Felice gesagt hatte. Aber welche Art von Leben ist das, welches vom Schreiben erhalten wird? Ein äußerst verderbliches. Denn das »Schreiben ist ein süßer Lohn, aber wofür? In der Nacht war es mir mit der Deutlichkeit kindlichen Anschauungsunterrichts klar, daß es der Lohn für Teufelsdienst ist«. Worauf die so großartige wie exakte Beschreibung dessen folgt, was für Kafka teuflisch am Schreiben ist: »Dieses Hinabgehn zu den dunklen Mächten, diese Entfesselung von Natur aus gebundener Geister, fragwürdige Umarmungen und was alles noch unten vor sich gehen mag, von dem man oben nichts mehr weiß, wenn man im Sonnenlicht Geschichten schreibt. Vielleicht gibt es auch anderes Schreiben, ich kenne nur dieses…«. Hätte er sich Nietzsches erinnert, er hätte den großen ›Umwerter‹ lehren können, wie leicht durch solche Beschreibung das Dionysische – denn das ist es, was er beschreibt – ins Jüdisch-Christliche ›umgewertet‹ wird, wie schnell die Verwandlung des berauschten Gottes in den nüchternen Satan vonstatten geht. Fraglich bliebe nur, wer das ›man‹ ist, das »im Sonnenlicht Geschichten schreibt«? Er selbst? ›Das Urteil‹ – und Sonnenlicht? ›Die Verwandlung‹, diese »ausnehmend ekelhafte Geschichte«, wie er sie einmal Felice gegenüber nannte (24. November 1912) – und Sonnenlicht? Sonnenlicht – und ›Der Prozeß‹, ›Das Schloß‹? Wie es wohl ›unten‹ gewesen sein muß, wenn es ›oben‹ solche Blüten trieb?

Scheint auch Kafkas Vorrat an Anschuldigungen gegen das Schreiben unerschöpflich zu sein, so läuft doch alles in erhöhter Empfindlichkeit auf spätestens seit Kierkegaard Vertrautes hinaus, auf ›Existenzsorgen‹ des Künstlers, die Keats schon aufgeschrieben hatte, Kleist, Grillparzer, Flaubert, Baudelaire, Rilke, und viele andere, und unaufhörlich Thomas Mann. Das ›Teuflische‹ an dieser Daseinsform ist für Kafka der ästhetische Unternehmungsgeist, der Häuser und Paläste baut, um sie selber zu bewundern und von anderen bewundern zu lassen, während es doch darauf ankäme, daß ein Mensch dort einzieht und darin wohnt. »Es ist«, sagt Kafka in jenem Brief an Brod, »die Eitelkeit und Genußsucht, die immerfort um die eigene oder auch um eine fremde Gestalt – die Bewegung vervielfältigt sich dann, es wird ein Sonnensystem der Eitelkeit – schwirrt und sie genießt.« Es ist die Unwirklichkeit der dichterischen Existenz, die sterblicher ist als alles andere sterbliche Dasein; die »keinen Bestand« hat, »nicht einmal aus Staub« ist, sondern »nur eine Konstruktion der Genußsucht«; das aber, was bei anderen »Ich« ist, kann beim Dichter schon deshalb der Ewigkeit nicht teilhaftig werden, weil es ja noch nicht einmal *einmal* gelebt hat: »...ich bin Lehm geblieben«, schreibt Kafka, »den Funken habe ich nicht zum Feuer gemacht, sondern nur zur Illuminierung meines Leichnams benützt.« Anfang August 1914 – vielleicht weil damals die ›Wirklichkeit‹ Europas sich so gebärdete, als wolle sie immer nur noch ›wirklicher‹ werden – registriert er im Tagebuch aufs deutlichste das Schwindsüchtige seiner Wirklichkeitsempfindung: »Der Sinn für die Darstellung meines traumhaften inneren Lebens hat alles andere ins Nebensächliche gerückt und es ist in einer schrecklichen Weise verkümmert und hört nicht auf zu verkümmern.« Einmal, als die vielgeplagte Felice, der er, um sich der ›Wirklichkeit‹ dieser Liebe in der ihm einzig gemäßen Form zu versichern, mehr und mehr Geschriebenes abverlangte (wenn er sie nicht gerade beschwor, ihm weniger oft zu schreiben, weil ihn die Ankunft eines Briefes unfähig mache, sein Tagewerk zu verrichten), – einmal, als sie sich wohl dafür entschuldigte, daß, wie so oft, ein erwarteter Brief ausgeblieben war, antwortete er (in der Nacht vom 21. zum 22. Februar 1913): »Du konntest weder im Bureau noch in der Straßenbahn an mich schreiben. Soll ich Dir es erklären, Liebste? Du wußtest nicht, an wen Du schreiben solltest. Ich bin kein Ziel für Briefe.« Denn in der Wirklichkeit gibt es ihn nicht; es gibt ihn, meint er, nur in der Unwirklichkeit des Schreibens.

Es ist eine heillose Situation. Weil er Schriftsteller ist, hat er die Welt verloren; die Welt aber, die er dafür gewonnen – und es *ist* eine Welt: woran sonst als an den gültigen Gesetzen einer wirklichen Welt könnte sich die Sprache Kafkas als so gesetzestreu erweisen? –, diese so gewonnene Welt also erscheint ihm immer wieder als Blendwerk der Hölle. Denn welcher Wirklichkeit entspricht auch nur die Sprache, aus der sich diese seine Welt aufbaut? Vielleicht nicht einmal derjenigen des eigenen Gefühls, des eigenen Innern. Wo die Sprache eben erst Rettung war, »gnadenweiser Überschuß der Kräfte in einem Augenblick, in dem der Schmerz doch sichtbar alle meine Kräfte bis zum Boden meines Wesens ... verbraucht hat«, wie es im Tagebuch vom 19. September 1917 heißt, und Refugium der aus dem äußeren Dasein vertriebenen Innerlichkeit, dort wird sie sogleich auch wieder – im Wortumdrehen – zu nichts als Lug und Trug. »Als ich im vollen Leben war«, heißt es im Brief an Felice aus der Nacht vom 17. zum 18. März 1913, »schrieb ich Dir einmal, daß jedes wahre Gefühl die zugehörigen Worte nicht sucht, sondern mit ihnen zusammenstößt oder gar von ihnen getrieben wird«. Ja, so ungefähr sagte er es, und zwar kaum vier Wochen vorher, in der Nacht vom 18. zum 19. Februar 1913. Damals hieß es, es könne einem – obgleich immer wieder falsche Sätze seine Feder umlauern, sich um ihre Spitze schlingen und in die Briefe mitgeschleift wer-den – doch niemals an Kraft fehlen, das, was man sagen will, auch vollkommen auszudrücken: »Hinweise auf die Schwäche der Spra-che und Vergleiche zwischen der Begrenztheit der Worte und der Unendlichkeit des Gefühls sind ganz verfehlt. Das unendliche Ge-fühl bleibt in den Worten genauso unendlich, wie es im Herzen war. Das was im Inneren klar ist, wird es auch unweigerlich in Worten.« So also schrieb er, hoffnungsvoller Narr, der zu glauben vermochte, daß der inneren Wahrheit wenigstens *eine* äußere Zeichensetzung entsprach: diejenige der Sprache; daher sei allein im Schreiben zu finden, was jedes andere Tun im Leben verweigere: die Echtheit der äußeren Geste. Jetzt aber ist es auch damit nichts. Es ist ihm, als käme ihm »fast kein Wort vom Ursprung her«, sondern jedes müsse er »weit am Wege irgendwo, zufällig, unter übergroßen Um-ständen« an sich reißen und festhalten.

Dies ist der Fluch: im Nichts ist er, wenn er nicht schreibt, und in einem Nichts von anderer Art, wenn ihn selten genug das Schrei-ben »aufnimmt«. Schon in einem seiner frühen Briefe an Felice (1. November 1912) sagte er ihr – mit deutlicher Anspielung auf das Ende der damals gerade entstehenden »ausnehmend ekelhaften Ge-schichte«, der ›Verwandlung‹, wo sich zuletzt die Aufräumefrau mit dem Besen an Gregor Samsas Leiche zu schaffen macht und nachher den Eltern und der Schwester lachend verkündet, sie müß-ten sich keine Sorgen machen, »wie das Zeug von nebenan weg-geschafft werden soll« – sagte er Felice also, daß, wenn zu schreiben

ihm nicht gelingt, er »schon auf dem Boden liegt«, »wert hinausgekehrt zu werden«. Und am Ende desselben Monats, am 30. November 1912, verspricht er ihr in einer Nacht, die schlaflos ist vor
schlechtem Schreiben, daß er sich als Liebender und Brautwerber
bessern werde, denn »man kann mich doch nicht ganz aus dem
Schreiben hinauswerfen, wenn ich schon einige Male dachte, in
seiner Mitte, in seiner besten Wärme zu sitzen.« Aber schon wenige
Wochen später, in der Nacht vom 14. zum 15. Januar 1913, als das
Schreiben offenbar gut vonstatten geht, vertraut er ihr an, was zu
begreifen ihr unmöglich sein muß: daß er ein treuloser Ehegatte
sein und sie Nacht für Nacht mit seinem Schreiben betrügen werde.
Treuherzig und ahnungslos hatte sie ihm gesagt, sie wolle bei ihm
sitzen, während er schriebe. Nein, antwortete er ihr, das würde ihm
das Schreiben unmöglich machen, weil selbst die einsamste Nacht
noch zu wenig Nacht sei, ihm die Stille und Einsamkeit zu geben,
deren es beim Schreiben bedarf. Denn dieses verlange eine Hingabe
»bis zum Übermaß«, eine »Offenherzigkeit«, deren ein Mensch, der
leben will, sich im Umgang mit einem anderen Menschen, und sei
es der geliebteste, enthalten müsse, »solange er bei Sinnen ist«. Beginne doch der Boden, auf dem ein Mensch steht – oder auch zwei
Menschen gemeinsam stehen –, zu schwanken, sobald jenes »wah-
rere Gefühl« sich meldet, welches dem Schreiben zur Gestalt verhilft: »Oft dachte ich schon daran, daß es die beste Lebensweise für
mich wäre, mit Schreibzeug und einer Lampe im innersten Raume
eines ausgedehnten, abgesperrten Kellers zu sein … Was ich dann
schreiben würde! Aus welchen Tiefen ich es hervorreißen würde!
Ohne Anstrengung! Denn äußerste Konzentration kennt keine Anstrengung. Nur daß ich es vielleicht nicht lange treiben würde und
beim ersten, vielleicht selbst in solchem Zustand nicht zu vermei-
denden Mißlingen in einen großartigen Wahnsinn ausbrechen
müßte.«
Nur im Schreiben also ist die wahre Wahrheit, die es nirgendwo
sonst geben kann. Denn diese Wahrheit ist so geartet, daß, wer einmal mit ihr gelebt hat, wahnsinnig werden muß, wenn je sie sich
ihm wieder entzieht; und das Leben selbst, die Welt, in welcher
etwa Ehen geschlossen werden, *ist* dieser Entzug. Was sie wohl dazu
meine, die geliebte und betrogene Frau? Rückhaltlos möge sie es
»dem Kellerbewohner« sagen! Aber es bedarf ihrer Mühewaltung
gar nicht. Ein halbes Jahr später, im bereits zitierten Brief vom

22. August 1913, sagt er es selber: Wenn die Wahrheit dessen, was er schreibt, sich danach bestimmt, wie das Geschriebene zum ›Wirklichen‹ sich verhält (und wohl gemerkt, hier schlägt sich das Wahre wieder ganz auf die Seite der Realität) – nun, dann ergebe sich »ein gar nicht zu umfassendes Mißverhältnis«, ein Mißverhältnis, dem er in einem Brief an Max Brod (20. Juli 1922) einen einfachen und genauen Namen gibt: Lüge. Er hatte gerade Storms Erinnerungen gelesen und gibt das Gespräch wieder, das Storm und Mörike einmal über den von beiden bewunderten Heine führten. Da sagte Mörike: »Er ist ein Dichter ganz und gar, aber nit eine Viertelstund' könnt' ich mit ihm leben, wegen der Lüge seines ganzen Wesens.« Und das, schreibt Kafka an Brod, ist »zumindest von einer Seite her eine blendende und noch immer geheimnisvolle Zusammenfassung dessen, was ich vom Schriftsteller denke...«: vom Schriftsteller schlechthin und nicht etwa nur von diesem besonderen Heine, dem Mörike ja nur nachsagt, was »einer landläufigen Ansicht« entspricht.

Wieder also ist die Literatur, die soeben noch der reinsten, alle lügenhaften ›Wirklichkeiten‹ erschütternden Wahrheit diente, selbst die reinste Lüge. Und warum? Weil sie von dem, der sie ausübt, ja der sie *ist,* das Opfer der wirklichen Welt verlangt. Hier also scheint, da die Literatur Lüge ist, die ›Wirklichkeit‹ selbst ganz im Besitz der ›Wahrheit‹ zu sein. Daß Literatur und Realität ihm immer wieder von neuem als unvereinbar erscheinen, darüber kann es nachgerade keinen Zweifel geben; fraglich bleibt nur im raschesten Wechselspiel des Hin und Her, ob die Wahrheit bei dem doch nur manchmal – und dann vielleicht nur auf Grund einer Täuschung – als wahr empfundenen Schreiben ist oder beim ›Wirklichen‹; bei den Worten, die er macht und die sich, was die Wirklichkeit betrifft, so gebärden wie die schwachen Beine des Hungerkünstlers in bezug auf den Boden, auf welchem sie scharren: »als sei es nicht der wirkliche, den wirklichen suchten sie erst« –; ob die Wahrheit also bei den Worten sei oder bei der Welt, die ihm beim Wortemachen abhanden kommt. Der Streit der Interpreten um Kafkas ›Hungerkünstler‹ muß also gerade auf Grund dieser Briefe unentschieden bleiben; denn diese Erzählung ist nicht nur die vollendete Parabel des ›Mißverhältnisses‹ zwischen dem ›inneren‹ Hunger und der im ›Äußeren‹ auffindbaren Nahrung, eben jener verhängten Unstimmigkeit, die allein es vermochte, den Hungerkünstler zum Hungern zu bewegen: hätte er je die Speise gefunden, die ihm schmeckte, dann hätte auch er sich »vollgegessen wie du und alle«; sondern der ›Hungerkünstler‹ ist auch die gewagte und doch mit scheinbarer Leichtigkeit geglückte Form, durch welche Kafka sein Ja und sein Nein *zugleich* ausspricht, sein Ja und Nein zum Hungerkünstler sowohl, der auch dann nichts äße, wenn man ihn nicht bewachte – »die Ehre seiner Kunst verbot dies« –, wie auch zum Panther, dem die Zirkusdirektion den Käfig des schließlich Verhungerten gibt und dessen edler, »bis knapp zum Zerreißen« mit allem Nötigen ausgestatteter Körper der Menge ein Wohlgefallen ist, obgleich es ihr nicht leicht fällt, »der starken Glut aus seinem Rachen ... standzuhalten«.

Es ist, als feierten drei unvereinbare Aphorismen, die in den blauen Oktavheften nebeneinander stehen, im ›Hungerkünstler‹ dennoch ihre rätselhafte Versöhnung: der Satz von der geistigen Welt, neben der es keine andere gibt: »was wir sinnliche Welt nennen, ist das Böse in der geistigen«; und die beiden, die diesem vorangehen: »Man darf niemanden betrügen, auch nicht die Welt um ihren Sieg«, und der schrecklich selbstquälerische und von Kafka so oft mit Übereifer befolgte Imperativ: »Im Kampf zwischen dir und der Welt sekundiere der Welt«. Denn wer »mit dem Appetit gesunder Männer« in der wirklichen Welt existiert, Frau und Kind und Haus hat und mit Ernst sich ernsten Geschäften widmet, der ist *»dans le vrai«*. Kafka liebte dieses Wort Flauberts, der sich wie er, wenn auch weniger ausgeliefert, aus dem ›Fluch‹ der Literatur nach dem ›wirklich‹ Wahren sehnte. Und die Unvereinbarkeiten, welche sich im ›Hungerkünstler‹ zur eben deshalb gedanklich unauslotbaren künstlerischen Einheit zusammenfinden, sind die gleichen, welche die folgenden Briefe zur unfaßlichen Liebesgeschichte machen. Wie Rilke am Ende der Siebenten Duineser Elegie mit ein und derselben Geste den Engel zugleich herbeiruft und abwehrt, so strebt Kafka mit diesen Briefen sowohl die Ehe an und ein Leben »im Leben«, nicht inniger aber als er die asketische Einsamkeit des nichts als schreibenden »Kellerbewohners« will. »Wie könnte ich aber auch«, schreibt er Felice im Brief vom 17. zum 18. März 1913, der von der Weigerung der Sprache handelt, sich dem inneren Zustand zu unterwerfen, »wie könnte ich aber auch, selbst bei noch so fester Hand, alles im Schreiben an Dich erreichen, was ich erreichen will: Dich gleichzeitig von dem Ernst der zwei Bitten überzeugen: ›Behalte mich lieb‹ und ›Hasse mich!‹«. Und in der Nacht vom 12. zum 13. Mai desselben Jahres gesteht er ihr, daß er, als er am Tag vorher sich zur Rückkehr von seinem Berliner Pfingstbesuch anschickte, nur einen Text im Kopf hatte: »Ohne sie kann ich nicht leben und mit ihr auch nicht«.

Kein Wunder, daß er, wo solche Verhältnisse zwischen Innen und Außen obwalten, die Versuchung kennt, im Kampf zwischen sich und der äußeren Welt, der Welt zu sekundieren – häufiger noch als die andere Versuchung, sich ganz in sich selbst zu versenken und dort unter den nach Erlösung von der Welt hungernden Worten selber der Erlösung zu harren. Und wie gut es manchmal der Welt bei Kafkas Sekundieren ging! Unvergleichlich besser, als sie es verdiente! Der Schriftsteller, der wie kein zweiter in seiner Phantasie die Greuel vorwegnahm, auf welche sich die europäische Wirklichkeit mit dem Ersten Weltkrieg vorbereitete, nahm ihn, wie auch diese Briefe wieder beweisen, mit der Selbstverständlichkeit hin, mit welcher ›man‹ sich ins ›Wirkliche‹ schickt, ja mehr noch: sah darin die Chance, sich aus der Pein des ›unwirklichen‹ Krieges, der in seinem Gehirn und Herzen geführt wurde, in den ›wahren‹ zu flüchten: »Die nächste Aufgabe ist unbedingt: Soldat werden«, notiert er am 27. August 1916 im Tagebuch. Diese Aufgabe zu leisten, machte Kafka einige Anstrengungen (wenn auch wohl auf die Art, auf welche er so manche andere Anstrengungen machte: im Bewußtsein, daß sie erfolglos sein werden). Schon vorher hatte er die äußerst mangelhafte und äußerst zerbrechliche ›Realität‹ des späten Österreich-Ungarn wie jeder kaisertreue Bürger der Monarchie hingenommen und bejaht und fand sich in der apokalyptischen Laune, »für alles den Rückzug zu predigen« (an Felice, 27. Oktober 1912), als die Balkanpolitik sich zuungunsten des Habsburger Reiches wendete. Freilich mochte er die patriotischen Umzüge bei Ausbruch des Krieges nicht: sie seien, vermerkte er im Tagebuch, eine der widerlichsten Begleiterscheinungen des Krieges, und wurde auf fast Karl Kraus'- sche Art antisemitisch, indem er die »einmal deutsch, einmal tschechisch« sich gebenden jüdischen Handelsleute für die Widerlichkeit verantwortlich machte. Seine negativen Gefühle gegenüber dem Krieg aber legte er sich selber und nicht dem Ereignis zur Last. Ein »leeres Gefäß« nannte er sich und doch »voll Lüge, Haß und Neid«; nichts als Schlimmes entdeckte er in sich, nämlich »Kleinlichkeit, Entschlußunfähigkeit, Neid und Haß gegen die Kämpfenden«, denen er »mit Leidenschaft alles Böse« wünschte. Später aber, am 5. April 1915, als Felice ihn offenbar fragte, ob er durch den Krieg leide, antwortete er, daß man, was man »durch den Krieg an sich erfährt, im wesentlichen noch gar nicht wissen« könne. Wenn er aber daran leide, so »meistens dadurch«, daß er »nicht selbst« dort sei. Und zwei Monate später, am 6. Mai 1915, sagte er, daß es ein Glück für ihn wäre, Soldat zu werden. Sehr bald käme er zur Musterung, und da solle Felice wünschen, daß er »genommen« werde, so wie er selbst es will.

Meint man es ernst mit der Bedeutung, die man Kafka für das Verständnis der Epoche beimißt, so stelle man sich eine Weile taub gegen die lauten, gelehrten, klaren, bis in die tiefsten Tiefen der Oberflächlichkeit einleuchtenden Analysen, welche die Ursache unserer Kriege in Kolonialismus, Klassenkampf und Geschichtsdialektik finden, und höre einen Augenblick lang auf die leise Stimme, mit der ein ob seiner Weltentfremdung an sich selbst verzweifelnder Geist für eine Welt optiert, die, geistverlassen wie sie ist, nicht anders kann, als sich selbst zu zerstören. Am 20. September 1912 schrieb Kafka seinen ersten Brief an Felice, zu der er, ob er es wußte oder nicht, vor dem Zudrang seiner ›Unwirklichkeit‹ sich zu flüchten versuchte. Drei Monate später aber, in der Sylvesternacht desselben Jahres, ahnte er bereits den unseligen Ausgang des Versuchs, schrieb ihr den erstaunlichen Brief, der von A bis Z ›Literatur‹ ist, ›wahre‹ Literatur (und zwar weit über das Maß hinaus, nach welchem alles Gutgeschriebene als Literatur gelten mag), verlangte von ihr die Antwort auf eine Frage, die keine Frage war, sondern er selbst in seinem äußerst problematischen Verhältnis zu ihr wie zu aller ›Wirklichkeit‹: Überdeutlich, sagte er, habe er die Frage gestellt, weil auch die Antwort überdeutlich und »von allen Seiten, also auch von der Seite der Wirklichkeit unabhängig« sein soll (»überdeutlich bis zur Unwirklichkeit« – welch treffende Charakterisierung seines eigenen Werks!), und schloß mit dem Verlangen, sie »näher, näher, näher« an sich zu ziehen, wobei es ihn überfiel, daß dies ein unmögliches Verlangen sein mochte, weil er und sie in anderen Welten lebten, er in seiner – wie er glaubte – ›Nicht-Welt‹ und sie – nun ja, sie in Berlin. »Wo bist Du denn jetzt?« fragte er, und »Aus welcher Gesellschaft hebe ich Dich heraus?« – ›Oben‹ an der Oberfläche meinte er nur eine Berliner Sylvestergesellschaft, aber wie er da aufschreckte aus der hemmungslosen Versunkenheit dieses Briefes, wußte er wohl, wie verderblich viel er damit sagte: nicht, aus *welcher* Gesellschaft, sondern eben aus der Gesellschaft der Menschen schlechthin.

»Überdeutlich bis zur Unwirklichkeit« – man lese den Brief vom 28. November 1912, in welchem er ihr dreiundeinhalb Monate nach dem Ereignis den Abend des 13. August schildert, da er ihr zum ersten Mal begegnete. Das Zeugnis einer Liebe auf den ersten Blick? Des durch eben diese Liebe ungemein geschärften Blicks? Der Gedächtnistreue einer plötzlich einsetzenden Leidenschaft? Mag sein; aber doch auch ein Dokument jenes literarischen Realismus, dem sich manchmal die Bezeichnung »magisch« zugesellt, und zwar eines jener Zeugnisse, die in ihrer geradezu hektischen Pedanterie Kunde geben von der Angst der immer mehr auf sich selbst gestellten Imagination, es könne ihr am Ende die ›Wirklichkeit‹ ganz entgleiten, wenn sie auch nur deren kleinstes Detail unbewacht ließe. In solchen ›realistischen‹ Beschreibungen ist nichts von der Gelassenheit des Gemüts, mit welcher Homer etwa den Schild des Achilles beschreibt, wohl wissend, daß sicherer Verlaß ist auf die Realität des Schilds sowohl wie der Sprache, die ihn darstellt; sondern da scheint jedes Wort denjenigen, der es setzt, vergewissern zu sollen, daß dieses ›Wirkliche‹ für den inneren Sinn auch noch gilt und ›in Betracht kommt‹. Baudelaire schon bemerkte an Balzacs Romanen, wie unsagbar langweilig diese wären, wären seine auf jede Kleinigkeit erpichten Bestandsaufnahmen nicht in Wahrheit Pläne für Napoleonische Kriege, in welchen die Phantasie die Realität, die ganz und gar zu verlieren sie fürchten muß, von neuem erobern und befestigen will.

Ein »leeres Gesicht, das seine Leere offen trug«, so beschreibt Kafkas Tagebuch Felice nach der ersten Begegnung; leer: also ist da so viel Platz wie auf einer leeren Seite für die Ausbreitung der Einbildungskraft. Und diese beginnt auch sogleich zu lieben; und im Nu brausen in Prag losgelassene Wortstürme der Liebe um das geliebte leere Gesicht in Berlin; und was am 20. September 1912, fünf Wochen nach dem ersten und zunächst einzigen, flüchtigen Zusammentreffen im Kreise anderer Leute, mit »Sehr geehrtes Fräulein!« beginnt – chronologisch gesehen, als Auftakt jenes *literarischen* Rauschzustands, der zwei Tage später in achtstündiger Nachtarbeit ›Das Urteil‹ hervorbringt, wo F. B., der die Geschichte gewidmet ist, ihre Initialen der ebenso ›leeren‹ Frieda Brandenfeld gibt, so wie sie sie im ›Prozeß‹ an das Fräulein Bürstner abtritt, und mit dem einen Anfangsbuchstaben, aus welchem sich ja gleich zu Beginn ›Frieda‹ bildete, auch noch an der Frieda des ›Schloß‹-Romans beteiligt ist; – was also mit »Sehr geehrtes Fräulein!« beginnt, steigert sich allein an der Phantasie und am geschriebenen Wort über »Liebes Fräulein Felice!« und »Liebstes Fräulein!« zum ekstatischen »Du« des Briefes vom 14. November 1912, der mit »Liebste« anhebt. Und diese Umarmung in der Phantasie und auf dem Papier strebt doch keineswegs der weihnachtlichen Zusammenkunft in der Berliner Außenwelt zu, welche Felice anregt und die Kafka mit der Begründung ausschlägt, daß er die kärglichen Ferientage zum Schreiben benützen müsse. Das tut er auch; was er aber vor allem schreibt, sind Briefe an sie.

So setzt die jahrelange Pein und Plage des Kampfes ein: nein, nicht um diese Frau, die er zu jeder beliebigen Stunde ›heimführen‹ könnte, wenn er wahrhaft ein Heim wollte in der Welt, sondern der Kampf um die ›Wirklichkeit‹ von Welt, Ehe und Heim. Es ist rührend und bestürzend zugleich, mit welch berechnender Hilflosigkeit seine gewandten Worte um ihre ›Realität‹ werben: um das bißchen Realität, dessen er durch ihre Briefe habhaft wird, dieser seinem Zustand so angemessenen Schwebe-Realität zwischen ›Wirklichkeit‹ und ›Literatur‹; und allgegenwärtig ist die Briefversuchung zum Dichten, zum bald komischen, bald tottraurigen ›Mythologisieren‹. Schon werden die ›wirklichen‹ Schmerzen, mit denen er auf ihre Briefe wartet, zur Inspiration, eine reizende Komödienszene zu schreiben: diejenige, in welcher aufs komischste seine drei *postillons d'amour* agieren, die Bürodiener Mergl, Wottawa und Fräulein Böhm, die er zu raschesten Überbringern der aus Berlin für ihn ankommenden Nachrichten abgerichtet hat. Oder er drängt Felice immer wieder, ihm aufs genaueste den Verlauf ihrer Tage zu beschreiben; und sofort wird diese oder jene Trivialität – das nächtliche Signal etwa, mit welchem sie der Mutter ihre Heimkehr ankündigt – zum mythischen Moment. Oder er fleht sie um Photographien an, und mehr und mehr Photographien, dieses Papiergeld sich stündlich entwertender Wirklichkeiten; und kaum hält er sie in Händen, verliert er sich auch schon im Anblick dieser Abklatsch-Realität, die, wie das Gesicht in seiner äußeren Leere, dem inneren Blick erlaubt, in die Tiefen der Phantasie hinabzusteigen und doch sich dabei vorzugaukeln, daß er der so ›realistisch‹ abgebildeten Wirklichkeit zugekehrt bleibt, und zwar mit einer Angelegentlichkeit, als wären die mechanischen Konterfeis allesamt verschleierte Bildnisse von Sais und es gälte, ihnen das Geheimnis der Weltgründung zu entreißen. Oder es geht um die immer bedrohlicher heranrückende Realität der ehelichen Wohnung und Wohnungseinrichtung; und schon verwandelt sich das üppige Möbelzeug, das Felice anschafft, zur Drachenbrut, die dem Ritter den Weg zur Geliebten verstellt. Oder er widmet sich ganz den Realien ihres Berufs: die Firma, bei der sie Sekretärin ist, bringt Parlographen auf den Markt; und da tönt es auch schon wie Gebrauchsliebeslyrik von den Briefseiten, auf welchen er sich passioniert über die Förderung des Parlographengeschäfts ausläßt und ihr auf Parlographen-Absatzsteigerung bedachte Vorschläge macht, die so manche Künste der modernen Reklame vorwegnehmen. Und immer läuft alles auf dasselbe hinaus: auf vollkommenes literarisches Gelingen und vollkommene reale Vergeblichkeit.

Nur einmal geht es für eine Weile ›wirklicher‹ zu in diesen Briefen: nach dem gemeinsamen Marienbader Aufenthalt im Sommer 1916. Damals half sie im jüngst gegründeten Jüdischen Volksheim in Berlin bei der Betreuung ostjüdischer Flüchtlinge und Flüchtlingskinder, und er war ganz ausgefüllt von ihren pädagogischen Problemen, ermunterte und beriet sie, empfahl Lektüre für sie und ihre Schützlinge, schickte Bücher und dachte umsichtig und vorsorglich ans ›Wirkliche‹. Der erste Kontakt – auf dem Umweg freilich über ihre Tätigkeit – mit einer ›realen‹, ja gesellschaftlich-nationalen Bemühung, die er als sinnvoll zu empfinden vermochte, beruhigte ihn eine Zeitlang, obgleich er im Brief vom 12. September 1916 sagte, bei einer Prüfung würde es sich wohl herausstellen, daß er kein Zionist sei. Dies aber hatte seinen Grund wahrscheinlich darin, daß er gerade das, was er am Judentum am höchsten schätzte – eine bestimmte geistig-religiöse, eine sozusagen *positiv* ›unreale‹ Qualität der *Ost*juden –, von der ›Normalisierung‹ der Nation im Nationalstaat bedroht sah. Sei dem wie immer, kurz bemessen war diese Zeit von Kafkas und Felices Gemeinsamkeit im ›Wirklichen‹. Mit verstärkter Intensität setzten die Unstimmigkeiten wieder ein, und bald nach der dennoch beschlossenen zweiten Verlobung im Juli 1917 erlitt Kafka den Blutsturz, der die Krankheit ankündigte, von welcher er, wie er wußte, nicht mehr genesen sollte. Denn diese Krankheit war, wie er im Brief vom 1. Oktober 1917 schrieb, eben nicht ›wirklich‹ Tuberkulose, sondern sein »allgemeiner Bankrott«; und das Blut kam nicht einfach aus der kranken Lunge, sondern »aus einem entscheidenden Stich« des einen der beiden Kämpfer in seiner Brust.

Des einen der beiden Kämpfer ... Welches? Wohl des ›wirklichen‹, denn Kafka ist wirklich an dieser Wunde gestorben. Dennoch wäre es voreilig, zu sagen, daß sich das ›Wirkliche‹ also am Ende als wirklicher erwies als die Literatur – oder das, dem wir nach Kafkas Beispiel den bescheidenen Namen ›Literatur‹ geben. In Wahrheit aber war eben die Literatur für ihn trotz aller teuflischen Verdächtigungen, die er unermüdlich gegen sie vorbrachte, nichts als die Vollgestalt jener Seite unserer Wirklichkeit, der sich noch immer nachsagen läßt, sie habe Sinn oder erlaube doch wenigstens dem Sinn, hindurchzuschimmern durch die darüber lagernden Sinnlosigkeiten, so wie auf einem Palimpsest die Urschrift vom Grunde da und dort noch ein wenig sichtbar werden mag. Ja, Kafka hat so unrecht nicht, wenn er Felice sagt, er sei nichts anderes als Literatur. Denn bis zur Undeutbarkeit sinnvoll, also ›seiend‹ ist fast alles, was er schreibt: sind zum Beispiel seine Liebesbriefe. In diesem Sinn *sind* sie wie er selbst ›Literatur‹. Es haftet ihnen nichts, gar nichts, von dem Launenhaften, Kapriziösen, ›Privaten‹ an, das die Mitteilung so mancher anderen intimen Korrespondenzen peinlich und ›verboten‹ macht. Sie haben mit den Gesängen der Minnesänger das gemeinsam, daß die Besungene nicht ›wirklich‹ gefreit wird.

In diesem unserem zwanzigsten Jahrhundert wäre es ja gewiß verwegen zu hoffen, daß die Veröffentlichung dieser Briefe viele Leser eher zum Studium des Minnesangs als zum Aufsagen längst auswendig gelernter Freud'scher Theoreme bewegen wird. Ja, es ist sogar zu fürchten, daß der alte Kafka, dem Franz selber schon einiges Unrecht tat, seine einst so ›wirkliche‹ Persönlichkeit ganz und gar an die ›Idee‹ des schlechthinigen Über-Ich verlieren und zum Prager Altstadt-Schatten des königlichen Ödipus-Vaters Laios werden wird, sobald sich herumspricht, daß der Sohn am 30. August 1913 an Felice schrieb, es seien nicht »Tatsachen«, die ihn hindern, sie und sich selbst glücklich zu machen, sondern »eine unüberwindliche Furcht, eine Furcht davor, glücklich zu werden, eine Lust und ein Befehl, mich zu quälen für einen höheren Zweck.« Mit gestrecktem Zeigefinger wird man ›Impotenz‹! rufen, wenn man im Brief vom 10. Juli 1913 liest, daß ihm »die Angst vor der Verbin-

33

dung selbst mit dem geliebtesten Menschen, und gerade mit ihm«, verbiete, die Ehe mit ihr zu schließen. Und wird viel besser als der Briefschreiber selber wissen, was der Ursprung dieser »nicht zu beschwichtigenden Angst« sei; denn ›unaufgeklärt‹ wie er ist, empfindet er selber diese Angst, als wäre sie »förmlich ein Befehl des Himmels«.

Förmlich ein Befehl des Himmels: *so* zu empfinden in einer Welt, die durch ihre Besserwisser *so* besser Bescheid weiß – wie, rechtfertigte das nicht ein wenig das Unglück dieser Liebe? Und ein ganz klein wenig vielleicht sogar das Unglück, das Kafka über Felice brachte, die, wie er sagte, mit ihm »unter die Räder dieses Wagens« kam? Wäre er statt im Prag des ausgehenden neunzehnten Jahrhunderts in der Provence des elften zur Welt gekommen, er wäre vielleicht ein Herzog von Aquitanien gewesen, einer der ersten, die eine Sprache des Liebens sprachen und sangen, in welcher *trûren* und *wân,* die vertrauensselige Erwartung überirdischer, aber darum nicht unwirklicher Seligkeit über jegliche Erfüllung der Liebe ist, und in welcher das Gesicht der Geliebten so leer bleibt und ihr Leib so ›unwirklich‹, weil ein Licht darauf fällt – vielleicht dasselbe, das, wie es im selben Brief heißt, alles »so klar« macht, »daß ich es verdecken möchte, denn es blendet mich!« In diesem Sinn sind diese Briefe doch das Werk eines bislang unbekannten Minnesängers. Liebesbriefe? Am 12. Februar 1922 schrieb Franz Kafka in sein Tagebuch, er habe nie in sich selber das Wort »Ich liebe dich« erfahren. Erfahren habe er »nur die wartende Stille…, welche von meinem ›Ich liebe dich‹ hätte unterbrochen werden sollen, nur das habe ich erfahren, sonst nichts«. Es ist der müde Minnesang eines religiösen Dichters, dem, weil kein Gott ist, auch die Liebe sich versagt, oder dessen Liebe sich so unaufhaltsam in die leeren oberen Räume versteigt, daß sie das irdische Rendezvous mit der Geliebten so versäumt wie Kafka in den erstaunlich präzisen Phantasien seines Briefes aus der Sylvesternacht 1912 die imaginäre Frankfurter Theaterverabredung mit Felice.

Erich Heller

ZU DIESER AUSGABE

Im Jahre 1955 erwarb der Schocken Verlag von Felice Bauer die an sie gerichteten Briefe Franz Kafkas. Außerdem überließ sie dem Verlag den in ihrem Besitz befindlichen Teil der Briefe Kafkas an ihre Freundin Grete Bloch. Dieser Teil der Korrespondenz – etwa die Hälfte der hier veröffentlichten Briefe Franz Kafkas an Grete Bloch – wurde ihr von der Adressatin übergeben, als diese 1935 aus Deutschland emigrierte. Die übrigen an Grete Bloch gerichteten Briefe Kafkas deponierte die Adressatin während eines späteren Aufenthalts in Florenz bei ihrem Rechtsanwalt. Der wiederum stellte nach ihrem Tod Photokopien dieser Briefe Max Brod zur Verfügung, durch dessen Vermittlung schließlich auch dieser Teil der Korrespondenz in den Besitz des Schocken Verlags gelangte.

Die Herausgeber beschlossen, sowohl die Briefe Kafkas an Grete Bloch wie auch die aus Kafkas Familien- und Freundeskreis stammende, die Verlobung betreffende und von Felice aufbewahrte Korrespondenz chronologisch in diese Ausgabe einzuordnen; sie gehören zu der Geschichte dieser Beziehung und tragen dazu bei, ein getreues Bild von der damaligen Situation Kafkas zu vermitteln. Über Felice Bauer und Grete Bloch geben biographische Skizzen, über die anderen in der Korrespondenz genannten Personen Anmerkungen auf den entsprechenden Seiten Auskunft.

Alle Briefe Kafkas an Felice Bauer und Grete Bloch, deren Originale oder Kopien sich im Besitz des Schocken Verlags befinden, wurden in diese Ausgabe aufgenommen und ungekürzt wiedergegeben. Kafkas Abweichungen vom hochdeutschen Sprachgebrauch blieben unverändert. Berichtigt wurden nur gelegentliche orthographische und grammatikalische Flüchtigkeiten, und Irrtümer in der Schreibung von Buchtiteln, Zeitschriftentiteln und Eigennamen. Interpunktionsfehler wurden dort korrigiert, wo es zum leichteren Verständnis des Textes notwendig schien.

Sämtliche Briefe lagen den Herausgebern im Original vor. Die meisten Briefe sind in Kafkas leicht leserlicher Handschrift geschrieben, die übrigen mit der Maschine. Daß nicht alle Briefe Kafkas an Felice Bauer erhalten sind, geht aus der Korrespondenz selbst hervor: Rückverweise des Schreibers lassen erkennen, daß eine – wahrscheinlich geringe – Anzahl von Briefen und Postkarten fehlt. Zum Unterschied von den völlig unversehrten Briefen Kafkas an Felice Bauer waren zwölf seiner Briefe an Grete Bloch auf sonderbare Art zerschnitten; mit einer einzigen Ausnahme (S. 540) ist es jedoch gelungen, die Briefe, deren Teile sich in manchen Fällen jahrelang an zwei verschiedenen Orten befanden – der eine Teil bei Felice Bauer, der andere bei Grete Blochs Anwalt –, wieder zusammenzufügen.

Die Briefe, die Felice an Kafka schrieb, sind offenbar verlorengegangen.

Manche Briefe hat Kafka überhaupt nicht oder, wie der Zusammenhang zeigt, unrichtig datiert. In solchen Fällen wurde versucht, das richtige Datum zu erschließen. Es steht – wie jeder andere Zusatz der Herausgeber – in eckigen Klammern. Ob die Datierung ausnahmslos gelang, ist ungewiß. Ganz leicht war sie nur in den wenigen Fällen, wo der Brief noch in seinem Umschlag war und dieser einen klar leserlichen Poststempel aufwies. Auf welche Erwägungen sich andere Datierungen und Umdatierungen stützen, mögen die beiden folgenden Beispiele zeigen:

1) In dem Brief, der von Kafkas Datum ›7. III. 14‹ auf 7. April 1914 umdatiert wurde, kündigt er seinen Oster-Besuch in Berlin an. Dabei sagt er genau, wann sein Zug eintrifft und bittet Felice, ihn an der Bahn zu erwarten. Die Reise stand also unmittelbar bevor. Ostern aber fiel im Jahre 1914 erst auf den 12. *April*. Außerdem bezieht er sich in diesem Brief auf ein Telegramm, dessen Text er im Brief vom 3. *April* wörtlich wiedergegeben hatte. Überdies ist auch noch ein Briefumschlag mit dem Poststempel 7. IV. 14 erhalten, dagegen kein Brief, dessen Datierung diesem Poststempel entspräche.

2) In dem Brief, der von Kafkas Datum ›3. III. 14‹ auf 3. März 1915 umdatiert wurde, erwähnt er, daß er sein Zimmer in der Bilekgasse gekündigt habe. In seinem Tagebuch aber ist unter dem Datum 1. März *1915* zu lesen: »Mit großer Mühe nach wochenlanger Vorbereitung und Angst gekündigt...«. Außerdem schreibt er im fraglichen Brief: »Wenn der Krieg nur halbwegs milde vorübergegangen sein wird...«, was sich zweifellos auf den ersten Weltkrieg bezieht.

In den Anmerkungen wurden die Werke Kafkas nach der von Max Brod edierten Gesamtausgabe bei S. Fischer (deutsche Lizenzausgabe von Schocken Books, New York) zitiert.

Gedankt sei an dieser Stelle allen, die durch ihre Hilfe zu der vorliegenden Edition beigetragen haben: Jochanan Bloch, Christine und Vera Born, Max Brod, Josef Čermák, Eduard Goldstücker, Ernst und Maria Heinitz, Gustav Janouch, Eugen Mondt, Paul Raabe, Johannes Urzidil, Wolfgang A. Schocken, Klaus Wagenbach, Felix Weltsch † und Robert Weltsch.

Besonderen Dank für wertvolle Hilfe schulden wir Knut Beck, Joachim Beug, Kurt Krolop, Josef Purkhart, Meno Spann, Marianne Spiegel und Ernst-Peter Wieckenberg, die uns immer wieder unter beträchtlichen Zeitopfern zur Seite standen. Felicens Sohn und ihrer Schwester Erna verdanken wir manchen wichtigen Hinweis, den uns niemand außer ihnen hätte geben können.

Dank für die Förderung der im Zusammenhang mit dieser Ausgabe notwendigen Forschungsarbeiten gebührt der Danforth Foundation und der American Philosophical Society. Beim Nachweis des zum Teil schwer auffindbaren Materials haben das Deutsche Literatur-Archiv in Marbach, die Österreichische Nationalbibliothek und die Tschechoslowakische Akademie der Wissenschaften stets bereitwillig geholfen; das gleiche gilt auch für die Bibliotheken der Marquette University, der Northwestern University und der University of Massachusetts, denen ebenfalls herzlich gedankt sei.

August 1967   E. H.   J. B.

BRIEFE

FELICE BAUER *wurde am 18. November 1887 in Neustadt/Oberschlesien geboren. Sie hatte vier Geschwister, Elisabeth (›Else‹), Erna, Antonie (›Toni‹) und Ferdinand (›Ferry‹). Erna erscheint in Kafkas Tagebüchern unter der Abkürzung E. besonders häufig im zweiten Halbjahr 1914, also nach der Lösung des Verlöbnisses mit Felice. Ihr Vater, ein gebürtiger Wiener, hatte die Tochter eines in Neustadt ansässigen Färbers geheiratet. 1899 – Felice war zwölf Jahre alt – übersiedelte die Familie aus der oberschlesischen Kleinstadt nach Berlin, wo der Vater als Agent einer ausländischen Versicherungsfirma zu arbeiten begann. Sechs Jahre lang, von 1904 bis 1910, lebten die Eltern Bauer getrennt, und Felice wollte ihrer alleinstehenden Mutter beim Unterhalt der Familie helfen. Daher begann sie nach Abschluß ihrer Schulausbildung 1908 als Stenotypistin bei der Schallplattenfirma Odeon zu arbeiten; 1909 wechselte sie zur Firma Carl Lindström A. G., die Diktiergeräte und Parlographen herstellte. Dort avancierte sie innerhalb weniger Jahre zur Prokuristin.*

Bis März 1913 wohnten die Bauers in der Immanuelkirchstraße, einer stillen, aber nicht sonderlich ansprechenden Straße im Osten Berlins. Dann übersiedelten sie in die Wilmersdorfer Straße, die damals zu den eleganteren Wohngegenden des Berliner Westens gehörte. Im November 1914 starb Felicens Vater.

Im September 1916 meldete sich Felice auf Anregung Kafkas zur freiwilligen Mitarbeit im Jüdischen Volksheim Berlin, einem Zentrum jüdischer Volksarbeit, das im Mai desselben Jahres in einem vorwiegend von ostjüdischen Kriegsflüchtlingen und Einwanderern bewohnten Viertel Berlins in der Nähe des Alexanderplatzes gegründet worden war. Zu seinen Förderern gehörten Max Brod, Martin Buber und Gustav Landauer. Aufgabe des Heims war die nationale und religiöse Erziehung von Kindern und Jugendlichen aus jenen zum Teil in äußerst dürftigen Verhältnissen lebenden Familien. Zu den Erziehern, den sogenannten ›Helfern‹ des Heims, gehörten Studenten, junge Kaufleute und Frauen der jüdischen Kultusgemeinde. Sie kleideten sich, obgleich viele von ihnen aus wohlhabenden Kreisen des Berliner Westens kamen, betont einfach, um ihre Schüler die sozialen Unterschiede nicht spüren zu lassen.

Felice, die sich in ihren dienstfreien Stunden dieser sozialen Arbeit widmete, wurde von den anderen Helferinnen des Heims sehr geschätzt. Bei den Jugendlichen – sie unterrichtete eine Mädchenklasse – war sie beliebt. Franz Kafka beriet sie von Prag aus in ihrer neuen Tätigkeit: er empfahl und besorgte pädagogische Literatur für ihren eigenen Gebrauch und Lesetexte für ihre Schülerinnen. Überhaupt verfolgte er die Arbeit des Heims mit großer Aufmerksamkeit.

Die Zeugnisse und Berichte über Felice Bauer betonen alle ihre Tüchtigkeit und ihren praktischen Sinn, Eigenschaften, die Kafka selbst, wie er wähnte, völlig abgingen und die er sein Lebtag an anderen sehr und oft unmäßig bewunderte – so auch an Felice und später an Grete Bloch, die in seiner Beziehung zu Felice eine so wichtige Rolle spielen sollte. Felice scheint ein lebensbejahender, wenig komplizierter Mensch gewesen zu sein. Kafka bezeichnet sie einmal als ein »lustiges, gesundes, selbstsicheres Mädchen«. Sie liebte schöne Kleider und reiste gern, war aber bereit, auf vieles zu verzichten, wenn es galt, ihrer Familie zu helfen. Ihr Geschmack für Literatur, Kunst und Wohnungen entsprach dem der bürgerlichen Schichten jener Zeit. Für die literarischen Arbeiten Kafkas hatte sie offenbar wenig Sinn.

Im März 1919, ein und ein viertel Jahr nach der endgültigen Trennung von Kafka, heiratete Felice einen wohlhabenden Berliner Geschäftsmann. Dieser Ehe entstammten zwei Kinder, ein Sohn und eine Tochter. Von der Geburt der Kinder hat Kafka noch erfahren, wie aus Briefen an Milena und Max Brod hervorgeht. Im Jahr 1931 übersiedelte Felice mit ihrer Familie in die Schweiz und 1936 in die Vereinigten Staaten. Dort starb sie am 15. Oktober 1960.

[Briefkopf der Arbeiter-Unfall-Versicherungs-Anstalt]

Prag, am 20. September 1912

Sehr geehrtes Fräulein!

Für den leicht möglichen Fall, daß Sie sich meiner auch im geringsten nicht mehr erinnern könnten, stelle ich mich noch einmal vor:
Ich heiße Franz Kafka und bin der Mensch, der Sie zum erstenmal
am Abend beim Herrn Direktor Brod[1] in Prag begrüßte, Ihnen dann
über den Tisch hin Photographien von einer Thaliareise[2], eine nach
der andern, reichte und der schließlich in dieser Hand, mit der er
jetzt die Tasten schlägt, ihre Hand hielt, mit der Sie das Versprechen
bekräftigten, im nächsten Jahr eine Palästinareise mit ihm machen
zu wollen.

Wenn Sie nun diese Reise noch immer machen wollen – Sie sagten
damals, Sie wären nicht wankelmüthig und ich bemerkte auch an
Ihnen nichts dergleichen –, dann wird es nicht nur gut, sondern unbedingt notwendig sein, daß wir schon von jetzt ab über diese Reise
uns zu verständigen suchen. Denn wir werden unsere gar für eine
Palästinareise viel zu kleine Urlaubszeit bis auf den Grund ausnützen
müssen und das werden wir nur können, wenn wir uns so gut als
möglich vorbereitet haben und über alle Vorbereitungen einig sind.
Eines muß ich nur eingestehen, so schlecht es an sich klingt und so
schlecht es überdies zum Vorigen paßt: Ich bin ein unpünktlicher
Briefschreiber. Ja es wäre noch ärger, als es ist, wenn ich nicht die
Schreibmaschine hätte; denn wenn auch einmal meine Launen zu
einem Brief nicht hinreichen sollten, so sind schließlich die Fingerspitzen zum Schreiben immer noch da. Zum Lohn dafür erwarte ich
aber auch niemals, daß Briefe pünklich kommen; selbst wenn ich
einen Brief mit täglich neuer Spannung erwarte, bin ich niemals ent-

---

[1] Max Brods Vater, Adolf Brod, war Direktor der Union-Bank in Prag. Die
Eltern Brods wohnten damals mit ihren Söhnen Max und Otto in der Schalengasse (Skořepka) 1; die Tochter Sophie war mit dem in Deutschland
lebenden Kaufmann Max Friedmann verheiratet, einem Vetter Felice Bauers.
[2] Vermutlich die Reise nach Weimar, welche Kafka im Sommer 1912 mit
Max Brod unternahm und ihrer ›musischen Sehenswürdigkeiten‹ wegen
wohl als »Thaliareise« bezeichnete. Vgl. *Tagebücher* (29. Juni 1912), S. 653 ff.

täuscht, wenn er nicht kommt und kommt er schließlich, erschrecke ich gern. Ich merke beim neuen Einlegen des Papiers, daß ich mich vielleicht viel schwieriger gemacht habe, als ich bin. Es würde mir ganz recht geschehn, wenn ich diesen Fehler gemacht haben sollte, denn warum schreibe ich auch diesen Brief nach der sechsten Bürostunde und auf einer Schreibmaschine, an die ich nicht sehr gewöhnt bin.

Aber trotzdem, trotzdem – es ist der einzige Nachteil des Schreibmaschinenschreibens, daß man sich so verläuft – wenn es auch dagegen Bedenken geben sollte, praktische Bedenken meine ich, mich auf eine Reise als Reisebegleiter, -führer, -Ballast, -Tyrann, und was sich noch aus mir entwickeln könnte, mitzunehmen, gegen mich als Korrespondenten – und darauf käme es ja vorläufig nur an – dürfte nichts Entscheidendes von vornherein einzuwenden sein und Sie könnten es wohl mit mir versuchen.

Ihr herzlich ergebener   Dr. Franz Kafka
Prag, Pořič 7

[Briefkopf der Arbeiter-Unfall-Versicherungs-Anstalt]

Prag, 28. IX. 12

Verehrtes Fräulein, entschuldigen Sie, daß ich nicht auf der Schreibmaschine schreibe, aber ich habe Ihnen so entsetzlich viel zu schreiben, die Schreibmaschine steht drüben im Korridor, außerdem scheint mir dieser Brief so dringend, auch haben wir heute in Böhmen Feiertag[1] (was übrigens nicht mehr so streng zu obiger Entschuldigung gehört), die Schreibmaschine schreibt mir auch nicht genug schnell, schönes Wetter ist auch, warm, das Fenster ist offen (meine Fenster sind aber immer offen), ich kam, was schon lange nicht geschehn ist, ein wenig singend ins Bureau und wenn ich nicht gekommen wäre, um Ihren Brief abzuholen, ich wüßte wirklich nicht, warum ich heute an einem Feiertag ins Bureau hätte kommen sollen.
Wie ich zu Ihrer Adresse komme? Danach fragen Sie ja nicht, wenn Sie danach fragen. Ich habe mir eben Ihre Adresse ausgebettelt. Zuerst bekam ich irgend eine Aktiengesellschaft genannt, aber das hat

---

[1] Wenzelstag, Tag des Schutzheiligen Böhmens.

mir nicht gefallen. Dann bekam ich Ihre Wohnungsadresse ohne Nr. und dann die Nr. dazu. Jetzt war ich zufrieden und schrieb erst recht nicht, denn ich hielt die Adresse schon immerhin für etwas, außerdem fürchtete ich, daß die Adresse falsch wäre, denn wer war Immanuel Kirch? Und nichts ist trauriger, als ein Brief an eine unsichere Adresse zu schicken, das ist ja dann kein Brief, das ist mehr ein Seufzer. Als ich dann wußte, daß in Ihrer Gasse eine Imm.-Kirche steht, war wieder eine Zeitlang gut. Nun hätte ich zu Ihrer Adresse gern noch die Bezeichnung einer Himmelsrichtung gehabt, weil das doch bei Berliner Adressen immer so ist. Ich für meinen Teil hätte Sie gern in den Norden verlegt, trotzdem das, wie ich glaube, eine arme Gegend ist.

Aber abgesehen von diesen Adressensorgen (man weiß ja in Prag gar nicht bestimmt, ob Sie in Nr. 20 oder 30 wohnen), was hat mein Jammerbrief alles leiden müssen, ehe er geschrieben wurde. Jetzt da die Tür zwischen uns sich zu rühren anfängt oder wir wenigstens die Klinke in der Hand halten, kann ich es doch sagen, wenn ich es nicht sogar sagen muß. Was für Launen halten mich, Fräulein! Ein Regen von Nervositäten geht ununterbrochen auf mich herunter. Was ich jetzt will, will ich nächstens nicht. Wenn ich auf der Stiege oben bin, weiß ich noch immer nicht, in welchem Zustand ich sein werde, wenn ich in die Wohnung trete. Ich muß Unsicherheiten in mir aufhäufen, ehe sie eine kleine Sicherheit oder ein Brief werden. Wie oft! – um nicht zu übertreiben, sage ich an 10 Abenden – habe ich mir vor dem Einschlafen jenen ersten Brief zusammengestellt. Nun ist es eines meiner Leiden, daß ich nichts, was ich vorher ordentlich zusammengestellt habe, später in einem Flusse niederschreiben kann. Mein Gedächtnis ist ja sehr schlecht, aber selbst das beste Gedächtnis könnte mir nicht zum genauen Niederschreiben eines auch nur kleinen vorher ausgedachten und bloß gemerkten Abschnittes helfen, denn innerhalb jedes Satzes gibt es Übergänge, die vor der Niederschrift in Schwebe bleiben müssen. Setze ich mich dann, um den gemerkten Satz zu schreiben, sehe ich nur Brocken, die da liegen, sehe weder zwischen ihnen durch, noch über sie hinweg und hätte nur die Feder wegzuwerfen, wenn das meiner Lauheit entsprechen würde. Trotzdem aber überlegte ich jenen Brief, denn ich war ja gar nicht entschlossen, ihn zu schreiben, und solche Überlegungen sind eben auch das beste Mittel, mich vom Schreiben abzuhalten. Einmal, erinnere ich mich, stand ich sogar aus dem Bett auf, um das, was ich für Sie überlegt hatte, aufzuschreiben. Aber ich stieg doch wieder gleich zurück ins Bett, weil ich mir – das ist ein zweites meiner Leiden – die Narrheit meiner Unruhe vorwarf und behauptete, ich könnte das, was ich genau im Kopfe habe, auch am Morgen niederschreiben. Gegen Mitternacht dringen solche Behauptungen immer durch.

Aber auf solchem Wege komme ich zu keinem Ende. Ich schwätze über meinen vorigen Brief, statt Ihnen das Viele zu schreiben, das ich Ihnen zu schreiben habe. Merken Sie, bitte, woher die Wichtigkeit stammt, die jener Brief für mich bekommen hat. Sie stammt daher, daß Sie mir auf ihn mit diesem Brief geantwortet haben, der da neben mir liegt, der mir eine lächerliche Freude macht und auf den ich jetzt die Hand lege, um seinen Besitz zu fühlen. Schreiben Sie mir doch bald wieder einen. Nehmen Sie sich keine Mühe, ein Brief macht Mühe, wie man es auch anschaut; schreiben Sie mir doch ein kleines Tagebuch, das ist weniger verlangt und mehr gegeben. Natürlich müssen Sie mehr hineinschreiben, als für Sie allein nötig wäre, denn ich kenne Sie doch gar nicht. Sie müssen also einmal auch eintragen, wann Sie ins Bureau kommen, was Sie gefrühstückt haben, wohin die Aussicht aus Ihrem Bureaufenster geht, was das dort für eine Arbeit ist, wie Ihre Freunde und Freundinnen heißen, warum man Ihnen Geschenke macht, wer Ihrer Gesundheit mit Confektgeschenken schaden will und die tausend Dinge, von deren Dasein und Möglichkeit ich gar nicht weiß. – Ja wo ist die Palästinafahrt geblieben? Nächstens, übernächstens, aber im nächsten Frühjahr oder Herbst bestimmt. – Maxens Operette ruht jetzt[1], er ist in Italien, aber bald wirft er in Ihr Deutschland ein ungeheueres literarisches Jahrbuch[2]. Mein Buch, Büchlein, Heftchen ist glücklich angenommen[3]. Es ist aber nicht sehr gut, es muß Besseres geschrieben werden. Und mit diesem Wahrwort leben Sie wohl!

Ihr Franz Kafka

[1] Möglicherweise eine geplante Aufführung der Operette *Circe und ihre Schweine* (erschienen in Jules Laforgue, *Pierrot der Spaßvogel,* eine Auswahl von Franz Blei und Max Brod, Berlin 1909), die aber nie stattfand.
[2] *Arkadia.* Ein Jahrbuch für Dichtkunst, hrsg. von Max Brod. Es erschien im Juni 1913 im Kurt Wolff Verlag (Leipzig). Kafkas Beitrag zu diesem Jahrbuch war die Erzählung »Das Urteil«.
[3] Kafkas erste Buchveröffentlichung *Betrachtung* im Verlag Ernst Rowohlt, Leipzig. Vgl. *Kurt Wolff, Briefwechsel eines Verlegers 1911–1963,* hrsg. von Bernhard Zeller und Ellen Otten, Frankfurt am Main 1966, S. 25 f. (im weiteren zitiert als ›Wolff, Briefwechsel‹).

Gnädiges Fräulein!

Vor 15 Tagen um 10 Uhr vormittag habe ich Ihren ersten Brief bekommen und einige Minuten später saß ich schon und schrieb an Sie vier Seiten eines ungeheueren Formats[1]. Ich beklage es nicht, denn ich hätte jene Zeit nicht mit größerer Freude verbringen können, und zu beklagen blieb nur, daß, als ich damals schloß, nur der kleinste Anfang dessen geschrieben war, was ich hatte schreiben wollen, so daß der damals unterdrückte Teil des Briefes mich Tage lang erfüllte und unruhig machte, bis diese Unruhe abgelöst wurde durch die Erwartung Ihrer Antwort und das Immerschwächerwerden dieser Erwartung.

Warum haben Sie mir denn nicht geschrieben? – Es ist möglich und bei der Art jenes Schreibens wahrscheinlich, daß in meinem Brief irgendeine Dummheit stand, die Sie beirren konnte, aber es ist nicht möglich, daß Ihnen die gute Absicht auf dem Grunde jedes meiner Worte entgangen wäre. – Sollte ein Brief verloren gegangen sein? Aber meiner war mit zu großem Eifer weggeschickt, als daß er sich hätte verwerfen lassen, und Ihrer wurde zu sehr erwartet. Und gehn denn Briefe überhaupt verloren, außer in der unsichern Erwartung, die keine andere Erklärung mehr findet? – Sollte mein Brief infolge der mißbilligten Palästinafahrt Ihnen nicht übergeben worden sein? Aber kann das innerhalb einer Familie überhaupt geschehn und gar Ihnen gegenüber? Und meiner Rechnung nach mußte der Brief sogar Sonntag vormittag eintreffen. – Bliebe also nur die traurige Möglichkeit, daß Sie krank sind. Aber daran glaube ich nicht, Sie sind gewiß gesund und fröhlich. – Dann versagt aber auch mein Verstand und ich schreibe diesen Brief nicht so sehr in Hoffnung auf Antwort als in Erfüllung einer Pflicht gegen mich selbst.

Wäre ich doch der Briefträger der Immanuelkirchstraße, der diesen Brief in Ihre Wohnung brächte, durch kein erstauntes Familienmitglied sich abhalten ließe, geradewegs durch alle Zimmer zu Ihnen zu gehn und den Brief in Ihre Hand zu legen; oder noch besser wäre ich selbst vor Ihrer Wohnungstür und drückte endlos lange auf die Türglocke zu meinem Genuß, zu einem alle Spannung auflösenden Genuß!
Ihr Franz K.
Prag, Pořič 7

---

[1] Kafka meint seinen Brief vom 28. September, der aus vier Seiten (33,3 × 20,7 cm) besteht.

14. X. 12

Liebe gnädige Frau!

Ich habe heute abend zufällig und ohne eigentliche Erlaubnis – Sie
werden mir deshalb nicht böse sein – in einem Brief an Ihre Eltern
die Bemerkung gelesen, daß das Fräulein Bauer mit mir in lebhafter
Korrespondenz steht. Da dies nur sehr bedingungsweise richtig ist,
andererseits aber meinem Wunsche sehr entsprechen würde, bitte
ich Sie, liebe gnädige Frau, mir zu jener Bemerkung ein paar auf-
klärende Worte zu schreiben, was ja nicht schwer sein dürfte, da Sie
mit dem Fräulein in einer zweifellosen brieflichen Verbindung
stehn.

Die Korrespondenz, die Sie »lebhaft« nannten, sieht in Wirklichkeit
folgendermaßen aus: Ich habe, nachdem vielleicht zwei Monate seit
jenem Abend verflossen waren, an dem ich das Fräulein zum ersten
und letzten Mal bei Ihren Eltern gesehen hatte, einen Brief an das
Fräulein geschrieben, dessen Inhalt hier nicht weiter erwähnenswert
ist, da eine freundliche Antwort erfolgte. Es war durchaus keine abschließende Antwort und konnte ihrem Ton und Inhalt nach ganz
gut als Einleitung einer später einmal vielleicht freundschaftlich
werdenden Korrespondenz gelten. Der Zeitabstand zwischen meinem Brief und der Antwort betrug allerdings zehn Tage und es
scheint mir jetzt, daß ich dieses an sich allerdings nicht zu lange
Zögern für meine Antwort als Rat hätte annehmen sollen. Aus verschiedenen, wieder nicht erwähnenswerten Gründen – ich erwähne
ja wahrscheinlich schon übergenug, Ihnen, liebe gnädige Frau, nicht
erwähnenswert Scheinendes – tat ich dies nicht, sondern schrieb sofort im Anschluß an das vielleicht in mancher Hinsicht nicht genug
gründliche Lesen jenes Briefes meinen Brief, der wahrscheinlich für
viele Augen den unvermeidlich dummen Charakter eines Aus-
bruchs haben konnte. Immerhin kann ich beschwören, daß, die Berechtigung aller Einwände gegen jenen Brief zugegeben, der Einwand der Unehrlichkeit ungerecht wäre, und das müßte doch unter
Menschen, die kein ungünstiges Vorurteil über einander haben, das
Entscheidende sein. Seit diesem Brief nun sind heute sechzehn Tage
vergangen, ohne daß ich eine Antwort bekommen hätte, und ich
wüßte wirklich nicht, was für eine Ursache jetzt eine nachträgliche
Antwort noch bewirken könnte, zumal mein damaliger Brief einer

---

[1] Die Schwester Max Brods.

jener Briefe war, die nur deshalb geschlossen werden, damit nur bald Gelegenheit für die Antwort geschaffen wird. Im Laufe dieser sechzehn Tage habe ich, um meine Aufrichtigkeit Ihnen gegenüber voll zu machen, noch zwei allerdings nicht abgeschickte Briefe[1] an das Fräulein geschrieben, und sie sind das einzige, was mir, wenn ich Humor hätte, erlauben würde, von einer lebhaften Korrespondenz zu sprechen. Ich hätte ja zuerst glauben können, daß zufällige Umstände die Antwort auf jenen Brief verhindert oder unmöglich gemacht haben könnten, ich habe aber alle durchgedacht und glaube an keine zufälligen Umstände mehr.

Ich hätte es gewiß, liebe gnädige Frau, weder Ihnen gegenüber noch mir gegenüber gewagt, diese kleine Beichte vorzutragen, wenn nicht eben jene Bemerkung in Ihrem Briefe mich allzu sehr gestochen hätte und wenn ich nicht außerdem wüßte, daß dieser Brief, dessen Inhalt nicht gerade dazu gemacht ist, sich sehen zu lassen, in gute und geschickte Hände kommt.

Mit herzlichen Grüßen für Sie und Ihren lieben Mann

Ihr ergebener   Franz Kafka
Prag, Pořič 7

An Frau Sophie Friedmann

[Briefkopf der Arbeiter-Unfall-Versicherungs-Anstalt]

18. X. 12

Liebe gnädige Frau!

Das Bureau muß zurückstehn vor der Wichtigkeit dieses Briefs, mit dem ich Ihren Brief vom 16. beantworte, der, soweit Sie ihn geschrieben haben, lieb und gut und klar ist, wie ich es erwartet habe, während die citierte Briefstelle auch beim zehnten Lesen sich nicht enträtseln will. Sie haben also wirklich jene Bemerkung von »lebhafter Korrespondenz« nicht nur flüchtig und ohne Beweis gemacht, wie ich es zu meiner Schande glaubte, ohne es allerdings im letzten Brief einzugestehn, da er sonst überflüssig geworden wäre. Und diese lebhafte Korrespondenz soll also wirklich am 3. oder frühestens 2. Oktober bestanden haben, also zu einer Zeit, wo mein zweiter, unbeantworteter Unglücksbrief unbedingt schon in Berlin

---

[1] Den ersten hat Kafka später seinem Brief vom 20. zum 21. Dezember 1912 beigelegt, den zweiten seinem Brief vom 18. Mai 1913. Siehe S. 197 und S. 386.

hatte sein müssen. Sollte also vielleicht die Antwort doch geschrieben worden sein, denn die citierte Stelle ist doch ein Zugeständnis der Kenntnis jenes Briefes? Ja aber gehn denn Briefe überhaupt verloren, außer in der unsichern Erwartung dessen, der keine andere Erklärung findet? Sie müssen doch zugestehn, liebe gnädige Frau, daß ich recht hatte, Ihnen zu schreiben und daß es eine Sache ist, die eines guten Engels sehr bedarf.

Meine herzlichsten Grüße für Sie und Ihren lieben Mann.

Ihr dankschuldiger   Franz K.

[Briefkopf der Arbeiter-Unfall-Versicherungs-Anstalt]

23. X. 12

Gnädiges Fräulein!

Und wenn alle meine drei Direktoren um meinen Tisch herumstehen und mir in die Feder schauen sollten, muß ich Ihnen gleich antworten, denn Ihr Brief kommt auf mich herunter, wie aus den Wolken, zu denen man drei Wochen umsonst hinaufgeschaut hat. (Gerade hat sich der Wunsch betreffend meinen unmittelbaren Chef erfüllt.) Wenn ich Ihnen auf Ihre Beschreibung Ihres Lebens in der Zwischenzeit mit Gleichem antworten sollte, so bestand mein Leben jedenfalls zur Hälfte aus dem Warten auf Ihren Brief, wozu ich allerdings auch die drei kleinen Briefe rechnen kann, die ich Ihnen in diesen drei Wochen geschrieben habe (gerade werde ich zwischendurch über Versicherung der Sträflinge ausgefragt, mein lieber Gott!) und von denen zwei jetzt zur Not werden abgeschickt werden können, während der dritte, eigentlich der erste, unmöglich weggehn kann. Und Ihr Brief soll also verloren gegangen sein (von einem Ministerialrekurs Josef Wagner in Katharinaberg weiß ich nichts, habe ich eben erklären müssen) und ich werde auf meine damaligen Fragen keine Antwort bekommen und bin doch gar nicht schuld an dem Verlust.

Ich bin unruhig und kann mich nicht recht fassen, ich bin ganz in der Laune immerfort im Kreis zu klagen, trotzdem heute nicht mehr gestern ist, aber das Angehäufte gießt sich und befreit sich in bessere Tage hinein.

Was ich Ihnen heute schreibe, ist keine Antwort auf Ihren Brief, vielleicht wird die Antwort erst jener Brief sein, den ich morgen schreibe, vielleicht erst der von übermorgen. Meine Schreibweise ist natürlich nicht selbständig närrisch, sondern genau so närrisch wie meine gegenwärtige Lebensweise, die ich Ihnen auch einmal beschreiben kann.

Und immerfort werden Sie beschenkt! Diese Bücher, Bonbons und Blumen liegen auf Ihrem Bureauschreibtisch herum? Auf meinem Tisch ist nur wüste Unordnung und Ihre Blume, für die ich Ihnen die Hand küsse, habe ich schnell in meiner Brieftasche untergebracht, in der sich übrigens trotz Ihres verlorenen und nicht wieder ersetzten Briefes zwei Briefe von Ihnen schon befinden, da ich mir Ihren Brief an Max von ihm ausgebeten habe, was zwar ein wenig lächerlich ist, sonst aber nicht übel genommen werden muß.

Dieses erste Stolpern unserer Korrespondenz war vielleicht ganz gut, ich weiß jetzt, daß ich Ihnen auch über verlorene Briefe hinweg schreiben darf. Aber es dürfen keine Briefe mehr verloren gehn. – Leben Sie wohl und denken Sie an ein kleines Tagebuch.

Ihr Franz K.

[am oberen Rand der ersten Seite] Ich bin so nervös wegen möglicher Briefverluste und Sie schreiben auch meine Adresse nicht ganz richtig, so muß man es schreiben: Poříč 7 mit zwei Haken auf dem r und c, und der Sicherheit halber wird auch die Nennung der Arbeiterunfallversicherungsanstalt gut sein.

Das Geburtsdatum Frau Sophies schreibe ich morgen.

[Briefkopf der Arbeiter-Unfall-Versicherungs-Anstalt]

24. X. 12

Gnädiges Fräulein!

War das heute eine tüchtig schlaflose Nacht, in der man sich gerade noch zum Schluß, in den letzten zwei Stunden, zu einem erzwungenen, ausgedachten Schlafe zusammendreht, in dem die Träume noch lange nicht Träume und der Schlaf erst recht kein Schlaf ist. Und nun bin ich außerdem vor dem Haustor mit der Trage eines Fleischergesellen zusammengerannt, deren Holz ich noch jetzt über dem linken Auge spüre.[1]

---

[1] Vgl. die im folgenden Monat entstandene Erzählung »Die Verwandlung«: »...und dann hoch über sie hinweg ein Fleischergeselle mit der Trage auf dem Kopf in stolzer Haltung...« *Erzählungen*, S. 140.

Sicher werde ich durch solche Vorbereitung nicht in einen bessern Stand versetzt sein, die Schwierigkeiten zu überwinden, die mir das Schreiben an Sie macht und die mir auch heute in der Nacht in immer neuen Formen durch den Kopf gegangen sind. Sie bestehen nicht darin, daß ich das, was ich schreiben will, nicht sagen könnte, es sind ja die einfachsten Dinge, aber es sind so viele, daß ich sie nicht unterbringen kann in Zeit und Raum. Manchmal möchte ich in Erkenntnis dessen, allerdings nur in der Nacht, alles bleiben lassen, nichts mehr schreiben und lieber am Nichtgeschriebenen als am Geschriebenen zugrundegehn.

Sie schreiben mir von Ihren Theaterbesuchen und das interessiert mich sehr, denn erstens sitzen Sie dort in Berlin an der Quelle aller Theaterereignisse, zweitens wählen Sie Ihre Theaterbesuche schön aus (bis auf das Metropoltheater, in dem ich auch war, mit einem Gähnen meines ganzen Menschen größer als die Bühnenöffnung) und drittens weiß ich selbst vom Theater nicht das geringste. Aber was hilft mir dann wieder die Kenntnis Ihrer Theaterbesuche, wenn ich nicht alles weiß, was vorherging und was folgte, wenn ich nicht weiß, wie Sie angezogen waren, welcher Tag der Woche war, wie das Wetter gewesen ist, ob Sie vorher oder nachher genachtmahlt haben, was für einen Platz Sie hatten, in welcher und wie begründeter Laune Sie waren und so fort, wie weit sich nur denken läßt. Natürlich ist es unmöglich, mir das alles zu schreiben, aber so ist eben alles unmöglich.

Frau Sophies Geburtstag – um etwas rein und vollständig Mitteilbares zu schreiben – ist erst am 18. März und wann ist der Ihre, geradewegs gefragt?

Es ist nicht nur die Unruhe, wie sie eben im Bureau ist, die mein Schreiben hin- und hertreibt, so daß ich jetzt wieder etwas ganz anderes frage: Ich habe beiläufig alles im Gedächtnis, was Sie an jenem Abend in Prag sagten, soweit man zu solchen Überzeugungen Vertrauen haben kann, nur eines ist mir nicht ganz klar, wie mir beim Lesen Ihres Briefes einfällt und das sollen Sie mir ergänzen. Als wir von der Wohnung mit dem Hr. Direktor Brod zum Hotel gingen, war ich überhaupt, um die Wahrheit zu sagen, verstört, unaufmerksam und gelangweilt, ohne daß, wenigstens meinem Bewußtsein nach, die Gegenwart des Hr. Direktors daran schuld gewesen wäre. Im Gegenteil, ich war verhältnismäßig zufrieden, mich allein gelassen zu fühlen. Da war nun auch die Rede davon, daß Sie wenig in den Abendverkehr des Stadtzentrums kommen, auch dann nicht, wenn Sie im Theater waren und daß Sie dann bei der Rückkehr durch eine besondere Art des Händeklatschens Ihre Mutter von der Gasse aus aufmerksam machen, die Ihnen dann das Haustor aufmachen läßt. Ist es in dieser etwas merkwürdigen Weise richtig? Und bestand bei dem Metropoltheaterbesuch die Ausnahme der Mitnahme des Schlüssels bloß wegen der besonders späten Rückkehr? Sind das lächerliche Fragen? Mein Gesicht ist ganz ernst, und wenn Sie lachen, so lachen Sie bitte freundlich und antworten Sie genau.

Im Frühjahr spätestens erscheint bei Rowohlt in Leipzig ein »Jahrbuch für Dichtkunst«, das Max herausgibt[1]. Darin wird eine kleine Geschichte von mir sein: »Das Urteil«, welche die Widmung haben wird: »für Fräulein Felice B.« Heißt das mit Ihren Rechten allzu herrisch umgegangen? Besonders da diese Widmung schon seit einem Monat auf der Geschichte steht und das Manuskript gar nicht mehr in meinem Besitze ist? Ist es vielleicht eine Entschuldigung, die man gelten lassen kann, daß ich mich bezwungen habe, den Zusatz (für Fräulein Felice B.) »damit sie nicht immer nur von andern Geschenke bekommt« wegzulassen? Im übrigen hat die Geschichte in ihrem Wesen, soweit ich sehen kann, nicht den geringsten Zusammenhang mit Ihnen, außer daß ein darin flüchtig erscheinendes Mädchen Frieda Brandenfeld heißt, also wie ich später merkte, die Anfangsbuchstaben des Namens mit Ihnen gemeinsam hat. Der einzige Zusammenhang besteht vielmehr nur darin, daß die kleine Geschichte versucht, von ferne Ihrer wert zu sein. Und das will auch die Widmung ausdrücken[2].

Schwer liegt es auf mir, daß ich nicht erfahren soll, was Sie mir auf meinen vorletzten Brief geantwortet haben. So viele Jahre sind vergangen, daß ich nichts von Ihnen gehört habe, und jetzt soll noch höchst überflüssiger Weise ein Monat der Vergessenheit hingeworfen werden. Ich werde natürlich bei der Post nachfragen, aber es ist wenig Aussicht, daß ich dort mehr erfahre, als Sie von jenem Brief noch im Gedächtnis haben. Könnten Sie mir das nicht in zehn Worten aufschreiben?

Endgiltiger Schluß, endgiltiger Schluß für heute. Schon auf der vo-

[1] Vgl. Anm.[2] S. 46.
[2] Vgl. *Tagebücher* (11. und 12. Februar 1913), S. 296f. und Kafkas Brief an Felice vom 2. Juni 1913, S. 394.

rigen Seite haben die Störungen selbst in diesem stillern Zimmer, in das ich mich versteckt habe, angefangen. Sie staunen, daß ich im Bureau so viel freie Zeit habe (es ist eine erzwungene Ausnahme) und daß ich nur im Bureau schreibe. Auch dafür gibt es Erklärungen, aber keine Zeit, sie zu schreiben.

Leben Sie wohl und ärgern Sie sich nicht über das tägliche Unterschreiben der Recipisse[1].

Ihr Franz K.

An Frau Sophie Friedmann

[Briefkopf der Arbeiter-Unfall-Versicherungs-Anstalt]

24. X. 12

Liebe gnädige Frau!

Ich danke Ihnen vielmals für die Zartheit, mit der Sie diese Sache angefaßt haben, die nun völlig in Ordnung scheint. Ihr Nichtantworten auf meinen letzten Brief, der allerdings auch keiner besondern Antwort bedurfte, muß ich wohl nicht für die Bestrafung irgendeiner Dummheit ansehn, die sich meinen zwei Briefen aus Nervosität oder sonstigen Gründen leicht hätte beimischen können. Aber Sie wissen nun, liebe gnädige Frau, wie ich durch Nichtbekommen von Antworten leide, daß Sie mich für eine Dummheit gewiß lieber durch einen entsprechenden Brief als durch Nichtantworten gestraft hätten. Aus dieser Überlegung hoffe ich auch jetzt nicht unbedingt auf eine Antwort, bleibe aber dabei, daß Sie mir auch weiterhin so freundlich gesinnt bleiben, wie Sie es mir durch Ihre letzte Mithilfe bewiesen haben. Ich würde gerne auch Ihrem lieben Manne besonders danken, doch tue ich es nicht, weil mir erstens dabei doch ein wenig unbehaglich werden müßte und weil Sie zweitens mit Ihrem lieben Manne, wie ich weiß, so zusammengehören, daß der Ihnen abgestattete Dank unmittelbar auch ihm gegeben ist.

Mit den herzlichsten Grüßen Ihr Dr. F. Kafka

---

[1] Zu jener Zeit sandte Kafka seine Briefe meistens eingeschrieben. ›Recipisse‹ war das damals in Österreich übliche Wort für die vom Adressaten zu unterschreibende Empfangsbestätigung.

Gnädiges Fräulein!

Endlich um 8 Uhr abends – es ist Sonntag – darf ich Ihnen schreiben und doch hat alles, was ich während des ganzen Tages gemacht habe, darauf abgezielt, daß ich es möglichst bald darf. Verbringen Sie die Sonntage fröhlich? Aber gewiß, nach Ihrer unmäßigen Arbeit. Für mich ist der Sonntag wenigstens seit 1½ Monaten ein Wunder, dessen Schein ich schon Montag früh beim Aufwachen sehe. Das Problem bleibt, die Woche bis zum Sonntag hinzuschleppen, die Arbeit über diese Wochentage hinzuziehn und wie ich es auch anstelle, Freitag geht es gewöhnlich nicht mehr weiter. Wenn man so Stunde für Stunde einer Woche verbringt, selbst bei Tag nicht viel weniger aufmerksam als der Schlaflose in der Nacht und wenn man sich so in der unerbittlichen Maschinerie einer solchen Woche umschaut, dann muß man wirklich noch froh sein, daß diese trostlos sich aufbauenden Tage nicht zurückfallen, um von neuem zu beginnen, sondern daß sie glatt vergehn und endlich zum Aufatmen der Abend und die Nacht beginnt.

Ich bin auch lustiger, aber heute nicht; um meinen Sonntagsspaziergang bin ich durch das Regenwetter gekommen; habe, was dem Einleitungssatz nur scheinbar widerspricht, den halben Tag im Bett, dem besten Ort für Trauer und Nachdenklichkeit, verbracht; die Türken verlieren, was mich dazu bringen könnte, als ein falscher Prophet nicht nur für Soldaten, sondern für alles den Rückzug zu predigen (es ist auch ein großer Schlag für unsere Kolonien), und es bleibt nichts übrig, als sich in seine sonstigen Arbeiten blind und taub zu bohren[1].

Wie ich Sie da unterhalte! Liebes Fräulein, soll ich aufstehn und das Schreiben lassen? Aber vielleicht sehn Sie durch alles hindurch, daß ich schließlich doch sehr glücklich bin, und dann darf ich wieder bleiben und weiterschreiben.

Sie erwähnen in Ihrem Brief, wie unbehaglich Sie sich an jenem Abend in Prag gefühlt haben und ohne daß Sie es sagen wollen und ohne daß Sie es wohl meinen, scheint es aus dieser Briefstelle hervor-

---

[1] Im Balkankrieg 1912/13 siegte die Allianz von Bulgarien, Serbien, Griechenland und Montenegro über die Türken. Die damit verbundene Stärkung Serbiens wurde von der österreichisch-ungarischen Monarchie bedrohlich empfunden, vor allem in bezug auf den ungestörten Besitz der im Jahre 1908 annektierten Balkangebiete von Bosnien und der Herzegowina.

zugehn, daß damals erst mit mir die Unbehaglichkeit eingezogen ist, denn vorher hat Max kaum von seiner Operette gesprochen, die ihm übrigens gar nicht besonders viel Sorgen und Gedanken machte, und ich störte eben mit meinem lächerlichen Paket die Einheitlichkeit der Gesellschaft noch nicht. Außerdem war damals gerade eine Zeit, wo ich mir öfters den Spaß machte, den Otto Brod, der auf pünktliches Schlafengehn hält, bei meinen häufigen Besuchen durch besondere Lebhaftigkeit, die mit dem Vorrücken der Uhr sich vergrößerte, so lange vom Schlafen abzuhalten, bis mich gewöhnlich die ganze Familie mit vereinten Kräften, in aller Liebe natürlich, aus der Wohnung drängte. Infolgedessen bedeutete mein Erscheinen zu so später Stunde – es dürfte wohl schon 9 vorüber gewesen sein – eine gewisse Drohung. Es standen einander also in den Köpfen der Familie zwei Besuche gegenüber: Sie, der man gewiß nur alles Gute und Höfliche erweisen wollte, und ich, der berufsmäßige Schlafstörer. Für Sie wurde z. B. Klavier gespielt, für mich z. B. focht der Otto gegen den Ofenschirm, was sich als Hinweis auf die Schlafenszeit mir gegenüber schon eingebürgert hatte und, wenn man es nicht wußte, recht unsinnig und ermüdend aussah. Nun war ich nicht im geringsten darauf vorbereitet, einen Besuch dort anzutreffen, sondern hatte nur eine Verabredung mit Max, um 8 zu kommen (ich kam wie gewöhnlich eine Stunde später) und mit ihm die Reihenfolge des Manuscripts zu besprechen, um die ich mich bis dahin gar nicht gekümmert hatte, trotzdem es am nächsten Morgen weggeschickt werden sollte[1]. Nun fand ich einen Besuch vor und war darüber ein wenig ärgerlich. Im Gegensatz dazu stand allerdings wieder, daß ich durch diesen Besuch gar nicht überrascht war[2]. Ich reichte Ihnen über den großen Tisch hin die Hand, ehe ich vorgestellt war und trotzdem Sie sich kaum erhoben und wahrscheinlich keine Lust hatten, mir ihre Hand zu reichen. Ich sah Sie nur flüchtig an, setzte mich und alles schien mir in bester Ordnung, kaum daß ich von Ihnen die leichte Aufmunterung fühlte, die mir Fremde innerhalb

[1] Das Manuskript der *Betrachtung*; vgl. Kafkas Brief an Max Brod vom 14. August 1912: »...ich stand gestern beim Ordnen der Stückchen unter dem Einfluß des Fräuleins, es ist leicht möglich, daß irgendeine Dummheit, eine vielleicht nur im Geheimen komische Aufeinanderfolge dadurch entstanden ist«, *Briefe*, S. 102 und den Brief gleichen Datums an Ernst Rowohlt, *Briefe*, S. 103.
[2] Vgl. *Tagebücher* (20. August 1912), S. 285: »Ich war auch gar nicht neugierig darauf, wer sie war, sondern fand mich sofort mit ihr ab.«

einer bekannten Gesellschaft immer verursachen. Brachte ich in Abrechnung, daß ich mit Max das Manuscript nicht durchsehn konnte, so war das Hinreichen der Thaliaphotographien eine sehr hübsche Abwechslung. (Für dieses Wort, das sehr gut den damaligen Eindruck beschreibt, könnte ich mich heute, wo ich so weit von Ihnen bin, schlagen.) Sie nahmen das Anschauen der Bilder sehr ernst und sahen nur auf, wenn Otto eine Erklärung gab oder ich ein neues Bild reichte. Einem von uns, ich weiß nicht mehr wem, passierte bei der Auslegung eines Bildes irgendein komisches Mißverständnis. Um die Bilder anschauen zu können, ließen Sie das Essen und als Max irgendeine Bemerkung über das Essen machte, sagten Sie etwa, nichts sei Ihnen abscheulicher als Menschen, die immerfort essen. Zwischendurch läutete
(es ist lange danach, um 11 Uhr abends, wo sonst meine eigentliche Arbeit beginnt, aber ich kann von dem Brief nicht loskommen) es läutete also und Sie erzählten von der Einleitungsszene einer Operette »das Autogirl«, die Sie im Residenztheater gehört hatten (gibt es ein Residenztheater? Und war es eine Operette?[1]), in der 15 Personen auf der Bühne stehn, zu denen aus dem Vorzimmer, aus dem man das Läuten des Telephons hört, irgendjemand tritt und jeden einzelnen der Reihe nach mit der gleichen Formel auffordert, zum Telephon hinauszugehn. Ich weiß auch diese Formel noch, aber ich schäme mich sie aufzuschreiben, weil ich sie nicht richtig aussprechen, geschweige denn niederschreiben kann, trotzdem ich sie damals nicht nur genau gehört, sondern auch von ihren Lippen abgelesen habe und trotzdem sie mir seitdem viele Male durch den Kopf gegangen ist, immer im Streben nach ihrer richtigen Bildung. Ich weiß nicht, wie dann (nein vorher, denn ich saß hiebei noch in der Nähe der Tür, also schief Ihnen gegenüber) das Gespräch auf Prügeln und auf Geschwister kam. Es wurden Namen einiger Familienmitglieder genannt, von denen ich nie gehört hatte, auch der Name Ferry fiel (ist das vielleicht Ihr Bruder?)[2] und Sie erzählten, daß Sie als kleines Mädchen von Brüdern und Vettern (auch von Herrn Friedmann?) viel geschlagen worden seien und dagegen recht wehrlos gewesen wären. Sie fuhren mit der Hand Ihren linken Arm hinunter, der damals in jenen Zeiten voll blauer Flecke gewesen sein

---

[1] Jean Gilberts Operette *Das Autoliebchen,* eine Einstudierung des Berliner Residenz-Ensembles.
[2] Felicens Bruder Ferdinand, ›Ferry‹ genannt.

soll. Sie sahen aber gar nicht wehleidig aus und ich konnte, allerdings ohne mir genaue Rechenschaft darüber zu geben, nicht einsehn, wie es jemand hatte wagen können, Sie zu schlagen, wenn Sie auch damals nur ein kleines Mädchen waren. – Dann bemerkten Sie einmal nebenbei, während Sie irgendetwas ansahen oder lasen (Sie schauten damals viel zu wenig auf und es war doch ein so kurzer Abend), daß Sie Hebräisch gelernt haben. Auf der einen Seite staunte ich das an, auf der andern hätte ich (alles sind nur damalige Meinungen und sie sind lange Zeit durch ein feines Sieb gegangen) es nicht so übertrieben nebenbei erwähnt sehen wollen und so freute ich mich auch im geheimen, als Sie später Tel awiw nicht übersetzen konnten. – Nun hatte sich also auch herausgestellt, daß Sie Zionistin wären, und das war mir sehr recht. – Noch in diesem Zimmer wurde auch über Ihren Beruf gesprochen und Frau Brod erwähnte ein schönes Batistkleid, das sie in Ihrem Hotelzimmer gesehen hatte, denn Sie fuhren vielleicht zu irgendeiner Hochzeit, die – ich errate es mehr, als daß ich mich erinnere – in Budapest stattfinden sollte [1]. – Als Sie aufstanden, zeigte sich, daß Sie Pantoffeln der Frau Brod anhatten, denn Ihre Stiefel mußten austrocknen. Es war den Tag über ein schreckliches Wetter gewesen. Diese Pantoffeln beirrten Sie wohl ein wenig und Sie sagten mir am Ende des Weges durch das dunkle Mittelzimmer, daß Sie an Pantoffeln mit Absätzen gewöhnt seien. Solche Pantoffel waren mir eine Neuigkeit. – Im Klavierzimmer saßen Sie mir dann gegenüber und ich fing an, mich mit meinem Manuskript auszubreiten. Es wurden mir für die Versendung von allen Seiten komische Ratschläge gegeben und ich kann nicht mehr herausfinden, welches die Ihren waren. Dafür aber erinnere ich mich noch an etwas aus dem andern Zimmer, über das ich so staunte, daß ich auf den Tisch schlug. Sie sagten nämlich, Abschreiben von Manuskripten mache Ihnen Vergnügen, Sie schrieben auch in Berlin Manuskripte ab für irgendeinen Herrn (verdammter Klang dieses Wortes, wenn kein Name und keine Erklärung dabei ist!) und Sie baten Max, Ihnen Manuskripte zu schicken. – Das Beste, was ich an jenem Abend ausgeführt habe, war, daß ich eine Nummer von »Palästina« [2] zufällig mithatte, und um dessentwillen sei mir alles andere verziehn. Die Reise nach Palästina wurde besprochen und Sie reichten mir dabei die Hand oder besser ich lockte sie, kraft einer

---

[1] Felicens Schwester Else heiratete in Budapest.
[2] Monatsschrift für die Erschließung Palästinas, hrsg. von Adolf Böhm, Wien.

Eingebung, heraus. –Während des Klavierspiels saß ich schief hinter Ihnen, Sie hatten ein Bein über das andere geschlagen und zupften mehrmals an Ihrer Frisur, die ich mir in der Vorderansicht nicht vorstellen kann und von der ich nur aus der Zeit jenes Klavierspiels weiß, daß sie auf der Seite ein wenig abstand. – Später war allerdings eine große Zerstreuung der Gesellschaft eingetreten, die Frau Brod duselte auf dem Kanapee, Herr Brod machte sich beim Bücherkasten zu schaffen, Otto kämpfte mit dem Ofenschirm. Es wurde über Maxens Bücher gesprochen, Sie sagten etwas über Arnold Beer[1], erwähnten eine Kritik in Ost und West[2] und sagten schließlich, während Sie in einem Band der Propyläenausgabe von Goethes Werken blätterten, »Schloß Nornepygge«[3] hätte[n] Sie auch angefangen, aber nicht zu Ende lesen können. Bei dieser Bemerkung erstarrte ich tatsächlich für mich, für Sie und für alle. War es nicht eine nutzlose, nicht zu erklärende Beleidigung? Und doch führten Sie dieses scheinbar Unrettbare wie eine Heldin zu Ende, während wir alle auf Ihren zum Buch gebeugten Kopf sahen. Es stellte sich heraus, daß es keine Beleidigung, ja nicht einmal das geringste Urteil war, sondern nur eine Tatsache, über die Sie selbst verwundert waren, weshalb Sie auch bei Gelegenheit das Buch wieder vorzunehmen beabsichtigten. Das hätte nicht schöner aufgelöst werden können und ich dachte, wir könnten uns alle ein wenig vor Ihnen schämen. – Zur Abwechslung brachte der Hr. Direktor den Bilderband jener Propyläenausgabe und kündigte an, er werde Ihnen Goethe in Unterhosen zeigen. Sie citierten: »Er bleibt ein König auch in Unterhosen«[4], und dieses Citat war das einzige, was mir an dem Abend an Ihnen mißfallen hatte. Ich spürte von diesem Mißfallen fast einen Druck in der Kehle und hätte mich eigentlich fragen sollen, was mich zu einer solchen Beteiligung führte. Aber ich bin durchaus ungenau. – Über die Schnelligkeit, mit der Sie zum Schluß aus dem Zimmer huschten und in Stiefeln wiederkamen, konnte ich mich gar nicht fassen. Der Vergleich mit einer Gazelle, den Frau Brod zweimal machte, gefiel mir aber nicht. – Ziemlich genau sehe ich noch, wie Sie den Hut aufsetzten und die Nadeln einsteckten.

---

[1] Max Brods Roman *Arnold Beer. Das Schicksal eines Juden,* Berlin [1912].
[2] Die Besprechung (von Mathias Acher) war erschienen in: *Ost und West* XII, Heft 8 (August 1912), Sp. 775–76.
[3] Max Brods Roman *Schloß Nornepygge. Der Roman des Indifferenten,* Berlin 1908.
[4] Abwandlung eines Zitats aus Ludwig Fuldas Märchendrama *Der Talisman.*

Der Hut war ziemlich groß, unten war er weiß. – Auf der Gasse verfiel ich sofort in einen meiner nicht gerade seltenen Dämmerzustände, in denen ich nichts anderes klar erkenne außer meine eigene Nichtsnutzigkeit. In der Perlgasse fragten Sie mich, vielleicht um meiner peinlichen Stummheit aufzuhelfen, wo ich wohne und wollten natürlich hören, ob mein Nachhauseweg und der Weg in Ihr Hotel zusammenfallen oder nicht, ich unglücklicher Dummkopf fragte aber zurück, ob Sie meine Adresse wissen wollten, offenbar in der Annahme, daß Sie mir, kaum in Berlin angekommen, gleich mit Feuereifer über die Palästinareise schreiben und sich nicht der verzweifelten Lage aussetzen wollten, dann etwa gleich meine Adresse nicht bei der Hand zu haben. Das, was ich da angestellt hatte, beirrte mich dann natürlich noch auf dem weitern Weg, soweit es in mir damals etwas zu beirren gab. – Schon oben in dem ersten Zimmer und auf der Gasse wieder war von einem Herrn aus Ihrer Prager Filiale die Rede, mit dem Sie am Nachmittag im Wagen auf dem Hradschin gewesen waren. Dieser Herr schien es mir unmöglich zu machen, früh mit Blumen auf den Bahnhof zu kommen, was mir seit einiger Zeit in unsicheren Entschlüssen vorschwebte. Die frühe Stunde Ihrer Abreise, die Unmöglichkeit, so bald schon Blumen zu bekommen, erleichterten mir den Verzicht. – In der Obstgasse und am Graben führte hauptsächlich Hr. Direktor Brod das Wort und Sie erzählten nur jene Geschichte, wie die Mutter Ihnen auf Ihr Händeklatschen hin das Haustor öffnen läßt, eine Geschichte übrigens, zu der Sie mir noch eine Erklärung schulden. Sonst wurde die Zeit schändlich mit Vergleichen zwischen dem Prager und dem Berliner Verkehr vertrödelt. Erwähnt wurde auch, wenn ich nicht irre, daß Sie die Jause im Repräsentationshaus gegenüber Ihrem Hotel eingenommen hätten[1]. Schließlich gab Ihnen Herr Brod noch Ratschläge wegen Ihrer Reise und nannte Ihnen einige Stationen, wo Sie etwas zum Essen bekommen würden. Sie hatten die Absicht, im Speisewagen zu frühstücken. Jetzt hörte ich auch, daß Sie Ihren Schirm im Zug vergessen hätten und diese Kleinigkeit (für mich eine Kleinigkeit) brachte mir eine neue Mannigfaltigkeit in Ihr Bild. – Daß Sie noch nicht gepackt hatten und gar noch im Bett lesen wollten, machte mich unruhig. Nachts vorher

---

[1] Das ›Repräsentationshaus‹ der Stadt Prag am nord-östlichen Ende der Hauptstraße Graben (Na Příkopě) mit Restaurant, Kaffeehaus, Ball- und Versammlungssälen.

hatten Sie bis 4 Uhr früh gelesen. An Reiselektüre hatten Sie mit: Björnson: »Flaggen über Stadt und Hafen« und Andersen: »Bilderbuch ohne Bilder«. Ich hatte den Eindruck, daß ich diese Bücher hätte erraten können, was ich natürlich in meinem Leben nicht zustande gebracht hätte. Beim Eintritt ins Hotel drängte ich mich in irgend einer Befangenheit in die gleiche Abteilung der Drehtüre, in der Sie gingen, und stieß fast an Ihre Füße. – Dann standen wir alle drei ein wenig vor dem Kellner bei dem Aufzug, in dem Sie gleich verschwinden sollten und dessen Türe schon geöffnet wurde. Sie führten noch eine kleine sehr stolze Rede mit dem Kellner, deren Klang ich – wenn ich innehalte – noch in den Ohren habe. Sie ließen es sich nicht leicht ausreden, daß zu dem nahen Bahnhof kein Wagen nötig sei. Allerdings dachten Sie, Sie würden vom Franz-Josefsbahnhof aus wegfahren. – Dann nahmen wir den letzten Abschied und ich erwähnte in möglichst ungeschickter Art nochmals die Palästinareise, wie es mir überhaupt in diesem Augenblick schien, ich hätte schon während des ganzen Abends viel zu oft diese Reise erwähnt, die wahrscheinlich keiner ernst nahm außer ich.

———

Das sind beiläufig, mit nur kleinen unwesentlichen, wenn auch noch immerhin zahlreichen Auslassungen alle äußern Begebenheiten jenes Abends, an die ich mich heute noch erinnern kann, nach wohl mehr als 30 andern Abenden, die ich in der Zwischenzeit bei der Familie Brod verbracht habe und die leider manches verwischt haben mögen. Ich habe sie aufgeschrieben, um auf Ihre Bemerkung zu antworten, daß man an jenem Abend wenig Notiz von Ihnen genommen hätte, und dann auch deshalb, weil ich schon allzulange der Lust widerstanden habe, die Erinnerungen an jenen Abend, soweit sie noch vorhanden sind, einmal aufzuschreiben. Aber nun sehen Sie mit Schrecken diese Masse beschriebenen Papiers, verfluchen zuerst jene Bemerkung, die das veranlaßt hat, verfluchen dann sich, die das alles lesen soll, lesen es dann vielleicht aus einer leichten Neugierde doch bis zu Ende, während Ihr Thee gänzlich auskühlt, und kommen schließlich in eine so schlechte Laune, daß Sie bei allem, was Ihnen lieb ist, schwören, auf keinen Fall meine Erinnerungen etwa aus den Ihrigen ergänzen zu wollen, wobei Sie jedoch im Ärger nicht bedenken, daß Ergänzen nicht so viel Mühe macht wie das erste Niederschreiben und daß Sie mir durch das Ergänzen eine viel größere

Freude machen würden, als es mir durch diese erste Sammlung des
Materials Ihnen gegenüber gelungen ist. – Aber nun mögen Sie
schon wirklich Ruhe von mir haben und nur noch herzlichst gegrüßt sein.

Ihr Franz K.

Noch kein Ende und sogar eine schwer zu beantwortende Frage:
Wie lange kann man Chokolade aufheben, ohne daß sie verdirbt?

29. X. 12

Gnädiges Fräulein!

Jetzt kommt etwas sehr Wichtiges, wenn auch nur in großer Eile.
(Es ist nicht mehr im Bureau geschrieben, denn meine Bureauarbeit
revolutioniert gegen das Schreiben an Sie, so fremd ist mir diese
Arbeit durch und durch und hat keine Ahnung von dem, was ich
nötig habe.) Sie dürfen also nicht glauben, daß ich durch einen endlosen Brief wie den vorgestrigen, wegen dessen ich mir schon genug
Vorwürfe gemacht habe, außer der Zeit des Lesens Ihnen auch noch
die Zeit des Ausruhens nehmen und Sie zu großen und pünktlichen
Antworten verpflichten will, ich müßte mich ja schämen, wenn ich
zu Ihren anstrengenden Arbeitstagen als Plage Ihrer Abende hinzutreten sollte. Also das wollen meine Briefe nicht, das wollen sie ganz
und gar nicht, aber schließlich ist das selbstverständlich und Sie
werden es auch nicht anders aufgefaßt haben. Nur sollen Sie mir –
und das ist das Wichtige – und das ist das Wichtige (so wichtig ist
es, daß es mir in der Eile zur Litanei wird) – abends auch dann nicht
länger schreiben, wenn Sie ohne Rücksicht auf meine Briefe selbständige Lust haben sollten zu schreiben. So schön ich es mir in
Ihrem Bureau denke – sind Sie allein in einem Zimmer? – ich will
nicht mehr das Gefühl haben, Sie dort bis spät in den Abend festgehalten zu haben. Fünf Zeilen, ja, das könnten Sie mir schon hie und
da abends schreiben, wobei ich trotz aller Gegenwehr die rohe Bemerkung nicht unterdrücken kann, daß man 5 Zeilen öfters schreiben kann als lange Briefe. Der Anblick Ihrer Briefe in der Türe – sie
kommen jetzt gegen Mittag – könnte mich alle Rücksicht gegen
Sie vergessen lassen, aber das Lesen der Zeitangabe oder die Ahnung,
daß ich Sie vielleicht um einen Spaziergang betrüge, ist auch wieder
unerträglich. Habe ich denn dann das Recht, Ihnen von Pyramidon
abzuraten, wenn ich an Ihren Kopfschmerzen mitschuld bin? Wann

gehn Sie denn eigentlich spazieren? Zweimal in der Woche Turnen, dreimal der Professor – es muß der verlorene Brief sein, in dem Sie von ihm schrieben – was bleibt dann noch übrig an freier Zeit? Und Sonntag noch Handarbeiten, warum denn das? Kann das die Mutter freuen, wenn sie weiß, daß Sie Ihre Erholungszeit dazu verwenden müssen? Besonders da doch die Mutter nach Ihren Briefen Ihre beste und lustige Freundin scheint. – Wenn Sie mich doch über dies alles in fünf Zeilen beruhigen wollten, damit wir darüber nicht mehr schreiben und nachdenken müßten, sondern ohne Selbstvorwürfe und ruhig einander ansehn und anhören könnten, Sie nach Ihrer Güte und Einsicht, ich, so wie ich muß.

Ihr Franz K.

[Briefkopf der Arbeiter-Unfall-Versicherungs-Anstalt]

31. X. 12

Gnädiges Fräulein!

Sehn Sie doch, wie viele Unmöglichkeiten es in unserem Schreiben gibt. Kann ich einer Bitte, wie jener, daß Sie mir nur 5 Zeilen schreiben sollen, den Anschein widerlichen, unwahren Edelmutes nehmen? Das ist unmöglich. Und meine ich diese Bitte nicht aufrichtig? Sicherlich meine ich sie aufrichtig. Und meine ich sie nicht vielleicht auch unaufrichtig? Natürlich meine ich sie unaufrichtig, und wie unaufrichtig ich sie meine! Wenn ein Brief endlich da ist, nachdem die Türe meines Zimmers tausendmal aufgegangen ist, um statt des Dieners mit dem Brief eine Unzahl von Leuten einzulassen, die mit einem in dieser Hinsicht mich quälenden ruhigen Gesichtsausdruck sich hier am richtigen Platze fühlen, wo doch nur der Diener mit dem Brief und kein anderer ein Anrecht hat aufzutreten – wenn dann also dieser Brief da ist, dann glaube ich ein Weilchen lang, daß ich jetzt ruhig sein kann, daß ich mich an ihm sättigen werde und daß der Tag gut vorübergehen wird. Aber dann habe ich ihn gelesen, es ist mehr darin, als ich je erfahren zu können verlangen darf, Sie haben für den Brief Ihren Abend verwendet und es bleibt vielleicht kaum Zeit mehr zu dem Spaziergang durch die Leipziger Straße, ich lese den Brief einmal, lege ihn weg und lese ihn wieder, nehme einen Akt in die Hand und lese doch eigentlich nur Ihren Brief, stehe beim Schreibmaschinisten, dem ich diktieren soll, und wieder geht mir Ihr Brief langsam durch die Hand und ich habe ihn kaum hervorgezogen, Leute fragen mich um irgendetwas und ich weiß ganz genau, daß ich jetzt nicht an Ihren Brief denken sollte, aber es ist auch das einzige, was mir einfällt – aber nach alledem bin ich hungrig wie früher, unruhig wie früher und schon wieder fängt die Tür sich lustig zu bewegen an, wie wenn der Diener mit dem Brief schon wieder kommen sollte. Das ist die »kleine Freude«, die mir Ihrem Ausdrucke nach Ihre Briefe machen. Damit beantwortet sich auch Ihre Frage, ob es mir nicht unangenehm ist, jeden Tag ins Bureau einen Brief von Ihnen zu bekommen. Natürlich ist es eine fast unmögliche Sache, das Bekommen eines Briefes von Ihnen und die Bureauarbeit in irgendeine Verbindung zu bringen, aber ebenso unmöglich ist es, zu arbeiten und umsonst auf einen Brief zu warten oder zu arbeiten und nachzudenken, ob vielleicht zuhause ein Brief liegt. Unmöglichkeiten auf allen Seiten! Und doch ist es nicht so arg, denn mir sind in der letzten Zeit mit der Bureauarbeit auch andere Unmöglichkeiten gelungen, man darf sich vor den kleineren Unmöglichkeiten nicht hinwerfen, man bekäme ja dann die großen Unmöglichkeiten gar nicht zu Gesicht.

Heute darf ich mich übrigens gar nicht beklagen, denn Ihre beiden letzten Briefe sind nur durch einen Zwischenraum von zwei Stunden getrennt zu mir gekommen und ich habe die Unordentlichkeit der Post natürlich für den gestrigen Tag ebenso verflucht, wie ich sie für den heutigen Tag lobe.

Aber ich antworte gar nicht und frage kaum und alles nur deshalb, weil die Freude, Ihnen zu schreiben, ohne daß ich mir dessen gleich bewußt werde, alle Briefe an Sie gleich für das Endlose anlegt und da muß natürlich auf den ersten Bogen nichts Eigentliches gesagt werden. Aber warten Sie, morgen habe ich hoffentlich (ich hoffe für mich) genug Zeit, alle Fragen in einem Zuge zu beantworten und so viel Fragen zu stellen, daß mir wenigstens für den Augenblick das Herz leichter wird.

Heute sage ich nur noch, daß ich mir bei der Briefstelle, die von Ihrem Hut handelte, in die Zunge gebissen habe. Also schwarz war er unten? Wo hatte ich meine Augen? Und geringfügig war mir die Beobachtung durchaus nicht. Dann war er aber oben in der Gänze weiß und das kann mich beirrt haben, da ich meiner Länge wegen auf ihn hinuntersah. Auch beugten Sie den Kopf ein wenig, als Sie den Hut anzogen. Kurz es gibt Entschuldigungen wie immer, aber was ich nicht ganz genau wußte, hätte ich nicht schreiben dürfen.

Mit den he...
ist.
      Grüßen und einem Handkuß, wenn's erlaubt

Ihr Franz K.

Liebes Fräulein Felice!   1. XI. 12

Sie dürfen mir diese Ans...
nehmen, denn wenn ich, w wenigstens für diesmal nicht übel-
über meine Lebensweise schre.es schon einige Male verlangten,
lich einige für mich heikle Din.ll, so muß ich doch wahrschein-
»gnädigen Fräulein« kaum heraus.en, die ich gegenüber einem
Ansprache nicht etwas gar so Sch..te. Übrigens kann die neue
nicht mit so großer und noch fortdau.es sein, sonst hätte ich sie
dacht.   .der Zufriedenheit ausge-

Mein Leben besteht und bestand im Grunde .n jeher aus Versuchen
zu schreiben und meist aus mißlungenen. S.rieb ich aber nicht,
dann lag ich auch schon auf dem Boden, w.. hinausgekehrt zu
werden. Nun waren meine Kräfte seit jeher jäm.erlich klein und,
wenn ich es auch nicht offen eingesehen habe, so er.ab es sich doch
von selbst, daß ich auf allen Seiten sparen, überall mir ein wenig entgehen lassen müsse, um für das, was mir mein Hauptzweck schien,
eine zur Not ausreichende Kraft zu behalten. Wo ich es aber nicht
selbst tat (mein Gott! selbst an diesem Feiertag beim Journaldienst
im Bureau keine Ruhe, sondern Besuch hinter Besuch wie eine losgelassene kleine Hölle) sondern irgendwo über mich hinaus wollte,
wurde ich von selbst zurückgedrängt, geschädigt, beschämt, für
immer geschwächt, aber gerade dieses, was mich für Augenblicke
unglücklich machte, hat mir im Laufe der Zeit Vertrauen gegeben
und ich fing zu glauben an, daß da irgendwo, wenn auch schwer
aufzufinden, ein guter Stern sein müsse, unter dem man weiterleben könne. Ich habe mir einmal im einzelnen eine Aufstellung darüber gemacht, was ich dem Schreiben geopfert habe und darüber,
was mir um des Schreibens willen genommen wurde oder besser,
dessen Verlust nur mit dieser Erklärung sich ertragen ließ[1].
Und tatsächlich, so mager wie ich bin und ich bin der magerste
Mensch, den ich kenne (was etwas sagen will, da ich schon viel in
Sanatorien herumgekommen bin) ebenso ist auch sonst nichts an
mir, was man in Rücksicht auf das Schreiben Überflüssiges und

[1] Vgl. *Tagebücher* (3. Januar 1912), S. 229.

Überflüssiges im guten Sinne nennen könn... es also eine höhere Macht, die mich benützen will oder... dann liege ich als ein zumindest deutlich ausgearbeitetes... ient in ihrer Hand; wenn nicht, dann bin ich gar nichts... rde plötzlich in einer fürchterlichen Leere übrig bleiben. ...n an Sie erweitert und es Jetzt habe ich mein Leben um das...rend meines Wachseins, in gibt wohl kaum eine Viertelstun... viele Viertelstunden, in denen der ich nicht an Sie gedacht hätt...eses steht mit meinem Schreiben ich nichts anderes tue. Aber se...llengang des Schreibens bestimmt im Zusammenhang, nur de...ner Zeit matten Schreibens niemals mich und gewiß hätte ich...e zu wenden. Das ist so wahr, wie es den Mut gehabt, mich a...Abend ein Gefühl hatte als hätte ich eine wahr ist, daß ich seit jen...irch die es saugend und unbeherrscht ein- Öffnung in der Brust...t eines Abends im Bett durch die Erinnerung und auszog, bis sich...chichte die Notwendigkeit jenes Gefühls wie an eine biblische G...ner biblischen Geschichte gleichzeitig bewies. auch die Wahrheit...

Wie Sie nun abe... auch mit meinem Schreiben verschwistert sind, trotzdem ich bi... dahin glaubte, gerade während des Schreibens nicht im geringsten an Sie zu denken, habe ich letzthin staunend gesehn. In einem kleinen Absatz, den ich geschrieben hatte, fanden sich unter anderem folgende Beziehungen zu Ihnen und zu Ihren Briefen: Jemand bekam eine Tafel Chokolade geschenkt. Es wurde von kleinen Abwechslungen gesprochen, die jemand während seines Dienstes hatte. Weiterhin gab es einen telephonischen Anruf. Und schließlich drängte jemand einen andern schlafen zu gehn und drohte ihm, ihn, wenn er nicht folgen werde, bis auf sein Zimmer zu führen, was sicher nur eine Erinnerung an den Ärger war, den Ihre Mutter hatte, als Sie so lange im Bureau blieben [1]. – Solche Stellen sind mir besonders lieb, ich halte Sie darin, ohne daß Sie es fühlen und ohne daß Sie sich also wehren müßten. Und selbst wenn Sie einmal etwas Derartiges lesen sollten, werden Ihnen diese Kleinigkeiten bestimmt entgehn. Das dürfen Sie aber glauben, daß Sie vielleicht nirgends auf der Welt mit größerer Sorglosigkeit sich fangen lassen dürften als hier.

Meine Lebensweise ist nur auf das Schreiben hin eingerichtet und wenn sie Veränderungen erfährt, so nur deshalb, um möglicher

[1] Vgl. den vorletzten Absatz des Kapitels »Hotel Occidental« in Kafkas Amerika-Roman *Der Verschollene*.

Weise dem Schreiben besser zu entsprechen, denn die Zeit ist kurz, die Kräfte sind klein, das Bureau ist ein Schrecken, die Wohnung ist laut und man muß sich mit Kunststücken durchzuwinden suchen, wenn es mit einem schönen geraden Leben nicht geht. Die Befriedigung über ein derartiges Kunststück, das einem in der Zeiteinteilung gelungen ist, ist allerdings nichts gegenüber dem ewigen Jammer, daß jede Ermüdung sich in dem Geschriebenen viel besser und klarer aufzeichnet, als das, was man eigentlich aufschreiben wollte. Seit 1 ½ Monaten ist meine Zeiteinteilung mit einigen in den letzten Tagen infolge unerträglicher Schwäche eingetretenen Störungen die folgende: Von 8 bis 2 oder 2⅓ Bureau, bis 3 oder ¼4 Mittagessen, von da ab Schlafen im Bett (meist nur Versuche, eine Woche lang habe ich in diesem Schlaf nur Montenegriner gesehn mit einer äußerst widerlichen, Kopfschmerzen verursachenden Deutlichkeit jedes Details ihrer komplizierten Kleidung) bis ½8, dann 10 Minuten Turnen, nackt bei offenem Fenster, dann eine Stunde Spazierengehn allein oder mit Max oder mit noch einem andern Freund, dann Nachtmahl innerhalb der Familie (ich habe 3 Schwestern, eine verheiratet, eine verlobt, die ledige ist mir, unbeschadet der Liebe zu den andern, die bei weitem liebste)[1] dann um ½11 (oft wird aber auch sogar ½12) Niedersetzen zum Schreiben und dabeibleiben je nach Kraft, Lust und Glück bis 1, 2, 3 Uhr, einmal auch schon bis 6 Uhr früh. Dann wieder Turnen, wie oben, nur natürlich mit Vermeidung jeder Anstrengung, abwaschen und meist mit leichten Herzschmerzen und zuckender Bauchmuskulatur ins Bett. Dann alle möglichen Versuche einzuschlafen, d. h. Unmögliches zu erreichen, denn man kann nicht schlafen (der Herr verlangt sogar traumlosen Schlaf) und dabei gleichzeitig an seine Arbeiten denken und überdies die mit Bestimmtheit nicht zu entscheidende Frage mit Bestimmtheit lösen wollen, ob den nächsten Tag ein Brief von Ihnen kommen wird und zu welcher Zeit. So besteht die Nacht aus zwei Teilen, aus einem wachen und einem schlaflosen und wollte ich Ihnen darüber ausführlich schreiben und wollten Sie es anhören, ich würde niemals fertig werden. Natürlich ist es dann kein besonderes Wunder, wenn ich im Bureau am Morgen gerade knapp noch mit

---

[1] Kafkas Schwestern hießen Elli (Gabriele), Valli (Valerie) und Ottla (Ottilie). Elli, geb. 22. 9. 1889, war mit Karl Hermann verheiratet; Valli, geb. 25. 9. 1890, heiratete im Januar 1913 Josef Pollak; Kafkas Lieblingsschwester Ottla, geb. 29. 10. 1892, heiratete erst im Jahre 1920.

dem Ende meiner Kräfte zu arbeiten anfange. Vor einiger Zeit stand auf einem Korridor, über den ich immer zu meinem Schreibmaschinisten gehe, eine Bahre, auf der Akten und Drucksorten transportiert werden, und immer wenn ich an ihr vorüberging, schien sie mir vor allem für mich geeignet und auf mich zu warten.

Um genau zu sein, darf ich nicht vergessen, daß ich nicht nur Beamter sondern auch Fabrikant bin. Mein Schwager hat nämlich eine Asbestfabrik[1], ich (allerdings nur mit einer Geldeinlage meines Vaters) bin Teilhaber und als solcher auch protokolliert. Diese Fabrik hat mir schon genug Leid und Sorgen gemacht, von denen ich aber jetzt nicht erzählen will, jedenfalls vernachlässige ich sie seit längerer Zeit (d.h. ich entziehe ihr meine im übrigen unbrauchbare Mitarbeit) so gut es geht und es geht so ziemlich.

Nun habe ich aber wieder so wenig erzählt und gar nicht gefragt und muß schon wieder schließen. Aber keine Antwort und noch zweifelloser keine Frage soll verlorengehen. Nun es gibt zwar ein Zaubermittel, mittelst dessen zwei Menschen, ohne einander zu sehen, ohne miteinander zu sprechen, zumindest das meiste Vergangene über einander erfahren können, mit einem Schlage förmlich, ohne einander alles schreiben zu müssen, aber es ist immerhin schon fast ein Mittel der hohen Magie (ohne daß es so aussieht) und an diese tritt man doch, wenn auch niemals unbelohnt, so noch gewisser auch niemals unbestraft heran. Deshalb spreche ich es auch nicht aus, Sie müßten es denn erraten. Es ist schrecklich kurz, wie alle Zaubersprüche.

Leben Sie wohl und lassen Sie mich diesen Wunsch durch einen langen Handkuß noch besiegeln.

Ihr Franz K.

[Briefkopf der Arbeiter-Unfall-Versicherungs-Anstalt]

2. X. 12 [2. November 1912]

Gnädiges Fräulein!

Wie denn? Sie werden auch müde? Es ist mir ein fast unheimliches Gefühl, Sie am Abend müde und allein in Ihrem Bureau zu wissen. Wie sind Sie denn im Bureau angezogen? Und worin besteht Ihre Hauptarbeit? Sie schreiben oder diktieren? Und es muß doch eine hohe Stellung sein, wenn Sie mit so vielen Leuten zu reden haben,

---

[1] Karl Hermann, Mann der Schwester Elli.

denn der niedrige Beamte sitzt doch stumm bei seinem Tisch[1]. Daß eine Fabrik bei Ihrem Bureau ist, hatte ich schon erraten, aber was wird da gemacht? Nur Parlographen? Ja kauft denn das jemand? Ich bin glücklich (falls ich in Ausnahmsfällen nicht selbst auf der Maschine schreibe), einem lebendigen Menschen diktieren zu können (das ist meine Hauptarbeit), der hie und da, wenn mir gerade nichts einfällt, ein wenig einnickt oder der sich hie und da ein wenig ausstreckt oder die Pfeife anzündet und mich unterdessen ruhig aus dem Fenster schauen läßt? Oder der, wie heute z.B., als ich ihn wegen seines langsamen Schreibens beschimpfte, mich zur Besänftigung daran erinnert, daß ich einen Brief bekommen habe. Gibt es einen Parlographen, der das kann? Ich erinnere mich, daß uns vor einiger Zeit ein Diktaphon (damals hatte ich noch nicht das Vorurteil, das ich heute gegen die Fabrikate Ihrer Konkurrenz habe) vorgeführt wurde, aber das war unmäßig langweilig und unpraktisch. Ich kann mich also in das Geschäft nicht recht hineindenken und würde nur wünschen, daß es auch in Wirklichkeit so unbegründet und luftig organisiert wäre, wie ich es mir vorstelle, und daß Sie darin ein entsprechend leichtes und müheloses Leben führten. Übrigens kann ich auch Ihre Prager Filiale nicht finden, die meiner Erinnerung an eine Ihrer Bemerkungen nach in der Obstgasse oder Ferdinandstraße gelegen sein soll. Ich habe sie schon öfters gesucht, denn irgend ein Zeichen oder eine Ahnung von Ihnen müßte ich doch aus dem Anblick der Firmatafel bekommen können.

Meine Bureauarbeit zu beschreiben, macht mir wenig Vergnügen. Sie ist an sich nicht wert, daß Sie von ihr erfahren, und sie ist auch nicht wert, daß ich Ihnen von ihr schreibe, denn sie läßt mir keine Zeit und Ruhe Ihnen zu schreiben, macht mich so fahrig und sinnlos wie ich jetzt bin und wird nur wieder zur Rache von den Gedanken an Sie so aufgestört, daß es eine Lust ist.

Leben Sie wohl! Morgen kommt wahrscheinlich ein ruhiger Sonntag, dann schreibe ich Ihnen eine Menge. Und arbeiten Sie sich nicht müde! Machen Sie mich nicht traurig! – Und das schreibe ich an dem Tag, an dem Sie meinen Jammerbrief bekommen haben. Was sind wir für schwache Menschen!

Ihr Franz K.

---

[1] Felice Bauer war seit August 1909 Stenotypistin bei der Firma Carl Lindström A.G. (Berlin). Seit 1912 hatte sie eine leitende Stellung in der Parlographenabteilung der Firma.

Liebes Fräulein Felice!

Nun weint mein Neffe nebenan[1], meine Mutter nennt ihn unaufhörlich auf tschechisch »braver Junge« und dann »kleiner Junge«, es ist schon 6 Uhr abends, nein schon ½7, wie ich auf der Uhr sehe, ich habe mich nachmittag zu lange bei Max aufgehalten, der mir 2 Kapitel einer neuen Geschichte »Aus der Nähschule«[2] vorgelesen hat, die sehr schön geraten und voll mädchenhafter Gefühle ist, die mir aber doch stellenweise gänzlich auseinandergeflogen ist vor dem Bestreben, zu diesem Brief zu kommen, zu dem es mich, wenn ich genau rechne, schon von 2 Uhr nachts an gezogen hat, dem Augenblick, in dem ich mit meinem andern Schreiben aufgehört habe. Nun ist aber schon so spät, meine tyrannische Zeiteinteilung setzt eigentlich schon voraus, daß ich eine Stunde lang schlafe, überdies ist jetzt die letzte verhältnismäßige Stille in der Wohnung, die ich vor der eigentlichen Nachtruhe haben kann, endlich liegen da Korrekturbogen[3], die ich schon einige Tage, ohne sie durchgesehen zu haben, auf dem Tische habe und die morgen weggeschickt werden sollen und mir vielleicht die paar Stunden Abend- und Nachtzeit glatt wegnehmen werden; aus allen diesen zum größten Teil dummen Gründen wird es kein systematischer Brief werden, wie ich es wollte und wie es dem Sonntag auch zukommt. Aus allen diesen Gründen aber, den letzten mit eingeschlossen, bin ich unzufrieden und traurig und die winzige, ganz junge Katze, die ich aus der Küche höre, winselt mir aus dem Herzen. Nun habe ich außerdem, wie ich es allerdings nicht anders erwarten konnte, keinen Brief von Ihnen bekommen, da Ihre Briefe immer erst mit der zweiten Post kommen, die sonntags nicht mehr ausgetragen wird, ich werde ihn also im besten Falle erst morgen früh bekommen nach der langen Nacht. – Kann mir bei solchen Umständen jemand verwehren, Sie zum kleinen Ersatz alles dessen so anzusprechen, wie ich es oben getan habe? Und paßt diese Ansprache im einzelnen und im ganzen nicht so zusammen, daß man sich sie, wenn sie einmal da ist, niemals wieder abgewöhnen kann?

Liebes Fräulein Felice, wie haben Sie diesen schönen, so schrecklich kurzen Sonntag verbracht? Wenn es einen stören sollte, wenn ein

---

[1] Felix, Sohn der Schwester Elli (Hermann).

[2] Die Erzählung »Aus einer Nähschule« erschien in Max Brod, *Weiberwirtschaft. Drei Erzählungen*. Berlin 1913.

[3] Von Kafkas *Betrachtung*.

anderer an einen denkt, dann müßten Sie mitten in der Nacht aufgeschreckt worden sein, früh beim Lesen im Bett müßten Sie die Zeilen verloren haben, beim Frühstück müßten Sie einige Male über Cacao und Brötchen und sogar über die Mutter hinweggeschaut haben, die Orchideen, die Sie in eine neue Wohnung trugen, müßten Ihnen einmal in der Hand erstarrt sein und nur vielleicht jetzt bei Schillings Flucht[1] hätten Sie Ruhe, denn jetzt denke ich nicht an Sie, sondern bin bei Ihnen. Aber ich bin nicht bei Ihnen, sondern habe gerade beim Schlußpunkt den Vater, der eben nachhause gekommen ist, im Nebenzimmer eine äußerst schlechte Geschäftsnachricht erzählen hören, bin hineingegangen und mit Vater und Mutter paar Augenblicke traurig und zerstreut beisammengestanden.

In den letzten Tagen sind mir noch zwei Ergänzungen zu unserem gemeinsamen Abend eingefallen, die eine habe ich zufällig in Ihren Briefen gefunden, die andere ist mir aus eigenem eingefallen.

Sie erzählten tatsächlich schon damals, und ich verstehe nicht, wie ich es vergessen konnte, daß es Ihnen ein unangenehmes Gefühl sei, allein im Hotel zu wohnen. Ich sagte damals hiezu wahrscheinlich, daß ich mich im Gegenteil im Hotelzimmer besonders behaglich fühle. Nun ist das für mich wirklich so, ich habe es besonders voriges Jahr erfahren, wo ich im tiefen Winter längere Zeit in nordböhmischen Städten und Städtchen reisen mußte[2]. Diesen Raum eines Hotelzimmers mit übersichtlichen vier Wänden, absperrbar für sich zu haben, sein aus bestimmten Stücken bestehendes Eigentum an bestimmten Stellen der Schränke, Tische und Kleiderrechen untergebracht zu wissen, gibt mir immer wieder wenigstens den Hauch eines Gefühls einer neuen, unverbrauchten, zu Besserem bestimmten, möglichst sich anspannenden Existenz, was ja allerdings vielleicht nichts anderes als eine über sich hinausgetriebene Verzweiflung ist, die sich in diesem kalten Grab eines Hotelzimmers am rechten Platze findet. Jedenfalls habe ich mich dort immer sehr wohl gefühlt und ich kann fast von jedem Hotelzimmer, in dem ich gelebt habe, nur das Beste erzählen. Im allgemeinen reisen wir ja wahrscheinlich beide nicht sehr viel. Aber wie ist es nun mit Ihrem Unbehagen, das Sie nicht einmal die Treppe Ihres Hauses in der Nacht

---

[1] Gerhart Hauptmanns Drama *Gabriel Schillings Flucht.*
[2] Über Kafkas juristische Arbeit und seine berufliche Tüchtigkeit vgl. Klaus Wagenbach, *Franz Kafka. Eine Biographie seiner Jugend 1883–1912,* Bern 1958, S. 141 ff. (im weiteren zitiert als ›Wagenbach, *Biographie*‹.)

allein hinauf gehen läßt? Sie müssen überdies ganz niedrig wohnen, wie könnte man sonst das Händeklatschen von der Straße her hören (ich verstehe überhaupt nicht, wie man es durch die geschlossenen Fenster hören kann). Und über diese niedrige Treppe wollen Sie allein nicht gehen? Sie, die so ruhig und zuversichtlich scheinen. Nein, da kann mir nicht genügen, was Sie mir über das Öffnen des Haustores geschrieben haben.

An jenem Abend wurde auch vom Jargontheater gesprochen. Sie hatten zwar einmal eine derartige Aufführung gesehen, konnten sich aber an den Titel des Stückes nicht mehr erinnern. Nun spielt, glaube ich, gerade jetzt in Berlin eine solche Truppe und bei ihr mein guter Freund, ein gewisser I. Löwy[1]. Er war es übrigens, der mir in der langen Wartezeit zwischen Ihrem ersten und zweiten Brief unabsichtlich aber doch alles Dankes wert eine kleine Nachricht von Ihnen schickte. Er schreibt mir nämlich sehr oft und schickt mir auch sonst Bilder, Plakate, Zeitungsausschnitte und dgl. Da schickte er mir einmal auch ein Plakat des Leipziger Gastspiels der Truppe. Ich ließ es auf dem Schreibtisch zusammengefaltet liegen, fast ohne es angesehen zu haben. Wie es nun aber auf einem Schreibtisch zuzugehen pflegt, daß einmal das Unterste zuoberst kommt, ohne daß man es will, lag auch einmal gerade dieses Plakat (und nicht etwa ein anderes) obenauf und war überdies ganz aufgeschlagen. Zu diesem Zufall kam der andere, daß ich es genauer las, denn es sind ganz lustige Dinge drin, (eine Schauspielerin, eine verheiratete, ältere Dame, die ich übrigens sehr bewundere, wird dort »Primadonna« genannt, Löwy nennt sich sogar »Dramatist«) aber unten in der Ecke stand, zweifellos zum Erschrecken, die Immanuelkirchstraße in Berlin NO, in der das Plakat gedruckt worden ist. Und darum denke ich aus Dankbarkeit heute, wo ich mich zum Glück nicht mehr mit derartigen Nachrichten über Sie begnügen muß, daran, ob Sie nicht einmal diese Schauspieler, von denen ich Ihnen übrigens endlos erzählen könnte, ansehen wollten. Ich weiß es nicht ganz bestimmt, ob sie jetzt in Berlin spielen, aber nach einer Karte dieses Löwy, sie liegt irgendwo auf meinem Tisch herum,

---

[1] Kafka war seit dem Winter 1911/12 mit dem aus Rußland stammenden Jargon-Schauspieler Jizchak Löwy befreundet. Er hatte ihn bei einem Prager Gastspiel von Löwys Truppe kennengelernt und verfolgte seither die Tätigkeit dieses Wandertheaters mit großem Interesse. Vgl. Wagenbach, *Biographie*, S. 179 ff.

glaube ich das annehmen zu können. Gewiß würde Ihnen dieser Mann wenigstens eine Viertelstunde lang sehr gefallen. Vielleicht könnten Sie ihn, wenn es Ihnen Spaß macht, vor dem Spiel oder nach dem Spiel zu sich rufen lassen, ihn durch Berufung auf mich zutraulich machen und ein Weilchen ihn anhören. Das ganze Jargontheater ist schön, ich war voriges Jahr wohl 20 mal bei diesen Vorstellungen und im deutschen Theater vielleicht gar nicht. – Aber dieses Ganze, was ich da geschrieben habe, ist keine Bitte hinzugehen, nein, wahrhaftig nicht. Sie haben in Berlin schönere Theater und vielleicht oder höchstwahrscheinlich macht es schon die höchstwahrscheinliche Schäbigkeit des betreffenden Theatersaales Ihnen ganz unmöglich hineinzugehen. Ich hätte sogar Lust, alles, was ich darüber geschrieben habe, zu zerreißen und bitte Sie wenigstens, aus dieser Lust darauf zu schließen, daß ich Ihnen gar nicht anrate hinzugehen.

Und damit soll ich den Teil des Sonntags, den ich mit Ihrem Brief verbringe, beenden? Aber es wird spät und später und ich muß mich äußerst beeilen, wenn ich vor meiner Nachtschicht noch ein wenig Schlaf finden will. Sicher aber ist, daß ich ihn ohne diesen allerdings bei weitem nicht befriedigenden Brief niemals gefunden hätte.

Und nun leben Sie wohl! Die elende Post, Ihr Brief liegt schon den ganzen Tag vielleicht in Prag und man entzieht mir ihn! Leben Sie wohl!

Ihr Franz K.

Nun ist Mitternacht vorüber, ich habe wirklich nur die Korrekturen fertig gemacht, geschlafen habe ich nicht und auch nichts für mich geschrieben. Jetzt anzufangen, dazu ist es doch schon zu spät, besonders da ich nicht geschlafen habe und so werde ich mich mit einer unterdrückten Unruhe ins Bett legen und um den Schlaf kämpfen müssen. Sie schlafen wohl schon längst und ich tue nicht recht, daß ich Ihren Schlaf noch mit dieser kleinen Ansprache beschwöre. Aber ich habe gerade Ihren letzten Brief ein wenig wieder vorgenommen und es ist mir eingefallen, ob Sie nicht die Arbeit bei dem Professor lassen sollten. Ich weiß zwar noch nicht, was es für eine Arbeit ist, aber wenn er Ihnen Abend für Abend goldene Worte diktieren sollte, es stünde nicht dafür, daß es Sie müde macht. Und jetzt sage ich Ihnen noch Gute Nacht und Sie danken mit ruhigen Atemzügen.

Ihr Franz K.

Jetzt ist Montag ½11 Uhr vormittag. Seit Samstag ½11 Uhr warte ich auf einen Brief und es ist wieder nichts gekommen. Ich habe jeden Tag geschrieben (das ist nicht der geringste Vorwurf, denn es hat mich glücklich gemacht) aber verdiene ich wirklich kein Wort? Kein einziges Wort? Und wenn es auch nur die Antwort wäre »Ich will von Ihnen nichts mehr hören«. Dabei habe ich geglaubt, daß Ihr heutiger Brief eine kleine Entscheidung enthalten wird und nun ist das Nichtkommen des Briefes allerdings auch eine Entscheidung. Wäre ein Brief gekommen, ich hätte gleich geantwortet und die Antwort hätte mit einer Klage über die Länge der zwei endlosen Tage anfangen müssen. Und nun lassen Sie mich trostlos bei meinem trostlosen Schreibtisch sitzen!

Liebes Fräulein Felice!

Wenn Sie wollen, daß ich Ihnen immer so schreibe, wie es wirklich ist, dann werden Sie mir auch meinen gestrigen verruchten, überflüssigen Schreckbrief leicht verzeihen, denn so wie es auf dem Papierfetzen stand, so war es auch tatsächlich Wort für Wort. Heute sind natürlich Ihre beiden letzten Briefe gekommen, der eine früh, der andere um zehn, ich habe nicht das geringste Recht zu klagen, bekomme sogar das Versprechen, jeden Tag einen Brief zu bekommen (Herz, höre, jeden Tag einen Brief!) und kann froh sein, wenn Sie mir verzeihen. Nur möchte ich Sie beschwören, wenn ein Brief schon für mich fertig ist, lassen Sie mich nicht darunter leiden, daß Sie keine Marke bei der Hand haben, werfen Sie ihn nur ungescheut und kräftig ohne Marke ein.

Das Leid ist, daß ich Ihnen, wenn nicht Sonntag ist, fast nur in meiner stumpfsten Tagesstunde von 3–4 Uhr schreiben kann. Im Bureau geht es nur selten – wie muß ich mich zurückhalten, wenn ich Ihren Brief gelesen habe! – schriebe ich Ihnen aber nicht jetzt, könnte ich dann gar nicht einschlafen vor Unbefriedigung, auch bekämen Sie den Brief nicht mehr am nächsten Tag und abends drängt sich auf meiner Stundeneinteilung die Zeit zu sehr.

Übrigens sehe ich aus Ihrem Brief, daß ich auch an Feiertagen unvernünftig schreibe. Mein Herz ist wohl verhältnismäßig ganz gesund, aber es ist eben für ein menschliches Herz überhaupt nicht leicht, dem Trübsinn des schlechten Schreibens und dem Glück des guten Schreibens Stand zu halten. In den Sanatorien war ich nur wegen des Magens und der allgemeinen Schwäche und nicht zu vergessen der in sich selbst verliebten Hypochondrie. Aber von dem allen muß ich einmal ausführlicher schreiben. Nein, berühmten Ärzten glaube ich nicht; Ärzten glaube ich nur, wenn sie sagen, daß sie nichts wissen und außerdem hasse ich sie (hoffentlich lieben Sie keinen). Freilich Berlin würde ich mir schon zu einem freien, ruhigen Leben verordnen lassen, aber wo findet sich dieser mächtige Arzt? Und gerade die Immanuel-Kirchstraße muß gut für müde Menschen sein. Ich kann sie Ihnen beschreiben. Hören Sie: »Von Alexander Platz ziht sich eine lange, nicht belebt Strasse, Prenzloer Strasse, Prenzloer Allee. Welche hat viele Seitengässchen. Eins von diese Gässchen ist das Immanuel Kirchstrass. Still, abgelegen, weit von den immer roschenden Berlin. Das Gässchen beginnt mit eine gewenliche Kirche. Wi sa wi steht das Haus Nr 37 ganz schmall und hoch. Das Gässchen ist auch ganz schmall. Wenn ich dort bin, ist immer ruhig, still und ich frage, ist das noch Berlin?« So beschreibt mir in einem Brief, den ich gestern bekommen habe, der Schauspieler Löwy Ihre Gasse. Die letzte Frage ist dichterisch, finde ich, und das Ganze eine treue Beschreibung. Ich habe ihn vor einiger Zeit darum gebeten, ohne Angabe eines Grundes, und er schreibt mir das ebenso ohne weiter zu fragen. Allerdings wollte ich von dem Haus Nr 30 hören (nun wohnen Sie aber gar 29, wenn ich nicht irre) ich weiß nicht, warum er das Haus 37 für mich ausgesucht hat. Jetzt fällt mir übrigens ein, daß in diesem Haus vielleicht die Druckerei jenes Plakates ist. Nach diesem letzten Brief scheint die Truppe ihre letzte Berliner Vorstellung sonntags gegeben zu haben, aber es ist, soweit ich dies aus dem Brief herauslesen kann, möglich, daß sie nächsten Sonntag wieder spielt. Ich schreibe dies wieder nur zur Korrektur meiner letzten Angaben und mit allen Vorbehalten, die ich dort für den Ratschlag, dieses Theater zu besuchen machte.

Das zauberhafte Wort steht zufällig auch in Ihrem vorletzten Brief und weiß es nicht. Es ist dort verloren zwischen vielen andern und wird, fürchte ich, in unseren Briefen niemals zu dem Range kommen, den es verdient, denn ich spreche es zuerst auf keinen Fall aus und Sie werden es natürlich, selbst wenn Sie es erraten sollten, als erste nicht aussprechen. Vielleicht ist es gut so, denn, den Eintritt der Wirkung jenes Wortes vorausgesetzt, würden Sie Dinge in mir finden, die Sie nicht leiden wollten und was sollte ich dann anfangen?

Mein Schreiben und mein Verhältnis zum Schreiben würden Sie dann vor allem anders ansehen und mir nicht mehr »Maß und Ziel« anraten wollen. »Maß und Ziel« setzt die menschliche Schwäche schon genug. Müßte ich mich nicht auf dem einzigen Fleck, wo ich stehen kann, mit allem einsetzen, was ich habe? Wenn ich das nicht täte, was für ein heilloser Narr wäre ich! Es ist möglich, daß mein Schreiben nichts ist, aber dann ist es auch ganz bestimmt und zweifellos, daß ich ganz und gar nichts bin. Schone ich mich also darin, dann schone ich mich, richtig gesehen, eigentlich nicht, sondern bringe mich um. Für wie alt halten Sie mich übrigens? Vielleicht war an unserem Abend davon die Rede, ich weiß es nicht, vielleicht aber haben Sie nicht darauf geachtet.

Leben Sie wohl und meinen Sie es weiter gut mit mir und legen Sie nur immer ruhig die Briefe an Frau Sophie angefangen beiseite. Ich habe Frau F. [Friedmann] sehr gern, aber nicht so gern, daß ich ihr Ihre Briefe gönnte. Nein, wir sind in keinem Briefverkehr. Ich habe ihr nur 3 Briefe geschrieben: der erste war Klage Ihretwegen, der zweite Unruhe Ihretwegen, der dritte Dank Ihretwegen. Adieu!

Ihr Franz K.

[Briefkopf der Arbeiter-Unfall-Versicherungs-Anstalt]

6. x. 12 [6. November 1912]

Liebes Fräulein Felice! Aber man zerreißt Sie ja vor meinen Augen! Geben Sie sich nicht mit zuviel Menschen ab, mit unnötig vielen? Woran gewiß nichts Arges wäre, wenn Sie nur mehr Zeit dafür hätten. Machen Sie nicht viele Arbeiten, Besuche, gehen Sie nicht zu manchen Unterhaltungen, bei denen nichts gewonnen wird als Unruhe? Ich bin da ein wenig lehrhaft, ohne von der Sache viel zu wissen und zu verstehn, aber Ihr letzter Brief ist so nervös, daß man das Verlangen bekommt, Ihre Hand einen Augenblick lang festzuhalten. Ich sage damit nichts gegen Einzelnes, nichts gegen die guten

Verlockungen beim Professor, wenn ich auch über dem »Wasser und Gas« die Augen aufgerissen habe, nichts auch gegen das Stiftungsfest, zumal bei solchen Festen öfters Gruppenaufnahmen gemacht werden, die man leicht verschenken kann, ohne daß man eigentlich seine Photographie ausdrücklich mitschenkt. Und Auswärtigen kann man damit eine große Freude machen, wenn man will.

Über das Jargontheater habe ich gewiß nicht ironisch gesprochen, vielleicht gelacht, aber das gehört zur Liebe. Ich habe sogar vor einer Unzahl von Menschen, wie mir jetzt vorkommt, einen kleinen Einleitungsvortrag gehalten und der Löwy hat dann gespielt, gesungen und recitiert[1]. Leider ist das Geld, das aus jener Unzahl herausgeschlagen wurde, nicht entsprechend unzählig gewesen. Über die Berliner Vorstellungen weiß ich nicht mehr als ich gestern schrieb, sonst enthält nämlich Löwy's letzter Brief nur Klage und Jammer. Nebenbei Klage auch darüber, daß sich in Berlin an Wochentagen nichts verdienen läßt, ein Vorwurf, den ich der Berlinerin nicht verschweigen darf. Im übrigen ist L. ein, wenn man ihn gewähren läßt, geradezu ununterbrochen begeisterter Mensch, ein »heißer Jude«, wie man im Osten sagt. Jetzt allerdings ist er aus verschiedenen Gründen, die zu erzählen zu lang, wenn auch nicht langweilig wäre, über alle Maßen unglücklich und das Schlimme ist, daß ich gar nicht weiß, wie ihm zu helfen wäre.

Meine sonntägliche Erwartung Ihres Briefes ist leicht zu erklären, ich ging eben ins Bureau nachschauen, aber damals war ich noch nicht eigentlich enttäuscht und blätterte in der vorhandenen Post nicht erwartungsvoll sondern bloß in Gedanken. Meine Wohnungsadresse ist Niklasstraße 36. Wie ist aber bitte die Ihre? Ich habe auf der Rückseite Ihrer Briefe schon drei verschiedene Adressen gelesen, ist es also Nr. 29? Ist es Ihnen nicht lästig, eingeschriebene Briefe zu bekommen? Ich schicke sie nicht bloß aus Nervosität, wenn auch nebenbei aus diesem Grunde, aber ich habe das Gefühl, daß ein solcher Brief mehr geradewegs in Ihre Hand kommt, nicht in dem nachlässigen Pendeln solcher traurig wandernden einfachen Briefe und ich sehe dabei immer die ausgestreckte Hand eines strammen

---

[1] Der jiddische Vortragsabend, von dem Kafka hier spricht, fand am 18. Februar 1912 im Festsaal des Jüdischen Rathauses in Prag statt. Der Wortlaut von Kafkas Einleitungsvortrag findet sich in dem Band *Hochzeitsvorbereitungen*, S. 421–426. Vgl. auch *Tagebücher* (13. und 25. Februar 1912), S. 249ff.

Berliner Briefträgers, der Ihnen den Brief nötigenfalls aufzwingen würde, selbst wenn Sie sich wehrten. Man kann nicht genug Mithelfer haben, wenn man abhängig ist. – Leben Sie wohl! Ich bin stolz, daß in diesem Brief keine Klage steht, so schön es auch ist, Ihnen zu klagen.

Ihr Franz K.

[Briefkopf der Arbeiter-Unfall-Versicherungs-Anstalt]

7. XI. 12

Liebstes Fräulein Felice! Gestern habe ich vorgegeben, daß ich Sorge um Sie habe und habe mir Mühe gegeben, Ihnen zuzureden. Aber was tue ich selbst unterdessen? Quäle ich Sie nicht? Zwar nicht mit Absicht, denn das wäre unmöglich und müßte, wenn es so wäre, vor Ihrem letzten Brief vergehen wie das Teuflische vor dem Guten, aber durch mein Dasein, durch mein Dasein quäle ich Sie. Ich bin im Grunde unverwandelt, drehe mich weiter in meinem Kreise, habe nur ein neues, unerfülltes Verlangen zu meinem übrigen unerfüllten bekommen und habe eine neue menschliche Sicherheit, vielleicht meine stärkste, geschenkt erhalten zu meinem sonstigen Verlorensein. Sie aber fühlen sich unruhig und gestört, weinen im Traum, was ärger ist als schlaflos zu der Decke schauen, sind anders als an jenem Abend, wo Ihr Blick so ruhig von einem zum andern ging, durchhuschen alles, einmal sind in Ihrem Briefe 20 Leute, einmal keiner, kurz die Gewinne sind zwischen uns ungerecht, höchst ungerecht verteilt. (Was setzt Du Dich Mensch jetzt in diesem stillen Zimmer, das allerdings Dir gehört, mir gegenüber!) Ich wiederhole, nicht ich habe das verschuldet, – was bin denn ich? – aber das, worauf mein Sinn seit jeher allein gerichtet war, und dessen Richtung auch jetzt seine einzige ist und in die er Sie treiben muß, wenn er Sie nicht verlieren will. Was ist das für eine traurige Gewalt, die ich da verurteilt bin, Ihnen anzutun! Nach einer langen Unterbrechung (Hätte ich doch Zeit, hätte ich doch Zeit! Ich bekäme Ruhe und für alles den richtigen Überblick. Ich verstünde es, Ihnen vorsichtiger zu schreiben. Ich würde Sie niemals kränken, wie ich es jetzt tue, trotzdem ich nichts peinlicher vermeiden will. Ich bekäme Ruhe und würde nicht wie gerade vor paar Augenblicken oben in meinem Bureau in Gedanken an Sie über den Akten zittern und jetzt hier in der beiläufigen Stille dieses Zimmers stumpf dasitzen und zwischen den herabgelassenen Vorhängen aus dem Fenster sehen. Und wenn wir einander auch jeden Tag schreiben werden, wird es andere Tage geben als den heutigen und eine andere Bestimmung als das Unmögliche auszuführen, mit allen Kräften auseinanderfliegen und mit den gleichen Kräften sich zusammenhalten?)

Nur die Unterbrechung habe ich anzeigen können, sonst nichts, jetzt ist wieder Nachmittag, spät am Nachmittag ist es schon. Wie ich jetzt wieder Ihren Brief lese, befällt es mich, daß ich so gar nichts von Ihrem frühern Leben weiß und gerade nur Ihr Gesicht aus dem Epheu entwirren kann, aus dem Sie als kleines Mädchen auf das Feld hinübersahen. Und es gibt kaum eine Hilfe, mehr zu erfahren, als durch Geschriebenes möglich ist. Glauben Sie nicht daran! Ich wäre Ihnen unleidlich, käme ich selbst. So wie ich auf dem Weg zum Hotel war, so bin ich. Meine Lebensweise, durch die ich allerdings meinen Magen geheilt habe, käme Ihnen närrisch und unerträglich vor. Monatelang mußte mein Vater während meines Nachtessens die Zeitung vors Gesicht halten, ehe er sich daran gewöhnte[1]. Seit einigen Jahren bin ich nun auch ganz unordentlich angezogen. Der gleiche Anzug dient mir für das Bureau, für die Gasse, für den Schreibtisch zuhause, ja sogar für Sommer und Winter. Ich bin gegen Kälte fast besser abgehärtet als ein Stück Holz, aber selbst das wäre schließlich noch kein Grund dafür, so wie ich es tue herumzugehen, also z.B. bis jetzt in den November hinein keinen Überrock, weder einen leichten oder einen schweren, getragen zu haben, auf der Gasse unter eingepackten Passanten einen Narren im Sommeranzug mit Sommerhütchen abzugeben, grundsätzlich ohne Weste zu gehen (ich bin der Erfinder der westenlosen Kleidung) wobei ich noch von nicht weiter zu beschreibenden Merkwürdigkeiten der Wäsche schweige. Wie würden Sie erschrecken, wenn Ihnen bei der Kirche, die ich mir am Beginne Ihrer Straße denke, ein solcher Mensch entgegenträte! Es gibt für meine Lebensweise (abgesehen davon, daß ich, seitdem ich sie führe, unvergleichlich gesünder bin als früher) einige Erklärungen, aber keine würden Sie

---

[1] Kafkas Vater, Sohn eines Fleischhauers, hatte für die vegetarische Lebensweise seines Sohnes kein Verständnis. Vgl. Max Brods Bemerkungen über Kafkas Vegetarismus in seinem Brief an Felice Bauer vom 22. November 1912, S. 115.

gelten lassen, besonders da ich alles, was daran gesund sein mag (natürlich rauche ich auch nicht, trinke nicht Alkohol, nicht Kaffee, nicht Thee, esse im allgemeinen, womit ich eine lügenhafte Verschweigung gutmache, auch Chokolade nicht) durch ungenügenden Schlaf längst zunichte mache. Liebstes Fräulein Felice, verwerfen Sie mich aber deshalb nicht, suchen Sie mich auch nicht in diesen Dingen zu bessern und dulden Sie mich freundlich in der großen Entfernung. Denn sehen Sie, gestern abend z. B. kam ich aus dem eiskalten Wetter in meiner gewöhnlichen Tracht nachhause, setzte mich zu meinem fast Tag für Tag gleichförmigen Nachtmahl, hörte meinen Schwager und den, welcher es bald werden wird, manches erzählen, blieb dann, während man sich im Vorzimmer verabschiedete (ich nachtmahle jetzt zwischen $\frac{1}{2}$10 und 10) allein im Zimmer und bekam ein solches Verlangen nach Ihnen, daß ich am liebsten das Gesicht auf den Tisch gelegt hätte, um irgendwie gehalten zu sein.

Sie halten mich für viel jünger als ich bin, und fast möchte ich mein Alter verschweigen, denn die hohe Zahl gibt gerade allem, womit ich Sie störe, noch Nachdruck. Ich bin sogar noch fast um ein Jahr älter als Max und werde am 3. Juli 30 Jahre alt. Allerdings sehe ich wie ein Junge aus und je nach der Menschenkenntnis des uneingeweihten Beurteilers schätzt man mein Alter auf 18–25 Jahre.

Gestern habe ich vielleicht etwas über den Professor gesagt, das als Hochmut aufgefaßt werden könnte, still, es ist nichts als Eifersucht. Erst heute habe ich, wenigstens in meinem Sinn, etwas gegen ihn, da er Ihnen Binding empfohlen hat, von dem ich zwar nur sehr wenig kenne, aber keine Zeile, die nicht falscher, übertriebener Gesang wäre. Und diesen schickt er über Ihre Träume! – Und jetzt noch schnell. Warum springen Sie aus der Elektrischen? Mein erschrockenes Gesicht soll vor Ihnen sein, wenn Sie es nächstens tun wollen! Und der Augenarzt? Und die Kopfschmerzen? Ich lese Ihren nächsten Brief nicht, wenn er nicht zuerst Antworten darauf enthält.

Ihr Franz K.

8. XI. 12

Liebes Fräulein Felice!

Ihr vorvorletzter Brief (nicht Ihre »letzten Briefe«, wie Sie schreiben) hat mich beirrt, das ist gewiß, aber ich wußte nicht, daß es so arg gewesen wäre, wie ich jetzt Ihrem letzten Brief glauben muß. Bin ich wirklich so unsicher? Und zittert meine versteckteste Ungeduld und die unheilbare Unzufriedenheit in sichtbaren Buchstaben? Und muß ich mir von meinen Briefen sagen lassen, was ich meine? Wie traurig ist es um mich her und dahinein will ich Sie einbeziehen mit allen Kräften!

Ich weiß nicht, ob Sie sich mein Leben richtig vorstellen und daraus meine Empfindlichkeit begreifen, die nervös und immer bereit ist, aber einmal herausgelockt mich zurückläßt wie einen Stein. Ich habe Ihren Brief wohl schon 20 mal gelesen, als ich ihn bekam einige Male; vor der Schreibmaschine einige Male; eine Partei saß bei meinem Tisch, ich las Ihren Brief als wäre er gerade gekommen; ich habe ihn auf der Gasse gelesen und jetzt zuhause. Aber ich weiß mir keine Hilfe und fühle mich ohnmächtig. Wenn wir beisammen wären, würde ich schweigen, da wir entfernt sind, muß ich schreiben, ich käme sonst um vor Traurigkeit. Wer weiß, ob ich den Druck jener Hand nicht nötiger habe als Sie, nicht jener Hand, die beruhigt, aber jener, die Kraft gibt. Mit meiner Müdigkeit war es gestern so arg geworden, sterbemäßig arg schon, daß ich nach vielerlei Entschlüssen endlich doch mir das Schreiben in der gestrigen Nacht versagt habe. Ich bin abend zwei Stunden in den Gassen herumgegangen und bin erst zurückgekommen, bis[1] die Hände in den Taschen recht steifgefroren waren. Dann habe ich 6 Stunden fast ununterbrochen geschlafen und habe nur

---

[1] Im deutschsprachigen Gebiet der ehemaligen Donau-Monarchie verbreiteter Gebrauch von *bis* in der Bedeutung der Konjunktion ›sobald‹, ›wenn‹ oder ›als‹. Dieses *bis* kommt in Kafkas Briefen immer wieder vor, ohne daß im weiteren darauf hingewiesen wird. Es findet sich auch in einigen zu seinen Lebzeiten gedruckten Erzählungen, z.B. im »Heizer«, dem ersten Kapitel des Amerika-Romans, S. 12 und in der »Verwandlung« (*Erzählungen*, S. 80). – Wie aus zwei Briefen an Felix Weltsch hervorgeht (*Briefe*, S. 169 und S. 180), bemühte sich Kafka, von Felice darauf aufmerksam gemacht (*Tagebücher*, S. 459), um die Lösung dieses ›Sprachproblems‹. In einem Brief an Max Brod vom Dezember 1917 (*Briefe*, S. 216) korrigiert er sich bereits selber: »Bis (nein, wenn...) wenn ich nächstens komme...« – Andere Eigentümlichkeiten der österreichischen Umgangssprache, die in diesen Briefen hin und wieder vorkommen, sind ›beiläufig‹ statt ›ungefähr‹ und ›einigermaßen‹, ›an etwas vergessen‹ statt ›etwas vergessen‹ und ›wieso kommt es‹ statt ›wie kommt es‹. Vgl. dazu die Glossen von Karl Kraus »Bis«, »Wieso kommt es« und »Daran vergessen«, *Die Fackel*, Nr. 572–576/ XXXII (Juni 1921), wiederabgedruckt in *Die Sprache*, München 1954.

eine undeutliche Erinnerung an einen Traum, der von Ihnen gehandelt und jedenfalls irgendeine unglückliche Begebenheit dargestellt hat. Es ist das erste Mal, daß ich von Ihnen träumte und mich daran erinnerte. Jetzt fällt mir ein, daß es gerade dieser Traum war, der mich das einzige Mal in dieser Nacht wenn auch nur flüchtig weckte. Früh wurde ich übrigens vor der gewöhnlichen Zeit geweckt, denn unser Fräulein[1] stürmte in die Wohnung und brachte in Form eines Schreies, eines, wie es mir im Halbschlaf schien, geradezu mütterlichen Schreies, die Nachricht, daß meine Schwester kurz nach Mitternacht ein Mädchen geboren hat[2]. Ich blieb noch eine Weile im Bett – ausdrücklich weckt man mich nicht einmal in der Not, wohl aber durch Lärm hinter allen Türen – und konnte den freundschaftlichen Anteil unseres Fräuleins an dieser Geburt nicht begreifen, da doch ich, der Bruder und Onkel, nicht die geringste Freundschaft fühlte, sondern nur Neid, nichts als wütenden Neid gegen meine Schwester oder besser gegen meinen Schwager, denn ich werde niemals ein Kind haben, das ist noch sicherer als – (ich will ein größeres Unglück nicht nutzlos aussprechen).

So fröhlich also wie ich heute bin, so bin ich nach einer ausgeschlafenen Nacht und nach einem aus dummer Vorsicht versäumten Abend. Liebstes Fräulein!

Ihr Franz K.

[Auf der Rückseite einer Satzprobe von »Kinder der Landstraße«[3]]

8. XI. 12

Liebes Fräulein Felice!

Ich kann das Briefpapier jetzt um ½1 in der Nacht nicht holen, es ist nebenan im Zimmer, dort aber schläft meine Schwester, es ist ein kleines Durcheinander in der Wohnung, denn unser Enkel und Neffe ist wegen der Geburt seiner Schwester bei uns einquartiert.

---

[1] Fräulein Marie Werner, die als Erzieherin der Kinder ins Haus Kafka kam und dann blieb. Vgl. Wagenbach, *Biographie,* S. 26.

[2] Gerti, die Tochter seiner Schwester Elli (Hermann). Ihre Erinnerungen an Franz Kafka sind enthalten in einem Brief an Max Brod vom 27. August 1947. Vgl. Brod, *Der Prager Kreis,* Stuttgart 1966, S. 116 ff.

[3] »Kinder auf der Landstraße« ist eins der kleinen Prosastücke, die im Dezember 1912 in dem Band *Betrachtung* im Verlag Ernst Rowohlt (Leipzig) erschienen. Vgl. auch Kafkas Brief an den Rowohlt Verlag nach Empfang der Satzprobe. *Briefe* (18. Oktober 1912), S. 110.

Darum schreibe ich auf diesem Fließpapier, womit ich Ihnen gleichzeitig eine Satzprobe meines kleinen Buches schicke.

Nun hören Sie, liebstes Fräulein, es ist mir, als bekämen meine Worte in der Stille der Nacht mehr Klarheit. Wollen wir nicht meinen heutigen Nachmittagsbrief als Brief vergessen und als Mahnung behalten. Natürlich nur in gutem und bestem Einverständnis. Der heutige Nachmittag nach dem Brief wird mir an Schrecklichkeit unvergeßlich bleiben und die Zeit, während ich den Brief schrieb, war doch schon arg genug. So bin ich also, wenn ich einmal nichts für mich geschrieben habe (wenn natürlich auch nicht das allein mitgewirkt hat). Lebe ich nur für mich und für Gleichgültige oder Angewöhnte oder Anwesende, die durch ihre Gleichgültigkeit oder die Gewöhnung oder ihre lebendige, gegenwärtige Kraft meinen Mangel ersetzen, dann geht es doch selbst für mich unbemerkter vorüber. Wo ich mich aber jemandem nahe bringen und mich ganz einsetzen will, dann wird der Jammer unwiderleglich. Dann bin ich nichts und was will ich mit dem Nichts anfangen. Ich gestehe sogar, daß mir Ihr Brief am Vormittag (am Nachmittag war es schon anders) ganz zurecht kam, gerade solche Worte brauchte ich. Aber ich bin noch immer nicht erholt, merke ich, ich schreibe nicht klar genug, auch gegen diesen Brief hätte Ihr heutiger Vorwurf recht. Wir wollen es dem Schlaf überlassen und guten Göttern.

Wie gefällt Ihnen die Schriftprobe (das Papier wird natürlich anders sein)? Sie ist zweifellos ein wenig übertrieben schön und würde besser für die Gesetzestafeln Moses passen als für meine kleinen Winkelzüge. Nun wird es aber schon so gedruckt.[1]

Leben Sie wohl! Ich brauche mehr Freundlichkeit als ich verdiene.

Ihr Franz K.

[Entwurf eines Briefes an Felice Bauer vom 9. November 1912]

Liebstes Fräulein! Sie dürfen mir nicht mehr schreiben, auch ich werde Ihnen nicht mehr schreiben. Ich müßte Sie durch mein Schreiben unglücklich machen, und mir ist doch nicht zu helfen.

---

[1] *Betrachtung* wurde in ungewöhnlich großer Schrift gedruckt, und zwar auf ausdrücklichen Wunsch Kafkas. Vgl. Briefe an den Verlag vom 7. September und 18. Oktober 1912, Wolff, *Briefwechsel,* S. 25 und S. 27.

Um das einzusehen, hätte ich es nicht nötig gehabt, alle Uhrenschläge der heutigen Nacht abzuzählen, ich habe es ja vor meinem ersten Briefe klar gewußt, und wenn ich mich trotzdem an Sie zu hängen versucht habe, so verdiente ich allerdings dafür verflucht zu werden, wenn ich es nicht schon wäre. – Wenn Sie Ihre Briefe haben wollen, schicke ich sie natürlich zurück, so gerne ich sie behielte. Wenn Sie sie dennoch wollen, schreiben Sie mir eine leere Postkarte, zum Zeichen dessen. Dagegen bitte ich Sie, so sehr ich kann, meine Briefe zu behalten. – Vergessen Sie rasch das Gespenst, das ich bin, und leben Sie fröhlich und ruhig wie früher.[1]

11.XI.12

Liebstes Fräulein!

Gott sei Dank! sage auch ich. Wenn Sie wüßten, wie ich den Freitag und den Samstag verbracht habe und ganz besonders diese Nacht von Freitag auf Samstag. Da war wahrhaftig kein Uhrenschlag in keiner Viertelstunde, den ich zu zählen versäumt hätte. Ich hatte am Nachmittag meinen vorletzten Brief unter äußerster und notwendigster Selbstquälerei geschrieben, hatte dann einen Weg gemacht und verhältnismäßig spät mich niedergelegt. Es mag sein – ich weiß es nicht mehr genau – daß ich da vor lauter Traurigkeit eingeschlafen bin. Abend schrieb ich für mich drei oder vier Seiten, die nicht die schlechtesten waren, ich fragte mich vergeblich, wo es in mir noch so ruhige Orte gab, aus denen jenes floß, während ich von Ruhe ausgeschlossen war. Später glaubte ich schon, ein ganzer Mensch zu sein und schrieb jenen Brief auf Fließpapier, der sich mir wieder unter der Hand ins Böse verdrehte und den ich anstarrte, als hätte ich ihn nicht geschrieben, sondern bekommen. Dann legte ich mich nieder und schlief auffallend rasch wenn auch nur ganz oberflächlich ein. Aber – nach einer Viertelstunde war ich schon wieder wach, im halben Traum war es mir vorgekommen, als klopfe
[bricht ab]
(jetzt will ich eine dringende, abscheuliche, uralte, seit einer Woche mir schon drohende Sache erledigen, ohne mir einen Gedanken an

---

[1] Dieser nicht abgeschickte Brief befand sich im Nachlaß Kafkas und wurde bereits von Max Brod veröffentlicht. Vgl. *Franz Kafka. Eine Biographie,* 3. erw. Aufl., Frankfurt am Main 1954, S. 171 f. (Im weiteren zitiert als ›Brod, *Biographie*‹.)

Sie zu erlauben, Sie müssen mir dabei beistehen, vielleicht bekomme ich dann zum Lohn einen freien Augenblick und Ruhe für diesen Brief, der mir ganz genau so nahe geht wie mein Herzklopfen und der mir den Kopf ganz und gar erfüllt, als säße ich nicht in einer Anstalt, der ich meine halben Tage und mehr noch verkauft habe und die ihre scheinbar berechtigten Ansprüche ohne Unterbrechung an mich stellt, ein Glück noch, daß sich vor meinen verschlafenen Augen weniger wichtige Arbeiten verziehen, aber jetzt nicht mehr schreiben und arbeiten.)

Die Belohnung ist ausgeblieben, meine Arbeit jagt mich hin und her und das Denken an Sie ebenso, nur in andern Richtungen. Heute habe ich Ihre letzten 3 Briefe fast auf einmal bekommen. Ihre Güte ist unendlich. Vorläufig schicke ich diesen Brief so weg, ich schreibe heute wohl noch einige Male. Ich werde Ihnen genau erklären, warum ich gestern nicht geschrieben habe. Ich werfe diesen Brief so ein wie er ist, weil ich darunter leide, daß kein Brief von mir wenigstens sich zu Ihnen hinbewegt.

Also ein Lebewohl nur für paar Stunden   Ihr Franz K.

II. XI. 12

Liebstes Fräulein!

Ich habe Sie also nicht verloren. Und ich war schon wahrhaftig überzeugt davon. Jener Brief, in dem Sie einen meiner Briefe für fremd erklärten, hatte mich entsetzt. Ich sah darin die unabsichtliche und nur desto entscheidendere Bestätigung eines Fluches, dem ich gerade in der letzten Zeit wenigstens zum größten Teil entwichen zu sein glaubte und dem ich nun wieder und mit dem letzten Schlag verfallen sollte. Ich wußte mich nicht zu fassen, ich wußte Ihnen nichts zu schreiben, die zwei Briefe von Samstag waren gekünstelt von einem Ende zum andern, wahrhaft war nur meine Überzeugung, daß alles zu Ende sei. – Hat es eine Bedeutung, daß gerade jetzt bei diesem Wort meine Mutter weinend, aufgelöst von Weinen (sie geht eben ins Geschäft, sie ist den ganzen Tag im Geschäft, schon seit 30 Jahren jeden Tag) zu mir hereinkommt, mich streichelt, wissen will, was mir fehlt, warum ich bei Tisch nichts rede (aber das tue ich doch schon seit langer Zeit, weil ich mich eben zusammenhalten muß) und noch vieles mehr. Arme Mutter! Ich habe Sie aber sehr vernünftig getröstet, geküßt und schließlich zum

85

Lächeln gebracht, ja sogar noch erreicht, daß Sie mich schon mit halb trockenen Augen wegen meines (übrigens schon seit Jahren geübten) Nichtjausens ziemlich energisch ausgezankt hat. Ich weiß ja auch (sie weiß nicht, daß ich es weiß oder besser, es erst später erfahren habe) woher diese äußerste Sorge um mich stammt. Aber davon ein anderes Mal.

Denn wieder ist es so, daß ich vor Fülle dessen, was ich Ihnen sagen will, nicht weiß, wo anfangen. Und trotzdem nehme ich diese letzten 3 Tage als Boten unglücklicher, immer wartender Möglichkeiten und werde niemals in der Unruhe eines Werketags einen größern Brief Ihnen schreiben. Sie müssen zustimmen und nicht böse sein und keine Vorwürfe machen. Denn sehen Sie, ich bin jetzt so in der Laune, mich, ob Sie wollen oder nicht, vor Sie hinzuwerfen und Ihnen hinzugeben, daß keine Spur und kein Andenken für irgendjemand andern von mir bleibt, aber ich will nicht wieder, ob unschuldig oder schuldig, eine Bemerkung wie in jenem Briefe lesen. Und nicht nur deshalb werde ich Ihnen von jetzt ab nur kurze Briefe schreiben (dafür sonntags allerdings immer einen mit Wollust ungeheueren Brief) sondern auch deshalb, weil ich mich bis zum letzten Atemzug für meinen Roman aufbrauchen will, der ja auch Ihnen gehört oder besser eine klarere Vorstellung von dem Guten in mir Ihnen geben soll als es die bloß hinweisenden Worte der längsten Briefe des längsten Lebens könnten. Die Geschichte, die ich schreibe, und die allerdings ins Endlose angelegt ist, heißt, um Ihnen einen vorläufigen Begriff zu geben »Der Verschollene« und handelt ausschließlich in den Vereinigten Staaten von Nordamerika[1]. Vorläufig sind 5 Kapitel fertig, das 6te fast. Die einzelnen Kapitel heißen: I Der Heizer II Der Onkel III Ein Landhaus bei New York IV Der Marsch nach Ramses V Im Hotel Occidental VI Der Fall Robinson. – Ich habe diese Titel genannt, als ob man sich etwas dabei vorstellen könnte, das geht natürlich nicht, aber ich will die Titel solange bei Ihnen aufheben, bis es möglich sein wird. Es ist die erste größere Arbeit, in der ich mich nach 15jähriger, bis auf Augenblicke trostloser Plage seit 1 ½ Monaten geborgen fühle. Die muß also fertig werden, das meinen Sie wohl auch und so will ich unter Ihrem Segen die kleine Zeit, die ich nur zu ungenauen, schrecklich

---

[1] Das Romanfragment wurde 1927 von Max Brod unter dem Titel *Amerika* herausgegeben. In der gesamten Korrespondenz mit Felice meint Kafka dieses Werk, wenn er von seinem Roman spricht.

lückenhaften, unvorsichtigen, gefährlichen Briefen an Sie verwenden könnte, zu jener Arbeit hinüberleiten, wo sich alles, wenigstens bis jetzt, von wo es auch gekommen ist, beruhigt und den richtigen Weg genommen hat. Sind Sie damit einverstanden? Und wollen Sie mich also nicht meinem trotz alledem schrecklichen Alleinsein überlassen? Liebstes Fräulein, ich gäbe jetzt etwas für einen Blick in Ihre Augen. ———

Alle Fragen beantworte ich Sonntag mit möglichstem Verstand, auch die, warum ich Ihnen gestern nicht geschrieben habe, es ist das eine umfangreiche Geschichte.

———

Wenn man nicht wegen Augenschmerzen beim Augenarzt war, muß man das ausdrücklich sagen!
Seit 3 Tagen versage ich mir das Vergnügen aus der Elektrischen zu springen, aus Angst, Sie könnten dann auf dem Wege irgendeiner Gedankenübertragung meine Warnung nicht genug ernst nehmen. Jetzt endlich habe ich Ihr festes Versprechen und darf also wieder springen. Dabei erinnere ich mich an einen Vorfall vom Samstag. Ich ging mit Max und beschrieb mich nicht gerade als einen überglücklichen Menschen. Ich gab dabei auf den Weg nicht recht acht und ein Wagen wich mir nur knapp aus. Noch in meinen Gedanken stampfte ich auf den Boden und rief etwas Unartikuliertes. Ich war im Augenblick tatsächlich darüber wütend, nicht überfahren worden zu sein. Der Kutscher mißverstand das natürlich und schimpfte mit Recht.
Nein, ganz zurückgezogen von meiner Familie lebe ich nicht. Das beweist die beiliegende Darstellung der akustischen Verhältnisse unserer Wohnung, die zur wenig schmerzlichen öffentlichen Züchtigung meiner Familie gerade in einer kleinen Prager Zeitschrift erschienen ist[1]. – Im übrigen ist meine jüngste Schwester (schon über 20 Jahre alt) meine beste Prager Freundin und auch die zwei andern sind teilnehmend und gut. Nur der Vater und ich, wir hassen einander tapfer.
Wie das klingt, von Ihnen mit Du angesprochen zu werden, wenn auch nur in einem Citat!

---

[1] »Großer Lärm« war in den Prager *Herder-Blättern* I, 4–5 (Oktober 1912), S. 44 erschienen. Entstanden ist das Stück im November 1911; die erste Niederschrift findet sich in den *Tagebüchern* (5. oder 6. Nov. 1911), S. 141.

Noch rasch, ehe Schluß wird, sagen Sie mir ein Mittel, damit ich nicht wie ein Narr vor Freude zittere, wenn ich im Bureau Ihre Briefe bekomme und lese, damit ich dort arbeiten kann und nicht hinausgeworfen werde. Ich könnte sie doch ruhig lesen, nicht? und für paar Stunden vergessen. Das müßte zu erreichen sein. Ihr Franz.

Fräulein Felice!

Jetzt werde ich Ihnen eine Bitte vortragen, die wahrhaftig wahnsinnig aussieht, und ich würde sie nicht anders beurteilen, wenn ich den Brief zu lesen bekäme. Es ist aber auch schon die stärkste Probe, auf die man den gütigsten Menschen stellen kann. Also ich bitte: Schreiben Sie mir nur einmal in der Woche und so, daß ich Ihren Brief Sonntag bekomme. Ich ertrage nämlich Ihre täglichen Briefe nicht, ich bin nicht imstande, sie zu ertragen. Ich antworte z.B. auf Ihren Brief und liege dann scheinbar still im Bett, aber ein Herzklopfen geht mir durch den Leib und weiß von nichts als von Ihnen. Wie ich Dir angehöre, es gibt wirklich keine andere Möglichkeit es auszudrücken und die ist zu schwach. Aber eben deshalb will ich nicht wissen, wie Du angezogen bist, denn es wirft mich durcheinander, daß ich nicht leben kann, und deshalb will ich nicht wissen, daß Du mir gut gesinnt bist, denn warum sitze ich, Narr, dann noch in meinem Bureau oder hier zuhause, statt mit geschlossenen Augen mich in den Zug zu werfen und sie erst zu öffnen, wenn ich bei Dir bin. Oh es gibt einen schlimmen, schlimmen Grund dafür, warum ich das nicht tue und kurz und gut: Ich bin noch knapp gesund für mich, aber nicht mehr zur Ehe und schon gar nicht zur Vaterschaft. Aber wenn ich Deinen Brief lese, könnte ich noch mehr als das Unübersehbare übersehn.

Hätte ich nur schon Deine Antwort! Und wie scheußlich ich Dich quäle und wie ich Dich zwinge, in Deinem ruhigen Zimmer diesen Brief zu lesen, wie noch kein abscheulicherer auf Deinem Schreibtisch lag! Wahrhaftig manchmal scheint es mir, als zehrte ich wie ein Gespenst von Deinem glückbringenden Namen! Hätte ich doch meinen Samstagbrief abgeschickt, in dem ich Dich beschwor, mir niemals mehr zu schreiben und Dir für mich das gleiche Versprechen gab[1]. Du lieber Gott, was hat mich abgehalten, den Brief weg-

---

[1] Vgl. Entwurf eines Briefes an Felice Bauer vom 9. November 1912, S. 83.

zuschicken. Alles wäre gut. Gibt es aber jetzt noch eine friedliche Lösung? Hilft es, daß wir einander nur einmal in der Woche schreiben? Nein, das wäre ein kleines Leiden, das durch solche Mittel zu beheben wäre. Ich sehe ja voraus, ich werde auch diese Sonntagsbriefe nicht ertragen. Und deshalb, um das am Samstag Versäumte gut zu machen, bitte ich Dich mit der am Ende dieses Briefes schon etwas versagenden Schreibkraft: lassen wir alles, wenn uns unser Leben lieb ist[1].

Wollte ich mich mit Dein unterschreiben? Nichts wäre falscher. Nein, mein und ewig an mich gebunden, das bin ich und damit muß ich auszukommen suchen.

Franz

[Am Sonntag, den 17. November, mit einem Strauß Rosen durch Boten überbracht.]

[13. November 1912]

Armseliger Versuch, verbrecherischen Worten unschuldige Rosen nachzuschicken! Es ist aber eben so: Für das, was in einem einzigen Menschen Platz hat, ist die Außenwelt zu klein, zu eindeutig, zu wahrhaftig. – Gut, aber dann soll sich dieser Mensch wenigstens dem gegenüber, von dem er abzuhängen glaubt, bei Besinnung halten. – Also gerade dort, wo es ganz und gar unmöglich ist?

14. XI. 12

Liebste, Liebste! Wenn es so viel Güte in der Welt gibt, dann muß man sich nicht fürchten, muß nicht unruhig sein. Dein Brief kam – ich saß bei meinem Chef und wir besprachen die Versicherung der

---

[1] Vermutlich hatte dieser Brief Felice dazu bewogen, an Max Brod zu schreiben und um eine Erklärung für Kafkas Verhalten zu bitten. Vgl. Brods Antwortbrief vom 15. November 1912, S. 96 f. Schon ein paar Tage zuvor hatte Brod während eines Berliner Aufenthaltes Felice angerufen, um zwischen ihr und Kafka zu vermitteln. In seinem Brief an Brod vom 13. November 1912 bemerkt Kafka dazu: »Du hast ja dort das äußerste gesagt, was man aus Güte, Verstand und Ahnung sagen konnte, aber wenn dort statt Deiner ein Engel ins Telephon gesprochen hätte, gegen meinen giftigen Brief hätte auch er nicht aufkommen können.« *Briefe,* S. 111.

Feldspatgruben – da packte ich den Brief wieder mit dem alten Händezittern und sah den Chef wie eine Erscheinung an. Aber kaum hatte ich ihn zwei- dreimal gelesen, war ich so ruhig, wie ich es mir schon lange gewünscht und worum ich vor 3 Tagen in der Nacht gebetet habe. Dein Umschlag – (das ist ja falsch, der Umschlag soll es heißen, aber das Du und Dein will sich immerfort sehen lassen) – der Umschlag mit den Beruhigungszeilen kann es nicht bewirkt haben, denn die habe ich erst später gelesen und was in dem Briefe stand, das hätte mich doch schütteln müssen, denn je mehr man bekommt, desto mehr muß man sich fürchten auf dieser rollenden Erde – es kann also nur das Du gewesen sein, das mich festgehalten hat, dieses Du, für das ich Dir auf den Knien danke, denn die Unruhe um Dich hat es mir abgezwungen und nun gibst Du es mir ruhig wieder zurück. Du Liebste! Kann ich jetzt Deiner sicher sein? Das »Sie«, das gleitet wie auf Schlittschuhen, in der Lücke zwischen 2 Briefen kann es verschwunden sein, man muß dahinter her jagen mit Briefen und Gedanken am Morgen, am Abend, in der Nacht, das Du aber, das steht doch, das bleibt wie Dein Brief da, der sich nicht rührt und sich von mir küssen und wieder küssen läßt. Was ist das für ein Wort! So lückenlos schließt nichts zwei Menschen aneinander, gar wenn sie nichts als Worte haben wie wir zwei.

Ich war heute der ruhigste Mensch im Bureau, so ruhig, wie es nur der Strengste nach einer Woche wie der letzten von sich verlangen kann. Ich werde Dir noch von ihr erzählen. Ja denke nur, ich sehe sogar gut aus, es gibt im Bureau immer einige Leute, die sich ein Gewerbe daraus machen, mein Aussehen täglich zu überprüfen. Diese also sagten das. Ich hatte keine Eile, Dir zu antworten (was übrigens heute ganz unmöglich war) aber es war kein Zucken in mir, das Dir nicht unaufhörlich antwortete und dankte.

Liebste, Liebste! Das Wort wollte ich seitenlang aneinanderreihen, wenn ich nicht fürchtete, daß es nicht verborgen bleiben könnte, was Du liest, wenn jetzt jemand in Dein Zimmer treten würde, wenn Du dabei wärest, die so einförmig beschriebenen Seiten zu studieren. Gestern habe ich Dir nur paar Zeilen geschrieben, Du wirst sie erst Sonntag bekommen. Es würde mir Mühe machen, sie jetzt zurückzuholen, aber es ist auch unnötig; ich erwähne es nur, damit Du nicht unnötig erstaunst – Dich zum Erstaunen zu bringen, daran habe ich es ja bis jetzt wirklich nicht fehlen lassen – es sind paar Zeilen ohne Datum, Überschrift und Unterschrift und sie wollten in jammervoller Unsicherheit eine Wiedereroberung versuchen. Schau sie freundlich an!

Aber sag nur, woher weißt Du, daß das, was ich Dir hie und da in der letzten Zeit geschrieben habe, Qual und nicht Irrsinn gewesen ist. Es sah aber doch sehr nach dem letzten aus und ich hätte mich an Deiner Stelle nach Kräften beeilt, die Hand davon zurückzuziehn. Der letzte Brief z.B., der war nicht geschrieben, der war – verzeih den Ausdruck – erbrochen; ich lag im Bett und er fiel mir nicht in der Folge der Sätze ein, sondern als ein einziger, in schrecklicher Spannung sich befindlicher Satz, der mich töten zu wollen schien, wenn ich ihn nicht niederschrieb. Als ich dann wirklich schrieb, war es nicht mehr so arg, ich suchte schon mehr zusammen, folgte den Erinnerungen und strichweise gingen schon kleine tröstliche Unwahrheiten durch den Brief. Aber mit welcher Leichtigkeit trug ich ihn auf die Bahn, mit welcher Eile warf ich ihn ein, wie ging ich nachhause als ein unglückseliger, aber schließlich doch lebendiger Mensch, bis mich wieder die fürchterlichen zwei Stunden vor dem Einschlafen zu anderer Besinnung brachten.

Nichts mehr davon. Ich werde wieder Deine Briefe bekommen, schreib, wann Du willst oder besser wann Du kannst, halte Dich nicht im Bureau meinetwegen bis in den Abend auf, ich werde nicht leiden, wenn kein Brief kommt, denn wenn dann wieder einer kommt, wird er mir unter der Hand lebendig werden wie es noch – scheint mir – keinem Briefe je geschehen ist und meinen Augen und Lippen wird er alle nicht geschriebenen Briefe reichlich ersetzen. Du aber wirst mehr Zeit haben und spazieren gehn an diesen schönen Abenden, die es jetzt gibt (gestern war ich mit meiner jüngsten Schwester von 10 bis ½12 in der Nacht spazieren, um 10 sind wir weggegangen und um ½12 zurückgekommen, Du stellst sie Dir vielleicht nicht richtig vor, sie ist schon 20 Jahre alt und geradezu riesig groß und stark, aber kindisch genug) wenn Du nicht gerade zu den Proben eilen mußt. Daß Dir der »Humor«[1] gut gelingt! Ich quäle ja Max und habe ihm schon auf allen möglichen Gassen Deinetwegen fast den Arm ausgerenkt, aber der Dumme weiß von dem ganzen Telephongespräch fast von nichts als von Deinem Lachen zu erzählen. Wie gut mußt Du das Telephonieren verstehn, wenn Du vor dem Telephon so lachen kannst. Mir vergeht das Lachen schon,

[1] Eine Rolle, die Felice zum Jubiläumsfest ihrer Firma einstudiert hatte.

wenn ich ans Telephon nur denke. Was würde mich sonst hindern, zur Post zu laufen und Dir einen guten Abend zu wünschen? Aber dort eine Stunde auf den Anschluß warten, sich an der Bank vor Unruhe festhalten, endlich gerufen werden und zum Telephon laufen, daß alles zittert, dann mit schwacher Stimme nach Dir fragen, endlich Dich hören und vielleicht nicht imstande zu sein zu antworten, Gott danken, daß die 3 Minuten vorüber sind und mit einem jetzt aber schon unerträglichen Verlangen nachhause zu gehn, wirklich mit Dir zu reden – nein, das lasse ich lieber sein. Übrigens die Möglichkeit bleibt ja als schöne Hoffnung, welches ist Deine Telephonnummer, ich fürchte, Max hat sie vergessen.

So und jetzt werde ich musterhaft schlafen. Liebste, meine Liebste, ich bin ganz unmusikalisch, aber wenn dazu nicht Musik gehört!

Dein Franz

14. XI. 12

Liebste, laß Dich nicht stören, ich sage Dir bloß Gute Nacht und habe deshalb mitten auf einer Seite mein Schreiben unterbrochen. Ich habe Angst, daß ich Dir bald nicht mehr werde schreiben können, denn um jemandem (ich muß Dich mit allen Namen benennen, darum heiße einmal auch »jemand«) schreiben zu können, muß man sich doch vorstellen, daß man sein Gesicht vor sich hat, an das man sich wendet. Und vorstellbar ist mir Dein Gesicht sehr gut, daran würde es nicht scheitern. Aber die noch viel stärkere Vorstellung fängt immer häufiger an mich zu halten, daß mein Gesicht auf Deiner Schulter liegt und daß ich mehr erstickt als verständlich zu Deiner Schulter, zu Deinem Kleid, zu mir selbst rede während Du keine Ahnung haben kannst, was dort gesprochen wird.

Schläfst Du jetzt? Oder liest Du noch, was ich verurteilen würde? Oder bist Du gar noch auf einer Probe, was ich schon gar nicht hoffen will. Es ist nach meiner immer bummelnden, niemals aber verdorbenen Uhr in 7 Minuten ein Uhr. Merke, Du mußt mehr schlafen als andere Menschen, denn ich schlafe ein wenig, nicht viel weniger als der Durchschnitt. Und ich weiß mir keinen bessern Ort, um meinen ungenützten Anteil am allgemeinen Schlaf aufzubewahren, als Deine lieben Augen.

Und bitte keine wüsten Träume! Ich mache in Gedanken einen

Rundgang um Dein Bett und befehle Stille. Und nachdem ich hier Ordnung gemacht und vielleicht noch einen Betrunkenen aus der Immanuelkirchstraße gedrängt habe, kehre ich, ordentlicher auch in mir, zu meinem Schreiben oder vielleicht gar schon zum Schlaf zurück.

Schreib mir doch immer, Liebste, was Du zur beiläufigen Zeit meiner Briefe beiläufig gemacht hast. Ich werde danach dann meine Ahnungen kontrollieren, Du wirst nach Möglichkeit die Tatsachen meinen Ahnungen nähern und wäre es dann so unglaublich, daß sie beide endlich nach vielen Proben zusammentreffen und eine einzige große Wirklichkeit werden, derer man immer sicher ist. – Jetzt schlägt es also 1 vom Turm genau nach der Prager Zeit.

Adieu, Felice, adieu! Wie kamst Du zu dem Namen? Und flieg mir nicht fort! fällt mir irgendwie ein, vielleicht durch das Wort »Adieu«, das solche Flugkraft hat. Es müßte ja, denke ich mir, ein ausnehmendes Vergnügen sein, in die Höhe wegzufliegen, wenn man dadurch ein schweres Gewicht loswerden kann, das an einem hängt, wie ich an Dir. Laß Dich nicht verlocken durch die Erleichterung, die winkt. Bleib in der Täuschung, daß Du mich nötig hast. Denke Dich noch tiefer hinein. Denn sieh, Dir schadet es doch nichts, willst Du mich einmal los sein, so wirst Du immer genug Kräfte haben, es auch zu werden, mir aber hast Du in der Zwischenzeit ein Geschenk gemacht, wie ich es in diesem Leben zu finden auch nicht geträumt habe. So ist es, und wenn Du auch im Schlaf den Kopf schüttelst.

Franz

[Briefkopf der Arbeiter-Unfall-Versicherungs-Anstalt]

15. XI. 12

Du, das »Du« ist doch keine solche Hilfe, wie ich dachte. Und heute, also schon am zweiten Tag, bewährt es sich nicht. Ich hätte doch ruhig sein können und nichts war erklärlicher, als daß heute kein Brief kommt. Aber was mache ich? Da flattere ich auf den Gängen herum, schaue jedem Diener auf die Hände, gebe unnötige Aufträge, um nur jemanden hinunter zur Post eigens schicken zu können (denn ich bin im 4ten Stock, der Posteinlauf wird unten gesichtet, unsere Briefträger sind unpünktlich, außerdem haben wir Vorstandswahlen, der Einlauf ist ungeheuer und ehe man Deinen Brief aus den dummen Massen herausfindet, kann ich oben vor Ungeduld vergangen sein) schließlich laufe ich aus Mißtrauen gegen alle Welt selbst hinunter und finde natürlich nichts, denn wenn etwas gekommen wäre, hätte ich es ja so bald als möglich bekommen, denn 3 Leute sind von mir verpflichtet, mir Deinen Brief vor aller andern Post heraufzubringen. Wegen dieser ihrer Aufgabe verdienen die 3 hier genannt zu werden: Der erste ist der Diener Mergl, demüthig und bereitwillig, aber ich habe einen unbeherrschbaren Widerwillen gegen ihn, weil ich die Beobachtung gemacht habe, daß, wenn einmal meine Hoffnung hauptsächlich auf ihn gestellt ist, nur in den seltensten Fällen Dein Brief kommt. Das unabsichtlich grausame Aussehn dieses Menschen geht mir in solchen Fällen durch Mark und Bein. So war es ja auch heute, zumindest die leere Hand hätte ich prügeln wollen. Und doch scheint er Anteil zu nehmen. Ich schäme mich nicht einzugestehn, daß ich ihn schon einigemal an solchen leeren Tagen um seine Meinung darüber gefragt habe, ob vielleicht am nächsten Tag der Brief kommen wird und er war davon immer unter Verbeugungen überzeugt. Einmal erwartete ich – fällt mir jetzt ein – mit unsinniger Bestimmtheit einen Brief von Dir, es dürfte noch in dem schlimmen ersten Monat gewesen sein, da macht mir der Diener auf dem Gang die Meldung, die Sache sei angekommen und liege auf meinem Tisch. Aber als ich laufend zu meinem Tische komme, liegt dort nur eine Ansichtskarte von Max aus Venedig mit einem Bild von Bellini, darstellend: »Die Liebe, die Beherrscherin des Erdballs«. Aber was soll man mit Allgemeinheiten anfangen in seinem einzelnen, selbständig schmerzenden Fall! – Der zweite Bote ist der Chef des Expedits Wottawa, ein alter, kleiner Junggeselle mit einem faltigen, von verschiedenartigst nuancierten Farbflecken bedeckten, von Bartstoppeln starrenden Gesicht, und immer schmatzt er mit nassen Lippen an einer Virginia herum, aber überirdisch schön ist er, wenn er aus seiner Brusttasche, zwischen der Türe stehend, Deinen Brief zieht und mir übergibt, was doch – wohlverstanden – nicht eigentlich seine Aufgabe ist. Er ahnt etwas davon, denn er sucht immer, den zwei andern zuvorzukommen, wenn er nur Zeit hat, und bedauert es nicht, die 4 Stockwerke hinaufsteigen zu müssen. Allerdings ist mir wieder der Gedanke peinlich, daß er manchmal, um mir den Brief selbst übergeben zu können, ihn vor dem Diener zurückhält, der ihn hie und da früher

bringen würde. Ja ohne Unruhe geht es eben nicht ab. – Die dritte
Hoffnung ist das Fräulein Böhm. Ja also die macht das Überreichen
des Briefes geradezu glücklich. Strahlend kommt sie und gibt mir
den Brief, als sei es zwar scheinbar ein fremder Brief, betreffe aber
in Wahrheit nur uns zwei, sie und mich. Ist es einem der zwei andern
gelungen, den Brief zu bringen, und sage ich es ihr dann, möchte sie
fast weinen und sie nimmt sich fest vor, den nächsten Tag besser auf-
zupassen. Aber das Haus ist sehr groß, wir haben über 250 Beamte
und es schnappt ihr leicht ein anderer den Brief weg.
Heute waren alle drei ohne Arbeit. Ich bin neugierig, wie oft ich das
noch wiederholen werde, da es doch ganz ausgeschlossen war, daß
heute ein Brief kommt. Es war auch nur heute, daß ich unruhig gewesen bin, an diesem Übergangstag, wenn Du nach dem morgigen
Brief nicht schreibst, werde ich mich gar nicht mehr darum kümmern. Früher sagte ich mir: »Sie schreibt nicht« und das war
schlimm, jetzt aber werde ich sagen »Liebste, Du bist also spazierengegangen« und darüber werde ich mich nur freuen können. Um
wieviel Uhr bekamst Du eigentlich meinen Nachtbrief?

Dein Franz

15. XI. 12, 11 ½ Uhr abends

Liebste, heute schreibe ich Dir vor meinem Schreiben, damit ich
nicht das Gefühl habe, Dich warten zu lassen, damit Du nicht mir
gegenüber bist, sondern an meiner Seite und damit ich beruhigter
dann für mich schreibe, denn, im Vertrauen gesagt, ich schreibe seit
paar Tagen schrecklich wenig, ja fast nichts, ich habe zu viel mit Dir
zu tun, zu viel an Dich zu denken.
Von den zwei Büchern, die vielleicht gar nicht rechtzeitig eintreffen
werden, ist das eine für Deine Augen, das andere aber für Dein Herz.
Das erste ist wirklich ein wenig willkürlich und zufällig ausgewählt,
so schön es ist[1]; es gibt viele Bücher, die ich Dir vor diesem geben
müßte; nun soll es aber zeigen, daß zwischen uns auch schon das
Willkürliche erlaubt ist, weil es sich ins Notwendige verwandelt.
Die »Education sentimentale« aber ist ein Buch, das mir durch viele
Jahre nahegestanden ist, wie kaum zwei oder drei Menschen; wann
und wo ich es aufgeschlagen habe, hat es mich aufgeschreckt und

[1] Um welches Buch es sich handelt, war nicht zu ermitteln.

völlig hingenommen, und ich habe mich dann immer als ein geistiges Kind dieses Schriftstellers gefühlt, wenn auch als ein armes und unbeholfenes.[1] Schreib mir sofort, ob Du französisch liest. Du bekommst dann auch die neue französische Ausgabe. Schreib, daß Du französisch liest, auch wenn es nicht wahr ist, denn diese französische Ausgabe ist prachtvoll.

Zu Deinem Geburtstag (er fällt also mit dem Deiner Mutter zusammen, so unmittelbar setzt Du also ihr Leben fort?) darf gerade ich Dir gar nichts wünschen, denn wenn es auch sehr wahrscheinlich dringende Wünsche für Dich gibt, die gleichzeitig gegen mich gerichtet wären – nun, ich kann sie nicht aussprechen; was ich aber sagen könnte, wäre nur Eigennützigkeit. Damit ich nun, so wie es sein muß, ganz sicher schweige und keinen Wunsch aussprechen kann, erlaube mir, doch nur in der Ahnung, doch nur dieses eine Mal, Deinen geliebten Mund zu küssen.

Franz

Max Brod an Felice Bauer

15. XI. 1912

Liebes gnädiges Fräulein –

Vielen Dank für Ihren freundlichen Brief. Ich werde heute Nachmittag mit Franz reden, natürlich ohne Erwähnung Ihres Briefes, und werde Ihnen dann sofort schreiben, *falls dies nicht,* wie ich hoffe, durch inzwischen eingetretene Aufklärung der Situation *überflüssig geworden* ist. – Ich bitte Sie nur, dem Franz und seiner oft krankhaften Sensibilität manches zu Gute zu halten. Er gehorcht ganz der augenblicklichen Stimmung. Überhaupt ist er ein Mensch, der nur das Unbedingte will, das Äußerste in Allem. Niemals gibt er sich mit Kompromissen ab. Beispielsweise: wenn er nicht die ganze Kraft zum Schreiben in sich fühlt, so ist er im Stande, monatelang keine Zeile zu dichten, statt sich mit einer halben und auch-guten Dichtung zufriedenzustellen. Und so wie in der Literatur ist es bei ihm mit Allem. Dadurch entsteht oft der Anschein, als sei er launenhaft, überspannt u. s. f. Das ist aber nie der Fall, wie ich aus genauer Kenntnis seines Charakters weiß, er ist sogar, wenn es darauf ankommt, sehr klug und geschickt in der Wahl praktischer Mittel. Nur

---

[1] Zu Kafkas Begeisterung für Flaubert vgl. Max Brod, *Kafkas Glauben und Lehre.* (Kafka und Tolstoi). Winterthur 1948, S. 20 f. und Wagenbach, *Biographie,* S. 159 ff.

in den idealen Dingen versteht er keinen Spaß, da ist er schrecklich streng, vor allem mit sich selbst, und daraus entstehn, da er an sich einen schwachen Körper hat und da seine äußeren Lebensumstände (Büro!!) nicht die günstigsten sind, Konflikte, über die man ihm durch Verständnis und Güte hinweghelfen muß, in dem Bewußtsein, daß ein so einzigartiger wundervoller Mensch eben anders behandelt zu werden verdient als Millionen banaler Dutzendleute. – Ich bin überzeugt, daß Sie meine Worte nicht mißverstehn werden. Ich bitte Sie, sich (in) Fällen wie dem heutigen an mich zu wenden. – Viel leidet Franz darunter, daß er täglich bis 2 im Büro sein muß. Nachmittag ist er abgespannt und so bleibt ihm für die »Fülle der Gesichte« nur die Nacht. Das ist ein Jammer! Und dabei schreibt er einen Roman, der alles Literarische, das ich kenne, in den Schatten stellt. Was könnte er leisten, wenn er frei und in guten Händen aufgehoben wäre!

Ich bitte Sie noch herzlichst, *niemandem* zu sagen, daß ich in Berlin war. Ich habe niemanden besucht, nur mit Ihnen gesprochen. – Ich hoffe, daß es Ihnen recht gut geht und daß alles glücklich ausfällt.

Herzlichst Ihr   Max Brod

15. XI. 12 [16. November 1912]

Liebste, nicht so quälen! nicht so quälen! Du läßt mich auch heute, Samstag, ohne Brief, gerade heute, wo ich dachte, er müsse so bebestimmt kommen wie es Tag wird nach der Nacht. Aber wer hat denn einen Brief verlangt, nur zwei Zeilen, ein Gruß, ein Briefumschlag, eine Karte, auf vier Briefe hin, dieses ist der fünfte, habe ich noch kein Wort von Dir gesehn. Geh', das ist nicht recht. Wie soll ich denn die langen Tage verbringen, arbeiten, reden und was man sonst von mir verlangt. Es ist ja vielleicht nichts geschehn, Du hattest nur keine Zeit, Theaterproben oder Vorbesprechungen haben Dich abgehalten, aber sag nur welcher Mensch kann Dich abhalten, an ein Seitentischchen zu treten, mit Bleistift auf einen Fetzen Papier »Felice« zu schreiben und mir das zu schicken. Und für mich wäre es schon so viel! Ein Zeichen Deines Lebens, eine Beruhigung in dem Wagnis, sich an ein Lebendiges gehängt zu haben. Morgen wird und muß ja ein Brief kommen, sonst weiß ich mir keinen Rat; dann wird auch alles gut sein und ich werde Dich dann nicht mehr mit Bitten um so häufiges Schreiben plagen; wenn aber morgen ein

Brief kommt, dann ist es wieder unnötig, Dich Montag früh mit diesen Klagen im Bureau zu begrüßen; aber ich muß es, denn ich habe, wenn Du nicht antwortest, das durch keine Vernunft zu beseitigende Gefühl, daß Du Dich von mir abwendest, mit andern sprichst und an mich vergessen hast. Und das soll ich vielleicht stillschweigend dulden? Auch warte ich nicht zum ersten Mal auf einen Brief von Dir (wenn auch immer wie ich überzeugt bin ohne Deine Schuld) der beigelegte alte Brief beweist es.

Dein

[beigelegt]

[Briefkopf der Arbeiter-Unfall-Versicherungs-Anstalt]

[Datum fehlt]

Gnädiges Fräulein!

Eben hatte ich einen Weg zur Statthalterei, ging langsam hin und zurück, es ist eine hübsche Entfernung, man geht über den Fluß auf das andere Moldau-Ufer. Ich hatte mich damit abgefunden, daß heute kein Brief mehr von Ihnen kommt, denn bisher dachte ich, wenn er nicht gleich früh kommt, kann er nicht mehr kommen. Ich bin während der letzten zwei Tage aus verschiedenen Gründen ein wenig traurig und zerstreut und blieb auf dem Rückweg in der Belvederegasse stehn – auf der einen Straßenseite sind Wohngebäude, auf der andern die ungewöhnlich hohe Mauer des Gräflich Waldsteinischen Gartens[1] – nahm, ohne viel zu denken, Ihre Briefe aus der Tasche, legte den Brief an Max, auf den es mir gerade nicht ankam und der zu oberst lag, zu unterst und las paar Zeilen Ihres ersten Briefes. Gewiß waren es zum großen Teil Schlafbewegungen, denn ich schlafe sehr wenig und fühle das, ohne eigentlich müde zu sein. Und nun komme ich ins Bureau und da liegt der unerwartete Brief in der prachtvollen Größe Ihres Briefpapiers und mit dem erfreulichsten Gewicht.

Wieder ist es keine Antwort, die ich schreibe, lassen wir Frage und Antwort sich verfitzen nach Belieben, über allem Schönen Ihres Briefes das Schönste ist die Erlaubnis, Ihnen schreiben zu dürfen, wann ich will. Denn schließlich dachte ich, es wäre vielleicht Zeit,

---

[1] Unweit der ehemaligen k.k. Statthalterei auf der Prager Kleinseite liegt das Waldstein-Palais mit mauerumschlossenem Garten. Es wurde in den Jahren 1623–30 für den kaiserlichen Feldherrn Albrecht von Wallenstein erbaut.

mit dem Schreiben in seiner täglichen Wiederholung aufzuhören, in dieser Hinsicht kenne ich Sie nicht, vielleicht ist Ihnen die tägliche Erscheinung des Briefes peinlich, ich aber bin in meiner über mein ganzes Wesen ausgebreiteten Unpünktlichkeit darauf versessen, Ihnen, gerade Ihnen ohne Widerstand zu schreiben. Jetzt aber habe ich meine Erlaubnis, ich kann tun was ich will, und ebenso wie ich ohne Antwort wieder schreiben darf, habe ich die Hoffnung, falls ich unfähig sein sollte zu schreiben, trotzdem aus Gnade doch einen Brief zu bekommen, da ich ihn doch dann doppelt nötig habe.

Heute nur auf eines Antwort. Weg mit dem Pyramidon und allen solchen Dingen! Auf die Gründe der Kopfschmerzen losgehn, statt in die Apotheke! Schade, daß ich nicht eine längere Zeit Ihres Lebens überblicken kann, um zu wissen, wo der Beginn der Kopfschmerzen steckt. Ist Ihnen das Gefühl des Künstlichen, das solche Mittel in ihrer besten Wirkung noch haben, nicht unerträglicher als die Kopfschmerzen, mit denen man wenigstens von der Natur geschlagen ist. Im übrigen gibt es nur Heilung von Mensch zu Mensch, so wie es Übertragung von Leid nur von Mensch zu Menschen gibt, wie es in diesem Fall mit Ihren Kopfschmerzen und mir geschieht. Leben Sie wohl und bleiben Sie mir freundlich.

Ihr Kafka

Erster Brief der Mutter Franz Kafkas an Felice Bauer

Prag, 16. XI. 1912

Sehr geehrtes Fräulein!

Ich habe durch Zufall einen an meinen Sohn adressierten Brief vom 12./11. datiert und mit Ihrer w. Unterschrift verseh'n zu Gesicht bekomen. Ihre Schreibweise gefiel mir so sehr, daß ich den Brief zu Ende las, ohne zu bedenken, daß ich dazu nicht berechtigt war.

Ich bin aber sicher, daß Sie mir verzeihen, wenn ich Sie versichere, daß nur das Wohl meines Sohnes mich dazu trieb.

Ich habe zwar nicht das Vergnügen, Sie persönlich zu kennen und trotzdem habe ich zu Ihnen so viel Vertrauen, um Ihnen, liebes Fräulein, die Sorgen einer Mutter anzuvertrauen.

Vieles trägt dazu die Bemerkung in dem von Ihnen geschriebenen Briefe [bei], er möge mit seiner Mutter sprechen, die ihn sicher liebt. Sie haben, liebes Fräulein, die richtige Meinung von mir, was freilich selbstverständlich ist, denn gewöhnlich liebt eine jede Mutter ihre Kinder, aber so, wie ich meinen Sohn liebe, kann ich Ihnen nicht schildern und würde gerne einige Jahre meines Lebens hergeben, wenn ich sein Glück damit erkaufen könte.

Ein anderer Mensch an seiner Stelle würde der Glücklichste unter den Sterblichen sein, denn kein Wunsch wurde ihm von seinen Eltern je versagt. Er studierte, zu was er Lust hatte, und da er kein Advokat werden wollte, so wählte er die Laufbahn eines Beamten, was ihm ganz gut zu passen schien, da er einfache Frequenz[1] hat und den Nachmittag für sich verwenden konnte.

Daß er sich in seinen Mußestunden mit Schreiben beschäftigt, weiß ich schon viele Jahre. Ich hielt dies aber nur für einen Zeitvertreib. Auch dies würde ja seiner Gesundheit nicht schaden, wenn er schlafen und essen würde wie andere junge Leute in seinem Alter. Er schläft und ißt so wenig, daß er seine Gesundheit untergräbt und ich fürchte, daß er erst zur Einsicht kommt, wenn es Gott behüte zu spät ist. Darum bitte ich Sie sehr, ihn auf eine Art darauf aufmerksam zu machen und ihn [zu] befragen wie er lebt, was er ißt, wieviel Mahlzeiten er nimmt, überhaupt seine Tageseintheilung. Jedoch darf er keine Ahnung haben, daß ich Ihnen geschrieben habe, überhaupt nichts davon erfahren, daß ich um seine Correspondenz mit Ihnen weiß. Sollte es in Ihrer Macht stehen, seine Lebensweise zu ändern, würden Sie mich zum großen Dank verpflichten und zur Glücklichsten machen

Ihre Sie schätzende   Julie Kafka

Sollten Sie die Absicht haben, mir zu schreiben, so bitte den Brief zu adressieren: Prag, Altstädter Ring, Kinsky-Palais: 16 Privat.

17. XI. 12

Liebste, Allerliebste, ich ganz und gar Verdammter habe also den Ruhm, Dich Gesunde krank gemacht zu haben. Schone Dich, Du höre, schone Dich, was ich an Dir verschuldet habe, mache es mir zu Liebe an Dir wieder gut! Und ich wage es, Dir Vorwürfe wegen Deines Nichtschreibens zu machen und vergrabe mich so in eigene Unruhe und eigenes Verlangen, daß ich gar nicht fühle, daß Du

---

[1] Durchgängige Dienstzeit (ohne Mittagsunterbrechung), die schon um 2 oder $\frac{1}{2}$3 endete.

krank bist, sondern lächerliche Vermutungen habe, Du seiest in Proben oder Unterhaltungen. Wahrhaftig wenn wir durch Erdteile getrennt wären und Du irgendwo in Asien lebtest, wir könnten nicht weiter auseinander sein. Jeder Deiner Briefe ist ja für mich unendlich und sei er noch so klein (Gott, was dreht sich mir denn alles zu scheinbaren Vorwürfen, Dein heutiger Brief ist nicht klein, er ist genau 10000 mal größer als ich ihn verdiene) ich lese ihn bis zur Unterschrift und fange ihn wieder an und so geht es im schönsten Kreise. Aber schließlich muß ich doch einsehn, daß er einen Schlußpunkt hat, daß Du von ihm aufgestanden und weggegangen bist, für mich ins Dunkel. Da möchte man sich vor den Kopf schlagen.

Heute war aber wirklich schon höchste Zeit, daß der Brief kam. Ich bin nicht so entschlossen wie Du, ich wollte nicht nach Berlin fahren, ich war bloß entschlossen, nicht früher aus dem Bett zu gehn ehe der Brief kam und zu diesem Entschluß gehörte keine besondere Kraft, ich konnte einfach vor Traurigkeit nicht aufstehn. Es schien mir auch, daß dieser Roman gestern in der Nacht sich sehr verschlechtert habe und ich lag zutiefst unten und hatte doch noch die klarste Erinnerung an das Glück nach jenem Einschreibebrief und wenn ich aufschaute, sah ich mich, der doch so elend war, förmlich noch immer in der Höhe im Glücke gehn. Vorgestern in der Nacht träumte ich zum zweiten Mal von Dir. Ein Briefträger brachte mir zwei Einschreibebriefe von Dir und zwar reichte er mir sie, in jeder Hand einen, mit einer prachtvoll präcisen Bewegung der Arme, die wie die Kolbenstangen einer Dampfmaschine zuckten. Gott, es waren Zauberbriefe. Ich konnte soviel beschriebene Bogen aus den Umschlägen ziehn, sie wurden nicht leer. Ich stand mitten auf einer Treppe und mußte die gelesenen Bogen, nimm es mir nicht übel, auf die Stufen werfen, wollte ich die weiteren Briefe aus den Umschlägen herausnehmen. Die ganze Treppe nach oben und unten war von diesen gelesenen Briefen hoch bedeckt und das lose aufeinandergelegte, elastische Papier rauschte mächtig. Es war ein richtiger Wunschtraum.

Aber heute am Tag mußte ich den Briefträger ganz anders herbeiziehen. Unsere Briefträger sind so unpünktlich. Um $\frac{1}{4}$ 12 erst kam der Brief, zehnmal wurden die verschiedensten Leute von meinem Bett aus auf die Treppe hinausgeschickt, als könnte ihn das herauflocken, ich selbst durfte nicht aufstehn, aber um $\frac{1}{4}$ 12 war der Brief also wirklich da, aufgerissen und in einem Atemzug gelesen. Ich war unglücklich über Dein Kranksein, aber – jetzt enthüllt sich meine Natur – ich wäre unglücklicher gewesen, wenn Du bei guter Gesundheit mir nicht geschrieben hättest. Aber jetzt haben wir uns also wieder und wollen nach einem guten Händedruck einer den andern gesünder machen und dann gesund miteinander fortleben. – Wieder antworte ich auf nichts, aber Antworten ist eben Sache der mündlichen Rede, durch Schreiben kann man nicht klug werden, höchstens eine Ahnung des Glücks bekommen. Ich werde Dir übrigens heute wohl noch schreiben, wenn ich auch noch heute viel herumlaufen muß und eine kleine Geschichte niederschreiben werde, die mir in dem Jammer im Bett eingefallen ist und mich innerlichst bedrängt[1].

Dein Franz

[am Rande] (Sei nicht unruhig, ich telephoniere auf keinen Fall, tu es auch nicht, ich ertrüge es nicht.)

18. XI. 12 [Nacht vom 17. zum 18. November]

Meine Liebste, es ist ½2 nachts, die angekündigte Geschichte ist bei weitem noch nicht fertig, am Roman ist heute keine Zeile geschrieben worden, ich gehe mit wenig Begeisterung ins Bett. Hätte ich die Nacht frei, um sie, ohne die Feder abzusetzen, durchschreiben zu können bis zum Morgen! Es sollte eine schöne Nacht werden. Aber ich muß ins Bett, denn ich habe gestern nacht schlecht, heute bei Tag fast gar nicht geschlafen und in gar zu jammervollem Zustand darf ich doch nicht ins Bureau gehn. Morgen Deine Briefe, Liebste, Liebste! Bin ich halbwegs wach, dann kräftigen sie mich zweifellos, bin ich aber im Dusel, dann möchte ich am liebsten im Sessel eingesunken fortwährend über ihnen sitzen und jedem Störer die Zähne entgegenfletschen. Nein, über das Bureau rege ich mich durchaus nicht zuviel auf, erkenne die Berechtigung der Aufregung daraus, daß sie schon fünf Jahre Bureauleben überdauert hat, von denen allerdings das erste Jahr ein ganz besonders schreckliches in einer Privatversicherungsanstalt war, mit Bureaustunden von 8 früh bis 7 abends, bis 8, bis ½9, pfui Teufel![2] Es gab da eine gewisse Stelle

---

[1] Erster Hinweis auf die Entstehung der »Verwandlung«. In den Briefen bis zum 6.Dezember 1912 bedeutet Kafkas »Geschichte« stets »Die Verwandlung«.
[2] Die Versicherungsanstalt Assicurazioni Generali, bei der Kafka von Oktober 1907 bis Juli 1908 tätig war. Vgl. Wagenbach, *Biographie*, S. 141 ff.

in einem kleinen Gang, der zu meinem Bureau führte, in dem mich fast jeden Morgen eine Verzweiflung anfiel, die für einen stärkeren, konsequenteren Charakter als ich es bin überreichlich zu einem geradezu seligen Selbstmord genügt hätte. Jetzt ist es natürlich viel besser, man ist sogar ganz unverdient liebenswürdig zu mir. Gar mein oberster Direktor[1]. Letzthin lasen wir in seinem Bureau Kopf an Kopf aus einem Buch Gedichte von Heine während im Vorzimmer Diener, Bureauchefs, Parteien vielleicht mit den dringendsten Angelegenheiten ungeduldig darauf warteten vorgelassen zu werden. Aber es ist trotzdem arg genug und steht nicht für die Kräfte, die man darauf verwenden muß, es auch nur zu ertragen.

Du ärgerst Dich doch nicht am Ende über diese Art Briefpapier, fällt mir jetzt ein? Das Briefpapier meiner Schwester habe ich vor paar Tagen ausgebraucht und selbst habe ich kaum jemals welches besessen. So reiße ich aus meinem diesjährigen Reisetagebuch ein Blatt nach dem andern heraus und bin unverschämt genug, es Dir zu schicken. Suche es aber wieder dadurch auszugleichen, daß ich Dir ein Blatt, das gerade aus dem Heft gefallen ist, mitschicke mit einem Lied, das man im diesjährigen Sanatorium öfters am Morgen im Chor gesungen hat, in das ich mich verliebt und das ich abgeschrieben habe[2]. Es ist ja sehr bekannt und Du kennst es wohl auch, überlies es doch einmal wieder. Und schicke mir das Blatt jedenfalls wieder zurück, ich kann es nicht entbehren. Wie das Gedicht trotz vollständiger Ergriffenheit ganz regelmäßig gebaut ist, jede Strophe besteht aus einem Ausruf und dann einer Neigung des Kopfes. Und daß die Trauer des Gedichtes wahrhaftig ist, das kann ich beschwören. Wenn ich nur die Melodie des Liedes behalten könnte, aber ich habe gar kein musikalisches Gedächtnis, mein Violinlehrer hat mich aus Verzweiflung in der Musikstunde lieber über Stöcke springen lassen, die er selbst gehalten hat, und die musikalischen Fortschritte bestanden darin, daß er von Stunde zu Stunde die Stöcke höher hielt. Und darum ist meine Melodie zu dem Lied sehr einförmig und eigentlich nur ein Seufzer. Liebste! 　　　　　　　Franz

---

[1] Dr. Robert Marschner, einer der Direktoren der Arbeiter-Unfall-Versicherungsanstalt. Vgl. Brods Anm. 5 (1910) in *Briefe,* S. 501; Wagenbach, *Biographie,* S. 148 und *Hochzeitsvorbereitungen,* S. 426ff. und S. 454f.
[2] Kafka verbrachte im Juli 1912 drei Wochen in einem Naturheilsanatorium, Rudolf Justs Kuranstalt, Jungborn im Harz. Vgl. *Tagebücher,* S. 667ff. Das Lied ist Albert Graf von Schlippenbachs »Nun leb wohl, du kleine Gasse«. Kafka erwähnt es bereits im Brief an Max Brod vom 22. Juli 1912. *Briefe,* S. 102.

[Telegramm. Aufgegeben in Prag am 18. 11. 1912, 2:30 Uhr]

dringend = rp 10 dringend
felice bauer berlin immanuel kirchstrasze 29
sind sie krank = kafka + +

Liebste, dieses Telegramm habe ich mir verdient! Du warst gewiß
Samstag unbedingt verhindert zu schreiben und an und für sich
hatte ich ja auch keinen Anspruch, heute einen Brief zu bekommen,
diese unglückseligen Sonntage fangen auch schon an, ein regelmäßi-
ges Unglück unseres Verkehrs zu werden – nun war ich aber von
dem langen frühern Warten ein wenig außer Rand und Band, der
gestrige Brief hatte mich nicht ganz gesättigt, besonders da er von
Deinem leidenden Zustand handelte, nun versprachst Du mir aber
mit einer Bestimmtheit, wie kaum je vorher für Montag einen oder
zwei Briefe und es kam keiner, ich ging im Bureau ganz wirr herum, hundertmal stieß ich ein Buch weg, in dem ich etwas lesen
sollte (Entscheidungen des Verwaltungsgerichtshofes, daß Du es
weißt) hundertmal zog ich es nutzlos wieder näher, ein Ingenieur,
mit dem ich wegen einer Ausstellung zu verhandeln hatte, hielt mich
zweifellos für blödsinnig, denn ich stand da und dachte an nichts
anderes, als daß gerade die Zeit der zweiten Post da sei, ja daß sie
sogar schon vorbeizugehn drohe, und in meiner Verlorenheit sah
ich immerfort und aufdringlich den kleinen, etwas verkrümmten
Finger dieses Ingenieurs an, also gerade das, was ich nicht hätte ansehn sollen – Liebste! ich will nicht weiter erzählen, es würde ärger
und ärger und schließlich selbst zum Lesen unerträglich. Und selbst
das Telegraphieren hat sich nicht bewährt, wie ich dachte. Ich gab
das Telegramm als ein dringendes um ½3 Uhr auf und erst um
11¼ in der Nacht kam die Antwort, also nach 9 Stunden, eine einmalige Fahrt nach Berlin dauert nicht so lang und man nähert sich
dabei doch Berlin unzweifelhaft, während für mich die Hoffnung
Antwort zu bekommen, immer kleiner wurde. Aber endlich das
Läuten! Briefträger! Mensch! Und was für ein freundliches, glückliches Gesicht er hatte. Es konnte nichts Schlimmes im Telegramm
stehn. Natürlich nicht, es war nur Liebes und Gutes darin und so
schaut es mich auch jetzt noch an, da es aufgeschlagen vor mir liegt.

Liebste, wo nimmt man die Kraft her und wie bewahrt man sich das Bewußtsein, wenn man aus diesem wahnsinnigen Leid in das Glück hinauffliegt?

Gerade setzte ich mich zu meiner gestrigen Geschichte mit einem unbegrenzten Verlangen, mich in sie auszugießen, deutlich von aller Trostlosigkeit aufgestachelt. Von so vielem bedrängt, über Dich in Ungewissem, gänzlich unfähig, mit dem Bureau auszukommen, angesichts dieses seit einem Tag stillstehenden Romans mit einem wilden Wunsch, die neue, gleichfalls mahnende Geschichte fortzusetzen, seit einigen Tagen und Nächten bedenklich nahe an vollständiger Schlaflosigkeit und noch einiges weniger Wichtige, aber doch Störende und Aufregende im Kopf – kurz, als ich heute meinen jetzt schon nur halbstündigen Spaziergang am Abend machte (immer natürlich nach Telegrammboten ausschauend, einen traf ich auch, aber weit, weit von meiner Wohnung) war ich fest entschlossen, zu meiner einzigen Rettung an einen Mann nach Schlesien zu schreiben, mit dem ich mich heuer im Sommer recht gut befreundet hatte und der mich in ganzen, langen Nachmittagen zu Jesus hatte bekehren wollen[1]. – Nun ist aber das Telegramm hier und wir lassen jenen Brief noch ein Weilchen, Du liebste Versuchung! Jetzt weiß ich nur nicht, soll ich dem Telegramm zu Ehren die Geschichte schreiben oder schlafen gehn. – Und kein Wort der Abbitte für die Sorgen und Unannehmlichkeiten, die ich Dir mit dem Telegramm gemacht habe.

Franz

19. XI. 12

Liebste, das sind keine Vorwürfe, nur Bitten um Erklärungen, ich werde ganz traurig, weil ich mich nicht auskenne. Es ist ganz recht, daß wir den Irrsinn der vielen Briefe lassen, ich habe darüber gestern selbst einen Brief angefangen und schicke Dir ihn morgen, aber diese Veränderung der Brieftermine kann doch nur im Einverständnis geschehn, muß doch vorher besprochen und angezeigt werden, sonst wird man davon ja verrückt. Wie soll ich mir also erklären, daß Du nach Deiner eigenen Mitteilung meinen letzten eingeschriebenen Brief Freitag vormittag bekommen oder wenig-

---

[1] Diesen Herrn, Landvermesser in Schlesien, hatte Kafka im Juli 1912 während seines Urlaubs- und Kuraufenthaltes in Jungborn (Harz) kennengelernt. Vgl. *Tagebücher* (14. Juli 1912), S. 671 f.

stens von ihm erfahren hast, daß Du mir aber erst Samstag auf ihn geantwortet hast, daß Du in dem Samstagbrief schreibst, Du werdest Samstag noch einmal schreiben, es aber nicht tust und ich Montag statt der versprochenen 2 Briefe keinen bekomme, daß Du weiter im Laufe des Sonntags kein Wort mir geschrieben hast, sondern erst in der Nacht den Brief, der mich ja glücklich macht, soweit ich dazu noch fähig bin und daß Du schließlich sogar am Montag nicht an mich geschrieben hättest, überhaupt nicht geschrieben hättest, wenn ich nicht telegraphiert hätte, denn Dein Expreßbrief ist der einzige Brief, den ich vom Montag habe. Aber das Sonderbarste und Erschreckende ist dieses: Du bist 1½ Tage krank, dabei die ganze Woche in Proben; trotzdem Du krank bist, gehst Du Samstag abend tanzen, kommst um 7 Uhr früh nachhause, bleibst bis 1 Uhr in der Nacht wach und gehst Montag abend auf einen Hausball. Um des Himmels willen, was ist das für ein Leben! Erklärungen, Liebste, bitte Erkärungen! Laß nur die Blumen und Bücher. Es ist ja nichts als meine Ohnmacht.

Franz

[Auf einem beigelegten Blatt] Wie ich jetzt sehe, hast Du mir ja auch im Sonntagbrief einen Brief am Montag bestimmt versprochen.

20. XI. 12

Liebste, was habe ich Dir denn getan, daß Du mich so quälst? Heute wieder kein Brief, nicht mit der ersten, nicht mit der zweiten Post. Wie Du mich leiden läßt! Während ein geschriebenes Wort von Dir mich glücklich machen könnte! Du hast mich satt, es gibt keine andere Erklärung, es ist schließlich kein Wunder, unverständlich ist nur, daß Du es mir nicht schreibst. Wenn ich weiterleben will, darf ich nicht wie diese endlosen letzten Tage nutzlos auf Nachrichten von Dir warten. Aber Hoffnung, Nachricht von Dir zu bekommen, habe ich nicht mehr. Ich muß mir also den Abschied, den Du mir stillschweigend gibst, ausdrücklich wiederholen. Ich möchte das Gesicht auf diesen Brief werfen, damit er nicht weggeschickt werden kann, aber er muß weggeschickt werden. Ich warte also auf keine Briefe mehr.

Franz

Liebste, meine Liebste, es ist ½2 in der Nacht. Habe ich Dich mit meinem Vormittagsbrief gekränkt? Was weiß denn ich von den Verpflichtungen, die Du gegen Deine Verwandten und Bekannten hast! Du plagst Dich und ich plage Dich mit Vorwürfen wegen Deiner Plage. Bitte, Liebste, verzeihe mir! Schicke mir eine Rose zum Zeichen, daß Du mir verzeihst. Ich bin nicht eigentlich müde, aber dumpf und schwer, ich finde nicht die richtigen Worte. Ich kann nur sagen, bleib bei mir und verlaß mich nicht. Und wenn irgendeiner meiner Feinde aus mir heraus Dir solche Briefe schreibt, wie es der heutige vom Vormittag war, dann glaube ihm nicht, sondern schau durch ihn hindurch in mein Herz. Es ist ja ein so schlimmes, schweres Leben, wie kann man auch einen Menschen mit bloßen geschriebenen Worten halten wollen, zum Halten sind die Hände da. Aber in dieser Hand habe ich die Deine, die ich zum Leben unbedingt nötig habe, nur drei Augenblicke lang halten dürffen, als ich ins Zimmer trat, als Du mir die Reise nach Palästina versprachst und als ich Narr Dich in den Aufzug steigen ließ.
Darf ich Dich also küssen? Aber auf diesem kläglichen Papier? Ebensogut könnte ich das Fenster aufreißen und die Nachtluft küssen. Liebste, sei mir nicht böse! Ich verlange von Dir nichts anderes.

Franz

[Briefkopf der Arbeiter-Unfall-Versicherungs-Anstalt]

[21. November 1912]

Liebste! armes Kind! Du hast einen kläglichen und äußerst unbequemen Liebhaber. Bekommt er zwei Tage lang keinen Brief von Dir, schlägt er wenn auch nur mit Worten besinnungslos um sich und kann es im Augenblick nicht fassen, daß er Dir damit weh tut. Aber nachher allerdings packt ihn die Reue und Du brauchst nicht besorgt zu sein, daß Deine durch ihn veranlaßte Unruhe nicht an ihm gerächt würde bis auf das kleinste Zucken Deines Mundes. Liebste, nach Deinen zwei heutigen Briefen scheinst Du mich noch ein Weilchen dulden zu wollen, bitte, bitte, ändere Deine Meinung auch nach meinem gestrigen Briefe nicht. Ich werde Dich übrigens heute noch wahrscheinlich telegraphisch um Verzeihung bitten.

Aber begreife nur meine Sorge um Dich, die schreckliche Ungeduld, das Brennen des einen Gedankens in meinem Kopf, die Unfähigkeit, auch nur das Geringste damit nicht Zusammenhängende auszuführen, dieses Leben im Bureau, die Blicke immerfort auf die Tür gerichtet, hinter den geschlossenen Augen im Bett die unerträglichen Vorstellungen, das Schlafwandeln und gleichgültige Stolpern auf den Gassen, das Herz, das nicht mehr klopft, sondern nur eine zerrende Muskel ist, das halbzerstörte Schreiben – begreife das alles und sei nicht böse. Jetzt habe ich ja die Erklärung für Dein Nichtschreiben, aber höre nur: Montag bekam ich keinen einzigen Brief, der Brief, der Deiner Meinung nach Montag hätte kommen sollen, müßte Samstag abend eingeworfen worden sein, also dieser Brief ist jedenfalls verlorengegangen, ich bekam nur am Sonntag Deinen Samstagvormittagbrief; was stand nur in diesem Samstagabendbrief, schreib es mir, wenn Du es noch weißt, damit ich mir wenigstens in der Erinnerung den schlimmen Montag versüße. Nun hatte ich also Montag keinen Brief, Dienstag nur den Sonntagbrief und den mit Gewalt erpreßten Eilbrief, aber Mittwoch war nun wieder kein Brief da. Das war für mich schon wirklich zu arg und ich schrieb den gestrigen Brief, um nur einen kleinen Teil dieser mich sprengenden Gefühle loszuwerden. Bedenke, daß es für mich wirklich keine andere Erklärung gab, als daß Du entweder kraft eines mich verfolgenden Fluches aus eigenem Willen Schluß machen wolltest oder aber, was das gleiche war, daß Deine Mutter Dir verboten hatte zu schreiben, diese Mutter, die, ich erinnere mich noch genau, in Deinen ersten Briefen mir in so freundlichem Lichte erschien, als sie Dir vom Balkon nachwinkte, als sie über Dein geringes Frühstück klagte, als sie Dich telephonisch nachhause rief, da Du zu lang im Bureau bliebst und die für mich allmählich immer düsterer wurde, als sie Handarbeiten zum Geburtstag verlangte, als sie Deine Bureauarbeit nicht richtig einschätzte, als sie Dich zu Deiner Meinung nach überflüssigen Besuchen zwang, als sie Dir einen »Totenschreck« verursachte als sie abend ins Zimmer trat, während Du im Bette schriebst, und einiges andere noch. Und so verbiß ich mich in diese zwei einzigen Erklärungen, konnte davon nicht loskommen und schrieb also jenen Brief. Jetzt sehe ich, daß zweifellos der Berliner Feiertag [1], den ich allerdings vom Kalender hätte nur ablesen brauchen, daran schuld war, daß ich Deinen Dienstagbrief erst

---

[1] Buß- und Bettag.

heute Donnerstag bekam. Ist also wieder einmal alles durch mich Verschuldete durch Deine Güte wieder gutgemacht und darf ich in einem Kuß diese Tage und alles Traurige vergessen?

Es scheint mir aber auch fast, daß irgendeiner meiner Briefe verlorengegangen sein muß. Ich habe Dir seit Freitag [8. November] meiner beiläufigen Rechnung nach gewiß 14 oder 15 Briefe geschrieben und Du solltest am Dienstag nur einen Brief bekommen haben? Um eine Stichprobe zu machen, schreibe mir, ob Du die Briefe, denen ich etwas beilegte und an die ich mich deshalb bestimmt erinnere, erhalten hast. Einem Brief lag ein alter Brief bei, der zu seiner Zeit nicht weggeschickt wurde und mit der komischen Ansprache aus unvordenklicher Zeit »Gnädiges Fräulein« begann, dem zweiten Brief lag ein gedruckter Zettel bei mit der Beschreibung des Lärms in meiner Wohnung[1].

Ja, die Strindbergcitate habe ich wohl gelesen und verstehe gar nicht, daß ich Dir darüber nicht geschrieben haben sollte. Es sind schreckliche Wahrheiten und es ist bewunderungswert, sie so frei ausgesprochen zu haben, aber es gibt Zeiten, wo man fürchtet, noch schrecklichere Wahrheiten in sich rumoren zu fühlen. Groß ist die Wahrheit dessen, daß man sich ganz anders behütet, wenn man liebt, man geht vielen Gedanken aus dem Wege, will viele Worte nicht hören, und manches, das man in Zerstreutheit früher aufnahm, empfindet man als ein Bohren. Nur leichtere Diät kann man fast unmöglich einführen und Wein ersetzt man durch Fruchtsäfte, wenn man überhaupt trinkt, was man nur selten tut.

Ich esse dreimal im Tag, in der Zwischenzeit gar nichts, aber nicht das Geringste. Früh Kompott, Cakes und Milch. Um ½3 aus Kindesliebe so wie die andern, nur im ganzen etwas weniger als die andern und im einzelnen noch weniger Fleisch als wenig und mehr Gemüse. Abend um ½10 im Winter Joghurt, Simonsbrot, Butter, Nüsse aller Art, Kastanien, Datteln, Feigen, Trauben, Mandeln, Rosinen, Kürbisse, Bananen, Äpfel, Birnen, Orangen. Alles wird natürlich in Auswahl gegessen und nicht etwa durcheinander wie aus einem Füllhorn in mich hineingeworfen. Es gibt kein Essen, das für mich anregender wäre als dieses. Bestehe nicht auf den überflüssigen 3 Bissen, sieh, alles ist zu Deinem Wohl gegessen und diese 3 Bissen wären zu meinem Wehe.

Wegen Deiner Briefe habe keine Sorge, sie sind das einzige, was

[1] Beim ersten handelt es sich um den Brief vom 16. November 1912, beim zweiten um den 2. Brief vom 11. November 1912.

innerhalb der ungeheueren Unordnung meines Schreibtisches geordnet und abgesperrt ist, und sooft ich sie herausnehme – es geschieht wahrhaftig nicht selten – werden sie wieder geordnet zurückgelegt. – Gott, ich habe Dir so vieles noch zu sagen und zu antworten und es ist wieder Schluß und überdies schon 3 Uhr[1]. Also morgen das andere. Ja, wenn Du Samstag früh den Brief einwirfst, habe ich ihn Sonntag und der Sonntag wird einigemal schöner als sonst.

Franz

[Nachschrift über dem Briefkopf] Ich telegraphiere doch lieber nicht. Es würde Dich unnütz erschrecken. Die 4 Briefe, die Du heute bekommen haben mußt, gleichen sich wohl im Guten und Bösen aus. – Bist Du als Humor aufgetreten? Gibt es ein Bild davon? Über mein Bild morgen.

21. XI. 12

Meine Liebste, da habe ich jetzt Dein Telegramm und sehe den Schaden, den ich angerichtet habe. Ich habe Dir schon wie ich aus dem Bureau ging einen riesigen Expreßbrief geschickt und nur in der Zerstreutheit vergessen, ihn auch »eingeschrieben« aufzugeben. Angesichts Deines Telegramms bekomme ich nun Angst, daß dieser Expreßbrief, um das Unglück voll zu machen, vielleicht nicht ankommt, denn die Post verfolgt uns wirklich und das Postfräulein, dem ich den Brief gab, war recht unordentlich und fahrig. Deshalb also schicke ich noch diesen rekommandierten Brief in der Eile, wenn ich schon nicht telegraphieren darf. Hoffentlich bekommst Du beide und nimmst sie versöhnt und freundlich auf. Schrecklich ist es, daß unsere Korrespondenz sich so durch Katastrophen weitertreibt. Es liegt doch schon gerade genug Plage in dem Entferntsein selbst, warum noch diese Schläge überdies! Du telegraphierst, daß Du auch Montag mir geschrieben hättest, da mußt Du also einen andern Montagbrief meinen als jenen Eilbrief, den ich doch schon bestätigt habe. Ist dies der Fall, dann wäre nicht nur Dein zweiter Samstagbrief, sondern auch dieser erste Montagbrief verlorengegangen. Das wäre doch wahrhaftig entsetzlich. Man kann ja solchen

---

[1] 3 Uhr nachmittags (nicht nachts), wie Kafka – ein Mißverständnis Felicens aufklärend – in seinem Brief vom 24. November 1912 bestätigt.

Briefen nachforschen lassen und ich hätte es auch hinsichtlich jenes alten verlorenen Briefes machen können, aber es ginge nicht, ohne daß Du mit Protokollaufnahmen belästigt würdest, und da ließ ich es damals sein und werde es wohl auch diesmal lieber lassen. In der Zeit, während welcher Dich irgendein Postbeamter ausfragt, kannst Du mir ja besser einen kleinen frischen Gruß schicken, und der alte Brief bliebe ja trotz alles Fragens verloren.

Nun ist das Schlimme aber, daß nicht nur ich durch alles dieses ganz zerrüttet bin und mich erst langsam an Deinen wunderbaren heutigen Briefen aufrichte, sondern daß ich roher Weise alle Vorsorge getroffen habe, Dich in dieses Leiden mit hineinzuziehn.

Du schreibst mir wieder, nicht wahr?   Franz

21. XI. 12

Liebste, es ist ein Glück, daß ich Dir nicht vor 2 Stunden geschrieben habe, sonst hätte ich über meine Mutter Dinge geschrieben, wegen deren Du mich hättest hassen müssen. Jetzt bin ich ruhiger und darf Dir mit besserer Zuversicht schreiben. Gut sieht es noch in mir nicht aus, aber es wird schon werden und was nicht von selbst würde, wird es aus Liebe zu Dir. Meine Schuld daran, daß die Mutter einen Deiner Briefe lesen konnte, ist unverzeihlich und prügelnswert. Ich schrieb Dir wohl schon, daß ich die Gewohnheit habe, Deine Briefe bei mir zu tragen, es ging eine Stärkung von ihnen dauernd in mich über, ich ging als besserer, tüchtigerer Mensch herum. Natürlich trage ich jetzt nicht alle Briefe bei mir herum wie in jenen ersten, armseligen Zeiten, aber den letzten oder die zwei letzten noch immerhin. Das hat das Unglück verschuldet. Ich trage zuhause einen andern Rock und hänge den Rock des Straßenanzuges an den Kleiderrechen in meinem Zimmer. Die Mutter ging durch mein Zimmer als ich gerade nicht darin war – mein Zimmer ist ein Durchgangszimmer oder besser eine Verbindungsstraße zwischen dem Wohnzimmer und dem Schlafzimmer der Eltern – sah den Brief aus der Brusttasche schimmern, zog ihn mit der Zudringlichkeit der Liebe heraus, las ihn und schrieb Dir. Ihre Liebe zu mir ist gerade so groß, wie ihr Unverstand mir gegenüber, und die Rücksichtslosigkeit, die aus diesem Unverstand in ihre Liebe übergeht, ist womöglich noch größer und für mich zeitweilig ganz unfaßbar.

Ich nahm Deine heutigen Briefe als ein Ganzes und Deine Ratschläge betreffend das Essen und den Schlaf verblüfften mich nicht besonders, was sie doch eigentlich hätten tun müssen, da ich Dir doch schon geschrieben hatte, wie froh ich bin, die gegenwärtige Lebensweise gefunden zu haben, welche die einzige halbwegs befriedigende Lösung der Widersprüche ist, in denen ich leben muß. Als mir aber Max heute eine auch nur ganz zarte Andeutung machte wegen der Aufbewahrung von Briefen und wie seine Sachen vor den Eltern niemals sicher sind – seines Vaters Suchen und Forschen in allen Zimmerecken ist mir geradezu schon aus der Anschauung bekannt – da liefen mir mit diesen Bemerkungen alle zugehörigen Bemerkungen aus Deinen heutigen Briefen zusammen, denn Deine Briefe waren mir wie immer so auch diesmal so gegenwärtig wie der Gesichtsausdruck des Menschen, mit dem ich spreche – und ich wußte bald nicht alles zwar, aber genug, um Max zu zwingen, alles zu sagen[1].

Um Verzeihung kann ich Dich nicht bitten, denn wie könntest selbst Du Gütigste dieses verzeihn. Diese Schuld behalte ich schon und werde sie mit mir herumtragen. Alles war schon so gut, ich freute mich schon, das Glück, das Du für mich bist, in Ruhe genießen zu können, ich sah schon in Deiner Bemerkung über die Weihnachtsferien eine unendliche Hoffnung, an die ich mich im heutigen Morgenbrief im Schmutz des Bureaus gar nicht zu rühren getraute und – da lauft mir die Mutter wieder in die Quere. Ich habe die Eltern immer als Verfolger gefühlt, bis vor einem Jahr vielleicht war ich gegen sie wie vielleicht gegen die ganze Welt gleichgültig wie irgendeine leblose Sache, aber es war nur unterdrückte Angst, Sorge und Traurigkeit wie ich jetzt sehe. Nichts wollen die Eltern als einen zu sich hinunterziehn, in die alten Zeiten, aus denen man aufatmend aufsteigen möchte, aus Liebe wollen sie es natürlich, aber das ist ja das Entsetzliche. Ich höre auf, das Ende der Seite ist eine Mahnung, es würde zu wild werden.

Dein, Dein, Dein.

[Auf einem beigelegten Blatt]

21. XI. 12

Ich lege eine Photographie von mir bei, ich war vielleicht 5 Jahre alt, das böse Gesicht war damals Spaß, jetzt halte ich es für geheimen

---

[1] Vgl. Brief Max Brods an Felice Bauer vom 22. November 1912, S. 114 ff.

Ernst. Du mußt sie mir aber wieder zurückschicken, sie gehört meinen Eltern, die eben alles haben und in alles greifen wollen. (Gerade heute mußte ich Dir über Deine Mutter schreiben!) Bis Du mir sie zurückschickst, schicke ich Dir noch andere und schließlich eine schlechte, nichtsnutzige gegenwärtige, die Du behalten kannst, wenn Du willst. Fünf Jahre war ich wohl auf dieser Photographie noch nicht alt, vielleicht eher 2, aber das wirst Du als Kinderfreundin besser beurteilen können als ich, der ich vor Kindern lieber die Augen zumache.

Franz

Um Deine Photographie Dich zu bitten oder um das Borgen einer Photographie Dich zu bitten, wäre natürlich jetzt gerade der ungeeigneteste Augenblick. Ich bemerke das bloß.

22. XI. 12

Liebste! ich habe keine Zeit, Dich wegen des Leides um Verzeihung zu bitten, das ich Dir Donnerstag verursacht habe und das sich in Deinem heutigen Briefe so zeigt, daß selbst ein verblendeter Narr sich dessen erbarmen müßte. Ich aber nicht, ich sündige weiter und was ich tue verwandelt sich in eine Feindseligkeit gegen Dich, während ich doch wiederum in der andern Wirklichkeit mich für Dich hinwerfen wollte, so als wäre ich seit jeher nur Deinetwegen auf der Welt. Nicht genug daran auch, daß ich Deinen Brief in meiner Tasche lasse, daß ihn meine Mutter liest und Dir schreibt. Es wäre doch eine Schuld gewesen, mit der ich mich hatte endlich zufriedengeben können. Aber ein Schuldiger dreht sich immer mehr in seine Schuld hinein. Gestern in Maxens Nähe schien mir die Sache schlimm, doch erträglich; ich versprach ihm, wenn ich es nicht gar beschworen habe, daß ich meiner Mutter nichts sagen werde. Und selbst wenn ich es nicht beschworen hätte, aus Rücksicht für Dich wäre es selbstverständlich gewesen. Aber wie bringe ich die Ruhe für Rücksichten auf, selbst für das Liebste. Schon als ich von Max weg einen kleinen Spaziergang machte, fing es in mir zu kochen an, ich hatte den Kopf voll von Wut wie von Dampf und als ich nachhause kam, war ich überzeugt, wenn ich nicht meine Meinung ausspräche, niemals ein Wort mehr zur Mutter sagen zu können. Es waren Gäste da, der

Bräutigam[1] und einer seiner Freunde. Ich ging schnurgerade in mein Zimmer in der genauen Voraussicht, es dort nicht aushalten zu können, ich staunte, daß die Wohnung zusammenhielt, so gespannt war alles in mir. Im Vorzimmer begann die Mutter in irgendeiner Ahnung ab- und auf zu schlürfen. Wir kamen eben zusammen, wie es nicht anders möglich war und ich sagte ihr, was ich dachte, sagte es ihr in einem fast gänzlich unbeherrschten Ausbruch. Ich bin überzeugt, es war für uns beide gut, für die Mutter und mich, ich wüßte nicht, daß ich jemals in meinem Leben so freundschaftlich mit ihr gesprochen hätte wie nachher. So viel Kälte oder falsche Freundlichkeit, wie ich sie seit jeher meinen Eltern entgegenbringen mußte, (durch meine Schuld und durch die ihre) habe ich in keiner andern verwandten oder bekannten Familie beobachten können. Ich sehe der Mutter trotz ihrer Sorge das Glück an, das sie über unser gegenwärtiges Verhältnis nach dem gestrigen schlimmen Abend fühlt. Hier warst Du gewiß ein guter Engel wie für mich überall. Aber darum handelt es sich jetzt nicht. Ich hätte um Deinetwillen meiner Mutter nichts sagen dürfen und habe es doch getan. Liebste, wirst Du mir auch das noch verzeihen können? Ich werde Dir gegenüber bald so viel Schuld auf mich geladen haben, daß mich um dessentwillen schon auch menschliche Richter für Deinen Schuldknecht ansehn werden, der ich vor den höhern Richtern längst schon bin.

Habe ich noch ein Recht, den Versöhnungskuß anzunehmen, den Du mir am Schlusse Deines Briefes gibst, zumal es dann ein Kuß würde, der weder Deinem noch meinem Brief erlauben würde, je zu schließen.

Franz

Max Brod an Felice Bauer

Prag, Postdirektion 22. 11. 1912

Wertes gnädiges Fräulein – Franz scheint durch Ihren Brief schon irgendwie vorbereitet gewesen zu sein, denn als ich ihm Andeutungen machte, erriet er schnell und ich konnte es nicht lang leugnen, daß seine Mutter Ihren Brief gelesen hat u.s.f. – Überdies ist ja die Sache gut ausgefallen und von nun an wird er besser aufpassen. Zur Sache des Briefes muß ich wohl nicht viel sagen: Franzens

[1] Josef Pollak, der Bräutigam von Kafkas Schwester Valli.

Mutter liebt ihn sehr, aber sie hat nicht die leiseste Ahnung davon wer ihr Sohn ist und *was für Bedürfnisse er hat*. Literatur ist »Zeitvertreib«! Mein Gott! Als ob sie nicht unser Herz auffressen würde; aber wir opfern uns gerne. – Ich bin mit Frau Kafka schon öfter gegensätzlich zusammengeraten. Es nützt eben alle Liebe nichts, wenn man so gar kein Verständnis hat. Der Brief zeugt wieder mal davon. – Franz hat nach jahrelangem Probieren endlich die für ihn einzig bekömmliche Kost gefunden, die vegetarische. Jahrelang hat er an Magenkrankheiten gelitten, jetzt ist er so gesund und frisch wie nie, seit ich ihn kenne. Aber natürlich, da kommen die Eltern mit ihrer banalen Liebe und wollen ihn zum Fleisch und in seine Krankheit zurückzwingen. – Genau so ist es mit der Schlafeinteilung. Endlich hat er das für ihn Richtige gefunden, kann schlafen, in dem unsinnigen Büro seine Pflicht tun und literarisch schaffen. Die Eltern aber … Ich muß da wirklich bitter werden. – Gott sei Dank, ist Franz von einer erfreulichen Halsstarrigkeit und hält genau an dem fest, was für ihn heilsam ist. Die Eltern wollen eben nicht einsehn, daß für einen *Ausnahmemenschen,* wie Franz einer ist, auch *Ausnahmebedingungen* notwendig sind, damit seine zarte Geistigkeit nicht verkümmert. Neulich habe ich an Frau Kafka erst einen 8 Seiten langen Brief darüber schreiben müssen. Die Eltern wollten, daß Franz Nachmittag ins Geschäft geht. Darauf war Franz zum *Selbstmord fest entschlossen* und schrieb mir schon einen Abschiedsbrief. Im letzten Moment gelang es mir, durch ganz rücksichtsloses Eingreifen ihn gegen seine »liebenden« Eltern zu schützen.

Wenn die Eltern ihn so lieben, warum geben sie ihm nicht 30000 Gulden wie einer Tochter, damit er aus dem Büro austreten kann und irgendwo an der Riviera, in einem billigen Örtchen, die Werke schafft, die Gott durch sein Gehirn hindurch in die Welt zu setzen verlangt? – Solange Franz nicht in dieser Lage ist, wird er nie vollständig glücklich sein. Denn seine ganze Organisation schreit nach einem friedlichen, der Dichtkunst gewidmeten, sorglosen Leben. Unter den heutigen Umständen ist sein Leben mehr minder ein Vegetieren mit glücklicheren Lichtmomenten. – Nun werden Sie auch seine Nervosität besser verstehn.

Jetzt erscheint ja ein schönes Buch von Kafka. Vielleicht hat er damit Glück und kann ein rein literarisches Leben beginnen. Auch schreibt er einen großen Roman, hält schon im 7. Kapitel, von dem ich mir großen Erfolg verspreche.

Über *Nornepygge* spreche ich nicht gern, das Buch ist das einzige von meinen Arbeiten, das mir ganz entfremdet ist. Ich danke für Ihr freundliches Interesse.

Mit herzlichen Grüßen
ergeben Ihr   Max Brod

23.XI.12

Liebste, mein Gott, wie lieb ich Dich! Es ist sehr spät in der Nacht, ich habe meine kleine Geschichte weggelegt, an der ich allerdings schon zwei Abende gar nichts gearbeitet habe und die sich in der Stille zu einer größern Geschichte auszuwachsen beginnt. Zum Lesen sie Dir geben, wie soll ich das? selbst wenn sie schon fertig wäre? Sie ist recht unleserlich geschrieben und selbst wenn das kein Hindernis wäre, denn ich habe Dich gewiß bisher durch schöne Schrift nicht verwöhnt, so will ich Dir auch nichts zum Lesen schicken. Vorlesen will ich Dir. Ja, das wäre schön, diese Geschichte Dir vorzulesen und dabei gezwungen zu sein, Deine Hand zu halten, denn die Geschichte ist ein wenig fürchterlich. Sie heißt »Verwandlung«, sie würde Dir tüchtig Angst machen und Du würdest vielleicht für die ganze Geschichte danken, denn Angst ist es ja, die ich Dir mit meinen Briefen leider täglich machen muß. Liebste, fangen wir mit diesem bessern Briefpapier auch ein besseres Leben an. Ich habe mich gerade dabei ertappt, daß ich beim Schreiben des vorigen Satzes ganz gerade in die Höhe sah, als wärest Du in der Höhe. Wärest Du doch nicht in der Höhe, wie es leider wirklich ist, sondern da bei mir in der Tiefe. Es ist aber tatsächlich eine Tiefe, täusche Dich darüber nicht, je ruhiger wir einander von jetzt an schreiben werden – Gott möge uns das endlich schenken – desto deutlicher wirst Du das sehn. Wenn Du aber dann trotzdem bei mir bliebest! Nun vielleicht ist es die Bestimmung der Ruhe und der Kraft, dort zu bleiben, wo die traurige Unruhe und Schwäche bittet.

Ich bin zu trübe jetzt und hätte Dir vielleicht gar nicht schreiben sollen. Dem Helden meiner kleinen Geschichte ist es aber auch heute gar zu schlecht gegangen und dabei ist es nur die letzte Staffel seines jetzt dauernd werdenden Unglücks. Wie soll ich da besonders lustig sein! Aber wenn mein Brief nur ein Beispiel dafür sein sollte, daß auch Du nicht den geringsten Zettel, den Du einmal für mich geschrieben hast, zerreißen sollst, dann ist es doch ein guter und wichtiger Brief. Glaube übrigens nicht, daß ich immer gar so traurig bin, das bin ich doch nicht, bis auf einen Punkt habe ich mich wenigstens bis aufs Äußerste in keiner Hinsicht zu beklagen und alles bis auf jenen einen ausnahmslos schwarzen Punkt kann ja noch gut und schön und mit Deiner Güte herrlich werden. Sonntag will ich mich darüber, wenn die Zeit und die Fähigkeit da sein sollte, ordentlich vor Dir ergießen und Du magst dann die Hände im Schoß die große Bescherung ansehn. Liebste, jetzt geht es aber ins Bett, möchte Dir ein schöner Sonntag beschieden sein und mir ein paar Deiner Gedanken.

Franz

24. XI. 12
[in der Nacht vom 23. zum 24. November 1912 begonnen]

Liebste! Was ist das doch für eine ausnehmend ekelhafte Geschichte, die ich jetzt wieder beiseite lege, um mich in den Gedanken an Dich zu erholen. Sie ist jetzt schon ein Stück über ihre Hälfte fortgeschritten und ich bin auch im allgemeinen mit ihr nicht unzufrieden, aber ekelhaft ist sie grenzenlos und solche Dinge, siehst Du, kommen aus dem gleichen Herzen, in dem Du wohnst und das Du als Wohnung duldest. Sei darüber nicht traurig, denn, wer weiß, je mehr ich schreibe und je mehr ich mich befreie, desto reiner und würdiger werde ich vielleicht für Dich, aber sicher ist noch vieles aus mir hinauszuwerfen und die Nächte können gar nicht lang genug sein für dieses übrigens äußerst wollüstige Geschäft.

Ehe ich aber jetzt schlafen gehe (es ist wirklich 3 Uhr nachts, sonst arbeite ich nur bis 1 Uhr, die Zeitbestimmung in einem meiner letzten Briefe scheinst Du mißverstanden zu haben, sie bedeutete 3 Uhr nachmittag, ich war eben im Bureau geblieben und schrieb an Dich) will ich Dir, weil Du es verlangst und weil es so einfach ist, noch ins Ohr sagen, wie ich Dich liebe. Ich liebe Dich, Felice, so, daß ich, wenn Du mir erhalten bleibst, ewig leben wollte, allerdings, was nicht zu vergessen ist, als ein gesunder und Dir ebenbürtiger Mensch. So ist es also, damit Du es weißt, und das ist allerdings schon fast jenseits der Küsse und es bliebe mir in Erkenntnis dessen fast kein anderes Zeichen übrig als bloß Deine Hand zu streicheln. Und deshalb nenne ich Dich lieber Felice als Liebste und lieber Du als Lieb.

Aber weil ich soviel als möglich auf Dich beziehen will, nenne ich Dich auch gerne Liebste und bin glücklich, Dich überhaupt nennen zu dürfen.

Sonntag [den 24. November 1912] nach dem Mittagessen

Zwei Briefe! Zwei Briefe! Wo ist der Sonntag, der in der Folge einer solchen Einleitung entsprechen könnte. Aber nun, Liebste, da Du auch dieses mir nicht nur verziehen, sondern auch eingesehen hast, wollen wir, Felice, nicht wahr, was auch geschehe, ruhig bleiben und ohne Störung einander lieb haben. Möchte ich doch die Kraft haben, Dich durch Briefe wieder frisch und lustig zu machen, wie ich leider genug Schwäche hatte, Dich durch Briefe müde und zum Weinen traurig zu machen. Fast habe ich das Vertrauen dazu. Wenn es mir aber gelingt, dann verdanke ich es wieder nur dem stärkenden Bewußtsein, Dich zur Freundin zu haben und auf einen Menschen, wie Du es bist, mich verlassen zu können.

Nur bitte, Liebste, bitte, schreib nicht mehr in der Nacht, ich lese diese mit Deinem Schlaf erkauften Briefe nur mit einer Mischung von Glück und Trauer. Tue es nicht mehr, schlaf so schön, wie Du es verdienst, ich könnte nicht ruhig arbeiten, wenn ich weiß, daß Du noch wachst und gar meinetwegen. Weiß ich aber, daß Du schläfst, dann arbeite ich desto mutiger, denn dann scheint es mir, als seiest Du ganz meiner Sorge übergeben, hilflos und hilfebedürftig im gesunden Schlaf, und als arbeite ich für Dich und für Dein Wohl. Wie sollte bei solchen Gedanken die Arbeit stocken! Schlaf also, schlaf, um wieviel mehr arbeitest Du doch auch während des Tages als ich. Schlaf unbedingt schon morgen, schreib mir keinen Brief mehr im Bett, schon heute womöglich nicht, wenn mein Wunsch Kraft genug hat. Dafür darfst Du vor dem Schlafengehn Deinen Vorrat an Aspirintabletten aus dem Fenster werfen. Also nicht mehr abends schreiben, mir das Schreiben in der Nacht überlassen, mir diese kleine Möglichkeit des Stolzes auf die Nachtarbeit überlassen, es ist der einzige, den ich Dir gegenüber habe, sonst würde ich doch gar zu untertänig und das würde gewiß auch Dir nicht gefallen. Aber warte einen Augenblick, zum Beweise dessen, daß die Nachtarbeit überall, auch in China den Männern gehört, werde ich aus dem Bücherkasten (er ist im Nebenzimmer) ein Buch holen und ein kleines chinesisches Gedicht für Dich abschreiben. Also hier ist es (was für einen Lärm mein Vater mit dem Neffen macht!): Es stammt von dem Dichter Jan-Tsen-Tsai (1716–97) über den ich die Anmerkung finde: »Sehr talentvoll und frühreif, machte eine glänzende Karriere im Staatsdienst. Er war ungemein vielseitig als Mensch und Künstler«. Außerdem ist zum Verständnis des Gedichtes die Bemerkung nötig, daß die wohlhabenden Chinesen vor dem Schlafengehen ihr Lager mit aromatischen Essenzen parfümieren. Im übrigen ist das Gedicht vielleicht ganz wenig unpassend, aber es ersetzt den Anstand reichlich durch Schönheit. Hier ist es also endlich:

In tiefer Nacht

In der kalten Nacht habe ich über meinem
  Buch die Stunde des Zubettgehens vergessen.
Die Parfüms meiner goldgestickten Bettdecke
  sind schon verflogen, der Kamin brennt nicht mehr.
Meine schöne Freundin, die mit Mühe bis dahin
  ihren Zorn beherrschte, reißt mir die Lampe weg
Und fragt mich: Weißt Du, wie spät es ist?[1]

Nun? Das ist ein Gedicht, das man auskosten muß. Übrigens fällt mir bei diesem Gedicht dreierlei ein, ohne daß ich den Zusammenhang weiter überprüfen will.

Erstens hat es mich sehr gefreut, daß Du im Herzen Vegetarianerin bist. Die wirklichen Vegetarianer liebe ich eigentlich gar nicht so sehr, denn ich bin ja auch fast Vegetarianer und sehe darin nichts besonders Liebenswertes, nur etwas Selbstverständliches, aber diejenigen, welche in ihrem Gefühl gute Vegetarianer, aber aus Gesundheit, Gleichgültigkeit und Unterschätzung des Essens überhaupt, Fleisch und was es gerade gibt wie nebenbei mit der linken Hand aufessen, die sind es, die ich liebe. Schade, daß sich meine Liebe zu Dir so übereilt hat, daß sie keinen Platz mehr läßt, Dich

---

[1] Diese Übertragung und die Anmerkungen zu dem Gedicht entnahm Kafka dem Band von Hans Heilmann, *Chinesische Lyrik vom 12. Jahrhundert v. Chr. bis zur Gegenwart* (Bd. 1 der Sammlung ›Die Fruchtschale‹), München [1905]. Vgl. Max Brod, *Verzweiflung und Erlösung im Werk Kafkas,* Frankfurt am Main 1959, S. 67: »Kafka hat das Buch sehr geliebt, zeitweilig allen andern vorgezogen und mir oft mit Begeisterung daraus vorgelesen.«

noch Deines Essens halber zu lieben. Und meine Narrheit, bei offenem Fenster zu schlafen, hast Du also auch? Das ganze Jahr ist es offen? Auch im Winter? Und vollständig? Da würdest Du mich übertrumpfen, denn im Winter lasse ich es nur ganz wenig offen, eine kleine Spalte weit. Allerdings geht mein Fenster auf einen großen, leeren Bauplatz hinaus, hinter dem die Moldau vorüberfließt[1]. Und hinter dieser kommen gleich Anhöhen mit öffentlichen Gärten. Es gibt also viel Luft und Wind und Kälte, und selbst wenn Du jetzt noch nachts in der Immanuel-Kirchstraße das Fenster gänzlich offen läßt, ist es noch gar nicht sicher, daß Du es auch in einem Zimmer tun würdest, das so wie meines gelegen ist. Übrigens besiege ich Dich noch darin, daß in meinem Zimmer überhaupt nicht geheizt wird und ich doch darin schreibe. Jetzt merke ich sogar (ich sitze knapp beim Fenster), daß das innere Fenster gänzlich offen und das äußere nur flüchtig geschlossen ist, während auf dem Geländer der Brücke unten nicht Schnee aber Reif liegt. Nun versuche noch gegen mich aufzukommen.

Das Gedicht Deiner kleinen Damen ist prachtvoll[2]. Ich schicke es Dir natürlich zurück, aber ich habe es mir abgeschrieben. Um aber dieses Fräulein Brühl für den Mann mit Namen »von« zu strafen, den sie Dir wünscht oder besser dem sie Dich wünscht – wünsche ich ihr zu ihrem Geburtstage, daß von heute ab Abend für Abend nach Geschäftsschluß ein Jahr lang bis zu ihrem nächsten Geburtstag zwei rasende Prokuristen rechts und links neben sie treten und ihr ununterbrochen und gleichzeitig bis Mitternacht Briefe diktieren. Und nur weil sie so hübsche Verse macht, will ich, wenn Du für sie bittest, die Strafe auf ein halbes Jahr herabsetzen. Aber weil Du sie gern hast und weil sie sich so hübsch zu freuen versteht, werde ich aus Kratzau (das ist hinter Reichenberg, oben im Gebirge) wohin ich leider morgen fahren muß, eine Ansichtskarte schicken, auf die ich mir von fremder Hand und ohne Unterschrift habe schreiben lassen: »Herzliche Glückwünsche. Aber ach! Von wem denn?«

Längst schon wollte ich Dich fragen, und immer wieder entwischt es mir, wie kommst Du denn dazu, so viele und so verschiedenartige Zeitschriften, wie Du sie in Deinem zweiten Briefe als unter Deiner

---

[1] Kafka wohnte damals im Hause der Eltern, Niklasstraße (Mikulášská) 36, einem Eckhaus nahe der Moldau.

[2] Ein paar jüngere Büro-Kolleginnen Felicens hatten ihr zum Geburtstag ein kleines Gedicht geschrieben.

Tagespost befindlich erwähntest, zu abonnieren oder gar zu lesen? So viele hast Du schon dort genannt und dahinter stand noch u.s.w. Aber wenn es wirklich so ist, d.h. wenn ich es richtig verstanden habe, dann könnten wir noch einen ergänzenden Verkehr zwischen uns einrichten. Ich kann gar nicht genug Dinge in die Hand bekommen, die Du in der Hand gehalten hast und kann Dir gar nicht genug Dinge schicken, die mich etwas angingen. Nun habe ich schon längst den Plan gehabt und nur aus Nachlässigkeit ihn immer wieder auszuführen unterlassen, verschiedene Zeitungsnachrichten, die mir aus irgendeinem Grunde überraschend waren, mir nahegingen und mir persönlich für nicht absehbare Zeit wichtig schienen, meistens waren es für den ersten Blick nur Kleinigkeiten, aus der letzten Zeit z.B. »Seligsprechung der 22 christlichen Negerjünglinge von Uganda«[1] (das habe ich sogar jetzt gefunden und lege es bei) auszuschneiden und zu sammeln. Fast jeden zweiten Tag finde ich in der Zeitung eine derartige, förmlich für mich allein bestimmte Nachricht, aber ich habe nicht die Ausdauer, eine solche Sammlung für mich anzufangen, wie erst für mich sie fortsetzen. Für Dich aber mache ich es mit Freuden, tu es doch, wenn es Dir gefällt, von Deiner Seite für mich. Solche Nachrichten, die nicht für alle Leser bestimmt sind, sondern nur auf bestimmte Leser hie und da zielen, ohne daß der unbeteiligte Beurteiler den Grund des besonderen Interesses herausfinden könnte, gibt es doch gewiß für jeden und solche kleine Nachrichten, die Dich besonders bekümmern, hätten für mich mehr Wert als meine eigene Sammlung, die ich Dir also ohne großes Bedauern schicken könnte. Verstehe mich recht, nur kleine Ausschnitte aus Tageszeitungen meine ich, meistens über wirkliche Ereignisse, Ausschnitte aus Zeitschriften wären nur seltene Ausnahmen, Du darfst nicht glauben, daß ich Deine schönen Hefte für mich zerreißen will. Übrigens lese ich selbst nur das Prager Tagblatt und dieses sehr flüchtig und an Zeitschriften die Neue Rundschau und dann noch »Palästina«, das mir jedoch nicht mehr zugeschickt wird, trotzdem ich noch immer Abonnent bin. (Wahrscheinlich glaubt diese Zeitschrift, daß sie an unserem gemeinsamen Abend mit dem damaligen einen Heft für mich mehr geleistet hat als für andere Abonnenten

[1] Im *Prager Tagblatt* vom 25. September 1912 war eine Notiz über die »Seligsprechung der Märtyrer von Uganda« erschienen. Kafka hatte diese Notiz ausgeschnitten und seinem Brief beigelegt. Siehe Anhang S. 763. (Diese Märtyrer wurden im Oktober 1964 heiliggesprochen.)

mit einem ganzen Jahrgang und das ist allerdings richtig.) Um gleich im Beginn der Sammlung einen tüchtigen Beitrag zu schikken, lege ich noch den Bericht über einen scheußlichen Proceß[1] bei. Nun da ich einmal von der Reise nach Kratzau gesprochen habe, verläßt mich der ärgerliche Gedanke nicht mehr. Meine kleine Geschichte wäre morgen gewiß fertig geworden und nun muß ich morgen abend um 6 wegfahren, komme um 10 nach Reichenberg, fahre früh um 7 nach Kratzau zu Gericht und habe die feste Absicht, in der betreffenden ziemlich schwierigen und riskanten Sache mich so eindeutig und energisch zu blamieren, daß man mich niemals mehr mit solchen Aufträgen wegschicken soll. Übrigens hoffe ich, schon Dienstag um 4 Uhr nachmittag wieder in Prag zu sein, wo ich sofort ins Bureau laufen werde, um für jeden Fall (aber ohne die geringste Aufregung, ohne die allergeringste Aufregung) nachzuschauen, ob ein Brief von Dir da ist, um dann, mit einem Brief zufrieden, ohne Brief gefaßt, nachhause zu gehn und mich ins Bett zu werfen. Soll dieser Plan gelingen, muß ich allerdings bei Gericht in Kratzau mit meiner Angelegenheit in spätestens 3 Stunden fertig sein aber ich denke daran, wenn sich das Ende der 3tten Stunde nähert, allmählich in Ohnmacht zu sinken und mich auf die Bahn eiligst tragen zu lassen. Im Gerichtsprotokoll wird dann an Stelle meiner Unterschrift stehn: »Der Vertreter der Arbeiter-Unfall-Versicherungs-Anstalt (nicht Gesellschaft, Liebste!) fiel in Ohnmacht und mußte weggeschafft werden.« Wie werde ich dann im Zug doppelt lebendig werden und nach Prag rasen!

Ach ich habe Dir noch sovieles zu sagen und sovieles zu fragen und nun ist es schon so spät und ich kann nicht mehr. Heute vormittag war ich bei Baum (kennst Du Oskar Baum[2]?) wie jeden Sonntag und habe (es war auch Max mit seiner Braut dort) den ersten Teil meiner kleinen Geschichte[3] vorgelesen. Nachher kam dann ein Fräulein

---

[1] Der Zeitungsausschnitt mit dem Prozeß-Bericht ist nicht erhalten.

[2] Der früh erblindete Prager Schriftsteller Oskar Baum (1883–1941). Kafka hatte ihn im Herbst 1904 durch Brod kennengelernt. Baum gehörte zu dem Freundeskreis Max Brod, Felix Weltsch, Franz Kafka. Diese jungen Autoren kamen fast an jedem Wochenende zusammen und lasen einander aus ihren Arbeiten vor. Vgl. auch Max Brod, »Notiz zum Schaffen Oskar Baums«, *Der Jude* I (1916/17), S. 852–54.

[3] Max Brod bestätigt, daß Kafka am 24. November 1912 »Die Verwandlung« vorgelesen habe, nimmt aber an, daß es die *ganze* Erzählung gewesen sei. Vgl. Brod, *Biographie,* S. 157.

hin, die in irgendeiner Kleinigkeit Ihres Auftretens mich an Dich erinnerte. (Es braucht nämlich nicht viel, um mich an Dich zu erinnern.) Wie verzaubert habe ich sie angesehn und wäre gern, nachdem ich mit meinen Augen die kleine Ähnlichkeit ausgeschöpft hatte, zum Fenster gegangen, um hinauszuschauen, keinen Menschen zu sehn und vollkommen Dir anzugehören.

Mit meiner Mutter stehe ich sehr gut. Es bildet sich sogar eine gute Beziehung zwischen uns heraus, das gemeinsame Blut scheint einen Sinn zu bekommen, sie scheint Dich zu lieben. Sie hat Dir auch schon einen Brief geschrieben, aber ich habe ihn nicht weggehn lassen, er war zu demüthig, er war so, wie ich ihn an dem schlimmen Abend verlangt hätte und das wäre nicht gut gewesen. Sie wird Dir bald einen ruhigen, freundlichen Brief schreiben, glaube ich.

Also ein Bild soll ich nicht bekommen? Und der Humor wurde nicht photographiert? Was für eine sonderbare Gesellschaft, die sich das entgehen ließ? Und Gruppenaufnahmen aus dem Bureau gibt es nicht? Ansichten der Bureaulokalitäten? Der Fabrik? der Immanuel-Kirchstraße? Prospekte der Fabrik? Die Adresse der Prager Filiale? Worin besteht Deine Arbeit? Jede Kleinigkeit aus dem Bureau interessiert mich (zum Unterschied von meinem Bureau). Was für hübsche Redensarten es bei Euch gibt. Du bist in der Registratur? Was ist das eigentlich? Wie kannst Du zwei Mädchen gleichzeitig diktieren? Wenn Du mir irgendetwas Hübsches aus Deinem Bureau schickst, schicke ich Dir Jahresberichte meiner Anstalt mit ungeheuer interessanten Aufsätzen von mir.[1]

Und nun umarme ich Dich zum Abschied.   Franz

24. XI. 12

Aus besonderer Schlauheit – und um mich vor der Geliebten durch Schlauheit auszuzeichnen – schicke ich jeden Bogen dieses Sonntagsbriefes (es sind fünf) in einem besondern Briefumschlag weg, es ist wegen der uns verfolgenden Post, die doch nicht alle Briefe (selbst wenn sie, da heute Sonntag ist, nicht rekommandiert werden können) wird verlieren können. Allerdings ist wieder die Gefahr größer, daß bei dieser Methode ein oder der andere Bogen verloren

---

[1] Vgl. Kafkas Brief vom 3. Dezember 1912, S. 152f.

geht, nun ich tue, was ich kann und will nicht durch Aussprechen weiterer Befürchtigungen die Gefahr herbeilocken.

———

Mittwoch, Liebste, bekommst Du wahrscheinlich keinen Brief von mir, eher eine Ansichtskarte, aber die vielleicht lieber in Deine Wohnung, damit die kleine Dame nicht aufmerksam wird.

———

Bitte schreibe mir ganz genau, ob Du dich wohl befindest; Diese Kopfschmerzen! Dieses Weinen! Diese Nervosität! Liebste, ich bitte Dich viele Male, schlaf ordentlich, geh spazieren, und wenn Du beim Lesen meines Briefes irgend ein Ärgernis herankommen siehst, das ich aus Unvorsichtigkeit zu beseitigen unterlassen habe, zerreiße bitte rücksichtslos den Brief, aber ruhig, ruhig! Es liegt nichts an einem Brief, ich schreibe Dir zehn für den einen und wenn Du die 10 zerreißt, schreibe ich 100 zum Ersatz.   Dein Franz

Ob Du nicht lieber im Sommer in ein Sanatorium gehn solltest. Ich werde Dir das Leben dort nächstens sehr verlockend beschreiben.

———

Du, hast Du Dich einmal umgesehn, ob die Juden in Berlin spielen, ich denke es müßte so sein[1]. Leider habe ich dem Löwy bisher nicht geantwortet, es hat sich an dem, was ich Dir im ersten Briefe schrieb, daß ich nämlich ein unpünktlicher Briefschreiber bin, bis heute nichts geändert.

———

Das Jahrbuch [Arkadia] erscheint frühestens im Feber. Mein Büchel [Betrachtung] erscheint nächsten Monat oder im Jänner. Du bekommst beides natürlich gleich nach dem Erscheinen. In den Flaubert [L'éducation sentimentale] habe ich absichtlich nichts hineingeschrieben, es ist ein Buch, in das keine fremde Schrift hineingehört. Außerdem weiß ich aber gar nicht, ob ich imstande bin, noch etwas an Dich zu schreiben, was sich vor der Welt sehen lassen könnte.   Dein

———

[1] Die Wandertruppe ostjüdischer Schauspieler, zu der auch Jizchak Löwy gehörte.

[Nacht von Sonntag, den 24. zu Montag, den 25. November 1912]

Nun muß ich heute, Liebste, meine kleine Geschichte, an der ich heute gar nicht soviel wie gestern gearbeitet habe, weglegen und sie wegen dieser verdammten Kratzauer Reise einen oder gar zwei Tage ruhen lassen. Es tut mir so leid, wenn es auch hoffentlich keine allzuschlimmen Folgen für die Geschichte haben wird, für die ich doch noch 3–4 Abende nötig habe. Mit den nicht allzu schlimmen Folgen meine ich, daß die Geschichte schon genug durch meine Arbeitsweise leider geschädigt ist. Eine solche Geschichte müßte man höchstens mit einer Unterbrechung in zweimal 10 Stunden niederschreiben, dann hätte sie ihren natürlichen Zug und Sturm, den sie vorigen Sonntag in meinem Kopfe hatte. Aber über zweimal zehn Stunden verfüge ich nicht. So muß man bloß das Bestmögliche zu machen suchen, da das Beste einem versagt ist. Aber schade, daß ich sie Dir nicht vorlesen kann, schade, schade, z. B. an jedem Sonntag vormittag. Nachmittag nicht, da habe ich keine Zeit, da muß ich Dir Briefe schreiben. Heute schrieb ich wirklich bis $\frac{1}{4}$7 abends, legte mich dann ins Bett, trotzdem ich eigentlich die Briefe zuerst hätte einwerfen sollen, aber ich fürchtete mich, dann zu spät ins Bett zu kommen und nicht mehr schlafen zu können, denn ist einmal die Abendgesellschaft nebenan beisammen, dann gibt es vor lauter Kartenspiel (das einzige vielleicht, wozu ich mich selbst um meines Vaters willen nur äußerst selten habe zwingen können) keine Ruhe mehr für mich. Diese Sorge war aber heute unnötig, denn, was ich nicht wußte, meine Eltern und die jüngste Schwester waren abends bei meiner verheirateten Schwester und die mittlere Schwester war mit ihrem Bräutigam bei den künftigen Schwiegereltern auf dem Lande zu Besuch. Nun schlief ich aber schlecht, offenbar zur Strafe dafür, daß ich die Briefe doch nicht vorher eingeworfen hatte, wurde aber, da niemand in der Wohnung war außer dem Dienstmädchen, sie ist 17jährig, aber still wie ein Schatten, von niemandem geweckt, lag also im Halbschlaf da und hatte infolge der Grabeskälte meines Zimmers nicht einmal Energie genug, die Hand nach der Uhr auszustrecken. Als ich es endlich doch tat, war zu meinem Schrecken $\frac{1}{2}$10. Gotteswillen, wenn jetzt die Briefe zu spät eingeworfen wurden. Ein rasendes zwei Minuten langes Turnen, wie vielleicht schon einmal erklärt, bei ganz offenem Fenster, dann

Anziehen und auf die Bahn. Unten vor dem Haus, es wird jetzt in unserer etwas verlassenen Gegend schon um 9 Uhr gesperrt, glückte es mir noch durch rasches Einbiegen, einer Begegnung mit meiner Familie auszuweichen, die eben nachhause ging, und nun flog ich auf die Bahn. Ich habe jetzt neue Stiefel und trample entsetzlich durch die leeren Gassen. Hoffentlich kommen die Briefe wenigstens rechtzeitig an. Dann nach sofortiger Rückkehr war wie immer mein Nachtmahl, meine jüngste Schwester sitzt dabei, knackt die Nüsse, ißt selbst mehr als sie mir gibt und wir unterhalten uns meistens ausgezeichnet. Das ist das Nachtmahl, aber es gibt dann Zeiten, wo die liebste Schwester nicht genügt und ich ihr nicht genüge.

Franz

Knapp vor der Abreise 24.XI.12 [25. November 1912]

Liebste! Wie es einen hin und her wirft, wenn man für etwas zu sorgen hat. Es gab schon Tage, wo ich Deine Briefe ruhig erwartete, ruhig in die Hand nahm, einmal las, einsteckte, dann wieder las und wieder einsteckte, aber alles ruhig. Dann aber sind wieder Tage, und ein solcher war heute, wo ich schon vor unerträglicher Erwartung zittere, daß Dein Brief kommt, wo ich ihn nehme wie etwas Lebendiges und gar nicht aus der Hand geben kann.

Liebste, hast Du schon bemerkt, was für unglaubliche Übereinstimmungen es zwischen unsern Briefen gibt, wie einer etwas verlangt, was der nächste am andern Morgen schon bringt, wie Du z. B. letzthin einmal zu hören verlangtest, daß ich Dich liebe und wie ich gezwungen war, in dem Briefe, der sich in der Nacht mit Deinem Briefe auf der Berliner Strecke kreuzte, Dir die Antwort hinzuschreiben, die allerdings schon vielleicht in den Anfangsworten meines ersten Briefes oder gar schon in jenem ersten gleichgültigen Blicke stand, mit dem ich Dich an unserem Abend ansah. Solche Übereinstimmungen hat es aber schon so viele gegeben, daß ich den Überblick darüber verloren habe. Die schönste aber ist heute eingetroffen.

Wie ich Dir gestern schrieb, fahre ich heute abend weg, allein, in der Nacht, ins Gebirge und da schickst Du mir, ohne daß Du es ausdrücklich wüßtest, die liebe kleine Begleiterin. Was für ein liebes kleines Mädchen ist das! Die schmalen Schultern! So schwach und leicht zu fassen ist sie! Bescheiden ist sie, aber ruhig. Damals hat sie noch niemand geplagt und zum Weinen gebracht und das Herz schlägt wie es soll. Weißt Du, daß man leicht Tränen in die Augen bekommt, wenn man das Bild länger ansieht. Gelegentlich soll ich das Bild zurückschicken? Gut, das wird geschehn. Vorläufig aber wird es in dieser vermaledeiten Brusttasche eine kleine, unbehagliche Reise in Eisenbahnen und durch Hotelzimmer machen, trotzdem das Mädchen, wie es behauptet, ohne es bisher erklärt zu haben, sich in Hotelzimmern zu ängstigen pflegt. Ja, das Uhrschnürchen sieht man, die Brosche ist hübsch, das Haar so gewellt und fast zu ernsthaft frisiert. Und trotz allem bist Du so leicht wiederzuerkennen, mit einem von diesem Bild gar nicht so entfernten Gesichtsausdruck bist Du damals am Tisch gesessen in einem Augenblick, den ich vor allen andern genau im Gedächtnis habe. Du hieltest eine der Thaliaphotographien in der Hand, sahst zuerst mich an, der irgendeine dumme Bemerkung machte, und ließest den Blick in einem Viertelkreis den Tisch umwandern und machtest erst wieder beim Otto Brod Halt, der erst zu der Photographie die richtige Erklärung gab. Diese langsame Kopfwendung und den hiebei natürlich verschiedenartigen Anblick Deines Gesichtes habe ich unvergänglich behalten. Und nun kommt das kleine Mädchen, für das ich natürlich ein ganz Fremder bin und bestätigt mir die Wahrheit der lieben Erinnerung.

Wieder fällt mir eine Übereinstimmung ein. Gestern bat ich Dich um Drucksorten[1], heute versprichst Du sie mir. Aber dieses Herzklopfen, Liebste! Wie kann es wahr sein, daß ich einen Anteil an Deinem Herzen habe, wenn es so klopft, während ich es ruhig haben will?

Dein Franz

[Ansichtskarte · Stempel: Kratzau – 26. XI. 12]

Herzliche Grüße! Eine häßliche Reise, aber ein guter Reisekamerad.

F. Kafka

---

[1] Offenbar die im Brief vom 24. November erbetenen Prospekte der Firma Lindström.

Liebste, während die gierigen gegnerischen Advokaten hinter mir sich um das Meistbot reißen (es macht nichts, wenn Du das Wort nicht verstehst)[1] bin ich recht zufrieden, an diesem Tischchen zu sitzen und Dich, Liebste, vom Herzen grüßen zu können.

Franz

[Ansichtskarte. Stempel: Kratzau – 26. XI. 12]

Und so geht die kleine Reise fröhlich weiter. Beste Grüße.

F. Kafka

26. XI. 12

Felice, ich kündige es an, es kommt einer jener Briefe, von denen ich letzthin einmal geschrieben habe, daß Du sie beim zweiten oder dritten Satz zerreißen sollst. Jetzt ist der Augenblick, Felice, zerreiße ihn, aber schließlich ist es auch noch mein Augenblick, ihn nicht zu schreiben, aber leider wirst Du ihn ebenso sicher lesen, wie ich ihn schreiben werde.

Ich bin gerade von der Reise gekommen, war natürlich zuerst im Bureau und bekam dort Deinen lieben Brief von Sonntag nacht. Ich las ihn in der Loge des Portiers, dessen kleine Frau, während ich las, zu mir aufsah. Dein Brief ist lieb und gut und wahr. (Falsch ist nur mein Alter auf der Photographie angenommen, ich war gerade 1 Jahr alt, wie ich jetzt erfahren habe.) Du strebst danach, mich an Dir teilnehmen zu lassen, ach Gott, wenn ich aber jeden Augenblick Deines Lebens haben will. Trotzdem, Du tust das Menschen nur mögliche, und schon wegen Deiner Güte müßte ich Dich lieben, wenn ich Dich nicht um Dein ganzes teueres Wesen liebte. Warum gab ich mich also mit dem Brief nicht zufrieden und suchte den Tisch des Portiers nach einem weitern Briefe ab? Freilich schreibst Du, daß Du mir Montag schreiben wirst und Dein Montagbrief war allerdings nicht da. Aber hattest Du mir nicht schon

---

[1] ›Meistbot‹: Das höchste Angebot bei einer öffentlichen Versteigerung.

einige Male versprochen, daß Du treu zu mir hältst, hatte ich nicht selbst letzthin geschrieben, daß ich ganz ruhig bleiben werde, auch wenn gar kein Brief im Bureau liegt, und nun hatte ich doch immerhin Deinen Sonntagsbrief, und hattest Du nicht endlich Montag abend Probe, konnte also Dein Brief nicht sehr leicht ein wenig zu spät eingeworfen worden sein? Jedenfalls, in dem Ausbleiben des Montagbriefes allein war nicht der geringste Grund zur Aufregung. Und warum lief ich doch erschrocken nachhause, gleichzeitig überzeugt, dort den Montagsbrief zu finden und gleichzeitig schon hoffnungslos über die sicher zu erwartende Enttäuschung. Warum das, Liebste? Sieht es nicht aus wie ein Mangel meiner Liebe zu Dir? Denn wenn sich gerade jetzt auch Sorge um Deine Gesundheit mit in meine Unruhe mischt, so ist doch die Sorge um Deine Liebe viel größer. Und immer wieder unterlaufen mir die kläglichen Wendungen wie: daß Du mich noch ein Weilchen dulden sollst, daß ich ein paar Deiner Gedanken bekommen soll u.s.w. und wenn einmal ein Brief nicht kommt, dann ist mir Telegraphieren ein fürchterlich langsames Fragen. So entsetzt wie damals als Du in meinem Brief einen fremden Ton fandest, war ich wohl bisher nur einmal, aber andere kleine Bemerkungen erschrecken mich schon genug. Ich erschrecke, wenn ich lese, daß Dich Deine Mutter vor Enttäuschungen bewahren will, wenn ich von dem Breslauer Bekannten lese, nach dem zu fragen ich mich schon wochenlang zurückhalte, ich erschrecke, wenn ich höre, daß Du mich liebst, und wenn ich es nicht hören sollte, wollte ich sterben. Du hast übrigens einmal etwas Ähnliches geschrieben, ich konnte nicht begreifen, wie Du zu dem wahren Urteil kamst. Daß Du es richtig fühltest, hätte mich nicht gewundert, denn Dein Gefühl irrt nicht, das weiß ich gut.

Nun alle diese Widersprüche haben einen einfachen und nahen Grund, ich wiederhole es, denn es vergißt sich auch für mich so leicht, es ist mein Gesundheitszustand, nichts sonst und nichts weniger. Mehr kann ich nicht darüber schreiben, aber das ist es, was mir die Sicherheit Dir gegenüber nimmt, mich hin- und herwirft und Dich dann mitreißt. Deshalb vor allen Dingen und nicht einmal so sehr aus Liebe zu Dir brauche ich Deine Briefe und verzehre sie förmlich, deshalb glaube ich Deine[n] guten Worten nicht genug, deshalb winde ich mich mit diesen traurigen Bitten vor Dir, nur deshalb. Und da muß natürlich die Macht des besten Wesens versagen.

Ich werde niemals die Kraft haben, Dich zu entbehren, fühle ich, aber dieses, was ich an anderen für Tugend hielte, wird meine größte Sünde sein. –

Es war eine häßliche Reise, Liebste. Der gestrige versäumte Abend machte mich ganz trübsinnig. Es gab wohl keinen Augenblick während der Reise, an dem ich nicht zumindest ein wenig unglücklich gewesen bin. Sogar dort im Gebirge war alles naß, wenn auch in der Nacht Schneefall war, die Heizung in meinem Hotelzimmer war nicht abzustellen, ich hatte das Fenster die ganze Nacht vollständig geöffnet, der Schnee flog mir ins Gesicht während ich schlief. Gleich am Beginn der Fahrt saß ich gegenüber einer widerlichen Frau und war unruhig vor unterdrückter Lust, ihr die Faust in den Mund zu stoßen, wenn sie gähnte. Dein Bild wurde während der ganzen Reise hie und da zum Troste angesehn, Dein Bild lag auch in der Nacht zum Troste auf dem Sessel neben meinem Bett. Man soll um keinen Preis wegfahren und den Gehorsam im Bureau lieber verweigern, wenn man zuhause eine Arbeit hat, die alle Kräfte braucht. Diese ewige Sorge, die ich auch jetzt übrigens noch habe, daß die Reise meiner kleinen Geschichte schaden wird, daß ich nichts mehr werde schreiben können u.s.w. Und mit diesen Gedanken in ein elendes Wetter hinausschauen zu müssen, durch Kot laufen, im Kot steckenbleiben, um 5 Uhr aufstehn! Um mich an Kratzau zu rächen, kaufte ich dort in der Papierhandlung das einzige gute Buch, das Kratzau augenblicklich besaß. Eine Novelle von Balzac. In der Einleitung steht übrigens, daß Balzac eine besondere Zeiteinteilung jahrelang befolgte, die mir sehr vernünftig scheint. Er ging um 6 Uhr abends schlafen, stand um 12 Uhr nachts auf und arbeitete dann die übrigen 18 Stunden. Unrecht tat er nur, daß er so wahnsinnig viel Kaffee getrunken hat und damit sein Herz ruinierte. – Aber auf so einer Reise ist auch gar nichts gut. Die Balzac'sche Novelle gefiel mir nicht. Im Eisenbahnblatt las ich sogar als angeblichen Ausspruch Goethes die unsinnige Bemerkung, Prag sei »der Mauerkrone der Erde kostbarster Stein«. Das Schönste auf der Reise war das Aussteigen in Prag, wie sich überhaupt mein Zustand gegen Prag zu besserte. Als ich aussteigen wollte, zupfte mich ein kleines Kind am Kragen, ich drehte mich um und sah hinter mir eine junge Frau, die ihr Kind auf dem Arm trug. Wieder erinnerte sie mich sehr an Dich, wenigstens im Augenblick des ersten Ansehns und wieder nicht etwa im Gesicht oder sonst irgendeiner Einzelheit, auf die man hätte zeigen können, sondern nur im allgemeinen und darum besonders unweigerlich. Vielleicht aber habe ich den Schein Deines Wesens dauernd vor meinen Augen. Niemals hat dieser jungen Frau jemand mit größerer Sorgfalt aus dem Wagen geholfen als diesmal ich. Man mußte ihr übrigens helfen, da sie ja das Kind vor sich her trug und die Stufen nicht sehen konnte.

Natürlich will ich von Deiner frühern Reise hören und möglichst viel! Es schien mir ja damals schon genug sonderbar, zur Erholung eine derartige Reise zu machen, auf der Du doch gar keinen Landaufenthalt hattest und andererseits auch nicht in besonders interessante oder fremde Städte kamst. Und wenn Verwandte wollen, daß man sie besuche, dann mögen sie vorher an die Riviera fahren und einen dorthin einladen. Im übrigen habe ich Dich sogar, allerdings sehr unaufdringlich, auf jener Reise ein wenig verfolgt. Ich habe in Breslau auch einen guten Bekannten (es ist nicht jener Fromme, von dem ich einmal schrieb, der ist auf dem Lande, ist Geometer, seine Adresse müßte ich erst aus der Bibel heraussuchen, die er mir zum Andenken geschenkt hat); diese gute Bekanntschaft nun besteht wegen meiner Schreibfaulheit im allgemeinen nur stillschweigend fort. Zu jener Zeit aber, als ich annehmen konnte, daß Du in Breslau seiest, schrieb ich ihm plötzlich nach monatelanger Pause, damit ich wenigstens mit einem Briefe an dem Breslau beteiligt wäre, in dem Du gerade lebtest[1]. Ausdrücklich sagte ich mir das damals nicht, aber es war nichts anderes und zu dem Brief lag keine große Nötigung oder vielmehr gar keine vor.

Führst Du eigentlich ein Tagebuch? Oder hast Du es einmal geführt? Und im Zusammenhang damit die Frage: Warum schreibst Du gar nichts von Deiner Freundin, die Du doch eine so gute Freundin nanntest.

Leb wohl, Liebste. Die Drohung, die, so wie es auf den ersten Seiten geschrieben ist, über uns steht, werden wir wohl am besten bis zu der Zeit ungestört lassen, bis wir das erste wirkliche, nicht nur geschriebene, Wort einander werden sagen können. Ist es nicht auch Deine Meinung?

Ich bitte Dich, den heutigen Brief nicht als Rückfall anzusehn, es ist doch die neue Zeit, nur ein wenig durch die Störung meines Schreibens trübe gemacht.   Deine Hand, Felice!   Franz

---

[1] Der Bekannte war Dr. Friedrich Schiller, Magistratsbeamter in Breslau. Vgl. *Tagebücher* (11.–20. Juli 1912), S. 669 ff. und S. 288 f.

Ist es so, daß sich unsere Mütter gleichzeitig um uns zu bekümmern anfangen? Sagt Deine Mutter Gutes über mich oder vielleicht nur Mittelmäßiges? Und warum erinnerte sie sich gerade an mich, als vom Breslauer Bekannten gesprochen wurde? Beantworte mir bitte alle Fragen!

[Auf einem beigelegten Blatt]

Ich darf nicht vergessen, wie mein eigentlicher Auftrag für diese Reise erledigt wurde, denn auch das ist bezeichnend für den feindseligen Charakter dieser Reise. Ich hatte nämlich Erfolg, vielmehr meine Anstalt hatte ihn. Denn während ich geglaubt hatte, nicht mehr als 300 K zu bringen, brachte ich an 4500 K also um etwa 4000 K mehr. »Du hättest Dich gegen den Erfolg wehren sollen«, sagte ich mir auf der Rückreise beim Anblick der Krähen über den beschneiten Feldern.

26. XI. 12

Jetzt spät in der Nacht fällt mir der Trost ein, daß Dein Montagbrief vielleicht doch gekommen ist und daß man nur vergessen hat, ihn zum Portier zu geben. Dann bekäme ich ihn ja gleich früh und um 10 vielleicht wieder einen! Das Bureau wird häßlicher durch das Gegenbild Deiner Briefe, aber dadurch, daß Deine Briefe ins Bureau kommen, wird es auch wieder schöner.

27. XI. 12

Liebste, es war schon $\frac{1}{4}$12 vormittag, gerade war ich ein wenig meinen Arbeiten entkommen, ich war wieder fast ganz genau in der alten Aufregung und fing einen Brief an, dessen erste Zeile ich beilege. Da kam zum Glück Deine Karte mit dem Bildchen. (Deinen Montagbrief habe ich auch erst heute bekommen.) Ja, Liebste, so ist es gut, das ist es, was ich will, nur immer die Nachricht wenigstens, die einmal versprochen wurde, diese aber – und sei sie noch so klein – unbedingt. Ich will z.B. nicht, daß Du in der Nacht an mich schreibst und darin gebe ich nicht nach und glaube sogar, daß mein gestriges mittelmäßiges Schreiben dadurch verschuldet war, daß Du gestern nachts gleichzeitig an mich geschrieben hast, (Gebe Gott, daß Du es getan hättest, sage ich im geheimen) aber wenn schon einmal ein Nachtbrief geschrieben ist, dann will ich ihn auch haben. Du schreibst in Deiner Karte, Du hättest mir Montag nachts geschrieben, nun, siehst Du, diesen Brief habe ich nicht. Was soll ich tun? Und jede Zeile von Dir brauche ich doch so sehr! Nach dieser Karte hätte ich morgen vielleicht 2 Briefe zu erwarten, gewiß werde ich nur einen bekommen und vielleicht gar keinen. Die Hände wollen mir vom Tisch fallen vor Hilflosigkeit und vor Verlangen nach Dir.

Gewiß gehn auch alle meine Briefe verloren, der von Kratzau, der von Reichenberg, der heutige Morgenbrief, die einfachen, die rekommandierten, die Expreßbriefe, einfach alles. Du sagst z.B., ich hätte Dir Sonntag nachts nur paar Zeilen geschrieben und es müssen doch wenigstens 8 Seiten sein und ein unendliches Seufzen. Liebste, wenn uns nicht die Post sehr bald zusammentreibt, so werden wir niemals zusammenkommen.

Mit der neuen Photographie geht es mir sonderbar. Dem kleinen Mädchen fühle ich mich näher, dem könnte ich alles sagen, vor der Dame habe ich zuviel Respekt; ich denke, wenn es auch Felice ist, so ist sie doch ein großes Fräulein, und Fräulein ist sie doch keineswegs nur nebenbei. Sie ist lustig, das kleine Mädchen war nicht traurig, aber doch schrecklich ernsthaft; sie sieht vollwangig aus (das ist vielleicht bloß die Wirkung der wahrscheinlichen Abendbeleuchtung) das kleine Mädchen war bleich. Wenn ich zwischen beiden im Leben zu wählen hätte, so würde ich keineswegs ohne Überlegung auf das kleine Mädchen zulaufen, das will ich nicht sagen, aber ich würde doch, wenn auch sehr langsam, nur zum kleinen Mädchen hingehn, allerdings immerfort nach dem großen Fräulein mich umsehn und es nicht aus den Augen lassen. Das Beste wäre freilich, wenn das kleine Mädchen dann mich zu dem großen Fräulein hinführen und mich ihm anempfehlen würde.

Was war das übrigens für eine Photographie, deren Abschnitt Du mir schickst? Warum bekomme ich sie nicht ganz? Weil es ein schlechtes Bild ist? Du traust es mir also wirklich nicht zu, daß ich Dich auch in schlechten Bildern gut sehe? Nach dem Stückchen weißer Halskrause, die auf dem Bild zu sehen ist und die allerdings auch von einer Bluse stammen kann, habe ich sogar den Verdacht, daß das Bild Dich als Pierrot dargestellt hat; wenn das wahr ist, dann wäre es recht böse von Dir, mir das Bild vorzuenthalten, wie es ja überhaupt eine Sünde ist, Photographien zu zerschneiden und gar wenn man sie jemandem schicken will, der nach Deinem Anblick so hungert wie ich.

Euer Geschäft habe ich mir beiläufig richtig vorgestellt, daß aber von Euch täglich der ganz verfluchte Lärm von 1500 Grammophonen ausgeht, das hätte ich wirklich nicht gedacht. An den Leiden wie vieler Nerven hast Du Mitschuld, liebste Dame, hast Du das schon überlegt? Es gab Zeiten, wo ich die fixe Idee hatte, es werde und müsse irgendwo in der Nähe unserer Wohnung ein Grammophon eingeführt werden und das werde mein Verderben sein. Es geschah nicht, Euere Prager Filiale (deren Adresse ich noch immer nicht kenne und deren Leiter, was ich ihm nicht vergessen werde, einmal mit Dir auf dem Hradschin gewesen ist) scheint nicht genug zu arbeiten, Du solltest sie einmal tüchtig tage- wochen- ein Leben lang revidieren. Immerhin 1500 Grammophone! Und die müssen doch, ehe sie weggeschickt werden, zumindest einmal geschrien haben. Arme Felice! Gibt es genug starke Mauern, um diese ersten 1500 Schreie von Dir abzuhalten. Deshalb hast Du Aspirin. Ich, ich muß gar kein Grammophon hören, schon daß sie in der Welt sind, empfinde ich als Drohung. Nur in Paris haben sie mir gefallen, dort hat die Firma Pathé auf irgendeinem Boulevard einen Salon mit Pathephons, wo man für kleine Münze ein unendliches Programm (nach Wahl an der Hand eines dicken Programmbuches) sich vorspielen lassen kann. Das solltet Ihr auch in Berlin machen, wenn es das nicht schon gibt. Verkauft Ihr auch Platten? Ich bestelle 1000 Platten mit Deiner Stimme und Du mußt nichts anderes sagen, als daß Du mir soviele Küsse erlaubst, als ich brauche, um alles Traurige zu vergessen.

Dein Franz

[Die beigelegten Anfangszeilen]

[Tschechischer Briefkopf der Arbeiter-Unfall-Versicherungs-Anstalt ›Úrazová pojištovna dělnická‹]

Liebste, ich bitte Dich, möchtest Du nicht die Gewohnheit annehmen, wenn Du keine Zeit hast mir ausführlicher zu schreiben, mir durch eine Karte in 3 Worten zu sagen, daß Du Dich wohl befindest.

Liebste, warum mit Küssen nur die Briefe schließen, da doch die Briefe selbst so unwichtig sind und vor Deiner ersehnten und doch unvorstellbaren Gegenwart Papier und Feder in das Nichts hinüberfliegen würden, das sie auch jetzt und tatsächlich schon sind. Wirklich, Felice, wenn ich so allein in der Nacht hier sitze und wie heute und gestern nicht besonders gut geschrieben habe – es wälzt sich etwas trübe und gleichmüthig fort und die notwendige Klarheit erleuchtet es nur für Augenblicke – und wenn ich mir nun in diesem keineswegs allerbesten Zustand unser Wiedersehen auszudenken versuche, fürchte ich manchmal, daß ich Deinen Anblick, sei es auf der Gasse oder im Bureau oder in Deiner Wohnung, nicht ertragen werde, nicht so ertragen werde, daß mir Menschen oder auch nur Du allein zusehn könnten und daß ein Ertragen Deines Anblicks mir nur möglich sein wird, wenn ich so zerfahren und in Nebeln bin, daß ich gar nicht verdienen werde, vor Dir zu stehn. Nun glücklicherweise bist Du ja keine Statue, sondern lebst und lebst sehr kräftig, vielleicht wird, wenn Du mir dann einmal die Hand gereicht hast, alles gut und mein Gesicht wird vielleicht bald ein menschliches Aussehn bekommen.

Du fragst nach meinen Weihnachtsferien. Ich habe leider keinen Kalender bei der Hand. Urlaub habe ich natürlich nur während der zwei Feiertage, da ich aber noch auf 3 freie Tage innerhalb dieses Jahres Anspruch habe (ein Schatz ist das, die Möglichkeit seiner Verwendung stärkt mich schon seit Monaten) und die Feiertage, wie ich gehört habe, so angeordnet sind, daß durch Einschiebung zweier von den 3 Tagen mit Sonntag 5 oder gar 6 Ferialtage sich ergeben, so würde mein Weihnachtsurlaub, wenn ich jene 2 Tage draufgehn lasse, doch schon ein Ansehn haben. Nun war ich aber fest entschlossen, diese Zeit nur für meinen Roman zu verwenden, vielleicht gar für den Abschluß des Romans. Heute, wo der Roman nun schon über eine Woche ruht und die neue Geschichte zwar zu Ende geht, mich aber seit zwei Tagen glauben machen will, daß ich mich verrannt habe – müßte ich eigentlich noch fester an jenem Entschluß mich halten. Einen Tag der Weihnachtsferien verliere ich wohl durch die Hochzeit meiner Schwester, sie wird am 22. sein. Übrigens erinnere ich mich nicht, jemals Weihnachten eine Reise gemacht zu haben; irgendwo hinzurollen und nach 1 Tag zurückzurollen, die Nutzlosigkeit einer solchen Unternehmung war mir immer erdrückend. Nun, Liebste, wie sehn Deine Weihnachtsferien aus? Bleibst Du in Berlin trotz des starken Erholungsbedürfnisses, das Du hast? Ins Gebirge wolltest Du, wohin? Irgendwohin, wo Du für mich erreichbar wärest? Sieh, ich war entschlossen, mich vor Beendigung des Romans nicht vor andern Menschen zu zeigen, aber ich frage mich, *heute abend allerdings nur,* würde ich nach der Beendigung vor Dir, Liebste, etwa besser oder weniger schlecht bestehen als vorher. Und ist es nicht wichtiger, als der Schreibwut die Freiheit von 6 fortlaufenden Tagen und Nächten zu geben, meine armen Augen endlich mit Deinem Anblick zu sättigen? Antworte Du, ich sage für mich ein großes »Ja«.

Franz

28. XI. 12

Liebste Felice, diese Post narrt uns, gestern bekam ich Deinen Dienstagbrief und klagte über den verlorenen Montagnachtbrief, da kommt er heute Donnerstag früh. Innerhalb dieser präcisen Postorganisation scheint irgendwo ein teuflischer Beamter zu sitzen, der mit unsern Briefen spielt und sie nur nach seiner Laune abgehn läßt, wenn er sie aber alle auch nur abgehn ließe! Außerdem bekam ich den Dienstagnachtbrief, also eine Nachtpost ganz und gar, eigentlich also ein (über alle Maßen wohltuendes) Hohngelächter auf meine Bitte, nachts nicht zu schreiben. Tue es nicht wieder, bitte, Felice, wenn es mich auch glücklich macht, tu es nicht, tu es wenigstens solange nicht, bis Deine Nerven ruhig sind. Wie ist es eigentlich mit dem Weinen? Wie kommt es über Dich? Ohne Grund? Du sitzt bei Deinem Tisch und mußt plötzlich weinen? Ja, Liebste, aber dann gehörst Du doch ins Bett und nicht in die Proben. Mich erschreckt Weinen ganz besonders. Ich kann nicht weinen. Weinen anderer kommt mir wie eine unbegreifliche, fremde Naturerscheinung vor. Ich habe im Laufe vieler Jahre nur vor zwei, drei Monaten einmal geweint, da hat es mich allerdings in meinem Lehnsessel geschüttelt, zweimal kurz hintereinander, ich fürchtete, mit meinem nicht zu bändigenden Schluchzen die Eltern nebenan zu wecken, es war in der Nacht und die Ursache war eine Stelle meines Romans. Aber Dein Weinen, Liebste, ist bedenklich, weinst

Du überhaupt so leicht? Seit jeher? Habe ich eine Schuld daran? Aber gewiß habe ich sie. Sag nur, hat Dich schon einmal ein Mensch, der Dir nur das Beste zu verdanken hatte, grundlos (ohne daß von Deiner Seite ein Grund wäre) so geplagt wie ich? Du mußt nicht antworten, ich weiß es, aber aus Mutwillen ist es nicht geschehn, das weißt Du doch auch, Felice, oder fühlst es. Aber dieses Weinen verfolgt mich. Es kann aus keiner bloß allgemeinen Unruhe kommen, Du bist nicht verzärtelt, es muß einen besonderen, ganz genau zu beschreibenden Grund haben. Nenn mir ihn, ich bitte Dich, Du weißt vielleicht noch gar nicht, welche Gewalt ein Wort von Dir über mich hat, nütze sie bis zum letzten aus, wenn die Unruhe und das Weinen zu mir eine Beziehung hat. In Deiner Antwort auf diesen Brief mußt Du das ganz deutlich sagen. Vielleicht ist der Grund wirklich nur unser allzu häufiges Schreiben. Ich lege einen Brief bei, den ich Dir an jenem Telegrammsonntag zu schreiben anfing, den ich aber damals in dem Jammer nach der leeren zweiten Post nicht mehr zu beendigen wagte. Lies ihn als ein altes Dokument durch. Ich meine nicht mehr genau dasselbe, was darin steht, aber Dein Weinen hat mich daran erinnert.

Ich schreibe in großer Eile, ich hätte Dir noch vieles zu sagen aber man nimmt mir meinen heutigen Nachmittag und wahrscheinlich noch einige in der nächsten Zeit. Darf ich die schönen nassen Augen küssen?

Franz

[Der beigelegte, nicht beendete Brief vom 18. November 1912]

Liebste, ich fange heute meine Bureauarbeit mit diesem Brief an, aber gibt es auch wirklich für uns beide augenblicklich nichts Wichtigeres als das Folgende. Bitte antworte mir darauf sofort, hoffentlich bist Du Kluge meiner Meinung, denn wärest Du es nicht, ich könnte leider Deiner Meinung nicht widerstehn. Jedenfalls bedenke, was Du erträgst, ertrage ich noch lange nicht und ertrage ich etwas nicht, reiße ich Dich doch mit der Unwiderstehlichkeit der Schwäche mit in meinen Kreis, Du hast es ja letzte Woche gesehn. Also höre, es ist nur Angst und Sorge, die mich solche Vorbereitungen machen läßt: Das zweimalige tägliche Schreiben, mit dem ich in den letzten Tagen begonnen habe, ist ein süßer Irrsinn, sonst nichts.

(Jetzt war die erste Post da und kein Brief von Dir, um Himmelswillen, solltest Du noch immer krank sein?) Es darf nicht so fortgehn. Wir peitschen einander mit diesen häufigen Briefen. Gegenwart wird ja dadurch nicht erzeugt, aber ein Zwitter zwischen Gegenwart und Entfernung, der unerträglich ist. Liebste, wir dürfen uns nicht wieder in solche Zustände treiben wie letzthin, das darf um keinen Preis geschehn, schon Deinetwillen nicht. Und doch sehe ich bei dieser Art des Briefeschreibens schon wieder jene Stelle in einem Deiner künftigen Briefe, in der Du mir wegen eines meiner Briefe einen schwachen und zarten Vorwurf machst, der mich aber hinwirft vor Sorge und Verzweiflung. So arg wie letzthin kann es ja zwischen uns nicht mehr werden, aber noch immer arg genug. Schonen wir einander für bessere Zeiten, wenn Gott sie uns vielleicht doch einmal geben sollte, was ich freilich heute gar nicht absehn kann. Binden wir uns durch Liebe, nicht durch Verzweiflung aneinander. Und darum bitte ich Dich, lassen wir von diesen häufigen Briefen, die nichts anderes bewirken als eine Täuschung, die den Kopf zittern macht. Sie sind mir unentbehrlich und doch bitte ich Dich darum. Wenn Du zustimmst, werde ich mich an das seltenere Schreiben gewöhnen, sonst natürlich nicht, denn es ist ein Gift, das in der Herzgrube sitzt. Mache einen Vorschlag, wie wir es halten sollen, Dir folge ich, mir nicht. Merke, es kommt nicht darauf an zu schreiben, wenn man das Verlangen dazu hat, das ist keine Lösung im guten Sinn, das ist nur ein weiteres Peitschen, denn das Verlangen zu schreiben und Deine Briefe zu lesen habe ich jeden Augenblick, den Gott mir gibt. Vorläufig, denke ich, würde die Beschränkung [bricht ab]

———

[Die folgenden Bemerkungen stehen auf demselben Blatt]

28. XI. 12

Wie alt ich hier bin, weiß ich gar nicht. Damals gehörte ich wohl noch vollständig mir an und es scheint mir sehr behaglich gewesen zu sein. Als Erstgeborener bin ich viel photographiert worden und es gibt also eine große Reihenfolge von Verwandlungen. Von jetzt an wird es in jedem Bild ärger, Du wirst es ja sehn. Gleich im nächsten Bild trete ich schon als Affe meiner Eltern auf.

———

Ich habe vor mir schon für Dich die »Höhe des Gefühls« von Max vorbereitet[1]. Schön in grünes wenn auch nicht ganz reines Leder (gibt es ganz reines Leder?) gebunden. Ich könnte es Dir schon schicken (es ist eben erschienen, es ist Maxens neuestes Buch) aber ich will es vorher zu Brods hinauftragen, damit Max etwas Freundliches hineinschreibt. Dann bekommst Du es gleich.

———

Von Baum hast Du also noch nichts gelesen? Da muß ich Dir aber bald etwas schicken. Er ist völlig blind seit seinem 7ten Jahr, er ist jetzt beiläufig so alt wie ich, verheiratet und hat einen prachtvollen Jungen. Baum hat doch – es ist gar nicht lange her – in Berlin eine Vorlesung gehabt und in Berliner Zeitungen war viel über ihn zu lesen.

28. XI. 12

Müde, Liebste, wie ein Holzhacker, wage ich Dir dennoch paar Zeilen zu schreiben, weil ich muß. Der Nachmittag ist dem Bureau geopfert worden, ich habe nicht geschlafen und kann daher jetzt nicht mehr schreiben, und mit ihrer gewöhnlichen Hinterlist kommt gerade da die Lust zum Schreiben übermächtig. Weg damit! Werden bessere Zeiten kommen? Felice, mach die Augen auf und laß mich in sie schauen, wenn meine Gegenwart in ihnen ist, warum sollte ich in ihnen nicht auch meine Zukunft finden?

Ich habe übrigens heute auch mit verschiedenen Leuten gesprochen, besonders mit einem Berliner Maler[2] und ich habe bemerkt, daß ich in meiner häuslichen Vergrabenheit vielleicht unvermerkt (mir unbemerkt, nicht Dir, Liebste) möglicherweise ganz ungenießbar geworden bin. Wenn man unter andere Menschen kommt, so ist die erste gute, allerdings nur augenblicklich gute, Wirkung dessen, daß man einen großen Teil seines Verantwortlichkeitsgefühles verliert, mit dem man bei dem doch immer gereizten Verkehr mit

---

[1] Max Brod, *Die Höhe des Gefühls.* Leipzig 1912.
[2] Der in späteren Briefen noch mehrmals genannte Maler und Graphiker Friedrich Feigl (1884–1966). Feigl, der besonders durch seine Prager Bilder bekannt wurde, war 1894 ein Jahr lang Mitschüler Kafkas im Altstädter Deutschen Gymnasium. Siehe Wagenbach, *Biographie,* S. 160 (Feigls Porträt: Kafka beim Vorlesen des ›Kübelreiters‹) und J. P. Hodin, »Erinnerungen an Kafka«, *Der Monat* I, Nr. 8–9 (Juni 1949), S. 88.

sich selbst bis in die Fingerspitzen ausgestattet sein muß. Man fängt zu hoffen an, daß die Lasten, die einem auferlegt sind, vielleicht im geheimen allen gemeinsam sind und daher auch von allen Rücken mitgetragen werden müssen. Falsche, aber schöne Meinungen! Überall sieht man Teilnahme, von allen Seiten eilt man herbei, einem zu helfen und selbst der Widerwillige und Unentschlossene wird unter großer, eigens für diesen Fall aufgewendeter Lebhaftigkeit der ganzen Mitwelt in sein Glück geschoben. Wenn mich Menschen einmal freuen, kenne ich für diese Freude keine Grenze. An Berührungen kann ich mir nicht genug tun; so unanständig das aussieht, ich hänge mich gerne in solche Menschen ein, ziehe den Arm wieder aus dem ihren und stecke ihn dann sofort wieder, wenn die Lust kommt, hinein; immerfort möchte ich sie zum Reden aufstacheln, aber nicht, um das zu hören, was sie erzählen wollen, sondern das, was ich hören will. Dieser Maler z. B. (sein Selbstporträt liegt bei) hat großes Verlangen, sich in innerlich gewiß wahrhaftigen, äußerlich aber ebenso gewiß matten und wie Kerzenlicht auszublasenden Kunsttheorien zu verbreiten. Ich aber wollte (und deshalb war das Einhängen des Armes und das Hin- und Herziehn des armen Malers doppelt nötig) nur davon immer wieder hören, daß er seit einem Jahr verheiratet ist, glücklich lebt, den ganzen Tag arbeitet, 2 Zimmer in einem Gartenhaus in Wilmersdorf bewohnt und andere solche Dinge, die den Neid und die Kräfte wecken.

Gute Nacht.   Franz

[Tschechischer Briefkopf der Arbeiter-Unfall-Versicherungs-Anstalt ›Úrazová pojištovna dělnická‹]

29. XI. 12

Ich habe, Liebste, heute nur den Mittwochnachtbrief bekommen, weiß also von Dir bloß bis zu dem Augenblick am Donnerstag Morgen, an dem Du den Brief eingeworfen hast. Und seitdem ist allerdings eine lange Zeit vergangen. Aber ich bin gar nicht unruhig, weil Du es so verlangst, aber diese Ruhe dauert allerdings nur solange, als auch Deine Ruhe erhalten bleibt. Du mußt jetzt mit diesen Proben in einem scheußlichen Wirrwarr leben, ich werde mich Deinetwegen sehr freuen, bis alles vorüber ist. Wirst Du auch auftreten? Und als was? Du vernachlässigst mich übrigens, Liebste: wenn ich einmal als Humor aufgetreten wäre, hätte ich Dir längst meine Rolle geschickt. Hätte ich Deine Rolle, ich würde sie trotz meines schlechten Gedächtnisses auswendiglernen (denn andere Kräfte als bloß jene des Gedächtnisses kämen mir dabei zur Hilfe) und nachts in meinem Zimmer mächtig deklamieren. Das sind aber dunkle, unglückliche Träume, die ich Dir verursache, Liebste, und sie geben mir zu denken. Geht meine Bestimmung, Dich zu quälen, über das Wachsein hinaus bis in den Schlaf?

Deine erste Photographie ist mir unendlich lieb, denn dieses kleine Mädchen existiert nicht mehr und die Photographie ist diesmal alles. Das andere Bild aber ist nur die Darstellung einer lieben Gegenwart und das Verlangen trägt den Blick über das beunruhigende Bildchen weg. »Geistesgenie« ist wie ein Wort aus einem Traum, sinnlos und innerlich wahr, ich war gar nicht erstaunt, auf der nächsten Seite die Traumgeschichte zu finden. Warum ist übrigens die erste Photographie durchlöchert?

Nun muß ich aber aufhören, Liebste, und schicke diesen halben Brief weg, denn ich weiß nicht, ob ich heute vor Nacht noch schreiben werde.

Wieder gab es eine Übereinstimmung. In dem letzten Brief erinnerst Du mich an meine Photographie und im gleichen Augenblick, als ich diesen Brief bekam, wurde Dir wahrscheinlich mein gestriger Brief mit dem Bildchen überreicht. Aber es gibt allerdings auch Unerfülltes. In beiden Briefen wollen wir zusammenkommen, aber es geschieht nicht.

Das gestrige Gedichtchen des Frl. Brühl ist ja wieder eine ausgezeichnete Leistung, viel schöner als das andere sonst sicher auch anerkennenswerte Gedicht des Herrn. Was hatte sie denn angestellt, daß sie ausgezankt werden mußte. Schau doch bei dieser Stelle zu dem Mäderl hin (ich nehme an, daß sie in Deinem Zimmer sitzt) und grüß sie stumm von mir.

Ist es ein zufälliges Zusammentreffen, daß die Parlographen beiläufig seit der Zeit Deines Eintrittes in die Fa erzeugt werden oder kamst Du gleich in diese Abteilung von ihrer Gründung an? Frage ich Dich nicht überhaupt zu viel. Es muß schon ein Berg von Fragen auf Dir liegen. Mußt Dich mit dem Antworten nicht beeilen. Ich werde nie zu fragen aufhören. Adieu für ein Weilchen. Eine ganz besonders feine Schrift heute, nicht?   Dein Franz

Müde, müde bist Du wohl, meine Felice, wenn Du diesen Brief in die Hand nimmst, und ich muß mich anstrengen deutlich zu schreiben, damit die verschlafenen Augen nicht zu viel Mühe haben. Willst Du nicht lieber den Brief vorläufig ungelesen lassen und Dich zurücklehnen und ein paar Stunden weiterschlafen nach dem Lärm und Hetzen dieser Woche? Der Brief wird Dir nicht fortfliegen, sondern ruhig auf der Bettdecke warten bis Du erwachst.

Ich kann Dir nicht genau sagen, wie spät es ist während ich diesen Brief schreibe, denn die Uhr liegt auf einem Sessel paar Schritte von mir entfernt, aber ich wage nicht hinzugehn und nachzuschaun, es muß schon nahe am Morgen sein. Ich bin aber auch erst nach Mitternacht zu meinem Schreibtisch gekommen. Im Frühjahr und Sommer wird man – aus Erfahrung weiß ich es noch nicht, denn meine Nachtwachen stammen erst aus jüngster Zeit – nicht so ungestört die Stunden durchwachen können, denn die Dämmerung wird einen schon ins Bett jagen, aber jetzt in diesen langen unveränderlichen Nächten vergißt die Welt an einen, selbst wenn man nicht an sie vergißt.

Nun habe ich überdies so elend gearbeitet, daß ich überhaupt keinen Schlaf verdiene und eigentlich verurteilt bleiben sollte, den Rest der Nacht mit dem Hinausschauen aus dem Fenster zu verbringen. Begreifst Du es, Liebste: schlecht schreiben und doch schreiben müssen, wenn man sich nicht vollständiger Verzweiflung überlassen will. So schrecklich das Glück des guten Schreibens abbüßen müssen! Eigentlich nicht wahrhaft unglücklich sein, nicht jenen frischen Stachel des Unglücks zu fühlen, sondern auf die Heftseiten hinuntersehn, die sich endlos mit Dingen füllen, die man haßt, die einem Ekel oder wenigstens eine trübe Gleichgültigkeit verursachen, und die man doch niederschreiben muß, um zu leben. Pfui Teufel! Könnte ich doch die Seiten, die ich seit 4 Tagen geschrieben habe, so vernichten, als wären sie niemals da gewesen.

Aber sind das Morgengrüße? Empfängt man so die erwachende Geliebte an einem schönen Sonntag? Nun, man empfängt sie so, wie man eben beschaffen ist, Du willst es gewiß nicht anders. Ich aber bin zufrieden, wenn ich mit meinen Klagen Deinen Schlaf nicht ganz vertrieben habe und Du ihn wiederfindest. Und zum

Abschied sage ich Dir noch, daß alles gewiß und ganz gewiß besser werden wird und daß Du gar keine Sorgen haben mußt. Man kann mich doch nicht ganz aus dem Schreiben hinauswerfen, wenn ich schon einigemal dachte, in seiner Mitte, in seiner besten Wärme zu sitzen.

Aber jetzt kein Wort mehr, nur noch Küsse und besonders viel aus tausend Gründen, weil Sonntag ist, weil das Fest vorüber ist, weil schönes Wetter ist, oder weil vielleicht schlechtes Wetter ist, weil ich schlecht schreibe und weil ich hoffentlich besser schreiben werde und weil ich so wenig von Dir weiß und nur durch Küsse etwas Ernstliches sich erfahren läßt und weil Du schließlich ganz verschlafen bist und Dich gar nicht wehren kannst.

Gute Nacht! Schönen Sonntag!   Dein Franz

[Tschechischer Briefkopf der Arbeiter-Unfall-Versicherungs-Anstalt ›Úrazová pojišťovna dělnická‹]

                                        30. XI. 12

Liebste, überall soll Deiner gedacht werden, deshalb schreibe ich Dir hier auf dem Tische meines Chefs, den ich eben vertrete. Was für eine Freude hast Du mir heute mit dem großen Briefe und den 2 Karten gemacht! Die letzteren sind übrigens verrückter Weise wieder später gekommen als der später geschriebene Freitagnachtbrief. Ich w (gerade hat mich der telephonische Anruf des Direktors aufgeschreckt, es ist ihm kaum gelungen.) Ich war also gerade in der Trafik, um die Marke für den Brief zu kaufen, den Du Sonntag bekommst, wenn die Post will (Liebste, es gehn, es gehn Briefe verloren, oder aber ich leide an Verfolgungswahnsinn) da steht gerade unser Briefträger neben mir, obenauf liegt Dein Brief, ich reiße ihn so stark an mich, daß das ganze Briefbündel in Gefahr kommt.

Was für großartige Vorbereitungen Ihr macht! Die Festschrift bekomme ich wohl gleich. Was war das für eine Debatte über das russische Balett, kommt die im Festspiel vor?[1] Beunruhige Dich bitte nicht über mich, es geht mir so beiläufig gut, zumindest weine ich nicht, werfe mich nicht über die Chaiselongue und habe nur Sorge, daß es Dir geschieht. Du, es gibt so schöne Sanatorien in der

[1] Die Amateuraufführung aus Anlaß des Stiftungsfestes der Firma Carl Lindström.

großen Welt. Darüber muß ich Dir nächstens schreiben. Erkläre mir, warum haben Deine Mitspieler Mitleid mit Dir und entschuldigen Dich mit Deiner Nervosität; ständig nervös bist Du doch nicht und von den Festvorbereitungen müßten doch alle nervös sein und Nervöse kennen kein Mitleid. Sei ruhig, es ist eine feine Idee von Dir, daß jeder von uns aus Rücksicht auf den andern ruhig sein soll; so betreibe ich es unbewußt schon lange, es gelingt mir aber so selten, an Deiner Unruhe merke ich, wie selten es mir gelingt. Ich vertraue Dir völlig, mißverstehe mich nicht, wie könnte ich jemanden lieben und weiterleben, ohne ihm zu vertrauen, aber auf meiner Seite ist das Böse, nur auf meiner Seite, und da greift es eben über und erschreckt Dich. Manchmal denke ich, wenn wir beide dagegen zusammenhalten, könnte es nicht standhalten; dann wieder glaube ich es besser zu wissen.

Nun muß ich aber wirklich aufhören, ein Chef darf nicht Briefe an die Liebste schreiben. In unserer Abteilung sind an 70 Beamte, wenn sich alle an dem Chef ein Beispiel nehmen würden, wie es eigentlich sein soll, ergäbe das schreckliche Zustände.

Was macht übrigens das kleine Fräulein Brühl? Hat ihr meine Karte Kopfzerbrechen verursacht? Oder hat sie sie am Ende gar nicht bekommen, was mir nach meiner alten Grundmeinung das Wahrscheinlichste scheint.

In der Beilage schicke ich Dir eine Einladung zu einer Vorlesung [1]. Ich werde Deine kleine Geschichte [Das Urteil] vorlesen. Du wirst dort sein, auch wenn Du in Berlin bleibst, glaube mir. Es wird mir ein sonderbares Gefühl sein, mit Deiner Geschichte, also gewissermaßen mit Dir vor einer Gesellschaft zu erscheinen. Die Geschichte ist traurig und peinlich, man wird mein frohes Gesicht während der Vorlesung nicht verstehn.   Franz

[Auf einem beigelegten Blatt]

Liebste! Der Teufel soll mich holen! Ich habe in meiner nächtlichen Zerstreutheit, glaube ich, den für Deine Wohnung bestimmten Sonntagsbrief in Dein Bureau adressiert. Expreß wage ich diesen Brief in die Wohnung nicht zu adressieren. Es ist nicht viel Hoffnung, daß er noch Sonntag kommt. Jedenfalls hat die Post eine schöne Gelegenheit sich auszuzeichnen. Verzeihung!

                                                           Franz

---

[1] Einladung der Herder-Vereinigung zu Prag. Vgl. Abb. S. 161.

Liebste Felice, nach Beendigung des Kampfes mit meiner kleinen Geschichte – ein dritter Teil, aber nun ganz bestimmt (wie unsicher und voll Schreibfehler ich schreibe, ehe ich mich an die wirkliche Welt gewöhne) der letzte, hat begonnen sich anzusetzen – muß ich unbedingt Dir, Liebste, noch Gute Nacht sagen, trotzdem ich diesen Brief doch erst morgen abend einwerfe. Ich erschrecke, Liebste, wie ich mich an Dich hänge, es ist sündhaft von mir, sage ich mir immer wieder – mögest Du es, Liebste, niemals sagen – und kann es doch nicht lassen. Ich fürchte, wenn ich bei Dir wäre, ich ließe Dich niemals allein – und doch ist wieder mein Verlangen nach Alleinsein ein fortwährendes – wir würden beide leiden, aber es wäre freilich ein durch kein Leiden zu teuer erkauftes Glück.

Von Deinem Zimmer weiß ich noch so wenig, Liebste, und wenn ich Dir in Gedanken dorthin folgen will, finde ich mich nicht zurecht und stehe ein wenig im Leeren. Wenn ich in der Erinnerung Deine Briefe daraufhin durchgehe, finde ich nur einen »niedlichen Schreibtisch« erwähnt, den Du aber allerdings oft durch das Bett ersetzt, dann wurden einmal die Jalousien in einer stürmischen Nacht genannt, die Kassette für die Briefe ist gewiß auch hier und endlich die Bücher, unter denen Du einmal gekramt und die liebe Photographie gefunden hast. (Wer weiß, ob sich da nicht noch andere Bilder finden ließen? Du wirst doch als Kind gewiß mehrmals photographiert worden sein und nach dem 12ten Jahr gewiß auch noch. Wo paar Mädchen beisammen sind, gibt es doch Gruppenaufnahmen, das läßt sich ja gar nicht vermeiden.)

Nein, nichts mehr, heute habe ich die Uhr in der Tasche, es ist ¾43 (ich kam wieder erst nach 12 zum Schreibtisch) und werde und muß diesmal früher schlafen gehn als Du. Ach, wie Du Dich unterhältst, ich seh Dich mit dem Prokuristen Salomon tanzen, dann mit dem dichtenden Herrn, dann mit allen 6 Herren, die gestern Deinen Tisch umgaben, als Du mir schriebst. Zum Jubiläum der Fa sind vielleicht auch die zwei Kopenhagener Vertreter gekommen, wenn das auch nicht sehr wahrscheinlich ist, und tanzen auch. Mir wird ganz schwindlig von Euerem vielen Tanzen. Und alle tanzen zweifellos besser wie ich. Du, wenn Du mich tanzen sehen würdest! Du würdest die Arme zum Himmel heben! Aber mögt ihr tanzen, ich gehe schlafen und ziehe allen zum Trotz mit der Macht der Träume

– wenn es Gott so gefällig ist – aus dem ganzen Tanzgewühl Dich, Liebste, still zu mir herüber.

———

Kein Brief, Felice, weder hier, noch im Bureau (ich dachte schon an das Wunder einer gemeinsamen Zerstreutheit), aber es waren eben gerade am Freitag endlose Proben und ich habe durch den allerdings erzwungenen Verzicht auf Deinen Brief auch meinen Anteil an dem Gelingen Eueres Festes. Möchtest Du nur nicht alle Kräfte für die Proben aufgebraucht haben und zum Fest nicht gar zu müde gewesen sein.

Heute nimmt man mir den ganzen Nachmittag weg, Verwandte, eine Vorlesung Eulenberg (kennst Du etwas von ihm?)[1] und sonstige kleine Wege hin und her. Es wird sich nichts ergeben, ich bin zerstreut und die Ausrufe im Nebenzimmer (man stellt das Verzeichnis der Gäste für die Hochzeit zusammen, jeder Name – ein Schrei) machen mich ganz stumpf[2].

Wie Du wohl Deinen Sonntag verbringst? Mit einem von mir verursachten Schrecken hat er ja glücklich angefangen. Ich mußte den Brief doch expreß schicken, ich konnte mir nicht helfen. Wenn es eine Dummheit war, so verzeih sie mir, wenn es recht war, ist es nicht mein Verdienst. Man weiß nicht, wie man es gut einrichten soll. Schließlich stellte ich mir die Frage, was ich wählen würde, Deinen Brief mit Schrecken und Unannehmlichkeiten oder keinen Brief und Ruhe – da blieb mir natürlich nichts übrig, als auf das Postamt zu laufen. Im übrigen – Du hast jetzt den Brief mit Schrecken, ich habe keinen Brief – wir sind zumindest quitt. Und überhaupt glaube ich, wir sollen uns über verlorene und rasende Briefe hinweg ganz unveränderlich lieb behalten. Wenn es Dir recht ist – mir ist es innerster Befehl. Lebwohl, Liebste, und suche Dich nun zu erholen, ohne Rücksicht auf Geschäft, Familie und mich, strecke Dich auf der Chaiselongue nach Herzenslust, diese Möbelstücke sind zum Faulenzen da, nicht zum Weinen. So meint es wenigstens

Dein Franz

———

[1] Der Erzähler und Dramatiker Herbert Eulenberg (1876–1949) las am Abend des 1. Dezember im Prager Literarischen Verein ›Concordia‹. Vgl. Paul Wieglers Notiz in der *Bohemia* vom 2. Dezember 1912, Abend-Ausgabe, S. 8.

[2] Valli Kafka heiratete am 12. Januar 1913.

Liebste, nur paar Worte, es ist spät, sehr spät, morgen gibt es viele Arbeit, ich bin jetzt endlich bei meiner kleinen Geschichte ein wenig ins Feuer gerathen, das Herz will mich mit Klopfen weiter in sie hineintreiben, ich aber muß versuchen, mich so gut es geht aus ihr herauszubringen und weil das eine schwere Arbeit sein wird und Stunden vergehen werden ehe der Schlaf kommt, muß ich mich beeilen, ins Bett zu gehn.

Liebste, fast mein ganzer Sonntag hat Dir gehört mit allen seinen glücklichen und unglücklichen Gedanken. Wie rasch ist mir die Vorlesung des Eulenberg gleichgültig geworden, wie bald erfülltest Du mich wieder! Ich ging bald weg und mein einziger Spaziergang führte mich zur Bahn, wo ich den Brief einwarf. Liebste, noch habe ich Dich, noch bin ich glücklich, aber wie lange darf ich das sein? Ohne ein Fünkchen Mißtrauen zu Dir sage ich das, Liebste. Aber ich bin Dir im Wege, ich hindere Dich, ich werde doch einmal zur Seite treten müssen, ob früher oder später, wird nur die Größe meines Eigennutzes bestimmen. Und ich werde es niemals mit einem offenen und männlichen Worte tun können, scheint mir, immer werde ich dabei an mich denken, niemals werde ich, wie es meine Pflicht wäre, die Wahrheit verschweigen können, daß ich mich für verloren halte, wenn ich Dich verliere. Liebste, mein Glück scheint so nah, nur durch 8 Eisenbahnstunden von mir entfernt, und ist doch unmöglich und unausdenkbar.

Erschrecke, Liebste, nicht über diese Wiederkehr ewig gleicher Klagen, es wird ihnen kein Brief wie jener, der damals aus mir hervorgebrochen ist, folgen, ich muß Dich unbedingt noch einmal sehn und lange, möglichst lange, ohne daß Uhren die Zeit zumessen, mit Dir beisammen sein – wird es im Sommer möglich werden oder schon im Frühjahr? – aber es gibt Abende, wo ich so für mich klagen muß, denn schweigend leiden ist zu schwer.

Liebste, ich möchte gerne etwas Lustiges noch sagen, aber es fällt mir nichts Natürliches ein, auch weinen auf der letzten aufgeschlagenen Seite meiner Geschichte alle 4 Personen oder sind wenigstens in traurigster Verfassung. Aber um 10 Uhr kommt bestimmt ein lustiger Brief und für ihn verdiene ich schon jetzt einen Kuß. Mit ihm auf den Lippen gehe ich ins Bett.

[Auf einem einzelnen Blatt, vermutlich einem der Briefe vom 1. Dezember 1912 beigelegt]

Sei so freundlich, Liebste, und sieh einmal auf einer Anschlagsäule nach, ob nicht irgendwo die Juden spielen, vor allem unter welcher Adresse ein Brief meinen Löwy erreichen würde[1]. Er hat mir nun wieder geschrieben voll Klage über sich und wegen meines Nichtschreibens auch über mich. Leider habe ich das Couvert verloren und weiß nun seine Adresse nicht.

[Tschechischer Briefkopf der Arbeiter-Unfall-Versicherungs-Anstalt ›Urazova pojištovna dělnícká‹]

2. XII. 12

Liebste, also das Wunder der gemeinsamen Zerstreutheit, unterstützt von postalischer Nachlässigkeit, ist Wahrheit geworden, Deinen für Sonntag bestimmten Brief habe ich erst jetzt im Bureau bekommen. Ein Brief von Freitag nacht, aus alter Zeit, hoffentlich ist alles gut gegangen. Du bleibst also Weihnachten in Berlin? Verwandte werden kommen, Besuche werden gemacht werden, man wird tanzen, man wird von Gesellschaft zu Gesellschaft fahren – und dabei willst Du Dich erholen? Da Du es doch so nötig hast und fremde Besucher Dein schlechtes Aussehn feststellen. Übrigens Samstag ist photographiert worden und ich werde bald sehn, wie arg es mit Dir steht.

Meine Weihnachsreise ist noch zweifelhafter geworden, denn die Hochzeit meiner Schwester, die zwar im Familienkreise aber in einem sehr großen gefeiert wird, ist auf den 25. verlegt worden und droht mir, die ganzen vorhergehenden Weihnachtsferien zu stören. Aber auch Du hast Besuch, der mir wahrscheinlich Berlin versperrt, und wohin wollte ich sonst? Im übrigen bleibt noch Zeit und daher Hoffnung.

Wenn ich nur über Dein Befinden bessere Nachrichten bekäme! Du sahst doch an jenem Abend so frisch, rotbäckig gar und unzerstörbar aus. Ob ich Dich gleich lieb hatte, damals? Schrieb ich es Dir nicht schon? Du warst mir im ersten Augenblick ganz auffällig

[1] Vgl. Anm. S. 72.

und unbegreiflich gleichgültig und wohl deshalb vertraut. Ich nahm es wie etwas Selbstverständliches auf[1]. Erst als wir uns vom Tisch im Speisezimmer erhoben, merkte ich mit Schrecken, wie die Zeit verging, wie traurig das war und wie man sich beeilen müsse, aber ich wußte nicht, auf welche Weise und zu welchem Zweck. Aber schon im Klavierzimmer – Du liefst gerade Deine Schuhe holen – machte ich, am Ende gar zur Allgemeinheit, die blödsinnige Bemerkung: »Sie (damals hießest Du noch »sie«) gefällt mir zum Seufzen« und dabei hielt ich mich am Tisch fest.

Wie weit ist von jenem Abend zu der Frage Deines Besuchers nach Deiner unglücklichen Liebe![2] Und da Erröten ein Bejahen ist, so bedeutete das Erröten in diesem Fall, selbst wenn Du es nicht wissen solltest, folgendes: »Ja, er liebt mich, aber es ist ein großes Unglück für mich. Denn er glaubt, weil er mich liebt, dürfe er mich plagen und dieses eingebildete Recht nützt er bis zum Äußersten aus. Fast jeden Tag kommt ein Brief, in dem ich bis aufs Blut gequält werde und dann allerdings ein zweiter, der den ersten vergessen machen will, aber wie könnte der vergessen werden? Immerfort redet er in Geheimnissen, ein offenes Wort kann man von ihm nicht erhalten. Vielleicht läßt sich das, was er zu sagen hat, gar nicht schreiben, aber dann soll er doch um Gottes willen überhaupt damit aufhören und schreiben wie ein vernünftiger Mensch. Er will mich gewiß nicht quälen, denn er liebt mich, das fühle ich, über alle Maßen, aber er soll mich nicht mehr so quälen und verhindern, daß mich seine Liebe unglücklich macht.« Liebste Rednerin! Mein Leben ließe ich für Dich, aber das Quälen kann ich nicht lassen.

Dein Franz

3. XII. 12
[Abend des 2. und Nacht vom 2. zum 3. Dezember 1912]

Der wunderbare, große, übertrieben und unverdient große Brief! Liebste, Du hast mir eine Freude gemacht. Und darin das Bild, das zuerst fremd aussieht, da Du in einer mir ungewohnten Haltung und Umgebung bist, das sich aber, je länger man es anschaut, immer

---

[1] Vgl. *Tagebücher* (vom 20. August 1912), S. 285.
[2] Der Besucher war wahrscheinlich Max Brod, der Felice gegen Mitte November 1912 in Berlin aufgesucht hatte. Vgl. Max Brods Briefe vom 15. und 22. November 1912, S. 96 f. und S. 114 ff.

mehr enträtselt, bis es jetzt, da es im Licht der Schreibtischlampe steht, also wie in jenem damaligen Sonnenlicht, das liebste Gesicht in solcher Täuschung zeigt, daß man die Hand am Bootrand küssen möchte und es auch tut. Damals sahst Du wohl besser aus als heute, machtest aber übrigens, vielleicht vor lauter Wohlsein, ein äußerst verdrießliches Gesicht. Was hieltest Du in der Hand? Ein sonderbares Täschchen? Und wer hatte Dir das Laub in den Gürtel gesteckt? Wie vorsichtig und mißtrauisch Du mich ansiehst, als hättest Du eine leichte Vision jenes Plagegeistes, der Dich nach 4 Jahren heimsuchen sollte. Du warst auch sehr ernsthaft angezogen für eine bloße Ausfahrt, ebenso Dein Bruder. Daß Dein Bruder schön ist, hat man mir schon gesagt. Wie lächerlich jung ich neben ihm aussehn müßte und bin doch wahrscheinlich älter als er. Und auf dem Bild ist er gar erst 25 Jahre alt. Du bist wohl sehr stolz auf ihn.

Und nun werden mir gar noch andere Bilder in Aussicht gestellt, Liebste, das Versprechen mußt Du halten. Dem Briefumschlag sieht man es nicht an, reißt den Briefumschlag auf, als wäre es nur ein Brief (manche Briefe kommen geradezu offen an, es liegt das an der Konstruktion des Couverts) aber da ist ein Bild darin gewesen und Du schlüpfst selbst heraus, wie Du einmal in schönern Tagen vor mir aus dem Eisenbahnwaggon kommen wirst. Auch diese Blitzlichtaufnahme, Liebste, gehört schon mir, sei es für Zeit oder für Ewigkeit, wie immer sie auch ausgefallen sein mag. Um Dir jedes Bedenken zu nehmen (nicht, um Dir gar welche Bedenken zu verursachen) schicke ich Dir eine Blitzlichtaufnahme von mir[1]. Sie ist recht widerlich, sie war aber auch nicht für Dich bestimmt, sondern für meine Kontrollsvollmacht für Anstaltszwecke und ist beiläufig 2–3 Jahre alt. Ein verdrehtes Gesicht habe ich in Wirklichkeit nicht, den visionären Blick habe ich nur bei Blitzlicht, hohe Krägen trage ich längst nicht mehr. Dagegen ist der Anzug schon jener mehrerwähnte einzige (einzige ist natürlich eine Übertreibung, aber keine große) und ich trage ihn heute munter wie damals. Ich habe schon in Berliner Theatern auf vornehmen Plätzen, ganz vorn in den Kammerspielen, mit ihm Aufsehen gemacht und einige Nächte auf den Bänken der Eisenbahnwaggons in ihm durchschlafen oder durchduselt. Er altert mit mir. So schön wie auf dem Bild ist er

---

[1] Vermutlich das Bild in Klaus Wagenbach, *Franz Kafka. In Selbstzeugnissen und Bilddokumenten,* rowohlts monographien Bd. 91, Reinbeck bei Hamburg 1964, S. 57. (Im weiteren zitiert als ›Wagenbach, *Monographie‹.)

natürlich nicht mehr. Die Halsbinde ist ein Prachtstück, das ich von einer Pariser Reise mitgebracht habe und nicht einmal von der zweiten, sondern noch von der ersten, deren Jahreszahl ich augenblicklich gar nicht berechnen kann[1]. Zufälligerweise trage ich diese Binde gerade auch jetzt, während ich schreibe. Auch sie wird älter. Alles in allem bitte ich Dich nur, vor dem Bild nicht zu erschrecken. Es gibt nur ein gutes Bild von mir aus neuerer Zeit (gut ist nur das Bild, das einen so zeigt, wie man, wenn es schon nicht anders geht, aussehn will) aber das ist unter Rahmen mit andern Familienbildern[2]. Ich lasse aber eines für Dich machen, wenn es möglich ist, soviel liegt mir daran, wenigstens als Bild in Deiner Hand zu sein, in Deiner wirklichen Hand, meine ich, denn in Deiner unwirklichen Hand bin ich längst.

———

Das war am Abend geschrieben, jetzt ist Nacht, dort wo sie am tiefsten ist. Liebste, habe ich mich nicht, trotzdem gestern kein Brief da war, musterhaft betragen? so sehr im Vertrauen zu Dir verbunden, als wärest Du neben mir gewesen und hättest bloß Deinen schweigenden Tag gehabt. Du hast übrigens gewiß solche Trauertage gar nicht, denn trotz des Weinens – Deines einzigen Fehlers, übrigens einer schrecklichen Verlockung, Dich eilends an die Brust zu ziehn – beherrschst Du Dich gewiß unvergleichlich besser als ich. Überlege einmal ordentlich, ob Du einen Menschen leiden könntest, der an manchen Tagen und in der Mehrzahl der Tage förmlich in sich verfällt und nicht von der Stelle zu bringen ist. Solche Tage gab es besonders vor einer Woche etwa häufig, ich weiß nicht, ob Du es an meinen Briefen erkannt hast (vor einer Woche etwa!) sage auf jeden Fall, daß es Dir entgangen ist und daß ich an Einbildungen leide. Aus Deinem Mund, aus dem ich alle Entscheidungen über mich erwarte, wird es mich beruhigen.

Euer Fest war über alle Maßen prächtig. Ich weiß nicht, woran das liegt, aber die ganze Fabrik kommt mir trotz aller Gegengründe der Vernunft, trotz Deiner nicht anzuzweifelnden Zeugenschaft, trotz aller Einzelheiten, die ich davon weiß, gänzlich, aber gänzlich (das Briefpapier Deines gräßlich unordentlichen Korrespondenten ist eben ausgegangen und alle Papierhändler schlafen) unwirklich vor.

[1] Oktober 1910.
[2] Vermutlich das Bild in Wagenbach, *Monographie,* S. 68.

Vielleicht liegt es daran, daß ich Dich so fest mit Wünschen und Hoffnungen umgeben habe, die in einen wirklichen Geschäftsbetrieb gar nicht, in einen unwirklichen dagegen ausgezeichnet passen. Darum lasse ich mir auch so gern von Deinem Bureau erzählen, hätte ich die innerste Überzeugung, daß es Dich umgibt und arbeiten läßt, es wäre mir eine Abscheu. Bekomme ich die Ansichten der Bureaulokalitäten? Wenn ich sie bekomme, bekommst Du z.B. einen Jahresbericht unserer Anstalt mit einem Aufsatz von mir über runde Sicherheitshobelmesserwellen! Mit Abbildungen! Oder gar einen Aufsatz über Werkstattversicherung! Oder über Sicherheitsfräsköpfe! Liebste, es stehn Dir noch viele Freuden bevor[1].

Nun aber gehe ich ins Bett. Ich schlafe nämlich etwas zu wenig in der letzten Zeit, ich gehe auch etwas zu wenig spazieren, ich lese gar nichts, aber befinde mich manchmal nicht übermäßig schlecht. Ich spiele mit den Gedanken an die Weihnachtsferien, an die großen Ferien und an die weitern Jahre. Will die Aussicht dunkler werden, schließe ich die Augen. – Daß ich es nicht vergesse, ich werde jetzt in der Regel *nur einmal täglich* schreiben, man nimmt mir die Nachmittage. Aber man gibt mir Küsse. Da dulde ich alles.

Franz

[Tschechischer Briefkopf der Arbeiter-Unfall-Versicherungs-Anstalt ›Úrazová pojištovna dělnická‹]

3. XII. 12

Liebste, nur 2 Worte. Unsere Wahlen, von denen ich Dir vielleicht geschrieben habe, sind zuende[2], meine freie Bureauzeit ist um. Ich kann Dich nur in Eile grüßen. Im übrigen bin ich ganz im Nebel einer fürchterlichen Schläfrigkeit. Liebste, heute hast Du mich wunderbar beschenkt und Dein Morgenbrief hat mich zu Dir hingezogen wie mit Händen.

Auf Wiedersehen in der Nacht. Es ist so schwer, sich die zwei Briefe täglich abzugewöhnen. Sag mir ein Mittel. Laß mich mit Küssen um das Mittel bitten und mit Küssen danken.

Dein, wie keines Menschen sonst   Franz

---

[1] Vgl. Wagenbach, *Biographie,* S. 279 ff.
[2] Die Vorstandswahlen der Arbeiter-Unfall-Versicherungs-Anstalt. Vgl. Brief vom 5. Dezember 1912, S. 159.

Die Jahresberichte gehn ab, bis Du sie auswendig kannst, bekommst Du andere.

3. XII. 12

Liebste, ich hätte heute wohl die Nacht im Schreiben durchhalten sollen. Es wäre meine Pflicht, denn ich bin knapp vor dem Ende meiner kleinen Geschichte und Einheitlichkeit und das Feuer zusammenhängender Stunden täte diesem Ende unglaublich wohl. Wer weiß überdies, ob ich morgen nach der Vorlesung[1], die ich jetzt verfluche, noch werde schreiben können. Trotzdem – ich höre auf, ich wage es nicht. Durch dieses Schreiben, das ich ja in diesem regelmäßigen Zusammenhang noch gar nicht so lange betreibe, bin ich aus einem durchaus nicht musterhaften, aber zu manchen Sachen gut brauchbaren Beamten (mein vorläufiger Titel ist Koncipist) zu einem Schrecken meines Chefs geworden. Mein Schreibtisch im Bureau war gewiß nie ordentlich, jetzt aber ist er von einem wüsten Haufen von Papieren und Akten hoch bedeckt, ich kenne beiläufig nur das, was obenauf liegt, unten ahne ich bloß Fürchterliches. Manchmal glaube ich fast zu hören, wie ich von dem Schreiben auf der einen Seite und von dem Bureau auf der andern geradezu zerrieben werde. Dann kommen ja wieder auch Zeiten, wo ich beides verhältnismäßig ausbalanciere, besonders wenn ich zuhause schlecht geschrieben habe, aber diese Fähigkeit (nicht die des schlechten Schreibens) geht mir – fürchte ich – allmählich verloren. Ich schaue mich im Bureau manchmal mit Blicken um, die niemand früher in einem Bureau für möglich gehalten hätte. Mein Schreibmaschinist ist noch der einzige, der mich in solchen Augenblicken zart zu wecken versteht. Dann sind mir auch Deine Briefe jetzt, seitdem wir einander ruhig liebhaben unbedingt eine Hilfe zum Leben; jemand und nicht nur jemand sondern die Liebste sorgt für mich und ich springe von Deinem Briefe in einem bessern Zustand zu meiner Arbeit auf. Aber trotzdem, trotzdem –
Heute habe ich Dir so wenig geschrieben und habe Dir so vieles zu sagen. Wie schön Du im Mustersaal stehst! Aber Dein Bureau wird vermißt. Nein, über die Sachen, die Du mir heute geschickt hast, werde ich Dich, geduldigste Felice, monatelang auszufragen haben.

---

[1] Vgl. Kafkas Brief vom 30. November 1912, S. 144.

Vor allem erkläre mir ein wenig die zwei Anspielungen auf Dich. Die erste bezieht sich wohl auf Deinen Zionismus, aber die zweite mit Literatur und Gefrierfleisch? Gott, wie Dich alle diese Leute vom Salomon bis Rosenbaum kennen, wie sie Dich täglich sehen dürfen, wie sie mit Dir in Automobilen fahren, wie man auf den Taster in der Direktionskanzlei nur drücken muß und Du kommst gelaufen. Liebste, Liebste, wo ist die Glocke, die Dich zu mir ruft? Ich überfalle Dich mit Küssen. – Und nun Schluß. Meine Geschichte würde mich nicht schlafen lassen, Du bringst mir mit den Träumen den Schlaf. Gestern besprach ich mit Dir im Gras einen gemeinsamen Landaufenthalt.

Dein Franz

4. XII. 12

Gott sei Dank, Liebste, daß Du am Ende Deines Briefes ruhiger bist, ich hätte nicht gewußt, was vor Selbstvorwürfen anzufangen. Dafür verspreche ich Dir jetzt so schön als ich nur kann – und ich wollte den Mund des Frl. Brühl haben, die Dich während des Schreibens küßte, um es Dir noch besser bekräftigen zu können – daß (der Feierlichkeit halber schreibe ich Buchstabe[n] für Buchstaben) *ich Dich nie mehr brieflich quälen werde,* sondern mir das aufspare, bis wir beisammen sind und alle Untat gleich und bestens gutgemacht werden kann und nicht erst so primitiv und spät wie durch einen folgenden Brief.

Du sagst es selbst, ich will Dich nicht quälen; Du bist zwar mein eigenes Selbst und dieses quäle ich von Zeit zu Zeit, das tut ihm gut, aber Du bist mein innerstes und zartestes Selbst und das möchte ich allerdings um alles in der Welt gern verschonen und in vollkommenster Ruhe halten. Und trotz des besten Willens – es muß die Feder sein, die in meiner Hand ihre eigenen bösen Wege geht.

Liebste! Verzeihung und von nun an ruhige Briefe, wie es sich gehört, wenn man an die Liebste schreibt, die man streicheln und nicht peitschen will.

Auch gestern abend habe ich übertrieben, fällt mir ein. Es geht ja mit dem Bureau so beiläufig. Und sitze ich auch da als Jammermensch, nachdem ich Deinen Brief bekommen und gelesen habe, erhebe ich mich als ein Riese und gehe als ein eifriger Beamter zur wartenden Schreibmaschine, ganz so als führtest Du mich hin und hättest mir, wenn ich gut gearbeitet haben sollte, zur Belohnung einen Kuß versprochen. Nicht traurig sein, Liebste! Es ist Dir schon gelungen, mich glücklich zu machen, als Du es noch gar nicht wolltest, wie erst jetzt. Adieu, Liebste, kann ich mich denn heute gar nicht verabschieden? Und jetzt auf zur Schreibmaschine! Das ist übrigens der letzte zweite Tagesbrief, jetzt wird immer nur noch einer kommen. Erklärung folgt. Ich komme nicht weg von Dir, Liebste, heute. Reiß Du Deine Hand zurück, wenn ich so närrisch bin.

Franz

[Nacht vom 4. zum 5. Dezember 1912]

Ach Liebste, unendlich Geliebte, für meine kleine Geschichte ist nun wirklich schon zu spät, so wie ich es mit Furcht geahnt habe, unvollendet wird sie bis morgen nacht zum Himmel starren, für Dich aber, Felice, kindische Dame, ist gerade jetzt und immer gerade jetzt die einzig richtige Zeit. Ich nehme das Telegramm als Kuß und da schmeckt es gut, macht froh, stolz und hochmütig, aber als Glückwunsch, Liebste? Jeder andere Abend ist wichtiger als der heutige, der doch nur meinem Vergnügen galt, während die andern Abende für meine Befreiung bestimmt sind. Liebste, ich lese nämlich höllisch gerne vor, in vorbereitete und aufmerksame Ohren der Zuhörer zu brüllen, tut dem armen Herzen so wohl. Ich habe sie aber auch tüchtig angebrüllt und die Musik, die von den Nebensälen her mir die Mühe des Vorlesens abnehmen wollte, habe ich einfach fortgeblasen. Weißt Du, Menschen kommandieren oder wenigstens an sein Kommando zu glauben – es gibt kein größeres Wohlbehagen für den Körper. Als Kind – vor paar Jahren war ich es noch – träumte ich gern davon, in einem großen mit Menschen angefüllten Saal – allerdings ausgestattet mit einer etwas größern Herz-, Stimm- und Geisteskraft als ich sie augenblicklich hatte – die ganze »Éducation sentimentale« ohne Unterbrechung so viel Tage und Nächte lang, als sich für notwendig ergeben würde, natürlich französisch (o du meine liebe Aussprache!) vorzulesen und die Wände sollten widerhallen. Wann immer ich gesprochen habe, reden ist wohl noch besser als vorlesen (selten genug ist es gewesen) habe ich diese Erhebung gefühlt und auch heute habe ich es nicht bereut. Es ist – und darin soll die Verzeihung liegen – das einzige gewissermaßen öffentliche Vergnügen, das ich mir seit einem Vierteljahr fast gegönnt habe. Mit fremden Menschen habe ich wirklich seit dieser Zeit fast gar nicht gesprochen. Nur mit dem einzigen Stoessl; Deinen Schmitz, mit dem ich vor etwa 14 Tagen hätte zusammenkommen sollen – es war fast ausschließlich die Beziehung zu Dir, die mich an ihm lockte – habe ich im Bett verschlafen. Kennst Du Stoessl? Das ist ein prachtvoller Mensch, das Menschenschöpferische schaut ihm wahrhaftig aus dem Gesicht, das sonst mit seiner Blutfülle und seiner Hakennase auch einem jüdischen Schlächter gehören könnte. (Warte, ich habe ja da in einem Katalog sein Bild und lege es gleich bei.)[1] Ich rede da ein wenig ungeordnet herum, aber wenn ich es vor Dir, Liebste, nicht dürfte, vor wem denn sonst? Es kommt übrigens gewiß noch von dem Vorlesen her, von dem mir noch Überbleibsel in den Fingerspitzen stecken. Um nichts Auffälliges, aber doch unbedingt etwas von Dir bei der Hand zu haben, hatte ich mir Deine Festansichtskarte mitgenommen und hatte mir vorgenommen, während des Vorlesens die Hand ruhig auf ihr liegen zu lassen und auf diese Weise mittels einfachster Zauberei von Dir gehalten zu werden. Aber als mir dann die Geschichte ins Blut ging, fing ich mit der Karte zuerst zu spielen an, dann aber drückte und bog ich sie schon ohne Besinnung, gut daß an Stelle der Karte nicht Deine liebe Hand gewesen ist, Du könntest mir sonst morgen gewiß keinen Brief schreiben und es wäre ein viel zu teuerer Abend für mich gewesen. Aber Du kennst ja noch gar nicht Deine kleine Geschichte [Das Urteil]. Sie ist ein wenig wild und sinnlos und hätte sie nicht innere Wahrheit (was sich niemals allgemein feststellen läßt, sondern immer wieder von jedem Leser oder Hörer von neuem zugegeben oder geleugnet werden muß) wäre nichts. Auch hat sie, was bei ihrer Kleinheit (17 Schreibmaschinenseiten) schwer vorstellbar ist, eine große Menge von Fehlern und ich weiß gar nicht, wie ich dazu komme, Dir eine solche zumindest sehr zweifelhafte Geburt zu verehren. Aber jeder gibt eben, was er hat, ich die kleine Geschichte mit mir als Anhäng-

---

[1] Der österreichische Erzähler und Essayist Otto Stoeßl (1875–1936). Vgl. Brod, *Biographie,* S. 157. Kafka legte dem Brief einen Ausschnitt aus dem Verleger-Katalog *Das Buch des Jahres 1912* mit einem Bilde Stoeßls bei. Neben dem Bild ist eine Besprechung von Stoeßls Roman *Morgenrot* zitiert: »Man wird an keinen Geringeren als an Raabe und seinen ›Hungerpastor‹ gemahnt.« Dazu schrieb Kafka an den Rand: »Ach was, der Hungerpastor! Wie will der mit dem Morgenrot verglichen werden!«

sel, Du das ungeheure Geschenk Deiner Liebe. Ach Liebste, wie glücklich bin ich durch Dich; in die eine Träne, die mir am Schluß Deine Geschichte in die Augen trieb, mischten sich auch Tränen dieses Glücks[1].

Sag, wie mache ich mich nur würdig z. B. Deines heutigen Briefes, etwa seines zweiten Bogens, den nur von mir verbrecherisch erpreßte Qual erfüllt? Wie habe ich aufgeatmet, als mit dem dritten Bogen mit den Erinnerungen an jene von mir noch nicht verdunkelte Reise ein wenig Ruhe über Dich kam. Sieh doch, wie man mit uns Menschen spielt, Du klagst, daß Du von Prag weggefahren bist, ohne daß jemand für Dich auf die Bahn kam, und ich – ich glaube es wenigstens heute in der Rückerinnerung – ich hätte auf dem Laufbrett Deines Waggons die Fahrt mitmachen wollen, um in Dein Coupé sehn zu können. (Aber das ist doch verrückt, ich hätte ja ruhig einsteigen können – aber in der bedenklich tiefen Nacht, die jetzt schon ist, scheint einem das Schwierigste – für die Liebste getan – nicht schwierig genug.) Es fällt mir gerade ein: in einem Deiner letzten Briefe hast Du einmal »Dir« statt »mir« geschrieben, wenn der Schreibfehler einmal Wirklichkeit werden könnte! (Ruhe, Ruhe! Ich halte schon den Mund.) – Also mit der Filiale habe ich Dich einmal ertappt – kein Leugnen! kein Leugnen! – eine eigentliche Filiale habt Ihr also in Prag nicht. Die Fa Adler habe ich natürlich längst entdeckt und jedesmal, wenn ich vorüberging, habe ich ausgespien, denn ich dachte, es wäre eine Konkurrenz von Euch, ebenso wie ich es vor dem Geschäft einer gewissen Gramophone Company tue. Wird übrigens mein Rat befolgt und ein Grammophon Salon in der Friedrichstraße eröffnet[2]? Wenn sich der rentiert, könnte dann noch einer irgendwo im Westen aufgemacht werden. In Paris saß in der Mitte des Raumes auf sehr erhöhtem Sitz eine bedeutende Dame und hatte nichts zu tun, als mit einer Hand den Besuchern Geld in Spielmarken umzutauschen. Wie wäre es, wenn Du als Anregerin der Sache in Berlin diesen Posten bekämest. Ich sage es nur deshalb, weil Du dann mit der andern für den Dienst unnötigen Hand den ganzen Tag Briefe an mich schreiben könntest. Liebste, was für Narrheiten erfindet das Verlangen

---

[1] Vgl. *Tagebücher* (25. September 1912), S. 295 über die erste Vorlesung im Freundeskreis: »Ich hatte Tränen in den Augen. Die Zweifellosigkeit der Geschichte bestätigte sich.«

[2] Vgl. Kafkas Brief vom 27. November 1912, S. 134.

nach Dir. Liebste, ich werde ganz traurig über mich. Hätte ich die Zeit, während welcher ich Briefe an Dich geschrieben habe, zusammengeschlagen und zu einer Reise nach Berlin verwendet, ich wäre längst bei Dir und könnte in Deine Augen sehn. Und da fülle ich Briefe mit Dummheiten, als dauerte das Leben ewig und um keinen Augenblick weniger lang.

Nein, jetzt schreibe ich nicht mehr weiter, die Lust ist mir ganz und gar vergangen, ich gehe ins Bett und werde vor mich hin Deinen Namen, Felice! Felice! sagen, der alles kann, aufregen und beruhigen. Gute Nacht und träume süß, wie man bei uns sagt. Nur eine Frage noch. Wie schreibst Du im Bett? Wo ist das Tintenfaß? Das Papier hältst Du auf Deinen Knien? Ich könnte es nicht und Deine Schrift ist sicherer dabei, als meine wenn ich beim Schreibtisch sitze. Und bekommt die Bettdecke keine Tintenkleckse ab? Und der arme, arme Rücken! Und die lieben Augen verdirbt man sich unweigerlich. Und umgekehrt wie in China ist es hier der Mann, welcher der Freundin das Licht wegnehmen will[1]. Deshalb ist er aber nicht vernünftiger als der chinesische Stubengelehrte (immer findet man in der chinesischen Literatur diesen Spott und Respekt vor dem »Stubengelehrten«) denn daß die Geliebte in der Nacht Briefe schreibt, will er nicht, die Nachtbriefe selbst aber reißt er dem Briefträger gierig aus der Hand.

Nun leb wohl, Liebste, einen letzten Kuß. Ich setze meine Unterschrift her

Franz

und bin allein. Aber ich bin nicht allein, denn ich darf Dich ja auch noch hinter der Unterschrift küssen, denke ich. Liebste, wenn ich mich bei unserer wirklichen Zusammenkunft einmal auch so schwer von Dir verabschieden werde wie jetzt, wirst Du einsehn, daß das Leid, das ich Dir mit meinen Briefen angetan habe, eine Kleinigkeit war gegen die Beschwerden des wirklichen Verkehrs mit mir. Adieu, Liebste. Der neue Brief von meiner letzten Unterschrift an verlangt neue Küsse und nimmt sie in Gedanken.

[Am Rand] Heute kommt also kein Brief mehr.

---

[1] Bezieht sich auf das Gedicht ›In tiefer Nacht‹ von Yan-Tsen-Tsai. Vgl. Kafkas Brief vom 24. November 1912, S. 119.

Liebste, nur Grüße und Dank für die Beschreibung Deines Zimmers. Nur die Rückwand fehlt noch, da ist wohl noch eine Tür. Hast Du viele Bücher?

Von den Wahlen hätte ich Dir nicht geschrieben? Doch, doch. Wohl in einem der vielen verlorengegangenen Briefe. Jetzt erinnere ich mich z.B., daß ich Dir geklagt habe, daß Deine Briefe erst aus der ungeheueren Wahlpost herausgesucht werden müssen und wie lange das dauert[1]. Es sind die Wahlen in unsern Vorstand, die hübsch viel Arbeiten machen, da alle bei uns versicherten Unternehmer (an 200000) und alle Arbeiter (an 3000000) wählen. Heuer habe ich mich für diese Arbeiten gedrückt und meine Rückstände konnten sich ein wenig unbeachtet aufhäufen. Jetzt aber kracht schon hie und da einer.

Liebste, leugne es nicht, ich scheine Dir auf meinem Bild recht fremd. Du willst es Dir selbst nicht eingestehn, aber Dein Brief zeugt gegen Dich. Wenigstens wenn man ihn mit Verdacht liest, wie ich es diesmal getan habe, ich gestehe es. Was soll ich tun? So sehe ich nun einmal aus. Das Bild ist schlecht, aber ähnlich ist es, ich sehe in Wirklichkeit sogar ärger aus. Es ist 2 Jahre alt, aber mein jungenhaftes Aussehn hat sich kaum verändert, von den Nachtwachen fange ich allerdings an, ein paar widerliche Falten zu bekommen. Wirst Du Dich, Liebste, an dieses Bild gewöhnen können? Und darf Dich der Mensch noch küssen, oder muß er sich ungeküßt unterschreiben? Und bedenke, das Bild ist schließlich noch erträglich, aber bis dann der Mensch selbst vortritt. – Am Ende laufst Du dann vor ihm davon. Bedenke, Du hast ihn ja nur einmal und bei Gaslicht gesehn und ohne damals auf ihn besonders zu achten. Er kommt aber bei Tag fast nicht ins Freie und hat davon geradezu ein Nachtgesicht bekommen. Ich begreife Dich so gut. Aber vielleicht gewöhnst Du Dich doch an ihn, Liebste, denn sieh, auch ich, der Briefschreiber, den Du so gut behandelt hast, hat sich an ihn gewöhnen müssen.

Ich übertreibe ja im vorigen, Dein Brief ist lieb wie immer, aber die Launen gehn in mir auf und ab und heute ist eben die schlechte oben. Verzeih uns beiden, dem Briefschreiber und dem Photographierten und laß uns durch unsere Zweigestalt auch an Küssen pro-

[1] Kafkas Brief vom 15. November 1912, S. 93 f.

fitieren. Liebste, adieu, ich bin ganz ruhig, sei es auch und behalte mich lieb.

Dein Franz

Heute ist es aber wirklich der letzte zweite Tagesbrief.
Gott, mir droht schon wieder eine Reise.

vom 6. zum 7.XII.12
[vermutlich in der Nacht vom 5. zum 6. Dezember 1912]

Weine, Liebste, weine, jetzt ist die Zeit des Weinens da! Der Held meiner kleinen Geschichte ist vor einer Weile gestorben. Wenn es Dich tröstet, so erfahre, daß er genug friedlich und mit allen ausgesöhnt gestorben ist. Die Geschichte selbst ist noch nicht ganz fertig, ich habe keine rechte Lust jetzt mehr für sie und lasse den Schluß bis morgen. Es ist auch schon sehr spät und ich hatte genug zu tun, die gestrige Störung[1] zu überwinden. Schade, daß in manchen Stellen der Geschichte deutlich meine Ermüdungszustände und sonstige Unterbrechungen und nicht dazugehörige Sorgen eingezeichnet sind, sie hätte gewiß reiner gearbeitet werden können, gerade an den süßen Seiten sieht man das. Das ist eben das ewig bohrende Gefühl; ich selbst, ich mit den gestaltenden Kräften, die ich in mir fühle, ganz abgesehen von ihrer Stärke und Ausdauer, hätte bei günstigern Lebensumständen eine reinere, schlagendere, organisiertere Arbeit fertiggebracht, als die, die jetzt vorliegt. Es ist das ein Gefühl, das keine Vernunft ausreden kann, trotzdem natürlich niemand anderer als die Vernunft recht hat, welche sagt, daß man, ebenso wie es keine andern Umstände gibt als die wirklichen, auch mit keinen andern rechnen kann. Wie das aber auch sein mag, morgen hoffe ich die Geschichte zu beenden und übermorgen mich auf den Roman zurückzuwerfen.

Meine arme Liebste, Du willst wissen, wann Deine Briefe ankommen, um Dich danach zu richten? Aber die Post ist ja ganz unberechenbar, gar die österreichische, sie arbeitet vollkommen improvisiert, so wie beiläufig die Juxpost bei Sommerunterhaltungen. Dein erster Expreßbrief kam Montag um 11 Uhr in meine Wohnung, Dein zweiter kam Mittwoch zwischen 9 und 10 ins Bureau,

[1] Vermutlich der Prager Autorenabend am 4. Dezember 1912. Vgl. Kafkas Brief vom 30. November 1912, S. 144.

Felice Bauer (1914)

Prager Autorenabend

Einladung

zu der Mittwoch, den 4. Dezember um 8 Uhr abends im Vortragssaale des Hôtel Stephan stattfindenden

ord. Vortragssitzung
der Vereinigung

Diese Sitzung beginnt präzise 8 Uhr, worauf ganz besonders hingewiesen wird. Eingeführte Familienangehörige, auch Damen, sind willkommen.

Die Johann Gottfried Herder-Vereinigung.

Der Sekretär:
Rud. Pick.

Der Präsident:
Haas.

Nach der Sitzung gemeinsames Abendessen bei kleinen Tischen.

Programm:

Vorlesung junger Prager Autoren

1. Einleitung von Willy Haas (mit Gedichten von Franz Werfel und Otto Pick.)
2. Max Brod „Die Höhe des Gefühls", ein dramatisches Gedicht.
3. Oskar Baum: „Der Antrag", Novelle (aus dem Jahrbuch „Arkadia").
4. Franz Kafka: „Das Urteil", Novelle (aus demselben).

(Gesellschaftsanzug).

Zum Brief Kafkas vom 30. November 1912.

Dein Telegramm kam um ½5 nachmittags in die Wohnung (es wäre besser gewesen, wenn es später gekommen wäre, dann hätte es mich vielleicht rechtzeitig geweckt, so aber hätte ich fast verschlafen und kam erst um 9 Uhr hin) Dein Brief aus der Elektrischen – dieser Brief, den die liebste Felice mir für Mittwoch nachmittag zugedacht hatte – kam erst Donnerstag vormittag in meine Wohnung und ich sah, als ich ihn um 3 Uhr in die Hand bekam, wie sehr wir wieder zusammengehören, denn Du hattest mir das Telegramm zur Begleitung in die Vorlesung mitgeben wollen, ich hatte es auch wirklich schon fast eingesteckt, um es mitzunehmen, überlegte es mir aber doch, da ich es ja nicht bloß in der Tasche behalten, sondern vor mir auf dem Vorlesetisch haben wollte und es zu diesem Zweck doch zu auffällig gewesen wäre, deshalb nahm ich lieber die Ansichtskarte mit.

Ich erzähle von meinem Bureau offenbar riesig deutlich (es steht eben nicht dafür) da Du, Liebste, es so mißverstehst. Nicht 70 Abteilungen haben wir, sondern in der Abteilung, in der ich bin, arbeiten 70 Beamte. Der Chef dieser Abteilung hat 3 Vertreter, einer von diesen, und zwar leider gerade für die wichtigsten oder besser unangenehmsten Sachen bin ich. So ist es, und damit Du es noch besser verstehst, gibt Dir der auf dem Bild so fremde, im Innern aber wie kein anderer Dir ergebene Mensch einen langen, langen Kuß.

Dein Franz

6. XII. 12

So bin ich, Liebste, wieder ein großer, prächtiger Dummkopf gewesen, als ich mir wegen meiner Photographie Sorgen machte. Du mußt Dich entschieden an sie gewöhnt haben, als Du den Spaziergang längs der Stadtbahn machtest, sonst hättest Du nicht so lieb an mich gedacht. Nur die Kopfschmerzen waren vielleicht ein Überbleibsel des ersten Schreckens. Oder des zu langen Briefes, den Du mir vorher geschrieben hattest. Merke: Ich verdiene im besten Falle häufige Briefe von Dir, langer Briefe fühle ich mich wahrhaftig unwürdig, ich kann mir nicht helfen. Ich sehe mich in der Welt um, was ich tun könnte, um einen so langen Brief wie jenen mit der Reisebeschreibung zu verdienen und finde nichts. Es bleibt mir nichts übrig, als ihn zitternd wieder und wieder zu lesen.

Wegen meines Briefes, in dem ich mein Aussehn bedauere, habe ich noch jetzt Angst. Gott weiß, wie Du mich auslachen wirst! Und jeden Augenblick fürchte ich, ein Telegramm zu bekommen: »Franz, Du bist wunderschön«. Dann hätte ich nichts zu tun, als unter den Tisch zu kriechen.

Sieh mal, glückliches Mädchen, wie man in dem beigelegten Zeitungsausschnitt, trotzdem es doch nur eine private Veranstaltung war, Deine kleine Geschichte öffentlich und übertrieben lobt. Und es ist kein gleichgültiger Mensch, der das geschrieben hat, sondern Paul Wiegler[1]. Kennst Du ihn? Er hat ein paar schöne Bücher geschrieben und ein paar französische noch schöner übersetzt. Das Beneidenswerte an ihm ist, daß er schon im Februar nach Berlin kommt, und ich? Allerdings kommt er als Theaterkritiker zur Berl. Morgenpost und das ist wieder nicht beneidenswert. Jeder hat sein Leid.

Ach, Liebste, es ist höchste Zeit zu schließen und zu küssen, sonst tritt mein Chef zwischen uns und das muß verhindert werden. Liebste, Liebste! Noch diese zwei Schreie.

Dein Franz

Gestern war der letzte zweite Tagesbrief, heute ist es der allerletzte.

———

Gerade unterschreibe ich einen Brief an den Mann Deiner Reisebegleiterin, die Dich Engelchen nannte, Du Engelchen.

———

Über die Photographie, die für mich riesig wichtig und belehrend ist, schreibe ich Dir in der Nacht.

———

Montag muß ich nach Leitmeritz. Was hat denn die kleine Brühl zu meiner Ansichtskarte gesagt? Hast Du meine beiden Karten bekommen?

———

[1] Der Schriftsteller, Kritiker und Übersetzer Paul Wiegler (1878–1949). In seiner Rezension (*Deutsche Zeitung Bohemia,* 6. Dezember 1912, S. 12) heißt es über Kafka: »Seine Novelle ›Das Urteil‹ ist der Durchbruch eines großen, überraschend großen, leidenschaftlichen und diziplinierten Talentes, das schon jetzt die Kraft hat, allein seinen Weg zu gehen.«

Jetzt fällt mir aber noch ein, daß Dein Brief vom 4. ist, wie kommt das, er wurde Mittwoch – aber Dummheiten, ich irre mich im Datum, jetzt dachte ich schon wieder, Du hättest damals meine Photographie noch nicht gehabt.

vom 6. zum 7. XII. 12

Liebste, also höre, meine kleine Geschichte ist beendet, nur macht mich der heutige Schluß gar nicht froh, er hätte schon besser sein dürfen, das ist kein Zweifel. Der nächste an solche Trauer sich anschließende Gedanke bleibt freilich immer: Ich habe ja Dich, Liebste, also eine zweite Berechtigung zum Leben, nur bleibt es eine Schande, die Berechtigung zum Leben bloß aus dem Dasein der Geliebten zu holen.

Jetzt erinnere ich mich rechtzeitig noch, daß das aber ein Sonntagsbrief werden soll und daß man die Klagen besser für Montag läßt. Liebste, ich weiß nicht warum, aber Dein Spaziergang die Stadtbahn [entlang] hat mich maßlos gerührt. Was muß es für ein Hohngelächter in der Höhe geben, wenn man vielleicht zu gleicher Zeit Deine einsamen Spaziergänge mit den meinigen vergleicht und die Blicke von einem zum andern wandern läßt.

Diese Photographie, Liebste, bringt Dich mir wieder ein großes, großes Stück näher. Ich würde es für ein recht altes Bild halten. (Du schreibst nichts zur Erklärung des Bildes und willst mich vielleicht in eine Falle locken; aber Glück und Dankbarkeit macht mich kühn und ich fürchte mich nicht.) Das Ganze sieht übrigens in der Beleuchtung, Gruppierung und Laune der Abgebildeten ganz geheimnisvoll aus und der Schlüssel des Geheimnisses, der vorne auf dem Tisch neben der zu ihm gehörigen Schachtel liegt, macht die Sache um nichts klarer. Du lächelst wehmüthig oder es ist meine Laune, die Dir dieses Lächeln andichtet. Ich darf Dich nicht ordentlich ansehn, sonst bekomme ich den Blick nicht von Dir los. Du trägst eine sonderbar aufgeputzte Bluse. Auf dem linken Unterarm hast Du eine Schnur oder ein Armband. Abgesehen von meinem hier wirklich gar nicht maßgebenden Urteil bist Du auch für andere Beobachter nicht nur wegen Deiner Stellung im Mittelpunkt des Bildes, sondern auch weil Deine Mutter Dich unter dem Arm gefaßt hat oder weil es wenigstens diesen Anschein hat. Das gibt Dir eine

besondere Bedeutung. Außerdem hast Du eine ganz andere Blickrichtung als die übrige Familie. Am nächsten steht mir von allen andern Deine Mutter (selbst auf die Gefahr hin, daß Deine Mutter gar nicht auf dem Bilde ist). Das Urteil über sie ist deshalb ein wenig unsicher, weil das meiste und differenzierteste Licht auf ihr Gesicht fällt. Ist es nicht eine große, etwas knochige Frau? In meines Vaters Familie gibt es Frauen, die ihr entfernt ähnlich scheinen. Sie sieht sehr einsichtig aus, ich kehre fast zu meiner ersten Meinung über sie zurück, mit ihr getraute ich mich zu reden. Dein Vater sieht sehr würdig aus, vor dem wäre ich schon unsicherer. Was hat er eigentlich für ein Geschäft? Deinen Bruder kenne ich ja schon von dem Bild aus Binz, ich sehe nichts Neues an ihm. Am Rande stehn wohl Deine Schwestern (das Raten wird dadurch erleichtert, daß Dein Bruder nicht verheiratet ist) die ältere nenne ich die Budapesterin und den lustigen Mann neben Dir Deinen Budapester Schwager. Sie sind die einzigen, die eigentlich lachen, also gehören sie zusammen. Das Mädchen am andern Rande könnte die phlegmatische Schwester sein nach ihrem selbstzufriedenen, etwas schläfrigen Lächeln zu schließen. (Liest ein 20jähriges Mädchen mit Entschiedenheit gar nichts, finde ich nichts Böses daran, halbes Lesen ist ärger.) Und in was für einem Zimmer seid Ihr nun? Ist das Euer gegenwärtiges Wohnzimmer und dies der Tisch, auf dem in einem Deiner Briefe Vater und Bruder 66 spielten? Und wer photographiert Euch? Ist es irgendein Familienfest? Vater und Bruder scheinen dunkel angezogen und haben weiße Krawatten, aber der angebliche Schwager hat eine farbige. Liebste, wie mächtig ist man gegenüber Bildern und wie ohnmächtig in Wirklichkeit! Ich kann mir leicht vorstellen, daß die ganze Familie beiseite tritt und sich entfernt, daß nur Du allein zurückbleibst und ich mich über den großen Tisch zu Dir hinüberlehne, um Deinen Blick zu suchen, zu erhalten und vor Glück zu vergehn. Liebste, Bilder sind schön, Bilder sind nicht zu entbehren, aber eine Qual sind sie auch.
In einer schlimmen Ahnung bin ich eben schauen gegangen, wie spät es ist. ¼4! Das ist zu arg. Ich habe aber auch erst nach 12 mit meinen Arbeiten angefangen. Gute Nacht, Liebste. Und mich lieb behalten! Nächste Woche bekommst Du mein kleines Buch [Betrachtung]. Wie viele Küsse ich dafür wohl bekommen werde? Schöne Beschäftigung für Träume. Liebste, das sei das letzte Wort, Liebste!   Dein Franz

Bloß zur Kontrolle der Post erwähne ich es, heute habe ich nur den Expreßbrief mit der Photographie bekommen.

Nacht vom 6. zum 7. XII. 12
[vermutlich in der Nacht vom 7. zum 8. Dezember 1912]

Liebste, ich habe aus verschiedenen Gründen heute nichts geschrieben. Es waren da paar Briefe zu schreiben, ein Gesuch für das Bureau, die Notwendigkeit der Vorbereitung für die dumme Leitmeritzer Reise, außerdem war ich erst nach 7 Uhr abends schlafen gegangen und erst um 11 abends aufgewacht, endlich bringt mich die Leitmeritzer Reise wahrscheinlich trotz teufelsmäßiger Eile um eine Arbeitsnacht und der kaum aufgenommene Roman müßte dann wieder weggelegt werden – kurz es gibt einige Gründe dafür, daß ich ihn heute nicht fortgesetzt habe. Aber nicht der unwichtigste Grund dafür ist, daß ich heute ein ganz besonders unruhiges Verlangen nach Dir habe. Ob Dir nur gut ist? Ob Du an mir nicht allzuviel auszusetzen hast? Ob Dir gerade heute viel an mir gelegen ist? Liebste, ich habe heute wohl während des ganzen Schlafes von Dir geträumt, erinnerlich sind mir aber nur zwei Träume. Ich habe mich gleich nach dem Erwachen trotz starken Widerstandes bemüht, sie zu vergessen, denn es waren schreckliche Wahrheiten aufdringlich und überdeutlich in ihnen, so wie sie in dem mattern Tagesleben niemals zum Durchbruch kommen können. Ich will sie nur ganz oberflächlich und kurz erzählen, trotzdem sie sehr verwickelt und voll Details waren, die noch jetzt in mir drohen. Der erste knüpfte an Deine Bemerkung an, daß Ihr direkt aus dem Bureau telegraphieren könnt. Ich konnte also aus meinem Zimmer auch direkt telegraphieren, der Apparat stand sogar neben meinem Bett, wohl ähnlich, wie Du den Tisch zum Bett zu rücken pflegst. Es war ein besonders stacheliger Apparat und ich fürchtete mich, so wie ich mich vor dem Telephonieren fürchte, auch vor diesem Telegraphieren. Aber telegraphieren mußte ich Dir in irgendeiner übergroßen Sorge um Dich und in einem wilden, mich gewiß aus dem Bett aufreißenden Verlangen nach einer augenblicklichen Nachricht von Dir. Glücklicherweise war sofort meine jüngste Schwester da und begann für mich zu telegraphieren. Meine Sorge um Dich macht mich erfinderisch, leider nur im Traum. Der Appa-

165

rat war derartig konstruiert, daß man nur auf einen Knopf drücken mußte und sofort erschien auf dem Papierbändchen die Antwort aus Berlin. Ich erinnere mich, wie ich starr vor Spannung auf das zuerst sich ganz leer abwickelnde Bändchen sah, trotzdem dies nicht anders zu erwarten war, denn solange man Dich in Berlin nicht zum Apparat geholt hatte, konnte ja keine Antwort kommen. Was war das für eine Freude, als die ersten Schriftzeichen auf dem Bändchen erschienen; ich hätte eigentlich aus dem Bett fallen müssen, als so stark habe ich die Freude in der Erinnerung. Es kam nun ein richtiger Brief, den ich ganz genau lesen konnte, an dessen größten Teil ich mich vielleicht sogar erinnern könnte, wenn ich dazu Lust hätte. So will ich nur sagen, daß ich in dem Brief in lieber, mich beglückkender Weise wegen meiner Unruhe ausgescholten wurde. Ich wurde ein »Nimmersatt« genannt und es wurden die Briefe und Karten aufgezählt, die ich in der letzten Zeit bekommen hatte oder die auf dem Wege waren.

Im zweiten Traum warst Du blind. Ein Berliner Blindeninstitut hatte einen gemeinsamen Ausflug in ein Dorf gemacht, in dem ich mit meiner Mutter auf Sommerfrische wohnte. Wir bewohnten ein hölzernes Häuschen, dessen Fenster mir genau in der Erinnerung ist. Dieses Häuschen lag inmitten eines großen, auf einem Abhang gelegenen Gutskomplexes. Vom Häuschen aus links war eine Glasveranda, in welcher der größte Teil der blinden Mädchen untergebracht war. Ich wußte, daß Du unter ihnen seist und hatte den Kopf voll unklarer Pläne, wie ich es anstellen könnte, Dir zu begegnen und mit Dir zu reden. Immer wieder verließ ich unser Häuschen, überschritt die Planke, die vor der Tür über den morastigen Boden gelegt war, und kehrte, ohne Dich gesehen zu haben, unentschlossen immer wieder zurück. Auch meine Mutter ging planlos herum, sie hatte ein sehr einförmiges Kleid, eine Art Nonnentracht, und die Arme an die Brust gelegt, wenn auch nicht gerade gekreuzt. Sie machte Anspruch darauf, von den blinden Mädchen verschiedene Dienstleistungen zu bekommen und bevorzugte in dieser Hinsicht ein Mädchen in schwarzem Kleid mit rundem Gesicht, dessen eine Wange aber derartig tiefgehend vernarbt war, als wäre sie einmal völlig zerfleischt worden. Die Mutter lobte auch mir gegenüber die Klugheit und Bereitwilligkeit dieses Mädchens, ich sah sie auch eigens an und nickte, dachte aber nur daran, daß sie Deine Kollegin sei und wohl wissen werde, wo Du zu finden wärest.

Plötzlich hatte alle verhältnismäßige Ruhe ein Ende, vielleicht wurde zum Aufbruch geblasen, jedenfalls sollte das Institut weitermarschieren. Nun war aber auch mein Entschluß gefaßt und ich lief den Abhang hinunter, durch eine kleine eine Mauer durchbrechende Tür, da ich gesehen zu haben glaubte, daß der Abmarsch sich in dieser Richtung vollziehen werde. Unten traf ich allerdings in Reih und Glied aufgestellt eine Anzahl kleiner blinder Jungen mit ihrem Lehrer. Ich ging hinter ihnen auf und ab, denn ich dachte, jetzt werde das ganze Institut herankommen und ich würde mit Leichtigkeit Dich finden und ansprechen können. Ich hielt mich gewiß ein wenig zu lange hier auf, versäumte auch, mich nach der Art des Abmarsches zu erkundigen und vertrödelte die Zeit, indem ich zusah, wie ein blinder Säugling – in dem Institut waren eben alle Altersstufen vertreten – auf einem steinernen Postament ausgepackt und wieder eingewickelt wurde. Endlich aber schien mir die sonst überall herrschende Stille verdächtig und ich erkundigte mich bei dem Lehrer, warum denn das übrige Institut nicht komme. Nun erfuhr ich zu meinem Schrecken, daß hier nur die kleinen Jungen abmarschieren sollten, während alle andern gerade jetzt durch den andern Ausgang ganz oben auf dem Berg sich entfernen. Zum Trost sagte er mir noch – er rief es mir nach, denn ich lief schon wie toll – daß ich noch rechtzeitig ankommen dürfte, da die Gruppierung der blinden Mädchen natürlich lange Zeit in Anspruch nehme. Ich lief also den jetzt ungemein steilen und sonnigen Weg entlang einer kahlen Mauer hinauf. In der Hand hielt ich plötzlich ein riesiges österreichisches Gesetzbuch, das zu tragen mir sehr beschwerlich war, das mir aber irgendwie dabei behilflich sein sollte, Dich zu finden und richtig mit Dir zu reden. Auf dem Weg aber fiel mir ein, daß Du ja blind seist, daß daher mein Aussehn und äußerliches Benehmen den Eindruck, den ich auf Dich machen werde, glücklicherweise nicht beeinflussen könne. Nach dieser Überlegung hätte ich das Gesetzbuch als eine unnötige Last am liebsten weggeworfen. Endlich kam ich oben an, es war tatsächlich noch Zeit in Hülle und Fülle, das erste Paar hatte das Eingangsportal noch gar nicht verlassen. Ich stellte mich also bereit, sah Dich im Geiste im Gedränge der Mädchen schon herankommen, die Augenlider gesenkt, steif und still.

Da erwachte ich, ganz heiß und darüber verzweifelt, daß Du so weit von mir entfernt bist.

Ach Liebste, trotzdem meine Frömmigkeit in ganz andere Gegenden verschlagen ist, für Deinen heutigen Brief hätte ich Lust, Gott auf den Knien zu danken. Woher kommt nur wieder diese Unruhe um Dich, dieses Gefühl des nutzlosesten Aufenthaltes in Zimmern, in denen Du nicht bist, diese Bedürftigkeit nach Dir ohne Grenzen! Das einzig Gute an der morgigen Reise, zu der ich mich noch überdies ordentlich vorbereiten muß, ist, daß ich Dir um paar Eisenbahnstunden näher sein werde. Übrigens bin ich morgen nachmittag, wenn alles gut geht, wieder in Prag, vom Bahnhof zu unserem Portier wird es einen Sturmlauf geben. Briefe, Briefe von Dir!

Heute plane ich eine höchst sonderbare Zeiteinteilung. Jetzt ist 3 Uhr nachmittags. Heute nachts bin ich erst um 4 Uhr ins Bett gekommen, bin dort aber dafür bis ½12 geblieben. Wieder war Dein Brief daran schuld. Sonst muß ich im Bett so lange bleiben, um ihn zu erwarten, heute aber kam er als Eilbrief (da es nun einmal geschehn ist, möchte ich fast sagen, Sonntagsbriefe müßten immer express geschickt werden) ich bekam ihn so bald, daß es noch zu früh war aufzustehn und nun dehnte ich mich im Nachgenuß des Briefes noch stundenlang vor lauter Glück.

Jetzt werde ich also spazierengehn, was ich im eigentlichen Sinn schon seit paar Tagen nicht getan habe, werde dann um 6 Uhr mich schlafen legen und wenn es geht, bis 1 oder 2 Uhr nachts schlafen. Vielleicht werde ich dann den Roman wieder in Griff bekommen und dann bequem bis 5 Uhr früh schreiben, länger nicht, denn um ¾6 Uhr früh geht mein Zug.

Liebste, bitte schone Dich. Wieder bis 3 Uhr aufgewesen. Es kann unmöglich der eigentliche Sinn des Chanukafestes sein, Dich todmüde zu machen[1]. Also eine Rednerin bist Du? Sieh mal an! Sagte ich es nicht schon einmal? Wird der Prolog auch auf Ruth Bezug haben? »Ruth« hat die Lufthütte geheißen, die ich im letzten Sanatorium[2] bewohnt habe. Es haben sich durch das 3 wöchentliche Wohnen in einer Hütte, über deren Türe »Ruth« stand, Beziehun-

---

[1] Das ›Lichtfest‹ zur Erinnerung an die Reinigung des Tempels in Jerusalem und die Weihe des wiedererbauten Altars, nachdem Judas Makkabäus im Jahre 164 v. Chr. die Syrier vertrieben hatte.

[2] Sanatorium Just in Jungborn (Harz), Juli 1912.

gen zu diesem Namen für mich gebildet und ich würde ihn gerne von Dir öffentlich ausgesprochen und gelobt wissen. – Noch eines nur, auf Freiersfüßen gehe ich nicht, täte ich es, ich müßte keinen Maler beneiden (der allerdings auf dem Selbstporträt wie ein verbrecherischer Affe aussieht), sondern könnte mich von der ganzen Welt beneiden lassen[1].

Franz

Liebste, Du vertraust schon stark auf unsere gedankliche Eintracht (wie sich zeigt mit Recht) wenn Du mich in dem Brief, den ich Sonntag bekomme, ermahnst, den Brief, den Du Sonntag bekommen sollst, nicht express weggeschickt zu haben. Aber es war ja nur die süße Schläfrigkeit und deshalb für den Entfernten ein besonders deutliches Zeichen Deines warmen Lebens.

7.XII.12 [8.Dezember 1912]

Liebste, nur einen raschen Gruß und die Bitte, ein wenig klagen und weinen zu dürfen an Deiner Brust. Durch einige unglückliche Zufälle ist es geschehn, daß ich erst um ½8 nachhause gekommen bin, an Schlafen ist oder wenigstens an Einschlafen nicht mehr zu denken, denn der Familienlärm wird gleich anfangen, etwas für meine Gerichtsverhandlung muß ich auch noch studieren, das lange Gesuch ist auch noch zu schreiben, kurz diese Nacht wird wieder einmal der räuberischen Welt hingeworfen und nur Du Liebste bleibst mein großer Trost. Ich bin müde, schwach, der Kopf brummt und so bitte ich – es ist grenzenlos hochmütig, ich weiß – küsse Du mich, hier am Schlusse dieses traurigen Briefes, Liebste! Liebste! So nun ist der Tag zuende, denn was noch folgt, ist keines Wortes wert.

Franz

[Werbepostkarte. Stempel: Leitmeritz – 9.XII.1912]

Kennen Sie[2] von ihm die Novelle »Einsam«[3]? Sie hat mich einmal vor Zeiten überwältigt. Sonst kenne ich nur eigentlich ein paar

---

[1] Vgl. Kafkas zweiten Brief vom 28. November 1912, S. 139f.
[2] Kafka gebraucht hier die konventionelle Anrede, weil er diese offene Karte an Felicens Büroadresse schickte.
[3] Die Werbepostkarte der Berliner Wochenschrift *Die Aktion* zeigte eine Porträtzeichnung August Strindbergs von Max Oppenheimer.

Abschnitte aus den »Gothischen Zimmern«, die mir allerdings unendlich lieb, wenn auch vielleicht aus besondern Gründen.
Herzliche Grüße   F. Kafka

[Ansichtskarte. Stempel: Leitmeritz – 9. XII. 12]

Vor der Heimfahrt, Gott sei Dank. Die aller-allernotwendigste Post wartet ja unerledigt, uneröffnet auf mich. Herzlichste Grüße
                                                                    FK

                                        vom 9. zum 10. XII. 12

Meine Liebste, wie diese verfluchten Unterbrechungen meinen Arbeiten schaden, das ist zum Trübsinnigwerden. Gestern noch habe ich mich mit Mühe vom Arbeiten zurückgehalten, dann kam die Reise dazwischen und schon habe ich heute sehr mittelmäßig, wenn auch glücklicher Weise nur wenig geschrieben. Nein, gar nicht davon reden!
Was mich mit der Reise aussöhnt, ist einzig das, daß sie auch für die Anstalt nutzlos war, wenn es mich natürlich auch auf der andern Seite wieder kränkt. Schließlich ist die ganze Reise zu einem Verwandtenbesuch – ich habe in Leitmeritz Verwandte – zusammengeschrumpft[1], denn die Verhandlung, bei welcher ich die Anstalt vertreten sollte, ist vor 3 Tagen auf unbestimmte Zeit verlegt worden, ohne daß – infolge eines Irrtums der Gerichtskanzlei – unsere Anstalt davon verständigt worden wäre. Von dem aus gesehn bekommt es eine besondere Bedeutung wie ich da eiligst fast noch in der Nacht von zuhause abmarschiere, in einer feinen Kälte durch die Gassen wandere – vorbei am zwar schon beleuchteten, aber verhängten Frühstückzimmer des »Blauen Stern«, nun schaut zwar wieder jemand verlangend hinein, aber niemand mehr auf die Gasse heraus – wie ich dann weiter diese Nachtfahrt in der Eisenbahn zwischen schlafenden Herrschaften mitmache, die zwar schlafen, aber immer noch genug irregeführten Bewußtseins haben, um aus dem Schlaf heraus die von mir auf »kalt« immer wieder gestellte Heizung auf »warm« immer wieder zurückzudrehn und den überhitzten

---

[1] In der Kreisgerichtsstadt Leitmeritz lebte die wiederverheiratete Witwe seines Onkels, des Kaufmanns Heinrich Kafka.

Raum weiter zu überhitzen, wie ich dann schließlich eine halbe Stunde lang in einer Landkutsche durch nebelige Alleen und mit Schnee bloß bestreute Felder oder Wiesen fahre – und immer unruhig, immer unruhig und wäre es auch nur über die Stumpfheit meines Blicks, mit dem ich das alles ansehe. Dann bin ich endlich um 8 Uhr morgens vor dem Geschäft meiner Verwandten in der Langen Gasse in Leitmeritz und genieße in dem noch aus der Kindheit her bekannten Kontor meines Onkels (eigentlich eines Stiefonkels, wenn es etwas Derartiges geben sollte) die Frische und unverdiente Überlegenheit, die von einem Reisenden ausgeht, der zu jemandem kommt, der eben erst aus dem Bett gekrochen ist und in Filzpantoffeln im kaum geöffneten kalten Laden vergebens sich zu erwärmen sucht. Dann kam die Tante (um genau zu sein, die Frau meines schon vor vielen Jahren verstorbenen wahren Onkels, die nach dessen Tode den Geschäftsführer, eben diesen Stiefonkel, geheiratet hat) eine jetzt kränkliche, aber noch immer sehr lebendige, kleine, runde, schreiende, händereibende, mir seit jeher angenehme Person.

Aber nun muß ich sie hier weiterlärmen lassen, denn im Nebenzimmer schlägt es 3 Uhr morgens und das Kind muß schlafen gehn. Liebste, zu Deinem heutigen Brief habe ich Dir so viel zu sagen! Bitte sieh mich nicht als irgendein Wunder an, um unserer Liebe willen, tu das nicht. Es sieht ja dann aus, als ob Du mich von Dir entfernen wolltest. Ich bin im Grunde, soweit es nur auf mich ankommt und solange Du Dich nicht in meiner Nähe zeigst, ein sehr armer und unglücklicher Mensch; was an mir außergewöhnlich ist, ist es zum größten Teil im schlechten und traurigen Sinn und besteht, wie Du am Anfang Deines Briefes richtig geahnt hast, ohne es zu Ende zu denken, – besteht in der Hauptsache darin, daß ich nicht, statt nutzlos nach Leitmeritz zu fahren, mit eindeutigster Absicht nach Berlin fahren kann. Liebste, zieh mich also so nahe an Dich, als es diese meine traurige Außergewöhnlichkeit erlaubt. Und rede nicht von Großem, das in mir steckt, oder hältst Du es vielleicht für etwas Großes, daß ich wegen der zweitägigen Unterbrechung meines Schreibens diese zwei Tage mit der unausgesetzten Furcht verbringe, nicht mehr schreiben zu können, eine Furcht übrigens, die, wie der heutige Abend gezeigt hat, nicht so ganz sinnlos war. Und an unserem Abend, war denn das Herumhantieren mit dem Karton etwas anderes als Koketterie, Ängstlichkeit und wahrscheinlich gesellschaftliche Verzweiflung und Behaglichkeit in ihr. Gewiß hast Du es damals auch erkannt, wenn auch unbewußt, heute aber trübt sich Dir die Erinnerung, das soll sie nicht. Und an allem ist, möchte ich fast sagen, diese dumme Photographie schuld, die ich so lange gezögert habe wegzuschicken und die nun einerseits mir geschadet hat, andererseits mir aber noch nichts genützt hat, denn Deine letzte Photographie habe ich noch nicht, trotzdem sie längst fertig sein müßte. Liebste, nahe sollst Du mich zu Dir nehmen, nahe, nahe, so nahe wie ich mich zu Dir dränge, wie ich Dir während der ganzen Fahrt war, im Zug, im Wagen, bei den Verwandten, bei Gericht, auf der Gasse und im Feld. Ich schob im Coupé meinen Nachbarn in Gedanken von der Bank herunter, setzte Dich statt seiner hin und nun sahen wir jeder in seiner Ecke ruhig den andern an.

Wie ist es nur mit Deinem schlechten Aussehn, Felice? Was verlangt die Mutter von Dir? *(Darauf mußt Du gleich und genau antworten!)* Worauf führt sie das schlechte Aussehn zurück? Was will sie geändert haben? Und welches ist Deiner Meinung nach der Grund? Und bist Du mit der Mutter schon ausgesöhnt? Du schienst mir unruhig in dem heutigen Brief. Und trotzdem Du mir unruhig schienst, bin ich so vernagelt, Dir auf den vorigen Seiten unnütze Lehren zu geben. Nun rede ich mich aber selbst in Unruhe hinein. Liebste, Dir fehlt doch nichts Ernstliches? Auf alle diese Fragen antworte bitte ganz genau. Alles andere auf den früheren Seiten ist gleichgiltig, sieh es für durchstrichen an, nur darauf antworte! Was finge ich denn an, wenn Du krank würdest! Liebste, darüber muß ich alles wissen, das ist meine wichtigste Angelegenheit. Nochmals: Ich bin noch nicht unruhig, aber ich würde es werden, wenn Du nicht genau antwortest. Du bist doch meine Liebste.

Franz

10. XII. 12

Nicht damit Du einen Brief um 10 Uhr auch von mir hast, schreibe ich Dir jetzt spät nach dem Bureau, denn wenn ich keine Zeit habe, willst auch Du nicht daß ich schreibe, sondern ich schreibe Dir bloß meinetwegen, um morgen um 10 Uhr das Gefühl zu haben, einen Augenblick lang in Deine liebe, glückbringende Nähe gekommen zu sein. Liebste, nicht das Blindsein in unsern beiden Träumen macht mich am meisten erstaunt, sondern das wirkliche Leid, das Du am Sonntag gehabt zu haben scheinst, zu einer Zeit also, wo ich um Dich in besonderer, durch Deinen Sonntagbrief nicht eigentlich begründeter Sorge war.

Was ist denn am Sonntag bei Euch geschehn? Dein Sonntagabendbrief ist ja voll Rätsel. Und im Brief vorher sagtest Du, Du wolltest keine Geheimnisse vor mir haben und nun hast Du gar Geheimnisse vor mir, die Deine Leiden betreffen, auf die ich gerade (nicht auf die Leiden, wenn ich auch das leider oft wahr mache) besondern Anspruch zu haben glaube. Schreibe mir doch, Liebste, darüber paar Worte. Du siehst aus meinem Sonntagsbrief, daß ich mit Dir leide, auch wenn ich nicht weiß, daß Du leidest, aber mit jemandem leiden, ohne die Ursachen zu wissen, ist doppelt arg. Ich bin heute seit 10 Uhr nicht mehr unruhig, denn Dein Brief vom Montag, durchdrungen von Liebe, Güte und fast auch Frische, hat mich wieder ins Geleise gebracht. (Ich hatte gerade paar Seiten dieses Briefes gelesen, da kam ein Tischlermeister mit einem Ansuchen wegen der Versicherung seines Betriebes zu mir, ich bewilligte ihm eiligst alles, was er wollte, und werde das niemals vor Menschen, wohl aber vor Gott verantworten können.) Aber über den Sonntag muß ich doch noch Aufklärung bekommen. Warum warst Du den ganzen Tag über nicht spazieren? Und warum warst Du doch noch Sonntag abend so müde und erhofftest Frische vom Montag, also von einem Arbeitstag? Ich sah es schon dem Sonntagvormittagbrief an, daß etwas nicht in Ordnung war. Aber was denn, was denn? So muß einem Blinden zumute sein, wenn vor ihm etwas vorgeht, was zu ihm die größte Beziehung hat, aber er hört nur undeutliche Geräusche, kann selbst nicht hin und man erklärt es ihm auch nicht. Dein heutiger zweiter Brief hat mich ja vollständig beruhigt, aber ich wüßte doch gern, schon wegen zukünftiger Möglichkeiten, was für Plagen und Leiden Dich bedrohen.

Einen langen Kuß auf den wehmütigen Mund des Mädchens auf der letzten Photographie und Zuspitzen des Mundes für das kommende Negermädchen.

Franz

Nun ist also endlich das ganze liebe Mädchen da! Und durchaus nicht negerhaft, sondern so wie man sie im Kopf und Herzen hat. Und durchaus nicht traurig oder schlechtaussehend, sondern lustiger fast als alle. Nur leider so festgehalten auf beiden Seiten, daß man Riesenkräfte haben müßte, um sie hervorzureißen. Und leider so nahe neben ihrem Herrn, daß man, wenn man sie küssen will, notwendig diesen Herrn Rosenbaum (es scheint übrigens ein anderer zu sein) mitküssen müßte.

Übrigens ist es sonderbar, daß auf diesem nachts aufgenommenen Bild bei Tageslicht alle übernächtigt und fehlerhaft aussehn, während jetzt unter meiner elektrischen Tischlampe das Ganze sich so respekteinflößend ausnimmt, daß ich mich gar nicht innerhalb der Gesellschaft denken könnte. Wie lange habe ich auch schon keinen Frack getragen! Das letzte Mal wohl vor 2 Jahren bei der Hochzeit meiner Schwester. Und dieser nun schon durchaus altertümliche Frack stammt aus der Zeit meiner Promotion, ist also 6 Jahre alt, ohne in der Brust zu enge geworden zu sein. Und wie tadellos und gut getragen ist der Frack Deines Herrn, wie keck geschnitten ist die Weste!

Was ist das für ein Medaillon, was ist das für ein Ring, den Du trägst? (Deine Bemerkung über das Negergesicht bringt mich auf den Gedanken, daß noch eine zweite Photographie existiert. Ist es so, unvorsichtige Liebste?) Die Frau neben Dir ist wohl die Frau eines Direktors, die Hand zwischen Euch gehört wohl ihr? Wo ist aber Deine zweite Hand, und warum drängen Dich Deine beiden Nachbarn so? Oben umsäumt Deinen Rock eine Spitze, nicht wahr?

Zu dem Bild könntest Du mir gar nicht genug Erklärungen geben. Welche von allen den Leuten sitzen in Deinem Bureau? Das Frl. Brühl glaube ich zu erkennen, es ist doch die in dem merkwürdigen, aber vielleicht schönen schwarzen Kleid mit dem auffallenden Einsatz auf der Brust. Der einzige wirklich traurige Mensch ist der schief hinter Dir an der Säule. Er hat eine schwarze Krawatte und sieht aus, als ob er für alle zu sorgen und zu arbeiten hätte. Wo ist der Direktor Strauß und wo der Prokurist Salomon? Wo ist das Mädchen, mit dem Du tanztest? Wo ist die Großmann? Wo ist der Herr, der das Gedicht geschrieben hat?

Gestern nachts verlangte ich im Brief die Photographie, heute habe ich sie. Aber damit, Liebste, dürfen wir uns nicht zufrieden geben. Wir müssen es so einrichten, daß im gleichen Augenblick, wo einer vom andern etwas verlangt, der Briefträger eilends eintritt, sei es zu welcher Tages- oder Nachtzeit immer. Die Post will sich übrigens mit uns aussöhnen. Heute brachte der Briefträger das erste gebundene Exemplar meines Büchleins [Betrachtung] (ich schicke es Dir morgen) und hatte zum Zeichen der Zusammengehörigkeit die Rolle mit Deinem Bild in den Umbund des Buches gesteckt. Aber auch darin gehn meine Wünsche unerfüllbar weiter.

Franz

[Mit *Betrachtung* übersandt]   [11. Dezember 1912]

Denk nur, heute schreibe ich wieder nicht, denn ich konnte nachmittag nur für einen Augenblick ins Bett und der Kopf brummt mir links oben als eine Mahnung. Samstag, Sonntag nichts geschrieben, Montag wenig und mittelmäßiges, Dienstag nichts, ein feines Wochenende! ein feiner Wochenanfang!

———

Du, sei freundlich zu meinem armen Buch[1]! Es sind ja eben jene paar Blätter, die Du mich an unserem Abend ordnen sahst. Damals wurdest Du der Einsichtnahme »nicht für würdig« befunden, närrische und rachsüchtige Liebste! Heute gehört es Dir wie keinem sonst, es müßte denn sein, daß ich es Dir aus Eifersucht aus der Hand reiße, um nur ganz allein von Dir gehalten zu werden und nicht meinen Platz mit einem alten, kleinen Buch teilen zu müssen. Ob Du wohl erkennst, wie sich die einzelnen Stückchen im Alter voneinander unterscheiden. Eines ist z. B. darunter, das ist gewiß 8–10 Jahre alt. Zeig das Ganze möglichst wenigen, damit sie Dir nicht die Lust an mir verderben.
Gute Nacht, Liebste, gute Nacht.

---

[1] Vgl. Faksimile des Titelblatts mit der handschriftlichen Widmung Kafkas, S. 176.

Liebste, es geht mir sonderbar und ich muß es dulden. Heute war ich ausgeruht, hatte in der Nacht von 1 Uhr an bis früh recht gut geschlafen, hatte auch am Nachmittag schlafen können, setze mich nun zum Schreiben, schreibe ein wenig, nicht gut nicht schlecht, höre dann auf, trotzdem ich mich in guter Verfassung fühle, Kraft und Fähigkeit zum Schreiben gerade zu haben glaube und bleibe wohl eine Stunde lang in gänzlichem Nichtstun in meinen Lehnsessel zurückgelehnt, im Schlafrock, wie ich jetzt im eiskalten Zimmer sitze, und mit einer Decke um die Beine. Warum? fragst Du und frage ich auch. Und so stehn wir beide Arm in Arm, wenn es Dir recht ist, vor mir und sehn mich an, ohne mich zu verstehn. Dabei war ich heute schon infolge des längern Nichtschreibens gänzlich mit mir zerfallen und habe Dir nachmittags zwar auch aus Zeitmangel nicht geschrieben und dann auch, weil Du um 10 Uhr mein Buch bekommst und dann auch, weil der ruhige einmalige tägliche Briefverkehr für uns beide am besten wäre – vor allem aber infolge meiner schrecklichen, durch das Nichtschreiben verursachten allgemeinen Unlust und schwerfälligen Ermattung, denn ich sagte mir, daß es gar nicht nötig wäre, jedes Augenblicksunglück über Dich, schon genug geplagtes Mädchen, in ganzem Strome auszugießen. Nun hatte ich aber jetzt am Abend die von meinem ganzen Wesen wenn schon nicht unmittelbar so doch mit der sich ausbreitenden inneren Trostlosigkeit widerspruchslos verlangte Gelegenheit zum Schreiben, schreibe aber nur soviel, daß es knapp ausreicht, mich den morgigen Tag überstehn zu lassen und bleibe faul zurückgelehnt in einem schwachen Behagen, als gehe es ans Verbluten. Wie dämmerhaft wäre ich wohl ins Bett gegangen, hätte ich nicht Dich, Liebste, an die ich das schwache Wort richten darf und von der es mir mit zehnfacher Kraft zurückkommt. Jedenfalls werde ich jetzt keinen Abend meine Arbeit verlassen und schon morgen mich tiefer in sie eintauchen.

Schreibe mir, Liebste, nur immer, wo Du bist, wie Du gekleidet bist, wie es um Dich aussieht, wenn Du mir schreibst. Dein Brief aus der Elektrischen bringt mich in eine fast irrsinnige Nähe zu Dir. Wie schreibst Du denn dort? Das Papier liegt auf Deinem Knie, so tief beugst Du Dich beim Schreiben herab? Die Elektrischen fahren in Berlin langsam, nicht wahr? In langen Reihen, eine hinter der

FRANZ KAFKA

BETRACHTUNG

*Für Fräulein Felice Bauer,
um mich bei ihr mit diesen
Erinnerungen an alte unglückliche
Zeiten einzuschmeicheln.*

Franz Kafka

Prag 11 XII 12

MDCCCXIII

ERNST ROWOHLT VERLAG

LEIPZIG

Zum Brief Kafkas vom 11. Dezember 1912.

Binz auf Rügen (um 1911). Von links Felice Bauer und ihre Mutter, Anna Bauer.

andern, nicht? Und früh gehst Du zu Fuß ins Bureau? In welchen Briefkasten wirfst Du den Brief ein?

In diesem Brief beschreibst Du übrigens den Sonntag als einen ruhigen Tag. Wie stimmt das zu früheren Bemerkungen? Das üppige Essen! Spargel im November! Was bedeutet das, daß Du statt spazierenzugehn Bücher gebunden hast? Und gebunden? Wie denn? Ach Liebste, mit solchen Fragen will ich Dich erfassen? Aber kann ich anders? [In der äußersten Ecke, da kein Platz mehr auf der Seite ist] Küsse im Winkel! Franz

12.XII.12

Liebste, das solltest Du nicht! Versprechen, daß ein zweiter Brief kommt und es nicht halten. Ich weiß, Du hast keine Zeit und ich verlange ja auch den zweiten Brief nicht, aber sieh doch, wenn Du es so ausdrücklich versprichst wie in Deinem heutigen Morgenbrief und der Brief kommt dann nicht, so muß ich ja Sorge haben. Ist es anders möglich? Wenn ich irgendeine Unsicherheit bei Dir befürchte, bin ich eben auch unsicher und noch weniger wert als sonst. Heute ist es ja nicht so arg. Dein Mittagsbrief war lieb und beruhigend und wenn Du »Morgenrot« liest, so bist Du wenigstens von dieser Seite gut beschützt[1]. Aber wenn der versprochene Brief nicht kommt, reicht das alles für mich nicht vollständig aus.

Danke für den Aufsatz von Herzog[2]. Ich habe schon manches von ihm gelesen, er hat eine recht schwache, peinlich nachgedrückte Art zu schreiben, deren Trockenheit er immer wieder mit mißlungenen Versuchen (in jedem Satz) zu beleben sucht. Ich bin zu müde, um das klarer auszudrücken. Seine Grundmeinung ist hier, wie auch sonst, sehr löblich und wahrheitsgemäß durchfühlt. Die Unsicherheit seines Schreibens, die Abgerissenheit des Denkens, gegen die er sich wehrt, ein zweifelloses, nur eben nicht bis zum Schreiben vordringendes Temperament machen seine Aufsätze charakteristischer als es Arbeiten weit besserer Schriftsteller sind. Wenn er gute Bücher empfehlen wollte, dann hat er mit diesem Aufsatz sehr recht, wenn er das »Moderne« definieren wollte, dann hat er noch nicht einmal unrecht, denn er hat für ein solches Resultat außer Platthei-

---

[1] Vgl. Anm. S. 156.
[2] Wilhelm Herzogs Aufsatz »Was ist modern?« im *Berliner Tageblatt* vom 10. Dezember 1912, Nr. 629.

ten nicht das Geringste vorbereitet. Imponierend ist nur die ausführliche Besprechung Werfels als Krone des Aufsatzes. Weißt Du, Felice, Werfel ist tatsächlich ein Wunder; als ich sein Buch »Der Weltfreund« zum ersten Mal las (ich hatte ihn schon früher Gedichte vortragen hören) dachte ich, die Begeisterung für ihn werde mich bis zum Unsinn fortreißen[1]. Der Mensch kann Ungeheueres. Übrigens hat er auch schon seinen Lohn und lebt in Leipzig in einem paradiesischen Zustand als Lektor des Verlages Rowohlt (wo auch mein Büchel [Betrachtung] erschienen ist) und hat in einem Alter von etwa 24 Jahren völlige Freiheit des Lebens und Schreibens. Was da für Dinge aus ihm hervorkommen werden! Ich weiß gar nicht, wie schließen, da dieser fremde junge Mann zwischen uns getreten ist.

Franz

[12. zum 13. Dezember 1912]

Ach Liebste, wie gut habe ich es doch schließlich, daß ich jetzt, nachdem ich über eine mir etwas fremde Stelle des Romans zur Not hinweggekommen bin (er will mir noch immer nicht folgen, ich halte ihn, aber er wehrt sich mir unter der Hand und ich muß immer wieder über ganze Stellen hinweg loslassen), an Dich schreiben darf, die Du soviel gütiger zu mir bist als mein Roman.
Wenn Du Dich nur nicht immer so plagen würdest, nicht immer so spät ins Bett kämest, – was fange ich denn mit einer todmüden Geliebten an? Ja nimm Dir nur an mir ein Beispiel, Liebste, ich bin Abend für Abend zuhause und wenn ich auch früher (besonders in dem Jahr, in dem ich in einer privaten Versicherungsgesellschaft war) ein Bummler war, wie Du es ausdrückst, so war ich gewiß kein begeisterter, eher ein trauriger, der dem zweifellosen Unglück des nächsten Tages durch Verschlafenheit und eindeutige Reue die Schärfe nehmen wollte. Übrigens ist auch das schon so lange her.

---

[1] Vgl. *Tagebücher* (23. Dezember 1911), S. 202: »Durch Werfels Gedichte hatte ich den ganzen gestrigen Vormittag den Kopf wie von Dampf erfüllt. Einen Augenblick fürchtete ich, die Begeisterung werde mich ohne Aufenthalt bis in den Unsinn mit fortreißen.« und (30. August 1912), S. 286: »Vorigen Samstag rezitierte Werfel im Arco die ›Lebenslieder‹ und das ›Opfer‹. Ein Ungeheuer! Aber ich sah ihm in die Augen und hielt seinen Blick den ganzen Abend.« ›Arco‹ war das Prager Literatencafé.

Wie mußt Du aber vorgestern abend müde gewesen sein, wenn Du mich fragtest, ob mir zur Vervollständigung der Kenntnis Deiner Vergangenheit noch irgendetwas fehlt. Aber Liebste, ich weiß ja noch gar nichts. Wie sehr unterschätzt Du meine Begierde, alles von Dir zu erfahren! Wenn mir Deine Briefe nur eine Beruhigung sind, so wie man jemandem über die Stirn streicht und wenn ich mir dessen wohl bewußt bin, daß inzwischen Tage und Nächte Deines Lebens vergehn, an denen ich keinen unmittelbaren Anteil habe, wieviel muß ich erst aus Deiner Vergangenheit entbehren, aus den tausenden Tagen, aus denen ich keine Briefe bekommen habe. Z. B. von Deinen Ferien, den wichtigsten Zeiten des Jahres, in denen man ein besonders kleines gedrängtes Leben anfängt und beendet, kenne ich flüchtig nur zwei, die Prager Reise und den Aufenthalt in Binz. Drei Ferien schriebst Du, glaube ich, einmal, hättest Du in Berlin verbracht, wie aber war es mit den übrigen? Wenn ich Deine nächste Sommerreise – in dieser Nacht heute kann ich es vor Dumpfheit und Schwerfälligkeit gar nicht glauben – ganz genau miterleben soll, muß ich doch wissen, wie die früheren Reisen waren, ob Du nicht sehr verwöhnt bist und ob ich nicht, daran gemessen, einen gar zu schlechten unwürdigen Reisekameraden für Dich abgeben würde. Gute Nacht, Liebste, und ein friedlicheres Leben!   Dein Franz

Nacht vom 13. zum 14. XII. 12

Liebste, seit ein paar Tagen ist Dein Junge wieder einmal müde und traurig, daß man mit ihm gar nicht verkehren kann. Das wären die Zeiten, wo er noch dringender als sonst einen lieben, entschlossenen, lebendigen Menschen neben sich brauchen würde. Oder vielleicht wären das gerade die Zeiten, wo er einen solchen Menschen nicht zu seiner Gesellschaft mißbrauchen dürfte und wo es sogar für ihn am besten ist, ganz allein zu duseln. Mein Roman geht ja wenn auch langsam vorwärts, nur ist sein Gesicht dem meinen schrecklich gleich. – Ehe ich Dich kannte, hatte ich ja auch diese unberechenbaren Zeiten, nur schien mir damals die Welt gänzlich verlorenzugehn, mein Leben schien unterbrochen, ich tauchte auf und tief hinab, jetzt habe ich Dich, meine Liebste, fühle mich wohltätig gehalten, und wenn ich auch zusammenfalle, so weiß ich doch, daß es nicht für immer ist, glaube es wenigstens zu wissen und kann

Dich und mich auf bessere Zeiten vertrösten. Liebste, sei mir nicht böse wegen dieses Morgengrußes am Sonntag!

Ja also bei der Auslegung des Bildes habe ich mich nicht sehr ausgezeichnet. Deine Tänzerin hielt ich allerdings (nach dem Bildchen in Euerem Album) für das Frl. Brühl. Nur habe ich doch, glaube ich, in meinem Brief auch das Mädchen unter dem Telegramm ganz zufällig erwähnt oder wollte sie erwähnen. Das ist also Deine Kleine! Sie hat mir gleich sehr gut gefallen. Die Bildung ihrer Nase kommt mir auf dem Bild ganz französisch vor. Sie hat einen lustigen Blick. Frl. Großmann sieht ihr gegenüber ein wenig hausbakken aus. Aber den Vorzug der Beziehung zu Dir haben beide, und so habe ich an ihnen auch gar nichts auszusetzen, es müßte denn sein, daß sie Dich jeden Tag haben und ich Dich keinen.

Was wurde denn an jenem Abend aufgeführt außer Deinem Tanz? Spieltest Du nicht auch noch in einem Stücke mit? Und dieser junge Mann ist schon Direktor? Und der ältere nur Prokurist? Da ich diesen Direktor für viel älter gehalten habe, muß ich alles, was Du mir über den Abend schriebst, in der Erinnerung nochmals durchgehn, um an den wichtigen Stellen das Alter und Aussehn dieses Herrn richtigzustellen.

Ich bin so glücklich, mein Buch [Betrachtung], soviel ich daran auch auszusetzen habe (nur die Kürze ist tadellos) in Deiner lieben Hand zu wissen. Frl. Brühl hat recht, Monogramme lassen sich unheimlich schön auslegen. Wahr ist auch, daß ich, wenn Du Dich vielleicht erinnerst, das Monogramm[1] in Deiner Gegenwart, unter Deinen Blicken aufgeschrieben habe, während ich doch recht gut Max Brod hätte ausschreiben können, denn weder sein Name, noch die Freundschaft und Liebe, die mich mit ihm verbindet, muß ein Geheimnis sein; wahr ist schließlich auch, daß B. der Anfangsbuchstabe von Bauer ist. Aber ich schwätze unglückselig daher. Es ist dringend nötig, mir mit Küssen den Mund zu schließen.

Dein Franz

vom 14. zum 15. XII.

Liebste, heute bin ich zu müde und auch zu unzufrieden mit meiner Arbeit (wenn ich genug Kraft hätte, meiner innersten Absicht zu

---

[1] *Betrachtung* trägt die Widmung »Für M B« [Max Brod].

folgen, würde ich alles, was ich vom Roman fertig habe, zusammendrücken und aus dem Fenster werfen) um mehr als paar Worte zu schreiben; aber schreiben muß ich Dir, damit das letzte vor dem Schlaf geschriebene Wort an Dich geschrieben ist und alles, Wachen und Schlaf, noch im letzten Augenblick einen wahren Sinn bekommt, wie es ihn von meiner Schreiberei nicht erhalten kann. Gute Nacht, arme, geplagte Liebste. An meinen Briefen hängt ein Fluch, den selbst die liebste Hand nicht vertreiben kann. Selbst wenn die Plage, die sie Dir unmittelbar angetan haben, vorüber ist, raffen sie sich noch einmal auf und plagen auf eine neue, elende Weise. Armes, liebes, ewig müdes Kind! Die Scherzantwort auf die Scherzfrage: Ich kann Dich, liebstes Mädchen, gar nicht leiden. Der Sturmwind, der draußen ist! Und ich sitze hier schwerfällig vor dem Papier, kann es nicht fassen, daß Du diesen Brief einmal in Deinen Händen halten wirst, und das Gefühl der großen Entfernung, die zwischen uns ist, legt sich mir auf die Brust. Weine nicht, Liebste! Wie stellt es denn dieses ruhige Mädchen, das ich an jenem Abend sah, wie stellt sie es nur an zu weinen! Und wie stelle ich es denn nur an, sie weinen zu lassen und nicht bei ihr zu sein! Aber es ist kein Grund zum Weinen, Liebste! Warte, morgen werde ich und muß ich die wunderbarsten, trostreichsten, scharfsinnigsten Einfälle darüber haben, wie uns wegen der von Deiner Mutter vielleicht gelesenen Briefe zu helfen ist. Also sei, wenn meine mit Liebe, also mit Zauberei ausgestattete, jetzt in der Richtung gegen Berlin erhobene Hand etwas zu bedeuten hat, wenigstens während des Sonntags ruhig! Habe ich etwas ausgerichtet? Ich gehe doch nicht am Ende, ebenso wie meinem Roman gegenüber, auch Dir gegenüber erfolglos ins Bett? Wenn es so sein sollte, dann soll mich wirklich der Teufel holen, und zwar mit der Gewalt dieses Sturmwindes draußen. Aber nein, vielleicht tanzt Du heute gar und ermüdest Dich weiter. Ich mache Dir keinen Vorwurf, Liebste, ich möchte Dir nur so gerne helfen und weiß mir keinen Rat. So sehen freilich auch die wahren Ratgeber nicht aus wie ich. Gute Nacht! Ich sehe, daß ich vor Müdigkeit immerfort dasselbe schreibe, tue es zu meinem Vergnügen, um mir das Herz leichter zu machen und denke nicht daran, daß die übermüdeten, verweinten, aus der Ferne rot geküßten Augen es auch lesen werden.

Liebste, keinen Augenblick Zeit und Ruhe für mich, also auch nicht für Dich. Und dabei habe ich Dir so viel zu sagen und zu Deinen letzten vier Briefen von gestern und heute (denke nur, Dein Brief vom 11. aus der Straßenbahn kam erst gestern an, also einen Tag später als Dein Brief vom 12., in dem Du mir die Photographie erklärtest) so viel zu antworten. Und wie brauche ich gerade jetzt Deine Briefe, weil ich so dumpf und sinnlos bin. Als man mir heute früh Deinen Expreßbrief brachte und ich erwachte, war mir, als hätte ich die ganze Nacht auf dieses, gerade dieses Gewecktwerden gelauert. Und mit Deinem Bild im Bett, was war das für ein guter Aufenthalt. Alles Traurige war von mir abgehalten und mußte vor dem Bett warten, solange ich im Bett blieb, war ich vor allem bewahrt.

Es ist wohl das lebendigste Bild, das ich von Dir habe. Der Einjährig-Freiwillige soll gesegnet sein! Die Hand an der Hüfte, die Hand an der Schläfe, das ist Leben, und da es das Leben ist, dem ich gehöre, ist es durch Anschauen gar nicht zu erschöpfen. Ist es Dein Zimmer? Ist es nicht das Deine? Für beides spricht manches. Das Tischchen dürfte an der Stelle stehn, an welcher auch das Deine steht, dann wäre gegenüber das Bett. Aber diese vielbehängten Wände beirren mich wieder, Du hast sie auch bei der Beschreibung Deines Zimmers nicht erwähnt. Wozu hättest Du Bierkrüge aufgehängt an der übrigens riesig hohen Wand? Wozu stünde vorn ein Herrenstock, dessen Griff man sieht? Vielleicht ist es also nur das Studierzimmer Eueres Gastes. Deine Haltung ist prachtvoll, ich rufe Dich bei Deinem Namen an und Du wendest Dich mir nicht zu, trotzdem ich es erwartet habe. Auf allen Bildern an der Wand (bis auf jenes, einen Mann im Barett darstellt) suche ich Dich und habe Dich vorläufig auf drei gefunden. Wenn es richtig ist, so bestätige es, wenn ich falsch sehe, so laß mir den Glauben. Wie biegsam Du dastehst! Hätte ich Dich doch tanzen gesehn! Turnst Du schon seit jeher? Dein heutiger Expreßbrief ist ruhig, darf ich aber der Ruhe vertrauen? Ich habe ihn gewissermaßen von allen Seiten gelesen, ob sich nichts Verdächtiges an ihm entdecken ließe. Aber wie erhält man plötzlich Frische und Munterkeit nach Leid und Müdigkeit? Nur meinetwegen, um mir nicht Sorgen zu machen? Nein, Liebste, so schlecht kann es doch nicht mit Dir stehn, daß Du es mir verbergen wolltest. Ich bin doch dazu da, alles zu hören, verstellen muß man sich nur vor seinen Eltern, und wenn ich nicht dazu da bin, alles zu hören, dann verdiene ich überhaupt nicht dazusein.

Liebste, die Sache mit den Briefen ist im ersten Augenblick schlimm und unheilbar und man glaubt, man bekommt den Druck aus der Kehle nicht mehr heraus. So war es doch auch bei mir, wenn es natürlich auch bei mir eine viel weniger unmittelbare Bedeutung hatte. Nun, es gibt vielleicht Mütter, welche die Briefschaften ihrer Kinder nicht lesen, wenn sie so leichte Möglichkeit dazu haben, aber ich fürchte, weder Deine Mutter noch die meine gehört zu diesen Müttern. Wir sagen also, um unser Denken und unsere Sorgen zu vereinfachen, sie hat die Briefe gelesen und vielleicht nicht nur sie sondern auch die Schwester, deren Auskunft am Telephon mir gar zu verdächtig kurz und bestimmt wenigstens in Deiner Beschreibung klingt. Ich denke deshalb, da Deine Mutter nur selten in Dein Zimmer kommt, die Schwester habe die Briefe zuerst gefunden und dann Deine Mutter dazugerufen. Und nun haben sie beide gelesen, bis sie durch Deinen Telephonanruf gestört wurden. Wer kam zuerst zum Telephon? Und wer kommt gewöhnlich? Waren es alle Briefe oder nur ein Teil und welcher? Ich kann mir augenblicklich (nach meiner Geistesverfassung gehöre ich unbedingt ins Bett, und an einen andern als Dich wagte ich so gewiß nicht zu schreiben, aber gehören Dir nicht alle meine Zustände, der schlechteste wie der beste?) augenblicklich kann ich mir den Eindruck nicht vorstellen, den die Briefe in der übrigens schwer lesbaren Schrift auf die Mutter und Schwester machten, zumal sie doch wohl daran glauben und es wahrscheinlich auch in den Briefen bestätigt gefunden haben, daß wir nicht vielmehr als eine Stunde in unserem ganzen Leben und dies in der förmlichsten Weise beisammen waren. Wie sie diese Tatsache und den Inhalt der Briefe in Verbindung, wenigstens in eine landläufige Verbindung zu bringen imstande sind, das ist es eben, was ich ohne weitere Anzeichen nicht erraten kann. Die naheliegendste, einfältigste und deshalb nicht ganz glaubwürdige Annahme wäre, daß sie mich für nahe dem Irrsinn halten, Dich von mir angesteckt, deshalb aber für doppelt schonungsbedürftig, dann müßtest Du, was kein übler Erfolg meiner Briefe wäre, ganz zart behandelt werden, was allerdings innerhalb einer Familie auch die gröbsten Kränkungen miteinschließen kann. Jedenfalls müssen wir warten, auch ist das Gleichgewicht zwischen uns noch nicht vollkommen, denn ich habe von Deiner Mutter noch keinen Brief. Arme Liebste, eingeklemmt zwischen einen rücksichtslosen Plagegeist und eine aufpassende Familie. Wenn die Mutter etwas Deutlicheres sagen will, dann war die Überreichung meines Sonntagsbriefes die nächste beste Gelegenheit, und ich höre schon morgen etwas darüber.

Jetzt höre ich auf, nicht um schlafen zu gehn, dazu ist schon zu spät, auch werde ich heute abend nichts machen. Ich laufe nur noch zur Bahn, den Brief einwerfen, dann aber muß ich unbedingt und höchst notwendig zu Brods. Frau Sophie [Friedmann] ist nämlich früh plötzlich gekommen (abend hat Max Verlobung) ich habe schon ein wenig mit ihr gesprochen, aber wie das so geht, waren es nur Vorbereitungen des Eigentlichen und ich fürchte, ich werde auch jetzt in meiner Verfassung nicht mehr erreichen. Als ich von ihrer Ankunft hörte, hatte ich förmlich einen Anhauch Deiner Nähe und die gespanntesten Erwartungen. Dabei aber wird es wohl bleiben.

Franz

Nacht vom 15. zum 16. XII. 12

So Liebste, die Türen sind zu, es ist Stille, ich bin wieder bei Dir. Was nennen wir nun schon alles »bei Dir sein«? Ich habe den Tag über nicht geschlafen, und während ich den Nachmittag über und auch am beginnenden Abend dementsprechend mit hängendem Kopf und Nebeln im Gehirn herumging, bin ich jetzt am Beginn der Nacht fast erregt, fühle starken Anlauf zum Schreiben in mir, der Teufel, der immer in der Schreiblust steckt, rührt sich eben zur unpassendsten Zeit. Mag er, ich gehe schlafen. Aber wenn ich Weihnachten zwischen Schreiben und Schlafen geteilt verbringen könnte, Liebste, das wäre ein Glück!

Heute nachmittag also war ich unaufhörlich hinter Dir her, nutzlos um es gleich zu sagen. Oder eigentlich doch nicht ganz nutzlos, denn ich hielt mich immerfort möglichst nahe bei der Frau Friedmann, weil sie doch auch längere Zeit Dir nahe war, weil Ihr Euch Du nennt und weil sie doch Besitzerin von Briefen von Dir ist, die ich ihr einfach nicht gönne. Aber warum sagte sie denn kein Wort von Dir, während ich doch immerfort auf ihren Mund sah, um das erste Wort gleich abzufangen. Schreibt Ihr einander nicht mehr?

Weiß sie vielleicht nichts Neues von Dir? Aber wie denn nicht! Und wenn sie nichts Neues weiß, warum erzählt sie nicht etwas Altes. Und wenn sie nichts von Dir erzählen will, warum nennt sie nicht wenigstens Deinen Namen, wie es bei ihren früheren Anwesenheiten doch hie und da geschehen ist. Aber nein, das tut sie nicht, sondern läßt mich stumpfsinnig warten und wir reden von beispiellos gleichgültigen Dingen wie Breslau, Husten, Musik, Schals, Broschen, Frisuren, Italienreisen, Rodeln, Perlentaschen, Frackhemden, Manschettenknöpfen, Herbert Schottländer, Französisch, Hallenbädern, Duschen, Köchinnen, Harden, Geschäftskonjunktur, Reisen in der Nacht, Palacehotel, Schreiberhau, Hüten, Breslauer Universität, Verwandten, kurz von allem möglichen, aber das einzige, was auf Dich und leider gerade jetzt ein wenig Beziehung hat, sind paar Worte über Pyramidon und Aspirin, man versteht nicht recht, warum ich mich bei dem Gegenstand so lange aufhalte und die zwei Worte mit Vorliebe über die Zunge rollen lasse. Aber schließlich kann mir das als Ergebnis eines Nachmittags nicht genügen, denn in meinem Kopf summt stundenlang die Forderung nach Felice. Mit Gewalt bringe ich schließlich die Rede auf die Eisenbahnverbindungen zwischen Berlin und Breslau und drohe ihr dabei mit den Augen – nichts.

Außerdem war ich allerdings auch unruhig wegen Maxens Verlobung. Schließlich wird er mir doch wegverlobt. Die Braut kenne ich freilich schon seit Jahren und habe sie fast immer gern, manchmal sogar sehr gern gehabt, sie hat auch viele Vorzüge (für deren Beschreibung das Papier nun keinesfalls mehr reicht, besonders wenn ich es mit solchen Floskeln fülle) sie hat im ganzen ein sehr sanftes, zartes, vorsichtiges Wesen, ist ihm ergeben über alle Maßen – und doch und doch. Leb wohl, Liebste, ich wollte mit Dir allein auf der Welt sein.

Franz

16. XII. 12

Kein Brief, Liebste, nicht um 8, nicht um 10. Du warst müde vom Tanzen und nachmittag in der Gesellschaft. Aber auch eine Karte habe ich nicht bekommen. Nun, zur Klage ist kein Grund, ich habe gestern und vorgestern je zwei Briefe bekommen, und wer könnte sich zwischen zwei vorzüglichen Sachen derartig entscheiden, daß er sagte, es ist besser ich bekomme von der Liebsten jeden Tag einen Brief als einmal zwei und dann keinen – aber es ist eben die Regelmäßigkeit, die dem Herzen so wohl tut, die immer gleiche Stunde, in der täglich ein Brief käme, diese gleiche Stunde, die das Gefühl der Ruhe, Treue, der geordneten Verhältnisse, des Fernbleibens böser Überraschungen bringt. Liebste, ich glaube ja nicht, daß Dir etwas Schlechtes widerfahren ist – denn dann hättest Du mir ja desto dringender schreiben müssen – aber woher nehme ich, allein an meinem Schreibtisch, vor meinem Schreibmaschinisten, vor den nur mit sich beschäftigten Parteien, vor den mich ausfragenden Beamten, wo nehme ich vor allen diesen die unbedingte, sichere Überzeugung her, daß Du dort weit in Berlin ruhig und halbwegs zufrieden lebst? Vielleicht hat Dich gestern die Mutter gequält, vielleicht hast Du Kopf- vielleicht Zahnschmerzen, vielleicht bist Du übermüdet, und das alles weiß ich nicht und dreh es nur in meinem Kopfe ungewiß hin und her.

Leb wohl, Liebste, ich werde jetzt immer nur einmal täglich schreiben, wenigstens solange nicht meine Arbeit besser vorwärtsgeht. Denn solange das nicht geschieht, sind meine Briefe eine allzu trübe Erscheinung und Du hast an einem täglich, selbst wenn Du es vor Dir selbst leugnest, übergenug.

Leb wohl, Liebste. Wie mir bei diesem Wort plötzlich die Sonne auf das Papier scheint! Es kann Dir nicht schlecht gehn und ich bin ruhig.

Dein Franz

vom 16. zum 17. XII. 12

Liebste, es ist ¼4 nachts, ich habe mich zu lange und doch zu kurz bei meinem Roman aufgehalten und habe überdies fast Bedenken, jetzt zu Dir zurückzukehren, denn ich habe förmlich die Finger noch schmutzig von einer widerlichen, mit besonderer (für die Gestaltung leider übergroßen) Natürlichkeit aus mir fließenden Szene. – Liebste, heute ohne Nachricht von Dir, es scheint mir, als wären dadurch 2 × 8 Eisenbahnstunden zwischen uns. Sollte doch etwas Peinliches bei der Überreichung meines Sonntagsbriefes sich ereignet haben? Nun morgen erfahre ich alles gewiß, hätte ich nicht diese Beruhigung, ich wanderte lieber bis zum Morgen im Zimmer auf und ab, statt ins Bett zu gehn. – Nun gute Nacht, mein liebstes

Mädchen, bleibe mir treu, solange es Dir keinen übergroßen Schaden bringt und wisse, daß ich Dir angehöre wie ein beliebiges Ding, das Du in Deinem Zimmer hast.

Dein Franz

Nacht vom 17. zum 18. XII. 12

Mein liebstes Mädchen, das ganze heutige Schreiben an meinem Roman war nichts anderes als unterdrückte Lust, Dir zu schreiben, und nun bin ich auf beiden Seiten gestraft, das dort Geschriebene ist recht elend (um nicht immerfort zu klagen, gestern war eine schöne Nacht, ich hätte sie ins Unendliche fortsetzen können und sollen) und für Dich, Liebste, bin ich von dorther verärgert und ganz und gar unwürdig.

Könnte ich doch ein Weilchen in Deinem schönen Bureau verbringen, wo mir alles freundlich scheint! Könnte ich doch eines Deiner kleinen Mädchen für einen Tag lang ersetzen, dieser Mädchen, die immerfort Freiheit haben, wann sie wollen, zu Dir hinzulaufen und Dich zu küssen und zu umarmen. (Warum sie Dich wohl damals geküßt haben als das Buch ankam und warum sie Dich besonders aufgeregt geküßt haben? Es kann nur aus einem unbewußten, ebenso tief als wahr gefühlten Mitleid gewesen sein, daß ihre große Freundin mit einem Menschen wie mir – nicht weiter, ich kränke Dich und mich) Aber Deine Nähe, Liebste, brauchte ich so sehr.

Könnte ich doch in Deinem Bureau sein! Wenn ich vor meinem traurigen Bureauschreibtisch stehe – er ist wohl einige Male größer als der der Deinige; er muß so groß sein, sonst könnte er die Unordnung nicht fassen – und daran denke, daß es doch am Ende gar nicht so unmöglich wäre, daß wir in einem Bureau wären, bekomme ich Lust, die Tische umzuwerfen, das Glas der Schränke einzuschlagen, den Chef zu beschimpfen, und da mir schließlich doch die Kraft zur Ausführung solcher augenblicklicher Entschlüsse fehlt, tue ich nichts von alledem, stehe still wie früher mit irgendeinem angeblich von mir gelesenen Papier in der Hand, schaue aber in Wirklichkeit ganz verschlafen darüber hinweg zur Tür, die sich für den Überbringer Deines Briefes öffnen soll. Sieh Dich mal in Deinem Bureau um *(das Du mir übrigens noch gar nicht beschrieben hast)* ob dort nicht, auch nur in irgendeiner Ecke, ein Plätzchen für mich übrig wäre. Nenn mir dann den Platz genau und ich werde ihn, wenn schon nicht in Wirklichkeit so doch nicht weniger bestimmt, tagtäglich einnehmen und wenn Du willst, werde ich Dir auch in meinem Bureau einen Platz anweisen (ich finde keinen passendern als den hart neben mir) und so werden wir, wenn auch nicht in einem Bureau, so doch in zwei gemeinsam sitzen. Du wirst davon übrigens den ungeheuern Vorteil haben, daß ich am Abend, wenn Du allein im Bureau bist, um an mich zu schreiben, alle Mäuse rings um Deinen Tisch herum von Dir abhalten und verjagen werde; während ich dagegen den Nachteil davon haben werde, daß mir wahrscheinlich an solchen Abenden die ruhige Überlegung fehlen wird, Dich die Briefe an mich fertigschreiben zu lassen und daß ich statt dessen zu Dir hingehn und die Hände, die schreiben wollen, halten und nicht mehr loslassen werde.

Deine kleinen Mädchen handeln schön und rührend, aber ohne mich zum Staunen zu bringen, denn alles ist genau nach meinem Sinn. Von Deinem Bureau kann ich nicht genug hören. In Bureaux, wo viele Mädchen sind, geht es doch ganz anders zu als unter Männern. Mein Schreibmaschinist würde mich z.B. niemals beim Schneider mit einer Rose erwarten (das Komische dieser Vorstellung kann Dir nicht eingehn, Du müßtest den Mann, den ich übrigens sehr gern habe, selbst sehn) dafür kann er allerdings anderes und hat z.B. vor glaubwürdigen Zeugen in einer Folge 76 unserer Einkreuzersemmeln und ein anderes Mal 25 harte Eier aufgegessen, Kunststücke, die er täglich mit Freuden wiederholen würde, wenn er die Mittel dazu hätte. Besonders lobt er das angenehme Wärmegefühl, das man nach 25 harten Eiern haben soll.

Aber womit verbringe ich da um Gottes willen die paar Augenblicke, die ich auf dem Papier mit Dir beisammen bin! Ich habe Dir natürlich in meinem gestrigen Brief Unrecht getan, Du liebstes und gütigstes Mädchen! (Wozu bin ich denn sonst da, als Dir Unrecht zu machen?) Du warst am Sonntag müde (hast auch nicht gekocht, trotz Deines vorwöchentlichen, der Mutter gegebenen Versprechens) hast auch, wie ich in meinem Kopfe fühlte, wenigstens noch am Montag Kopfschmerzen gehabt (und auch Halsschmerzen? Die Schande! Die Schande! Deine und meine! Die Geliebte eines Naturheilmenschen hat Halsschmerzen!) aber trotz allem hast Du mir am Sonntag geschrieben, nur ist der Brief und die Karte mit einer mir vorläufig noch unerklärlichen Post wahrscheinlich erst am Montag abend ins Bureau gekommen. Jedenfalls bekam ich Brief und Karte Dienstag gleich unten beim Portier, Ihr Himmlischen! Wie bin ich die Treppen hinaufgetanzt!

Eine wichtige Sache fehlt in Deinen Briefen, Liebste! Ich finde kein Wort von Deiner Mutter und keines über meine die Briefgeschichte betreffenden Theorien vom Sonntag. Ist das ein gutes, ist es ein schlechtes Zeichen? Die Karte vom Fest habe ich nicht bei der Hand, ich habe sie im Bureaurock vergessen, aber ist dort nicht eine Tony Bauer[1] unterschrieben und sind nicht bei dem Namen auch Grüße hinzugefügt? Ist das Deine Schwester? Und wer sind die andern? Daß keiner Deiner Tänzer im Tanzen mit mir verglichen werden konnte, glaube ich gern. Mein Nichttanzenkönnen wird ja verschiedene Gründe haben. Vielleicht hätte ich mehr allein üben sollen, wenn ich mit Mädchen tanzte, war ich immer sowohl allzu befangen als auch allzu zerstreut. Ich erinnere mich, in unserer Tanzstunde war ein junger, zweifellos sehr energischer Mensch, der immer, wenn ringsherum die Paare tanzten, allein in einer Ecke das Tanzen übte. Ob er es auf diese Weise erlernt hat, weiß ich nicht, ich weiß nur, daß ich oft zu ihm hinübergeschaut und ihn um seine Entschlossenheit und Freiheit beneidet habe.

Sophie F. [Friedmann] ist schon wieder weg, sie haben Ferien gemacht und sind, glaube ich, auf den Semmering gefahren. Daß Du ihr schon lange nicht geschrieben hast, freut mich herzlich. Übrigens hat sie sich auch für diese Freude, wie ich Dir schon beschrieben habe, ausreichend gerächt. – Schluß und wieder allein. Franz.

vom 18. zum 19. XII. 12.

Liebste, ½3, der Nachmittag mit Max mit Ansehen von Wohnungseinrichtungen verbracht, der Abend mit der Familie, die anfängliche Nacht mit flüchtiger Arbeit, jetzt über Deinem Brief, liebstes Mädchen, fängt etwas spät mein eigentlicher Tag an.

Das soll also die traurige kleine Schreibmaschinistin von Weißensee sein? Aber sie ist doch munter und frisch und bringt durch die Beugung ihres rechten Knies fast die ganze etwas steife Reihe der andern ein wenig fürchterlich christlich aussehenden Mädchen in Marschbewegung. Hattest Du unter ihnen Freundinnen? Sag es,

---

[1] Felicens jüngere Schwester, die ebenfalls als Stenotypistin bei der Firma Carl Lindström (Berlin) tätig war.

und sie werden mir sofort lieb sein, selbst die große furchterregende Schwarzgekleidete wird mir dann lieb und vertraut sein. Mit welchem prüfenden Blick Du aus dem Bild hervorschaust! Wie Dich Deine rechte Nachbarin fest in der Taille hält, als wüßte sie wirklich ganz genau, wen sie hält. Du hast ein Buch in der Hand, was ist es für ein Buch? Dort in Weißensee habt Ihr wohl ein richtiges Landleben geführt. Die Büsche, der Zaun, die Glastüre im Hintergrund sehen wenig bureaumäßig aus. Ich wüßte so gern etwas von Dir aus jener Zeit, wo Du noch so glücklich warst, nur unter dem Bureau zu leiden. Wie war Deine Vorgesetzte? Du liefst ihr wohl nicht mit einer Rose zur Schneiderin nach, wenn sie böse war? Und wie war der Kampf mit der Sekretärin in Deiner jetzigen Stellung? Was hat ihn entschieden?

Vorläufig, Liebste, schicke ich Dir keine Photographie. Die nächste soll das gute Bild sein, von dem ich Dir geschrieben habe, ohne es allerdings noch bestellt zu haben, denn es ist ein wenig umständlich zum Photographen zu gehn, aber in den nächsten Tagen tue ich es. Aus allerletzter Zeit habe ich kein Bild, Gruppenaufnahmen habe ich wenigstens keine im Besitz, auch haben mir die Gruppen, in denen ich gelebt habe, keine große Freude gemacht (Mädchen unter Mädchen leben besser und wärmer als Männer unter Männern) und die andern Bilder will ich vorläufig nicht schicken, weil ich Angst bekommen habe, daß ich auf allen, ohne Schuld und ohne Richtigkeit, ein wenig merkwürdig ausschaue. Erzählen freilich muß ich Dir noch vieles, da wollen wir uns an den Sonntagen in die alten Zeiten werfen.

Aber Liebste, ich schreibe da ruhig weiter und Du bist vielleicht krank? In dem Brief nach Schillings Flucht sprichst Du gar von der Möglichkeit einer Influenza. Gottes willen, Liebste, der mein Leben gehört, schone Dich! Ich gestehe, daß ich, wenn der Gedanke an Dein Kranksein kommt, nicht zuerst daran denke, daß Du leidest, sondern daß ich dann möglicherweise keine Nachricht von Dir bekomme und mich dann, herumgejagt vor Verzweiflung, an allem wundschlagen werde, was mich umgibt. Am Dienstag hatte sich der Halsschmerz zum Schnupfen gelöst, das ist doch wohl eine Besserung in diesen mir ganz unbekannten Erkältungen. Aber die Kopfschmerzen halten Dich noch? Ich sehe, wie Du, nachdem Du den letzten Brief geschlossen hast, das Aspirin hervorholst und schluckst; ich schaudere.

Ich war also heute bei Brods, ich wäre sowieso hingegangen, aber einen besonderen Grund zur Eile hatte ich nach Deinem zweiten Morgenbrief deshalb, weil ich – das ist zweifellos närrisch – noch die Karte erwischen wollte, die Du an Sophie F. [Friedmann] geschrieben hast, denn ich kann gar nicht genug Geschriebenes von Dir sehn. Ich freute mich ganz wild darauf, diese an einen andern gerichtete Karte ein Weilchen lang in Händen zu halten, sie langsam zu lesen und mir dabei sagen zu können: »Es ist von dem liebsten Mädchen.« Alles verlief ausgezeichnet, ich hatte die Fragen harmlos arrangiert, trieb alle vorsichtig zu der entscheidenden Antwort hin, um dann aber schließlich zu hören, daß Herr Dir. Brod Sophies Post, darunter allerdings auch Deine Karte, ihr nach Wien vor etwa ½ Stunde nachgeschickt habe. Ich mußte mich zurückhalten, um nicht auf den Tisch zu schlagen.

Infolge des Sturmwetters draußen – vor einem Augenblick hat sich durch die allgemeine Erschütterung die allerdings schlecht schließende Wohnzimmertür von selbst geöffnet – muß ich die Uhr von draußen – ich weiß gar nicht, welche es ist, man hört sie nur in der Nacht – vollständig überhört haben, denn es ist schon ¼4. Also leb wohl meine Liebste. Nein, so dachte ich das Alleinsein mit Dir nicht, wie Du es meinst. Wenn ich etwas Unmögliches wünsche, will ich es ganz. Ganz allein also, Liebste, wollte ich mit Dir sein, ganz allein auf der Erde, ganz allein unter dem Himmel und mein Leben, das Dir gehört, unzerstreut und ganz gesammelt in Dir führen.

Franz

vom 19. zum 20. XII. 12

So, mein liebstes Mädchen, nun ist wieder Abend nach einem durchwachten Nachmittag geworden (durchwachter Nachmittag klingt ärger als durchwachte Nacht), geschrieben wird nichts mehr, nur noch an dieses Mädchen, an das man immerfort schreiben, von dem man immerfort hören, bei dem man immerfort sein, in dem man am liebsten vergehen möchte.

Aber ich bitte Dich, Du Liebste, antworte doch einmal rund heraus, wie ist denn das? Du, die Du mir schriebst, daß Du niemals krank seist (ich hatte Dich gar nicht danach gefragt, denn man sah Dir doch die Gesundheit von den Wangen und Augen ab), Du wanderst jetzt bei den Ärzten herum, Du leidest seit Wochen wohl jeden Tag, man sagt Dir zum Spaß und meint es doch im halben Ernst, Du sähest aus wie eine Leiche auf Urlaub (eine Redensart, die mir sehr gefiele, wenn sie nicht gerade auf Dich angewendet würde), Du hattest in der letzten Zeit Kopfschmerzen, Halsschmerzen, Mattigkeit und alles dieses wiederholt und ohne daß es es eigentlich aufhörte – Liebste, das können wir doch nicht ruhig hinnehmen, wie? Da müssen wir doch Ordnung zu machen suchen, nicht? Also wie wirst Du nun anfangen Dich zu schonen, darüber mußt Du mir sofort und genau schreiben, denn ich bin an Deinen Leiden genau so beteiligt wie Du. Ich bekomme nicht gerade Halsschmerzen, wenn Du Halsschmerzen hast, aber wenn ich es höre oder ahne oder auch nur fürchte, leide ich darunter auf meine Weise nicht weniger. Und noch mehr leide ich unter Deiner Müdigkeit und noch mehr unter Deinen Kopfschmerzen. Und wenn Du dann Aspirin nimmst, dann wird mir auch körperlich übel. Heute während der ganzen Nacht, also von ¼4 bis ½8, und noch am Beginn des Vormittags fühlte ich einen fremdartigen Druck in mir, wie ich ihn in den 30 Jahren meines bisherigen Lebens niemals an mir erkannt habe, er ging nicht vom Magen, nicht vom Herzen, nicht von der Lunge aus, aber vielleicht von allen insgesamt. Am Tageslicht verlor er sich. Wenn Du gestern Aspirin genommen hast, so war es bestimmt die Folge dessen, wenn nicht, dann war es die Folge des vorigen Aspirins, wenn auch das nicht, so war es vielleicht die Folge des schlechten Schreibens und wenn schließlich selbst das nicht, dann bin ich vielleicht bloß ein Narr, der Dir die Hände in Gedanken so oft an die Schläfen legt und seinen Küssen die Kraft wünscht, Dir alle Kopfschmerzen aus der grauesten Vergangenheit bis in Deine goldene Zukunft von der Stirne zu küssen. Antworte also, Liebste, was wirst Du tun, so darf es doch nicht weitergehn. Du mußt Dir genug Zeit zum Schlafen und Spazierengehn verschaffen, koste es, was es wolle. Du mußt gleich nach Bureauschluß das Bureau verlassen, Du mußt spazierengehn, und zwar nicht allein entlang der Stadtbahn, sondern in der Gesellschaft, die Dir paßt. (Ja gehst Du denn nicht schleifen? Vom Turnen höre ich auch schon längere Zeit nichts mehr.) Wenn man die Arbeit beim Professor unterbrechen könnte, wäre es gewiß auch nicht schlecht; mir kannst Du abend schreiben, gewiß, bei Tag hast Du ja keine Zeit, und mich selbst dazu zu verurteilen, nicht jeden Tag Nachricht von Dir zu haben, dazu fehlt mir durchaus die Kraft; aber ich will die Zähne zusammenbeißen, und dann wird mir eine Karte täglich solange genügen, solange Du nicht vollständig, bis in den Grund hinein, dauernd, auch Deine Mutter überzeugend, so frisch und ausgeruht bist, wie Du es früher warst. Ich bin begierig auf den großen Beifall, den meine Vorschläge finden werden (für den Fall habe ich dann noch ganz andere in Bereitschaft) und die übrigen gleichwertigen Vorschläge, mit welchen Du die meinen noch ergänzen wirst.

Bis Du dann wieder so kräftig bist, dann will ich allerdings viel, viel über Deine Kindheit hören, Dein letzter Brief hat mir eine unsinnige Lust darauf gemacht. Es hat ja natürlich Nachteile, ein spätgeborenes Kind zu sein, aber die Vorteile gegenüber den Erstgeborenen, von denen ich ein trübsinniges Musterbeispiel bin, sind doch sehr groß. Diese Spätgeborenen haben um sich herum gleich eine solche Mannigfaltigkeit zum Teil der schon durchkosteten, zum Teil der erst angestrebten Erlebnisse. Erkenntnisse, Erfahrungen, Erfindungen, Eroberungen ihrer übrigen Geschwister und die Vorteile, Belehrungen, Aufmunterungen eines so nahen, so beziehungsreichen verwandtschaftlichen Lebens sind ungeheuer. Auch ist für sie die Familie schon viel sorgfältiger ausgebildet, die Eltern sind, soweit es bei ihnen möglich ist, durch Fehler belehrt worden (allerdings auch durch Fehler eigensinniger geworden), und diese später Geborenen sitzen einfach von selbst schon wärmer im Nest, man kümmert sich zwar weniger um sie, da schwankt Vorteil und Nachteil, und niemals wird der Nachteil schwerer, aber sie brauchen es gar nicht, denn alles sorgt sich unbewußt und darum besonders eindringlich und unschädlich um sie. Ich bin der älteste von sechs Geschwistern, zwei Brüder, etwas jünger als ich, starben als kleine Kinder durch Schuld der Ärzte, dann war eine Zeitlang still, ich war das einzige Kind, bis dann nach 4, 5 Jahren die drei Schwestern durch 1, beziehungsweise durch 2 Jahre getrennt anmarschierten. So habe ich sehr lange allein gelebt und mich mit Ammen, alten Kindermädchen, bissigen Köchinnen, traurigen Gouvernanten herumgeschlagen, denn meine Eltern waren doch immerfort im Geschäft. Von dem allen ist viel zu erzählen. Aber nicht in dieser Nacht deren 12te Stunde gerade zu meinem Schrecken schlägt. Leb wohl, meine Liebste, und auf die Gefahr hin, Dich zu wecken, auf die Gefahr hin, Dich zu wecken, ich küsse Dich.

Franz

Aber Liebste, woher kommt nur diese Deine Unruhe, leben wir denn nicht gerade so friedlich nebeneinander, als es nur in diesem Jammer möglich ist? Was überkommt Dich? Du bist gleichzeitig die Ruhe und die Aufregung meines Herzens, stelle Dir meinen Herzschlag vor, wenn Du in einem solchen Zustande bist. Ich habe Deinen Brief mit heißen Wangen so oft gelesen in der Hoffnung, irgendein Friede, irgendeine Fröhlichkeit würde sich doch irgendwo zeigen. Es ist gewiß nur die Laune eines unglückseligen Abends gewesen, und auch mein aufgeregter Fetzen aus dem Bureau, den ich nun doch schon mitschicke, ist eigentlich nicht mehr wahr. Denn ich weiß, morgen kommt wieder ein zuversichtlicher Brief meines starken Mädchens, das nur für eine Mitternachtsstunde von der Müdigkeit und schrecklichen Plage so hingeworfen wurde.

Ich habe mit der besten Absicht den zweiten täglichen Brief gelassen, weil ich dachte, wir würden beide mehr Ruhe und mehr Vertrauen bekommen. Dieses zweimalige Anknüpfen und zweimalige Abreißen täglich war für mich schrecklich und hat mich durch den Vormittag und dann wieder durch den Nachmittag ununterbrochen gejagt und geängstigt. Ein solches nutzloses Andrängen an etwas Unmögliches, d. h. an Deine Gegenwart, muß aber nicht nur mich, sondern auch Dich, Liebste, immer von neuem entsetzen. Aber vielleicht hast Du doch recht. Einmal täglich muß ich Dir schreiben, sonst würde ich lieber alles lassen, sonst wüßte ich nicht, wohin mit mir – und die Gegenwart wird damit doch auch nicht erreicht, nun so werde ich wieder zweimal schreiben, wenn es Dir nur einen Hauch mehr Ruhe gibt. Daran liegt es nicht, ob ich in der Stimmung bin für jenen Brief an Dich, daran liegt es nicht, daran liegt es aber, ob ich bei zweimaligem Schreiben noch die Stimmung für das übrige, was man rings um mich verlangt, auch nur halbwegs aufbringe. Denn dieses Gefühl der Zusammengehörigkeit mit Dir, das ich im Innersten habe, durch dieses zweimalige Schreiben mir völlig ums Gesicht schlagen lassen, das ist doch vielleicht ein Wagnis in dieser traurigen Ferne, in der ich leben muß.

Nun laufe ich aber wieder, denn ich muß zum Max bei einem Notariatsakt assistieren. Ja heute hast Du ja vor Gericht geschworen und wieder Unannehmlichkeiten gehabt. Laß Dich küssen, liebstes, bleiches, geplagtes Kind! Der, welcher sich da unterschreibt, gehört

Dir nicht wie eine Sache in Deinem Zimmer, sondern so, wie Du willst und für immer.

Dein Franz

[Beigelegt auf einem Formular – List objednávací – der Arbeiter-Unfall-Versicherungs-Anstalt]

Liebste, nur um mir die Sorge um Dich für einen Augenblick zu erleichtern, schreibe ich auf dieses Papier, das mir gerade zunächst liegt. Bitte, bitte, sei nicht so unruhig, das kann ja gar nicht gut enden. Könnte ich Dich doch da auf den Sessel neben mich niedersetzen, Dich halten und Dir in die Augen sehn. Es ist etwas vom Irrenhaus in meinem Leben. Unschuldig und freilich auch schuldig bin ich, nicht in eine Zelle, aber in diese Stadt eingesperrt, rufe das liebste Mädchen an, will sie ruhig und glücklich haben, aber tatsächlich rufe ich nur die Mauern und das Papier an und mein armes Mädchen leidet.

Franz

vom 20. zum 21. XII. 12

Der dritte Abend schon, Liebste, an dem ich nichts geschrieben habe, ein schlechter Anlauf vor Weihnachten. Und die Weihnachtsferien selbst werden zweifelhaft, die Hochzeit meiner Schwester ist zwar – ich glaube, ich habe es Dir noch nicht geschrieben – aus Kriegsfurcht verlegt worden, aber es ist höchst unsicher, ob ich mir die zwei Urlaubstage, auf die ich gehofft habe, werde nehmen können. Ich habe andauernd sehr viel zu tun und je mehr kommt, desto kleiner wird meine Lust oder besser desto größer mein Widerwillen. Solange ich selbst im Bureau bin, kann ich diesen hoch mit Rückständen bedeckten Tisch mit Einsetzung allerdings schon des letzten persönlichen Einflusses noch verteidigen, bleibe ich aber zuhause, dann steht mein Tisch allen frei und es ist gar nicht anders möglich, als daß tagsüber ununterbrochen einander ablösend kleine Explosionen von Rückständen stattfinden, was mir nach meiner Rückkehr sehr unangenehm werden könnte. Aber trotzdem – wie ich es hier so niederschreibe, finde ich es unerträglich, die zwei Tage zu verschwenden, denn viel mehr als die Verteidigung meines Schreibtisches würde ich nicht fertigbringen, und so werde ich es wahrscheinlich doch noch wagen.

Wie ist es denn mit Deiner Arbeit, mein Mädchen? (Ich habe heute das Gefühl, daß Du jetzt ruhiger, zufriedener bist und daß aus Deinen lieben Augen wieder jener freundliche und doch beherrschende Blick kommt, der mich für Zeit und Ewigkeit getroffen hat.) Wirst Du denn immer mit aller Arbeit fertig? Fallen keine Briefe unter den Tisch und verschwinden? Gibt es kein Geheimfach, wo sich alte, unerledigte Sachen wie ekelhafte Tiere drängen? Hast Du ein gutes Gedächtnis? Ich habe keines und arbeite nur mit dem allerdings grenzenlosen Gedächtnis meines auch sonst bewunderungswürdigen Chefs. Hat er einmal wirklich etwas vergessen, was ich brauche, so fange ich seine Erinnerung mit unsichern, allgemeinen Bemerkungen zu locken an, und es dauert nicht lange und er weiß es. Es gibt Menschen, die nur ein hilfsbereites Gesicht, und sei es das Gesicht eines noch so ohnmächtigen Menschen, vor sich haben müssen, um sich sofort an alles zu erinnern. So selbständig wie Du wohl arbeitest, könnte ich gar nicht arbeiten, Verantwortungen weiche ich aus wie eine Schlange, ich habe vielerlei zu unterschreiben, aber jede vermiedene Unterschrift scheint mir ein Gewinn, ich unterschreibe auch alles (trotzdem es eigentlich nicht sein darf) nur mit FK, als könne mich das entlasten, deshalb fühle ich mich auch in allen Bureausachen so zur Schreibmaschine hingezogen, weil ihre Arbeit, gar durch die Hand des Schreibmaschinisten ausgeführt, so anonym ist. Ergänzt und aufgehoben wird allerdings diese sonst lobenswerte Vorsicht dadurch, daß ich mit jenem FK auch die wichtigsten Sachen, ohne sie durchzulesen, unterschreibe und daß infolge meiner Vergeßlichkeit alles, was einmal von meinem Tische wegkommt, für mich niemals vorhanden gewesen ist. Ob ich, der ich mich letzthin um einen Platz in Deinem Bureau beworben habe, durch das alles sehr empfehlenswert werde?

In Deinem heutigen Brief ist ein Tagebuch erwähnt? Existiert das noch? Wird es auch noch heute geführt? Und diesen Wortlaut »ich liebe ihn und niemals, wer auch je meinen Weg kreuzen...« hast Du mit 15 Jahren niedergeschrieben? Liebste, hätte ich Dich doch damals gekannt! Wir wären nicht so weit von einander entfernt, glaube ich. Wir würden an einem Tische sitzen, aus einem Fenster auf die Gasse sehn. Wir würden nicht einer um den andern zittern, es gäbe keine Unmöglichkeit. Aber dann sage ich mir wieder, und darin zeigt sich die Bedingungslosigkeit des Ganzen, vor zehn Jahren, aber auch noch vor zwei und selbst vor einem war ich in vielem leider besser, im Wesen aber viel unsicherer und selbst unglücklicher als heute, und so ist es vielleicht wieder jetzt die richtige Zeit für das Erscheinen jenes Menschen gewesen, der mir der liebste auf der Erde werden sollte.

Heute suchte ich etwas auf meinem Schreibtisch zuhause (auch dieser Schreibtisch läßt sich nicht ordnen, man kann bloß in ihm suchen; nur ein Schubfach ist geordnet und versperrt, dort sind Deine Briefe), da habe ich einen alten Brief gefunden, der aus jener einmonatlichen Wartezeit stammt und Dir gehört und den ich Dir deshalb, trotz seines nicht sehr gefälligen Zustandes schicke. Wenn ich ihn lese, er hat leider kein Datum, so sehe ich unter unsinnigen weitern Hoffnungen (wie vieles schreibe ich gegen meinen Willen, nur weil es aus mir hervorgestoßen wird; schlechter, elender Schriftsteller!), daß alles so viel schöner geworden ist und daß man glauben möchte, daß der gute Stern, der uns geführt hat, niemals über uns auslöschen wird. Kind, wie schreibst Du nur heute so sonderbar! Fahnenflüchtig könnte ich werden? Welche Fahne wäre das? Es müßte höchstens die Fahne meines Lebens sein. Und das geschieht mit Willen nicht; dazu fühle ich mich trotz alles Jammers allzusehr mitten im Kampf. Also mit Willen und von meiner Hand geschieht es nicht.

Und nun leb wohl, Mädchen, Mädchen! Ich wünsche Dir einen schönen Sonntag, freundliche Eltern, feines Essen, langes Spazierengehn, freien Kopf. Morgen fange ich wieder mein Schreiben an, ich will mit aller Kraft hineinreiten, ich fühle, wie ich mit unnachgiebiger Hand aus dem Leben gedrängt werde, wenn ich nicht schreibe. Und morgen habe ich vielleicht einen weniger trüben Brief als den heutigen *aber einen ebenso wahrhaftigen,* denn Rücksichtnahme schmerzt mich mehr als Wahrheit.

Franz

[Beigelegt der nicht datierte Brief »aus jener einmonatlichen Wartezeit«: 28. September – 23. Oktober 1912]

Gnädiges Fräulein!

Lassen Sie mich Ihnen schreiben, auch wenn Ihre Antwort auf meinen letzten Brief noch sehr im Unsichern ist; das Nichtschreiben macht mir Kopfschmerzen, es macht Sie mir unsicher und mich selbst. Es entstehen in mir beginnende Gewohnheiten, die es mir zur Pflicht machen, Ihnen zu schreiben, wie könnte ich mich von dieser nicht zu regierenden Pflicht durch ein Nichtantworten von Ihrer Seite befreien. Es gab eine Nacht, wo ich im Halbschlaf ununterbrochen Briefe an Sie schrieb, im Gefühl war es ein ununterbrochenes kleines Hämmern.

Franz K

21.XII.12

Ein Anhang aus der Gegenwart: Bitte schreibe mir von Sonntag ab in die Wohnung für jeden Fall. Erst nächsten Freitag möchte ich die Briefe wieder ins Bureau bekommen. Und wohin soll man Dir schreiben?

[Ansichtskarte] 21.XII.12

Allererste Morgengrüße. Eben mache ich mich zu einem so ungeheueren Spaziergang bereit, wie ich mich nicht erinnern kann, ihn seit Wochen gemacht zu haben. Vielleicht wird er sogar eine Stunde lang dauern. Dann werde ich mir auch Mühe geben, dieses Alchymistengäßchen, so wie es hier abgebildet ist, einmal auf und ab zu gehn.

FK

[Rechts oben, in dem für die Frankierung vorgesehenen Raum]
Ach Liebste, es hilft nichts, ich kann die Karte nicht so offen fortschicken. Was wäre das denn für eine Nacht, an deren Vorabend ich Dir nicht Küsse geschickt und mir genommen hätte?

Franz

Vormittag 22.XII.12

Weißt Du Liebste, daß mich die Geschichte von Hr[n]. Neble, vorausgesetzt daß sie der einzige Grund Deiner Niedergeschlagenheit in den letzten Tagen war, geradezu überglücklich macht. Das war also alles? Arg genug natürlich mag es gewesen sein. Daß Du aber darin Siegerin bleibst, hätte ich Dir gleich voraussagen können; den Dir. Heinemann beneide ich um seine wunderbare Rolle, die ich noch viel schöner hätte spielen wollen. »Schließen Sie einmal die Tür, Frl. Bauer«, hätte ich auch gesagt. Und dann hättest Du auch erzählen müssen, denn schließlich bist Du ja mir gegenüber nicht viel weniger verschwiegen als gegenüber Deinem Direktor; warum, frage ich mich, habe ich von der Geschichte dieses Neble nicht gleich am ersten Tag erfahren dürfen? Aber wie ich mir hätte erzählen lassen, wenn ich Dein Direktor wäre! Nacht wäre es geworden und Morgen, und das Personal wäre schon zu neuer Arbeit gekommen und Du hättest noch immer auf meine unendlichen Fragen unendlich erzählen müssen. Nur eines hätte ich wahrscheinlich schlechter gemacht als Dein Direktor; bei Deinen ersten Tränen hätte ich möglicherweise trotz meiner sonstigen Tränenlosigkeit sehr undirektorialmäßig mitweinen müssen. Und es wäre mir, um die Würde zu wahren, nichts übrig geblieben, als mein Gesicht an Deines zu legen, um die Tränen ununterscheidbar sich vermischen zu lassen. Liebste, liebste Felice! Was für Leiden werden noch über Dich geschickt!

Gerätst Du leicht in Zorn? Ich nicht eigentlich, wenn ich aber einmal in ihn komme, dann fühle ich mich wirklich Gott näher als sonst. Wenn sich das Blut mit einem Male von oben bis unten erhitzt, die Fäuste in den Taschen zucken, der ganze versammelte Besitz von jeder Selbstbeherrschung sich lossagt und diese Ohnmacht, sich zu beherrschen, von der andern, und zwar der eigentlichen Seite aus gesehn eine Macht bedeutet, dann erfährt man, daß der Ärger nur in seinen niedrigen Anfängen vermieden werden soll. Erst gestern abend war ich sehr nahe daran, einen Menschen zu ohrfeigen, und zwar nicht nur mit einer Hand, sondern mit beiden, und nicht nur einmal, sondern fortgesetzt. Schließlich habe ich mich doch mit Worten begnügt, aber sie waren tüchtig. Es ist gar nicht unmöglich, daß die Erinnerung an diesen Neble mitgewirkt hat.

———

Nachmittag

So, meine liebste Felice, nun bin ich wieder bei Dir. Gestern abend, als ich von dem großen Spaziergang zurückgekommen war, ich hatte ihn allein machen wollen – aber auf dem Weg zum Bahnhof war ich der ganzen Verwandtschaft begegnet, die gerade von meiner verheirateten Schwester kam, und meine jüngste Schwester und eine Cousine gaben mit Bitten nicht nach und ich mußte sie mitnehmen – als ich also von jenem Spaziergang nachhause kam, fiel es mir ein und ließ mich lange nicht los: Ob Du mir nicht böse bist wegen meines übernervösen zweiten Samstagbriefes oder eigentlich nicht böse (denn Unrechtes hatte ich doch nichts geschrieben), aber enttäuscht darüber, daß auch ich nicht der Rechte bin, demgegenüber man rücksichtslos – und das ist ja das schönste, erleichterndste Klagen – also ganz rücksichtslos gegen sich und die Umwelt klagen kann? Und ich hatte mit meiner Sorge gestern abend nicht ganz unrecht, das glaube ich aus Deinem Expreßbrief zu sehn. Dort steht z. B.: »Als Dein Brief mit der 10 Uhr Post heute kam, war ich noch trauriger, noch bedrückter als vorher.« Was ist das doch für ein prächtiger Liebhaber, der solche Briefe an die Geliebte schreibt und ihr Leid vermehrt. Nein höre, Liebste, Du verläßt mich nicht, das hast Du mir schon oft gesagt, aber ich will in allem, in allem Dir ganz nahe sein, verlaß mich mit nichts, was Du hast, verlaß mich also auch mit Deinen Klagen nicht. Bleib mir ganz, Liebste, bleib mir, wie Du bist, nicht ein Härchen auf Deinem Kopf wollte ich anders gebogen haben, als es ist. Werde nicht lustig, wenn Du es nicht bist. Zur Fröhlichkeit genügen nicht Entschlüsse, es sind außerdem auch fröhliche Verhältnisse nötig. Du wirst mir gar nicht besser gefallen, wenn Du besser aussehn wirst, sondern Du wirst mir bloß genau so gut gefallen wie jetzt. Die Nähe, in der ich mich bei Dir fühle, ist zu groß, als daß irgendwelche Unterschiede Deiner Laune, Deines Aussehns auf mein Verhältnis zu Dir wirken könnten. Ich werde bloß unglücklich sein, wenn Du unglücklich sein wirst und ich werde aus Liebe zu Dir ebenso wie aus Eigennutz das Unglück zu beseitigen suchen – ein anderer Einfluß des Unglücks wird nicht zu merken sein. Außer eben in flüchtigen, während des Tages hingeschmierten Briefen, in denen man über die augenblickliche nichtssagende Erregung nicht herauskommt. Wieder eine Warnung übrigens vor dem zweimaligen Schreiben.

Und klage ich denn nicht? Es ist ja schon fast ein Heulen! Gestern z. B. bin ich im Bureau vollständig zusammengeklappt. Den Kopf hatte ich voll Schlafsucht (dabei habe ich schon nächtelang nichts geschrieben, außer an Dich), wo ich mich anlehnte, dort blieb ich auch lehnen, in meinen Lehnsessel fürchtete ich mich zu setzen, aus

Angst nicht mehr aufstehn zu können, vom Federhalter benutzte ich nur das untere Ende, um es mir beim Lesen von Akten in die Schläfen zu drücken und mich so wachzuhalten – nachmittag schlief ich dann ein wenig aber abend war mir noch immer nicht besser, darum machte ich dann den Spaziergang, schlief aber wieder nur ganz leicht wie auf der Wache. Wenn schon nicht mit den Armen, so wollen wir uns, Liebste, doch mit Klagen umarmen.

Franz

22.–23.XII.12

Liebste, ich bin in ziemlicher Verwirrung, nimm mir die Unklarheit dessen, was ich schreiben sollte, nicht übel. Ich schreibe an Dich, weil ich ganz von Dir erfüllt bin und dies irgendwie in der Außenwelt bekanntmachen muß. Ich bin den Sonntag in einem elenden Zustand herumgestrichen, war meist mit Leuten beisammen, habe gar nicht geschlafen, bin unerwartet bei Bekannten erschienen, bin unerwartet weggegangen, so war mir wohl schon seit Monaten nicht gewesen. Ich habe eben schon allzulange nicht geschrieben und fühle mich vom Schreiben ein wenig losgelöst, d. h. im Nichts. Dazu kommt noch, daß ja jetzt die ersehnten Weihnachtsferien da sind und ich im Begriff bin, sie luderhaft zu verschwenden. Unter dem allen drückt sich freilich auch noch der Gedanke herum, daß ich in Berlin sein könnte, bei Dir, in meinem besten Schutz und statt dessen halte ich mich an Prag fest, als fürchtete ich sonst die letzte Sicherheit zu verlieren und als wärest Du eigentlich hier in Prag.

Liebste, als ich gestern abend in solchen schönen Launen nachhause kam und Dein Telegramm auf dem Tische fand, Du liebstes, mitfühlendes Herz, da war ich gar nicht erschrocken, sondern wußte gleich, daß nichts als Trost darin enthalten sein konnte, und als es dann wirklich so war, küßte ich dieses fremde Papier lange mit geschlossenen Augen, bis es mir nicht mehr genügte und ich es ganz gegen das Gesicht drückte.

———

Zu welcher Zeit das Vorige geschrieben war, das würdest Du, Liebste, gewiß nicht erraten. Es dürfte 4 Uhr gewesen sein. Ich hatte mich unter der Herrschaft des Telegramms sehr früh schlafen gelegt, vor 9 Uhr (ich gehe mit mir ein wenig willkürlich um), war um 2 Uhr aufgekommen und hatte wach mit offenen Augen, aber noch unter dem Einfluß des Schlafes und darum in ununterbrochenen und etwas zauberhaften Vorstellungen an Dich und an eine mögliche Berliner Reise gedacht. Es ergaben sich schöne leichte Verbindungen ohne jede Störung, die Automobile flogen wie Liebende, Telephongespräche klappten als hielte man sich währenddessen bei der Hand, ich will lieber gar nicht weiter daran denken – je wacher ich wurde, desto unruhiger wurde ich auch, stieg dann gegen 4 aus dem Bett, turnte, wusch mich und schrieb für mich zwei Seiten, ließ aber auch das vor Unruhe, schrieb dann die vorigen zwei Seiten, ließ dann auch das und ging mit brummendem Kopf ins Bett zurück, wo ich bis 9 Uhr früh in einem schweren Schlafe liegen blieb, in dem übrigens auch Du erschienen bist zu einem kleinen Gespräch in einer befreundeten Familie. – Diese ganze sonderbare Lebensweise hat natürlich ihren Grund nur darin, daß ich erstens lange nichts geschrieben habe und zweitens fast frei bin, ohne mich bisher daraufhin eingerichtet zu haben.

Liebste Felice! Dein Franz

[Da die beiden Namen des Platzmangels wegen dicht nebeneinander stehen, schrieb Kafka dazu an den Rand] So sind wir wenigstens hier beisammen.

[Beigelegt, auf einem einzelnen Blatt]   [23.Dezember 1912]

Eben ist Dein Brief von Samstag nacht gekommen. Den beantworte ich erst nachmittag, sonst bekämest Du diesen Brief nicht mehr rechtzeitig um 9. Wird sich jetzt wirklich alles so bessern, wie es nach diesem Brief den Anschein hat? Möge es Gott geben. Im übrigen beschämt mich Dein Brief durch seine Festigkeit und gute Laune, aber ich werde auch schon wieder hochkommen. Ach wenn das Frl. Lindner wüßte, wie schwer es ist, so wenig zu schreiben, als ich es tue! Letzthin erwähntest Du eine platzen wollende Bombe. Das Eintreten der Mutter unterbrach Dich im weitern Schreiben. Wie ist es mit jener Bombe gewesen? – Laß mich Dir, Liebste, mit Küssen lieber statt mit Worten sagen, wie ich Dich liebe.

Franz

Liebste Felice, ich habe also diese zwei kostbaren Tage so eingeteilt, daß ich Vormittag auf ein Weilchen ins Bureau gehe, um die Post anzuschauen, im übrigen aber als freier Mann lebe. Samstag und Sonntag, bis auf das kurze Schreiben in der Nacht, sind vertrödelt worden, aber das ist doch noch nicht so arg, Liebste. Sag, daß es noch nicht so arg ist.

Allmählich fange ich übrigens an, in den Genuß dieses Wohllebens einzudringen und die Verwirrung des gestrigen Tages und der Nacht verliert sich allmählich. Was sagst Du zu meinem Einfall, Dein gestriges Telegramm einrahmen zu lassen und über meinem Schreibtisch aufzuhängen. Aus Deinem Samstagnachtbrief sehe ich ja jetzt, daß Du den Einfall zu telegraphieren schon Samstag hattest, aber trotzdem – was dachtest Du Liebste bei dem Aufgeben des Telegramms, da Du doch die Bedeutung, die es für mich bekam, gar nicht ahnen konntest, besonders da mein Brief, den Du Vormittag bekommen hattest, meiner Erinnerung nach verhältnismäßig ruhig war. Und außerdem wolltest Du ursprünglich das Telegramm vormittag aufgeben; hätte ich es aber vormittag bekommen, so wäre es für mich nur (nur! nur!) das Zeichen Deiner Liebe und Güte gewesen, aber abend (Du scheinst es um 4 Uhr aufgegeben zu haben) hat es mich geradezu vom Boden aufgerichtet. Die Nähe eines solchen Telegramms ist etwas ganz anderes als die Ferne, aus der die Briefe langsam herwandern. Nun weiß ich ja auch, daß es mit Dir, also mit uns beiden, bis 4 Uhr nachmittag gut stand, wenn ich auch noch keinen Sonntagsbrief bekommen habe. Vielleicht kam der Brief später ins Bureau, früh war er nicht dort, jedenfalls werde ich noch nachschauen, vielleicht hast Du Dich in der Adresse geirrt. Den heutigen Nachtbrief adressiere ich jedenfalls schon in Deine Wohnung. Deine Vorsätze, Liebste, sind ausgezeichnet, und wenn Du sie genau einhältst, werde ich eine musterhafte Geliebte haben. Aber das mußt Du ja auch sein, wenn Du einen so verlotterten Liebsten hast. Wenn Du keine roten Wangen hast, wie soll ich sie bleich machen, da das doch mein Beruf ist. Wenn Du nicht frisch bist, wie soll ich Dich müde machen, wenn Du nicht lustig bist, wie soll ich Dich betrüben. Liebste, meine Liebste, aus Liebe wollte ich, nur aus Liebe, mit Dir tanzen, denn ich fühle jetzt daß das Tanzen, dieses Sichumarmen und Sichdabeidrehn, untrennbar zur Liebe gehört und ihr wahrer und verrückter Ausdruck ist. Ach Gott, viel habe ich geschrieben in diesem Brief, aber mein Kopf ist ebenso voll von Liebe, wie von Mitteilbarem.

Dein Franz

vom 23. bis 24. [Dezember 1912]

Liebste, wie wird es nun sein, wenn ich nicht mehr werde schreiben können? Der Zeitpunkt scheint gekommen; seit einer Woche und mehr bringe ich nichts zustande, im Lauf der letzten zehn Nächte (bei allerdings sehr unterbrochener Arbeit) hat es mich nur einmal fortgerissen, das war alles. Ich bin fortdauernd müde, Schlafsucht wälzt sich mir im Kopf herum. Spannungen oben auf dem Schädel rechts und links. Gestern habe ich eine kleine Geschichte angefangen, die mir so sehr am Herzen lag und sich mit einem Schlag vor mir zu öffnen schien, heute verschließt sie sich völlig[1]; wenn ich frage, wie es sein wird, denke ich nicht an mich, ich habe schon ärgere Zeiten durchlebt und lebe noch beiläufig fort, und wenn ich nicht für mich schreiben werde, werde ich mehr Zeit haben, an Dich zu schreiben, Deine erdachte, erschriebene, mit allen Kräften der Seele erkämpfte Nähe zu genießen – aber Du, Du wirst mich nicht mehr lieb haben können. Nicht weil ich nicht mehr für mich schreiben werde, sondern weil ich durch dieses Nichtschreiben ein schlechterer aufgelösterer, unsicherer Mensch werde, der Dir gar nicht wird gefallen können. Liebste, wenn Du die armen Kinder auf der Gasse glücklich machst, tue es auch bei mir, ich bin nicht weniger arm, Du weißt gar nicht, wie nahe ich dem alten Mann stehe, der am Abend mit dem unverkauften Vorrat nachhause geht – sei also auch zu mir so, wie Du zu den allen warst, selbst wenn sich Deine Mutter, wie auch wegen der andern, so auch hier, ärgern sollte (jedem ist seine Plage unbedingt auferlegt, so also den Eltern der Ärger über das schuldlose Wesen der Kinder): der langen Bitte kurzer Sinn, sag mir, daß Du mich liebbehalten wirst, wie ich auch sein werde, liebbehalten um jeden Preis, es gäbe keine Entwürdigung, die ich nicht auf mich nehmen würde – aber wo treibe ich da hin? Das sind also die Gedankenkreise dieses Gehirnes in den Ferien, wenn es sich ausruht! *Habe ich nicht bei solchen Umständen allen Grund, mich*

---

[1] Vgl. Brief vom 25. zum 26. Dezember, 1. Abschnitt, S. 207 f. Das Fragment dieser Erzählung ist offenbar nicht erhalten.

ordentlich ans Bureau zu halten, wie der Wind alle Rückstände durch-
zuarbeiten und ein ordentlicher, aufmerksamer Beamter zu werden, der
mit ganzem Kopf bei der Sache ist. Es bleibt nur der Einwand, daß
mich vielleicht diese zwei ersten freien Tage verwirren, daß ich in
der Eile nicht weiß, wo ansetzen, schließlich erinnere ich mich kaum
bessere Weihnachten gehabt zu haben (morgen werde ich für Dich
ein wenig die alten Tagebücher nachschlagen) – aber dieser ganze
Einwand ist nicht sehr schwer zu nehmen. Hier gilt doch nur, wie
überall Entweder – Oder. Entweder kann ich etwas oder nicht und
diesmal bleibt es beim »Oder«. Wenn nur hinter der Frage: »Liebst
Du mich, Felice?« die großen »Ja« hintereinander gehn bis in alle
Ewigkeit, dann läßt sich alles überwinden.

Franz

24. XII. 12

Gestern, Montag, hatte ich nur Deinen Brief vom Samstag, heute,
Dienstag, überhaupt nichts. Wie soll ich mich damit abfinden? Wie
wollte ich den kleinsten Kartengruß schätzen! Liebste, höre nicht
Vorwürfe heraus, die sind nicht darin, aber höre die Liebe und die
Unruhe der Liebe heraus, davon ist allerdings alles voll, was ich
schreibe. (Gestern abend habe ich im Bureau nichts von Dir gefunden.)

Franz

[24. Dezember 1912]

Da ich endlich einmal ein wenig für mich geschrieben habe, bekomme ich Mut, fasse Dich bei den Armen (zarter habe ich noch
nichts gehalten als Dich bei diesem Verhör, das nun werden soll)
und frage in Deine geliebten Augen hinein: »Ist, Felice, im letzten
Vierteljahr ein Tag gewesen, an dem Du keine Nachricht von mir
bekommen hättest? Sieh mal, einen solchen Tag gab es nicht? Mich
aber läßt Du heute, Dienstag, ganz ohne Nachrichten, vom Sonntag 4 Uhr ab weiß ich nichts von Dir, das sind morgen bis zur Postzustellung nicht weniger als 66 Stunden, die für mich mit allen guten und bösen Möglichkeiten abwechselnd sich anfüllen.« Liebste,
sei mir nicht böse wegen dieses Geredes, aber 66 Stunden sind doch
wirklich eine lange Zeit. Ich bin mir ja aller Abhaltungen wohl be-

wußt, die Du hattest, es sind Weihnachten, Ihr habt Besuch, die Post ist unzuverlässig (vielleicht ist selbst mein Brief nicht pünktlich eingetroffen), aber immerhin 66 Stunden! Und trotzdem – eines muß ich noch sagen, ehe ich schlafen gehe – an freien Tagen ertrage ich das Fehlen eines Briefes noch verhältnismäßig gut – ich habe zwar keine Nachricht von Dir, aber ich bin frei, nichts hindert mich, immerfort an Dich zu denken und ist es auch nur eine einseitige Anknüpfung, sie reicht fast, fast bis in Dein Zimmer, so stark, notwendig und alleinherrschend sind die Kräfte, die sie bilden. Wenn Du mir also, Liebste, einmal keine Nachricht geben kannst, laß es einen Sonntag, einen Feiertag sein, an dem ich von Dir nichts erfahre. Deshalb war es ja auch heute erträglich, es war gar nicht so arg, wie Du nach der Feierlichkeit des Briefanfangs glauben könntest. Nur wochentags ist das Ausbleiben der erwarteten Nachricht schrecklich. Denn da ist mir ja verboten, an Dich zu denken, widerliche Anforderungen werden ringsherum an mich gestellt, Dein Brief oder Deine Karte, sie geben mir Sicherheit, ich muß nicht an Dich denken, ich muß nur die Hand in die Tasche stecken und fühle das von Dir beschriebene Papier und weiß, Du denkst an mich, Du lebst zu meinem Glück. Ist aber die Tasche leer und der Kopf, in dem die Gedanken an Dich nur so herumjagen, soll sich für die Bureauarbeit bereithalten, so gibt das einen schlimmen Gegensatz und es ist, glaube es, Liebste, äußerst schwer, sich da durchzuarbeiten. – Früher einmal, in alter Zeit, schrieb ich, als kein Brief kam: ich erwarte keinen mehr, alles soll zu Ende sein. Heute sage ich: Das Briefeschreiben sollte allerdings aufhören, aber wir sollten einander so nahe sein, daß es nicht nur nicht nötig wäre, Briefe zu schreiben, sondern daß es vor übergroßer Nähe nicht einmal möglich wäre zu sprechen. Jetzt erinnere ich mich: Heute ist ja Heilige Nacht. Sie ist mir unheilig vergangen, bis auf diesen Abschiedskuß.

Franz

[Am Rande] Ab Freitag bin ich wieder im Bureau.

Mittwoch, 25. XII. 12, 3 Uhr nachm.

Nicht um Dir zu schreiben, schreibe ich Dir jetzt, Liebste, diese paar Worte, Du bekommst sie ja sowieso gleichzeitig mit einem spätern, ausführlicheren Brief; aber um die Verbindung mit Dir neu zu fühlen, um für diese Verbindung etwas Tatsächliches getan zu haben, deshalb schreibe ich. Die ganze Weihnachtspost habe ich dem Briefträger erschüttert, als ich meine Post ihm wütend abverlangte; ich war schon auf der Treppe, ich wollte weggehn, alle Hoffnung war schon aufgegeben, es war ja schon 12¼ Uhr mittags. Endlich, endlich herrliche Post, Anfang der Weihnachtsfeiertage, zwei Briefe, eine Karte, ein Bild, Blumen. Liebste, ganz wild abzuküssende Liebste, wie soll ich Dir danken mit dieser schwachen Hand!

So, jetzt gehe ich spazieren mit einem Freund, von dem ich Dir vielleicht noch gar [nichts] geschrieben habe, – Weltsch [1]. Ich muß auch weg, denn eben sind Verwandte mit äußerst durchdringenden Stimmen angekommen, die Wohnung bebt, ich entweiche ungesehen, ungehört durch das Vorzimmer. Wäre es doch mit Dir! Ich würde Dir zuliebe sogar meinen Lauf über die Treppen mäßigen. Ich habe nämlich die Gewohnheit – es ist der einzige übrigens selbsterfundene Sport, den ich treibe – die Treppen als ein Schrecken aller Hinaufsteigenden hinunterzurasen [2]. Es ist schönes Wetter draußen, möchtest Du Dich, Liebste, recht erholen, jeder Augenblick dieser Weihnachtstage freut mich doppelt, wenn ich daran denke, daß Du Dich ausruhn und erholen kannst. Also nicht schreiben, wohl aber telegraphieren, wenn's möglich ist. Dieses allabendliche Auslöschen, das Deine Mutter betreibt, ist ja sehr in meinem Sinn, wenn sie das wüßte, ließe sie wahrscheinlich das Licht unausgelöscht, allerdings wäre auch das wieder in meinem Sinn.

Franz

Du hast doch die 2 Briefe, die ich in die Wohnung geschickt habe, ausgefolgt erhalten? Es waren, scheint mir, Briefe, die ganz besonders wenig zum Lesen für andere bestimmt waren.

vom 25. zum 26.XII.12

Der Roman ist ein wenig wieder vorwärtsgeschoben, ich halte mich an ihn, da mich die Geschichte abgewiesen hat. Ich habe jene Ge-

---

[1] Felix Weltsch, der 1884 in Prag geborene und 1964 in Israel verstorbene Philosoph, Publizist und Universitätsbibliothekar, Autor von *Gnade und Freiheit, Das Wagnis der Mitte* und (gemeinsam mit Max Brod) *Anschauung und Begriff.*

[2] Vgl. »Das Urteil« »Auf der Treppe, über deren Stufen er wie über eine chiefe Fläche eilte, überrumpelte er seine Bedienerin, die im Begriffe war, heraufzugehen... ›Jesus!‹ rief sie und verdeckte mit der Schürze das Gesicht, aber er war schon davon.« *Erzählungen,* S. 67.

schichte auch unter zu großen Ansprüchen an mich angefangen; gleich im Anfang sollen vier Personen reden und sich kräftig an allem beteiligen. So viele Menschen kann ich aber nur dann vollständig sehn, wenn sie sich im Laufe, aus dem Strome der Geschichte erheben und sich entwickeln. Gleich am Anfang habe ich leider nur zwei beherrscht und wenn nun vier Personen drängen und auftreten wollen, man aber nur den Blick für zwei hat, entsteht eine traurige, förmlich gesellschaftliche Verlegenheit. Die zwei wollen und wollen sich nicht demaskieren. Dadurch aber, daß mein Blick herumirrt, erhascht er vielleicht auch Schatten von diesen zweien, dafür fangen aber die zwei festen Gestalten in ihrer zeitweiligen Verlassenheit unsicher zu werden an und schließlich schlägt alles zusammen. Schade!

Nun bin ich aber wirklich zu müde, ich habe während des Tages durch alle möglichen Störungen gar nicht geschlafen, an Werketagen schlafe ich viel mehr. Ich habe Dir soviel zu sagen und nun dreht mir die Müdigkeit den Haupthahn um. Hätte ich Dir doch, statt am Roman zu schreiben, geschrieben, wie ich so sehr wollte. Ich hatte solche Lust, den Brief damit anzufangen, das Schreiben damit vorzubereiten, daß ich das Papier ganz und gar abgeküßt hätte, denn es kommt doch in Deine Hände. Nun aber bin ich müde und dumpf und würde noch mehr als Küsse Deinen lebendigen Blick brauchen, wie er in der heutigen Photographie zu ahnen ist. Heute sage ich nur, was ich an dem Bild auszusetzen habe; Dein Blick will mich nicht treffen, immer geht er über mich hinweg, ich drehe das Bild nach allen Seiten, immer aber findest Du eine Möglichkeit wegzusehn und ruhig und wie mit durchdachter Absicht wegzusehn. Allerdings habe ich die Möglichkeit, das ganze Gesicht an mich zu reißen, indem ich es küsse und das tue ich und will es noch einmal tun, knapp ehe ich einschlafe und will es nochmals tun, wenn ich aufwache. Wenn es der Rede wert ist, mein Mund gehört völlig Dir, ich küsse sonst niemanden, weder Eltern noch Schwestern und unerbittliche Tanten haben auf der wegzuckenden Wange Platz.

26.XII.12, Donnerstag früh

Endlich habe ich Dein Bild so wie ich Dich gesehen habe, nicht so freilich, wie ich Dich zuerst gesehen habe (ohne Jacke, mit freiem, durch keinen Hut eingegrenzten Kopf), sondern so, wie ich Dich

im Torweg des Hotels verloren habe, so wie ich neben Dir über den Graben ging, keine Beziehung zu Dir fühlte und nichts anderes als die stärkste Beziehung verlangte. Es fällt mir jetzt ein, hast Du nicht die Gewohnheit, öfters das Haar aus der Stirn zu streichen, besonders wenn Du z.B. ein Bild in der Hand hältst und niederschauen willst? Ein Irrtum der Erinnerung? Ich sehe Dich nämlich manchmal so. Da ist also auch der Hut, dessen Unterseite ich mit Blindheit geschlagener Mensch für weiß gehalten habe. Die Bluse ist aber wohl eine andere, die Bluse in Prag war doch weiß. Jetzt küßte ich Dich und Dein Lächeln war nachher um einen Schimmer freundlicher als früher. Was sagst Du, liebstes, liebstes Kind, zu diesem Verhalten Deines Bildes? In den nächsten Tagen wenigstens werde ich das Täschchen und das Bild nicht in der Tasche, sondern als Stütze, Schutz und Kräftigung in der Faust tragen. Das müßte doch merkwürdig zugehn, wenn der Besitzer eines solchen Bildes nicht allem standhalten sollte. Und Du, Liebste, hast Du Dich schon ein wenig erholt? Jagen Dich die Verwandten nicht zu sehr herum? Du hättest ja gar keine Zeit für mich gehabt, wenn ich nach Berlin gekommen wäre. Aber was sage ich? Damit will ich den Selbstvorwürfen ein Ende machen? Und hatte ich schließlich nicht doch recht, nicht nach Berlin gefahren zu sein? Aber wann werde ich Dich endlich einmal sehn? Im Sommer? Aber warum gerade im Sommer, wenn ich Dich Weihnachten nicht gesehn habe? Es ist jetzt ein sonniger Vormittag, ich bin ziemlich ausgeschlafen, aber ich bin unsicherer als in der tiefsten Nacht. Von Deiner Mutter hätte ich Dir viel zu schreiben, ich lasse es für den nächsten Brief. Merkwürdig, mit welcher Freude ich alles verschlinge, was Du mir an Bemerkungen Deiner Mutter über mich schreibst. Zum Teil ist es ja die Freude, so feindselig (wenn auch aus den besten Absichten) angegriffen und so mächtig und lieb verteidigt zu werden. Aber ganz erklärt das doch diese Freude nicht. Ich möchte in Deiner Familie immerfort genannt werden. Was für ein widersinniges Verlangen!
Aber nun ist schon fast Mittag. Auf, auf! Adieu Felice! Bild ins Täschchen! Brief in Umschlag und zum Bahnhof gerannt, ihn einzuwerfen!

Franz

Ich lege einen Weihnachtsgruß meines letzten Sanatoriums[1] bei, er kam zugleich mit Deinem Bild. Sieh nur, wie ich mich mit ganz

[1] Sanatorium Just in Jungborn (Harz). Vgl. Anm. 2 S. 103

teufelsmäßiger Hinterlist von einem fremden Glauben habe heilen lassen wollen. Es hat auch nicht viel geholfen.

[Auf einem beigelegten Zettel]
Noch etwas Unaufschiebbares fällt mir ein: Du hast doch, Liebste, Deiner Schwester nicht am Ende jene Bluse geschenkt, die Du damals in Prag getragen hast?

vom 26. zum 27. XII. 12

Dieses kleine Täschchen, das Du mir geschickt hast, ist ein Wundertäschchen. Ich werde ein anderer, ruhigerer, besserer Mensch dadurch. Diese Möglichkeit, wo immer ich bin, das Bildchen anzusehn oder wenigstens das Täschchen hervorzuziehn (die Methode, es ständig in der Hand zu halten, hat sich nicht bewährt), ist wieder ein neues Glück, das ich Dir verdanke. Wenn ich Dein Bildchen – es steht vor mir – anschaue, geht beim Anschauen immer wieder ein Staunen darüber mit, mit welcher Stärke wir zwei zusammengehören. Wie hinter alledem, was da zu sehen ist, hinter dem lieben Gesicht, den ruhigen Augen, dem Lächeln, den (eigentlich schmalen) Schultern, die man eiligst umfangen sollte, wie hinter alledem mir so verwandte, mir so unentbehrliche Kräfte wirken und wie das alles ein Geheimnis ist, das man als geringfügiger Mensch gar nicht anschauen, in das man nur ergeben untertauchen dürfte.
Aber ich komme gar nicht dazu, den Brief fortzusetzen, so verschaue ich mich in das Bild, das hast Du wohl, Liebste, bei Deinem Geschenk nicht bedacht. Ich denke, es wird mir in allem helfen, ich werde morgen in dem entsetzlichen Bureau besser zurechtkommen und, wenn auch nur mit den Fingerspitzen, die ältesten Rückstände aus meinen Aktenhaufen ziehn; außerdem habe ich mich, was nicht wenig ist, entschlossen, wie es auch sein möge, niemals nach 10 Uhr abend mit meinem Schreiben zu beginnen und niemals nach 2 Uhr nachts (außer wenn ich nächsten Tag frei habe) wachzubleiben; endlich (alles das, um mich Deines Geschenkes würdig zu machen) bedauere ich bitter den Brief, den Du am 2ten Weihnachtsfeiertag bekommen hast, zanke mich nur in dem Brief, den ich morgen bekomme, den ich mit Angst und Freude erwarte, zanke mich nur in dem Brief nach Kräften aus, einer, der der Geliebten unbegründete

Vorwürfe macht und mit dummen Reden in ihren Vormittagsschlaf an einem Feiertage fährt, verdient nicht nur ausgezankt, er verdient (um etwas sehr Arges, fast Unerträgliches zu nennen) er verdient 2 Tage lang keinen Brief zu bekommen. Beunruhige Dich also, Liebste, nicht, ich werde nicht mehr so kleinmütig sein, verzeih mir, alles was ich Dir Böses zufüge, kommt aus der einen Quelle, der Liebe zu Dir. Vielleicht kränke ich Dich manchmal, ohne es zu wissen, dann suche nur immer den Grund dafür in meiner Liebe, auf irgend einem vertrackten Wege (so bin ich eben) wirst Du ihn gewiß dort finden. Nun habe ich aber wieder gar nichts, gar nichts geschrieben, nicht einmal wie ich die Tage verbracht habe. Nun, Dein Bild weiß alles. Wenn Du an dem Photographen vorüberkommst, sag ihm, keines seiner Bilder werde so viel geküßt wie dieses.

Franz

Nacht vom 27. zum 28. XII. 12

Meine Liebste, wenn das Täschchen, das ich Dir verdanke, die ungeheure Inanspruchnahme, die es bei mir zu erleiden hat, lange aushält, dann ist es ein gutes Täschchen. Manchmal geht mir das Verlangen nach Dir an die Kehle. Das Täschchen wird aufgerissen und freundlich und lieb zeigst Du Dich gleich dem unersättlichen Blick. Unter dem Licht der Straßenlaternen, an den beleuchteten Auslagen, am Schreibtisch im Bureau, beim plötzlichen Innehalten auf den Korridoren, neben dem einnickenden Schreibmaschinisten, am Fenster des Wohnzimmers, während große Gesellschaft und Verwandtschaft hinter mir das Zimmer füllt – Liebste, Liebste, selbst dieses kurze Wort könnte ich, wenn ich an Dich denke, nicht immer aussprechen, weil ich oft nur mit aneinandergepreßten Zähnen an Dich denken kann. Und daß dieses Bildchen so unerschöpflich ist, das ist freilich ebensoviel Freude wie Leid. Es vergeht nicht, es löst sich nicht auf wie Lebendiges, dafür aber bleibt es wieder für immer erhalten und ein dauernder Trost, es will mich nicht durchdringen, aber es verläßt mich auch nicht.
Natürlich habe ich mir gleich gesagt (aus Eigennutz! aus Schlauheit! aus Geistesgegenwart!), daß ich, da ich nun einmal die Wunderwirkung der Bilder feststeht, auch mein Bild unbedingt bei Dir haben muß. Ich bin gleich zum Photographen gelaufen, um mir ein Bild im

gleichen Format machen zu lassen, aber unsere Schnellphotographen sind langsamer als Euere, es wird erst in einer Woche fertig. Außerdem aber hat mich Dein Einfall, Liebste, mit solcher Gier gepackt, daß ich Dir den Vorschlag mache, solche Bildchen jeden Monat auszutauschen. Du veränderst Dich doch, die Jahreszeit geht weiter, Du trägst andere Kleider – nein Liebste, ich verlange zu viel, ich verirre mich. Ich soll zufrieden sein, daß ich dieses Bildchen besitze, für das ich Dir in jedem Brief von neuem danken sollte.

Dein Donnerstagbrief, der nach den ersten 5 Worten abgebrochene Brief, schaut eigentlich im ersten Augenblick erschreckend aus, wie wenn irgend eine böse und mächtige Hand Dir die Hände festgehalten oder Dir gar noch etwas Ärgeres angetan hätte. Nun, Du hast ja aber noch den Briefumschlag geschrieben, sage ich mir, das Zeitungsblatt eingelegt, den Brief auch eingeworfen vielleicht, es wird also nichts so Schlimmes geschehen sein, und ich darf morgen wieder einen Brief erwarten.

Darin, daß Deine Mutter gegen Dich so tyrannisch ist, verstehe ich sie nicht recht, in allem sonst dagegen verstehe ich sie sehr wohl. Hast Du denn nicht dadurch, daß Du Dich selbst erhältst, zuhause eine besondere Stellung, gar Deiner Schwester gegenüber, die, soweit ich merke, nur in der Hauswirtschaft arbeitet? Und wird das Besondere dieser Stellung von niemandem respektiert? Während also Deine Mutter in der Unterschätzung Deiner Arbeit ein großes Unrecht zu begehen scheint, hat sie in allem andern recht. Sie hatte im Seebad recht, als sie Dir nicht von der Seite ging (ach, was wollte denn der junge Mann? Nur weg mit ihm!), sie hat recht, wenn sie sich über meine Briefe ärgert (vielleicht auch über diesen, trotzdem er ihr doch recht gibt), von der Notwendigkeit dieser Briefe könnte ich sie wohl jetzt nur höchstens im Traum überzeugen, sie hat schließlich recht – und in welchem Ausmaße! – wenn sie zwischen Mann und Frau jede andere Lebensweise als die Ehe für sinnlos hält. Habe ich mich z. B. nicht schon oft für sinnlos erklärt?

Die Enquête des Berliner Tageblatt hast Du stillschweigend mit eingepackt. Es ist wirklich das beste. Was für urdumme Fragen da gestellt sind! Die Zeitung bekommt dadurch eine Art menschlichen, wenn auch idiotischen Gesichtes. Alle Antworten, aus denen das Dumme der Frage nicht hervorgeht, sind schlecht, denn sie decken sich eben nicht mit den Fragen. Dabei sind doch diese Fragen so leicht zu beantworten, daß ich gleich beide beantworte: Also »er«

muß allerdings hübsch sein. »Sie« dagegen muß nichts mehr und nichts weniger sein, als ganz genau so wie sie ist[1].

Dann ist sie allerdings so, daß man sich in der tiefen Nacht gar nicht von ihr trennen kann und weiter und weiter an sie schreiben möchte in irgend einer sinnlosen Hoffnung, daß man sie dadurch vor sich ganz und gar lebendig machen wird. [Max Brods] »Die Höhe des Gefühls« hast Du wohl schon. Die zweierlei Schrift in der Widmung erklärt sich dadurch, daß dieses Buch eines der 20 Luxusexemplare ist, von denen jedes von vornherein mit Maxens Unterschrift versehen war. Aber das sah kalt aus und so habe ich es ihn der Wahrheit gemäß ergänzen lassen.

Heute habe ich einen Brief von dem Löwy bekommen, den ich beilege, damit Du siehst, wie er schreibt. Seine Adresse habe ich – ohne es Dir anzuzeigen – vor einiger Zeit gefunden, und ich habe auch schon einige Briefe in der Zwischenzeit von ihm bekommen. Sie sind alle einförmig und voll Klagen; dem armen Menschen ist nicht zu helfen; nun fährt er immerfort nutzlos zwischen Leipzig und Berlin hin und her. Seine frühern Briefe waren ganz anders, viel lebhafter und hoffnungsvoller, es geht vielleicht wirklich mit ihm zu Ende. Du hast ihn für einen Tschechen gehalten, nein, er ist Russe. – Adieu Liebste, was auch geschehen möge, wir behalten einander lieb, nicht wahr? Wo ist Dein Mund?

Franz

vom 28. zum 29. XII. 12

Mein liebstes Kind, in meinem Roman gehn eben sehr belehrende Dinge vor. Hast Du schon einmal die Demonstrationen gesehen, welche in amerikanischen Städten am Vorabend der Wahl eines Bezirksrichters stattfinden? Gewiß ebensowenig wie ich, aber in meinem Roman sind diese Demonstrationen eben im Gange[2].

---

[1] Das Thema der Rundfrage (*Berliner Tageblatt,* 25. Dezember 1912, 4. Beiblatt) war: »Muß er hübsch sein? Muß sie klug sein?« U. a. waren Antworten von Franz Blei, Franz Werfel, Max Dauthendey, Hugo Salus und Rudolf Herzog abgedruckt.

[2] Vgl. *Amerika,* S. 278 ff. und *Tagebücher,* S. 279. Am 1. Juni 1912 besuchte Kafka einen Lichtbildervortrag des tschechischen Politikers Soukup über »Amerika und seine Beamtenschaft«. Daraus erfuhr Kafka manches über den Verlauf solcher Demonstrationen. Auch andere Anregungen verdankt der Roman den Berichten Soukups, die im selben Jahr mit zahlreichen Abbildungen erschienen: František Soukup, *Amerika,* Řada Obrazů Amerického Zivota, Prag 1912.

Vorläufig nur paar Worte, meine Liebste, es nähert sich schon 2 Uhr und mein Kopf brummt mir seit einer Woche regelmäßig, wenn ich nach 2 schlafen gehe. Sollte ich die Nachtwachen, statt mich an sie zu gewöhnen immer weniger vertragen? Mein Gähnen im Bureau ist geradezu schändlich, ich gähne die Direktoren, den Chef, die Parteien an, kurz jeden, der mir in den Weg kommt. Aber ich hoffe, durch die 2 Uhr Schlafenszeit meiner Schwäche wieder aufzuhelfen.

Liebste, soll ich Dir sagen, was für ein jämmerlicher Mensch ich bin? Soll ich es nicht lieber verschweigen, um mir bei Dir nicht zu schaden? Aber muß ich es nicht sagen, da wir doch zusammengehören, so eng, als es nur möglich ist, wenn man Zeit und Raum zu Feinden hat? Also ich muß es sagen.

Dein heutiger zweiter Brief hat mich eifersüchtig gemacht. Du staunst und glaubst nicht richtig gelesen zu haben? Ja, eifersüchtig. Alle Briefe, in denen soviele Leute genannt werden wie z. B. in dem heutigen Brief machen mich wehrlos eifersüchtig. Jetzt erinnere ich mich, daß es auch ein solcher Brief gewesen ist, der nach und nach meine Tollheit und dann jenen abscheulichen Brief veranlaßt hat, der mich für immer in Deiner Schuld stehen lassen wird. Also auf alle Leute in Deinem Briefe bin ich eifersüchtig, auf die genannten und ungenannten, auf Männer und Mädchen, auf Geschäftsleute und Schriftsteller (und natürlich ganz besonders auf diese). Ich eifersüchtig auf den Warschauer Vertreter (aber vielleicht ist »eifersüchtig« nicht das richtige Wort, vielleicht bin ich nur »neidisch«), ich bin eifersüchtig wegen der Leute, die Dir bessere Stellungen anbieten, ich bin eifersüchtig wegen des Frl. Lindner (die Brühl und Großmann sind kleine Mädchen, denen gönne ich Dich noch knapp), ich bin eifersüchtig wegen des Werfel, des Sophokles, der Ricarda Huch, der Lagerlöf, des Jacobsen. Kindisch freut sich meine Eifersucht dessen, daß Du Eulenberg Hermann statt Herbert nennst, während Dir Franz zweifellos eingegraben ist. (Dir gefallen die »Schattenbilder«? Du findest sie knapp und klar?) Ich kenne in der Gänze nur »Mozart«, Eulenberg (nein, Prager ist er nicht, Rheinländer ist er) hat es hier vorgelesen, aber das konnte ich kaum ertragen, eine Prosa voll Atemnot und Unreinlichkeit. Seine Dramen sollen aber liebenswert sein, die kenne ich nicht. Ja jetzt erinnere ich mich, im »Pan« eine in vielem gute Arbeit gelesen zu haben, »Brief eines Vaters an seinen Sohn«, glaube ich, hieß es. Aber natürlich tue ich ihm in meiner gegenwärtigen Verfassung großes Unrecht, daran ist kein Zweifel. *Aber Du sollst die »Schattenbilder« nicht lesen.* Nun sehe ich aber gar, daß Du »ganz begeistert« von ihm bist. (Hört also, Felice ist von ihm begeistert und ganz und gar begeistert und ich wüte da gegen ihn mitten in der Nacht[1].) Aber in Deinem Brief kommen ja noch weitere Leute vor, mit allen, allen möchte ich zu raufen anfangen, nicht um ihnen etwas Böses zu tun, sondern um sie von Dir wegzustoßen, um Dich von ihnen freizubekommen, um nur Briefe zu lesen, in denen bloß von Dir, Deiner Familie und den zwei Kleinen und natürlich! und natürlich! von mir die Rede ist. Aber Liebste, ich bin ja nicht verrückt, ich will von allem hören, ich bin vor nachdrängender Liebe allzusehr in Dich eingedrungen, als daß ich in Wahrheit und im Grunde eifersüchtig sein könnte (wenn Du die »Schattenbilder« liest, bin ich gewiß, daß wir den Widerwillen von meiner Seite und die Begeisterung von Deiner Seite schließlich teilen werden, d.h. das Exemplar, das Du gerade in Deinen Händen hältst, wird mich begeistern, sonst nichts), aber ich wollte Dir nur, damit Du mich ganz kennst, den Eindruck beschreiben, den Dein Brief nachmittags also allerdings in der Zeit meines Tiefstandes auf mich gemacht hat.

Ich bekam den Brief tatsächlich, als ich aus dem Bureau kam, er war sogar schon mit der 11 Uhr-Post gekommen. Das sieht wie ein Verdienst der österreichischen Post aus. Nun denke aber – so launisch ist unsere Post –, der Brief kommt nicht in die Wohnung, sondern in das wohl 1 km von der Wohnung entfernte Geschäft meiner Eltern. An und für sich macht das ja gar nichts, denn meine Post wird nicht kritisiert und der Brief wurde auch gleich aus dem Geschäft in die Wohnung getragen – aber es soll Dir nur ein Beweis dafür sein, daß meine Dich manchmal so aufregende, rücksichtslose Unruhe durch eine derartige launenhafte Postzustellung doch fast entschuldigt wird.

Das wirkte ja auch noch bei der nachmittäglichen Niedergeschlagenheit mit, daß ich mir sagte: Heute habe ich zwei Briefe, das ist so schön, aber wer weiß, ob ich dann noch morgen, Sonntag, einen Brief bekomme. Felice scheint vorauszusetzen, daß dieser Brief erst Sonntag kommen wird, nun ist er aber schon da und ich werde mor-

---

[1] Herbert Eulenberg, »Brief eines Vaters unserer Zeit« in der Zeitschrift *Pan* I, 11 (1. April 1911), S. 358 ff. und *Schattenbilder. Eine Fibel für Kulturbedürftige in Deutschland,* Berlin 1910.

gen vielleicht ohne Nachricht dasitzen oder besser mich in meinem Bette krümmen. Möchte es nicht so kommen!

Nun aber kam ich zu der Stelle »Ich übertreffe Dich jetzt bei weitem im Schreiben von langen Briefen« und die gab mir den Rest. Nochmals: Ich bin nicht verrückt, der Dümmste muß ja erkennen, daß jene Bemerkung ganz nebensächlich war und ganz zufällig niedergeschrieben wurde. Aber glaube mir, Felice, (es muß schon geradezu ein Traumzustand gewesen sein, in dem ich das las) – in diesem Augenblicke dachte ich, das bedeutet den Abschied; ich hätte nicht genug geschrieben und darum sei Schluß. Liebste, nun aber umarme ich Dich so fest wie noch niemals, um mich Deiner nach diesen krankhaften Empfindlichkeiten, die hie und da in mir bohren, wieder völlig zu versichern.

Diese Launen, die sicherlich nur auf die Entfernung und vielleicht auf irgendeinen Konstitutionsfehler bei mir zurückgehn, waren übrigens damit noch nicht zu Ende, sondern wurden in einem Traum, den ich nachmittags hatte und von dem ich Dir morgen erzählen werde (allerdings wird dann schon vieles vergessen sein), zusammengefaßt. Jetzt aber Gute Nacht, Liebste, und ein langer, ruhiger, zuversichtlicher Kuß.

Franz

[29. Dezember 1912]

Meine liebste Wohltäterin, also doch noch ein Brief, und gar ein solcher und über die Maßen schöner. Als es um ½11 Uhr läutete – es konnte kaum jemand anderer sein als der Briefträger – stand ich hinter der Glastür meines Zimmers und suchte mich im vorhinein zu trösten: »Es kann kein Brief kommen«, sagte ich mir, »wie sollte denn heute noch ein Brief kommen, Felice kann sich doch nicht krank schreiben. Du wirst dich unbedingt bis morgen gedulden müssen.« Und ich zitterte wahrhaftig in meiner Not.

Liebste, das ist wieder einmal ein Brief, bei dem einem heiß vor ruhiger Freude wird. Da stehn nicht diese vielen Bekannten und Schriftsteller herum, da –

also da wurde ich gestört, es war am Nachmittag und jetzt ist so spät, daß ich gar nicht zu schauen wage, aus dem versperrten Hause werde ich mich zum Bahnhof schleichen (ach, wenn es mein Vater und die Verwandten wüßten, die ich seit dem Morgen nicht gesehen habe) und diesen Fetzen einwerfen. Ich kann Dich um meiner Ruhe willen Montag nicht ohne Nachricht vom Sonntag [lassen]. Es geht mir ganz gut, nur die Zeit hat man mir gestohlen; wie könnte es mir schlecht gehn, solange Du mich lieb hast. Jetzt aber laufen!

Franz

vom 29. zum 30. XII. 12

Liebste, das war ein schlechter Sonntag. Wie in Ahnung seiner Unruhe lag ich früh endlos im Bett, trotzdem ich wegen der Fabrik, die mir (allerdings für die übrige Welt unsichtbar) Sorgen und Gewissensbisse macht, einen Weg hätte machen sollen. Durch dieses nutzlose Liegen (Dein Brief kam erst um 11) verschob sich dann alles andere, und als ich nach dem erst um ½3 angefangenen Essen den Brief an Dich anfing, glücklich ein wenig bei Dir bleiben zu können, ruhig in der infolge allgemeinen Mittagsschlafes ruhigen Wohnung, wurde ich angeläutet eben von jenem Dr. Weltsch, der nicht nur ein flüchtiger Bekannter, sondern mein rechtmäßiger Freund ist. Übrigens heißt er Felix, und ich bin froh, mit diesem Namen schon so lange in Freundschaft gestanden zu sein; jetzt hat sich freilich dieser Name noch ein wenig in den letzten Buchstaben aufgelöst und einen unglaublichen Inhalt angenommen. Dieser Felix also hat mich, als ich an Felice schrieb, angeläutet und mich an eine Vereinbarung erinnert, mit ihm, seiner Schwester und einer Freundin (der Schwester natürlich) spazierenzugehn, wie ich es auch letzten Donnerstag getan habe. Und trotzdem es mir am letzten Donnerstag nicht gefallen hat (ich habe zeitweise und meistens Angst vor Mädchen), und trotzdem ich erst am Anfang jenes mich festhaltenden Briefes war, und trotzdem ich auch eine Verabredung mit Max hatte und trotzdem ich mit Recht fürchtete, nach dem Spaziergang zum Schlaf nicht mehr die nötige Zeit zu haben – sagte ich doch sofort mit Feuereifer zu, denn vor dem Telephon, und selbst wenn es nur ein Haustelephon ist, bin ich hilflos, und dann wollte ich doch die Mädchen nicht warten lassen. Aber als ich herunterkam, ärgerlich vor lauter Bedenken, und vor Menschen statt vor dem schrecklichen Telephon stand und überdies außer den dreien noch ein Mädchen und einen jungen Mann antraf, entschloß ich mich rasch, begleitete sie nur bis zur Brücke und verabschiedete mich, wobei ich den Verkehr beim Brückenmauthäuschen störte und einer Frau hinter mir auf den Fuß trat[1]. Dann lief ich befreit zu Max. Aber nun erzähle ich diesen Sonntag nicht mehr weiter, denn es strebt eben dem traurigen Ende zu, daß ich heute nichts mehr schreiben kann, da schon längst 11 Uhr vorüber ist und da ich in meinem Kopf Spannungen und Zuckungen habe, wie ich sie an mir eigentlich erst seit einer Woche kenne. Nicht schreiben und dabei Lust, Lust, eine schreiende Lust zum Schreiben in sich haben!

Ich weiß jetzt übrigens auch genauer, warum mich der gestrige Brief so eifersüchtig gemacht hat: Dir gefällt mein Buch [Betrachtung] ebensowenig wie Dir damals mein Bild gefallen hat. Das wäre ja nicht so arg, denn was dort steht, sind zum größten Teil alte Sachen, aber immerhin doch noch immer ein Stück von mir und also ein Dir fremdes Stück von mir. Aber das wäre gar nicht arg, ich fühle Deine Nähe so stark in allem übrigen, daß ich gern bereit bin, wenn ich Dich eng neben mir habe, das kleine Buch *zuerst* mit *meinem* Fuße wegzustoßen. Wenn Du mich in der Gegenwart lieb hast, mag die Vergangenheit bleiben, wo sie will, und wenn es sein muß, so ferne wie die Angst um die Zukunft. Aber daß Du es mir nicht sagst, daß Du mir nicht mit zwei Worten sagst, daß es Dir nicht gefällt. – Du müßtest ja nicht sagen, daß es Dir nicht gefällt (das wäre ja wahrscheinlich auch nicht die Wahrheit), sondern daß Du Dich bloß darin nicht zurechtfindest. Es ist ja wirklich eine heillose Unordnung darin oder vielmehr: es sind Lichtblicke in eine unendliche Verwirrung hinein und man muß schon sehr nahe herantreten, um etwas zu sehn. Es wäre also nur sehr begreiflich, wenn Du mit dem Buch nichts anzufangen wüßtest, und die Hoffnung bliebe ja, daß es Dich in einer guten und schwachen Stunde doch noch verlockt. Es wird ja niemand etwas damit anzufangen wissen, das ist und war mir klar, – das Opfer an Mühe und Geld, das mir der verschwenderische Verleger gebracht hat und das ganz und gar verloren ist, quält mich ja auch, – die Herausgabe ergab sich ganz zufällig, vielleicht erzähle ich Dir das einmal bei Gelegenheit, mit Absicht hätte ich nie daran gedacht. Aber das alles sage ich nur, um Dir klar zu machen, wie selbstverständlich mir eine unsichere Beurteilung von Deiner Seite

---

[1] Für das Überschreiten der Prager Brücken (mit Ausnahme der Karlsbrücke) wurde bis ins Jahr 1918 ein Zoll (Maut) erhoben. Vgl. Wagenbach, *Biographie,* S. 67f. und Richard Katz, ›Prager Brückengeld‹, *Vossische Zeitung,* 5. Januar 1921, S. 2–3.

erschienen wäre. Aber Du sagtest nichts, kündigtest zwar einmal an, etwas zu sagen, sagtest es aber nicht. Es ist ganz so wie mit dem Neble, auch von dem durfte ich so lange nichts erfahren. Liebste, schau, ich will Dich doch mit allem mir zugewendet wissen, nichts, nicht das geringste soll beiseite gesprochen werden, wir gehören doch – dächte ich – zusammen, eine Dir liebe Bluse wird mir vielleicht an sich nicht gefallen, aber da Du sie trägst, wird sie mir gefallen, mein Buch gefällt Dir an sich nicht, aber insoferne, als es von mir ist, hast Du es sicher gerne – nun dann sagt man es aber doch, und zwar *beides*.

Liebste, Du bist mir gewiß wegen dieser großen Ansprache nicht böse, Du bist doch selbst die Klarheit von uns zweien und es scheint mir, als hätte ich, was ich an Klarheit besitze, an jenem Augustabend aus Deinen Augen gelernt. Allzuviel habe ich ja nicht gelernt, das kannst Du aus dem Traum sehn, den ich gestern hatte.

Nein, den beschreibe ich nicht mehr, denn jetzt fällt mir ein, daß Du Liebste leidest, wenigstens am Freitag abend gelitten hast. Das ist es also, was Dich zuhause quält? Auch davon hatte ich bisher keine Ahnung, aber da liegt wohl die Schuld an meiner Begriffsstützigkeit. Wenn Du in solche Dinge noch hineingezogen wirst, liebstes, armes Kind, das ist schrecklich. So ist es bei mir nicht, meine Mutter ist die liebende Sklavin meines Vaters und der Vater ihr liebender Tyrann, darum ist im Grunde die Eintracht immer vollkommen gewesen und das Leid, das wir alle gemeinsam gar in den letzten Jahren hatten und das in seiner Gänze auf den leidenden Zustand des Vaters zurückgeht, der an Arterienverkalkung leidet, konnte infolge dieser Eintracht ins Innerste der Familie nicht eigentlich dringen.

Gerade dreht sich der Vater nebenan gewaltig in seinem Bett. Er ist ein großer, starker Mann, in der letzten Zeit fühlt er sich glücklicherweise wohler, aber sein Leiden ist eben ein immer drohendes. Die Eintracht der Familie wird eigentlich nur durch mich gestört und mit den fortschreitenden Jahren immer ärger, ich weiß mir sehr oft keine Hilfe und fühle mich sehr tief in Schuld bei meinen Eltern und bei allen. Und so leide auch ich, mein liebstes fernes Mädchen, genug innerhalb der Familie und durch sie, nur daß ich es mehr verdiene als Du. In frühern Jahren stand ich mehr als einmal in der Nacht beim Fenster und spielte mit der Klinke, es schien mir sehr verdienstlich, das Fenster aufzumachen und mich hinauszuwerfen.

Das ist aber lange vorüber und ein so sicherer Mensch, wie ich es heute durch die Gewißheit Deiner Liebe bin, war ich noch nie.

Gute Nacht, Liebste, auch traurige Küsse tun wohl und vor Trauer bleibt der Mund endlos lange auf dem andern und will sich gar nicht losreißen.

Franz

Liebste, nochmals: Ich schreibe regelrecht nur einmal täglich, meine fahrigen Briefe während des Tages machen mich unglücklich und das Gefühl, daß Du um 10 Uhr einmal nutzlos einen Brief erwarten könntest, brennt mich aus. *Also keinen Brief erwarten, Liebste, keine traurigen Blicke der Brühl auffangen, der ich übrigens gerne danken würde, nur weiß ich nicht wie.*

Bist Du Neujahr im Bureau? Mir schreibe bitte nach Hause. Ich werde Dir auch nachhause schreiben.

[Am Rande] Was bedeutet der Scherz mit dem Berl. Tageblatt? Was hattest Du mir denn zu vergeben? Genaue Antwort!

Nacht vom 30. zum 31. XII. 12

Endlich, Liebste, höre ich von einem Spaziergang, den Du gemacht hast, und bin glücklich. Ist es nicht seit Monaten die erste im Freien verbrachte Stunde gewesen? Ist Dir wirklich ganz wohl bei diesem an den Nerven reißenden Leben? Jetzt bin ich merkwürdig ruhig und es scheint nicht einmal nur Müdigkeit zu sein. Heute früh aber, ehe Dein zweiter Brief kam, war ich wie in einem Wirbel. Ohne auffindbaren Grund, gewiß. Es ist eben dieses, daß man schreibt, sich im Augenblick beieinander fühlt, sich festzuhalten meint und doch nur in der Luft tastet und deshalb zeitweise stürzen muß. Aber Liebste, nicht wahr, wir verlassen einander nicht, und fällt der eine, hebt ihn der andere auf. Dieses Frl. Lindner erschien mir in Deinem Brief wie mein Strafgericht; ohne mir bisher geschrieben zu haben, fühle ich ihren Vorwurf stark genug. Liebste, Du hast mir jetzt Deine Liebe durch lange Briefe gezeigt, zeig sie mir jetzt durch kurze. Schreib nicht bei irgendeiner Kerze, wenn das elektr. Licht abgedreht ist, der Gedanke nimmt mir den Atem vor Sorge. Nun arbeitest Du auch in der Wirtschaft, nun leidest Du unter den Eltern,

nun weinst Du über Deine Schwester in Budapest – ja wenn ich
ganz bei Dir wäre und diese Sorgen unsere jeden Augenblick gemeinsamen Sorgen wären, dann wäre mir wohl. Jetzt aber sitze ich
hier allein (die Uhr tickt mir in der Rocktasche noch immer viel
zu stark, ich verstecke sie dort wegen ihres starken Schlages) und
zermartere mir den Kopf nach einem Mittel, wie Dir und mir zu
helfen wäre.

Warum zwingt Dir eigentlich ein Brief von Deiner Schwester Tränen ab? Was fehlt ihr denn? Hat sie Heimweh? Nur Heimweh?
Aber sie hat doch ihren Mann und das Kind. Und in Budapest wird
doch von einigen 100000 Menschen deutsch gesprochen, und in
2 Jahren kann und wird sie doch ein wenig Ungarisch erlernt haben.
Ist ihr Mann nicht bei ihr? Ist er vielleicht viel auf Reisen? Was ist
der Hauptgrund ihrer Traurigkeit und Deines Mitgefühls? Übrigens fällt mir ein, daß sie vielleicht noch länger als zwei Jahre in
Budapest ist, und noch immer also nicht eingewöhnt? Und dann
hat sie eben doch das Kind, wo ist da Platz für Mitleid?

Du sagtest es ja selbst in Euerem Schreibmaschinenzimmer den
sonderbaren Damen. Und ich hätte es – im klaren Bewußtsein, daß
ich mich damit selbst aburteile – nicht anders gesagt, denn es sind
Worte, die mir fortwährend auf der Zunge liegen und die ich öfters
wiederhole, als gut ist. Gerade Sonntag nachmittag sagte mir Max
bei einer ähnlichen Gelegenheit: »Du redest wie ein Mädchen.« Aber
das ist nicht ganz richtig, denn in einer guten Sammlung von Aus-
sprüchen Napoleons[1], in die ich seit einiger Zeit immer wenn ich
nur kann hineinschaue, wird dieser Ausspruch berichtet: »Es ist
fürchterlich, kinderlos zu sterben«, und wehleidig war er durchaus
nicht; Freunde z.B. waren ihm, ob freiwillig oder durch Zwang,
entbehrlich, einmal sagte er: »Ich habe keinen Freund außer Daru,
der gefühllos und kalt ist und für mich paßt.« Und in welche wahre
Tiefe dieser Mensch zurückreichte, erkenne aus dieser Bemerkung:
»Der wird nicht weit kommen, der von Anfang an weiß, wohin er
geht.« Man darf ihm also schon das Fürchterliche der Kinderlosig-
keit glauben. Und das auf mich zu nehmen, muß ich mich bereit
machen, denn von allem sonstigen abgesehen, dem Wagnis, Vater
zu sein, würde ich mich niemals aussetzen dürfen.

Ich weiß nicht, wieso es kommt, seit paar Tagen laufen mir alle

---

[1] *Berühmte Aussprüche und Worte Napoleons von Corsika bis St. Helena,* gesammelt und herausgegeben von Robert Rehlen, Leipzig 1906.

Briefe so ins Traurige aus. Solche Zeiten kommen und gehn, ich bitte Dich auf den Knien, sei mir nicht böse deshalb. Es fällt mir auch zu spät ein, daß der Brief am Neujahrsmorgen ankommt und daß er ein neues Jahr einleiten soll, das uns ganz und gar gehören soll. Ich habe dafür heute eine neue Verbindung zwischen uns herausgefunden. Ich werde einen Kalender mit schönen Bildern für jeden Tag kaufen und das Kalenderblatt des Ankunftstages meines Briefes Dir immer am Morgen in meinem Brief eingeschlossen auf Deinen Schreibtisch legen lassen. Ich werde dadurch allerdings für mich ein wenig der Zeit vorrücken und kalendermäßig den Tag, den Du erleben sollst, eigentlich schon durchlebt haben, aber trotzdem werden wir vor den gleichen Kalenderblättern leben, und das Leben wird mir dadurch lieber sein.

Wo wirst Du Sylvester sein? Tanzen? Champagner trinken? (Am Nachmittag hast Du im Grunewald Wein getrunken? Das doch nicht?) Ich wollte bei meinem Schreibtisch bleiben und den Roman weitertreiben (der heute noch an der gestrigen Unterbrechung leidet), nun bin ich aber eingeladen worden, zu Leuten, die ich gut leiden kann (die Familie des Onkels jenes Dr. Weltsch), und so zweifle ich, was ich tun soll; schließlich werde ich ja doch zuhause bleiben, glaube ich, wenn ich auch, seitdem ich Dein Täschchen habe, in jeder Gesellschaft aufzutreten fähig bin (die Hand in der Tasche und das Täschchen in der Hand). Aber die Versäumnis wäre zu arg, täte mir leid und außerdem warnen mich ganz ungewohnte Zuckungen und Muskelspiele im Kopf vor allzulangen Nachtwachen.

Nun Liebste, adieu, ein fröhliches neues Jahr meinem liebsten Mädchen; ein neues Jahr ist eben ein anderes Jahr, und wenn das alte uns auseinandergehalten hat, vielleicht treibt uns das neue Jahr mit Wundern und mit Gewalt zusammen. Treibe, treibe, neues Jahr!

Franz

vom 31.XII.12 zum 1.1.1913

Als ich heute abend um 8 Uhr noch im Bette lag, nicht müde, nicht frisch, aber unfähig aufzustehn, bedrückt von diesem allgemeinen Sylvesterfest, das ringsherum anfing, als ich so traurig dalag, verlassen wie ein Hund und gerade die zwei Möglichkeiten, die ich hatte,

mit guten Bekannten den Abend zu verbringen (gerade der Mitter-
nachtschuß, Schreien auf der Gasse und der Brücke, wo ich eigentlich keinen Menschen sehe, Glockenläuten und Uhrenschlagen),
mich noch trostloser und vergrabener machten und die eigentliche
Aufgabe meines Blickes das Herumwandern auf der Zimmerdecke
schien, – dachte ich daran, wie froh ich sein muß, daß es das Unglück will, daß ich nicht bei Dir bin. Ich müßte das Glück Deines
Anblickes, das Glück des ersten Gespräches, das Glück, mein Gesicht
in Deinem Schoß zu verstecken – ich müßte alles dies zu teuer bezahlen, ich müßte es damit bezahlen, daß Du vor mir wegliefest,
gewiß weinend wegliefest, denn Du bist die Güte, was aber würden
mir die Tränen helfen. Und dürfte ich Dir nachlaufen? Dürfte gerade ich das tun, der Dir ergeben ist wie keiner? (Wie sie auf der
Straße brüllen in dieser von den Hauptstraßen weit entfernten Gegend!) Aber alles das muß ich ja nicht selbst beantworten, antworte,
Liebste, Du selbst, und zwar nach ganz genauer, keinen Zweifel
übriglassender Überlegung. Ich fange mit den kleinsten, unbedeutendsten Fragen an, ich werde sie mit der Zeit steigern.
Nehmen wir an, durch einen besondern Glücksfall wäre es möglich, daß wir in der gleichen Stadt, vielleicht in Frankfurt, einige
Tage lang beisammen sind. Wir haben verabredet, am zweiten
Abend zusammen ins Theater zu gehn, ich soll Dich aus der Ausstellung abholen. Du hast wichtige Angelegenheiten flüchtig und
mit größter Anstrengung erledigt, um nur rechtzeitig fertig zu werden und wartest nun auf mich. Du wartest umsonst, ich komme
nicht, an eine bloße zufällige Verspätung ist nicht mehr zu denken,
die dafür von dem freundlichsten Menschen zugestandene Frist ist
längst vorüber. Auch eine Nachricht, die Dich aufklären könnte,
kommt nicht; Du hättest inzwischen Deine geschäftlichen Sachen
längst auf das gründlichste erledigt haben können, ruhig Dich anziehn können, für das Theater wird es nun überhaupt zu spät. Eine
bloße Versäumnis meinerseits kannst Du gar nicht annehmen, Du
hast vielleicht ein wenig Sorge, es könnte mir etwas geschehen sein,
und kurz entschlossen – ich höre Dich dem Kutscher den Auftrag
geben – fährst Du in mein Hotel und läßt Dich in mein Zimmer
führen. Was findest Du da? Ich liege (nun schreibe ich die erste
Briefseite ab) um 8 Uhr noch im Bett, nicht müde, nicht frisch, behaupte unfähig gewesen zu sein, das Bett zu verlassen, klage über
alles und lasse noch ärgere Klagen ahnen, suche durch Streicheln

Deiner Hand, durch Suchen Deiner im dunklen Zimmer herum-
irrenden Augen meinen schrecklichen Fehler wieder gutzumachen
und zeige doch durch mein ganzes Benehmen, daß ich bereit bin,
ihn im Augenblick in seinem ganzen Umfang ohne weiteres zu
wiederholen. Dabei finde ich gar nicht besonders viele Worte. Dafür ist mir aber unsere Gegenüberstellung bis ins einzelnste klar, und
ich würde an Deiner Stelle vor meinem Bett nicht zögern, vor Ärger
und Verzweiflung den Schirm zu erheben und an mir zu zerschlagen.

Vergesse nicht, Liebste, das Ereignis, das ich da beschrieben habe, ist
in Wirklichkeit vollständig unmöglich. In Frankfurt z. B. würde ich,
wenn man meinen ununterbrochenen Aufenthalt in den Ausstel-
lungsräumen nicht gestatten wollte, den ganzen Tag eben vor der
Tür der Ausstellung hocken und ähnlich würde ich mich wahrscheinlich bei gemeinsamen Theaterbesuchen verhalten, also vielmehr zudringlich als nachlässig. Aber ich will eine überdeutliche
Antwort auf meine Frage, eine Antwort, die von allen Seiten, also
auch von der Seite der Wirklichkeit unabhängig ist, und darum
habe ich auch meine Frage so überdeutlich gestellt. Antworte also,
liebste Schülerin, antworte dem Lehrer, der manchmal in der Gren-
zenlosigkeit seiner Liebe und seines Unglücks gänzlich bis zur Unwirklichkeit vergehen möchte.

In Deinem letzten Brief steht ein Satz, Du schriebst ihn schon einmal, ich wohl auch: »Wir gehören unbedingt zusammen.« Das ist,
Liebste, tausendfach wahr, ich hätte z. B. jetzt in den ersten Stunden
des neuen Jahres keinen größern und keinen närrischeren Wunsch,
als daß wir an den Handgelenken Deiner linken und meiner rechten
Hand unlösbar zusammengebunden wären. Ich weiß nicht recht,
warum mir das einfällt, vielleicht weil vor mir ein Buch über die
Französische Revolution mit Berichten von Zeitgenossen steht und
weil es immerhin möglich ist – ohne daß ich es allerdings irgendwo
gelesen oder gehört hätte –, daß einmal auf solche Weise zusammengebunden ein Paar zum Schafott geführt wurde. – Aber was lauft
mir denn da alles durch den Kopf, der übrigens heute gegen meinen
armen Roman ganz und gar verschlossen war. Das macht die 13 in
in der neuen Jahreszahl. Aber die schönste 13 soll mich nicht hindern, Dich, meine Liebste, näher, näher, näher zu mir [zu] ziehn.
Wo bist Du dem jetzt? Aus welcher Gesellschaft hebe ich Dich
heraus?   Franz

Liebste, nur paar Worte vom Neujahrsnachmittag. Weißt Du, was augenblicklich meine größte Sorge ist? Deinen mir für gestern, Dienstag, zugedachten großen, schönen Brief habe ich erst heute, Mittwoch, mit der zweiten Post bekommen. Nun schreibst Du aber: »Du bekommst aber auch am Sonntag früh bestimmt noch einen Brief« und meinst mit dem Sonntag offenbar den heutigen Neujahrstag. Gut, aber diesen zweiten Brief habe ich nicht bekommen, auch im Bureau war er nicht. Dann kommt er wahrscheinlich erst morgen in die Wohnung, während ich im Bureau bin. Nun, ich werde den Auftrag geben, daß man mir ihn gleich ins Bureau bringt, aber ob man daran nicht vergißt, ob man es rechtzeitig bringt, ob auch sonst noch ein Brief ins Bureau kommt? Das sind also, Liebste, meine Sorgen. Verdammte Post! Verdammte Entfernung!
Wie gut Du mich aber in Deinem heutigen Brief behandelst! Wie Du mir verzeihen und wie Du meine Sorgen verstehen kannst! Warte, dafür danke ich Dir noch heute in der Nacht nach Kräften. Liebste, adieu, ich habe meinen dumpfen, großen, über dem linken Auge ein wenig zuckenden, urdummen Nachmittagskopf und so soll ich unter Leute. Warum denn nicht? Für die bin ich immer noch gut genug, denn wenn ich auch in meinem verhältnismäßig besten Zustand bin, gehöre ich ihnen ja doch nicht.
Die Überwindung Eulenbergs freut mich unmäßig und der Mensch hat keine Ahnung davon, sondern freut sich über seinen Schillerpreis[1] und über die 12000 M., die er, wie Werfel erzählte, jährlich von Rowohlt bekommt. Ich gönne sie ihm durchaus, denn ich habe Dich, Felice, zu mir hinübergezogen. Nun bleib aber auch hier!

Franz

2.1.13

Das ist mir aber ganz unverständlich, Liebste, eben will ich ins Bett steigen, da kommt Dein Telegramm. Was macht denn die Berliner Post? Am Neujahrstag bekamst Du doch einen Brief in die Wohnung, nicht wahr? Gut, Silvester schrieb ich Dir einen Riesenbrief und warf ihn Neujahr vormittag ein, den mußtest Du also heute,

---

[1] Herbert Eulenberg erhielt 1912 für sein Stück *Belinde* den Volks-Schillerpreis.

am 2., um 9 Uhr bekommen. Außerdem schrieb ich Dir aber aus Freude über Deinen Brief am Neujahrstag nachmittag noch einen und warf ihn gleich ein, den mußtest Du heute um 10 Uhr bekommen. Endlich schrieb ich in der heutigen Nacht einen Brief, den mußt Du morgen, den 3., um 9 Uhr bekommen. Du siehst, mich trifft, Liebste, keine Schuld. Meine Post ist ja auch genug verrückt, Deine Briefe vom 30. und 31. bekam ich erst heute, den 2., Deine Silvesterkarte dagegen richtig im Bureau. Warum verfolgt man uns denn so? Sind wir denn im übrigen so überglücklich? Jetzt laufe ich diesen Brief express aufzugeben.

Franz

vom 2. zum 3.1.1913

Sehr spät, meine arme, geplagte Liebste. Ich bin nach nicht allzu schlechter aber allzu kurzer Arbeit wieder lange in meinen Sessel zurückgelehnt dagesessen und nun ist es so spät geworden.

Ich weiß nicht, das Nichtankommen meiner Briefe kann ich gar nicht so ernst nehmen, wenn ich da auch Dein Telegramm vor mir habe und am liebsten mit meinen längsten Schritten nach Berlin gelaufen wäre, um die Sache rasch und mündlich aufzuklären. Aber die Briefe müssen doch noch im Laufe des Nachmittags gekommen sein. Wie wäre es denn möglich, daß zwei zweifellos richtig adressierte, übrigens auch mit Absenderadresse versehene Briefe am gleichen Tage, trotzdem sie in verschiedenen Postsäcken befördert werden mußten, verlorengehen konnten? Das kann ich mir gar nicht denken. Wenn das wirklich geschehen ist, dann ist keine Sicherheit mehr, dann fangen wieder alle Briefe an verlorenzugehn, auch dieser, und nur gerade ein Telegramm findet noch seinen Weg. Und es bleibt der einzige Ausweg, wir werfen die Federn weg und laufen zueinander.

Liebste, ich bitte Dich jedenfalls mit aufgehobenen Händen, sei nicht auf meinen Roman eifersüchtig. Wenn die Leute im Roman Deine Eifersucht merken, laufen sie mir weg, ich halte sie ja sowieso nur an den Zipfeln ihrer Kleidung fest. Und bedenke, wenn sie mir weglaufen, ich müßte ihnen nachlaufen und wenn es bis in die Unterwelt wäre, wo sie ja eigentlich zuhause sind. Der Roman bin ich, meine Geschichten sind ich, wo wäre da, ich bitte Dich, der geringste Platz für Eifersucht. Alle meine Menschen laufen ja, wenn alles sonst in Ordnung ist, Arm in Arm auf Dich zu, um letzten Endes Dir zu dienen. Gewiß würde ich mich auch in Deiner Gegenwart vom Roman nicht losmachen, es wäre arg, wenn ich es könnte, denn durch mein Schreiben halte ich mich ja am Leben, halte mich an jenem Boot, auf dem Du, Felice, stehst[1]. Traurig genug, daß es mir nicht recht gelingen will, mich hinaufzuschwingen. Aber begreife nur, liebste Felice, daß ich Dich und alles verlieren muß, wenn ich einmal das Schreiben verliere.

Wegen meines Buches [Betrachtung] mache Dir keine Sorgen, mein Gerede letzthin war die traurige Laune eines traurigen Abends[2]. Ich glaubte damals, die beste Methode mein Buch Dir angenehm zu machen sei die, Dir dumme Vorwürfe zu machen. Lies es nur bei Gelegenheit und in Ruhe. Wie könnte es Dir schließlich fremd bleiben! Selbst wenn Du Dich zurückhieltest, es müßte Dich an sich reißen, wenn es mein guter Abgesandter ist.

Franz

[Am Rande der Seiten]
Ich weiß gar nicht recht, welcher Brief verlorengegangen sein soll, der von Napoleon und den Kindern oder der von Frankfurt?
Wehe, Liebste, wenn Du einmal in der Nacht aufstehst, um zu schreiben. Wehe!
Mit welcher Kollegin bist Du am 30. nachhause gelaufen?
Frage der Eifersucht: Was sagte Dein Vater über [Brods] »Arnold Beer«?

vom 3. zum 4.1.1913

Gewiß, Liebste, hätte ich noch nicht aufhören sollen mit meinem Schreiben, gewiß habe ich zu bald aufgehört, es ist erst 1 Uhr vorüber, aber ich hatte eine Spur mehr Abneigung als Lust, wenn auch große Lust, wenn auch mehr Schwäche als Abneigung, und so ließ ich es. Bitte, Liebste, wenn Du dieses gelesen hast, so nicke mir zum Beweise, daß ich recht getan habe, zu und dann wird es eben richtig gewesen sein.
Wir tauschen, scheint mir, unsere Unruhe aus. Heute war ich der Unruhige. Ich hätte gern gewußt, ob Du meine Briefe doch noch

---

[1] Das Boot-Bild bezieht sich offenbar auf die in Kafkas Brief vom 3. Dezember 1912, S. 149 f. beschriebene Photographie Felicens.
[2] Vgl. Kafkas Brief vom 29.–30. Dezember 1912, S. 218 f.

bekommen hast. Es gab Augenblicke im heutigen Tag, wo es mir schien, ich würde den nächsten Augenblick nicht ertragen können, wenn er Dich nicht zu mir brächte. Noch gestern nacht, nachdem ich den vorigen Brief geschrieben und verschlossen hatte, fiel es mir im Bett ein, daß die ganze Geschichte meiner nicht angekommenen Briefe nur dadurch zu erklären ist, daß irgendeine der Bureaudämchen aus Neugierde und Lüsternheit die Briefe versteckt und erst am Abend Dir übergeben hat. Ich bin neugierig, ob ich richtig geraten habe.

Über Deine Wette um die Champagnerflasche habe ich gestaunt. Auch ich habe nämlich, allerdings schon vor Jahren, aber wie ich glaube für eine zehnjährige Frist, mit einem guten Bekannten eine ähnliche Wette meine Heirat betreffend abgeschlossen. Ich habe ihm sogar einen schriftlichen Verpflichtungsschein ausgestellt, den er noch in Händen hat. Ich hätte nicht daran gedacht, wenn mich dieser Bekannte nicht gerade in den letzten Tagen, nachdem schon jahrelang davon nicht gesprochen wurde, zufällig daran erinnert hätte. Es handelt sich auch um Champagner, aber wenn ich nicht irre, gar um 10 Flaschen des allerfeinsten. Wahrscheinlich dachte ich damals daran, mir in 10 Jahren einen schönen Junggesellenabend zu bereiten und hoffte, mit den Jahren werde sich auch das Vergnügen am Champagner einstellen, was allerdings bis heute nicht geschehen ist. Die Wette stammt, wie Du schon erraten haben wirst, aus jener längst vergangenen angeblichen Bummelzeit, in der ich viele Nächte in Weinstuben versessen habe, ohne zu trinken. Nach den Namen zu schließen, waren es wunderbare Örtlichkeiten: Trocadero, Eldorado und in dieser Art. Und nun? Nun stehe ich in der Nacht auf der Gasse einer amerikanischen Stadt und gieße unbekannte Getränke in mich hinein wie in ein Faß[1].

Den alten Traum soll ich noch erzählen? Warum gerade den alten, da ich doch fast jede Nacht von Dir träume? Denke nur, heute nacht habe ich Verlobung mit Dir gefeiert. Es sah schrecklich, schrecklich unwahrscheinlich aus und ich weiß auch nicht mehr viel davon. Die ganze Gesellschaft saß in einem halbdunklen Zimmer an einem langen Holztisch, dessen schwarze Platte von keinem Tuch bedeckt war. Ich saß unten am Tisch zwischen unbekannten Leuten, Du standest aufrecht, genug weit von mir entfernt, weiter oben, schief mir gegenüber. Ich legte vor Verlangen nach Dir den Kopf

---

[1] Anspielung auf eine Szene im Amerika-Roman, S. 284.

auf den Tisch und spähte zu Dir hinüber. Deine Augen, die auf mich gerichtet waren, waren dunkel, aber in der Mitte jedes Auges war ein Punkt, der glänzte wie Feuer und Gold. Dann zerstreute sich mir der Traum, ich bemerkte, wie das bedienende Dienstmädchen hinter dem Rücken der Gäste eine dickflüssige Speise, die es in einem braunen Töpfchen zu servieren hatte, verkostete und den Löffel wieder in die Speise steckte. Darüber gerieth ich in die größte Wut und führte das Mädchen – es stellte sich nun heraus, daß das ganze in einem Hotel stattfand und daß das Mädchen eine Hotelangestellte war – hinunter in die ungeheueren Geschäftsräume des Hotels, wo ich bei den maßgebenden Personen über das Benehmen des Mädchens Klage führte, ohne übrigens viel zu erreichen. Dann verlief sich der Traum in maßlosen Reisen und maßloser Eile. Was sagst Du dazu? Den alten Traum habe ich aber eigentlich noch klarer im Kopf als diesen, aber heute erzähle ich ihn nicht mehr.

Auf die Gefahr hin, Dir den Sonntag zu verderben, schicke ich Dir meine neueste Photographie, und zwar gleich in 3 Exemplaren, da ich gefunden zu haben glaube, daß sie in größerer Anzahl an Schrecken verliert. Ich weiß mir keine Hilfe, dieses Blitzlicht gibt mir immer ein irrsinniges Aussehn, das Gesicht wird verdreht, die Augen schielen und starren. Habe keine Angst, Liebste, so sehe ich nicht aus, dieses Bild gilt nicht, das sollst Du nicht bei Dir tragen, ich werde Dir bald ein besseres schicken. In Wirklichkeit bin ich zumindest noch einmal so schön wie auf dem Bild. Genügt Dir das nicht, Liebste, dann ist es allerdings schlimm. Was soll ich dann machen? Übrigens hast Du ja ein ganz wahrheitsgemäßes Bild von mir; so wie ich in dem kleinen Buch [Betrachtung] aussehe, so sehe ich auch wirklich aus, so sah ich wenigstens vor kurzem aus. Und ob Du willst oder nicht, ich gehöre Dir.

Franz

vom 5. zum 6.I.13
[vermutlich in der Nacht vom 4. zum 5.Januar]

Wieder einmal schlecht, ganz schlecht gearbeitet, Liebste! Daß es sich nicht ständig halten läßt, sondern sich einem eben wie ein Lebendiges unter den Händen windet!
Denke nur, jetzt kann man sich nicht einmal auf Expreßbriefe mehr verlassen, Dein Expreßbrief kam gestern erst am Abend ins Bureau

und ich bekam ihn also erst heute morgen. Wie einem ein solcher Brief das Treppensteigen beschleunigt, wie man sich oben mit ihm ans Fenster drückt (um ¼9 ist es noch recht dunkel), wie man für alle Fragenden, die ein solches Brieflesen als ein Zeichen zum Zusammenströmen ansehn, in den unsichersten Angelegenheiten ein zustimmendes, von allen Sorgen befreites Kopfnicken hat.

Und dann kam der zweite Brief und wir waren in Frankfurt zusammen und umarmten einander, statt wie bisher die Leere des Zimmers. Aber meiner Frage hast Du, Liebste, doch die schlimme Spitze ein wenig abgebogen. Wenn wir mit ihr spielen, spielen wir mit ihr bis zum Ende, Du mußt mich ja sehn, wie ich im Schlechten und im Guten bin, ich habe es leichter, Du unveränderlich Liebe und Gute!

Gerade augenblicklich, um die Wahrheit zu sagen, bin ich in einer unleidlichen Verfassung und das einzige Gute an mir ist der Ärger über mich. Ich habe schlecht geschrieben und die Folge dessen ist eine Art Erstarrung, die mich erfaßt. Ich bin nicht müde, nicht schläfrig, nicht traurig, nicht lustig, ich habe nicht die Kraft, Dich mit meinen Wünschen herzuholen, trotzdem zufällig rechts von mir ein leerer Sessel wie vorbereitet steht, ich bin in einer Umklammerung und kann mich nicht losmachen.

So wäre es auch z. B. in unserer Frankfurter Geschichte. Mir wäre nichts passiert, wie Du annimmst, gar nichts wäre mir passiert, ich würde nur still in meinem Bett liegen, während nach der Uhr auf dem Sessel neben dem Bett der Augenblick unserer Verabredung sich nähern, kommen und vorübergehen würde. Ich hätte keine Entschuldigung, ich hätte gar nichts zu erzählen, nur schuldbewußt wäre ich. Der Eindruck, den ich in einem solchen Zustand auf Dich machte, wäre ähnlich jenem, den manche meiner Briefe auf Dich machen, bei deren Beantwortung Du z. B. mit der Frage beginnst: »Franz, was soll ich nun mit Dir anfangen?«

Quäle ich Dich mit meinem Eigensinn? Aber wie anders als durch Eigensinn kann sich der Eigensinnige von dem Besitz eines unglaublichen, vom Himmel herab ihm gereichten, an einem Augustabend ihm erschienenen Glückes überzeugen?   Franz

Ich weiß nicht, ob Du am Dreikönigstag ins Bureau gehst, darum schicke ich diesen Brief in Deine Wohnung und schreibe morgen noch einen zweiten in Dein Bureau.

Nur paar Worte, meine arme Liebste! Es ist schon schwindelnd spät, wenn ich Dich noch vom Sonntag grüßen will, muß es mit Windeseile geschehn. Es kommt mir ja auch nur darauf an, daß ich Dich nicht nur für mich umarme, sondern so, daß Du davon erfährst. Aber – fällt mir da ein – vielleicht kommen wir deshalb nicht zusammen, weil ich den ungeheuerlichen Wunsch habe, Dich dann gleich zu küssen, nun dann erkläre ich vor den entscheidenden höhern Wesen, daß ich zuerst ganz zufrieden wäre, Deine Hand, meine arme Liebste, streicheln zu dürfen.

Franz

vom 5. zum 6.I.1913

Arme, arme Liebste, möchtest Du Dich doch nie gezwungen fühlen, diesen elenden Roman zu lesen, den ich da stumpf zusammenschreibe. Schrecklich ist es, wie er sein Aussehn ändern kann; liegt die Last auf (mit welchem Schwung ich schreibe! Wie die Kleckse fliegen!) dem Wagen oben, dann ist mir wohl, ich entzücke mich am Peitschenknallen und bin ein großer Herr; fällt sie mir aber vom Wagen herunter (und das ist nicht vorauszusehn, nicht zu verhindern, nicht zu verschweigen) wie gestern und heute, scheint sie unmäßig schwer für meine kläglichen Schultern, dann möchte ich am liebsten alles lassen und mir an Ort und Stelle ein Grab graben. Schließlich kann es keinen schönern, der vollkommenen Verzweiflung würdigern Ort für das Sterben geben als einen eigenen Roman. Gerade unterhalten sich zwei seit gestern recht matt gewordene Personen auf zwei benachbarten Balkonen im 8ten Stockwerk um 3 Uhr in der Nacht[1]. Wie wäre es, wenn ich ihnen von der Gasse aus ein »Adieu« zuriefe und sie gänzlich verließe. Sie würden dort auf ihren Balkonen zusammensinken und mit Leichengesichtern durch die Geländerstangen einander ansehn. Aber ich drohe nur, Liebste, ich tue es ja doch nicht. Wenn – kein Wenn, ich verirre mich wieder einmal.

Heute habe ich wirklich nachmittag zu schlafen versucht, es ist aber nicht ganz gut ausgefallen, denn nebenan – ich hatte es nicht vorbe-

[1] Vgl. den Amerika-Roman, S. 293 ff.

dacht – wurden die 6–700 Einladungen für die nächsten Sonntag stattfindende Hochzeit meiner Schwester bereitgemacht und mein künftiger Schwager, der diese Arbeit befehligte, hat neben allen seinen sonstigen sehr liebenswürdigen Eigenschaften eine so schreiende und so gern benützte Stimme, daß einer, der im Neben-zimmer zu schlafen versucht, beim Klang dieser Stimme das Gefühl bekommt, es werde ihm eine Säge an den Hals gesetzt. Dabei läßt sich natürlich nicht sehr gut schlafen; es war ein ewiges Aufschrek-ken und In-den-Schlaf-Zurückfallen. Dabei hatte ich auf einen schönen Spaziergang verzichtet, um schlafen zu können. Aber ge-schlafen hatte ich schließlich doch genug und eine Entschuldigung für mein schlechtes Schreiben kann ich daraus nicht ableiten.

Wie war es, Liebste, mit den Bemerkungen Deiner Eltern über mich? Da will ich aber jedes Wort und jede Miene wissen. Geh, solche Dinge verschweigst Du mir so lange. Wenn ich solche Be-merkungen erfahre, habe ich dann ein solches Gefühl Deiner Nähe, es ist, ob glücklich oder traurig, so stark und für mich, den von Deiner leiblichen Nähe so vollkommen ausgeschlossenen, so begeh-renswert, daß ich, in diesen Genuß versunken, solche Mitteilungen lange Zeit anstarren kann, ohne zu lesen, ohne zu denken, ohne etwas anderes zu fühlen als Dich. Ich bin dann ganz an Deiner Seite, werde mit Dir von Deinen Eltern angesprochen und bin in den Blutkreis einbezogen, aus dem Du stammst. Stärkere Nähe gibt es vielleicht gar nicht, das nächst Höhere wäre schon Durchdringung.

Auch mit diesem »recht nett aussehenden« Kinderarzt sind wir, Felice, noch nicht fertig. An dem halte ich mich noch ein Weilchen fest, er ist ein kleines Gegenstück zu der Frankfurter Geschichte und eigentlich im Grunde, wenn auch unbeabsichtigt, eine an mich ge-stellte Frage. Die muß ich beantworten. Wenn ich, Liebste, nur eifersüchtig, nichts anderes als eifersüchtig wäre, könnte ich nach Deiner Erzählung noch eifersüchtiger werden. Denn wenn dieser Kinderarzt eine so wichtige Angelegenheit war, daß Du eine Un-wahrheit sagen mußtest, um Dich vor ihm zu schützen, dann – Aber Liebste, das ist der Gedankengang eines Eifersüchtigen, nicht der meine, wenn er mir auch immerhin zugänglich ist. Mein Ge-dankengang ist der: Du hattest Dich mit dem Arzt gut unterhalten, einen angenehmen Abend mit ihm verbracht, er suchte eine An-knüpfung, die an und für sich, wenigstens bis zur Grenze einer klei-nen Vormittagsunterhaltung, weder Dir noch Deiner Mutter unangenehm gewesen wäre, es scheint, daß infolge des Ablehnens jener Anknüpfung eine weitere Anknüpfung ausgeschlossen oder wenigstens unwahrscheinlich ist und daran trage ich, nach Deiner Erzählung, Felice, allein die Schuld, allerdings die mir vollständig gebührende Schuld. Wie trage ich nun diese Schuld? Etwa stolz, oder zufrieden? oder zur Aufladung weiterer Schuld verlockend? Nein, ich klage, ich jammere eigentlich, ich hätte wollen, daß der Kinderarzt zu Euch hinaufgekommen wäre, daß er sich als der nette Mensch, der er am Sylvester war, auch weiterhin bewährt hätte, daß er lustig gewesen und lustig aufgenommen worden wäre. Wer bin denn ich, daß ich mich ihm in den Weg zu legen wage? Ein Schatten, der Dich unendlich liebt, den man aber nicht ans Licht ziehen kann. Pfui über mich! – Jetzt ist natürlich wieder Zeit, den Wirbel sich in entgegengesetzter Richtung drehn zu lassen. Ich wäre zerfressen von Eifersucht, wenn ich aus der Ferne hören müßte, daß dem Kinderarzt tatsächlich alles das gelungen ist, was ich ihm auf der vorigen Seite so dringend wünschte, und die Unwahrheit, die Du ihm sagtest, war nicht aus Deinem reinen Innern, sondern aus mir heraus gesprochen, und ich will fast glauben, daß Deine Stimme in jenem Augenblick einen kleinen Beiklang von der meinigen gehabt hat. – Wie schließt sich aber diese Meinung mit der vorigen zusammen? (So wird aus meiner Antwort nur wieder eine an Dich gestellte Frage.) Nur als Wirbel. Und aus diesem Wirbel sollte ich herausgezogen werden können? Das kann ich gar nicht glauben.

Übrigens weiß ich schon aus meiner Naturheilkunde, daß alle Gefahr von der Medicin herkommt, ganz gleichgültig, ob es sich diesmal um einen Augenarzt, oder dann um einen Zahnarzt und endlich um einen Kinderarzt handelt. Die dumme Feder! Was für Dummheiten sie sich niederzuschreiben nicht scheut, statt einmal etwas Vernünftiges zu schreiben, wie »Du Liebste!« und dann noch einmal »Du Liebste!« und dann wieder »Du Liebste!« und nichts als das.

Mein Denken an Dich ist vernünftiger als mein Schreiben an Dich. Gestern nachts konnte und wollte ich lange nicht einschlafen, und zwei Stunden lag ich da mehr wachend als schlafend und war unaufhörlich im vertrautesten Gespräch mit Dir. Es wurde nichts einzelnes gesprochen und mitgeteilt, es war eigentlich nur die Form eines vertrauten Gesprächs, das Gefühl der Nähe und Hingabe.

Franz

Lache nicht, Liebste, lache nicht, es ist mir augenblicklich schrecklich ernst mit dem Wunsch: Wenn Du doch hier wärest! Ich rechne oft zum Spiel, in wieviel Stunden könnte ich schnellstens bei günstigsten Umständen bei Dir sein, in wieviel Stunden Du bei mir. Es ist immer zu lang, viel zu lang, so verzweifelt lang, daß man, selbst wenn nicht andere Hindernisse wären, schon angesichts dieser Zeitdauer sich zu dem Versuch nicht entschließen könnte. Heute abend ging ich von zuhause geradewegs zu dem Hause in der Ferdinandstraße, in dem Euer Vertreter sein Geschäft hat. Es sah fast aus, als hätte ich dort ein Rendezvous mit Dir. Aber ich umging das Haus allein und ging allein wieder weg. Nicht einmal eine Erwähnung der Fa Lindström konnte ich auf den Firmatafeln finden. Der Mann nennt sich nur Generalvertreter einer Gramophone-Company. Warum? Oft klage ich, daß so wenige Örtlichkeiten in Prag, wenigstens meiner Kenntnis nach, Beziehungen zu Dir haben. Die Wohnung bei Brods, die Schalengasse, der Kohl[en]markt, die Perlgasse, die Obstgasse, der Graben. Dann noch das Café im Repräsentationshaus, die Frühstückstube im Blauen Stern und das Vestibül. Es ist wenig, Liebste, aber dieses Wenige, wie hebt es sich für mich aus der Karte der Stadt heraus!

Ich habe Dir heute auf Deine beiden heutigen Briefe so viel zu sagen daß sich Deine Mutter, wenn sie es übersehen könnte, eigentlich folgendermaßen wundern müßte: Wie kann man nur überhaupt schreiben, wenn man so viel zu sagen hat und wenn man weiß, daß die Feder durch die Menge des zu Sagenden nur eine unsichere und zufällige Spur ziehen wird.

Mein Bild hast Du also in Dein Herzchen (nicht Herzchen, Anspruchsvoller!), in Dein Medaillon gegeben zur unbequemen Nachbarschaft für Dein kleines Nichtchen und, lese ich recht? Tag und Nacht willst Du es tragen? Hast Du denn keine Lust gehabt, das schlechte Bild wegzuwerfen? Starre ich Dich daraus nicht allzu erschreckend an? Verdient es die Ehre, die Du ihm gibst? Zu denken, daß mein Bild in Deinem Medaillon steckt und ich hier allein in meinem eiskalten Zimmer sitze (in dem ich mich, scheint mir, zu meiner großen Schande in den letzten Tagen verkühlt habe). Aber warte, Du schlechtes Bild, der Augenblick wird gesegnet sein, in dem ich kommen und mit eigener Hand Dich aus dem Medaillon nehmen werde. Wegwerfen werde ich Dich nur wegen der Blicke nicht, die Felice vielleicht auf Dich verschwendet hat.

Ich höre auf, es ist schon spät, fertig werden könnte ich nie, was ist es auch für eine Beschäftigung für die Hände, Briefe zu schreiben, wenn sie dazu gemacht sind und nichts anderes wollen, als Dich zu halten.

Franz

7.1.13

Meine liebste Felice, ich schreibe heute nachmittag, denn ich weiß nicht, ob ich abend überhaupt aus dem Bett komme. Vielleicht ist es das beste, ich schlafe durch. Ich bin offenbar verkühlt, und zwar durch und durch; ich kann es nicht glauben und bin es doch. Und wenn ich nicht verkühlt sein sollte, ist es doch etwas verteufelt Ähnliches. Ich werde heiße Limonade trinken, ein heißes Tuch um mich schlagen, mich von der Welt zurückziehn und von Felice träumen. Alle Verkühlungen und alle Gespenster sollen aus mir und meinem Zimmer durch Hitze vertrieben werden, damit ein reiner Aufenthalt für die Gedanken an Dich, mein liebstes Kind, bereitet werde.

Gegen die Post soll ich nichts mehr sagen? Höre doch, Deinen Sonntagabendbrief habe ich Montag vormittag bekommen, Deinen Sonntagvormittagbrief dagegen erst heute, Dienstag, vormittag. (Ins Bureau kommen die Briefe pünktlicher, unsere Wohnung ist so entlegen.) Es kann nur Deiner Bildchen halber gewesen sein, die sie mir auf der Post nicht gönnten. Liebste, was für ein schönes Bild! Vielleicht nicht in den Einzelheiten, aber im Blick, im Lächeln und in der Haltung! Irgendetwas Unnützes bohrt in meinem Kopf, aber es macht für einen Augenblick halt, wenn ich Dein Bild ansehe. Nun sehe ich Dich also beiläufig so, wie ich Dich damals zum erstenmal sah. Diese Handhaltung hatte ich gar nicht mehr im Gedächtnis, aber jetzt ersteht sie mir, glaube ich, in der Erinnerung wieder auf. Die Freundlichkeit Deines Blickes gilt ja der Welt im allgemeinen (wie ja auch meine starren Augen der Welt im allgemeinen gelten), aber ich nehme sie für mich und bin glücklich.

Bitte, Liebste, wegen meiner Verkühlung mache Dir aber auch keinen einzigen Gedanken. Ich erwähne sie überhaupt nur, weil ich Dir gerne jede Kleinigkeit sagen möchte, wie es sich eben von selbst ergibt, wenn das Gesicht dem andern so nahe ist, wie es in Wirklich-

235

keit sein sollte und nur in Träumen manchmal ist. Eine kleine, rasch vorübergehende Krankheit ist mir überhaupt noch von meiner Kinderzeit her eine immer erstrebte, selten erreichte Annehmlichkeit gewesen. Es unterbricht den unerbittlichen Zeitverlauf und verhilft diesem abgenutzten, regelrecht fortgeschleiften Menschen, der man ist, zu einer kleinen Wiedergeburt, nach der es mich jetzt wirklich schon gelüstet. Und wenn es nur deshalb wäre, damit Du, Felice, einen liebenswerteren Briefschreiber bekommst, der endlich einsehen lernt, daß Du zu kostbar bist, um immerfort mit Klagen an Dir zu zerren.

Franz

[Am Rande] Früh ¾8. Die Kur ist vorüber, es geht ins Bureau.

vom 8. zum 9.1.12 [1913]

Ich habe heute aus verschiedenen Gründen statt zu schreiben einen Spaziergang mit jenem Dr. Weltsch gemacht, nachdem ich 1 ½ Stunden inmitten seiner Familie gesessen bin und mir von seinem Vater, einem für alles interessierten, klugen Menschen, er ist kleiner Tuchhändler, viele alte, schöne Geschichtchen aus der frühern Prager Judenstadt, aus den Zeiten seines Großvaters, der noch ein großer Tuchhändler gewesen ist, habe erzählen lassen. Ich mußte mit fremden Menschen beisammen sein und dabei war mir doch in ihrer Gegenwart nicht wohl. Dieser Widerspruch äußert sich bei mir immer darin, daß ich denjenigen, der mir etwas erzählt, nicht fest anschauen kann, der Blick gleitet mir, wenn ich ihn gewähren lasse, von dem fremden Gesichte ab und kämpfe ich dagegen an, wird es natürlich kein fester, sondern ein starrer Blick. Aber will ich denn den ganzen Abend beschreiben? Nein, aber aus dem ungeheuern Wust des zu Sagenden drängt sich dem ein wenig stumpfen Sinn nur Willkürliches und Nebensächliches hervor. Es scheint mir überhaupt, als hätte ich Dir in den letzten Tagen so wenig, selbst von dem Dringendsten erzählt und geantwortet, daß ich manchmal das Gefühl habe, als sei ich im Begriff, Deines Zuhörens verlustig zu werden. Das darf nicht sein, Felice. Deute mein Nichtantworten auf einzelne Fragen nicht schlecht, nicht zu meinen Ungunsten, diese Wellen, die mich tragen, sind dunkles, trübes, schweres Wasser, ich komme langsam vorwärts und bleibe auch stecken, aber dann treibt es mich doch wieder weiter und es geht ganz gut. Du mußt es doch schon bemerkt haben in unserem ersten Vierteljahr.

Ich kann auch lachen, Felice, zweifle nicht daran, ich bin sogar als großer Lacher bekannt, doch war ich in dieser Hinsicht früher viel närrischer als jetzt. Es ist mir sogar passiert, daß ich in einer feierlichen Unterredung mit unserem Präsidenten – es ist schon zwei Jahre her, wird aber in der Anstalt als Legende mich überleben – zu lachen angefangen habe; aber wie! Es wäre zu umständlich, Dir die Bedeutung dieses Mannes darzustellen, glaube mir also, daß sie sehr groß ist, und daß ein normaler Anstaltsbeamter sich diesen Mann nicht auf der Erde, sondern in den Wolken vorstellt. Und da wir im allgemeinen nicht viel Gelegenheit haben mit dem Kaiser zu reden, so ersetzt dieser Mann dem normalen Beamten – ähnlich ist es ja in allen großen Betrieben – das Gefühl einer Zusammenkunft mit dem Kaiser. Natürlich haftet auch diesem Mann, wie jedem in ganz klare allgemeine Beobachtung gestellten Menschen, dessen Stellung nicht ganz dem eigenen Verdienste entspricht, genug Lächerlichkeit an, aber sich durch eine solche Selbstverständlichkeit, durch diese Art Naturerscheinung, gar in der Gegenwart des großen Mannes zum Lachen verleiten lassen, dazu muß man schon gottverlassen sein. Wir – zwei Kollegen und ich – waren damals gerade zu einem höhern Rang erhoben worden und hatten uns in feierlichem schwarzen Anzug beim Präsidenten zu bedanken, wobei ich nicht zu sagen vergessen darf, daß ich aus besonderem Grunde dem Präsidenten von vornherein zu besonderem Dank verpflichtet bin[1]. Der würdigste von uns dreien – ich war der jüngste – hielt die Dankrede, kurz, vernünftig, schneidig, wie das seinem Wesen entsprach. Der Präsident hörte in seiner gewöhnlichen, bei feierlicher Gelegenheit gewählten, ein wenig an die Audienzhaltung unseres Kaisers erinnernden, tatsächlich (wenn man will und nicht anders kann) urkomischen Stellung zu. Die Beine leicht gekreuzt, die linke Hand zur Faust geballt auf die äußerste Tischecke gelegt, den Kopf gesenkt, so daß sich der weiße Vollbart auf der Brust einbiegt und zu alledem den nicht allzu großen aber immerhin vortretenden Bauch

---

[1] Der Präsident der Arbeiter-Unfall-Versicherungs-Anstalt war damals Dr. Otto Přibram. Mit Ewald Přibram, einem Sohn des Präsidenten, war Kafka gegen Ende seiner Gymnasial- und während seiner Universitätszeit befreundet. Vgl. Kafkas Brief vom 10. zum 11. März 1913, S. 333.

ein wenig schaukelnd. Ich muß damals in einer sehr unbeherrschbaren Laune gewesen sein, denn diese Stellung kannte ich schon zur Genüge und es war gar nicht nötig, daß ich, allerdings mit Unterbrechungen, kleine Lachanfälle bekam, die sich aber noch leicht als Hustenreiz erklären ließen, zumal der Präsident nicht aufsah. Auch hielt mich die klare Stimme meines Kollegen, der nur vorwärts blickte und meinen Zustand wohl bemerkte, ohne sich aber von ihm beeinflussen zu lassen, noch genug im Zaum. Da hob aber der Präsident nach Beendigung der Rede meines Kollegen das Gesicht und nun packte mich für einen Augenblick ein Schrecken ohne Lachen, denn nun konnte er ja auch meine Mienen sehn und leicht feststellen, daß das Lachen, das mir zu meinem Leidwesen aus dem Munde kam, durchaus kein Husten war. Als er aber seine Rede anfing, wieder diese übliche, längst vorher bekannte, kaiserlich schematische, von schweren Brusttönen begleitete, ganz und gar sinnlose und unbegründete Rede, als mein Kollege durch Seitenblicke mich, der ich mich ja gerade zu beherrschen suchte, warnen wollte und mich gerade dadurch lebhaft an den Genuß des frühern Lachens erinnerte, konnte ich mich nicht mehr halten und alle Hoffnung schwand mir, daß ich mich jemals würde halten können. Zuerst lachte ich nur zu den kleinen hie und da eingestreuten zarten Späßchen des Präsidenten; während es aber Gesetz ist, daß man zu solchen Späßchen nur gerade in Respekt das Gesicht verzieht, lachte ich schon aus vollem Halse, ich sah, wie meine Kollegen aus Furcht vor Ansteckung erschraken, ich hatte mit ihnen mehr Mitleid als mit mir, aber ich konnte mir nicht helfen, dabei suchte ich mich nicht etwa abzuwenden oder die Hand vorzuhalten, sondern starrte immerzu dem Präsidenten in meiner Hilflosigkeit ins Gesicht, unfähig das Gesicht wegzuwenden, wahrscheinlich in einer gefühlsmäßigen Annahme, daß nichts besser, alles nur schlechter werden könne und daß es daher am besten sei, jede Veränderung zu vermeiden. Natürlich lachte ich dann, da ich nun schon einmal im Gange war, nicht mehr bloß über die gegenwärtigen Späßchen, sondern auch über die vergangenen und die zukünftigen und über alle zusammen, und kein Mensch wußte mehr, worüber ich eigentlich lache; eine allgemeine Verlegenheit fing an, nur der Präsident war noch verhältnismäßig unbeteiligt, als großer Mann, der an vielerlei in der Welt gewöhnt ist, und dem übrigens die Möglichkeit der Respektlosigkeit vor seiner Person gar nicht eingehn kann. Wenn wir in diesem Zeitpunkt herausgeschlüpft wären, der Präsident kürzte auch vielleicht seine Rede ein wenig ab, wäre noch alles ziemlich gut abgelaufen, mein Benehmen wäre zwar zweifellos unanständig gewesen, diese Unanständigkeit wäre aber nicht offen zur Sprache gekommen und die Angelegenheit wäre, wie dies mit solchen scheinbar unmöglichen Dingen öfters geschieht, durch stillschweigendes Übereinkommen unserer vier, die wir beteiligt waren, erledigt gewesen. Nun fing aber zum Unglück der bisher nicht erwähnte Kollege (ein fast 40jähriger Mann mit rundem kindischen aber bärtigen Gesicht, dabei ein fester Biertrinker) eine kleine, ganz unerwartete Rede an. Im Augenblick war es mir vollständig unbegreiflich, er war ja schon durch mein Lachen ganz aus der Fassung gebracht gewesen, hatte mit vor verhaltenem Lachen aufgeblähten Wangen dagestanden und – jetzt fing er eine ernste Rede an. Nun war das aber bei ihm gut verständlich. Er hat ein so leeres, hitziges Temperament, ist imstande, von allen anerkannte Behauptungen leidenschaftlich endlos zu vertreten, und die Langeweile dieser Reden wäre ohne das Lächerliche und Sympathische ihrer Leidenschaft unerträglich. Nun hatte der Präsident in aller Harmlosigkeit irgendetwas gesagt, was diesem Kollegen nicht ganz paßte, außerdem hatte er, vielleicht durch den Anblick meines schon ununterbrochenen Lachens beeinflußt, ein wenig daran vergessen, wo er sich befand, kurz er glaubte, es sei der richtige Augenblick gekommen, mit seinen besondern Ansichten hervorzutreten und den (gegen alles, was andere reden, natürlich zum Tode gleichgültigen) Präsidenten zu überzeugen. Als er also jetzt mit schwingenden Handbewegungen etwas (schon im allgemeinen und hier insbesondere) Läppisches daherredete, wurde es mir zu viel, die Welt, die ich bisher immerhin im Schein vor den Augen gehabt hatte, verging mir völlig und ich stimmte ein so lautes, rücksichtsloses Lachen an, wie es vielleicht in dieser Herzlichkeit nur Volksschülern in ihren Schulbänken gegeben ist. Alles verstummte und nun war ich endlich mit meinem Lachen anerkannter Mittelpunkt. Dabei schlotterten mir natürlich vor Angst die Knie während ich lachte, und meine Kollegen konnten nun ihrerseits nach Belieben mitlachen, die Gräßlichkeit meines so lange vorbereiteten und geübten Lachens erreichten sie ja doch nicht und blieben vergleichsweise unbemerkt. Mit der rechten Hand meine Brust schlagend, zum Teil im Bewußtsein meiner Sünde (in Erinnerung an den Versöhnungstag), zum Teil, um das viele verhaltene Lachen aus der

Brust herauszutreiben, brachte ich vielerlei Entschuldigungen für mein Lachen vor, die vielleicht alle sehr überzeugend waren, aber infolge neuen, immer dazwischenfahrenden Lachens gänzlich unverstanden blieben. Nun war natürlich selbst der Präsident beirrt, und nur in dem solchen Leuten schon mit allen seinen Hilfsmitteln eingeborenen Gefühl alles möglichst abzurunden, fand er irgendeine Phrase, die meinem Heulen irgendeine menschliche Erklärung gab, ich glaube eine Beziehung zu einem Spaß, den er vor langer Zeit gemacht hatte. Dann entließ er uns eilig. Unbesiegt, mit großem Lachen, aber todunglücklich stolperte ich als erster aus dem Saal. – Die Sache ist ja durch einen Brief, den ich dem Präsidenten gleich danach schrieb, sowie durch Vermittlung eines Sohnes des Präsidenten, den ich gut kenne, endlich auch durch den Zeitverlauf zum größten Teil besänftigt worden, gänzliche Verzeihung habe ich natürlich nicht erlangt und werde sie auch nie erlangen. Aber daran liegt nicht viel, vielleicht habe ich es damals nur getan, um Dir später einmal beweisen zu können, daß ich lachen kann.

Nun habe ich aber – und so rächt sich die alte Schuld gegenüber dem Präsidenten neuerlich – so viel geschrieben und nichts. Nur noch paar Antworten in letzter Eile vor dem Schlafengehn: [Brods] »Höhe des Gefühls« gehört natürlich Dir, ganz und gar Dir. Die Widmung »als Freund« ist ausdrücklich für Dich bestimmt, Du nimmst sie doch an? (Ich habe natürlich ein anderes Widmungsexemplar.) Und wenn die Widmung vielleicht einen kleinen Nebensinn hat (den sie tatsächlich nicht hat, den ich aber jetzt hineinlege), daß Max auch mein Freund ist und daß daher auch diese Widmung mir die Möglichkeit gibt, ganz nahe neben Dich hinzutreten (die imaginärste Möglichkeit zu solchem Hintreten will ich ausnützen), wäre das so arg?

Nein, es ist schon wirklich zu spät, um fortzusetzen. Nur noch einen Heller lege ich bei, den ich auf dem heutigen Abendspaziergang gefunden habe. Ich klagte gerade über etwas (es gibt nichts, worüber ich nicht klagen könnte), trat in meiner Unzufriedenheit etwas stärker auf und stöberte dabei mit der Fußspitze diesen Heller auf dem Pflaster auf. Solche Heller bringen Glück, aber ich brauche kein Glück, das Du nicht auch hast, und deshalb schicke ich es Dir. Ist es denn nicht auch so, wie wenn Du ihn gefunden hättest, da ich ihn gefunden habe?

Franz

Meine Liebste, heute nur paar Worte, es ist spät, ich bin müde, war nachmittag gestört und werde es wohl weiterhin paar Tage sein. Das Schreiben, das ich von keiner Störung angegriffen wissen will (es leidet ja von innern Störungen übergenug) werde ich eine Woche, vielleicht noch länger lassen, die einzige Entschädigung wird längeres Schlafen sein, genügen wird sie mir nicht, aber was ich heute schreibe, gilt überhaupt nicht, denn ich gehöre jetzt unbedingt ins Bett, außerdem aber gehöre ich unbedingt auch zu Dir, und so schwanke ich zwischen Euch beiden.

Die arme Liebste schreibt Offertbriefe! Bekomme ich auch einen, trotzdem ich kein Käufer bin, trotzdem ich mich vielmehr grundsätzlich vor Parlographen fürchte. Eine Maschine mit ihrer stillen, ernsten Anforderung scheint mir auf die Arbeitskraft einen viel stärkern, grausamern Zwang auszuüben, als ein Mensch. Wie geringfügig, leicht zu beherrschen, wegzuschicken, niederzuschreien, auszuschimpfen, zu befragen, anzustaunen ist ein lebendiger Schreibmaschinist, der Diktierende ist der Herr, aber vor dem Parlographen ist er entwürdigt und ein Fabriksarbeiter, der mit seinem Gehirn eine schnurrende Maschine bedienen muß. Wie werden dem armen, von Natur aus langsam arbeitenden Verstand die Gedanken in einer langen Schnur abgezwungen! Sei froh, Liebste, daß Du auf diesen Einwand in Deinem Offertbrief nicht antworten mußt, er ist unwiderlegbar; daß der Gang der Maschine leicht zu regulieren ist, daß man sie wegstellen kann, wenn man keine Lust zu diktieren hat u.s.w., das sind keine Widerlegungen jenes Einwands, denn zum Charakter des Menschen, der jenen Einwand macht, gehört es ja, daß ihm das alles nicht helfen kann. An Deinem Prospekt ist mir auf[gefallen], daß er so schön stolz gehalten ist, nirgends wird gebettelt, wie man das wenigstens in derartigen Prospekten österreich. Fabriken tut, und es findet sich eigentlich auch kein übermäßiges Lob. Es ist kein Spaß, daß es mich natürlich weder durch seinen Wortlaut noch durch seinen Gegenstand, noch durch sein[en] Stil an Strindberg erinnert hat, den ich fast gar nicht kenne und seit jeher in einer ganz bestimmten Weise liebe; sonderbar, daß ich Dich mit meinen ersten Briefen gerade unter dem Eindruck des Totentanzes und der Gotischen Zimmer angetroffen habe. Warte, nächstens muß ich Dir einmal etwas über die Erinnerungen an Strindberg schreiben, die letzthin in der Neuen Rundschau erschienen sind und mich an einem Sonntag vormittag unter ihrem Eindruck ganz verrückt in meinem Zimmer haben herum laufenlassen[1].

Morgen oder übermorgen bekommst Du den Kalender und Flaubert. Der Kalender, den ich erst jetzt bekommen habe, ist leider bei weitem nicht so schön, als ich mir ihn gedacht habe, und wollte ich nun jeden Tag ein Blatt abreißen, zusammenlegen und Dir schicken, wäre es gar nichts Rechtes mehr. Da nun aber der Kalender einmal da ist und ich etwas, was für Dich bestimmt war, niemandem andern geben und niemanden andern sehen lassen will, schicke ich Dir ihn doch. Häng ihn in einen Winkel! Die ausgleichende Schönheit zu seiner Häßlichkeit bildet der Flaubert, den ich eigentlich (unnötige Beteuerung!) gern selbst zwischen Deine Hände legen wollte.

So, nun gehe ich aber im Sturmschritt schlafen, das Wort ist an Dich gerichtet, Deine Gedanken zu mir herübergezogen, ich bin zufrieden.

Plagst Du Dich nicht zu sehr mit Schreiben an mich, Liebste? Eine Zeile von Dir macht mir so viel Freude, daß mir fünf Zeilen nicht mehr Freude machen können.

Franz

vom 10. zum 11.1.13

Vor allem, Liebste, keine Selbstvorwürfe wegen zu wenig Schreibens! Du schreibst mir viel zu viel für Deine wenige Zeit, viel zu viel!

Wenn Du nur, wie in der letzten Zeit, die schöne Regelmäßigkeit des täglichen Schreibens einhalten kannst, habe ich, was das Schreiben anlangt, keine weiteren Wünsche, und da die andern Wünsche augenblicklich oder für immer unerfüllbar sind, so ist ja alles in Ordnung, wenn auch nicht in bester.

Daß ich mich unmittelbar nach den letzten Worten mit Verwandten zu Tische setze, um Dir zu schreiben, während früher immer mein Schreiben vorherging und ich also, als ich für Dich die Feder nahm, mich auf einer höheren Stufe, ob im Glück oder im Unglück, vorfand – das stört mich. Es darf auch nicht lange so bleiben, Montag,

---

[1] Ola Hansson, »Erinnerungen an Strindberg«, *Die Neue Rundschau,* 1912, Nr. 11, S. 1536ff. und Nr. 12, S. 1724ff.

denke ich, fange ich wieder zu schreiben an, viele Geschichten, Liebste, trommeln ihre Märsche in meinem Kopf.

Dabei winde ich mich manchmal vor Trauer, die allerdings alle möglichen Gründe hat. Nicht der kleinste ist das Miterleben dieser zwei Verlobungszeiten, Maxens und meiner Schwester. Heute im Bett klagte ich zu Dir über diese zwei Verlobungen in einer langen Rede, die Dir gewiß sehr begründet erschienen wäre, jetzt werde ich wohl nicht mehr alles, was angeführt werden müßte, zusammenbringen, und so lasse ich es vielleicht lieber. Du, was für Ansprachen ich an Dich im Bette halte! Auf dem Rücken liegend, die Füße gegen die Bettpfosten gestemmt, wie rede ich da für die liebste Zuhörerin still in mich hinein! Wir haben so verschiedene Talente. Ich bin der große Redner im Bett, Du die große Briefschreiberin im Bett. Wie machst Du denn das? Dieses Briefschreiben im Bett hast Du mir noch nicht beschrieben.

Mit keiner dieser Verlobungen bin ich zufrieden und habe doch zu Maxens Verlobung sehr und vielleicht ein wenig mitentscheidend geraten; und von der Verlobung meiner Schwester habe ich wenigstens niemals abgeraten. Und außerdem bin ich doch ein schlechter Prophet und Menschenkenner, wie sich an der Ehe meiner verheirateten Schwester [Elli] zeigt, bei deren Verlobung ich die gleiche Trostlosigkeit fühlte, während die Schwester, ein früher schwerfälliges, nie zu befriedigendes, verdrießlich sich forthaspelndes Wesen, jetzt in der Ehe über ihren zwei Kindern in lauter Glück ihre Existenz förmlich verbreitert hat[1]. Aber trotzdem kann ich meiner Menschenkenntnis nicht mißtrauen, denn sie fühlt sich durch Tatsachen nicht widerlegt und muß also doch ein tieferes Recht haben, trotzdem ich dadurch vielleicht dieser angeblichen Menschenkenntnis den Anschein einer bloß tief sich verbohrten Dummheit gebe. Und dann – warum leide ich unter diesen Verlobungen in dieser sonderbaren Art, als treffe mich augenblicklich und unmittelbar ein Unglück, während doch jede Ahnung sich nur auf die Zukunft beziehen kann, während die Hauptbeteiligten selbst unerwartet (kränkt mich vielleicht dieses Unerwartete?) glücklich sind, während schließlich ich selbst persönlich und unmittelbar mich an allen diesen Verlobungs- und Hochzeitsdingen fast gar nicht beteilige. (Gestern sagte abend mein künftiger Schwager ohne jede Bosheit, ohne jede Beziehung auf meine ungeheuerliche Teilnahmslosigkeit, bloß im

[1] Vgl. »Brief an den Vater«, *Hochzeitsvorbereitungen,* S. 190f.

sinnlosen Scherz: »Guten Abend, Franz! Wie geht's? Was schreibt man von zuhause?« Die Redensart hatte, wenn man wollte, einen guten Sinn.)

Nun, ich bin aber doch beteiligt, die zwei fremden Familien dringen meinem Gefühl nach auf mich ein, die Familie des Schwager wird sogar in meine eigene Familie hereingetrieben. –

Nein, ich schreibe heute nicht mehr weiter, es wird augenblicklich nicht ganz überzeugend, vielleicht ahnst Du im ganzen, was ich meine, im einzelnen, und das ist das Wichtigste, kannst Du es leider von der Ferne nicht verstehn.

In dem Augenblick, in dem Du diesen Brief liest, fahre ich vielleicht in meinem alten Frack, mit zersprungenen Lackstiefeln, viel zu kleinem Cylinderhut und außergewöhnlich bleichem* Gesicht (ich brauche jetzt nämlich immer so lange Zeit zum Einschlafen) als Kranzelherr neben einer angenehmen, hübschen, eleganten und vor allem sehr rücksichtsvollen und bescheidenen Cousine in den Tempel, wo die Hochzeit mit dieser großen Feierlichkeit vollzogen wird, die mich auch immer stört, denn dadurch, daß für die jüdische Allgemeinheit wenigstens bei uns die religiösen Ceremonien sich auf Hochzeit und Begräbnis eingeschränkt haben, rücken diese zwei Gelegenheiten in eine so rücksichtslose Nähe, und man sieht förmlich die strafenden Blicke eines vergehenden Glaubens.

Gute Nacht, meine Liebste. Wie freue ich mich, daß wenigstens einmal Dein Sonntag zweifellos ruhiger ist als der meine. Mit welcher Bemerkung wohl Deine Mutter diesen Brief Dir wieder übergibt?

Franz

Ich las jetzt nochmals Deinen Brief, und da er mich auf einige Dinge neugierig gemacht hat, stelle ich noch folgende Fragen:

1. Was bedeutet das: Das Medaillon habe ich noch nicht abgemacht.
2. Bei welcher befreundeten Familie warst Du? Gott weiß, wie das kommt, Namen machen mir alles klar.
3. Wie war es im Familienbad? Hier muß ich leider eine Bemerkung unterdrücken (sie bezieht sich auf mein Aussehen im Bad,

---

* [»außergewöhnlich bleichem« gestrichen, zwischen den Zeilen] Das ist nichts als Koketterie, ich schaue genau so aus wie sonst und wie damals im August

auf meine Magerkeit) *. Ich sehe im Bad wie ein Waisenknabe aus. Es gab eine Zeit, das ist nun schon allerdings sehr lange her, wir waren in einer Sommerfrische an der Elbe, es war ein sehr heißer Sommer, das Flußbad war ein besonderes Vergnügen. Nun war aber die Badeanstalt sehr klein, Männer und Frauen badeten durcheinander, ich weiß gar nicht mehr, ob es dort zwei Kabinen gegeben hat, die Gesellschaft in jener Sommerfrische war überhaupt sehr lustig und hat es sich wohl sein lassen. Ich aber nicht; hie und da wagte ich mich unter die Frauen, aber nur selten, meistens – mein Verlangen nach dem Bad war natürlich unaufhörlich und grenzenlos – streifte ich allein wie ein verlorener Hund auf den schmalsten Wegen der den Fluß begleitenden Anhöhen herum und beobachtete die kleine Badeanstalt stundenlang, ob sie sich nicht endlich leeren und für mich zugänglich werden wolle. Wie verfluchte ich zu spät Kommende, welche die vielleicht schon leere Badeanstalt plötzlich wieder füllten, wie jammerte ich, wenn nach ungewöhnlicher Hitze, während welcher alle Leute das Bad genossen hatten, ein großes Gewitter kam und mir jede Hoffnung aufs Bad nun nahm. Im allgemeinen konnte ich erst gegen Abend baden, aber dann war die Luft schon kühl, und das Vergnügen war nicht mehr so groß. Nur manchmal wurde ich durch eine Art Sonnenstich rücksichtslos gemacht und stürmte die übervolle Badeanstalt. Natürlich konnte ich ruhig baden und mit den andern spielen, kein Mensch kümmerte sich um den kleinen Jungen, aber ich wollte es nicht glauben.

4. Von Deinem Vater möchte ich gerne bei Gelegenheit noch mehr hören.

Aber jetzt ist es wieder spät, Du! Auch habe ich noch gar nichts für dieses Hochzeitsmahl an Unterhaltung vorbereitet, und was das Ärgste ist, ich kann es auch nicht und werde es nicht.

Franz

[Ansichtskarte. Stempel: Prag – 11.1.13]

Hochzeit!
Hochzeit!
Nur diese
Grüße   F. K.

* [Am Rande] Hier ist sie doch, diese Bemerkung: Bist Du nicht im Angstschweiß aufgewacht?

Eben, Liebste, habe ich mir den Kopf zermartert, um, wenn schon nichts anderes, so doch drei Sätze wenigstens zur Begrüßung der Hochzeitsgäste zu finden. Endlich habe ich sie, sie sind trostlos. Ja, wenn ich eine Rede gegen die Gäste halten dürfte, ich müßte sie nicht vorbereiten, sie würde im eiligsten Zusammenhange fließen, und ich getraute mich, die Gäste in der Mehrzahl nicht durch Beschimpfungen, sondern durch Aussprechen meiner wahren und erschreckenden Gefühle aus dem Saal zu treiben. So aber bin ich dazu verurteilt, mich selbst zu vertreiben; nicht ich werde es sein, der dort am Tische sitzen, aufstehn, die drei Schülersätze sagen und das Glas heben wird, das alles wird nur durch meine traurige Gestalt verrichtet werden.

Aber das wollte ich Dir eigentlich nicht schreiben, ich schreibe Dir eigentlich aus Angst. Höre! Steht nicht in meinem gestrigen Brief etwas darin, das Dich stören, kränken oder gar beleidigen könnte? Der Gedanke daran würgt mich. Und dabei weiß ich es gar nicht bestimmt, denn da ich jetzt für mich nicht schreibe, ist mir, als hätte ich den Maßstab für solche Dinge aus der Hand gegeben. Vielleicht ist in der Stelle gar nichts Böses enthalten, immerhin schrieb ich sie schon mit schlechtem Gefühl nieder, und nun scheint es mir gleichzeitig roh und kalt und rücksichtslos und frech. Schicke mir, Liebste, auf jeden Fall zu meiner Beruhigung den Brief zurück, aber nein, schicke ihn nicht zurück. Ach, nun weiß ich gar nicht, was ich will; in was für Zustände bin ich hineingeraten! Ich werde lange zu klettern haben, ehe ich wieder herauskomme. Hätte ich nur Deine Antwort auf den letzten Brief, den Du Sonntag bekommen hast, und bei dessen einer Stelle Du vielleicht in Ärger über mich aus dem Bett gefahren bist. Solltest Du mir, Liebste, böse sein, so verzeihe mir – in meinem gegenwärtigen Zustand ist es keine Schande, das Mitleid anzurufen, mein Zustand ist eine Schande – solltest Du mir schon verziehen haben, nimm diesen Brief als eine verspätete Abbitte, solltest Du auf meiner Seite überhaupt keine Schuld gefunden haben, dann lache mich aus, nichts wird mir lieber sein.

Franz

Eine hübsche Bemerkung meiner jüngsten Schwester: Wie Du ja weißt, liebt sie mich sehr, hält unbesehen alles für gut, was ich sage, tue oder meine, hat aber so viel eigene witzige Vernunft außerdem, daß sie imstande ist, gleichzeitig mich und natürlich auch sich (denn sie ist immer auf meiner Seite) ein wenig auszulachen. Nun bin ich zweifellos und offenbar durch die Hochzeit traurig gemacht, die Schwester muß daher nach ihrer ganzen Stellung zu mir diese Trauer berechtigt finden, wenn sie sie natürlich auch nur zum kleinsten Teile mitfühlen kann. Nun hat heute Abend unsere Wirtschafterin beim Einpacken der Sachen für Valli (die heiratet) zu weinen angefangen und damit auch Valli zum Weinen gebracht. Die ist nun mit verweinten Augen ins Wohnzimmer gekommen; kaum sieht Ottla (das ist jene jüngste Schwester) diese verweinten Augen, ruft sie: »Die ist gescheit, sie weint auch!« Das war halb ernst halb lachend gemeint und sollte bedeuten, daß das Weinen am Platze ist, da es meinem Gefühle entspricht, und daß Valli also gescheit sein muß, wenn sie etwas meinem Gefühl so entsprechendes auch aus eigenem Gefühle tut.

Nun gehe ich aber schlafen, ich will morgen nicht noch zu allem auch verschlafen sein.

Über den Mann aus Cairo bin ich im ersten Augenblick fast erschrocken. Er ist ja gewiß ein guter Deutscher, aber ich sah ihn als Araber mit fliegendem Leintuch im leeren Bureau hinter Dir herjagen. Was nützt mir mein Platz an Deinem Schreibtisch! Besser Nachtwächter in Euerer Fabrik sein, als so ein ferner Liebhaber wie ich.

vom 12. zum 13. I. 13

Mein liebstes Kind, es ist vorüber, es entstehen Aussichten auf bessere Zeiten, verhältnismäßige Zufriedenheit beginnt. Manchmal habe ich das Gefühl, diese fremden Leute losgeworden zu sein, sei kein Opfer zu groß gewesen, nicht einmal das Opfer meiner Schwester. Dabei darfst Du natürlich nicht denken und denkst es auch nicht, daß einem solchen Gefühl irgendetwas Tatsächliches entspricht, aber das Gefühl ist unaustreibbar.

Ich bekam Deinen Brief, die Karte und die Bilder mitten in der Hochzeitsgesellschaft, gerade als wir uns zum Zuge ordneten, mir war, als drücktest Du mir die Hand.

Ach Liebste, wie ist das mit den Bildern doch ein sehnsüchtiges Vergnügen. Alle stellen die Liebste dar, keines gleicht dem andern, alle fassen einen mit Gewalt. Auf diesen Bildern gleichst Du wieder sehr dem kleinen Mädchen auf dem ersten Bild, das Du mir schicktest. So still sitzt Du da, die linke Hand, ganz unbeschäftigt, darf doch nicht erfaßt werden, etwas sehr Nachdenkliches wird diktiert. Eine raffinierte Aufnahme für den Fall, als man es darauf angelegt haben sollte, den Mund zu küssen. Bist Du hier in Deinem Bureau photographiert? Was für ein Unterschied ist zwischen den verschiedenen Mundstücken der Apparate? Soll das Bild vielleicht zu Reklamezwecken verwendet werden? Vielleicht zu Ansichtskarten? Das doch nicht?

Liebste, was hättest Du wohl heute zu mir gesagt, wenn Du mich während der Hochzeit hättest beobachten können. Es verlief ja alles beiläufig so wie ich es mir gedacht hatte, das einzig Überraschende war, daß es wirklich zu Ende ging. Aber daß ich mich wieder in einem solchen ausgetrockneten kopfhängerischen Zustand befinden würde, in dem ich dem kläglichsten aller Gäste noch weit unterlegen war, das hatte ich doch nicht erwartet; solche Zustände, dachte ich, lägen schon für immer in sagenhafter Zeit hinter mir. Und nun waren sie wieder da, frisch wie am ersten Tag einer langen Reihe endloser Tage. Erst wie ich nachher auf einen Augenblick allein im Kaffeehaus war und 4 Bilder von Daumier (Der Metzger, das Koncert, die Kritiker, der Sammler) gesehen hatte, fand ich mich wieder leidlich zusammen.

Franz

vom 13. zum 14.1.13

Du warst mir also nicht bös, meine liebste Felice, wegen des Sonntagsbriefes und hast noch einen Teil Deines Nachmittagschlafes, den Du zehnmal Übermüdete so sehr brauchst, für mich geopfert. War es denn wenigstens ein fester, guter Schlaf? Aber gehst Du gar nicht eislaufen? gar nicht spazieren? Und Zeit zum Lesen hast Du natürlich auch gar keine. Du hast wohl, ehe Du mich, diesen von Deinem Schreiben und durch Dein Schreiben lebenden Menschen, kanntest, eine ganz andere, schönere Zeiteinteilung gehabt. Sag mir, Liebste, etwas darüber, aber die Wahrheit! Zur Erklärung der vielen Zeitschriften, die Du nach Deinem allerersten Briefe immer bekommst, hast Du mir auch noch nichts gesagt.

Über die Hochzeit will ich lieber nichts einzelnes schreiben, ich müßte die neuen Verwandten und ihre Freunde beschreiben, und das würde mich zu sehr in die nun schon überstandene Zeit zurückbringen. Meine Cousine heißt Martha, sie hat einige gute Eigenschaften, darunter auch die Anspruchslosigkeit, an die allein ich mich gewendet habe. Meine Eltern, (ich kann der Versuchung nicht widerstehn und sage hier »meine armen Eltern«) waren sehr glücklich über die Festlichkeit trotz der unsinnigen Summe, die mit Schmerzen dafür hinausgeworfen wird. Mein Vater setzt sich nach dem Essen immer für ein Weilchen in den Schaukelstuhl zu einem kurzen Schlaf, nachher geht er dann immer ins Geschäft (legen darf er sich wegen seines Herzleidens nach dem Essen nicht). Heute setzte er sich auch wieder in den Schaukelstuhl, ich glaubte, er sei schon eingeschlafen, (ich mittagmahlte eben) da sagte er plötzlich im Beginn des Halbschlafes: »Jemand hat mir gesagt, die Valli habe gestern im Brautschleier wie eine Fürstin ausgesehn.« Nun sagte er das aber tschechisch, und von der Liebe, Bewunderung und Zartheit, die sich in dem Worte »Kněžna« vereinigen, ist in »Fürstin« keine Ahnung, denn dieses Wort ist ganz auf Pracht und Breite hergerichtet.

Die Bemerkung meines Schwagers hast Du, Liebste, ein wenig mißverstanden. Wenn auch nur die geringste Möglichkeit für den Schwager bestanden hätte, Deine Briefe zu meinen, dann wäre eine gewisse Bosheit der Bemerkung nicht zu leugnen. Nun weiß aber gerade er von Deinen Briefen natürlich nichts, und eine solche Bezugnahme war ausgeschlossen. Die einzige Beziehung, die man meinem Schwager immerhin hätte zumuten können, die aber auch nicht bestand, war die, daß er sagen wollte, ich kümmere mich um die Familie so wenig, als sei ich in der Fremde und hätte mit der Familie nur brieflichen Verkehr. Von meiner wirklichen Heimat weiß er also nichts[1].

Franz

vom 14. zum 15.1.13

Liebste, es ist beim Schreiben wieder sehr spät geworden, immer wieder fällt mir gegen 2 Uhr nachts der chinesische Gelehrte ein[2].

---

[1] Bezieht sich auf Josef Pollaks Bemerkung »Guten Abend, Franz! Wie geht's? Was schreibt man von zu Hause?« Vgl. Kafkas Brief vom 10. zum 11. Januar 1913, S. 243 f.
[2] Vgl. Kafkas Brief vom 24. November 1912, S. 119.

Leider, leider weckt mich nicht die Freundin, nur der Brief, den ich ihr schreiben will. Einmal schriebst Du, Du wolltest bei mir sitzen, während ich schreibe; denke nur, da könnte ich nicht schreiben (ich kann auch sonst nicht viel) aber da könnte ich gar nicht schreiben. Schreiben heißt ja sich öffnen bis zum Übermaß; die äußerste Offenherzigkeit und Hingabe, in der sich ein Mensch im menschlichen Verkehr schon zu verlieren glaubt und vor der er also, solange er bei Sinnen ist, immer zurückscheuen wird – denn leben will jeder, solange er lebt – diese Offenherzigkeit und Hingabe genügt zum Schreiben bei weitem nicht. Was von dieser Oberfläche ins Schreiben hinübergenommen wird – wenn es nicht anders geht und die tiefern Quellen schweigen – ist nichts und fällt in dem Augenblick zusammen, in dem ein wahreres Gefühl diesen obern Boden zum Schwanken bringt. Deshalb kann man nicht genug allein sein, wenn man schreibt, deshalb kann es nicht genug still um einen sein, wenn man schreibt, die Nacht ist noch zu wenig Nacht. Deshalb kann nicht genug Zeit einem zur Verfügung stehn, denn die Wege sind lang, und man irrt leicht ab, man bekommt sogar manchmal Angst und hat schon ohne Zwang und Lockung Lust zurückzulaufen (eine später immer schwer bestrafte Lust), wie erst, wenn man unversehens einen Kuß vom liebsten Mund bekäme! Oft dachte ich schon daran, daß es die beste Lebensweise für mich wäre, mit Schreibzeug und einer Lampe im innersten Raume eines ausgedehnten, abgesperrten Kellers zu sein. Das Essen brächte man mir, stellte es immer weit von meinem Raum entfernt hinter der äußersten Tür des Kellers nieder. Der Weg um das Essen, im Schlafrock, durch alle Kellergewölbe hindurch wäre mein einziger Spaziergang. Dann kehrte ich zu meinem Tisch zurück, würde langsam und mit Bedacht essen und wieder gleich zu schreiben anfangen. Was ich dann schreiben würde! Aus welchen Tiefen ich es hervorreißen würde! Ohne Anstrengung! Denn äußerste Koncentration kennt keine Anstrengung. Nur, daß ich es vielleicht nicht lange treiben würde und beim ersten, vielleicht selbst in solchem Zustand nicht zu vermeidendem Mißlingen in einen großartigen Wahnsinn ausbrechen müßte. *Was meinst Du, Liebste? Halte Dich vor dem Kellerbewohner nicht zurück!*

Franz

Heute ist noch verhältnismäßig bald, aber ich will mich auch bald niederlegen, denn das gestrige, beiläufig gute Schreiben habe ich mit Kopfschmerzen während des ganzen Tags (diese Kopfschmerzen sind eigentlich eine Erfindung der letzten 2 Monate, wenn nicht gar erst des Jahres 1913) und schlechtem von Träumen zerplatzendem Schlaf bezahlt. Zwei Abende hintereinander gut zu schreiben ist mir schon lange nicht gelungen. Was für eine unregelmäßig geschriebene Masse das sein wird, dieser Roman! Was für eine schwere Arbeit, vielleicht eine unmögliche das sein wird, nach der ersten Beendigung in die toten Partien auch nur ein halbes Leben zu bringen! Und wie viel Unrichtiges wird stehen bleiben müssen, weil dafür keine Hilfe aus der Tiefe kommt.

Gestern vergaß ich etwas zu fragen, trotzdem es mir viel im Kopf herumging. Was bedeutet es, daß Du Sonntag abends schriebst, Du hättest schon während des Tages Rückenschmerzen gehabt, und es wäre Dir nicht ganz wohl gewesen. Selbst am Sonntag, wo Du Dich ausruhn konntest, war Dir nicht wohl? Ist das noch mein gesundes Mädchen? Und ist das mein vernünftiges Mädchen, das den ganzen Sonntag (nach Deinem Briefe scheint es so) zu Hause und bei der Tante verbringt, statt in die schöne Winterluft zu gehn. Schreib mir darüber, Liebste, und die reine Wahrheit! Ich höre immer den Fluch Deiner Mutter: »Das ist Dein Ruin!« Aber wenn sie damit das Schreiben nur meint – und nach dem Zusammenhang meint sie vielleicht nur das Schreiben – dann hat sie einmal unrecht. Mir genügen 5 Zeilen meiner Liebsten – sag das einmal Deiner Mutter zur Beruhigung ins Ohr, wenn sie mittags schläft – fünf Zeilen sind zwar eine große Forderung, aber einen Ruin macht das nicht. Freilich, wenn die Liebste lange Briefe schreibt! Aber das ist, Mutter, nicht meine Schuld, das Zanken aus diesem Grunde kommt auch mir aus dem Herzen. Aber vielleicht meint die Mutter nicht das Schreiben – dann weiß ich freilich nichts zu antworten.

Du hast mir einmal versprochen, daß Du mir sagen wirst, warum Du die Arbeit beim Professor nicht aufgeben oder wenigstens nicht einschränken kannst. Wie kamst Du überhaupt zu dem Professor?

Von meinem Schwager schreibe ich Dir noch, von Max auch, von Löwy auch, es ist mir schließlich so gleichgültig, wovon ich schreibe, nur daß ich mit jedem Wort Dich, Liebste, zu berühren glaube, hat

Wert. »Heimliche Liebe« wird hier nicht gespielt, aber unser neuer Kanarienvogel hat jetzt in der Nacht, trotzdem er zugedeckt ist, ein Trauerlied angefangen.

Franz

16.1.13 Donnerstag nachmittag

Ich schreibe schon jetzt, denn wer weiß, wie spät und wie zerstreut ich abends nachhause kommen werde. Denke nur, ich bleibe heute abend – ich sah es schon seit einem Monat kommen – nicht zuhause. Es reut mich schon jetzt, und ich will zufrieden sein, wenn es mich ¼ Stunde lang während des heutigen Abends nicht reut. Buber hält nämlich einen Vortrag über den jüdischen Mythus[1]; nun Buber würde mich noch lange nicht aus meinem Zimmer treiben, ich habe ihn schon gehört, er macht auf mich einen öden Eindruck, allem, was er sagt, fehlt etwas. (Gewiß kann er auch viel, er hat Chinesische Geschichten

(Ich hatte gerade kein Löschblatt bei der Hand, und während ich wartete bis die Seite trocknet, las ich in der Education [sentimentale], die gerade neben mir liegt, die Seiten 600 bis 602. Du lieber Gott! Ach lies das, Liebste, lies das nur! »Elle avoua qu'elle désirait faire un tour à son bras, dans les rues.« Was ist das für ein Satz! Was ist das für ein Gebilde! Die zerstrichenen Seiten, Liebste, bedeuten nicht Nächte, in denen es an Kraft fehlte. Gerade das sind Seiten, in die er sich ganz vertiefte, in denen er sich jedem menschlichen Auge verlor. Und noch bei der dritten Niederschrift erlebte er, wie Du aus dem Anhang des Bandes sehen kannst, dieses unendliche Glück.)

um in der Klammer fortzufahren: er, Buber, hat also »Chinesische Geister- und Liebesgeschichten« herausgegeben, die, soviel ich davon kenne, prachtvoll sind.)[2] Aber nach Buber liest die Eysoldt vor und ihretwegen gehe ich. Hast Du sie schon gehört? Ich sah sie als Ophelia und als Glaube in »Jedermann«[3]. Ihr Wesen und ihre

---

[1] ›Der Mythos der Juden‹ auf dem Festabend des Vereins ›Bar Kochba‹. Ein Teilabdruck erschien in: *Vom Judentum. Ein Sammelbuch,* herausgegeben vom Verein Jüdischer Hochschüler ›Bar Kochba‹ in Prag, Leipzig 1913, S. 21 ff.
[2] *Chinesische Geister- und Liebesgeschichten,* herausgegeben und eingeleitet von Martin Buber. Frankfurt am Main 1911.
[3] Hugo von Hofmannsthals *Jedermann* wurde am 12. Mai 1912 im Neuen Deutschen Theater in Prag (Gastspiel des Berliner Deutschen Theaters) aufgeführt.

Stimme beherrschen mich geradezu.[1] Ich werde wahrscheinlich erst nach Bubers Vortrag hingehn.

Ja, Liebste, die Bemerkung in meinem Sonntagsbrief. Es nützt nichts, ich muß sie noch einmal erwähnen. Sie ist sehr arg, nicht war? Nein, Du bist darin gar nicht eigenartig. Sag, wie kann einem nur so etwas geschehn? Liebste, ich bitte Dich nochmals, verzeih es mir, sprich alles aus, laß keine Bitterkeit gegen mich in Dir zurück, sag mir noch einmal ausdrücklich, daß Du verziehen hast, begieß die Bemerkung mit Tinte und schreib mir, daß es geschehen ist. Ich werde aufatmen. Welcher Teufel führte mir damals die Hand!

————

3 Uhr vorüber, Felice, denke nur. Viel gesehen, manches gehört, nichts, was den schönen Schlaf wert wäre. Gute Nacht, meine Liebste. Wie Du ruhig schläfst und der Dir gehört, wandert so in der Ferne umher. Freuen Dich solche Karten wie die beiliegende? Auf dem Bild die Nackte in der Ecke ist Ottla.

Franz

[Am Rande] Das Bild muß ich zurückhaben, ich habe es der Ottla gestohlen.

vom 17. zum 18.1.13

Ich habe jetzt, Liebste, nach langer Zeit wieder einmal eine schöne Stunde mit Lesen verbracht. Niemals würdest Du erraten, was ich gelesen habe und was mir solche Freude gemacht hat. Es war ein alter Jahrgang der Gartenlaube aus dem Jahre 1863. Ich habe nichts Bestimmtes gelesen, sondern 200 Seiten langsam durchgeblättert, die (damals noch wegen der kostspieligen Reproduktion seltenen) Bilder angeschaut und nur hie und da etwas besonders Interessantes gelesen. Immer wieder zieht es mich so in alte Zeiten, und der Genuß, menschliche Verhältnisse und Denkweise in fertiger, aber noch ganz und gar verständlicher (mein Gott, 1863, es sind ja erst 50 Jahre her) Fassung zu erfahren, trotzdem aber nicht mehr imstande zu sein, sie von unten her gefühlsmäßig im Einzelnen zu erleben, also vor die Notwendigkeit gestellt sein, mit ihnen nach Belieben und Laune zu spielen, – dieser widerspruchsvolle Genuß ist für mich ungeheuer. Immer wieder lese ich gerne alte Zeitungen und Zeit-

————

[1] Die Schauspielerin Gertrud Eysoldt vom Reinhardt-Ensemble in Berlin.

schriften. Und dann dieses alte, einem ans Herz gehende wartende Deutschland von der Mitte des vorigen Jahrhunderts! Die engen Zustände, die Nähe, in der sich jeder dem andern fühlt, der Herausgeber dem Abonnenten, der Schriftsteller dem Leser, der Leser den großen Dichtern der Zeit (Uhland, Jean Paul, Seume, Rückert »Deutschlands Barde und Brahmane«).

Ich habe heute nichts geschrieben, und sobald ich das Buch weglege, befällt mich pünktlich die Unsicherheit, die hinter dem Nichtschreiben hergeht als sein böser Geist. Nur ein guter Geist könnte ihn vertreiben, und er müßte ganz nahe bei mir sein und mir sein Wort, das ein großes Gewicht hätte, dafür verpfänden, daß der Verlust eines Abends, an dem ich nichts (infolge dessen auch nichts Schlechtes) geschrieben habe, nicht unersätzlich sei (wie er es ja tatsächlich ist, aber es müßte eben jener Mund sein, der jetzt am Sonntag vormittag diese Zeilen anlächelt, und dem ich eben alles glaube) und daß ich meine Fähigkeit zu schreiben, in ihrer ganzen Fragwürdigkeit, infolge des einen ungenützten Abends nicht verlieren werde, wie ich, ganz allein an meinem Tisch (im geheizten Wohnzimmer, Hausmütterchen!) sehr ernsthaft befürchte. Ich bin zu müde zum Schreiben gewesen (eigentlich nicht zu müde, aber ich befürchtete große Müdigkeit, nun, 1 Uhr ist es schon), gestern kam ich ja erst um 3 Uhr nach Hause, aber auch dann wollte das Einschlafen noch lange nicht gelingen, und ganz unschuldig wurde mir noch die 5te Stunde in das schrecklich aufmerksame Ohr geläutet. Nun kommt aber morgen wieder eine neue, allerdings auch schon lange vorhergesehene Störung, ich gehe nämlich – ja, es ist wahr – morgen abend ins Theater. So folgen einander die Vergnügungen, aber dann ist Schluß für lange Zeit. Ich war wohl schon ein Jahr lang nicht im Theater und werde wieder ein Jahr lang nicht gehn, aber morgen ist das russische Ballett zu sehn. Ich habe es schon vor 2 Jahren einmal gesehn und Monate davon geträumt, besonders von einer ganz wilden Tänzerin Eduardowa[1]. Die kommt nun nicht, sie wurde wohl auch nur für eine nebensächliche Dame angesehn, auch die große Karsawina kommt nicht, sie ist mir zum Trotz erkrankt, aber doch bleibt noch vieles. Einmal erwähntest Du das russische Ballett in einem Brief, eine Debatte sollte im Bureau über das russi-

---

[1] Das Russische Ballett gab im Frühjahr 1910 ein Gastspiel im Prager Neuen Deutschen Theater. Über die Tänzerin Eduardowa vgl. *Tagebücher* (1910), S. 9 ff.

sche Ballett stattgefunden haben. Was war denn das? Und wie ist dieser Tangotanz, den Du tanztest? Heißt er überhaupt so? Ist es etwas Mexikanisches? Warum gibt es von jenem Tanz kein Bild? Schöneren Tanz als bei den Russen und schönern Tanz als in einzelnen Bewegungen einzelner Tänzerinnen hie und da habe ich dann nur bei Dalcroze gesehn[1]. Hast Du seine Schule in Berlin tanzen sehn? Sie tanzt dort öfters, glaube ich.

Aber was mische ich mich da unter Tänzerinnen, statt lieber schlafen zu gehn und vorher noch, Felice, Deinen Kopf an meine Brust zu nehmen, die Dich viel mehr braucht, als Du Dir denken kannst. Ich hätte Dir noch so viel zu sagen und zu antworten, aber die Masse des zu Sagenden ist größer und schwieriger als die wirkliche Entfernung zwischen uns, und beide schauen wie unüberwindlich aus.

Wie wäre es, fällt mir noch ein, wenn Deine Mutter bei Überreichung dieses Briefes zur großen Überraschung etwas Freundliches sagte. Aber es ist vielleicht unmöglich, der Brief verdient keine Freundlichkeit, er bringt Dir vielleicht nichts Gutes, trotzdem er im ganzen Umkreis der Welt nichts anderes will, und er soll froh sein, daß er bis in Deine Hände kommen darf.   Franz

Eben schrieb ich auf die Briefadresse irrtümlich meine Hausnummer statt Deiner, und 7 leere Sesseln haben im Umkreis um mich dabei zugesehn.

Wie ist das zu verstehn? Deine Mutter ist abend im Wohnzimmer, während Dein Vater im Schlafzimmer liest? Was macht Deine Mutter allein im Wohnzimmer?

Dann noch etwas. Hast Du im Sommer vielleicht andere Bureaustunden als im Winter, da Du schreibst, daß Du Freitag nachmittags im Sommer in [den] Tempel gehst. (Ich war schon seit einigen Jahren nur 2 mal im Tempel – bei den Hochzeiten meiner Schwestern) Ich dachte, Du machtest Spaß wegen der Mäuse. Die gibt es also wirklich? Armes Kind!

[Ansichtskarte. Stempel: Prag – 19.1.13]

Um ¼4 nachhause gekommen. Morgengrüße hier und dort! FK

---

[1] Emile Jacques-Dalcroze (1865–1950), Komponist und Begründer einer reformpädagogischen rhythmischen Gymnastik, Direktor des bekannten Hellerauer Instituts. Kafka besichtigte 1914 die Dalcroze-Schule. Vgl. *Tagebücher* (30. Juni 1914), S. 406f.

Liebste, nein, so sollst Du nicht schreiben wie in dem vorletzten Brief. Du streichst es ja in dem heutigen Brief durch, aber es steht nun doch einmal hier, und ich habe es 24 Stunden in mir herumgetragen. Weißt Du denn nicht, wie ich solche Dinge lesen muß? Weißt Du denn nicht, wie schwach und armselig und auf den Augenblick gestellt ich bin? Gar wenn ich, wie heute, schon den 4ten Tag nichts für mich geschrieben habe. Du ahnst es, Liebste, gewiß, ich könnte mich Dir sonst nicht so nahe fühlen, aber ich schreibe es doch noch besonders auf: Als ich den gestrigen Brief gelesen hatte, sagte ich zu mir: »Also da steht es, nicht einmal für Felice, die dir doch gewiß viel mehr zugute hält als andere Menschen, genügst du an Beständigkeit und Selbstsicherheit. Wenn du aber ihr nicht genügst, wie sollst du auch nur irgendjemandem sonst genügen? Und das, was du damals schriebst und worauf dir Felice hier antwortet, kam dir ja wirklich aus dem Herzen. Du brauchst den Keller, wenn es dir auch z.B. heute scheint, daß nicht einmal der Keller dir nützen würde[1]. Hat Felice diese Notwendigkeit nicht eingesehn? Kann sie sie nicht einsehn? Weiß sie nicht, zu welcher Überfülle von Dingen du unfähig bist? Und weiß sie nicht, daß, wenn du im Keller wohnst, auch dieser Keller bedingungslos ihr gehört? (Wobei man allerdings zugeben muß, daß ein Keller und nichts als ein Keller ein trauriger Besitz ist.)« Liebste, meine Liebste, weißt Du denn das alles nicht? Ja aber Liebste, wenn das so ist, was für Leid werde ich über Dich bringen müssen, selbst wenn alles noch so günstig wird, wie in manchen Träumen? Und je günstiger, desto mehr Leid. Darf ich das? Und selbst wenn die Selbsterhaltung es mir befiehlt? Manchmal fällt die Unmöglichkeit wie eine Welle über die Möglichkeit hin.

Unterschätze, Liebste, nicht die Standhaftigkeit jener chinesischen Frau[2]! Bis zum frühen Morgen – ich weiß gerade nicht, ob die Stunde angegeben wird – wachte sie in ihrem Bett, der Schein der Studierlampe ließ sie nicht schlafen, sie verhielt sich aber ruhig, versuchte vielleicht durch Blicke den Gelehrten vom Buche abzuziehn, aber dieser traurige, ihr doch so ergebene Mann merkte es nicht, nur Gott weiß es, aus wieviel traurigen Gründen er es nicht merkte,

---

[1] Vgl. Kafkas Brief vom 14. zum 15. Januar 1913, S. 250.

[2] Vgl. Kafkas Brief vom 24. November 1912, S. 119.

über die er eben keine Herrschaft hatte, die aber alle insgesamt im höhern Sinn ihr, wieder nur ihr ergeben waren. Schließlich aber konnte sie sich nicht halten und nahm ihm doch die Lampe weg, was ja schließlich ganz richtig, seiner Gesundheit zuträglich, dem Studium hoffentlich nicht schädlich, der Liebe nützlich war, was ein schönes Gedicht hervorrief und doch alles in allem nur eine Selbsttäuschung der Frau gewesen ist.

Liebste, nimm mich zu Dir, halte mich, laß Dich nicht beirren, die Tage werfen mich hin und her, bringe Dir zum Bewußtsein, daß Du niemals reine Freude von mir haben wirst, reines Leid dagegen soviel man nur wünschen kann, und trotzdem – schick mich nicht fort. Mich verbindet nicht nur Liebe mit Dir, Liebe wäre wenig, Liebe fängt an, Liebe kommt, vergeht und kommt wieder, aber diese Notwendig[keit], mit der ich ganz und gar in Dein Wesen eingehakt bin, die bleibt. Bleibe auch, Liebste, bleibe! Und schreib solche Briefe wie den vorletzten nicht mehr.

Ich bin diese Tage von Donnerstag abend an nicht mehr zu meinem Roman gekommen und heute wird es auch nichts mehr werden. Ich werde nachmittag mit Max beisammen sein müssen und mit Werfel, der schon morgen wieder nach Leipzig fährt. Ich habe den Jungen täglich lieber. Gestern habe ich auch mit Buber gesprochen, der persönlich frisch und einfach und bedeutend ist und nichts mit den lauwarmen Sachen zu tun zu haben scheint, die er geschrieben hat. Die Russen endlich gestern abend waren prachtvoll. Der Nijinski und die Kyast sind zwei fehlerlose Menschen, im Innersten ihrer Kunst, und es geht von ihnen die Beherrschung aus wie von allen solchen Menschen.

Aber wie das alles auch sein mag, von morgen abend an rühre ich mich wieder für lange Zeit nicht von zu Hause weg. Ja vielleicht hat gerade dieses Herumbummeln Unruhe über meine Liebste gebracht. Gerade zu jener Zeit, als jener Brief geschrieben wurde, war ich in der Gesellschaft, die sich nach jenem Vortragsabend um Buber und die Eysoldt zusammengefunden hatte, und benahm mich im Genuß der falschen Lust, einmal von zuhause fort zu sein, genug übertrieben und auffallend. Wenn ich nur schon wieder bei meiner Geschichte[1] säße! Wenn nur die Liebste schon wieder ruhig wäre und entschlossen, das Unglück, das ich ihr verursache und das sie

---

[1] Vermutlich ist hier auch wieder der ›Roman‹ der früheren Briefe, der Amerika-Roman, gemeint.

für einen Augenblick auf den Boden gestellt hat, wieder aufzunehmen!

Franz

Was hat die Mutter bei Übergabe des Briefes gesagt? Was schreibt der Vater? Wann übersiedelt Ihr? Deine Fragen über die Betrachtung beantworte ich nächstens. Nicht zwei Tage habe ich gut geschrieben, nur einen. Nur einen in der ganzen Woche! Und da verwehrst Du mir noch den Keller!

19.I.13

Nun bin ich, meine arme Liebste, (wenn es mir schlecht geht, sage ich »arme Liebste«, so möchte ich mich am liebsten mit allem Unglück in Dich werfen, Du wahrhaftig arme Liebste, Du), müde wie ein Hühnchen nachhause gekommen, im Kopf nichts als dieses Summen der Schläfrigkeit, da gibt es wieder Gesellschaft im Nebenzimmer und statt mich zu legen, um Mitternacht in der Stille aufzustehn, zu essen und Dir dann zu schreiben, irgendein gutes, abbittendes (habe ich etwas abzubitten, Liebste? Ich weiß es nie und glaube es fast immer) ganz und gar einigendes Wort zu schreiben, werde ich, da es nicht anders geht, den Lärm mit dem Nachtmahl verbinden und dann sehr bald, womöglich vor 10 Uhr schlafen gehn.

———

So, nun habe ich mich wieder zu Dir gerettet. Noch reden nebenan die Schwester und eine Cousine von ihren Kindern, die Mutter und Ottla reden dazwischen, der Vater, der Schwager und der Mann der Cousine spielen Karten, da gibt es Gelächter, Hohn, Schreie und Kartenniederschlagen, nur manchmal vom Vater unterbrochen, der seinen Enkel imitiert; über allen aber singt der Kanarienvogel, der ganz jung ist, der Valli gehört, vorläufig bei uns lebt und noch Tag und Nacht nicht unterscheiden kann.

Ich habe den Sonntag schlecht verbracht, bin unzufrieden, und der Lärm nebenan ist ein passender Abschluß. Und morgen ist wieder das Bureau, in dem ich Samstag einige besondere Unannehmlichkeiten neben den allgemeinen und unaufhörlichen hatte, und die sich morgen gewiß fortsetzen werden, sobald ich ins Bureau trete. Und bis zum morgigen Abend ist noch so weit! Liebste, ich möchte so gerne Einzelheiten Deiner Bureauarbeit wissen. (Warum bekomme ich übrigens nicht einen Offertbrief? Und wie war das Ergebnis dieser Briefe?) Was will z.B. der Meister, der Dich in die Fabrikräume holt? Wegen welcher Angelegenheiten telephoniert man Dich an? Was fragen die Kleinen? Was für Geschäftswege hast Du? Wer ist der Herr Hartstein? Gibt es schon diesen öffentlichen Phonographensalon in der Friedrichstraße? Wenn nicht, wann wirst Du ihn einrichten? Ich habe übrigens noch einen geschäftlichen Einfall für Dich. In den Hotels sollte man für die Gäste, ebenso wie ein Telephon, auch einen Parlographen bereit halten. Glaubst Du nicht? Such das einmal einzuführen! Wie wäre ich stolz, wenn das gelingen würde. Ich bekäme dann 1000 andere Einfälle. Und muß ich das nicht, da ich doch in Deinem Bureauzimmer sitzen darf. Ist es da etwas besonderes, wenn ich, nachdem ich den ganzen Tag den Kopf an Deiner Schulter hätte lehnen lassen, am Abend einen kleinen und wahrscheinlich lächerlichen oder längst durchgeführten Geschäftseinfall hätte?

Franz

vom 20. zum 21.I.13

Bei Tag, Liebste, ist die Entfernung zwischen Prag und Berlin so wie sie in Wirklichkeit ist, aber von 9 Uhr abend beiläufig angefangen dehnt sie sich und dehnt sich ins Unwahrscheinliche. Und doch kann ich gerade am Abend leichter beurteilen, was Du tust. Du nachtmahlst, trinkst Tee, unterhältst Dich mit der Mutter, machst Dir dann im Bett Deine Märtyrerstellung zurecht, schreibst mir und schläfst hoffentlich in Frieden ein. Ist Dir der Tee gesund? Regt er Dich nicht auf? Jeden Abend dieses aufregende Getränk zu trinken! Mein Verhältnis zu den Speisen und Getränken, die ich selbst niemals oder nur in Not essen und trinken würde, ist nicht so, wie man es erwarten sollte. Ich sehe nichts lieber essen als solche Dinge. Wenn ich an einem Tische mit 10 Bekannten sitze und alle trinken schwarzen Kaffee, habe ich bei diesem Anblick eine Art Glücksgefühl. Fleisch kann um mich dampfen, Biergläser können in großen Zügen geleert werden, diese saftigen jüdischen Würste (wenigstens bei uns in Prag sind sie so üblich, sie sind rundlich wie Wasserratten) können von allen Verwandten ringsherum aufgeschnitten werden (die gespannte Haut der Würste gibt beim Aufschneiden einen Klang, den ich noch von den Kinderzeiten her im Ohre habe) – alles das und noch viel Ärgeres macht mir nicht den geringsten Widerwillen, sondern tut mir im Gegenteil überaus wohl. Es ist ganz gewiß nicht Schadenfreude (ich glaube gar nicht an die absolute Schädlichkeit schädlichen Essens, wen es zu diesen Würsten zieht, wäre ein Narr, wenn er dem Zug nicht folgte), es ist vielmehr die Ruhe, die gänzlich neidlose Ruhe beim Anblick fremder Lust und zugleich die Bewunderung eines in meinen nächsten Verwandten und Bekannten wohnenden, für mich aber gänzlich phantastischen Geschmacks. Aber das alles hat nichts Eigentliches mit meiner Furcht zu tun, daß der Tee, besonders wenn Du am Tag wegen der Krankheit der Fakturistin so viel arbeiten mußt, Dir schaden könnte, indem er zumindest Deinen Schlaf, den Du so brauchst, unruhig macht. Sonst liebe ich ja auch den Tee, und in die Beschreibung des Nachtmahls Deiner Schwester habe ich mich geradezu versenkt. Wie wäre es aber, wenn Du statt Tee Milch trinken würdest, wie Du es, wenn ich mich recht erinnere, zu seiner Zeit Deinen Eltern versprochen hast? Das Essen im Bureau ist ja auch nicht viel wert, wie Du selbst zugestehst. Und vormittag und nachmittag ißt Du gar nichts?

Das ist wirklich merkwürdig, daß Du das Buch von Buber gekauft hast[1]! Kaufst Du regelmäßig Bücher oder nach Laune und dann ein so teures Buch. Ich kenne es nur aus einer ausführlichen Besprechung, in der verschiedene Citate standen. Daß es irgendwie an Casanova erinnern sollte, kann ich mir gar nicht denken. Auch schreibst Du »seine« Art, es sind doch wohl Übersetzungen? Oder sollten es so eingreifende Bearbeitungen sein, welche mir seine Legendenbücher unerträglich machen[2].

Ja, Werfel war einen Monat lang hier. Als der schöne Faulenzer, der er ist, hat er sich eben auf einen Monat von Leipzig nach Prag gewälzt. Er hat hier auch öffentlich vorgetragen. Es war aber am Vorabend der Hochzeit, und ich hatte damals mehr Lust, mich begraben zu lassen, als aus dem Haus zu gehn.

Das freut mich, daß Dir die Ottla gefallen hat. Du hast recht, sie ist riesig groß, sie kommt eben aus der Familie des Vaters her, wo die

---

[1] Offenbar wieder *Chinesische Geister- und Liebesgeschichten*. Vgl. Anm. [2] S. 252.
[2] Von Buber waren bis dahin erschienen: *Die Geschichten des Rabbi Nachman, ihm nacherzählt,* Frankfurt am Main 1906 und *Die Legende des Baalschem,* Frankfurt am Main 1908.

starken Riesen zuhause sind. Die andere Nackte ist die Valli, die hast Du wohl nicht erkannt.

Nun aber gute Nacht, Liebste. Es ist spät. Der Kanarienvogel hinter mir singt traurig und unaufhörlich.

Franz

[Briefkopf der Arbeiter-Unfall-Versicherungs-Anstalt]

21.1.13 ½3 nachmittag

Liebste, ich danke Dir vielmals für Deinen Brief. Ich war schon ohne wahren Grund so traurig. Ich bin doch der wankelmütigste Mensch von allen, die ich kenne, und liebte ich Dich nicht schon ein für allemal, ich liebte Dich noch überdies deshalb, weil Du Dich vor solchem Wankelmut nicht fürchtest. Das Beispiel Deiner Tante Klara ist heute gut am Platz, so oder ähnlich bin auch ich. Nur daß ich keine Tante bin, von der man solches schon leiden kann. Heute früh vor dem Aufstehn war ich nach sehr unruhigem Schlaf so traurig, daß ich mich vor Traurigkeit aus dem Fenster nicht werfen (das wäre für meine Traurigkeit noch zu lebenslustig gewesen), aber ausgießen hätte wollen.

Nun habe ich aber Deinen Brief und mache Dir, Liebste, in Eile den Vorschlag, daß wir uns niemals mehr etwas übel nehmen wollen, da wir beide unverantwortlich sind. Die Entfernung ist so groß, ihr ewiges Überwinden so quälend, man läßt eben manchmal nach und kann sich im Augenblick nicht fassen. Und dazu kommt noch meine elende Natur, die nur dreierlei kennt: Losspringen, zusammenfallen und hinsiechen. Der Wechsel dieser drei Möglichkeiten macht mein Leben aus. Arme bewunderungswürdige Liebste, die sich in ein solches Treiben wagt. Ich gehöre Dir ganz und gar, das kann ich infolge des Überblickes sagen, den ich über mein 30jähriges Leben habe.

Franz

vom 21. zum 22. 1.13

Meine arme Liebste, wenn schon das chinesische Gedicht[1] eine so große Bedeutung für uns bekommen hat, so muß ich Dich noch

[1] Vgl. Kafkas Brief vom 24. November 1912, S. 119.

eines fragen. Ist es Dir nicht aufgefallen, daß gerade von einer Freundin des Gelehrten die Rede ist und nicht von seiner Ehefrau, trotzdem doch dieser Gelehrte sicher ein älterer Mann ist und beides, die Gelehrsamkeit und das Alter, dem Beisammensein mit einer Freundin zu widersprechen scheinen. Der Dichter aber, der nur rücksichtslos die abschließende Situation erstrebte, ging über diese Unwahrscheinlichkeit hinweg. War es deshalb, weil er die Unwahrscheinlichkeit einer Unmöglichkeit vorzog? Und wenn es nicht so war, fürchtete er vielleicht, daß eine ähnliche Gegenüberstellung des Gelehrten zu seiner Frau dem Gedicht jede Fröhlichkeit nehmen und dem Leser nichts anderes beibringen könnte, als das Mitgefühl des Jammers dieser Frau? Diese Freundin in dem Gedicht ist nicht schlimm daran, diesmal verlöscht die Lampe wirklich, die Plage war nicht so groß, es steckt auch noch genug Lustigkeit in ihr. Wie aber, wenn es nun die Ehefrau gewesen wäre, und jene Nacht nicht eine zufällige Nacht, sondern ein Beispiel aller Nächte und dann natürlich nicht nur der Nächte, sondern des ganzen gemeinschaftlichen Lebens, dieses Lebens, das ein Kampf um die Lampe wäre. Welcher Leser könnte noch lächeln? Die Freundin im Gedicht hat deshalb unrecht, weil sie diesmal siegt und nichts will, als einmal siegen; weil sie aber schön ist und nur einmal siegen will, und ein Gelehrter niemals mit einem Male überzeugen kann, verzeiht ihr selbst der strengste Leser. Eine Ehefrau dagegen hätte immer recht, es wäre ja nicht ein Sieg, sondern ihr Dasein, das sie verlangte, und das der Mann über seinen Büchern ihr nicht geben kann, wenn er auch vielleicht nur zum Schein in seine Bücher schaut und tage- und nächtelang an nichts anderes denkt, als an die Frau, die er über alles liebt, aber eben mit seiner ihm angeborenen Unfähigkeit liebt. Die Freundin hat hierin gewiß einen schärferen Blick als die Ehefrau, sie ist eben nicht ganz in die Situation versenkt, sie behält den Kopf oben. Die Ehefrau aber, als das arme, unglückliche Wesen, das sie ist, kämpft wie blind; das, was sie vor Augen hat, sieht sie nicht, und wo eine Mauer steht, glaubt sie im geheimen, daß dort nur ein Seil gespannt ist, unter dem man immer noch wird durchkriechen können. So verhält es sich wenigstens in der Ehe meiner Eltern, trotzdem hier ganz andere Ursachen wirken, als in dem chinesischen Gedicht.

Nicht jedes chinesische Gedicht meiner Sammlung ist übrigens dem Gelehrten so günstig wie dieses, und nur in den ihm freundlichen

Gedichten heißt er »Gelehrter«, sonst heißt er »Stubenhocker«. Dann ist ihm gegenübergestellt »der unerschrockene Reisende«, der Kriegsheld, der mit den gefährlichen Gebirgsvölkern Kämpfe besteht. Den erwartet seine Frau, zwar unruhig, aber von seinem Anblick ganz beglückt, da sieht man einander in die Augen, wie treue Menschen, die einander lieben und einander lieben dürfen, da gibt es nicht den schiefen Blick, mit dem die Freundin in der Güte und dem Zwange ihres Herzens den Gelehrten beobachtet, da warten schließlich Kinder und umspringen den zurückkehrenden Vater, während die Wohnung des »Stubenhockers« leer ist, dort gibt es keine Kinder.

Liebste, was ist das doch für ein schreckliches Gedicht, ich hätte es nie gedacht. Vielleicht kann man es, ebenso wie es sich öffnen läßt, auch zertreten und darüber hinweg, das menschliche Leben hat viele Stockwerke, das Auge sieht nur eine Möglichkeit, aber im Herzen sind alle Möglichkeiten versammelt. Was meinst Du, Liebste?

Franz

[Briefkopf der Arbeiter-Unfall-Versicherungs-Anstalt]

22.1.13

Wieder zwei Briefe, Liebste, hast Du keine Angst? Weißt Du denn nicht, daß wir regelmäßig nach einer Periode von 2 Tagesbriefen so schön zusammenklappen, als es nur möglich ist. Vorausgesetzt natürlich, daß wir nicht gerade jetzt ganz unglaublich zusammengeklappt sind und nur froh sein müssen, daß uns niemand zuschaut, denn wie müßten wir uns sonst schämen! Wo bleibt übrigens Dein gestriges Mittagessen, ich suchte es vergebens zwischen den Zeilen. Solltest Du es ausgelassen haben, aber das wäre doch fürchterlich! Die neue Referenzenliste schick mir nur! Natürlich. Auf alles, was von Dir gemacht ist, werfe ich mich. Dem Nebble gefällt die Liste nicht? Du, dann müssen wir ihn einmal durchprügeln. Warte, heute abend (jetzt ist es schon zu spät) schreibe ich Dir einen neuen geschäftlichen Einfall, der Dein Geschäft aufmischen soll[1]. Leb wohl, Liebste, man lauft zum Mittagessen und verlangt von Dir das Gleiche.

Franz

---

[1] Bedeutet im österreichischen Sprachgebrauch ›beleben‹, ›in Bewegung bringen‹.

Sehr spät, Liebste, und doch werde ich schlafen gehn, ohne es zu verdienen. Nun, ich werde ja auch nicht schlafen, sondern nur träumen. Wie gestern z. B., wo ich im Traum zu einer Brücke oder einem Quaigeländer hinlief, zwei Telephonhörmuscheln, die dort zufällig auf der Brüstung lagen, ergriff und an die Ohren hielt und nun immerfort nichts anderes verlangte, als Nachrichten vom »Pontus« zu hören, aber aus dem Telephon nichts und nichts zu hören bekam, als einen traurigen, mächtigen, wortlosen Gesang und das Rauschen des Meeres. Ich begriff wohl, daß es für Menschenstimmen nicht möglich war, sich durch diese Töne zu drängen, aber ich ließ nicht ab und ging nicht weg.

An meinem Roman schreibe ich seit 3 Tagen ganz wenig, und das wenige mit Fähigkeiten, die vielleicht gerade zum Holzhacken genügen würden, aber nicht einmal zum Holzhacken, höchstens zum Kartenspielen. Nun, ich habe mich eben in letzter Zeit (das ist kein Selbstvorwurf, sondern nur Selbsttrost) an den Füßen aus dem Schreiben herausgezogen und muß mich nun wieder mit dem Kopf einbohren.

Liebste, Du weinst? Weißt Du, was das bedeutet? Das bedeutet, daß Du an mir verzweifelst. Tust Du das wirklich? Nein, Liebste, tu das nicht. Du hast doch schon die Erfahrung gemacht, daß es mit mir im Kreise geht. An einer bestimmten, immer wiederkehrenden Stelle stolpere ich und schreie. Spring nicht hinzu, (kannst Du eigentlich meine Schrift lesen? Eine etwas verspätete Frage) bring Dich nicht in Verwirrung, ich stehe schon wieder so aufrecht, als es mir gegeben ist. Nicht weinen, Liebste! Ich hätte es ja gewußt, daß Du geweint hast, auch wenn Du es nicht geschrieben hättest, ich plagte Dich ja, wie ein Indianer seinen Feind, vielleicht auch noch mit meinem gestrigen Brief. Gnade, Liebste, Gnade! Du meinst vielleicht im geheimen, Liebste, ich hätte mich in meinen Launen Dir gegenüber, aus Liebe zu Dir, beherrschen können. Ja, aber weißt Du denn, Liebste, ob ich es nicht doch vielleicht getan habe und mit aller, freilich lächerlichen, Kraft?

Soll ich nun schlafen gehn oder Dir vorher meine geschäftlichen Einfälle schreiben. Nein, ich schreibe sie doch noch, es ist um jeden Tag schade, an dem sie nicht ausgeführt werden. Sieh nur, was für Fortschritte ich auch darin mache. Letzthin machte ich den Vorschlag, einen Musiksalon einzurichten, und nun zeigt sich, daß schon 2 seit Jahren in Berlin bestehn. (Daß es aber in jeder größern Stadt einen gibt, ist wirklich nicht hübsch.) Dann gab ich Dir den Rat wegen der Hotels, der nun, wie sich herausstellt, erstens schlecht und zweitens veraltet ist. Immerhin hat man den Versuch erst vor einem ½ Jahr gemacht; vielleicht sind meine heutigen Vorschläge erst vor einem ¼ Jahr ausgeführt worden, und so nähere ich mich allmählich der Gegenwart.

Übrigens muß man wegen der Hotels die Hoffnung nicht aufgeben und sollte es als eifriger Geschäftsmann heute nach Ablauf eines ½ Jahres von neuem versuchen. Haben einzelne Hotels den Parlographen doch gekauft? Es wäre auch vielleicht gar nicht schlecht spekuliert, einzelnen Hotels den Parlographen umsonst zur Verfügung zu stellen und dadurch die andern zur Anschaffung zu zwingen. Die Hotels sind ja im allgemeinen so konkurrenzwüthig.

Also meine neuen Ideen:

1. Es wird ein Schreibmaschinenbureau eingerichtet, in welchem alles, was in Lindströms Parlographen diktiert ist, zum Selbstkostenpreis, oder anfangs zur Einführung vielleicht etwas unter dem Selbstkostenpreis, in Schreibmaschinenschrift übertragen wird. Das Ganze kann dadurch vielleicht noch billiger werden, daß man sich mit einer Schreibmaschinenfabrik zu diesem Zweck in Verbindung setzt, welche gewiß aus Reklame- und Konkurrenzgründen günstige Bedingungen stellen wird.

2. Es wird ein Parlograph erfunden (kommandier, Liebste, die Werkmeister!), der das Diktat erst nach Einwurf einer Geldmünze aufnimmt. Solche Parlographen werden nun überall aufgestellt, wo gegenwärtig Automaten, Mutoscope [1] und dgl. stehn. Auf jedem solchen Parlographen wird wie auf den Postkästen die Stunde verzeichnet sein, zu welcher das Diktierte, in Schreibmaschinenschrift übertragen, der Post übergeben werden wird. Ich sehe schon die kleinen Automobile der Lindström A.-G., mit welchen die benutzten Walzen dieser Parlographen eingesammelt und frische Walzen gebracht werden.

3. Man setzt sich mit dem Reichspostamt in Verbindung und stellt solche Parlographen auf allen größern Postämtern auf.

---

[1] Guckkastenartiger Apparat, in dem Serienbilder mittels einer Drehvorrichtung schnell durchgeblättert werden, so daß der Eindruck entsteht, das abgebildete Objekt bewege sich.

4. Außerdem werden solche Apparate überall dort aufgestellt, wo man zwar Zeit und Bedürfnis zum Schreiben, aber nicht die nötige Ruhe und Bequemlichkeit hat, also in Eisenbahnwaggons, auf Schiffen, im Zeppelin, in der Elektrischen (wenn man zum Professor fährt). Hast Du bei Deiner Hotelrundfrage besonders an die Sommerfrischenhotels gedacht, wo die vor Geschäftsunruhe zappelnden Kaufleute die Parlographen umlagern würden?

5. Es wird eine Verbindung zwischen dem Telephon und dem Parlographen erfunden, was doch wirklich nicht so schwer sein kann. Gewiß meldest Du mir schon übermorgen, daß es gelungen ist. Das hätte natürlich ungeheure Bedeutung für Redaktionen, Korrespondenzbureaus u.s.w.. Schwerer, aber wohl auch möglich, wäre eine Verbindung zwischen Grammophon und Telephon. Schwerer deshalb, weil man ja das Grammophon überhaupt nicht versteht, und ein Parlograph nicht um deutliche Aussprache bitten kann. Eine Verbindung zwischen Grammoph. und Telephon hätte ja auch keine so große allgemeine Bedeutung, nur für Leute, die, wie ich, vor dem Telephon Angst haben, wäre es eine Erleichterung. Allerdings haben Leute wie ich auch vor dem Grammophon Angst, und es ist ihnen überhaupt nicht zu helfen. Übrigens ist die Vorstellung ganz hübsch, daß in Berlin ein Parlograph zum Telephon geht und in Prag ein Grammophon, und diese zwei eine kleine Unterhaltung miteinander führen. Aber Liebste, die Verbindung zwischen Parlograph und Telephon muß unbedingt erfunden werden.

Du, ist aber jetzt schon spät! Ich opfere meine Nächte für Dein Geschäft. Antworte mir ausführlich, es muß nicht auf einmal sein, sonst überströme ich von Ideen. Und nicht 2 Briefe täglich, Liebste! Und ordentlich zu Mittag essen! Und ruhig sein! Nicht weinen! Nicht verzweifeln! Mich für einen Narren halten, dessen Narrheit noch zur Not in Schwebe bleibt! Und nun ernstlich »Gute Nacht!« und einen Kuß, hilflos vor Liebe.

Franz

vom 23. zum 24.I.13

Nichts, nichts, den ganzen langen Tag nichts. Ich fliege bis 11 Uhr jede ¼ Stunde durch die Korridore, schaue auf alle Hände, nichts. Denke, dann ist es eben zuhause, komme nachhause und nichts. Und das gerade in einer Zeit, in der unser Boot ein wenig schwankt, durch meine Schuld natürlich, Du bis auf das Blut gequälte[s], liebste[s] Mädchen, Du.

Was bedeutet Dein Nichtschreiben? Etwas Schlimmes? Du, die ich mir so nahe fühlte, lebst jetzt eigenmächtig einen Tag lang in Berlin, und ich weiß nichts von Dir. Welcher Tag war es denn? Dienstag mittag schriebst Du mir zum letzten Mal. Abend konntest Du dann nicht, gut, Mittwoch am Tage konntest Du nicht, gut, aber dann schriebst Du, bitte, schriebst (ich bitte für die Vergangenheit) schriebst also am Mittwoch abend, und morgen früh mit der ersten Post habe ich Deinen Brief und lese, daß Du mich nicht verlassen willst, selbst wenn Du in mir statt eines Menschen, einen (wie man nach manchen Briefen glauben möchte) kranken, wild gewordenen Affen finden solltest.

Manchmal denke ich an die falschen Vorstellungen, die sich Deine Umgebung, die Kleinen, das Frl. Lindner, Deine Mutter und Schwester von unserem Briefwechsel machen müssen. Wie sie glauben müssen, daß da in Prag irgendein braver, treuer Junge ist, der der Felice nur Liebes und Gutes zu schreiben hat, Tag für Tag, so wie es diese Felice verdient, und wie es niemanden in Erstaunen setzen würde. Und keiner von ihnen weiß, daß er sehr oft der Felice einen großen Dienst erweisen könnte, wenn er das Fenster ein wenig öffnen und vor ihrer Ankunft den Brief aus dem Fenster werfen würde.

Das ist ja der Unterschied zwischen uns, Felice. Wenn es mir schlecht geht (und ich freue mich fast, daß es in der letzten Zeit nicht aufhören will, so verdiene ich es), dann ist es meine Schuld; was geschlagen wird, bin ich, und was schlägt, bin wieder ich, aber wo wäre bei Dir, Felice, die geringste Schuld zu finden?

Ich habe heute nichts geschrieben, ich war bei Max, er hat mich schriftlich darum gebeten, und mündlich hat er mir Vorwürfe darüber gemacht, daß wir einander entfremden, durch meine Schuld natürlich, durch meine Lebensweise, ich komme zu ihm höchstens einmal in der Woche, und wenn ich komme, sehe ich aus, als wäre ich gerade aus dem tiefsten Schlaf getrommelt worden. Was soll ich tun? Ich halte eben die Zeit mit den Zähnen fest, und sie wird mir doch herausgerissen. Samstag muß ich wieder zu Max. Er hat etwas Ehemännisches, von Launen Unabhängiges, trotz Leiden und Unruhe oberflächlich Fröhliches. – Liebste, daß Du mir morgen erscheinst in dem schrecklichen Bureau!   Franz

So erzürnt habe ich Dich doch noch gar nicht gesehn, wie über diese Tante Klara. Wie schön Du bist! Wie ich Dich lieb habe! Die Tante Klara ist freilich ein sonderbares Frauenzimmer, und es muß ihr, da sie auf solche Gedankengänge eingeübt ist, wohl schwer fallen, ihre Tochter bei einem Provinztheater zu lassen. Deine Kousine kenne ich nicht, ich war nämlich bei Sophies Hochzeit nicht, nicht vielleicht, weil ich keine Zeit gehabt hätte (keine Zeit hatte ich damals nur in dem Augenblick, wenn irgendeine Anforderung an mich gestellt wurde, sonst wußte ich mir aber vor Unglück und Zeitüberfluß gar nicht zu helfen), sondern nur aus dem einfachen Grunde, weil ich mich vor den fremden Leuten fürchtete. Ich stand aber beim Eingang des Tempels und erfuhr später, daß das Mädchen, mit dem Otto Brod ging, und von dem ich nichts anderes in Erinnerung habe, als daß sie einen auffallenden, nicht schönen, oben in einer Mulde mit weißen Blumen vollgestopften Hut hatte und in stolzer Haltung ging, die Schauspielerin gewesen wäre. Schade, daß ich nicht bei jener Hochzeit war! Ich hätte vielleicht mit Deinem Bruder gesprochen, und gewiß wäre selbst während des unbedeutendsten Gespräches irgendetwas geschehn, an das ich mich heute erinnern würde, und das als Vorhersage der Bedeutung angesehen werden könnte, die Du, die unbekannte Schwester, für mich bekommen hast. Zeichen geschehen ja immerfort, alles ist von Zeichen angefüllt, aber wir bemerken sie nur, wenn wir darauf gestoßen werden.

Du verteidigst Dein Essen gut, (als ich den Brief früh zum erstenmal las, bekam ich Lust, in Deine so schön belegten Brödchen hineinzubeißen, und sie Dir wegzuessen und dazu womöglich leichten Tee mit Citrone zu trinken, mit dem ich mich in frühern Zeiten so gern durchsäuerte) aber mich, Liebste, erweichst Du nicht. Wenn ich Dir nämlich schon aus übergroßer Liebe, und weil mir solches Reformieren weder schön noch gut noch nützlich scheint, Wurst, Aufschnitt und solche Dinge gern erlaube, das viele Teetrinken gefällt mir, besonders in seiner Regelmäßigkeit, doch nicht. Und Du verteidigst es auch so, wie alle Leute das Gift, an das sie gewöhnt sind: Du sagst, der Tee wäre gar nicht so stark, ebenso wie Du vielleicht Deiner Mutter, wenn sie bei Übergabe dieses Briefes unsere Korrespondenz Deinen Ruin nennt, antworten würdest, daß Du sie leicht erträgst. Täuschst Du Dich aber nicht über den Tee? (von der Korrespondenz rede ich nicht, denn dieses Gift, wenn es ein solches sein sollte, muß ich Dir einflößen, da kann ich mir nicht helfen.) Trinke ihn vielleicht etwas seltener. Aber dann höre ich allerdings schon Deine Mutter fragen: »Was ist das schon wieder für eine Neuigkeit?« und wage nicht mehr zu raten. Schönen Sonntag! Und ein wenig Ruhe!

Franz

Nun habe ich den Brief beendet, es ist auch schon genug spät, aber ich muß doch einiges sagen:

Vor allem ein Vorwurf, daß Du die Bestellung für Deine Schwester mir nicht anvertraut hast. Ganz stolz fing ich die betreffende Briefstelle zu lesen an und wurde immer kleiner, je weiter ich las, bis ich dann im folgenden Brief erfahren mußte, daß ich gar keine Aussicht habe, und daß die Bestellung schon ausgeführt ist. Geh, wie konntest Du mich so beschämen. Weißt Du nicht, daß der Gedanke, etwas für Dich tun zu können, mich geradezu scharfsinnig machen kann, und ich die Absendung rasch und tadellos ausgeführt hätte? Die Freude, Dir einen Gefallen zu machen, hätte alle Mühe hundertmal überstiegen.

Das Bild der Kleinen würde ich natürlich sehr gerne sehn, ich muß doch auch wissen, mit wem ich in dem Medaillon zusammenwohne, und was das für ein Menschlein ist, das ein solches Anrecht auf Deine Küsse hat.

Die Post hat sich wieder mit mir einen Spaß gemacht. Dein Mittwochbrief, den Du beim Zahnarzt schriebst, kam erst Donnerstag nachmittag ins Bureau, ich bekam ihn erst, fluchend und glücklich, am Freitag morgen.

Noch etwas vor dem Abschied: Führst Du eigentlich ein Tagebuch? Unnütze Frage, Du hast ja jetzt keine Zeit. Aber hast Du eins geführt? Wie lange? Einmal erwähntest Du eine Eintragung, als Du von der großen Liebe erzähltest, die Du als 15jährige hattest. Später kam aber die Rede nicht mehr darauf.

Nun aber wirklich gute Nacht. Der Briefverkehr wäre ganz hübsch, hätte man nur nicht am Ende eines Briefes, ebenso wie am Ende einer Unterredung, das natürliche Bedürfnis, dem andern ordentlich in die Augen zu sehn.

Denke nur, jetzt muß ich gar noch einen Brief an einen Bekannten schreiben. Den will ich aber so hinludern, daß ihn keines Menschen Auge lesen kann.

Allerneuester Enschluß: Ich schreibe den Brief überhaupt nicht und gehe schlafen.

Franz

Du schickst mir so wenig Zeitungsausschnitte, und ich schicke Dir da wieder einen so schönen. Du hast doch nicht am Ende den Zeitungsausschnitt über die Seligsprechung der 22 Negerjünglinge von Uganda verloren?[1]

zum 26.1.13

Samstag 1 Uhr nachhause gekommen.

Daß Du es, Liebste, weißt, ich denke an Dich mit solcher Liebe und Sorge, als hätte Dich Gott mit den eindeutigsten Worten mir anvertraut.

Franz

Sonntag, 26.1.13

Was ist es, Liebste? Was treibt Dich durch die Gassen? Bist Du wirklich das Mädchen auf dem heutigen Bild, das nicht zu viel und nicht zu wenig lächelt, und das man in jeder Not anschauen wird, um ruhig zu werden. Und Du weinst? Geh! Du behauptest, ich sei durch Dich gestört, während einfach nichts anderes durchbricht als meine Unfähigkeit, die gleiche, die Du schon an Dir erfahren hast, und die Du, Arme, ich fürchte, noch oft genug erfahren wirst. Aber sag mir ganz offen, wie hat sich *Dein* Leben verändert, seitdem Du mich kennst, sag mir ganz genau und gleich im nächsten Brief, wann Du zuletzt, ehe ich Dir mit meinen Briefen Tränen abzwang, je geweint hast, einzelne Fälle wie Ärger über närrische Tanten, über prügelnswerte Reisende u.s.w. natürlich ausgenommen. Aber was war denn am Freitag? Was war denn das? Waren in meinem Brief versteckte Quälereien, von denen ich selbst nicht weiß? Wirkte ein früherer Brief erst jetzt im bösen Sinne nach? War ich vielleicht gar nicht der Grund? Was war es dann? Überarbeitung? Du bist nicht

---

[1] Vgl. Kafkas Brief vom 24. November 1912 mit der beigelegten Zeitungsnotiz ›Seligsprechung der Märtyrer von Uganda‹.

das Mädchen, das sich ohne ganz bestimmten, augenblicklich wirkenden Grund verwirren läßt. Liebste, sag es mir doch! Denke, Du sprichst zu Dir!

Mein Roman! Ich erklärte mich vorgestern abend vollständig von ihm besiegt. Er läuft mir auseinander, ich kann ihn nicht mehr umfassen, ich schreibe wohl nichts, was ganz außer Zusammenhang mit mir wäre, es hat sich aber in der letzten Zeit doch allzusehr gelockert, Falschheiten erscheinen und wollen nicht verschwinden, die Sache kommt in größere Gefahr, wenn ich an ihr weiterarbeite, als wenn ich sie vorläufig lasse. Außerdem schlafe ich seit einer Woche, wie wenn ich auf Wachposten wäre, alle Augenblicke schreckt es mich auf. Die Kopfschmerzen sind zu einer regelmäßigen Einrichtung geworden, und kleinere, wechselnde Nervositäten hören auch nicht auf, an mir zu arbeiten: Kurz, ich höre gänzlich mit dem Schreiben auf und werde vorläufig nur eine Woche, tatsächlich vielleicht viel länger, nichts als ruhn. Gestern abend habe ich nicht mehr geschrieben, und schon habe ich unvergleichlich gut geschlafen. Wüßte ich, daß auch Du Dich ausruhst, würde mir die Ruhe noch viel lieber sein.

Was ist das für ein schönes, leicht gearbeitetes Kleid, das Du auf dem Bilde trägst, und wie verläuft es weiter? Wie stehst Du oder sitzt Du auf dem Bild? Dein rechter Arm ist weg. Das glänzende Ding, ist es das Medaillon? – Aber was helfen die Bilder, auf dem Bild siehst Du frisch aus, hast runde Wangen, klare Augen, bist so wie Deine Mutter und ich Dich haben wollen, und in Wirklichkeit bist Du noch spät abend wach im Bett und weinst.

Von dem Buch »Die Frauen um Nap. [Napoleon]« habe ich schon gehört[1]. Derartig angelegten Büchern glaube ich niemals gern, selbst wenn ich neben der unvermeidlichen Lust, sie zu lesen, auch die Zeit dazu hätte. Solche Untersuchungen leben notwendig von Übertreibungen. Napoleon hat gewiß mit Frauen weniger zu tun gehabt, als ein Beobachter zu sehen glaubt, der sich ausschließlich und für lange Zeit von dem Anblick Napoleons langsam aber sicher aus aller gewöhnlichen Menschenkenntnis und Welterfahrung in die Höhe ziehen läßt. Ich habe einmal einen merkwürdigen Sektionsbefund über die Leiche Napoleons gelesen, in dem seine Zurückhaltung gegenüber Frauen in einem guten Zusammenhang als eine bekannte Tatsache nur flüchtig erwähnt wird. Dafür spricht

[1] Gertrude Kircheisen, *Die Frauen um Napoleon*, München 1912.

trotz des scheinbaren Gegensatzes die Art seiner vor Liebe jammernden Briefe an Josephine, sowie die Roheit seiner Aussprüche in sexuellen Dingen.

Warum denkst Du, daß ich mit Max nicht gut stehe? Wir waren, seit wir einander kennen, das dürfte jetzt schon 10 Jahre her sein, niemals miteinander böse. Schwankungen unterliegt ein solches Verhältnis natürlich auch, wie alles Menschliche, besonders, wenn ich daran irgendwie beteiligt bin. So habe ich mir ihm gegenüber im Laufe der Jahre vieles vorzuwerfen gehabt, er dagegen ist vielleicht gänzlich ohne Schuld. Aber darüber muß ich Dir noch einmal ausführlicher schreiben. Heute nicht, ich würde es nicht richtig darstellen können.

————

Gerade jetzt 4 Uhr nachmittag kommt Dein Expreßbrief. Liebste, Liebste, keine unnützen Sorgen! Es geht mir immer 10 mal besser, als ich schreibe, die Feder gleitet eben aus, das ist alles. Was mag ich nur schon wieder für schreckliche Dinge geschrieben haben; da siehst Du, was für ein großer Schriftsteller ich bin, ich will mein liebstes Mädchen beruhigen und rege sie auf. Es ist ein Jammer mit mir, und ich verdiene gar keinen Kuß.

Franz

vom 26. zum 27. I. 13

Ich bin lange über Hebbels Briefen gesessen, und nun ist es spät geworden. Das war ein Mensch, der Leid zu ertragen und Wahrheit auszusprechen verstand, weil er sich eben im Innersten gehalten fühlte. Keine Linie seines Wesens verschwimmt, er zittert nicht, und dabei lebte er von seinem 30ten Jahr ab zwischen 2 Frauen, hatte zwei Familien, Tote hier und dort. Er konnte immer wieder den Bericht über irgendetwas, was er getan hatte, mit den Worten einleiten: »Wenn die Ruhe des Gewissens die Probe des Handelns ist, ...«, wie weit bin ich von solchen Menschen entfernt! Wollte ich auch nur einmal diese Gewissensprobe machen, ich müßte mein Leben mit dem Anblick der Schwankungen dieses Gewissens verbringen. So kehre ich mich lieber weg, will nichts von Überprüfung wissen und nur, wenn die Ahnung dessen, was hinter meinem Rücken vorgeht, zu groß wird, reißt es mich ein wenig nieder.

Natürlich bin ich infolgedessen überall der Schuldige, auch in meinem Verhältnis zu Max. Ich bin aus Liebe, Schwachheit, Feigheit und aus vielen andern zum Teil unkenntlichen Gründen nicht immer ehrlich ihm gegenüber gewesen, in kleinen Dingen war ich es nicht auf Schritt und Tritt, aber selbst in großen Dingen war ich es nicht immer. – Aber es widerstrebt mir, darüber zu schreiben, ich kann nicht, Liebste, heute nicht, sei nicht böse darüber und begreife es.

Sorgen um unser beiderseitiges Verhältnis mußt Du Dir aber gar keine machen, Du hättest uns nur gestern abend, wir waren allein zusammen im Kaffeehaus, lachen sehen sollen, seine Freundschaft zu mir ist unwandelbar, auch meine zu ihm, *nur daß der Schwerpunkt dieser Freundschaft in mir allein liegt, so daß ich allein weiß, wenn sie schwankt, und so mit dem Leid, das ich allein daraus erfahre, die Schuld abtragen kann, die ebenso mir allein gehört.* Die Bemerkung Maxens, die ich Dir schrieb, und die Dir Sorgen machte, war ganz nebenbei gesagt, wie er überhaupt die Gewohnheit hat, vielerlei, was mit ihm gar nicht eigentlich zusammenhängt, ohne Bedenken und dauerndes Verantwortlichkeitsgefühl zu sagen. Du kennst ihn nicht genug und kennst mein übertreibendes, unbeherrschtes Schreiben nicht genug und erschrickst. Ach, es würde mir gebühren, den Schrecken, den ich verursacht habe, mit Küssen aufzulösen!

Franz

vom 27. zum 28.1.13

Jetzt solltest Du, Liebste, hier sein (eine sonderbare Einladung, Mitternacht ist schon längst vorüber), wir wollten einen schönen, stillen Abend verbringen, so still, daß Dir am Ende gar unheimlich würde. Arme Liebste, sag mir doch, wie tut es, so geliebt zu sein? Ich wollte nichts, als Deine Hände halten und Deine Nähe fühlen. Bescheidener Wunsch? Und doch durchbricht er die Nacht und die Ferne nicht.

Schönen Dank für die Referenzenliste. Und die hat dem Nebble nicht gefallen? Und da findet sich kein Fuß, der ihm den richtigen Fußtritt gibt? Ich habe das Buch noch nicht ganz gelesen; eine Hypochondrie, der Euere künftigen Kundschaften gewiß nicht unterliegen, schreckt mich vor so kleinem Druck, aber ich habe dennoch schon gesehn, daß ich mit meinem Rat, den Parl. mit dem Telephon zu verbinden – und darauf war ich tagelang stolz – zu spät gekommen bin. Das gibt es also schon und läßt sich nicht im größten Umfang ausnützen? Für wichtige, peinlich genau aufzunehmende Gespräche der Banken, Agenturen u.s.w., wo es auf genaueste Notierungen oder auf Beisein von Zeugen ankommt, müßte ja ein Parl. unentbehrlich sein. Die eine Hörmuschel würde der Angestellte halten, die andere wäre mit dem Parl. verbunden und eine unwiderlegliche Zeugenschaft in der eigenen Stimme des Redenden gewonnen. – Die Übersichtlichkeit und das Imponierende der Liste ließe sich vielleicht noch durch ein beigelegtes Blatt unterstützen, auf welchem die Abnehmer nach der Art ihrer Betriebe geordnet wären, und auf dem gleichzeitig eine ganz kurze Übersicht darüber gegeben würde, was der P. nach den eigenen Angaben der Abnehmer zu leisten imstande ist. – Im ganzen aber ist es prachtvoll, so wie es ist, und ich kann mich gar nicht zurückhalten, Dich vor Stolz so abzuküssen, daß es Dir in Wirklichkeit leid täte, die Liste gemacht zu haben. Aber das konnte man allerdings nicht voraussehn und die Direktion am allerwenigsten.

Schon gestern wollte ich Dir schreiben, wie froh ich bin, daß Du der Sophie geschrieben hast. Ich will sie mit Bitten um Erzählungen von Dir maßlos plagen, aber natürlich so zart und listig, wie es bei meiner großen Geschicklichkeit und Gesprächsübung nicht anders zu erwarten ist. Und wenn es anders ist, es ist doch nichts Böses, daß ich Dich lieb habe? Nicht so kühn gefragt!

Franz

vom 28. zum 29.1.13

Wieder komme ich, Liebste, von Hebbels Briefen zu Dir. Ich weiß nicht, wie Menschen, die von einem bürgerlichen Beruf und von bürgerlichen Sorgen ausgefüllt sind, solche Briefe lesen, in denen sich ein Mensch aus seinem durch die dichterische Arbeit aufgeregten und ewig, selbst in der Ohnmacht, strömenden Innern mit den wildesten Selbstgeständnissen erhebt, – ich fühle ihn tatsächlich (trotzdem ich, mit ruhigem Auge gemessen, soweit von ihm entfernt bin, wie der kleinste Mond von der Sonne) ganz nahe an meinem Leib, er klagt an meinem Hals, er rührt an meine Schwächen unmittelbar mit seinen Fingern und manchmal, selten genug, reißt er mich mit sich fort, als wären wir zwei Freunde.

Im einzelnen kann ich seine Wirkungen nicht beschreiben, aus dem ersten das zweite entwickeln kann ich nicht, in solcher dünner Luft wird mir das Leben zu schwer, ich breche aus dem tatsächlichen Kampfe aus, um im Anblick des Ganzen zu ruhn. Meine Denkkraft hat unglaublich enge Grenzen, in den Ergebnissen die Entwicklung fühlen, kann ich; aus der Entwicklung zu den Ergebnissen steigen oder aus den Ergebnissen Schritt für Schritt hinabzugehn, das ist mir nicht gegeben. Es ist, als fiele ich auf die Dinge herab und erblickte sie nur in der Verwirrung des Falles.

Hebbel denkt ganz genau und ohne die geringsten Winkelzüge, in denen man sich so gern mit seiner Verzweiflung zu retten sucht. Er denkt nicht nur mit einer ihm von frühester Jugend an innewohnenden Kraft (seine Bildung war ganz zufällig und jammervoll zusammengetragen), sondern auch nach einer ihm von Anfang an innewohnenden, bis zur Einfältigkeit charakterisierten Methode. Wenn ich mir das genau vorzustellen suche, hört die gute menschliche Wirkung seiner Briefe für mich sofort auf, und er tritt mich einfach nieder.

Für Deinen heutigen Brief, Liebste, meinen besondern Dank. Gott weiß, unter welchen Mühseligkeiten Du ihn geschrieben hast, aber Du hast ihn doch geschrieben, und ich hatte, als ich aus dem Bureau ging, ein von Dir am vorigen Tag beschriebenes Papier in der Tasche, das ich dort halten, streicheln und liebhaben konnte. Denk nur, sogar die Chokolade habe ich gegessen, natürlich langsam, zögernd, ängstlich, aber die Verführung, möglichst viel an Deiner Existenz und Deiner Lust teilzunehmen, war zu groß. Es hat mir auch nicht geschadet, denn alles, was von Dir kommt (darin bist Du anders als ich) ist lieb und gut und unschädlich.

Franz

vom 29. zum 30.I.13

Es gehört wohl in die Reihe alles Neuen, was ich seit dem letzten Sommer erlebt habe, daß ich endlich und ausgiebig verkühlbar geworden bin wie andere Menschen. Und daß ich mich verkühle, ohne den Grund zu wissen und trotz dieser abgehärteten, tausendmal massierten Haut. Sollte mir am Ende der heiße Tee fehlen, an dem sich meine Liebste nach meiner (jetzt allerdings nach diesen Verkühlungen nicht mehr maßgebenden) Meinung so gern erregt? Weißt Du, es gab Zeiten, wo ich in der Unmöglichkeit des Mich-Verkühlens ein nicht unwichtiges Zeichen meines immer rascheren

Unterganges zu erkennen glaubte; von der Tatsache dieses raschen Untergangs war ich immer überzeugt. Ich sagte mir: (das Nicht-Verkühlen war natürlich nur ein Zeichen unter vielen) so löse ich mich nach und nach aus der menschlichen Gemeinschaft; ich paßte überall auf, wo ich etwas dafür Beweisendes finden konnte; jede Kleinigkeit mißlang mir; nicht jede Furcht bestätigte sich, aber jede Hoffnung wurde getäuscht; wenn ich mit jemandem über das Gleichgültigste redete, und er sah nur ein wenig zur Seite, fühlte ich mich schon verstoßen und sah kein Mittel, das Gesicht des andern zu mir hinüberzuziehn und so festzuhalten. Einmal gelang es mir, Max, den für solche Zustände sonst ganz Unzugänglichen, fast vollständig davon zu überzeugen, daß es mit mir immerfort ärger werde, und daß niemand, selbst wenn er mich noch so lieb habe, sich ganz nah zu mir setze, mir in die Augen schaue, um mich aufzumuntern, mich gar umfasse, (dies schon mehr aus Verzweiflung als aus Liebe) irgendwie imstande sei, mich zu retten. Ich müsse mir überlassen bleiben, das sei auch mir am liebsten, und im übrigen so lange ertragen werden, als es menschenmöglich sei. Wir machten damals, wir zwei allein, einen Ausflug nach Dobřichowic, einem schönen Ort in der Nähe von Prag, wo wir auch übernachteten. Der eine Nachmittag war ganz verregnet, ich lag auf dem Kanapee in Maxens Zimmer (wir hatten 2 Zimmer, denn ich muß allein in einem Zimmer schlafen, Du siehst das am Ende gar für Muth an, es ist aber nur Ängstlichkeit, die folgert: ebenso wie man, wenn man auf dem Boden liegt, nicht fallen kann, kann einem auch nichts geschehn, wenn man allein ist), war ganz stumpf, konnte aber nicht einschlafen, wollte aber auch die Augen nicht offenhalten, um Max nicht zu stören, der am Tisch die Novelle »Die Tschechin« (die Du vielleicht im Berliner Tageblatt später gelesen hast) anfing und zu Ende führte, so lag ich also mit geschlossenen Augen, hörte gelangweilt dem Regen zu, der auf dem Holzdach und der Holzterrasse besonderen Lärm machte und brannte darauf, daß Max endlich mit der Geschichte fertig werde (die er übrigens rasend schrieb, die Feder strich nur so über das Papier), damit ich aufstehn und mich ein wenig strecken könne, allerdings zu keinem andern Zweck, als um wiederum Lust zu bekommen, mich von neuem auf das Kanapee zu werfen und weiterhin stumpf dazuliegen. So habe ich viele Jahre, und wenn ich genauer zurückzuschauen versuche, unendlich viele Tage gelebt. Deine Hand, Liebste, damit eine gleiche Unendlichkeit schöner

Tage kommt! Deine schöne, liebe Hand, nach der ich ja doch nicht zu greifen wage.

Franz

vom 30. zum 31.1.13

Liebste, quäle Dich doch nicht ab, mir ausführlicher zu schreiben, als es Dir Deine Zeit bequem erlaubt, ich will doch Dein guter Geist, nicht Dein Quälgeist sein. Ein Gruß und die Versicherung, daß Du für mich da bist – damit bin ich in solchen Zeiten ganz zufrieden. Überbürdet man Dich nicht ein wenig im Bureau, nun wird neben der Fakturistin und Frl. Großmann ein drittes Mädchen krank, dessen Arbeit man Dir aufladet? Da könnte doch schließlich die Direktion begreifen, daß das zuviel ist.

Um wie viel besser habe ich es doch als Du oder könnte es vielmehr haben! Du würdest, hättest Du so viel freie Zeit wie ich, ein gutes, nützliches Leben führen, von dem Du und alle Freude hätten, Du tust es ja jetzt nicht anders, trotzdem Du bis ¾8 abend ohne Mittagpause – es ist schrecklich – an Dein Bureau gebunden bist. Ich tue eigentlich gar nichts, Menschen mit Launen, die in ihre Arbeit eingreifen, sollte man in keinem Bureau dulden, Du würdest den Kopf schütteln, wenn Du sehen würdest, was ich z. B. heute im Bureau gearbeitet habe. Ich habe eine Menge verschiedenartigster alter Sachen auf dem Tisch liegen – wenn auch nicht so viele wie vor einiger Zeit denn es gab inzwischen eine Woche mäßig guter Arbeit – aber heute sollte ich vor allem einen im übrigen gleichgültigen Bericht ans Ministerium, den ich gestern begonnen hatte, zu Ende machen. Es war mir unmöglich, mir fiel nichts ein, dabei gab es heute eine große manipulative Arbeit im Bureau, zu der ich auch meinen Schreibmaschinisten hergeben mußte, ich saß also selbst bei der Maschine und fühlte mich zu nichts anderem geschaffen, als die Hände im Schoß zu halten. Selbst die Schreibmaschine verliert in solchen Zeiten die Fähigkeit zu schreiben, und wenn man sie so anschaut, sieht sie wie eine alte, längst überholte Erfindung aus und ist nur altes Eisen. Ich habe etwa 8 Seiten geschrieben und habe für morgen die schöne Aussicht, diese 8 Seiten als nichtsnutzig zerreißen zu müssen und den Bericht, der etwa auf 20 Seiten berechnet ist, von neuem anzufangen. Nur ganz selten fließt mir das Diktat aus dem Mund, wie die Reden der homerischen Helden, und es ist eben

277

die Gefahr der Seltenheit, daß sie mit einem Mal für immer ausbleiben kann. Allerdings, man lebt ja, und die Säfte nehmen ihren wenn auch schwerfälligen Gang. Nun bedenke aber, daß ich außer der Bureauarbeit fast gar nichts mache und meinen Vater wegen meiner Vernachlässigung der Fabrik kaum anzuschauen, wie denn erst anzureden wage. Nun Liebste, lobe mich ein wenig wegen meiner schönen Lebensweise.

Franz

vom 31. [Januar] zum 1.II.13

Gar keine Nachricht, meine Liebste, im Bureau sagte ich, wenn etwas nachmittag käme, solle man es mir schicken, es kam aber nichts. Gestern gab es zwei Briefe, hätte es sich lieber verteilt! Aber unruhig bin ich nicht; wenn Du so geplagt wirst wie in der letzten Zeit, kannst Du ruhig auch einen Tag auslassen, ich halte Dich in meinem Innern fest und weiß doch von Dir.

Ich bin noch immer verkühlt oder eigentlich nicht verkühlt, sondern habe nur ein, vielleicht zum großen Teil hypochondrisches, aber doch ein wenig unheimliches Kältegefühl über den ganzen Rücken hin, als sei immerfort eine Spritze mit kaltem Wasser gegen mich gerichtet und fände mich, wo ich gehe und stehe. Auch jetzt während des Schreibens im warmen Zimmer, es ist etwas Teuflisches.

Wenn man in solcher Verfassung ist, kann einen nichts lustig machen, als wenn man einen Brief mit solchen Zumutungen bekommt, wie ich ihn heute von Stoessl bekam[1]. Er schreibt auch über mein Buch [Betrachtung], aber mit so vollständigem Mißverständnis, daß ich einen Augenblick geglaubt habe, mein Buch sei wirklich gut, da es selbst bei einem so einsichtigen und literarisch vielgeprüften Mann wie Stoessl solche Mißverständnisse erzeugen kann, wie man sie Büchern gegenüber für gar nicht möglich halten sollte und wie sie nur gegenüber lebenden und deshalb vieldeutigen Menschen möglich sind. Als einzige Erklärung bleibt, daß er das Buch flüchtig oder stellenweise oder (was allerdings bei dem Eindruck der Treue, die sein Wesen in jeder Äußerung macht, unwahrscheinlich ist) gar nicht gelesen hat. Ich schreibe hier die betreffende Stelle für Dich

---

[1] Vgl. Anm. S. 156.

ab, seine Schrift ist nämlich ganz unlesbar und wenn Du nach vieler Mühe auch glauben würdest, sie lesen zu können, würdest Du gewiß mit mißverständlichen Deutungen lesen. Er schreibt: »Ich habe Ihr äußerlich und innerlich gleich schön geratenes Buch sofort und in einem Zuge gelesen und mich an der eigentümlichen schwebenden Gehaltenheit und leichten, innersten Heiterkeit der kleinen Denkmäler kleiner, großer Augenblicke sehr erfreut. Es ist ein besonders schicklicher, sozusagen nach innen gerichteter Humor darin, nicht anders, als man nach einer gut durchschlafenen Nacht, nach erquickendem Bad, frisch angezogen, einen freien sonnigen Tag mit froher Erwartung und unbegreiflichem Kraftgefühl begrüßt. Ein Humor der guten eigenen Verfassung. Es könnte keine bessere Bedingung eines Autors selbst, keine schönere Bürgschaft für ihn gedacht werden, als dieser lautere Stimmungsinhalt seiner ersten Sachen.«Es bleibt übrigens noch eine Erklärung für dieses Urteil, die ich oben vergessen habe, nämlich die, daß ihm das Buch nicht gefällt, was bei der Mischung seines Wesens leicht zu denken wäre. Der Brief paßt übrigens ganz gut zu einer heute erschienenen, übertrieben lobenden Besprechung, die in dem Buch nur Trauer findet[1].

Heute abend ist Sophie [Friedmann] gekommen, hätte ich nicht diesen kalt übergossenen Rücken und den »Humor der eigenen guten Verfassung«, ich hätte sie sehr gerne von der Bahn geholt. Wenn ich schon keine Nachricht von Dir hatte, hätte ich doch paar Augen gesehn, die Dich wochenlang gesehen haben, auch Dein Name wäre gewiß genannt worden, und wenn das ganze auch auf eine kleine Fahrt mit der Elektrischen eingeschränkt geblieben wäre, es wäre doch schön gewesen. Aber nächste Woche will ich sie belagern, und wenn ich schon von Dir über Deinen Breslauer Aufenthalt trotz Versprechungen noch nichts erfahren habe, sie will ich schon zum Reden bringen. Liebste, was ist das für ein Ersatz Deiner Person! Gerüchte, Reden, Erwähnungen, Erinnerungen umarme ich statt Deiner und dabei bleibt es.

Damit Du in Deinen Gerichtssachen nicht allein bist, muß ich Montag wieder nach Leitmeritz zu Gericht. Ist das lästig! Allerdings stört es mir diesmal keine Geschichte. Nur wollte ich lieber mit einem kleinen Umweg über Berlin nach dem warmen Süden fah-

---

[1] Die Rezension der *Betrachtung* von Otto Pick in der *Deutschen Zeitung Bohemia* vom 30. Januar 1913. Zu Pick vgl. Anm. S. 285.

ren, wohin Max mit seiner Frau am Sonntag nachmittag abreist.
Wie soll man das aber anstellen?

Franz

Mutter, heute ein gutes Wort![1]

vom 1. zum 2.II.1913

Eben setze ich mich seit meinem Nachmittagsbrief[2] zum erstenmal
zum Schreibtisch. Wieviel Uhr ist es? (Ich schreibe die Antwort auf
die nächste Seite*, wie man es mit den schrecklichen Überraschungen der Lieferungsromane macht.) Ich habe den ganzen Nachmittag
mit Werfel, den Abend mit Max verbracht und bin zermartert von
Müdigkeit und Spannungen im Kopf, die sich heute der Scheitel-
höhe nähern, erst nach 8 zum Schlaf gekommen. Natürlich gab es
da schon den gewöhnlichen Unterhaltungslärm im Nebenzimmer,
der mich zeitweise, wenn mich meine Müdigkeit gerade ein wenig
in den Schlaf getaucht hatte, desto höher wieder herausgerissen hat.
Immerhin blieb ich in der schönsten Mannigfaltigkeit von Schlaf,
Dusel, Träumerei und zweifellosem Wachsein bis jetzt im Bett und
bin nur aufgestanden, um Dir, Liebste, zu schreiben und mir einiges
für den Roman zu notieren, das mich mit Macht im Bett ange-
fallen hat, trotzdem ich solche vereinzelte Erleuchtungen künftiger Ereignisse mehr fürchte als verlange. Das Nachtmahl habe ich
ausnahmsweise fehlerlos (bei seiner Kompliciertheit ist das gar nicht
leicht zu machen) auf meinem Tisch vorgefunden, habe es aber un-
gegessen weggeräumt. Mein Magen ist, wie mein ganzer Mensch,
seit paar Tagen nicht in Ordnung und ich suche ihm durch Hungern
beizukommen. Heute habe ich z.B. bloß zu Mittag gegessen. Ich
erwähne es deshalb, um jede Kleinigkeit, von der ich einen Erfolg
erwarte, in das Licht Deiner Augen zu halten.
Werfel hat mir neue Gedichte vorgelesen, die wieder zweifellos aus
einer ungeheuern Natur herkommen. Wie ein solches Gedicht, den
ihm eingeborenen Schluß in seinem Anfang tragend, sich erhebt,
mit einer ununterbrochenen, innern, strömenden Entwicklung –

*[Dort durch Einrahmung vom Brieftext abgetrennt] ½1 Uhr nachts

[1] Dies ist für Felicens Mutter, die geheime Mitleserin der Briefe, bestimmt.
Vgl. Kafkas frühere Bemerkungen darüber in seinem Brief vom 14. zum
15. Dezember 1912, S. 181.
[2] Nicht erhalten.

wie reißt man da, auf dem Kanapee zusammengekrümmt, die Augen auf! Und der Junge ist schön geworden und liest mit einer Wildheit (gegen deren Einförmigkeit ich allerdings Einwände habe)! Er kann alles, was er je geschrieben hat, auswendig und scheint sich beim Vorlesen zerfetzen zu wollen, so setzt das Feuer diesen schweren Körper, diese große Brust, die runden Wangen in Brand. Er wird im Feber in Berlin vorlesen, da mußt Du jedenfalls hingehn. Natürlich war auch von Dir (wenn auch nicht namentlich) die Rede, wie verginge für mich ein Nachmittag ohne Dich, und er hat mir in den Weltfreund[1] eine kleine Widmung für »eine Unbekannte« hineingeschrieben, damit sich Frl. Lindner ein wenig ärgert. Ich schicke Dir das Buch nächstens, wenn mir nur nicht immer die Art der Verpackung, der Aufgabe u.s.w. solche Sorgen machen würden. Deshalb ist die »Höhe des Gefühls« [Brod] auch so lange bei mir gelegen, natürlich gehört das Buch Dir, ich hatte es Dir doch schon längst versprochen. Ebenso wälzt sich auch schon der französische für Dich bestimmte Flaubert wochenlang auf meinem Schreibtisch herum und ich gebe mich Träumereien über die möglichen Arten der Verpackung und Versendung hin.

Hast Du eigentlich den Brief des Löwy, den ich Dir für Sonntag schickte, lesen können? Er spielte Sonntag in Berlin, wenigstens glaubte ich es aus dem Brief herauslesen zu können, und so hatte ich die Hinterlist begangen, diese Stelle zu unterstreichen. Später habe ich mir deshalb Vorwürfe gemacht und bin nun froh, daß Du die unterstrichene Stelle nicht bemerkt hast oder aus sonstigen Gründen nicht in das Theater gegangen bist. Ich nehme Deine kleine freie Zeit schon genug für mich in Anspruch, übergenug! Wie mir Werfel, der auch mit Löwy zusammengekommen ist, erzählte, hat die Truppe dem Leipziger Korrespondenten des Berliner Tageblatt, einem Dr. Pinthus[2], den ich übrigens auch kenne (er ist ein schwerfälliger Mensch und es ist nicht viel von ihm zu erwarten), so gefallen, daß er in einem Feuilleton des B. T. über sie schreiben wird. Schicke es mir, bitte, wenn Du es findest, ich denke an die Schauspieler immer noch sehr gern.

Deine Vorschläge, Liebste, für eine neue Zeiteinteilung – ich kann

---

[1] *Der Weltfreund*. Gedichte von Franz Werfel, Berlin [1911].

[2] Kurt Pinthus, geb. 1893, Publizist und Kritiker, seinerzeit Lektor des Kurt Wolff Verlags, Herausgeber der 1919 erstmalig erschienenen Anthologie expressionistischer Dichtung *Menschheitsdämmerung*.

sie nicht befolgen. So wie es ist, ist es das einzige Mögliche; halte ich es nicht aus, desto ärger; aber ich werde es schon aushalten. Ein bis zwei Stunden zum Schreiben genügen nicht (abgesehen davon, daß Du für das Schreiben an Dich keine Zeit vorhergesehen hast), zehn Stunden wären gerade das Richtige, da aber das Richtige nicht zu erreichen ist, muß man sich ihm wenigstens möglichst annähern und nicht an Schonung denken. Ich habe sowieso die letzten Tage heillos schlecht für mein Schreiben ausgenützt, es muß anders werden, das untergräbt mich, nun habe ich heute wieder gar nichts geschrieben und war, als ich mich abends ins Bett legte, über meine Müdigkeit und die kurze Zeit so verzweifelt, daß ich im Halbschlaf betete, der Bestand der Welt möchte in meine Hände gegeben sein, um ohne Besinnung an ihm rütteln zu können. Ach Gott! Ach Liebste!

Franz

2.II.13

Liebste, weißt Du, wo Dein abgehärteter, unverkühlbarer, eiserner Narr augenblicklich an Dich schreibt? Durchaus nicht etwa in freier Winternacht, sondern, Schande über Schande, in der warmen Küche. Es ist nur im Wohnzimmer geheizt, bei dem Sturm ist es in unserer Höhenlage kaum möglich anderswo zu heizen, in meinem Zimmer wurde nicht geheizt, weil ich ja nachmittag nach Leitmeritz fahren will (ich fahre vielleicht doch erst morgen), im Wohnzimmer schläft die Familie einer über dem andern, die Küche ist aber leer und still und wenn die kalten Fliesen nicht wären und der starke Uhrenschlag, es wäre das vollkommene Schreibzimmer.

Maxens Hochzeit ist vorüber und er fährt schon nach dem Süden, aber eine besondere Hochzeitsfeierlichkeit gab es nicht, wie Du zu vermuten scheinst, es war nur die Trauungsceremonie im Hotel, sonst nichts, kein Polterabend, kein Hochzeitsessen, meine Menschenangst wurde also auf keine Proben gestellt. Aber ich hatte doch eine besondere Hochzeitsfreude, denn Sophie, mit der ich paar Worte sprach, sagte mir, sie habe mir etwas zu erzählen und da ich vieles zuzuhören habe, trifft sich das schön. Heute und morgen kann ich zwar nicht zu Brods, aber Dienstag werde ich gelaufen kommen. Ich will ja nichts besonderes hören, nur in der Nähe Sophies will ich sein, weil Du in ihrer Nähe warst.

Liebste, es ist keine Hilfe, ich muß aufhören, trotzdem mir das ist, als reiße man mich körperlich von Dir weg. Auch Dienstag wirst Du nur Karten von mir haben. Liebste, möchtest Du vor schlimmen Träumen behütet sein, soviel Sinn und Warnung sie auch vielleicht enthalten.

Franz

[Ansichtskarte. Stempel: Leitmeritz – 3. II. 13]

Herzliche Grüße. Knapp vor der Abreise fertig geworden. Meine Schwester als Reisebegleiterin grüßt unten eigenhändig.

FK.
Ottla Kafka

[Auf der Rückfahrt von Leitmeritz nach Prag, am 3. Februar 1913]

Es ist dunkel im Zug, man kann nicht mehr schreiben, ich bin auch müde, alles um mich schläft, meine Schwester schaut auf dem Gang aus dem Fenster und dreht sich in diesem Augenblick nach mir um. Es regnet schändlich. Ich bin froh, daß ich zurückfahre zu Deinem Brief, zum Schlafen, zur Möglichkeit des Schreibens. Lebwohl, Liebste, Lebwohl.

Franz

vom 3. zum 4. II. 13

So bin ich, Liebste, da hast Du mich. Müde von der Reise, noch ermüdeter von mir selbst bin ich doch noch jetzt abends bei Brods gewesen. Und was habe ich dort ausgerichtet? Für mich genug. Ich saß 2 Stunden neben Sophie, neben der Du auch gesessen bist, saß auf dem gleichen Platz, wie damals im August, und Dein Name wurde zweimal genannt. Aber mein Verdienst an Deiner Namensnennung war sehr gering, und daß Dein Name nicht öfter genannt wurde, habe ich wahrscheinlich verhindert. Dein Name wurde zuerst unvermittelt mitten in anderem Gespräch genannt, Du läßt alle grüßen, sagte Sophie, »angefangen von Frau Brod bis zu Dr. Kafka«. Die Reihenfolge des Grußes wäre mir schon recht gewesen, denn nachdem Du alle Grüße abgetan hättest, wärest Du für mich allein geblieben, ich hätte Dich halten und nicht mehr hergeben müssen. Auch daß Du unter fremden Leuten genannt wurdest, und daß ich mich Dir näher fühlte als alle und ihnen allen also überlegen war, machte mir warm, und ich war sehr zufrieden. Aber diese eine Nennung war auch das Äußerste, was ich ohne auffallend zu werden, ohne Grimassen zu schneiden, ohne unglücklich darüber zu werden, daß alle doch an Dir teilnehmen konnten, hätte ertragen können. Und so suchte ich Dich in Vergessenheit zu bringen und erst, als es ringsherum von Dir still war, wurdest Du wieder laut in mir.

Liebste, wie Du müde sein mußt! Es darf gewiß in Berlin nicht anders sein und alle leben wahrscheinlich so, aber wie kannst Du nur die Arbeit im Bureau bei solcher Unausgeschlafenheit ertragen? Daß das nicht möglich ist ohne Überanstrengung und Schädigung Deiner Gesundheit, daran ist kein Zweifel. Du, das sind traurige Gedanken, die man sich darüber in der Ferne macht. Du darfst nicht glauben, daß ich die Notwendigkeit alles dessen einsehe. Ich weiß, es geht in Berlin grundsätzlich alles lärmender, lustiger zu als bei uns (und selbst unser Lärm und unsere Lust ist mir unerreichbar). Unter gleichen Umständen wäre wohl bei einem Bekanntenkreis wie ihn Max hat eine Berliner Hochzeit in dieser Art, wie er sie, nicht ohne meinen Einfluß (in Nachlässigkeit und Formlosigkeit bin ich eine hohe Instanz) durchgeführt hat, wahrscheinlich unmöglich. In welchem Zustand Du wohl am Montag gewesen bist! Wie darf ich das allerdings beurteilen, der ich im allgemeinen nicht imstande bin, jemanden auch nur beiläufig zu unterhalten. Ich kann kein Gespräch im Gang erhalten. Der Anblick selbst eines bekannten Gesichts führt mich bald auf Abwege.

Franz

vom 4. zum 5.II.13

Daß Du so viele Sachen gewonnen hast, meine glückliche Liebste, ist natürlich schön und freut mich, aber für die Briefe an mich war eine Füllfeder nicht nötig, wie immer sie geschrieben sind, sie sind mir gleich lieb. Aber wie man Dich mit Losen überschüttet und hin- und hergezerrt hat! Und ich war in keinem Winkel, um Dich zu halten und zu niemandem mehr zu lassen!

Die Karte mit der Unterschrift Deiner Mutter habe ich heute nachmittag bekommen. Wie heißt die Mutter mit dem Vornamen? Anna? Weißt Du, daß es sehr streng ausschaut, alles, »Gruß« und »Frau«, aber für mich ist es doch ein ganz besonderes Geschenk. –

Warum ist die Frau Bluen so geziert? Und was war es für ein Fest?
Man saß an dieser großen Tafel? Wo war Dein Platz und der Platz
Deiner Mutter?

Heute schreibt mir ein gewisser Otto Pick[1] (hast Du den Namen
schon gehört? Er hat ein ganz gutes Gedichtbuch »Freundliches Erleben« herausgegeben. Vielleicht hast Du im »Zeitgeist« einmal einen
Aufsatz von ihm über Werfel gelesen.) Der schreibt mir also: »Ich
habe einen Parlographen Interessenten in Aussicht, und so möchte
ich Sie sehr bitten, mir weiteres Material (möglichst mit Preisangabe)
zu geben.« Ich habe ihn nämlich zufällig gerade an dem Tage getroffen, an dem ich Deine Referenzenliste bekommen hatte, habe
ihn (da er meiner Meinung nach gute geschäftliche Fähigkeiten hat
und außerdem Beziehungen zu Redaktionen und Banken, in welche der Parlograph, wie ich glaube, leicht einzuführen sein müßte,
trotzdem in der Liste vielleicht keine Redaktion oder Bank angeführt ist) gleich gepackt, ihm abend die Liste gebracht und ihn gleich
auf Geschäfte ausgeschickt. Nun schreibt er mir das. Wie kann man
aber den Apparat vorführen? Wer weiß, vielleicht könnte ich auch
einen Vertreter finden. Gib mir ein wenig Zeit. Wer hat denn in
Prag schon Parlographen? Löwy und Winterberg ist freilich eine
große Fa., die drittgrößte Holzhandlung Böhmens soviel ich weiß;
ich hatte auch schon geschäftlich mit ihr zu tun. Zwing ihr nur den
Parlographen auf, Du liebste Geschäftsfrau. Über den Parlographen
selbst kann ich nichts Empfehlendes sagen, wenn es aber auf eine
Zeugenschaft dafür ankommt, daß Du das beste und liebste Mädchen bist, und daß daher auch eine unpraktische Maschine, wenn
Du sie verkauft hast, darin, daß Du, Du sie verkauft hast, ihren Wert
hat – dann sollen sie mich nur fragen kommen.

Franz

vom 5. zum 6.II.13

Liebste, es ist doch ein unglaublich schöner Spaß, zuhause noch
einen Brief von Dir zu finden. Wenn er nur nicht durch den Gedanken verbittert wäre, daß ich in dem Brief Deine mißbrauchte
Spaziergangszeit in Händen habe, daß ferner, wenn es erlaubt ist,
zweimal zu schreiben, kein Grund zu finden ist, warum wir ein-

[1] Otto Pick (1887–1940), Prager Journalist, Lyriker und Erzähler, auch Übersetzer aus dem Tschechischen.

ander nicht immerfort schreiben und näher zusammenrücken sollten um Himmels willen, bis wir ganz beieinander wären, der eine in des andern Armen. Aber das geschieht ja nicht und so reißt es nur an einem. Endlich bleibt die Angst, daß den nächsten Tag vielleicht kein Brief kommt, wenigstens nicht gleich früh. Und gerade dieser Brief gleich am Morgen, ohne quälendes Warten auf den Tisch gelegt, ist ein solcher Trost.

Als Du an mich schriebst, am Montag, war ich nicht mehr im Zug, sondern bei Brods, vielleicht wurde gerade Dein Name genannt, und ich verfiel in Stillschweigen und in Gedanken an Dich.

Die Reise ist noch leidlich abgelaufen. Es widerte mich zuerst so an, in gleicher Weise wie letzthin um $\frac{1}{2}5$ früh aufzustehn, dann mit der Bahn, dann mit dem Wagen in Nässe und Kälte und Trostlosigkeit zu fahren, dann zu den Verwandten, dann zu Gericht zu gehn, dann die gleiche stumme Eisenbahnfahrt nachhause auszuführen – daß ich entschlossen war, abends zu fahren und in Leitmeritz zu übernachten, wodurch ich auch auf meine Erkältung, die nun schon gänzlich vorüber ist, Rücksicht genommen hätte. Und dann im Hotelzimmer schlafen, in der am Sonntag abend überfüllten fremden Restauration sitzen – das tut mir ganz gut, dort bin ich gerne stumm. Nun zog mich aber an jenem Abend die Familie Weltsch[1] unversehens und mit Gewalt ins Theater mit, wo in »Frl. Josette – meine Frau« eine gemeinsame Bekannte zum erstenmal spielte, natürlich in der nebensächlichsten Rolle, sie hat nur in der ersten Szene plötzlich aufzulachen, entzückt zu sein und die Arme zu verrenken, was sie, den Rücken meist dem Publikum zugewendet, knapp an der Zimmerwandkulisse in etwas übertriebener Weise machte, trotzdem sie sonst ein stolzes, boshaftes, geriebenes, sehr gescheites Frauenzimmer ist, vor dem ich immer Angst habe. Es war ein wenig rücksichtslos, sie in einer solchen Rolle zum erstenmal auf die Bühne zu schicken.

Nach dem zweiten Akt des Stückes – es gibt natürlich auch in dem schlechtesten Stück Stellen, an denen man menschlich hängen bleibt, und ich hätte es vielleicht an einem andern Tage bis zum Ende ausgehalten – half keine Überredung mehr und ich lief ohne Abschied zu nehmen nachhause, wodurch ich zwar auf 1 oder 2 Akte Josette und auf einen Schwank »In Civil« verzichtete, dafür aber früher an die Luft und früher ins Bett kam. Zuhause verfluchte ich meiner

---

[1] Die Familie von Kafkas Freund Felix Weltsch. Vgl. Anm.[1] S. 207.

Schwester gegenüber nochmals kräftig diese Reise, und da sie große Lust mitzufahren hatte (nicht nur, um mir dadurch zu beweisen, daß die Reise nicht so schrecklich wäre), versprach ich ihr gern, sie mitzunehmen. Der Vater hatte, trotzdem dieser Entschluß erst um ½11 abends gefaßt wurde, überraschender Weise nichts dagegen einzuwenden, was sich nur dadurch erklären läßt, daß wir in Leitmeritz Verwandte haben und dem Vater an der Erhaltung verwandtschaftlicher Beziehungen immer sehr gelegen ist und ihm für solche Zwecke meine Schwester geeigneter erscheint als ich. So sind wir also am Morgen zusammen weggefahren, da war das Wetter noch gut, aber schon während der Wagenfahrt regnete es uns ins Gesicht und hörte dann zu regnen nicht auf. Ich war bis 2 Uhr ununterbrochen bei Gericht (es kam zu keiner Entscheidung, die Sache mußte wieder vertagt werden, aber ich lasse mich lieber prügeln, ehe ich wieder herausfahre), die Schwester ununterbrochen bei den Verwandten. Sie ist ein wenig schwerfällig im Schreiben (im Grunde nicht anders als ich), darum schrieb sie nur ihren Namen. Aber eine Faulenzerin ist sie nicht, wie Du glaubst; Faulenzerinnen waren nur meine beiden andern Schwestern oder vielmehr eigentlich nur die älteste. Die konnte man immer auf dem nächsten Kanapee antreffen. Aber die Ottla arbeitet ja in unserem Geschäft; sie ist schon früh um ¼8 Uhr beim Öffnen da (mein Vater geht erst um ½9 hin) und bleibt dort über Mittag, man bringt ihr das Essen hin, erst am Nachmittag um 4 oder 5 kommt sie nachhause und wenn Saison ist, bleibt sie auch bis zum Geschäftsschluß.

Aber die Arbeit ist schließlich nicht gar so schwer und alles in allem genommen plagt sich kein Mädchen, das ich kenne, so wie Du, und kein Mädchen ist da, dem ich die Plage so erleichtern wollte wie Dir. Aber was bin denn ich überhaupt imstande! Zu küssen, ja, von der Ferne zu küssen! Sag mir bitte, Liebste, schon im nächsten Brief, was würdest Du Frl. Lindner antworten, wenn sie statt allgemeiner Fragen geradeaus fragen würde: »War eigentlich dieser Mensch im Laufe des letzten Vierteljahres schon einmal in Berlin? Nicht? Und warum nicht? Er fährt Samstag mittag von Prag weg oder, wenn das nicht geht, am Abend, ist über den Sonntag in Berlin und fährt abend nach Prag. Es ist ein wenig anstrengend, aber im ganzen eine Kleinigkeit. Warum macht er das nicht?« Was wirst Du arme Liebste antworten?

Franz

Liebste, es ist spät und ich bin müde. Ich war nachmittags im Bureau, habe nicht geschlafen, habe dumme Arbeit gemacht, Unfallstatistik (damit Du auch davon den Namen kennst und in jede Kleinigkeit, die ich habe, Dein Atem dringe zu meiner Lust) und auch die Zeit nachher habe ich schlecht verbracht. (Du, ich habe die Wangen heiß vor Müdigkeit.) Ich ging mit ziemlichem Behagen aus dem Bureau spazieren, kam an der Wohnung von Weltsch vorüber, sah in seinem Zimmer Licht, er war also bei der Arbeit und ich dachte, es wäre eine passende Gelegenheit, ihn zu stören, denn ich hatte schon lange nicht mit ihm gesprochen. (Ja, Du weißt gar nicht, was er ist. Er ist dr. jur. und dr. phil., Beamter der Universitätsbibliothek, wo er gar nichts zu tun hat und gibt gemeinsam mit Max ein vielleicht noch diesen Monat erscheinendes philosophisches Buch »Anschauung und Begriff«[1] heraus.) Ich ging also hinauf, traf ihn wie immer in einem überheizten von verdorbener Luft erfüllten Zimmer, denn seine Hypochondrie sitzt in der Lunge und im Kehlkopf, fand ihn glücklich darüber, beim Lesen eines unheimlich schwierigen Buches von Cohen – Logik der reinen Erkenntnis, wenn ich nicht irre – gestört worden zu sein, war aber vorläufig nicht imstande, ihn zu einem Spaziergang aus dieser kaum atembaren Luft herauszuziehen. Wenn wir nur über allgemeine Dinge gesprochen hätten, wäre es mir schon bald gelungen, aber er hat eine solche mir unverständliche Befriedigung davon, mir alte und neue intime Briefe vorzulesen, wenn sich nur irgendeine Gelegenheit findet. Und eine solche Gelegenheit war gerade heute da, und so öffnete er seine Geheimlade, wo alles in Päckchen zusammengebunden in äußerster Ordnung beisammenliegt. Hier ist alles, was sich über die persönlichsten Angelegenheit[en] schriftlich erhalten läßt, die Briefe, die er bekommen hat, stenographierte Koncepte aller Briefe, die er weggeschickt hat, genaue Daten über alle Entwicklungen, stenographierte Gespräche, stenographierte Erwägungen über das alles aus alter und ältester Zeit. Von dem allen hat gewiß außer Max und mir kaum einer etwas erfahren, denn geschwätzig darfst Du Dir W. nicht denken, er ist eher das Gegenteil. Aber heute

---

[1] Felix Weltsch und Max Brod, *Anschauung und Begriff*. Grundzüge eines Systems der Begriffsbildung, erschien noch in der zweiten Hälfte des Monats Februar 1913 im Karl Wolff Verlag, Leipzig.

wollte er erzählen, und je unverständlicher mir die Befriedigung und Behaglichkeit ist, die er sich dadurch verschafft, desto maßloser ist meine Geduld im Ertragen solchen Vorlesens und solcher Erzählungen. Und als er auch noch, um mich nur zu halten, sich dazu überwand, meinetwegen die Tür des kalten Nebenzimmers zu öffnen, war ich ganz widerstandslos, legte mich im Überzieher auf das Kanapee und hörte zu. Ich liebe ihn, aber nicht in solchen Zeiten. – Nicht weiter! Einen müden, nicht nur vor Müdigkeit unaufhörlichen Kuß.

Franz

vom 9. zum 10. II. 13
[vermutlich in der Nacht vom 7. zum 8. Februar 1913]

Ich setze mich ein wenig verwirrt zum Schreiben hin, ich habe manches durcheinander gelesen, es geht ineinander über, und wenn man durch solches Lesen einen Ausweg für sich zu finden hofft, so täuscht man sich; man steht an einer Mauer und kann nicht weiter. Dein Leben ist so ganz anders, Liebste. Hast Du jemals, außer wenn es auf Beziehungen zu Nebenmenschen ankam, Unsicherheit gekannt, gesehn, wie sich für Dich allein, ohne Rücksicht auf andere, verschiedene Möglichkeiten hierhin und dorthin eröffnen und damit eigentlich ein Verbot entsteht, Dich überhaupt zu rühren. Warst Du jemals, ohne daß Dir nur der flüchtigste Gedanke an irgendeinen andern gekommen wäre, einfach über Dich verzweifelt? Verzweifelt um Dich hinzuwerfen und so liegenzubleiben über alle Weltgerichte hinaus? Wie ist Deine Frömmigkeit? Du gehst in den Tempel; aber in der letzten Zeit bist Du wohl nicht hingegangen. Und was hält Dich, der Gedanke an das Judentum oder an Gott? Fühlst Du – was die Hauptsache ist – ununterbrochene Beziehungen zwischen Dir und einer beruhigend fernen, womöglich unendlichen Höhe oder Tiefe? Wer das immer fühlt, der muß nicht wie ein verlorener Hund herumlaufen und bittend aber stumm herumschaun, der muß nicht das Verlangen haben, in das Grab zu schlüpfen, als sei es ein warmer Schlafsack und das Leben eine kalte Winternacht, der muß nicht, wenn er die Treppen in sein Bureau hinaufgeht, zu sehen glauben, daß er gleichzeitig von oben, flimmernd im unsichern Licht, sich drehend in der Eile der Bewegung, kopfschüttelnd vor Ungeduld, durch das ganze Treppenhaus hinunterfällt.

Manchmal, Liebste, glaube ich wirklich, daß ich für den Verkehr mit Menschen verloren bin. Ich habe doch meine Schwester gewiß lieb, ich war auch im Augenblick der Einladung ehrlich froh, daß sie mit mir nach Leitmeritz fahren wollte, ich freute mich, ihr mit der Reise ein Vergnügen zu machen und für sie ordentlich sorgen zu können, denn für jemanden sorgen zu können, ist mein geheimer, ewiger, vielleicht von niemandem in meiner Umgebung erkannter oder geglaubter Wunsch – aber als ich mich in Leitmeritz nach 3 oder 4 Stunden gemeinsamer Reise, gemeinsamer Wagenfahrt, gemeinsamen Frühstücks von ihr verabschiedete, um zu Gericht zu gehn, war ich glücklich, ich schnappte förmlich nach Luft, im Alleinsein wurde mir behaglich, wie es mir bei meiner Schwester niemals gewesen war. Warum Liebste, warum? Ist Dir etwas nur entfernt Ähnliches mit einem Menschen, den Du liebtest, schon geschehn? Bei durchaus nicht außergewöhnlichen Umständen, denn wir gingen freundlich auseinander und kamen dann nach 6 Stunden freundlich wieder zusammen. Und es war nicht etwas Einmaliges; morgen, übermorgen, wann es sich nur trifft, wiederholt sich das gleiche. – Liebste, zu Deinen Füßen liegen und still sein, das wäre das beste.

Franz

Sonntagnachmittag 6 Uhr im Zug   9.II.13

Warum habe ich nur nicht gestern nachts geschrieben! Jetzt im Coupé in großer Gesellschaft wird es nichts mehr werden. Und den ganzen Tag über war ich unruhig, unzufrieden, als hätte ich die Verbindung mit Dir gestört, die ich doch für mein Leben brauche. Warum habe ich mich nur zu dem Spaziergang verführen lassen, ich wußte doch, daß ich nur wie ein Schatten mitziehen werde. Es war aber so schönes Wetter und ich recht verzweifelt, da dachte ich, lauf mit ihnen, vielleicht wird dir besser. Einer hat ja eine Füllfeder (die, mit der ich jetzt schreibe) und da dachte ich, es wird sich schon Gelegenheit und Ruhe finden, Dir zu schreiben. Aber nein, nein. Nur von Berlin konnte ich hie und da reden, einmal vom Parlographen, das war alles. Und ich brauche so sehr Deine Nähe, die Verbindung mit Dir und störe sie mir selbst. Hier vor den 4 Mädchen möchte ich mich öffentlich dafür schlagen wollen. Aber warte (das »warte« sage ich zu mir), abend schreiben wir ja wieder und schließen uns wieder recht zusammen. Ich habe wenigstens erfahren, wie ich Dir gehöre, in der Stadt, in der Eisenbahn, auf der Landstraße, bei fremden Großeltern, im Wald, auf Abhängen, wo ich gehe und sitze. – Letzte Station. Dieser Sonntagsbrief ist zu Ende. Ich kehre zur Gesellschaft zurück, aber behalte, bitte, Deine Hand im geheimen.

Franz

vom 9. zum 10.II.13

Liebste, es ist schon wieder so spät und eigentlich war ich wieder daran schuld (rascher Feder! daß ich Felice, meiner Felice, ganz nahe komme nach dieser langen Zeit), aber ich konnte nicht anders. Ich kam gebrochen vom Spaziergang nachhause, ich war so gelockert in meiner Haut, daß mich nur irgend jemand hätte schütteln müssen und ich hätte mich ganz verloren. Ich las also meiner Schwester (meine Eltern waren heute bei Verwandten in Kolin und kamen erst jetzt, auch die Begrüßung hat mich aufgehalten) etwas aus meiner guten Zeit vor[1], vielleicht das Beste, was ich gemacht habe, sie kannte es noch nicht, es stammt, glaube ich, aus der Zeit, als ich auf Deinen zweiten Brief wartete. Ich bin ganz heiß vom Lesen geworden und wenn ich nachmittag mich nicht auf den Landstraßen herumgetrieben hätte, wer weiß, ich setzte mich vielleicht zum Schreiben nieder und schriebe etwas Ordentliches, das mich aus der Vertiefung, in die ich merklich versinke, mit einem Mal in die Höhe reißen könnte. So aber werde ich nichts dergleichen tun, sondern schlafen gehn, so wie ich bin, und gewiß noch lange nichts schreiben und mir, Dir und der Welt eine Plage sein.

Gestern abend habe ich Dir nicht geschrieben, weil es über Michael Kohlhaas zu spät geworden ist (kennst Du ihn? Wenn nicht, dann lies ihn nicht! *Ich* werde Dir ihn vorlesen!), den ich bis auf einen kleinen Teil, den ich schon vorgestern gelesen hatte, in einem Zug gelesen habe. Wohl schon zum zehnten Male[2]. Das ist eine Geschichte, die ich mit wirklicher Gottesfurcht lese, ein Staunen faßt mich über das andere, wäre nicht der schwächere, teilweise grob hinuntergeschriebene Schluß, es wäre etwas Vollkommenes, jenes

---

[1] Wahrscheinlich »Der Heizer«, das erste Kapitel des Amerika-Romans *Der Verschollene*.
[2] Mitte Dezember 1913 las Kafka in der Prager Toynbeehalle aus Kleists *Michael Kohlhaas* öffentlich vor. Vgl. *Tagebücher* (11. Dezember 1913), S. 341.

Vollkommene, von dem ich gern behaupte, daß es nicht existiert. (Ich meine nämlich, selbst jedes höchste Literaturwerk hat ein Schwänzchen der Menschlichkeit, welches, wenn man will und ein Auge dafür hat, leicht zu zappeln anfängt und die Erhabenheit und Gottähnlichkeit des Ganzen stört.)

Liebste, sag warum liebst Du gerade einen so unglücklichen, mit seinem Unglück auf die Dauer gewiß ansteckenden Jungen? Ich ging heute auf dem Ausflug mit einem vernünftigen Mädchen, das brav ist und das ich seit jeher gut leiden kann. Wie klagte sie mir aber (ich komme 1 mal im ¼ Jahr mit ihr zusammen) über ihre Lage, mir wurde ganz übel. Aber als wir dann alle bei Tische waren und ein lustiger Junge sie zu necken anfing, war sie so schlagfertig, wie man nur wünschen konnte, und besiegte ihn. Ich muß einen Dunstkreis von Unglück mit mir führen. Aber nicht Angst haben, Liebste, und bei mir bleiben! Ganz nahe bei mir!

Franz

vom 10. zum 11. II. 13

Heute abend war ich wieder bei Brod, und wenn es auch vielleicht ein Fehler war, so lange dort zu bleiben, statt nachhause zu gehn und etwas Vernünftiges zu machen oder mir irgend etwas Vernünftiges vorzutäuschen – so habe ich mich doch dort zu wohl gefühlt, als daß ich, der ich dieses Wohlgefühl bei Menschen so selten habe, mich hätte entschließen können, vom Kanapee aufzustehn und mich bald zu verabschieden. Übrigens war auch Weltsch da, wir haben sehr viel gelacht; jetzt, zwei Stunden später, verstehe ich gar nicht, wie ich lachen konnte, ich kann mich kreuz und quer durchsuchen und finde in mir nicht die Spur eines Anlasses zum Lachen. Worüber habe ich mich dort nur gefreut?

Sophie, die ja sehr liebenswürdig zu mir ist und seit jeher die Gewohnheit hat, während des Gespräches durch Streicheln und Beider-Hand-Fassen mich, wenn auch ohne böse Absicht, in Verlegenheit zu bringen, hat heute gar nichts von Dir erzählt, da war immer nur die Rede von ihrem Mann, von Telegrammen, Expreßbriefen und Telephongesprächen. »Und Felice?«, fragte ich mit den Augen, aber sie verstand mich nicht. Einmal nur wurde von Dir gesprochen, freilich ohne daß es jemand gemerkt hätte. Ich sagte nämlich mitten in einem andern Gespräch zu Sophie: »Was wollte ich Sie nur fragen?« Das wiederholte ich dann, es sah ein wenig blödsinnig aus, mehrere Male, aber ich schien mich wirklich nicht erinnern zu können. Aber was sollte ich auch tun? Ich könnte doch nicht plötzlich losschreien: »Jetzt also Schluß! Jetzt will ich nur noch von Felice hören, sonst nichts.« Meine Meinung war es, glaube mir. Ich hatte ja heute Deinen großen Brief (freilich sah ich, während mir beim Lesen das Herz vor Freude und Behaglichkeit klopfte, das schöne Sonntagswetter vor Deinem Fenster und Dich drinnen im Zimmer über den Brief gebeugt) und dadurch war ich auch ein großer Herr, aber große Herren sind eben desto unersättlicher.

Liebste, der großen Frage bist Du ausgewichen. Das Glück der mit Dir gemeinsam zu verbringenden Stunden will ich ja mit keinem Gedanken noch anrühren. Wenn sich alles folgerichtig aus meinem Gefühl, das ich für Dich in meinen besten Stunden habe, ergeben würde, dann wäre Berlin, in dem wir nebeneinander sein werden, nicht in Berlin, sondern in den Wolken. Aber danach sollte ja das Frl. Lindner nicht fragen; sie sollte nur fragen, warum ich, der ich mich mit Briefen so zu Dir dränge, es nicht in Person tue. Und Du solltest ihr einen Teil der Antwort sagen und einen Teil vielleicht verschweigen. Es ist doch so leicht möglich, daß sie fragt. Wirst Du dann bloß sagen und denken: »Ich weiß nicht«?

Deine Schwester Toni habe ich mir nach dem Bild und nach dem, was ich sonst von ihr gehört habe, ganz anders gedacht, als Du sie jetzt beschreibst. Sie schien mir schläfrig, dumpf und traurig, und nun ist sie gar das Gegenteil. Und ist auch schlagfertig, hat also eine Eigenschaft, die ich ebensosehr bewundere, wie ich vor ihr davonlaufe. Von Deiner Schwester Erna weiß ich noch wenig, nur die schönen Kindergeschichten. – Bitte Liebste, möchtest Du mir nicht für einen Tag Dein Bücherverzeichnis borgen? Dein Zimmer kenne ich jetzt beiläufig, da will ich nun auch ein wenig in Deinen Kasten kriechen.

Franz

[am Rande] Die Adresse auf dem heutigen Brief war undeutlich geschrieben, ich hatte noch nachträglich Angst.

vom 11. zum 12. II. 13

Du Liebste, es ist schon wieder spät geworden; ohne etwas fertigzubringen wache ich aus alter Gewohnheit, als ob ich auf den ausbleibenden Himmelsregen warte.

Kaum hast Du unsere Zusammenkunft in Berlin beschrieben, habe ich schon von ihr geträumt. Vielerlei, aber ich weiß kaum mehr etwas Deutliches darüber zu sagen, nur das allgemeine Gefühl einer Mischung von Trauer und Glück habe ich noch von jenem Traum in mir. Wir gingen auch auf der Gasse spazieren, die Gegend ähnelte merkwürdig dem Altstädter Ring in Prag, es war nach 6 Uhr abends (möglicherweise war dies die wirkliche Zeit des Traumes), wir gingen zwar nicht eingehängt, aber wir waren einander noch näher, als wenn man eingehängt ist. Ach Gott, es ist schwer, auf dem Papier die Erfindung zu beschreiben, die ich gemacht hatte, um nicht eingehängt, nicht auffällig und doch ganz nahe bei Dir zu gehn; damals, als wir über den Graben gingen, hätte ich es Dir zeigen können, nur dachten wir damals nicht daran. Du eiltest geradeaus ins Hotel, und ich stolperte zwei Schritte von Dir entfernt auf dem Trottoirrand vorwärts. Wie soll ich es also nur beschreiben, wie wir im Traum gegangen sind! Während beim bloßen Einhängen sich die Arme nur an zwei Stellen berühren und jeder einzelne seine Selbständigkeit behält, berührten sich unsere Schultern und die Arme lagen der ganzen Länge nach aneinander. Aber warte, ich

zeichne es auf. Eingehängtsein ist so: Wir aber gingen so:

Wie gefällt Dir mein Zeichnen? Du, ich war einmal ein großer Zeichner, nur habe ich dann bei einer schlechten Malerin schulmäßiges Zeichnen zu lernen angefangen und mein ganzes Talent verdorben. Denk nur! Aber warte, ich werde Dir nächstens paar alte Zeichnungen schicken, damit Du etwas zum Lachen hast. Jene Zeichnungen haben mich zu seiner Zeit, es ist schon Jahre her, mehr befriedigt als irgendetwas.

Liebste, hast Du denn zu meiner geschäftlichen Tüchtigkeit gar kein Vertrauen? Versprichst Du Dir für den Parlographen gar keinen Nutzen von mir? Was ich Dir auch darüber schon geschrieben habe, auf nichts hast Du mir eigentlich noch geantwortet. Siehst Du denn nicht, wie Du mich dadurch beschämst? Es ist fast so, als ob Du mich aus Deinem Bureau, kaum daß Du mir dort einen Platz angewiesen hast, wieder hinauswerfen würdest. Dieser Pick schreibt mir heute schon wieder. Ich lege seinen Brief bei, damit Du siehst, wie er mich drängt und wie Du mich hierin im Stich läßt. Und wenn auch alles, was ich bis jetzt darüber gesagt habe, ein Spaß ist (auf dem Papier sieht es wirklich fast wie Ernst aus), so muß ich doch dem Pick etwas antworten können. Vielleicht hofft er, viel Geld zu verdienen, wird sich wirklich anstrengen und schließlich doch paar Verkäufe zustandebringen. Also auf, Liebste! Ans Geschäft! Was Dich auch zu mir treibt, ich habe den Nutzen, denn ich umfasse Dich.

Franz

[beigelegt]

Otto Pick an Franz Kafka

Prag, 10. II. 1913

Lieber Herr Doktor,
ich werde die Besprechung Ihrer »Betrachtung« solange abdrucken lassen, bis der 1. Satz klappt. Im beiliegenden »Pester Lloyd«, wie Sie sehn, klafft dort eine Lücke[1]. Seien Sie mir darum nicht böse! Aber wie stehts mit unserm *P* [Parlographen]?! Lassen Sie sich bitte doch mal sehn, womöglich mit Prospekten. Auch den Bohemia-Kisch[2] hab ich für die Sache interessiert. Die Bankleute aber wollen vor Beginn der Unterhandlungen einen wirklichen *P* in Aktion sehn!
Am 21. lese ich über die L. Schüler, aber ohne Dahlmann. Sie ist nicht frei an diesem Abend. Hoffentlich kommen Sie trotzdem hin; vorher aber auch.

Herzlichen Gruß Ihres   Otto Pick

vom 12. zum 13. II. 13

Wenn Dein Brief gleich früh kommt, so wie heute, dann ist es eben am besten, dann gehört der ganze Tag von allem Anfang an Dir. Kommt aber Dein Brief später oder gar erst nach Hause, dann weiß dieser halbe Tag nicht, wem er eigentlich gehört und wackelt, daß ich Kopfschmerzen habe. Allerdings muß es noch andere Gründe für meine Kopfschmerzen geben, denn ich habe sie jetzt fast ständig. Ich gehe eben zu wenig spazieren, schlafe zu wenig und das wenige schlecht, kurz, ich lebe so, als schriebe ich unterdessen etwas Gutes,

---

[1] Otto Picks Rezension der *Betrachtung* in der Budapester Zeitung *Pester Lloyd* vom 9. Februar 1913.
[2] Egon Erwin Kisch.

woraus sich freilich, wenn es so wäre, Heilung aller Leiden und Glück darüber hinaus ergeben würde. Aber ich schreibe eben nichts und bin wie ein altes in seinen Stall gesperrtes Pferd.

Sieh nur, wir antworten einander wieder über Nacht oder ahnen gleichzeitig die Fragen des andern. Freitag abend fragte ich, ohne daran zu denken, daß Freitag war, wie es mit Deinem Beten sich verhält, und da mußtest Du gerade Freitag in den Tempel gehn. Gestern frug ich, wann ich endlich die Prospekte bekomme, und heute habe ich die allerdings unbefriedigende Antwort. (Wie soll es also der Pick anstellen, wenn er unbedingt Geschäfte machen will? Soll er sich mit Adler in Verbindung setzen? Und wie?) Und endlich war in dem gestrigen Brief von der Lasker-Schüler die Rede, und heute fragst Du nach ihr. Ich kann ihre Gedichte nicht leiden, ich fühle bei ihnen nichts als Langweile über ihre Leere und Widerwillen wegen des künstlichen Aufwandes. Auch ihre Prosa ist mir lästig aus den gleichen Gründen, es arbeitet darin das wahllos zuckende Gehirn einer sich überspannenden Großstädterin. Aber vielleicht irre ich da gründlich, es gibt viele, die sie lieben, Werfel z.B. spricht von ihr nur mit Begeisterung. Ja, es geht ihr schlecht, ihr zweiter Mann hat sie verlassen, soviel ich weiß, auch bei uns sammelt man für sie; ich habe 5 K. hergeben müssen, ohne das geringste Mitgefühl für sie zu haben; ich weiß den eigentlichen Grund nicht, aber ich stelle mir sie immer nur als eine Säuferin vor, die sich in der Nacht durch die Kaffeehäuser schleppt. Wie Du aus dem Brief des Pick sehen wirst, hält er einen Vortrag über sie und für sie.

Weißt Du, Liebste, daß ich mich hüten muß, von fremden, besonders von mir unangenehmen Personen in den Briefen an Dich zu reden. Wie um sich für meine Beurteilung zu rächen, machen sie sich, nachdem sie sich still haben beschreiben lassen plötzlich, als sie nun nicht mehr zu entfernen sind, über alle Maßen breit und wollen Dich, Liebste, mit ihrer widerlichen oder gleichgiltigen Erscheinung mir verdecken. Weg Du Lasker Schüler! Liebste komm! Niemand sei zwischen uns, niemand um uns. Du hast recht, eine Schwester gehört einem nicht ganz und man darf vielleicht ihrer überdrüssig werden. Aber wie ist es, wenn einem die Kraft fehlt, einen Menschen ganz zu erwerben?

Franz

[Am Rande] Was sagte der Professor, als Du ihm den Vorschlag wegen Deiner Schwester Erna machtest?

Ich bin lange bei der Balkontüre gestanden und habe draußen eine Antwort auf die Frage gesucht, ob ich nach Dresden fahren soll. Ich weiß ja allerdings nicht, was Du in Dresden machst, ob Du nicht mit Deiner Mutter fährst, ob Du nicht besondere Geschäfte hast (darauf würde die Plötzlichkeit der Reise hindeuten, sowie daß Du über Nacht in Dresden bleiben zu wollen scheinst), ob ich Dir also nicht hinderlich wäre, selbst wenn ich nur vor dem Hotel auf Dich warten würde und einen Platz mir zu erobern suchen würde, von dem aus ich Dich sehen könnte, wenn Du zu Mittag ißt. Aber in Wirklichkeit würden mich solche Rücksichten nicht hindern, dennoch zu fahren. Aber mein Zustand, der mich selbst hier zuhause innerhalb meiner Familie mehr in mein dunkles Zimmer als in das beleuchtete Wohnzimmer verweist, macht mir eine solche Reise an sich zu einem ungeheuren Unternehmen und da Du, Liebste, das Ziel dieser Reise wärest, auch zu einem gefährlichen Unternehmen, denn was würdest Du sagen, was würde Deine Schwester sagen, wenn sie mich so zum ersten Mal erblickte? Nein, nein nein. Ich bleibe wo ich bin, nur noch ein wenig trauriger als sonst, ein wenig unruhiger, denn Du bist näher als sonst und doch für mich unerreichbar. Alte Leute, alte Mütterchen würden sich, ohne ein Wort zu sagen, zu der kleinen Reise entschließen, und ich kann es nicht.

Leb wohl, Liebste, und verbringe ein paar ruhige Stunden. Verzeihe, daß ich Dich auch in Dresden mit Briefen heimsuche. Ein Sonntagsbrief liegt in Berlin für Dich, er enthält nichts Neues, nur die ewige Litanei der letzten Woche.

Franz

vom 13. zum 14.II.13

Dein heutiger Brief kam erst mit der zweiten Post. Heißt das, daß Dein Auge noch am Morgen entzündet war und Du nicht ins Bureau gegangen bist? Aber dann hättest Du es mir vielleicht in einer kleinen Nachschrift gesagt? Aber war es wirklich nur ein Stäubchen oder Härchen, das Dir ins Auge kam? Das stört zwar, aber es entzündet doch das Auge nicht? Und gibt es niemand bei Euch, der das Augenlid aufzuklappen versteht, daß man das Auge reinigen kann? Ich allerdings könnte, trotzdem mich große, blutige Operationen wenigstens früher wenig störten, gerade solche kleine Handgriffe am Körper niemals vornehmen und kaum mitansehn, denn sie erinnern mich daran oder bringen es mir zu Bewußtsein oder lassen es mich glauben, daß der Bau des Menschen doch etwas grauenhaft Primitives ist und innerhalb des Organischen soviel Mechanisches hat. Fürchtest Du Dich am Ende auch, Dir das Lid aufklappen zu lassen? Ich kann wirklich bei dem Gedanken schaudern, daß man an Dir diesen – im übrigen natürlich ganz unschuldigen – Handgriff machen muß.

Liebste, es wäre heute eine gute Gelegenheit zu folgendem Versprechen: Du verpflichtest Dich und nennst für diese Verpflichtung eine glaubhafte Bürgschaft, daß Du mir über jedes Unwohlsein – Sorgen in der Ferne helfen wenig es abzuhalten – gleich, deutlich und wahrhaftig schreibst, so schreibst, daß über das tatsächlich Geschriebene hinaus keine schlimmere Auslegung sich aufdrängt. Siehst Du, ich verlange gar nicht, daß Du ins Schlimme übertreibst und die Übertreibung durchsichtig ist, so wie ich es – allerdings weniger aus Rücksicht auf Dich, als vielmehr infolge meiner Anlage – regelmäßig tue.

Gestern bekam ich den Korrekturbogen Deiner kleinen Geschichte [Das Urteil]. Wie schön im Titel unsere Namen sich aneinander schließen! Möchtest Du, bis Du die Geschichte lesen wirst, nicht bedauern, Deine Zustimmung zur Nennung Deines Namens (es heißt natürlich nur Felice B.) gegeben zu haben, denn die Geschichte wird niemandem, und solltest Du sie zeigen, wem Du willst, gefallen können. Dein Trost oder eine Art von Trost liegt darin, daß ich Deinen Namen hinzugesetzt hätte, auch wenn Du es mir verboten hättest, denn die Widmung ist zwar ein winziges, zwar ein fragwürdiges, aber ein zweifelloses Zeichen meiner Liebe zu Dir, und diese Liebe lebt nicht von der Erlaubnis, sondern vom Zwang. – Im übrigen hat die Verwahrung noch Zeit, die Herausgabe des Buches hat sich verspätet, es wird wohl noch Monate dauern, ehe es kommt. –

Liebste! Sieh nur, wie die Zeit des Nichtschreibens – sie scheint vor mir endlos zu liegen – mich herumwirft. Den ganzen Abend freute ich mich darauf, Dir zu schreiben und nun, da ich es tue, bin ich müde oder tue so, als wäre ich es, und schließe den Brief mit stumpfen Augen und aufgestülpten Lippen.

Franz

Selbst wenn ich es nicht seit einigen Tagen schon beabsichtigt hätte, heute ins Theater zu »Hidalla«[1] zu gehn (Wedekind und seine Frau spielen natürlich), ich hätte es nach Deinem heutigen zweiten Brief unweigerlich, Liebste, tun müssen. Denn sieh, so weit wir auch entfernt sind und so wenig es irgendjemand merkt oder wenigstens glauben will, uns verbindet ein fester Strick, wenn es schon Gott nicht gefällig sein will, daß es eine uns umschließende Kette werde. Aber wenn Du nun, Liebste, zu »Professor Bernhardi« gehst, so ziehst Du mich an jenem zweifellosen Strick eben mit und es ist die Gefahr, daß wir beide in die schlechte Literatur verfallen, die Schnitzler zum größten Teil für mich darstellt. Um uns nun aber davor zu bewahren, hatte ich die Pflicht, dem Zug des Strickes nicht ganz nachzugeben, sondern zu Hidalla zu gehn, um Dich ein wenig von dem »Professor« abzuhalten, ein wenig wahre, gut geschnittene Wedekindsche Worte Deinem für »Professor Bernhardi« klopfenden Herzen zukommen zu lassen und die Schnitzlerischen Eindrücke, die zu mir heute abend herüberwehn und die ich gierig aufnehme, weil sie von Dir, Liebsten, kommen, ohne Schaden der Seele zu ertragen. Denn ich liebe den Schnitzler gar nicht und achte ihn kaum; gewiß kann er manches, aber seine großen Stücke und seine große Prosa sind für mich angefüllt mit einer geradezu schwankenden Masse widerlichster Schreiberei. Man kann ihn gar nicht tief genug hinunterstoßen. Die Stücke, die ich von ihm gesehen habe (Zwischenspiel, Ruf des Lebens, Medardus) sind mir noch vor dem zuschauenden Blick vergangen, und während ich zuhörte, habe ich sie vergessen. Nur vor seinem Bild, vor dieser falschen Verträumtheit, vor dieser Weichmütigkeit, an die ich auch mit den Fingerspitzen nicht rühren wollte, kann ich verstehn, wie er aus seinen zum Teil vorzüglichen anfänglichen Arbeiten (Anatol, Reigen, Leutnant Gustl) sich so entwickeln konnte. – In dem gleichen Brief rede ich gar nicht von Wedekind.

Genug, genug, wie schaffe ich nur gleich wieder den Schnitzler fort, der sich zwischen uns legen will, wie letzthin die Lasker-Schüler. Warst Du, Liebste, allein im Theater? Und warum so plötzlich? Ist Dein Auge also schon in Ordnung, ganz in Ordnung? Jetzt nach

---

[1] Frank Wedekinds Schauspiel *Hidalla oder Sein und Haben*. Die Prager Erstaufführung im Neuen Deutschen Theater fand am 12. Februar 1913 statt.

dem Nachtmahl sah ich im Abendblatt ein Bild Eueres neuen prinzlichen Brautpaares [1]. Die zwei gehn in einem Karlsruher Park spazieren, sind ineinander eingehängt, haben aber, damit noch nicht zufrieden, auch noch die Finger verschlungen. Wenn ich diese verschlungenen Finger nicht 5 Minuten lang angesehen habe, dann werden es eben 10 Minuten gewesen sein.

Heute mittag hätte ich ein Loch gebraucht, um mich darin zu verstecken; ich habe nämlich im neuen Heft des »März« die Besprechung meines Buches von Max gelesen [2]; ich wußte, daß sie erscheinen wird, aber ich kannte sie nicht. Es sind schon paar Besprechungen erschienen, natürlich nur von Bekannten, nutzlos in ihrem übertriebenen Lob, nutzlos in ihren Anmerkungen und nur als Zeichen der irregeleiteten Freundschaftlichkeit, der Überschätzung des gedruckten Wortes, des Mißverstehens des Verhältnisses der Allgemeinheit zur Literatur zu erklären. Sie haben dies schließlich mit der größten Anzahl der Kritiken überhaupt gemeinschaftlich und wären sie nicht ein trauriger, allerdings bald sich verbrauchender Stachel für die Eitelkeit, man könnte sie ruhig gelten lassen. Maxens Besprechung aber übersteigt alle Berge. Weil eben die Freundschaft, die er für mich fühlt, im Menschlichsten, noch weit unter dem Beginn der Literatur, ihre Wurzel hat und daher schon mächtig ist, ehe die Literatur nur zu Atem kommt, überschätzt er mich in einer solchen Weise, die mich beschämt und eitel und hochmütig macht, während er natürlich bei seiner Kunsterfahrung und eigenen Kraft das wahre Urteil, das nichts als Urteil ist, geradezu um sich gelagert hat. Trotzdem schreibt er so. Wenn ich selbst arbeiten würde, im Fluß der Arbeit wäre und von ihr getragen, ich müßte mir über die Besprechung keine Gedanken machen, ich könnte Max in Gedanken für seine Liebe küssen, und die Besprechung selbst würde mich gar nicht berühren! So aber – Und das Schreckliche ist, daß ich mir sagen muß, daß ich zu Maxens Arbeiten nicht anders stehe als er zu den meinen, nur daß ich mir dessen manchmal bewußt bin, er dagegen nie.

[1] Prinzessin Viktoria Luise mit ihrem Bräutigam, dem Prinzen Ernst August, Herzog zu Braunschweig und Lüneburg. Vgl. Abb. S. 593.
[2] Max Brods Rezension von *Betrachtung,* »Das Ereignis eines Buches« in der Wochenschrift *März* (München) 1913, 7, (Februar) S. 268 ff. Wiederabgedruckt in *Kafka-Symposion,* zus. gest. von Jürgen Born, Ludwig Dietz, Malcolm Pasley, Paul Raabe und Klaus Wagenbach, Berlin 1965, S. 129 ff. (Im weiteren zitiert als ›Kafka-Symposion‹.)

Habe ich aber in meinem dummen Kopf wirklich keine freundlichern Sonntagsgedanken für Dich, Liebste, Liebste! Wenn ich nicht wüßte, daß alles Schlechte, was aus mir gegen Dich fließt, vor Dir, bestes Wesen, ins Gute sich verwandeln muß – ich würde Dir solche Dinge wahrhaftig nicht schreiben.

Ich lege Dir einen Brief meines Madrider Onkels [Alfred Löwy] (er ist 60 Jahre alt, Eisenbahndirektor) zu beliebiger Beurteilung bei. Möchtest Du mich nicht, Liebste, bei Gelegenheit auch hie und da einen Brief aus Deiner Verwandtschaft lesen lassen, von Deiner Budapester oder Dresdner Schwester z. B.? Damit ich auch den Kreis um Dich verstehen lerne, in den ich mich eingeschlichen habe. Auch Dein Bücherverzeichnis habe ich noch nicht. Kann man von der, die man liebt, auch zuviel verlangen? Wenn ich es, Liebste, tue, dann sag es mir. Das wäre ein schlechter Tausch, daß ich eine Kenntnis über Dich bekäme, daß aber dafür in Deinem Herzen ein Widerstreben, und sei es das winzigste, entstünde.

Franz

16.II.13

Liebste, nur paar Worte in äußerster Eile, damit ich gleich mit der ersten Post bei Dir bin. Vergiß bitte den zum größten Teil widerlichen Brief, den Du gestern bekommen hast. Ich hätte ihn nicht weggeschickt, wenn nicht schon so spät nachts gewesen wäre und ich einen andern Brief gehabt oder zu ihm fähig gewesen wäre. Aber die Regelmäßigkeit unseres Briefwechsels ging mir eben über alle andere Rücksicht. Vielleicht habe ich übrigens – schlaue Entschuldigung – den Widerstand gefühlt, den Du wenigstens damals gegen einen Sonntagsbrief von mir fühltest. Wie immer sich das aber verhält, ich habe den Brief und vielleicht noch eine Menge anderes durch die heutige Nacht genügend abgebüßt, deren größten Teil ich bei unendlicher Schläfrigkeit infolge eines funkelnagelneuen, jämmerlichen Schmerzes in der rechten Schulter, der mich sogar zum Beten zwang, schlaflos verbracht habe. Jetzt ist es aber gut, und als Buße nehme ich ihn gerne hin. Was rede ich denn da wieder für Dummheiten und schaffe mir Material für neue Bußen. Ich bin ein recht unglücklicher Mensch, und Du, Liebste, mußtest schon aufgeboten werden, um ein Gleichgewicht zu allem diesem Unglück zu bilden.

Franz

Wieder, Liebste, nur paar eilige Worte. Ich habe ein wenig geschlafen und bin sehr lange wach gelegen, so ist es spät geworden. Hoffentlich war Dein Sonntag freundlicher als meiner. Vor mir liegt eine Karte von Max und Elsa [Brod] aus Saint-Raphael an der Riviera oder besser Côte d'Azur. Ich habe sie nämlich gebeten, für den Herbst mir einen Ort zu finden, wo es heiß ist, wo man vegetarisch leben kann, wo man unaufhörlich gesund ist, wo man, selbst wenn man allein ist und mit niemandem spricht, sich nicht verlassen fühlt (aber man muß ja gar nicht allein sein), wo selbst einem Klotz das Italienische eingeht u.s.f., kurz einen schönen, unmöglichen Ort [1]. Nun sagt Max, das wäre S. Raphael. Was meinst Du, Liebste?

So, und nun lauf ich Dir ein Stück entgegen, freilich nur bis zum Bahnhof.

Franz

vom 16. zum 17. II. 13

Liebste, heute abend auf dem langen Spaziergang, den ich allein in der Kälte (bin ich wieder verkühlt? Über meinen Rücken gehen wirkliche oder eingebildete Schauer) kreuz und quer durch die Stadt, über den Hradschin, rund um den Dom und über das Belvedere machte, habe ich Dir in Gedanken endlose Briefe geschrieben, und wenn Du auch durch diese Schreibarbeit Einzelheiten nicht erfahren haben kannst, so muß es Dir doch, Liebste, wieder einmal eingegangen sein – wäre es das nicht, ich wüßte mir keinen Rat –, daß ich über allem, unter allem, was ich Dir schreibe und was bei den Launen und Schwächezuständen, die sich in meine Existenz teilen, leicht ein abstoßendes, künstliches, oberflächliches, kokettes, falsches, bösartiges, unzusammenhängendes Aussehen annehmen kann oder vielleicht gar nicht nur so aussieht, sondern unleugbar so ist, – dennoch, dennoch, in dem Grunde, in dem zeitweise sogar mir selbst verschlossenen Grunde, alles Schlechte, was ich tue und schreibe, erkenne, richtig bewerte und vor Hilflosigkeit weine. Daß Du mich lieb hast, Felice, ist ja mein Glück, aber meine Sicherheit ist es nicht, denn Du kannst Dich ja täuschen, vielleicht führe ich da im

---

[1] Vgl. Kafkas Karte an Elsa und Max Brod vom 4. Febr. 1913, *Briefe*, S. 113.

Schreiben Künste auf, die Dich täuschen, Du hast mich ja kaum gesehn, kaum mich reden gehört, kaum unter meinem Schweigen gelitten, weißt nichts von den zufälligen und notwendigen Häßlich-
keiten, die vielleicht meine Nähe für Dich mit sich bringt – meine
Sicherheit liegt vielmehr darin, daß *ich* Dich liebe, daß ich Dich an
dem kurzen Abend erkannt habe, von Dir mich ergriffen fühlte, daß
ich nicht schwächer als diese Liebe war, sondern diese Probe bestanden habe, daß sich diese Liebe meiner Natur eingeordnet hat, als
wäre sie mit mir auf die Welt gekommen und nur erst jetzt begriffen
worden.

Täusche Dich, Liebste, nicht über den Schrecken, den Du hattest, als
Du hörtest, daß Deine Mutter meine Briefe gelesen hatte. (Was ist
doch Dein Vater für ein merkwürdiger Mann! Sieht behäbig und
ernst aus, liebt ein lustiges Leben, weint über Romanen, nimmt
Dich gegenüber der Mutter in einer äußerlich so fragwürdigen
Sache in Schutz!) Es war nicht eigentlich der Schrecken vor der
Mutter. Ich fürchte, er war es nicht eigentlich, denk nur darüber
nach. Du stehst doch genug selbständig in der Familie da, die Mutter
hatte auch schon einmal die Briefe gelesen und es hatte, soviel ich
weiß, keine besonderen Folgen gehabt. Die eigentliche Wirkung
jener Nachricht war eher die, daß in den kleinen (in Wirklichkeit,
Gott, so riesenhaft großen) Raum, in den Du, Liebste, zu mir gekommen warst (so wie Du eben in Deinem Traum über das Geländer im traumhaften Leichtsinn zu dem Tiefstehenden gesprungen
bist), jetzt von der Mutter her ein fremder, kalter Blick drang, Dich
frösteln ließ und Dir zu denken gab, indem er Dich das, was Du
bisher nur aus engster Nähe gesehen hattest, einmal aus der Ferne
sehen ließ. Wären wir wieder allein und nie gestört!

Franz

vom 17. zum 18.II.13

Denk nur, Liebste, mein Unglück, meine Wut, meine Unruhe,
meine Sorge, meine Liebe aus. Ich war abends bei Brods in ihrer
neuen Wohnung (Sophie ist doch schon längst weg, Max kommt
Donnerstag), ging dann ruhig spazieren, freute mich bald, in Ruhe
Dir schreiben zu können, bald schlafen zu gehn und meine Müdigkeit und Verkühlung mittels eines kolossalen Schlafes loszuwerden.
Da treffe ich den Pick und er zieht mich, zieht mich (da ich mit

Menschen gar nicht zusammenkomme außer als Vertreter meiner Anstalt, denke ich, ich muß jedem nachgeben), und ich gehe also mit, wir versitzen die Nacht, wenn auch nicht gerade langweilig, im Kaffeehaus, in einem leeren, ungeheizten Kaffeehaus überdies, und jetzt sitze ich um ½3 nachts im Zimmer und trotz der Zimmerwärme fährt mir über den Rücken kalte Luft, unbegreiflich woher. Liebste, aber das muß ich Dir noch sagen, Du hast meinen Sonntagsbrief[1] nur flüchtig gelesen, anders ist das nicht möglich, es war Widerliches in dem Brief genug (ich werde Dir das noch bei Gelegenheit erklären), und ich bin über das flüchtige Lesen froh und bitte Dich, ihn nicht am Ende noch einmal zu lesen – aber von einem zwischen uns bestehenden und *vielleicht zerreißenden* Strick kann dort, darf dort kein Wörtchen gestanden sein. Liebste, ich bin doch nicht so irrsinnig, selbst das Urteil über mich zu sprechen oder an die Wand zu malen, über mich, der ich Dir mehr gehöre, als mein Bild an Deinem Hals. Wie konntest Du etwas Derartiges in meinem Briefe lesen, mit welchen Augen hast Du das gelesen?

Und mit welcher Hand, in welchem Traum hast Du das niedergeschrieben, daß ich Dich ganz erworben habe? Liebste, das glaubst Du, in einem Augenblick, in der Ferne. Aber zum Erwerben in der Nähe, für die Dauer, dazu gehören andere Kräfte, als das Muskelspiel, das meine Feder vorwärtstreibt. Glaubst Du es nicht selbst, wenn Du es überlegst? Scheint mir doch manchmal, daß dieser Verkehr in Briefen, über den hinaus ich mich fast immerfort zur Wirklichkeit sehne, der einzige meinem Elend entsprechende Verkehr ist (meinem Elend, das ich natürlich nicht immer als Elend fühle), und daß die Überschreitung dieser mir gesetzten Grenze in ein uns gemeinsames Unglück führt. Liebste, ich habe genug Einbildungskraft, um mir zu sagen, daß ebenso wie ich, wenn ich an mich denke, bei Dir bleiben muß, an Dich gedrückt und niemals Dich loslassend, – ich wiederum, wenn ich an Dich denke (wie mischen wir uns, aber wieder ununterschieden in meinem Kopf, das ist das Schlimme), mich mit allen Kräften von Dir fernhalten müßte. Ach Gott, was wird das für ein Ende nehmen! – Und nun sieh, meine liebste Felice, diesen schrecklichen Brief soll ich nun fortschicken, aber nun ist es 3 Uhr vorüber und ich kann keinen andern mehr schreiben. Ich wollte nur noch sagen, daß in dem Vorigen

---

[1] Gemeint ist der Brief Kafkas vom 14. zum 15. Februar, S. 299 ff., der Felice am Sonntag erreichen sollte.

alles was Dir mißfällt nicht wahr und nicht so gemeint ist; es ist zwar vollkommen wahr und auch so gemeint, aber ich liebe Dich so, daß ich, wenn Du es mit einem Blicke willst, auch die Unwahrheit sage und – noch mehr – sie glaube. Manchmal denke ich, Du hast doch, Felice, eine solche Macht über mich, verwandle mich doch zu einem Menschen, der des Selbstverständlichen fähig ist.

Franz

[Briefkopf der Arbeiter-Unfall-Versicherungs-Anstalt]

18.II.13

Liebste, ich habe Dir weh getan mit meinem gestrigen Brief. Noch vor der Briefkastenöffnung wollte ich ihn zurückziehn, aber sag, was soll ich tun, wenn mich ein solcher Augenblick, gar so tief in der Nacht, überfällt wie gestern. Muß ich es nicht niederschreiben oder soll ich es bei mir behalten? Es ist in den letzten Tagen in mir gewiß etwas nicht in Ordnung, immer drängen sich in meine Briefe Sätze hinein, die ich nicht haben will, die wie von außen kommen und doch wohl ihre Quelle in einem verborgenen Innern haben müssen. Liebste, bitte sieh darüber hinweg, dulde es still, oder mache mir Vorwürfe, nur bleib bei mir und werde nicht traurig und weine nicht und behalte mich bei Dir.

Franz

vom 18. zum 19.II.13

Hilf mir, Liebste, ich bitte Dich, das was ich in den letzten Tagen angerichtet habe, wieder in Ordnung zu bringen. Vielleicht ist gar nichts Eigentliches geschehn und Du hättest ohne mein Geschrei nichts davon bemerkt, aber diese Unruhe, mitten in meine Stumpfheit hineingesteckt, treibt mich herum und ich schreibe Unverantwortliches oder fürchte, es jeden Augenblick zu tun. Die falschen Sätze umlauern meine Feder, schlingen sich um ihre Spitze und werden in die Briefe mitgeschleift. Ich bin nicht der Meinung, daß einem jemals die Kraft fehlen kann, das, was man sagen oder schreiben will, auch vollkommen auszudrücken. Hinweise auf die Schwäche der Sprache und Vergleiche zwischen der Begrenztheit der Worte und der Unendlichkeit des Gefühls sind ganz verfehlt. Das unendliche Gefühl bleibt in den Worten genau so unendlich, wie es im Herzen war. Das was im Innern klar ist, wird es auch unweiglich in Worten. Deshalb muß man niemals um die Sprache Sorge haben, aber im Anblick der Worte oft Sorge um sich selbst[1]. Wer weiß denn aus sich selbst heraus, wie es um einen steht. Dieses stürmische oder sich wälzende oder sumpfige Innere sind ja wir selbst, aber auf dem im geheimen sich vollziehenden Weg, auf dem die Worte aus uns hervorgetrieben werden, wird die Selbsterkenntnis an den Tag gebracht, und wenn sie auch noch immer verhüllt ist, so ist sie doch vor uns und ein herrlicher oder schrecklicher Anblick. Nimm mich also, Liebste, in Schutz vor diesen widerlichen Worten, die ich da in der letzten Zeit aus mir herausbefördert habe. Sag, daß Du alles einsiehst und doch mich lieb behältst. Ich schrieb da letzthin Beleidigendes über die Lasker-Schüler und Schnitzler. Wie sehr hatte ich recht! Aber beide fliegen noch als Engel dahin über die Tiefe, in der ich auf dem Boden liege. Und Maxens Lob! Er lobt ja nicht eigentlich mein Buch, dieses Buch liegt ja vor, das Urteil wäre nachzuprüfen, wenn einer Lust dazu haben sollte; aber er lobt vor allem mich, und das ist das Lächerlichste von allem. Wo bin ich denn? Wer kann mich nachprüfen? Ich wünschte mir eine kräftige Hand nur zu dem Zweck, um in diese unzusammenhängende Konstruktion, die ich bin, ordentlich hineinzufahren. Und dabei ist das, was ich da sage, nicht einmal ganz genau meine Meinung, nicht einmal ganz genau meine augenblickliche Meinung. Wenn ich in mich hineinschaue, sehe ich soviel Undeutliches noch durcheinandergehn, daß ich nicht einmal meinen Widerwillen gegen mich genau begründen und vollständig übernehmen kann.

Liebste, was sagst Du, wenn Du so vor dieser Verwirrung stehst. Ist es nicht für den Zuschauer trauriger und abstoßender als für den, der es erlebt? Unvergleichlich trauriger und abstoßender gewiß. Ich kann mir denken, wie viel Kraft dazu gehört, davor nicht wegzulaufen. Während ich, wie ich eingestehe, dieses alles ganz ruhig niederschreibe.

Franz

---

[1] Vgl. Kafkas Zweifel an der Berechtigung dieses Vertrauens im Brief vom 17.–18. März 1913, S. 341.

Ich, der ich an das Spielen mit Vorstellungen so gewöhnt bin, daß ich diese Gewohnheit auch in der Wirklichkeit nicht ablegen kann, selbst wenn der Herzschlag drohend daran mahnt, daß es sich diesmal um Wirklichkeit handelt – ich werde ganz traurig, Liebste, über Deine Bemerkung, meine Reise nach dem Süden betreffend. Ich habe nicht, wie Du zu meinen scheinst, den Plan Deiner bloßen Beurteilung vorgelegt (denn was mich betrifft, so ist es sehr gleichgültig, wohin ich fahre, wohl wird mir nirgends sein, von einigen überraschenden Augenblicken abgesehn), und wenn ich auch wußte, daß das Ende doch schließlich nur Beurteilung sein würde, die ich als Segen für meine Reise annehmen wollte – so fehlt mir doch zwischen dem ersten Urteil und dem zweiten das Mittelglied, ohne das sich meine Vorstellungen nicht beruhigen wollen, da sie Dich doch mitziehn wollen mit einem unausrottbaren und verzweifelten Verlangen.

Ist nun der schlimme Tag vorüber und leidest Du nicht mehr? Wie Du mitfühlen kannst, und wie Dich Mitgefühl erschüttert! Ich wäre unter ganz gleichen und noch ärgeren Umständen gewiß trocken dabeigesessen, ich hätte allerdings auch den Schmerz des Mädchens nicht zu einem solchen Ausbruch bringen und durch meine Nähe so beruhigen können, wie Du es gewiß getan hast – ich fühle es im eigenen Herzen – trotzdem Du es verschweigst. Was für eine Kraft wohnt in Dir, Liebste! Daß sie selbst Dich umwirft, ist nur ein Beweis ihrer Größe. Ich kann niemandem zusprechen und dies zwar, weil mir Worte fehlen, aber Worte sind nicht launenhaft. Worte fehlen nicht aus Laune. Früher, als ich noch weniger Überblick über mich selbst hatte und glaubte, keinen Augenblick die Welt außer Acht lassen zu dürfen, in der kindischen Annahme, dort sei die Gefahr und das Ich werde sich schon von selbst ohne Mühe und Zögern nach den Beobachtungen einrichten, die ich drüben gemacht hatte – damals, nein eigentlich auch damals nicht, vielmehr war ich immer in mich zusammengefallen, damals und heute. Nur daß es heute Zeiten gibt (ein Ersatz für die damaligen falschen Annahmen), in denen ich glaube, solche Dinge am Fuß und im Dunkel eines Berges zu schreiben, auf den zu steigen, den emporzufliegen mir vielleicht einmal gegeben sein wird.

Nun beantworte ich aber seit einiger Zeit überhaupt keine Fragen mehr, schreibe gar nichts Wirkliches mehr, weil eben dieses Unwirkliche mir die schönste Wirklichkeit verdunkeln will und ich es durch Schreiben zu vertreiben suchen muß. Liebste, sei geduldig (eben höre ich, es geht schon gegen 2 Uhr, Kanonenschüsse, einen nach dem andern, ich weiß keinen Grund und ich zittere und habe eisige Wangen, als betreffe es uns, Dich und mich). Es ist schon still. Also Geduld, Liebste. Mehr darf ich nicht verlangen, aber das allein ist ja schon etwas Ungeheueres.

Franz

vom 20. zum 21. II. 13

Spät, spät. Wieder einen unnötigen Abend mit verschiedenen Leuten verbracht. Ohne Halt – ich schreibe ja nicht, und Du bist in Berlin – lasse ich mich hinschleppen, wohin man will. Eine junge Frau hat von ihrem kleinen wilden Jungen erzählt, das war noch das Beste, und selbst das konnte ich bei weitem nicht vollständig ertragen, zuckte mit den Blicken teilnahmslos – trotzdem sie mir gefiel – über sie hin, verwirrte sie wahrscheinlich mit diesen mechanischen Augenbewegungen, biß mir in die Lippen, um mich bei der Sache zu halten, war aber trotz aller Anstrengung doch nicht da, war aber durchaus auch nicht anderswo; existierte ich also vielleicht nicht in diesen zwei Stunden? Es muß so sein, denn hätte ich dort auf meinem Sessel geschlafen, meine Gegenwart wäre überzeugender gewesen.

Dafür aber hatte ich einen schönen Vormittag. Noch als ich früh ins Bureau ging, war mir alles so widerlich und langweilig, daß ich auf dem Weg ins Bureau, trotzdem gar nicht besonders spät war, plötzlich eine Strecke lang zu laufen anfing, und das zu keinem andern Zweck, als die Widerlichkeit der Welt ein wenig in Bewegung zu bringen und dadurch erträglicher zu machen. Aber als ich dann Deinen Brief hatte und darin das las, was ich mir in der Nacht zu lesen gewünscht hatte, daß Du nach Raphael mitfahren willst oder wenigstens daran denkst, bekam die Welt, in der es also doch solche Möglichkeiten gibt, ein Aussehen für mich, wie sie es schon durch Wochen nicht gehabt hat. Du würdest also mitfahren, wir wären dort beisammen, wir würden nebeneinander am Geländer des Meeres stehn, nebeneinander auf einer Bank unter Palmen sitzen, alles was geschehen würde, wäre ein »Nebeneinander«. Dieses Herz, in das ich mich zurückziehn wollte von allem und für immer, würde neben mir schlagen. Es geht mir noch jetzt ein Schauer über das Gesicht. So muß es ja bei der Vorstellung von Unmöglichem sein, Du hast es ja auch nur als Märchen geschrieben: »ich suche Dir ein schönes Plätzchen, und dann lasse ich Dich allein.« Höre Liebste, die Unmöglichkeit dessen entspricht dieser Tonart, denn selbst wenn die für eine gemeinsame Reise als Voraussetzung nötigen Wunder eines nach dem andern sich erfüllen sollten, und wir vor dem Zuge stünden, der in der nächsten Minute nach Genua fahren sollte – ich müßte doch zurückbleiben, es wäre meine selbstverständliche Pflicht. Niemals dürfte ich es wagen, in dem Zustand, in dem ich jetzt z. B. bin, oder in der Voraussicht der immer bestehenden Möglichkeit eines solchen Zustandes, Dein Reisebegleiter sein zu wollen. Ich gehöre allein in den Winkel eines Coupés; dort soll ich bleiben. Niemals darf ich den Zusammenhang mit Dir, den ich mit meinen letzten Kräften erhalten will, durch eine solche Reisebegleitung gefährden.

Franz

vom 21. zum 22.II.13

Heute dachte ich daran, welche Vorstellungen ich an Deiner Stelle über mich mir machen würde, wenn ich, abgesehen von jener für Dich flüchtigen Stunde unseres wirklichen Beisammenseins, kein anderes Material hätte, als die Briefe der letzten Woche. Sie sind doch wohl derartig, daß sie alles, was in frühern Briefen zum Leben Taugliches stand, genügend widerlegen und vergessen machen, wenn ich auch bei ihrem Niederschreiben ein allerdings kraftloses Verlangen hatte, sie gerade in dieser Richtung noch einschneidender zu machen, und ich keinen Brief tatsächlich ohne äußersten Überdruß überlesen konnte und zwar – um von allen sonstigen begreiflicheren Gründen zu schweigen – vor allem aus dem Grunde, weil ich mich von ihm nicht genug tief und oft gestochen fühlte. Müssen Dir nun solche Briefe nicht jede Vorstellung von mir auflösen? Kannst Du Dir, wenn nicht hier der Beweis vor Dir liegen würde, einen Menschen nach Deiner sonstigen Erfahrung denken, der so nutzlos lebt wie ich und *doch lebt,* der mit seinem Lebendigsein nichts anderes leistet, als ein riesiges Loch zu umlaufen und zu bewachen. Mußt Du nicht, Liebste, fast glauben, es schreibe Dir kein Mensch, sondern irgendein falscher Geist?

Und doch schreibt Dir ein Mensch, Liebste. (Er weiß aber freilich, nachdem er sich zu dieser Behauptung verstiegen hat, kaum die Konsequenzen dieses Menschseins zu beschreiben, sie gehn schon zu hoch über ihn hinaus.) Und strebt zu Dir und sammelt seine armen Kräfte dafür und empfindet die Entfernung Berlins bei weitem nicht so schwer, wie die Höhe, die ihn von Dir trennt. Und trotz alles seines guten Willens wird er nichts anderes erreichen, als daß er Dich »immer wieder von neuem enttäuschen« wird, wie Du heute schreibst (in anderer Beziehung allerdings, aber die Beziehung solcher Bemerkungen zu mir bildet sich von selbst ganz ohne Deine Absicht). Er kann nicht anders, denn wir haben nur die Kräfte, mit denen wir auf die Welt hinausgestellt worden sind und können, selbst wenn es sich um unser Leben handelt, keine neuen aus irgendwelchen dunklen Vorräten holen.

Du konntest weder im Bureau noch in der Straßenbahn an mich schreiben. Soll ich es Dir erklären, Liebste? Du wußtest nicht, an wen Du schreiben solltest. Ich bin kein Ziel für Briefe. Wenn ich ruhig in der ganzen Ausbreitung meines elenden Zustandes vor Dich hintreten würde, hintreten könnte, Du würdest zurückschrekken. Und so laufe ich – es ist natürlich keine Absicht dabei – wie die verrückten Eichhörnchen in ihrem Käfig nach allen Richtungen in Kreisen, nur um Dich, Liebste, vor meinem Käfig festzuhalten und Dich mir nahe zu wissen, auch wenn ich Dich nicht sehen kann. Wann wirst Du das durchschauen und, bis Du es durchschaut hast, wie lange wirst Du dableiben?

Franz

[vermutlich beigelegt]

Mit solchen Vorstellungen oder Wünschen gebe ich mich ab, wenn ich schlaflos im Bett liege:

Ein grobes Holzstück sein und von der Köchin gegen ihren Leib gestemmt werden, die aus der Seite dieses steifen Holzstückes (also etwa in meiner Hüftengegend) das Messer mit beiden Händen heranziehend mit aller Kraft Spähne zum Anmachen des Feuers losschneidet.

Nur paar Worte, Liebste, denn es ist schon spät, und ich will noch ein wenig an die Luft kommen, ehe ich dann zu Max gehe. Ich habe den Tag, wie es sich gebührt (denn ich gehörte entweder ins Bett oder nach Dresden), zum größten Teil im Bett verbracht und meine zwei einzigen, allerdings schrecklichen Abenteuer bestanden darin, daß mich der Vater aus dem Vormittagsschlaf durch ein wahnsinniges, einförmiges, ununterbrochenes, immer wieder mit frischer Kraft einsetzendes Geschrei und Singen und Händeklatschen, mit dem er einen Großneffen belustigte, allmählich und trotz alles Widerstandes unbedingt in diese trostlose Welt herausschleppte, während er am Nachmittag das gleiche zur Unterhaltung seines Enkels ausführte. Du Liebste, es gehört Tugend dazu, um ein solches Treiben, wenn es einem zwar begreiflich (es ist des Vaters einzige Freude), im Innersten aber ganz unverständlich ist (die Tänze der Neger sind mir verständlicher), ohne unkindliche Flüche auszuhalten. So auf einem zu trommeln! Besonders am Nachmittag, war mir jeder Schrei wie ein Faustschlag ins Auge. Und dabei zu denken, daß ich vor vielen Jahren auf die gleiche Weise unterhalten worden bin. Allerdings lag damals niemand im Nebenzimmer und litt darunter. Und doch, es ist ja vielleicht gar nicht das Geschrei, das mich so angreift, es gehört überhaupt Kraft dazu, Kinder in der Wohnung zu ertragen. Ich kann es nicht, ich kann nicht an mich vergessen, mein Blut will nicht weiter strömen, es ist ganz verstockt, und dieses Verlangen des Blutes stellt sich ja als Liebe zu Kindern dar. Ich denke nach, ob ich mir wegen der zeitweiligen Anwesenheit meines Neffen und meiner Nichte, die ja heranwachsen und immer lauter werden, nicht irgendwo ein eigenes Zimmer nehmen und von zuhause auswandern soll. Einmal vor Jahren war ich schon, allerdings aus andern Gründen, ganz nahe daran, schließlich habe ich mich doch zurückhalten lassen.

Wo bist Du, Liebste, heute? Ich habe Dich ja aus den Augen verloren. Bleibst Du in Dresden oder fährst Du schon abend zurück? Es war ein schöner Tag, und im Halbschlaf bin ich oft in Dresden herumgegangen. In dem darauf folgenden Erwachen habe ich dann aber meine augenblicklichen, wirklichen oder eingebildeten Leiden (in der Wirkung ist bei genügender Kraft der Einbildung natürlich kein Unterschied) zusammengezählt und bin bis zur Zahl 6 ge-

kommen, was genügender Grund zur Verdrießlichkeit und Kopf-
hängerei wäre, wenn nicht auf der andern Seite Du, Liebste, wärest,
die Du diesen Leidenskomplex doch ausstehen kannst, wofür der
Dank und gleichzeitig die Strafe nur ein unendlicher Regen von
Küssen sein könnte.

Franz

vom 23. zum 24.II.13

Zuerst, Liebste, um es nicht immer wieder zu verschieben (es hat
Dir vielleicht schon Sorgen gemacht), schicke ich Dir das Bild
Deines Nichtchens zurück. Ja, dieses Kindchen verdient geliebt zu
werden. Dieser ängstliche Blick, wie wenn man dort im Atelier alle
Schrecken der Erde gezeigt hätte! Und dabei hält sie doch die Hände
an der Lehne und an der Hüfte, gerade infolge ihrer Selbstvergessen-
heit, wie eine große Dame. Und ich wage sogar den Widerspruch
zu meinem Nachmittagsbrief und behaupte, daß ich die kleine
Wilma, wie sie da auf ihrem Polster sitzt, lieb habe. (Wer kann freilich sagen, ob nicht bloß Deinetwegen?) Hast Du in Deinem Medaillon ein anderes Bild? Und könnte ich auch das noch sehn?
Der Brief Deiner Schwester hat mich sehr unterhalten, ich möchte
fast sagen, er hat mich – verstehe mich recht – erschüttert. Nicht,
weil sie sich ganz dem Kind unterordnet, sie tut es in keiner besonders charakteristischen Art – sondern weil sich darin eine so offene
Natur förmlich in einem Schwall, in einer nicht zu erfindenden
Menge kleiner zusammenpassender und vor allem ganz gleichför-
miger Details darstellt. Die Bemerkungen über die Geschwister –
die Aufzählung der Geschenke – die Aufzählung der Zollspesen.
Liebste, bitte versteh mich recht, es hat nichts mit der selbstverständlichen Achtung, ja Ehrerbietung zu tun, die ich vor Deiner
Schwester habe, wenn ich solche Bemerkungen mache. Eben dort,
wo scheinbar und gesetzmäßig nichts zu genießen ist, ergreift es
mich immer. Ich denke daran, wie ich vorgestern abend, mit meinem Unglück übergenug beschäftigt, knapp vor mir aus einem
Haustor einen Bekannten, den Besitzer oder vielmehr den Sohn des
Besitzers einer jüdischen Buchhandlung treten sah. Er dürfte wohl
schon 40 Jahre alt sein, einmal vor Jahren war er verlobt, mit einem
großen, starken Mädchen, die Verlobung ging dann zurück, da er
nicht genug Geld bekam. Später, auch schon vor vielen Jahren, hei-

ratete er eine zarte, sehr bewegliche Frau. Ich erinnere mich, wie sie bei uns in unserer früheren Wohnung zu Besuch waren und wie diese Frau so sonderbare abgehackte Reden führte. Es scheint mir jetzt fast, als hätte sie auch am hellen Tag eine Schleppe gehabt und diese Schleppe mit dem Fuß immer zur Seite geworfen. Diese Frau wurde nach wenigen Wochen verrückt – man sagte, der Mann oder vielmehr die Eltern des Mannes hätten es zum großen Teil verschuldet – kam ins Irrenhaus, die Ehe wurde geschieden und der Mann mußte (zur besondern Befriedigung meines Vaters, der die Ereignisse in dieser Familie mit Anteilnahme und nicht ohne Schadenfreude verfolgte) die Mitgift zum großen Teil wieder herausgeben, so sehr er sich wehrte. Der Mann war also wieder frei, heiratete aber nicht mehr, wahrscheinlich verlangten es seine Eltern, denen er immer grenzenlos ergeben war, nicht mehr. Er war niemals selbständig, sondern sitzt, seitdem er die Schule verlassen hat, also ein kleines Menschenalter, in dem winzigen Geschäft, in dem kaum für einen Menschen Arbeit ist, staubt mit Hilfe eines Dieners die ausgehängten Gebettücher ab, steht bei warmem Wetter in der offenen Ladentür (früher wechselte er darin mit seinen Eltern ab, die jetzt meist krank sind), wenn es kalt ist, steht er hinter der mit Büchern besteckten Tür und schaut durch die Lücken zwischen diesen meist unanständigen Büchern auf die Gasse hinaus. Er fühlt sich als Deutscher, ist Mitglied des hiesigen deutschen Casinos, einer zwar allgemeinen, aber unter den hiesigen Deutschen doch vornehmsten Vereinigung, und geht nun wahrscheinlich jeden Abend, nachdem das Geschäft geschlossen ist und er genachtmahlt hat, in das »Deutsche Haus«. So war es auch vorgestern abend, als ich ihn zufällig beim Verlassen seines Hauses erblickte. Er ging vor mir her, wie der junge Mann, als den ich ihn eben immer noch in der Erinnerung habe. Sein Rücken ist auffallend breit, er geht so eigentümlich stramm, daß man nicht weiß, ob er stramm oder verwachsen ist; jedenfalls ist er sehr knochig und hat z. B. einen mächtigen Unterkiefer. Begreifst Du nun, Liebste, kannst Du es begreifen *(sag es mir!),* warum ich diesen Mann geradezu lüstern durch die Zeltnergasse folgte, hinter ihm auf den Graben einbog und mit unendlichem Genuß ihn im Tor des »Deutschen Hauses« verschwinden sah?
Es ist spät, Du hast eine Wendung, Felice, die Du gar nicht brauchst, gib sie mir und laß mich schreiben: »Behalt mich lieb!«

Franz

Die Schwester? Und ich, der ich mich ganz verbohrt immerfort um mein eigenes Unglück drehe, ahnte nichts und wünschte Dir, armes Herz, in dem Brief, den ich Dir nach Dresden schickte, »ruhige Stunden«. Hätte ich nur in dieser Allgemeinheit wie heute etwas von dem Zweck der Dresdner Reise gewußt, ich wäre wahrscheinlich doch mit allen meinen Zuständen nach Dresden gefahren, denn Dich dort allein und unglücklich zu wissen, hätte ich trotz aller meiner Stumpfheit kaum ertragen. Es fiel mir schon letzthin ein wenig auf, daß Deine Schwester plötzlich den guten Posten in Dresden verlassen sollte und daß Du in Berlin eine derartig besondere Beschäftigung bei Professoren, u.s.w. für sie suchtest – aber ich las darüber hinweg. Um was es sich, Liebste, eigentlich handelt, will ich gar nicht erfahren, wenn es Dir schwer wird, es zu sagen – es müßte denn sein, daß auch nur die entfernteste Möglichkeit dafür bestünde, daß ich raten oder helfen könnte (es wäre ja für Dich und das gäbe mir Kraft und Geschicklichkeit) – aber das muß ich, Liebste, bald erfahren, – bald, sage ich! – *wie Du Dich befindest.* In diesem Herbst und Winter hat sich wirklich unter meiner Anführung gerade genug vereinigt, um an Dir zu reißen. Und ich kann es unmöglich für ein gutes Zeichen halten, daß ich noch keine Nachricht über den Erfolg der Dresdner Reise und über Deinen Zustand auf der Heimfahrt hatte. Ich hätte unbedingt nach Dresden fahren sollen, zu irgendetwas hättest Du mich doch brauchen können und der Anblick Deiner Not hätte mich zu vielem fähig gemacht.

Ich wage kaum mehr weiter zu schreiben, ich weiß ja nicht, was Du machst. Wenn ich Samstag und Sonntag abend, also zu einer Zeit, als Du Dich mit allen Gedanken mit dieser Reise beschäftigtest, nicht eigentlich viel unglücklicher als sonst bei Max in seiner neuen Wohnung gesessen bin, als wärest Du auf einem andern Stern und als wäre nicht der Boden unter meinen Füßen im Zusammenhang mit jenem, auf dem Du offenbar in größter Unruhe herumgingst – wer weiß, wie es jetzt mit Dir steht, während ich kalt ein Wort hinter das andere setze. Liebste, es ist ein elendes Leben und nur der, welcher mit der Peitsche hineinzufahren versteht, hat es ganz erfaßt. Ich will Dich, Liebste, nicht davor warnen, Dich solchen Aufregungen auszusetzen, selbst wenn sie nutzlos sein sollten – wie könnte ich Dich davor warnen, Deinem Herzen zu folgen, da ich nichts Besseres wüßte, als das gleiche zu tun, aber jetzt in Berlin – sei rücksichtsloser und schone Dich. Laß ein Weilchen lang alles sein, die Sitzungen der Mutter, die Tanzabende der Schwester, die Handarbeiten, die Tante und schlafe, schlafe! Nur im Schlaf gehört man den guten Geistern, das viele Wachsein zerquält Dich.

Franz

vom 25. zum 26.II.13

Nun bin ich wirklich hilflos, Liebste. Ich sehe Dich im Unglück und weiß nicht, was geschieht; Du weinst wieder, ich kann kein Wort dazu sagen; Du sagst, Du brauchst Rat, und ich kann Dir keinen geben. Es paßt wahrhaftig zu den Fortschritten, die das Unglück um mich in der letzten Zeit gemacht hat, daß nun auch Du in ein mir unbekanntes Unglück hineingezogen wirst. Liebste, ich wollte wirklich mit Dir fort von hier. Wozu es dulden, daß man von irgendeinem Himmel auf diese schwarze, stachelige Erde geworfen worden ist? Schon als Kind bin ich immer in großer Bewunderung vor einem schlechten Buntdruck in der Auslage eines Bildergeschäftes gestanden, auf dem der Selbstmord eines Liebespaares dargestellt war. Es war eine Winternacht und der Mond nur für diesen letzten Augenblick zwischen großen Wolken sichtbar. Die beiden waren am Ende eines kleinen hölzernen Landungssteges und machten gerade den entscheidenden Schritt. Gleichzeitig strebte der Fuß des Mädchens und des Mannes in die Tiefe und man fühlte aufatmend, wie beide schon von der Schwerkraft ergriffen waren. Es ist mir nur noch erinnerlich, daß das Mädchen um den bloßen Kopf einen dünnen, hellgrünen Schleier gewunden hatte, der lose flatterte, während der dunkle Mantel des Mannes vom Wind gestrafft wurde. Sie hielten einander umfaßt und man konnte nicht sagen, sie zog oder er trieb, so gleichmäßig und notwendig ging es vorwärts und man fühlte vielleicht undeutlich schon damals, wenn man es auch erst später erkannte, daß es für Liebe vielleicht keinen andern Ausweg gibt, als den, der da dargestellt wurde. Aber damals war ich noch ein Kind und das Bild, das gewöhnlich neben jenem hing und ein Wildschwein zeigte, das durch einen riesigen Sprung aus dem Waldesdunkel ein Jägerfrühstück in einer Waldlichtung störte, daß die Jäger sich hinter Bäume versteckten und die Teller und Speisen in die Luft flogen, hat mich gewiß noch viel besser unterhalten.

Es bleibt mir nichts übrig, Liebste, als zu warten, bis Du Dich wieder fassen kannst. Ist Dein Vater wieder auf Reisen? Mit dem, scheint mir, hättest Du über jeden Vorfall reden können; seine Anteilnahme ist vielleicht nicht so groß, wie es jene der Mutter wäre, aber desto leichter kann man Rat, und wenn nicht das, so Beruhigung von ihm erhalten. Aber er ist ja gewiß zuhause, Du schreibst ja, daß Du die Eltern belügen mußt. Wäre vielleicht noch eine Reise nach Dresden nötig, die ich ebensogut wie Du besorgen könnte und die ich mit Freuden machen würde, da ich annehme, daß Du zum zweitenmal schwerer von zuhause fortkämest? Aber ich bohre vielleicht durch solche Fragen mehr in Deinem Leid herum, als daß ich es beruhige. Aber ich kann nicht anders; ich habe allmählich alle Menschen aus den Augen verloren, sehe nur Dich und Du leidest so.

Franz

vom 26. zum 27. II. 13

Ist die Sorge wirklich schon vorüber? Nach dem Morgenbrief scheint es so, beherrschst Du Dich aber nicht bloß mir gegenüber? Das Telegramm drehte ich ein Weilchen lang uneröffnet in der Hand. Was konnte darin stehn? So sehr ich weiß, wie gut Du bist, und so sehr ich diese Güte ausnutze (meine ganze jetzige Existenz ist – hat keinen andern Sinn und Zeitvertreib) – daß Du mir mit dem Telegramm jede mögliche Sorge nehmen wolltest, das glaubte ich gar nicht in Betracht ziehen zu müssen. Einen Augenblick dachte ich, es stünde in dem Telegramm: »Lauf zum Bahnhof. Ich komme in einer Viertelstunde an.« Ich gebe zu, ein solches Telegramm hätte mich gräßlich erschreckt. Ich hätte sogar (einen Augenblick lang machte ich es durch) nichts anderes als Schrecken gefühlt, wie wenn einer aus einer langen Nacht plötzlich herausgerissen wird. Nun, meine Lauheit hätte es wohl aufgestachelt, diese widerliche Lauheit, die mir aus der ganzen Wohnung, ja aus der ganzen Stadt ein einziges Bett macht. Nun, es ist nichts Derartiges in dem Telegramm gestanden, ich bin allein wie früher, nur manchmal schaut mir aus dem Briefpapier, das ich beschreibe, mein Gesicht förmlich entgegen, daß ich am liebsten die Feder weglegen möchte, um mich nicht immerfort an Dich zu hängen und Dich, Du Gerade, herunterzubeugen, sondern mich der Strömung zu überlassen, die, wie ich fühle, sich langsam unter mir wälzt.

Mein zweiter Gedanke über dem Telegramm war allerdings wieder ein ganz entgegengesetzter. »Da bekomme ich also wahrscheinlich morgen keinen Brief«, und diese Furcht bin ich noch nicht ganz los. Mißverstehst Du Liebste nicht doch ein wenig, was ich über Deine Schwester sagte? Charakteristisch scheint sie mir sogar sehr, nur ihre Liebe zum Kind ist ein wenig einförmig und läßt eine schlechte Erzieherin des Kindes ahnen. Nicht erklären konnte ich mir übrigens, warum in dem Brief, den doch vom vorigen ein langer Zwischenraum trennte, der Mann, Dein Schwager, gar nicht erwähnt ist.

Das war, Liebste, heute schon der zweite Brief, der abgebrochen wurde. Vergiß die Fortsetzungen nicht! Einer brach bei einem offenbar überraschenden Ereignis ab, das in der 3ten Klasse auf Dein Zeichnen besondern Einfluß hatte, und dieser Brief brach in Schlesien ab, als Dein Vater der Schwester die Schulaufgaben machte.

Gern wüßte ich auch, Liebste, wie Du den *Genuß* beurteilst und erklärst, den mir z. B. letzthin jener Buchhändlerssohn machte. Mit jeder Antwort auf eine solche Frage fühle ich mich tiefer in Dich eindringen, erhalte eine neue Erlaubnis in Dir zu leben und vertausche für einen Augenblick ein Scheinleben mit einer heißen Wirklichkeit.

Franz

vom 27. zum 28. II. 13

Heute abend bin ich beschämt worden. Ich ging mit Weltsch spazieren (sein Buch [Anschauung und Begriff] ist schon erschienen. Würde es Dich interessieren? Ich glaube nicht, es ist recht streng philosophisch. Ich muß mich zum Lesen und Verstehen zwingen; wo nicht etwas dasteht, auf das man die Hand auflegen kann, verfliegt meine Aufmerksamkeit zu leicht) – ich ging also mit ihm spazieren und er fing unmerklich an – es dauerte auch nicht lange und war wohl nur eine augenblickliche Laune –, über und gegen meine Trübseligkeit zu reden. Das für mich Beschämende war nicht der Umstand, daß er überhaupt den Versuch machte, mich zu ermahnen. Das höre ich ja sehr gerne, es ist angenehm, sich solche Dinge

durch den leeren Kopf gehn zu lassen und überdies sprach W. heute
äußerst klug. Das Beschämende war vielmehr, daß er diese Ermah-
nung für notwendig hielt, trotzdem ich ihn gerade und unmittelbar
durch keine Bemerkung eigentlich dazu aufgefordert hatte und
trotzdem gerade jetzt eigene Angelegenheiten ihn über alles beschäftigen. Das Beschämendste aber war, daß er versuchte – ob
bewußt oder unbewußt ist gleichgültig, ich rede ja von meiner Beschämung –, mich gar nicht merken zu lassen, daß er mich er-
mahnte; er führte allgemeine Reden mit den für mein Gefühl allzu
raschen Gedankenentwicklungen und allzu kurzen Antithesen, die
er so liebt und die ihm so natürlich sind.

Was hilft die Beschämung! Nachdem ich ihn nachhause geführt
hatte, es war Nebel und vor dem hat er Angst, dachte ich daran, ins
Kaffeehaus zu gehn (ich hätte dort Werfel treffen können und andere), aber mir graute auch wieder davor und nach einigen unent-
schlossenen Drehungen wollte ich nachhause gehn. Da treffe ich
einen Bekannten, einen zionistischen Studenten, der sehr vernünftig,
eifrig, tätig, liebenswürdig und dabei von einer mich geradezu ver-
wirrenden Ruhe ist. Er hält mich auf, ladet mich zu einem besonders wichtigen Vereinsabend ein (wie viele solche Einladungen hat
er schon im Laufe der Zeit an mich verschwendet!) meine Gleichgültigkeit hinsichtlich seiner Person und jeden Zionismus war in dem
Augenblick grenzenlos und unausdrückbar, aber ich fand – Du
mußt es mir glauben, Liebste – keine gesellschaftlich durchführbare
Möglichkeit des Abschieds, trotzdem natürlich ein stummer Händedruck auch genügt hätte, und bot mich nur aus diesem Grunde an,
ihn zu begleiten und begleitete ihn tatsächlich bis zur Tür jenes
Kaffeehauses, in das ich selbst früher hatte gehen wollen. Hinein-
ziehen ließ ich mich aber nicht mehr, sondern fand überraschender
Weise hübsch und leicht jenen befreienden Händedruck.

Nun ist es spät und ich habe Dir von dem heutigen Abend fast nichts
erzählt, trotzdem ich gerade von meinem Alleinsein eine Unmenge
zu erzählen hätte.

Franz

vom 28. [Februar] zum 1.III. [1913]

Spät, Liebste, spät. Ich habe eine Arbeit für das Bureau gemacht und
dabei ist es spät geworden. Kalt ist mir auch. Sollte ich mich wieder

verkühlt haben? Es ist recht widerlich; meine linke Seite wird ständig kalt angeweht.

Wie kannst Du nur sagen, daß ich Dir deshalb böse sein könnte, wenn einmal kein Brief kommt? Begreife und präge es Dir doch ein, daß ich Dir in allem dankbar sein muß, was Du mir gibst, und daß ein liebes Wort, das Du an mich richtest, ebenso für mich wie vor einem höhern Richter mehr wert ist als der ganze Haufen meiner Briefe. Zwinge Dir deshalb ja nicht, in der Hetze, in der Du jetzt lebst, Briefe ab, lasse ruhig auch einen Tag ohne Brief vergehn, wenn es Dir nur ein wenig des für Dich so notwendigen Schlafes wegnehmen würde, und wisse, daß ich hier auf den nächsten Brief, wie viele Du auch ausgelassen haben möchtest, unverändert warte. Darin bin ich unverändert, wie sehr auch sonst alles andere um mich fliegt und wechselt.

Heute abend und auch während des Tages war ich ruhiger und sicherer als sonst, jetzt ist wieder alles dahin. Ich wollte übrigens den Menschen sehn, der ohne Schaden meine Lebensweise, vor allem diese abendlichen einsamen Spaziergänge aushalten würde. Zuhause spreche ich fast mit niemandem, die Verbindung mit meiner Schwester, die schließlich hauptsächlich auf meinem Schreiben beruhte, ist nun auch ganz locker. Du und ich, wir leben jetzt ganz entgegengesetzt, Du hast immerfort Leute um Dich, ich niemanden fast, die Leute im Bureau sind kaum zu rechnen, gar jetzt, wo ich seit einigen Tagen mehr schlafe und die Arbeit mir nicht so schwer fällt. Sie ist gerade so gleichgültig wie ich, wir passen zusammen. In den nächsten Tagen werde ich sogar Vice-Sekretär, es geschieht mir ganz recht[1].

Letzthin ging ich durch die Eisengasse, da sagt jemand neben mir: »Was macht Karl?« Ich drehe mich um; ich sehe einen Mann, der ohne sich um mich zu kümmern im Selbstgespräch weitergeht und auch diese Frage im Selbstgespräch gestellt hatte. Nun heißt aber Karl die Hauptperson in meinem unglücklichen Roman und jener harmlose vorübergehende Mann hatte unbewußt die Aufgabe mich auszulachen, denn für eine Aufmunterung kann ich das wohl nicht halten.

---

[1] Kafka wurde am 1. März 1913 zum Vice-Sekretär der Arbeiter-Unfall-Versicherungs-Anstalt ernannt. Sein ausführliches Gesuch um Gehalts- und Rangerhöhung vom 11. Dezember 1912 veröffentlichte Jaromír Loužil in der Zeitschrift *Sborník Národního Musea v Praze* VIII (1963) Nr. 2, S. 65 ff.

Letzthin fragtest Du mich im Anschluß an den Brief meines Onkels nach meinen Plänen und Aussichten. Ich habe über die Frage gestaunt, jetzt bei der Frage jenes unbekannten Mannes fällt sie mir wieder ein. Ich habe natürlich gar keine Pläne, gar keine Aussichten, in die Zukunft gehen kann ich nicht, in die Zukunft stürzen, in die Zukunft mich wälzen, in die Zukunft stolpern, das kann ich und am besten kann ich liegen bleiben. Aber Pläne und Aussichten habe ich wahrhaftig keine, geht es mir gut, bin ich ganz von der Gegenwart erfüllt, geht es mir schlecht, verfluche ich schon die Gegenwart, wie erst die Zukunft!

Franz

Samstag [1.März 1913] 2 Uhr [nachts]

Nur paar Worte, Liebste. Ein schöner Abend bei Max. Ich las mich an meiner Geschichte in Raserei[1]. Wir haben es uns dann wohl sein lassen und viel gelacht. Wenn man Türen und Fenster gegen diese Welt absperrt, läßt sich doch hie und da der Schein und fast der Anfang einer Wirklichkeit eines schönen Daseins erzeugen. Gestern habe ich eine kleine Geschichte[2] angefangen, sie ist noch so klein, steckt kaum den Kopf hervor, es läßt sich nichts sagen, um so sündhafter ist es, daß ich sie heute gegen alle guten Vorsätze liegen ließ und zu Max ging. Ist sie etwas wert, wird sie aber doch vielleicht bis morgen warten können.

2.III.13

Sonntag nachmittag. Bin ganz zerstreut. Habe bei Baum, der gerade von Berlin, wo er in Verlagsangelegen[heiten] paar Tage lang war, so viel Neuigkeiten systemlos durcheinandergehört, trotzdem ich mit großer Grobheit Frau Baum, die ich sehr lieb habe, die aber ganz trunken von den Berliner Erfolgen dem Oskar immer in die Rede gesprungen ist, abgeschrien und aus dem Zimmer herausgesteckt habe. Kam schon mit Kopfschmerzen hinauf und sitze jetzt mit Kopfschmerzen da. Oskar liest übrigens am 1. April im Klindworthsaal, soll ich mit ihm nach Berlin kommen?

---

[1] Wahrscheinlich der Schlußteil der »Verwandlung«. Vgl. Anm.[3] S. 122.
[2] Die Fragment gebliebene Ernst Liman-Geschichte. Vgl. *Tagebücher* (28. Februar 1913), S. 298 ff.

Die Kopfschmerzen stammen von der Nacht. Ich konnte meiner Aufregung gestern abend nicht Herr werden, immer wieder riß es mich fort, ich konnte nicht einschlafen und wälzte mich nur. Der gewöhnliche Menschenverstand sagte mir, ich solle aus dem Bett aufstehn, die stille Nacht benützen und schreiben. Etwas hielt mich davon ab.

Der angekündigte Brief ist nicht gekommen, Liebste. Nicht ankündigen, Liebste, nicht ankündigen, wenn es dann nicht kommt. Ich bin mit allem zufrieden, einWort, das aus Deinem Herzen kommt, genügt mir, aber nichts ankündigen, Liebste, das dann nicht kommt.

Die Adresse Deiner Schwester [1] habe ich noch nicht bekommen und es ist doch schon höchste Zeit. Dann kommt das Paket am Ende nicht rechtzeitig an, Du wirst es mir als Schuld anrechnen, das Vertrauen zu mir verlieren und mir macht es doch solche Freude, einen derartigen Auftrag zu bekommen. Ich bin stolz darauf. Schick nur gleich auch ein Zettelchen mit, das ich beilegen kann, ich wüßte sonst nicht, wie ich Deine Schwester davon verständigen sollte, daß Du die Geberin bist, es müßte denn sein, daß Du es ihr einfach direkt anzeigst. – Ich schreibe so rasch und flüchtig, weil ich in meinem eiskalten Zimmer schreibe. Leb wohl Liebste, und bleib mir erhalten. Franz

vom 2. zum 3. III. 13

Meine Schwestern mit ihren Männern sind fortgegangen, es ist schon ½ 11, aber mein Vater hat sich noch hingesetzt und die Mutter zum Kartenspiel kommandiert. Ich bin infolge meiner neuesten leicht verkühlbaren Konstitution auf das Wohnzimmer angewiesen und schreibe also bei den Geräuschen des Kartenspiels. Mir gegenüber sitzt die Mutter, rechts von mir am Kopfende des Tisches der Vater. Ich habe der Mutter eben, als der Vater eine Wasserflasche vor die Balkontür getragen hat, ohne mein Schreiben zu unterbrechen, zugeflüstert: »Geht schon schlafen«, sie möchte wohl auch gern, aber es ist eben schwer.

»Zwei letzten doppelt«, hat gerade der Vater gesagt, was bedeutet, daß zumindest noch zwei Spiele gemacht werden müssen und das kann unter Umständen noch sehr lange dauern.

---

[1] Felicens in Budapest verheiratete Schwester Else.

Ich habe vorher wieder einmal einen Spaziergang mit meiner Schwester gemacht und es sind mir, während wir von andern Dingen sprachen, in einem Einsamkeitsgefühl, das ich oft gerade in Gesellschaft habe (was natürlich auch bei andern nichts Seltenes ist), Gedanken darüber durch den Kopf gegangen, ob Du mich, Liebste (immer wieder Liebste, denn ich habe niemanden sonst und werde niemanden haben) noch so leiden kannst wie früher. Ich höre eine Änderung Deiner Meinung über mich nicht so sehr an Deinen Briefen heraus, vielmehr aus Deinen Briefen gar nicht.

(Es ist 1 Uhr vorüber, ich bin, Liebste, inzwischen von meiner Geschichte [Liman-Fragment] fast gänzlich abgeworfen worden – heute war die Entscheidung und sie ist gegen mich ausgefallen – und krieche nun förmlich, wenn Du mich willst, zu Dir zurück.) Diese Änderung Deiner Meinung folgere ich hauptsächlich aus meinem Benehmen in der letzten Zeit und sage mir, daß es unmöglich ist, an Deiner frühern Stelle auszuhalten. Das was mich in der letzten Zeit ergriffen hatte, ist kein Ausnahmszustand, ich kenne ihn 15 Jahre lang, ich war mit Hilfe des Schreibens für längere Zeit aus ihm herausgekommen und habe in Unkenntnis dessen, wie schrecklich provisorisch dieses »Herauskommen« war, den Mut gehabt, mich an Dich zu wenden und habe auf meine scheinbare Wiedergeburt pochend geglaubt, vor jedem die Verantwortung dafür übernehmen zu können, daß ich versuchte, Dich, das Liebste, was ich in meinem Leben gefunden hatte, zu mir herüberzuziehn. Wie habe ich mich nun aber in den letzten Wochen Dir dargestellt? Wie kannst Du bei gesunden Sinnen Dich noch in meiner Nähe halten? Ich zweifle nicht, daß Du unter gewöhnlichen Umständen den Mut hättest, Deine wahre Meinung auszusprechen, selbst wenn nur der Schein einer Änderung eingetreten wäre. Aber Deine Offenheit, Liebste, ist nicht größer als Deine Güte. Und ich fürchte eben, daß, selbst wenn ich Dir widerlich würde – schließlich bist Du doch ein Mädchen und willst einen Mann und nicht einen weichen Wurm auf der Erde –, selbst wenn ich Dir widerlich würde, Deine Güte nicht versagen könnte. Du siehst, wie ich Dir gehöre – wirft man aber eine Sache, die einem so gehört, rücksichtslos weg, selbst wenn es einem die vernünftige Rücksicht auf sich selbst befiehlt? Und Du vor allen – würdest Du das tun? Könntest Du das Mitleid überwinden? Du, welche von dem Unglück eines jeden in Deinem Kreise so erschüttert wird? Aber auf der andern Seite bin doch ich. Ich leugne nicht, daß ich es sehr gut aushalten würde, vom Mitleid eines andern mich zu nähren, doch würde ich es gewiß nicht aushalten, die Früchte eines Mitleids zu genießen, das Dich vernichten muß. Bedenke das, Liebste, bedenke das! Vergleichsweise würde ich alles andere besser ertragen als gerade dieses. Jedes Wort, aus welchem Gefühl es auch komme – besser als jenes Mitleid. Dieses Mitleid, das meinem Wohle zugedacht wäre, müßte sich in der Wirkung schließlich gegen mich wenden. Du bist weit und ich sehe Dich nicht – aber wenn Du Dich vor Mitleid aufzehren solltest, würde ich es doch wissen. Darum Liebste, beantworte mir heute – wo es gewiß noch nicht so weit ist – zu meiner Sicherheit ohne auszuweichen folgende Frage: Solltest Du einmal mit einer, wenigstens die meisten Zweifel ausschließenden, Klarheit einsehn, daß ich Dir, wenn auch vielleicht mit einigen Schwierigkeiten, doch entbehrlich bin, solltest Du einsehn, daß ich Dir in Deinem Lebensplan *(warum höre ich nichts von diesem?)* hinderlich bin, solltest Du einsehn, daß Du, ein gütiger, tätiger, lebhafter, seiner selbst sicherer Mensch mit der Verwirrung oder besser mit der einförmigen Verschwommenheit meines Wesens keine oder nur eine Dich schädigende Gemeinsamkeit haben könntest – würdest Du dann, Liebste (antworte bitte nicht leichthin, bleibe Dir der Verantwortung Deiner Antwort bewußt!) würdest Du, ohne auf Dein Mitleid zu hören es mir offen sagen können? Nochmals: hier ist nicht die Wahrheitsliebe in Frage, sondern die Güte! Und eine Antwort, die bloß die Möglichkeit der Voraussetzungen meiner Frage leugnen würde, wäre keine Antwort, die mir, die meiner Angst um Dich genügen könnte. Vielmehr es wäre schon eine genügende Antwort, nämlich das Zugeständnis des unüberwindlichen Mitleids. – Aber warum frage ich überhaupt und quäle Dich! Ich weiß ja die Antwort.

Liebste, gute Nacht. Ich werde von diesem Brief aufstehn und nicht eigentlich aus Müdigkeit, eher aus Zerstreutheit und Aussichtslosigkeit schlafen gehn.

Franz

vom 3. zum 4.III.13

Ich hatte, Liebste, heute keinen Brief von Dir. Es ist leicht erklärt, die Schwester war gestern in Berlin, Du hattest keine Zeit, aber die Budapester Adresse habe ich noch nicht und bekomme ich sie nicht morgen, so ist der Geburtstag vielleicht versäumt.

Ich habe Dir vieles zu sagen, meine ganze Existenz ist ja nichts anderes, als etwas, was ich Dir anvertrauen wollte, wenn es möglich wäre – und doch bin ich jetzt eine ganze Weile still mit erhobener Feder dagesessen, der gestrige Brief ist doch schließlich eine Frage, auf die ich Antwort haben muß, und da ich zudem heute keine Nachricht hatte, scheint mir damit, so unsinnig die Vorstellung ist, auch mein gestriger Brief, den Du doch erst morgen bekommen wirst, unbeantwortet geblieben. Ich komme mir vor, als stünde ich vor einer abgesperrten Tür, hinter der Du wohnst und die sich niemals öffnen wird. Nur durch Klopfen gibt es eine Verständigung, und nun ist es hinter der Tür auch noch still geworden. Eines aber kann ich (bin ich aber nervös! in meinem Tintenfaß ist wenig Tinte und es ist deshalb gegen eine Zündhölzchenschachtel gestützt, nun ist es beim raschen Eintauchen der Feder von der Schachtel abgeglitten – mich aber hat es vom Kopf bis zu den Füßen durchzuckt und beide Hände sind mir in die Höhe geflogen, als hätte ich jemanden um Gnade zu bitten) eines kann ich, das ist – warten, so sehr gerade die eingeklammerte Nervosität dem zu widersprechen scheint. Ungeduld ist für mich nur Zeitvertreib des Wartens, die Kraft zu warten wird dadurch nicht angegriffen, wenn es auch natürlich überhaupt nicht Kraft ist, sondern Schwäche und auf das geringste Kommando eintretende Entspannung der wenigen Kräfte, die in Tätigkeit waren. Diese meine Eigenschaft, Liebste, bringt Dich in größte Gefahr, das sage ich noch im Nachhang zu meinem gestrigen Brief. Denn ich für meinen Teil, Liebste, würde Dich niemals verlassen und selbst wenn mein Los so fallen würde, daß – es wäre nicht das schlimmste für mich – ich innerlich ein Verhältnis zu Dir hätte, das z. B. dem äußerlichen Vorgang entsprechen würde, daß ich nichts anderes zu tun hätte, als ewig vor einem Nebeneingang Deines Hauses auf Dich zu warten, während Du durch den Haupteingang aus und ein gingest. Laß Dich dadurch im Urteil über mich nicht beirren, und wenn ich noch so sehr zu Deiner Hand hinabgebeugt bin, sprich über mich hinweg Deine wahre Meinung aus! Die Rechnung liegt ja so einfach, Du wirst mir nichts Überraschendes sagen. Ich bin ein anderer Mensch, als ich es in den ersten 2 Monaten unseres Briefwechsels war, es ist keine neue Verwandlung, sondern eine Rückverwandlung und wohl eine dauernde. Wenn Du Dich zu jenem Menschen hingezogen fühltest, mußt Du, mußt Du den heutigen verabscheuen. Wenn Du es verschweigst, tust Du so aus Mitleid und aus irreführender Erinnerung. Die Tatsache, daß dieser heutige in allem so veränderte Mensch unverändert und begreiflicher Weise eher noch schwerer als früher an Dir hängt, muß, wenn Du es Dir klarmachst, von Dir aus gesehn seine Widerlichkeit noch steigern.

Franz

vom 4. zum 5.III.13

Du mußt viel ertragen, Liebste, in der letzten Zeit und Du erträgst es in einer Weise, die ich einesteils nicht begreifen kann, anderenteils aber blind bei Dir voraussetze. Ich sehe Dich hinter Deinen Briefen, ob Du in ihnen klagst oder müde bist oder gar weinst, so stark und lebendig, daß ich mich vor Scham über mich und vor Trauer über diese Gegenüberstellung – hier ich, dort Du – verkriechen möchte. Ich ruhe eben nicht in mir, ich bin nicht immer »etwas« und wenn ich einmal »etwas« war, bezahle ich es mit dem »Nichtsein« von Monaten. Darunter leidet natürlich, wenn ich mich nicht rechtzeitig besinne, auch meine Menschenbeurteilung und meine Beurteilung der Welt überhaupt; ein großer Teil des für mich trostlosen Aussehns der Welt ist durch dieses schiefe Urteil veranlaßt, das sich durch Überlegung zwar mechanisch geradrichten läßt, aber doch nur für einen nutzlosen Augenblick. Um es Dir an einem beliebigen Beispiel zu zeigen: Im Vorraum des Kinematographentheaters, in dem ich heute abend mit Max und seiner Frau und Weltsch gewesen bin (das erinnert mich daran, daß schon bald 2 Uhr ist), hängt eine Anzahl von Photographien aus dem Film »Der Andere«[1]. Du hast gewiß von ihm gelesen, Bassermann spielt darin, er wird nächste Woche auch hier gezeigt werden. Auf einem Plakat, wo B. allein im Lehnstuhl abgebildet war, hat er mich wieder ergriffen, wie damals in Berlin[2] und wen ich nur gerade fassen konnte, Max oder seine Frau oder Weltsch, den zog ich zum allgemeinen Überdruß immer wieder vor dieses Plakat. Vor den Photographien schwächte sich

---

[1] Die Verfilmung des gleichnamigen Schauspiels von Paul Lindau mit dem zum ersten Mal als Filmschauspieler erscheinenden Albert Bassermann in der Hauptrolle. – Das *Prager Tagblatt* hatte am 30. Januar 1913 Bassermanns Artikel »Kinodarsteller und Bühnenkünstler« abgedruckt, und zwar auf derselben Seite wie Otto Picks erste Rezension von Kafkas *Betrachtung*.
[2] Kafka hatte im Dezember 1910 in Berlin eine Hamletaufführung mit Albert Bassermann in der Titelrolle gesehen. Vgl. Karte an Max Brod vom 9. XII. 1910, *Briefe*, S. 84.

325

schon meine Freude ab, es war doch zu sehn, daß es ein elendes Stück war, in dem er spielte, die aufgenommenen Situationen waren doch alte Filmerfindungen und schließlich sind Augenblicksaufnahmen eines springenden Pferdes fast immer schön, während Augenblicksaufnahmen einer verbrecherischen menschlichen Grimasse, selbst wenn es die Grimasse Bassermanns ist, leicht nichtssagend sein können. B. hat sich also, sagte ich mir, wenigstens in diesem Stück zu etwas hergegeben, was seiner nicht würdig ist. Aber er hat das Stück doch durchlebt, die Erregung der Handlung vom Anfang bis zum Ende in seinem Herzen getragen und was ein solcher Mensch erlebt hat, ist bedingungslos liebenswert. Darin also urteilte ich noch richtig, wenn auch schon eigentlich ein Stück über mich hinaus. Als ich aber vor einer Weile unten auf das Öffnen des Haustores wartete und in der Nacht herumsah, bemitleidete ich in der Erinnerung an jene Photographien den B., als wäre er der unglücklichste Mensch. Der Selbstgenuß des Spieles ist vorüber, stellte ich mir vor, *der Film ist fertig, B. selbst ist von jedem Einfluß auf ihn ausgeschlossen,* er muß nicht einmal einsehn, daß er sich hat mißbrauchen lassen und doch kann ihm in der Betrachtung des Films die äußerste Nutzlosigkeit des Aufwandes aller seiner großen Kräfte bewußt werden und – ich übertreibe mein Mitleidgefühl nicht – er wird älter, schwach, in seinem Lehnstuhl zur Seite geschoben und versinkt irgendwo in der grauen Zeit. Wie falsch! Hier steckt eben der Fehler meiner Beurteilung. Auch nach Fertigstellung des Films geht Bassermann als Bassermann und als keiner sonst nachhause. Wenn er sich einmal aufheben wird, wird er sich eben ganz aufheben und nicht mehr dasein, aber nicht wie ich es tue und jedem es andichten möchte, mich immerfort umfliegen wie ein Vogel, der durch irgendeinen Fluch von seinem Neste abgehalten, dieses gänzlich leere Nest immerfort umfliegt und niemals aus den Augen läßt. Gute Nacht, Liebste. Darf ich Dich küssen, darf ich den wirklichen Körper umarmen?

Franz

vom 5. zum 6. III. 13

Zehn Uhr vorüber, Liebste, und ich bin genau so müde wie Du vorgestern. Ich bin in mein kaltes Zimmer herübergegangen, im warmen (pfui, jetzt höre ich, wie der Vater nebenan von der Fabrik spricht) nebenan war ich schon ganz matt. Du mußt wissen, daß ich von heute ab meine Lebensweise für einige Zeit ändere; wenn es so wie bisher unerträglich war, vielleicht geht es anders; wenn man auf der linken Seite nicht schlafen kann, dreht man sich (oft bereut man es dann freilich und des Wälzens ist dann kein Ende) auf die rechte Seite und ein Leben wie im Bett führe ich ja. (Nebenan wird noch immer von der Fabrik gesprochen, mich überlauft es, ich scheine wirklich den richtigen Augenblick zum Weggehn abgepaßt zu haben.) Die Änderung der Lebensweise besteht darin, daß ich –

An dieser Stelle unterbrach ich das Schreiben, das Nebenzimmer war nun frei geworden, ich sagte noch den Eltern »Gute Nacht«, der Vater stand gerade auf dem Kanapee und zog die Wanduhr auf, ich ging dann also ins Wohnzimmer, konnte mich aber nicht entschließen weiterzuschreiben, nahm das Buch von Max und Felix [Anschauung und Begriff] und las das Einleitungskapitel wieder einmal, das in manchen Stellen meisterhaft geschrieben ist, wie von einer dritten, fremden, sehr bedeutenden Person. Ich hatte den Brief liegen lassen, weil es sich mir plötzlich gar so aufdrängte, daß ich immerfort und immerfort nur von mir schreibe und am Ende gar immerfort das gleiche, ohne aufzuhören und daß es widerlich ist, wie ich mich da immer wieder vor Dir ausbreite, ohne zu wissen, ob Du dabei nicht innerlich vor Abscheu, Ungeduld oder Langweile zitterst. Wenn ich das sage, Liebste, so zweifle ich deshalb an Dir noch nicht im geringsten, so dürfen noch Liebende miteinander reden, das steht auch in dem Prolog drin, den Du mir heute geschenkt hast und der mir viel Vergnügen gemacht hat, trotzdem er nicht vollständig und hie und da etwas übermäßig flüchtig ist. Außerdem Liebste, verstehe mich und sei nicht böse, mache ich mir solche Vorwürfe nur wegen der Briefe, wären wir beisammen und säßest Du auf dem Sessel nebenan (ich rücke ihn gerade mit der linken Hand ein wenig näher), ich würde an solche Möglichkeiten gar nicht denken und selbst wenn ich, was sehr wahrscheinlich wäre, noch viel schlimmere Dinge über mich zu sagen hätte, als es jene sind, die ich schreibe. (Eine sehr kleine Verlockung für künftige Zusammenkünfte, nicht wahr, Felice?) Ja auf diesem Sessel solltest Du, von der mir morgen vielleicht ein schlimmer Brief droht, sitzen, der Tisch sollte weggeschoben werden und wir sollten die Hände zusammengeben. Über dieser Erscheinung vergesse ich ganz an meinen Auftrag für Budapest. Er ist natürlich schon besorgt.

Franz

Nein, das genügt mir nicht. Ich fragte, ist es nicht Mitleid, was Du vor allem für mich fühlst. Und ich habe die Frage begründet. Du sagst bloß: nein. Aber ich war doch ein anderer damals, als ich Dir den ersten Brief schrieb, den ich vor paar Tagen beim oberflächlichen Ordnen meines Schreibtisches (anders als oberflächlich wird er nicht geordnet) in der Durchschlagkopie gefunden habe (es ist die einzige Kopie eines Briefes, die ich habe). Ich war anders, das wirst Du nicht leugnen können und wenn ich auch hie und da verfallen bin, so habe ich mich doch leicht zurückgefunden. Habe ich Dich also irregeführt bis in diese traurigen Zeiten hinein? Es gibt nur die zwei Möglichkeiten: entweder hast Du nur Mitleid mit mir, warum dränge ich mich dann in Deine Liebe, verlege Dir alle Wege, zwinge Dich, mir jeden Tag zu schreiben, an mich zu denken, tyrannisiere Dich mit der ohnmächtigen Liebe eines Ohnmächtigen und suche nicht lieber eine Möglichkeit, Dich schonend von mir zu befreien, das Bewußtsein von Dir bemitleidet zu werden in der Stille allein zu genießen und auf diese Weise wenigstens Deines Mitleides würdig zu sein. Oder aber, Du bemitleidest mich nicht ausschließlich, sondern bist irregeführt worden im Laufe des halben Jahres, hast nicht den richtigen Einblick in mein elendes Wesen, liest über meine Eingeständnisse hinweg und hinderst Dich unbewußt, ihnen zu glauben, so sehr es Dich wieder anderseits kraft Deiner Natur dazu drängen muß. Warum nehme ich dann nicht aber alles zusammen, was ich noch habe, um Dir die Lage der Dinge ganz klar zu machen, warum wähle ich nicht die eindeutigsten kürzesten Worte, die nicht übersehen, mißverstanden und vergessen werden können? Habe ich vielleicht noch irgendeine Hoffnung oder spiele ich mit einer solchen Hoffnung, Du könntest mir erhalten bleiben? Wenn dem so ist und es scheint manchmal so zu sein, dann wäre es meine Pflicht, aus mir herauszutreten und ohne Rücksicht Dich gegen mich zu verteidigen.

Es gibt aber doch noch eine dritte Möglichkeit: vielleicht bemitleidest Du mich nicht ausschließlich und verstehst auch meinen gegenwärtigen Zustand richtig, glaubst aber, daß ich einmal doch noch ein brauchbarer Mensch werden kann, mit dem ein gleichmäßiger, ruhiger, lebendiger Verkehr möglich ist. Wenn Du das glaubst, so täuschst Du Dich schrecklich, ich sagte Dir schon, mein gegenwärtiger Zustand (und heute ist er noch vergleichsweise paradiesisch) ist kein Ausnahmszustand. Ergib Dich, Felice, nicht solchen Täuschungen! Nicht 2 Tage könntest Du neben mir leben. Heute bekam ich einen Brief eines 18 jährigen Gymnasiasten, den ich 2 oder 3 mal bei Baum gesehen habe. Er nennt sich am Schluß des Briefes meinen »sehr ergebenen Anhänger«. Mir wird übel, wenn ich daran denke. Was für falsche Meinungen! Und ich kann nicht genügend weit die Brust aufreißen, um alles zu zeigen und abzuschrecken. Wobei freilich gesagt werden muß, daß ich den Gymnasiasten, selbst wenn ich ein Held wäre, abschrecken wollte, denn er gefällt mir (wahrscheinlich wegen seiner Jugend) nicht, während ich Dich, Liebste, und immer wieder Liebste herunterreißen wollte zu dieser großen Gebrechlichkeit, die ich darstelle.

Franz

vom 7. zum 8.III.13

Ich trage meine Müdigkeit, Liebste, ins Kabarett, wo ich jetzt sitze und in der Pause Dir schreibe. Die Musik stört mich, der Rauch fährt mir ins Gesicht, eine Tänzerin (Du lieber Gott, wie ich den Tanz verstehe!), die als Matrose getanzt hat (der Schwung und das Aufstampfen und das Körperdehnen und der leicht gesenkte Kopf, als sie den Rundgang von neuem begann), steht im Promenoir herum und will doch auch angesehen werden – trotzdem, ich bin froh, mich an dieses Dir gehörige Papier zu halten und – so sonderbar das Briefschreiben hier aussieht – *gerade dadurch* – niemand weiß es – Mensch unter Menschen zu sein.

Ob ich am 1. nach Berlin kommen soll, das war allerdings eine Scherzfrage, wenn auch nicht besonders lustig gemeint – aber die Marken der Reklamausstellung, waren die überhaupt eine Frage?

Solche Briefe wie Dein heutiger, Liebste, sind nur zu sehr geeignet, mich nachlässig zu machen in den Bemühungen, mich Dir klar zu machen und Dich von der Unmöglichkeit eines menschlichen Verkehrs mit mir überzeugen zu wollen. Und wenn ich auch heute – jeder dafür verlorene Tag scheint mir ein Vorwurf – unter dem Einfluß Deines Briefes, den ich zuhause noch vor dem Weggehn rasch einmal gelesen habe und in der Brusttasche trage – der Gong! Es wird dunkel.

So spät. Und ich bin doch lange vor Schluß weggegangen, nicht nur wegen meiner ewigen Müdigkeit, mein Kopf wartet heute den ganzen Tag krampfhaft darauf, daß ich die Augen schließe, sondern auch deshalb, weil es mir immer wohl tut, aus einer festen Gemeinschaft vor der allgemeinen Auflösung zu entkommen. Verstehst Du das?

Und nun Liebste, nimm mich hin, aber vergiß nicht, aber vergiß nicht, mich zur rechten Zeit fortzustoßen!

Franz

Sonntag vor dem Essen   9. III. 13

Liebe Felice, warum machen mich Deine Briefe schwach und halten mir die Feder fest, die ohne Unterbrechung das Wahre über mich, die traurigen Enthüllungen schreiben will?

Ich war anders am Anfang, das gibst Du zu, das wäre auch nichts Schlimmes, nur ist es keine gerade menschliche Entwicklung, die mich von dort hierher geführt hat, sondern ich bin ganz und gar auf meine alte Bahn übergesetzt worden, zwischen den beiden Wegen gibt es aber weder eine gerade noch eine Zick-Zack-Verbindung, sondern nur den traurigen Luft- und Gespensterweg. (Es ist jetzt nach dem Essen, gerade ist der kleine Felix auf dem Arm des Fräuleins durch mein Zimmer ins Schlafzimmer befördert worden, hinter ihm geht mein Vater, hinter ihm der Schwager, hinter ihm die Schwester. Nun ist er ins Bett der Mutter gebettet worden, und jetzt horcht der Vater in meinem Zimmer an der Tür des Schlafzimmers, ob ihn Felix nicht doch noch rufen wird, denn ihn liebt er am meisten von allen. Tatsächlich ruft er noch »Dje-Dje«, was Großvater heißt, und nun öffnet der Vater zitternd vor Freude noch einigemal die Tür, steckt einigemal noch schnell den Kopf ins Schlafzimmer und entlockt so dem Kind noch ein paar Dje-Dje-Rufe.)

Was sich aber an Dir, Felice, verändert hat, das waren nur Einzelheiten am Rande Deiner Existenz, die sich im Laufe der Monate vor mir ausbreitete, sich ausbreitete aus einem unveränderlichen göttlichen Kern.

Du schreibst über meine Klagen, »ich glaube nicht daran und auch Du glaubst es nicht«. Diese Meinung ist ja das Unglück und ich bin nicht schuldlos daran. Es hat sich, das leugne ich nicht (leider aus der schönsten Berechtigung heraus), eine Übung im Klagen bei mir entwickelt, so daß mir der Klageton wie den Straßenbettlern immer zur Verfügung steht, auch wenn es mir nicht ganz genau so ums Herz ist. Aber ich erkenne meine über jedem Augenblick ruhende Pflicht, Dich zu überzeugen, klage deshalb auch mechanisch mit leerem Kopf und erreiche damit natürlich das Gegenteil. »Du glaubst nicht daran« und überträgst den Nichtglauben dann auch auf die wahren Klagen.

Aber weg davon! Zum Schluß des Briefes wenigstens weg davon! Gestern abend fühlte ich mich aus verschiedenen Gründen besonders allein, das ist eigentlich das Schönste, niemand stört dann (auch wenn man gerade mit vielen Verwandten geht), ringsum um einen ist es leer, alles geradezu sorgfältig dafür vorbereitet, daß Du kommst. Und Du kamst dann auch, warst ganz nahe bei mir, wie allein, fast komisch allein ich gerade auch aussehen mochte.

Franz

vom 9. zum 10. III. 13

Nein, ein wie unvernünftiges, schlaffes Leben ich führe! Ich will gar nicht darüber reden. Wie ich diesen Sonntag heute verbracht habe mit Kopfhängen, ohne unglücklich zu sein, mit Herumsitzen, ohne mich übermäßig zu langweilen, mit Spazierengehn mit Felix und dann (fast aufatmend) allein und wie doch bei allem irgendeine Faust mir im Nacken saß!

»Das Gefühl, Du könntest mir genommen werden« – wie sollte ich es nicht haben, Liebste, da ich mir das Recht abspreche (aber »Recht« ist zu schwach, »abspreche« ist zu schwach!) da ich mir das Recht abspreche, Dich zu halten. Täusche Dich nicht, Liebste, es ist nicht die Entfernung, die des Übels Grund ist, im Gegenteil, gerade in der Entfernung ist mir wenigstens ein Schein des Rechtes auf Dich gegeben und den halte ich ja fest, soweit sich Unsicheres mit unsicheren Händen halten läßt.

Gestern abend habe ich übrigens eine Entdeckung gemacht, die schrecklich sein sollte, die mich aber fast erleichtert hat. Ich kam spät von Baums nachhause, Dir schreiben wollte ich nicht mehr, trotzdem innerhalb meiner Launen eine zu geringe Abwechslung ist, als daß es einen Sinn hätte, einzelne für die Briefe an Dich aufzusparen, und ich hätte also gut an Dich schreiben und die Wohltat dessen genießen können, aber ich schrieb nicht, schlafen gehn wollte ich auch nicht, dazu hatte ich noch zu viel Unbehagen in mir von einem allerdings ganz kleinen Spaziergang her, den ich gerade mit meinen Verwandten gemacht hatte, die ich nach allzu frühem Abschied von Max, Frau und Felix im Kaffeehaus abgeholt hatte – und so nahm ich, weil gerade die Hefte mit meinem Roman vor mir lagen (durch irgendeinen Zufall waren die solange unbenutzten Hefte in die Höhe gekommen), diese Hefte vor, las zuerst mit gleichgültigem Vertrauen, als wüßte ich aus der Erinnerung genau die Reihenfolge des Guten, Halbguten und Schlechten darin, wurde aber immer erstaunter und kam endlich zu der unwiderlegbaren Überzeugung, daß als Ganzes nur das erste Kapitel aus innerer Wahrheit herkommt, während alles andere, mit Ausnahme einzelner kleinerer und größerer Stellen natürlich, gleichsam in Erinnerung an ein großes aber durchaus abwesendes Gefühl hingeschrieben und daher zu verwerfen ist, d. h. von etwa 400 großen Heftseiten nur 56 (glaube ich) übrig bleiben. Rechnet man zu den 350 Seiten noch die etwa 200 einer gänzlich unbrauchbaren im vorigen Winter und Frühjahr geschriebenen Fassung der Geschichte, dann habe ich für diese Geschichte 550 nutzlose Seiten geschrieben. Aber jetzt Gute Nacht, meine arme Liebste, träume von schönern Dingen als von Deinem

Franz

vom 10. zum 11. III.12 [1913]

Womit habe ich mir denn die Schachtel mit den lieben Blumen verdient?* Ich bin mir keines Verdienstes bewußt und es wäre viel passender für mich gewesen, wenn in der Schachtel ein Teufel versteckt gewesen wäre, mich in die Nase gezwickt und nicht mehr losgelassen hätte, so daß ich ihn immer herumtragen müßte. Weißt Du, daß ich für Blumen eigentlich keinen Sinn hatte und auch jetzt im Grunde Blumen nur würdigen kann, wenn sie von Dir kommen und auch dann würdige ich sie eben nur auf dem Weg über Deine Blu-

* [Zwischen den Zeilen] (Antwort in der Klammer: Weil heute keine Nachricht kam.)

menliebe. Schon seit meiner Kindheit gab es immer Zeiten, wo ich fast unglücklich war über mein Unverständnis Blumen gegenüber. Dieses Unverständnis deckt sich zum Teil mit meinem Unverständnis der Musik, wenigstens habe ich diese Beziehung oft gefühlt. Ich sehe kaum die Schönheit der Blumen, eine Rose ist mir ein kaltes Ding, zwei sind mir schon zu gleichförmig, Zusammensetzungen von Blumen scheinen mir immer willkürlich und erfolglos. Wie das die Unfähigkeit immer zu machen pflegt, habe auch ich oft versucht, andern eine besondere Neigung für Blumen vorzutäuschen. Es gelang mir wie jeder bewußten Unfähigkeit, solche Leute zu täuschen, die eine dumpfe, aus ihrem sonstigen Wesen nirgends hervortretende Zuneigung zu Blumen haben. Meine Mutter z. B. hält mich gewiß für einen Blumenfreund, weil ich gern Blumen schenke und vor Blumen mit Draht fast schaudere. Aber dieser Draht stört mich nicht eigentlich der Blumen halber, sondern ich denke nur an mich und dieses Stückchen Eisen, das sich in das Lebendige windet, ist für mich scheußlich aus diesem Grund. Ich wäre vielleicht gar nicht darauf so aufmerksam gemacht worden, daß ich ein solcher Fremder unter Blumen bin, wenn ich nicht gegen das Ende des Gymnasiums und während der Universitätszeit einen guten Freund gehabt hätte (er hat mit dem Vornamen Ewald [Přibram] geheißen, fast ein Blumenname, nicht?), der, ohne besonders für zartere Eindrücke empfänglich zu sein, ja sogar ohne musikalisches Gefühl zu haben, eine solche Liebe zu Blumen besaß, daß sie ihn, wenn er z.B. gerade Blumen ansah, abschnitt (er hatte einen schönen Garten), begoß, in eine Vase steckte, in der Hand trug oder mir schenkte (was soll ich mit ihnen anfangen, fragte ich mich oft und wollte es doch nicht bis zur äußersten Eindeutigkeit sagen, im allgemeinen sagte ich es natürlich oft, er war ja darin auch nicht zu täuschen), daß ihn also diese Liebe geradezu verwandelte und er dann anders – ich möchte fast sagen – tönender sprach trotz des kleinen Sprachfehlers, den er hatte. Oft standen wir vor Blumenbeeten, er sah auf die Blumen, ich gelangweilt über sie hinweg. Was würde er nun sagen, wenn er sehen würde, wie ich die Blumen sorgfältig aus der Schachtel hebe, ans Gesicht drücke und lange ansehen kann. Wie kann ich denn für alle Deine Liebe und Güte danken, Felice?

Franz,
eng darunter geschrieben.

Das ist traurig, Felice, Du klagst, und ich muß es anhören wie einer, der blind und stumm ist und außerdem seine Glieder nicht bewegen kann und nur gerade das Gehör noch hat. Das Ärgste ist für mich, daß ich Dir dabei Unrecht tue oder wenigstens getan habe, denn da Du von dieser Sache nicht mehr schriebst, ja deren Erwähnung einmal abwehrtest, dachte ich, durch Deine Reise und die Reise Deiner Schwester wäre entweder alles geordnet oder wenigstens so weit gebracht, daß keine Verschlimmerung und keine neue Aufregung eintreten könnte. In dieser Meinung schrieb ich meine letzten Briefe und verlangte von Dir, ohne es bös zu meinen, Interesse für meine Dinge, während Du immerfort noch – freilich ohne es auch nur mit einem offenen Worte ahnen zu lassen – an dem alten Leide würgtest. Ich will es ja nicht erfahren, Liebste, denn es ist ja nicht Dein Geheimnis sondern das Geheimnis Deiner Schwester, aber wissen will ich immer, wenn Du »am Ende Deiner Kräfte« bist, damit ich nicht noch zu der mir eingeborenen Roheit in der Behandlung eines Wesens, wie Du es bist, noch Roheit aus Unkenntnis Deiner Lage hinzufüge. Möchtest Du mir für 2 Tage ein Bild Deiner Schwester borgen, damit ich weiß, um wen Du Dich sorgst? Du bist die einzige, die von dem Unglück weiß? Toni z. B. weiß gar nichts?

Wie traurig das ist! Und wie hilflos ich bin! Das beste wäre doch, nach Berlin zu gehn, Dich in die Arme zu nehmen und hierherzutragen. Aber wenn ich es könnte, hätte ich es ja schon längst getan. Schon einige Zeit denke ich daran: Darf ich Dich »Fe« nennen? Du unterschriebst Dich früher manchmal so, dann erinnert es auch an »Fee« und an das schöne China, endlich ist es auch ein geeignetes Wort, um ins Ohr gesagt zu werden. Also? Fe? Nur wenn es Dir gefällt, stimm zu, Du bist mir unter allen Namen lieb.

Was für ein sonderbares Selbstbekenntnis steht heute in Deinem Brief! Ein schwacher Mensch wärest Du, der mit sich selbst schon in ruhigen Zeiten nichts anzufangen weiß. Höre, Du willst Dich doch nicht verkleiden und mich mit mir selbst schrecken? Gern wüßte ich, worauf die Bemerkung zurückgeht und wie sich ihre Entwicklung über die Samstagnacht hinweg in Dir verliert. Das soll Dir erspart bleiben, wenigstens für die Dauer, »mit sich nichts anzufangen wissen«, vertraue mir, der darin Erfahrung hat, solche Menschen sehn anders aus als Du und haben einen andern Blick. Die Ursache Deines gegenwärtigen Zustandes kann nur die sein, daß Du fremdes Leid schwerer trägst als eigenes und so von außen her in eine Verwirrung gebracht wirst, in die Du von innen her nie kommen könntest.

Franz

vom 12. zum 13. III. 13

Nur paar Worte, meine Liebste, es ist besser so. Es ist so spät schon. Ich war bei Max und dann im Kaffeehaus. Ich habe alles mögliche in mich hineingelesen, ich war allein. Vielleicht hätte ich doch früher nachhause gehn sollen, beim Eintritt ins Kaffeehaus zuckte ich noch zurück, dann ging ich aber doch, es war zu spät, um noch nachhause zum Nachtmahl zu gehn und die Gier nach Zeitschriften war schon zu sehr in mir angesammelt. Als ich den Sessel anfaßte, um mich zu setzen, überlegte ich noch, ob ich bleiben sollte. Nun ist so spät und ich berühre Dich nur mit den Fingerspitzen. Gute, gute Nacht!

Franz

vom 13. zum 14. III. 13

Ist man schon ruhiger? Zieht das Leid ab? Nach dem heutigen Brief könnte man es glauben und recht wäre es mir schon, aber mir fehlt das Zutrauen. Lesen kannst Du nicht? Das ist kein Wunder. Wann hättest Du denn Zeit dazu? Aber wie kommst Du, Felice, Liebste, wie kommst Du zu Uriel Acosta[1]? Ich kenne das Stück auch nicht und ich dächte, ich könnte es auch nicht lesen, trotzdem bei mir wahr ist, was Du zum Spaß von Deinem Gehirn sagst. Aber vielleicht muß so ein Gehirn eintrocknen und hart werden, damit man einmal zu seiner Zeit einen Funken daraus schlagen kann. – Das wollte ich schreiben, als meine Schwester, ich saß allein im Wohnzimmer, läutete, sie war aus dem Kinematographentheater nachhause gekommen und ich mußte ihr öffnen gehn. Nun war ich gestört und ließ den Brief. Die Schwester erzählte von der Vorstellung oder vielmehr ich fragte sie aus, denn, wenn ich auch selbst nur

---

[1] Tragödie von Karl Gutzkow.

335

sehr selten ins Kinematographentheater gehe, so weiß ich doch meistens fast alle Wochenprogramme aller Kinematographen auswendig. Meine Zerstreutheit, mein Vergnügungsbedürfnis sättigt sich an den Plakaten von meinem gewöhnlichen innerlichsten Unbehagen, von diesem Gefühl des ewig Provisorischen ruhe ich mich vor den Plakaten aus, immer wenn ich von den Sommerfrischen, die ja schließlich doch unbefriedigend ausgegangen waren, in die Stadt zurückkam, hatte ich eine Gier nach den Plakaten und von der Elektrischen, mit der ich nachhause fuhr, las ich im Fluge, bruchstückweise, angestrengt die Plakate ab, an denen wir vorüberfuhren. – Manchmal, ich weiß nicht, welches der Grund ist, drängt sich mir besonders stark alles auf, was ich Dir zu sagen habe, wie eine Volksmenge, die gleichzeitig in eine enge Tür hineinkommen will. Und ich habe Dir gar nichts gesagt und weniger als nichts, denn, was ich in der letzten Zeit geschrieben habe, war falsch, nicht bis zum Grund natürlich, denn im Grunde ist alles richtig, aber wer kann durch diese Verwirrung und Falschheit an der Oberfläche hindurchsehn? Kannst Du es, Liebste? Nein, gewiß nicht. Aber lassen wir es jetzt, es ist schon spät. Die Schwester hat mich aufgehalten. »La broyeuse des cœurs« wurde gespielt, die Herzensbrecherin. Und nun habe ich ein wissenschaftliches Buch allzulange gelesen. Wie wäre es, Liebste, wenn ich Dir statt Briefe – Tagebuchblätter schikken würde? Ich entbehre es, daß ich kein Tagebuch[1] führe, so wenig und so nichtiges auch geschieht und so nichtig ich alles auch hinnehme. Aber ein Tagebuch, das Du nicht kennen würdest, wäre keines für mich. Und die Veränderungen und Auslassungen, die ein für Dich bestimmtes Tagebuch haben müßte, wären für mich gewiß nur heilsam und erzieherisch. Bist Du einverstanden? Der Unterschied gegenüber den Briefen wird der sein, daß die Tagebuchblätter vielleicht manchmal inhaltsreicher, gewiß aber immer noch langweiliger und noch roher sein werden, als es die Briefe sind. Aber fürchte Dich nicht allzusehr, die Liebe zu Dir wird ihnen nicht fehlen. Was Du lesen sollst? Ich weiß ja nicht, was Du kennst. Das oft erbetene Bücherverzeichnis habe ich auch noch nicht bekommen. Blindlings sage ich: Lies Werthers Leiden! An Deinen Vater habe ich sonderbarer Weise in der letzten Zeit wirklich oft gedacht und oft wollte ich auch schon fragen, ob er [Stoeßls] »Mor-

---

[1] In Kafkas Tagebüchern finden sich zwischen dem 28. Februar und 2. Mai 1913 keine Eintragungen.

genrot« schon ausgelesen hat. Sieh, Felice, Du denkst nicht genug an mich, gestern habe ich erfahren, daß letzthin im Berliner Tageblatt eine Besprechung der »Höhe d. Gefühls« von Stoessl stand. Und Du hast sie mir nicht geschickt. Ich lege zwei Zeitungsabschnitte bei, die gerade heute erschienen sind und die ich gerade zufällig bei der Hand habe. Die Novelle ist zwar für Oskar [Baum] ebensowenig charakteristisch wie der Aufsatz für Felix [Weltsch], sie können beide viel Besseres, über das Bessere Oskars wirst Du gewiß noch staunen, während das Bessere des Felix Dir unzugänglich ist. (Mir nicht weniger.)[1]

Sonntag in Deiner Not hast Du auch noch gekocht und so Appetitliches. Ich bedauerte heute vormittag nach meinen Principien nichts essen zu dürfen, solche Lust hatte mir Deine Aufzählung gemacht. Es ist ja freilich nur theoretische Lust, wie ich überhaupt gerne Menschen essen sehe.

Adieu, Felice, und noch einen besondern Dank für den heutigen langen Brief.

Franz

vom 14. zum 15. III. 12 [1913]

Es hat mit einem Klecks begonnen, ich habe das Papier nicht gewechselt, vielleicht kommt selbst dadurch ein wenig Wirklichkeit in mein immer unwirklicher werdendes (merkst Du es denn nicht, Liebste?), aus den Lüften herbeigezogenes Schreiben. – Sonst nur paar Worte, es ist wieder spät, ich war mit Felix bei dem »Anderen« im Kinematographen und dann spazieren. Ich will deshalb nicht länger schreiben, damit sich nicht ein Vormittag wie der heutige war, morgen wiederholt. Weißt Du Liebste, mein Chef im Bureau in seiner unbedingten Festigkeit gibt mir Kraft, ich kann ihm nicht folgen aber bis zu einer gewissen Grenze ihn bewußt, bis zu einer weitern Grenze unbewußt nachahmen und weiterhin ihm wenigstens nachsehn und daran mich halten; heute war er krank. Wenn er nicht im Bureau ist, habe ich früh und mittag die Verteilung der

---

[1] Die Novelle »Die Fremde« von Oskar Baum erschien am 13. März 1913 in der *Bohemia*, ein Aufsatz von Felix Weltsch über Henri Bergson am selben Tage im *Prager Tagblatt*.

allgemeinen Post an seinem Tische vorzunehmen. Nun ich lag in diesem Lehnstuhl wie aufgelöst, Leute, die kamen, sah ich nicht und hörte ich nicht, in gleichgültige Briefe starrte ich hinein, ich dachte, daß ich nachhause, ins Bett gehören würde, aber – überleg das nur – nicht einmal vom Bett, nicht einmal vom ruhigen Liegen erhoffte ich mir Besserung. Nun ist es ja zum Teil einfach zu erklären, ich schlafe wenig, unordentlich und schlecht, gehe wenig herum, bin von vornherein ganz und gar mit mir unzufrieden, dann legt es mich eben einmal so hilflos in den Lehnstuhl hinein. Daß Dein Brief heute nicht gekommen war, konnte ich kaum begreifen, ich war viel zu schwach, um darüber unglücklich oder unruhig zu sein (und ich wiederhole noch einmal, es hat nicht die geringste Bedeutung, wenn Du einmal, Liebste, keine Zeit zum Schreiben hast), ich begriff es nur nicht recht und ohne besonders daran zu denken, wird es doch auch ein Grund vielen nutzlosen Dasitzens gewesen sein. Und während des ganzen Vormittags hat es sich nicht viel gebessert. Wie ein Kranker bin ich nachhause gegangen, immer schwebte mir die Vorstellung der Länge des Weges vor, die noch zurückzulegen war. Aber krank bin ich nicht, man sieht mir eigentlich nichts an, nur eine Falte über der Nase habe ich und eine immer größer werdende, schon ganz auffällige Menge weißen Haares.

Heute abend, nachdem ich ein wenig geschlafen hatte und Bassermann mich ein wenig verwandelt hatte, war mir sogar manchmal sehr wohl und wir – ich und Felix – haben heute gut zueinander gepaßt. Von Bassermann könnte ich Dir sehr viel erzählen, so elend das Stück ist, und so sehr Bassermann darin mißbraucht wird und sich selbst mißbraucht. – Gute Nacht, Liebste, und schönen Sonntag. Ich lege Grüße für Deinen Papa in Deine Augen.

Franz

16. III. 13

Sonntag und keine Nachricht. Das ist nun doch sehr traurig. Vielleicht, meine Liebste, willst Du oder kannst Du nur jeden zweiten Tag schreiben, es wäre ja gewiß auch besser – immer meine ich, alles ist besser als das Jetzige – dann setzen wir es aber fest. Ich schreibe wie bisher jeden Tag.

Liebste, liebste Felice! Wie ich Dich gestern abend förmlich beschworen habe! Wenn ich Dich doch so verdiente (darüber kannst Du nicht urteilen), wie ich Dich brauche (das ahnst Du manchmal gewiß)! Aber Verdienst und Notwendigkeit sind wie Traum und Wachen, die Verbindung zwischen ihnen ist verzerrt.

Wieder gefällt mir Fe nicht so gut wie Felice, es ist zu kurz, der Atem weht nicht lange genug hindurch. Könnte ich doch, Felice, einmal – denn einmal wäre immer – so nahe bei Dir sein, daß Reden und Hören eines wäre, Stille. – Sie streiten in der Küche über eine gestohlene Wurst und stören mich. Nicht nur sie stören mich, in mir jubelt es ja von Kräften, welche stören.

Aber Liebste, warum läßt Du Dich denn von mir so beeinflussen, daß Dir ein Automobilunfall die beste Lösung von Sorgen erscheint. Das bist doch nicht Du, Liebste! In diesem Automobil bin wirklich ich bei Dir gesessen. In der Möglichkeit solcher Gefahren lebst Du, und ich schlage mich mit Schatten herum, wäre ich nicht selbst einer, es wäre unbegreiflich. Aber ich wüßte für mich nichts Besseres – und beim Lesen solcher Nachrichten wird das Gelüste übergroß –, als Automobile, in denen Du in Gefahr bist, mit meinem Körper aufzuhalten. Es wäre die äußerste Verbindung, deren ich wert und hoffentlich fähig bin.

Deine Schwester [Erna] hat nur eine Ahnung von Ähnlichkeit mit Dir, aber hätte sie keine und wüßte ich nur, daß sie Deine Schwester ist, ich müßte sie doch lieben. Der Ausdruck ihrer Augen und deren Verhältnis zur Nase gehört einem Typus jüdischer Mädchen an, der mir immer naheging. Um den Mund ist dann eine besondere Zartheit. Sie ist aber doch im ganzen doch sehr kräftig, scheint es, und nicht so leicht vom Unglück niederzuwerfen. Nun hat sie auch noch eine Freundin, die für sie sorgt und ihretwegen nach Berlin fährt? Die Frisur ist etwas überflüssig groß, aber vielleicht stammt das Bild aus der Zeit, wo man ohne Locken nicht auskommen konnte.

Was wirst Du Liebste, Ostern machen? Bleibst Du in Berlin? Und wenn Du in Berlin bleibst, wird man viel Ansprüche an Dich stellen? Wieso kommt es, daß Dein Vater jetzt so lange in Berlin bleibt? Deine Schwester kommt Ostern wohl auch nachhause? Aus Budapest kam noch keine Nachricht? Sollte mein Delikatessenhändler das Paket verschlampt haben? Baum liest nun also bestimmt am 14. April. Da wirst Du wohl nicht mehr in Berlin sein. Schade, sehr schade!

Franz

Rund heraus gefragt, Felice: hättest Du Ostern, also Sonntag oder Montag, irgend eine beliebige Stunde für mich frei und wenn Du sie frei hättest, würdest Du es für gut halten, wenn ich komme? Ich wiederhole, es könnte eine beliebige Stunde sein, ich würde in Berlin nichts tun, als auf sie warten (ich habe wenige Bekannte in Berlin und auch die wenigen will ich nicht sehn, besonders da sie mich mit vielen Literaten zusammbrächten und meine Sorgen viel zu sehr durcheinandergehn, als daß ich das ertragen könnte), und wenn es keine ganze Stunde, sondern 4 Viertelstunden würden, es wäre auch gut, ich würde keine verpassen, ich würde mich nicht aus der Nähe des Telephons rühren. Die Hauptfrage also bleibt, ob Du es für gut hältst; bleibe Dir dessen bewußt, was für ein Mensch in mir zu Besuch kommt. Deine Verwandten, Liebste, will ich aber nicht sehn, dazu bin ich jetzt nicht geeignet und werde es in Berlin noch weniger sein, wobei ich noch gar nicht, noch lange nicht daran denke, daß ich aus den letzten Jahren kaum einen Anzug übrigbehalten habe, in dem ich mich vor Dir, selbst vor Dir sehen lassen kann. Aber das ist wahrhaftig nebensächlich, es lockt einen nur so, sich vor den Hauptsachen, die Du ja sehn und hören wirst, in die Nebensachen zu flüchten. Überlege also die Sache wohl, Felice! Vielleicht hast Du keine Zeit, dann braucht es keine Überlegung, Ostern werden ja gewiß alle zuhause sein, der Vater, der Bruder, die Schwester aus Dresden; die kommende Übersiedlung wird Dich in Anspruch nehmen; für Deine Reise nach Frankfurt wirst Du Vorbereitungen machen müssen, kurz ich würde es sehr wohl verstehn, wenn Du keine Zeit hättest; ich sage das nicht nur aus eigener Unentschlossenheit, ich würde mich vielmehr dann anstrengen, im April nach Frankfurt zu kommen, wenn Du das für gut halten würdest. – Also, antworte bald.

Franz

17.III.13

Nur ein paar Worte, Liebste. Zuerst einen großen Dank für Deinen Brief, er kam gerade zurecht, um einen Menschen, der mit seinem ganzen Sinn in Berlin war, wieder ein wenig auf seinen Platz zurechtzusetzen. Zum zweiten aber etwas Häßliches, das aber sehr gut zu mir paßt. Ich weiß nicht, ob ich werde fahren können. Heute ist es noch unsicher, morgen kann es schon gewiß sein. Vom Grund will ich nicht reden, ehe es entschieden ist. Mittwoch um 10 Uhr dürftest Du es schon bestimmt wissen. Es ist übrigens an sich gewiß nichts Schlimmes, wir werden sehn. Behalt mich aber lieb trotz dieses Hin und Her.

Franz

vom 17. zum 18.III.13

Du hast recht, Felice, ich zwinge mich in der letzten Zeit öfters, Dir zu schreiben, aber mein Schreiben an Dich und mein Leben sind sehr nahe zusammengerückt, und auch zu meinem Leben zwinge ich mich; soll ich das nicht?

Es kommt mir auch fast kein Wort vom Ursprung her, sondern wird weit am Wege irgendwo, zufällig, unter übergroßen Umständen festgepackt. Als ich im vollen Schreiben und Leben war, schrieb ich Dir einmal, daß jedes wahre Gefühl die zugehörigen Worte nicht sucht, sondern mit ihnen zusammenstößt oder gar von ihnen getrieben wird. Vielleicht ist es so doch nicht ganz wahr[1].

Wie könnte ich aber auch, selbst bei noch so fester Hand, alles im Schreiben an Dich erreichen, was ich erreichen will: Dich gleichzeitig von dem Ernst der zwei Bitten überzeugen: »Behalte mich lieb« und »Hasse mich!«

Daß Du nicht genug an mich denkst, das meine ich aber im Ernst. Denn tätest Du das, dann hättest Du mir das weiße Haar geschickt. – Meine Haare sind aber nicht nur an den Schläfen weiß, nein, der ganze Schädel wird weiß und wird, wenn ich daran denke, daß Du irgendjemanden schon wegen seiner Glatze nicht leiden konntest, noch um ein Stück weißer.

Deine Schwester in Budapest sieht auf der Photographie ein wenig müde und traurig aus, nicht? War sie damals schon verheiratet? Sie ist Deiner Dresdner Schwester wohl ähnlicher als Dir.

Zu dem Tagebuchschreiben habe ich doch keinen rechten Mut, Felice. (»Fe« will mir nun wieder nicht aus der Feder, es ist für Mitschülerinnen gut, für flüchtige Berührungen; Felice ist mehr, ist

[1] Vgl. Kafkas Brief vom 18.–19. Februar 1913, S. 305 f.

schon eine ordentliche Umarmung, und ich, der ich auf Worte angewiesen bin, hier und von Natur aus, darf solche Gelegenheiten nicht versäumen.) Es würden schließlich doch unleidliche Dinge darin stehn, ganz unmögliche Dinge, und wärest Du denn, Liebste, imstande, die Blätter dann nur als Tagebuch und nicht als Brief zu lesen? Die Zusicherung müßte ich vorher haben.

Heute nachmittag schrieb ich so, als hinge die Reise nach Berlin nur von mir ab; daran war nur die Eile des Briefes schuld, natürlich hängt die Reise vor allem von Deiner Meinung ab.

Leb wohl Liebste, ich schreibe Dir noch morgen während des Tages, wie es mit dem Hindernis meiner Reise steht.

Franz

Hast Du die Sachen von Felix und Oskar gelesen?[1] Monte Carlo kenne ich nicht, Max will es mir nicht zeigen, weil die Redaktion zu viel darin geändert hat. In der Osternummer wird etwas über »die österr. Familie« von Max sein[2].

18. III. 13

An und für sich besteht das Hindernis meiner Reise noch und wird, fürchte ich, weiter bestehn, als *Hindernis* aber hat es seine Bedeutung verloren und ich könnte also, soweit dieses in Betracht kommt, kommen. Das wollte ich nur in Eile melden, Liebste. Kein Brief! (Daß Du das nicht am Ende für eine Bitte hältst, es ist nur ein Seufzer.)

Franz

19. III. 13

Ich weiß nicht, Liebste, ich hätte eine Unmenge Arbeit, der ganze Tisch vor mir ist überhäuft, aber ich kann nichts machen. Gut, daß ich mich nicht schon früher entschlossen habe, nach Berlin zu fahren. Der Atem stockte mir beim Lesen Deines Briefes und noch ein

---

[1] Die Beilagen zum Brief 13.–14. März 1913, die Novelle »Die Fremde« von Oskar Baum und der Aufsatz über Henri Bergson von Felix Weltsch.
[2] Max Brod, »Zur Charakteristik der österreichischen Familie«, *Berliner Tageblatt,* 23. März 1913, 4. Beiblatt.

Weilchen danach. Natürlich ist es ja nur meine Schwäche, die jede Gelegenheit benutzt, um sich über mein ganzes Wesen auszubreiten, aber diese Gelegenheit ist auch wirklich zu groß. Wie werde ich die paar Tage noch verbringen! Schon gestern abend – und da hatte ich doch Deine Antwort noch nicht – wußte ich nichts zu schreiben, aber ich weiß auch nichts zu reden, und anhören kann ich nur, was von Ostern handelt.

Und es gäbe doch ein gutes Mittel, um jede Freude und Erwartung zu unterdrücken, ich müßte mir nur klarmachen, warum ich fahre. Ich habe, glaube ich, kein Geheimnis daraus gemacht weder vor mir noch vor Dir, nur kann ich es, so genau ich es auch weiß, nicht bis zu Ende ausdenken. Und diese Unfähigkeit bildet eigentlich mein Glück. Ich fahre nach Berlin zu keinem andern Zweck, als um Dir, der durch Briefe Irregeführten, zu sagen und zu zeigen, wer ich eigentlich bin. Werde ich es persönlich deutlicher machen, als ich es schriftlich konnte? Schriftlich mißlang es, weil ich mir bewußt und unbewußt entgegenarbeitete; wenn ich aber wirklich dasein werde, wird sich nur wenig verbergen lassen, selbst wenn ich mich anstrengen sollte, es zu tun. Die Gegenwart ist unwiderleglich.

Wo kann ich Dich also Sonntag vormittag treffen? Sollte ich doch noch an der Fahrt verhindert werden, würde ich Dir spätestens Samstag telegraphieren. Bist Du Samstag den ganzen Tag im Bureau?

Ich habe den Brief so glücklich angefangen, da ist mir der unvermeidliche zweite Absatz in die Quere gekommen und hat mich zur Besinnung gebracht.

Franz

Kennst Du den Briefwechsel zwischen Elizabeth Barrett und Robert Browning?

[Briefkopf der Arbeiter-Unfall-Versicherungs-Anstalt]

20. III. 13

Kein Brief und ein solches Verlangen nach Dir, und zu den alten Drohungen neuerdings auftretende Drohungen möglicher Hindernisse der kleinen Reise. Jetzt Ostern gibt es gewöhnlich – ich hatte nicht daran gedacht – Kongresse aller möglichen Vereinigungen, wo über Unfallversicherung gesprochen wird und Vertreter der Anstalt irgendetwas vortragen oder wenigstens bei der Debatte dabeisein müssen. Und heute sind tatsächlich 2 solcher Einladungen gekommen. Der Verband der tschechischen Müllereigenossenschaften hat Montag in Prag eine Versammlung, die tschechischen Baumeister der Sudetenländer am Dienstag in Brünn. Das Glück ist, daß es tschechische Versammlungen sind und mein Tschechisch höchst traurig ist, aber es wurden mir schon sehr ernsthafte Aufforderungen gemacht, und es wäre auch nach der Verteilung der Arbeit innerhalb der Anstalt durchaus meine Sache; während der Feiertage hat man auch keine große Auswahl unter denen, welche zu einer solchen Versammlung geschickt werden könnten. Aber ich muß, ich muß Dich sehn, ebenso Deinet- wie meinetwegen (wenn auch beides aus verschiedenen Gründen). Wie habe ich Dich gestern abend gebraucht! Jede Treppenstufe machte mir Mühe, da dieses Treppensteigen ohne Beziehung zur Berliner Reise war.

Franz

21. III. 13

Du schreibst mir nicht? Im Bureau war nichts (bei uns ist kein Bureaufeiertag, darum schickte ich auch meinen Brief in Dein Bureau), aber zuhause auch nichts. Felice! Und dabei ist es noch gar nicht sicher, ob ich fahre; erst morgen vormittag entscheidet es sich, die Müllerversammlung droht noch immer. Und wo ich Dich treffen kann, weiß ich nun auch nicht, wenn nicht morgen ein Brief kommt. Wenn ich fahre, so werde ich höchstwahrscheinlich im Askanischen Hof, Königgrätzerstraße wohnen. Gestern habe ich erfahren, daß Pick zu gleicher Zeit auch nach Berlin fährt. Es hat keine Bedeutung für meinen Reisezweck, es wird angenehm sein, mit P. zu fahren, und in Berlin soll er mich nicht stören, trotzdem und weil er die halbe Berliner Literatur kennt und besucht. Aber wann sehe ich Dich, Dich, Felice, und wo? Wird es Sonntag vormittag möglich sein? Ich muß mich aber ordentlich ausschlafen, ehe ich vor Dich trete. Wie wenig habe ich wieder diese Woche geschlafen, vieles von meiner Neurasthenie und viele meiner weißen Haare stammen von ungenügendem Schlaf. Wenn ich nur gut ausgeschlafen wäre, wenn ich mit Dir zusammenkomme! Daß mir nur die

Knie nicht schlottern! Wenn ich z.B. in dem Zustand auftreten würde, in dem ich jetzt bin. – Aber es ist höchst dumm, sich durch solche Selbstgespräche das wenige von Fassung zu nehmen, das man vielleicht doch noch aufbringen könnte. Also, Felice, die Brief-schreiber nehmen vorläufig voneinander Abschied, und die zwei, die einander vor einem ½ Jahr gesehen haben, werden einander wiedersehn. Dulde den wirklichen Menschen, so wie Du den Brief-schreiber geduldet hast, nicht mehr! (Das ratet Dir einer, der Dich sehr lieb hat.)

Franz

Du bekommst natürlich, ob ich in Berlin bin oder nicht, sonntags einen Brief von mir, oder vielmehr Deine Mutter bekommt ihn. – Jetzt, nachdem ich das geschrieben habe, scheint es mir ein häßlicher Betrug, aber die Vorstellung des wirklichen Menschen beginnt eben.

[Briefumschlag. Stempel: Prag – 22. III. 13]

Noch immer unentschieden.

Franz

[Briefkopf des Hotels Askanischer Hof, Berlin]

[Berlin, den 23. März 1913]

Was ist denn geschehn, Felice? Du mußt doch Freitag meinen Ex-preßbrief bekommen haben, in dem ich meine Ankunft für Samstag nacht anzeige. Es kann doch nicht gerade dieser Brief verloren-gegangen sein. Und nun bin ich in Berlin, muß nachmittag um 4 oder 5 wegfahren, die Stunden vergehn und ich höre nichts von Dir. Bitte schicke mir Antwort durch den Jungen[1]. Kannst mich, wenn es unauffällig geht, der Sicherheit halber auch antelephonieren, ich sitze im Askanischen Hof und warte.

Franz

---

[1] Der Brief wurde durch Boten überbracht.

[Ansichtskarte. Stempel: Leipzig – 25.3.13]

In Leipzig vor der Abfahrt. Herzliche Grüße.

Franz

[Es folgen die Unterschriften von Franz Werfel, Jizchak Löwy, Otto Pick, František Khol[1]]

[Ansichtskarte. Stempel: Dresden – 25.3.13]

Auf dem Dresdner Hauptbahnhof. Herzlichste Grüße, von wo denn nicht? F.

26. III. 13

Liebste, vielen, vielen Dank, ich brauche wirklich Trost und solchen, der aus Deinem lieben, übermenschlich gütigen Herzen kommt. Heute schreibe ich nur diese paar Worte, ich bin vor Verschlafenheit, Müdigkeit und Unruhe fast von Sinnen und habe einen großen Stoß Akten für die morgige Verhandlung in Aussig durchzuarbeiten. Und schlafen, schlafen muß ich unbedingt, morgen muß ich ja wieder um ½5 Uhr früh aufstehn. Aber wenn ich auch noch morgen mit meiner Beichte nicht beginne, zu der ich Mut, also Ruhe brauche, übermorgen beginne ich gewiß.
Weißt Du, daß Du mir jetzt nach meiner Rückkehr ein unbegreiflicheres Wunder bist als jemals?

Franz

[Ansichtskarte. Stempel: Aussig – 27. III. 13]

Um den Tag in Aussig mit etwas Gutem zu beginnen und mir für meine Arbeit einen Schutz zu sichern: Guten Morgen, herzlichste Grüße und Dank, immer nur Dank. F.

---

[1] František Khol (1877–1930), von 1904–1915 Bibliothekar des Nationalmuseums in Prag, später Dramaturg des Nationaltheaters. Einen Brief Kafkas an Khol (Juni oder Juli 1914), in dem auch die erste Verlobung erwähnt wird, veröffentlichte Jan Wagner in der Zeitschrift *Sborník Národního Musea v Praze* VIII (1963) Nach S. 84 f.

Alles gut abgelaufen, nur müde ist man und um den Kopf zuckt es.
Eben habe ich paar Worte gelesen, die Goethe etwa um 10 Uhr an
seinem Todestag (er starb um ½12 vormittag am 22. III. 1832) im
Fieber gesprochen hat, ich kann sie nicht vergessen: »Seht Ihr den
schönen weiblichen Kopf mit Locken prächtig koloriert?« [1]
[auf dem oberen Teil der Bildseite] Ich habe die Karte aus Verschlafenheit ebenso wie unter zu starkem Nachdenken lange angeschaut, ehe ich sie jetzt nach Berlin fortschicke, das nicht wie sonst
8, sondern nur 6 Stunden entfernt ist.

                                                          F.

[Briefkopf der Arbeiter-Unfall-Versicherungs-Anstalt]

                                                  28. III. 13

Liebste Felice, sei mir nur nicht böse, daß ich so wenig schreibe, es
bedeutet nicht, daß ich wenig Zeit für Dich habe, vielmehr gibt es,
seitdem ich von Berlin fort bin, nicht viele Augenblicke, die nicht
ganz und gar und bis auf den Grund und mit allem, was ich bin, Dir
gehören. Aber ich war eben gestern in Aussig, kam spät nachhause
und nun saß ich wirklich vor lauter Erschöpfung nur wie eine Puppe
noch bei Tisch. Ich habe schreckliche Ermüdungszustände durchgemacht. Das war kein menschlicher Kopf mehr, den ich auf dem
Leibe trug. In der Nacht von Mittwoch auf Donnerstag, also vor
der Aussiger Reise, kam ich, da ich die Akten studieren mußte, erst
um 11 ½ Uhr ins Bett, aber trotz aller Müdigkeit konnte ich nicht
einschlafen, noch 1 Uhr hörte ich schlagen und sollte doch um ½5
wieder aufstehn. Das Fenster war offen, ich sprang in meinen zer-
worfenen Gedanken viertelstundenlang ununterbrochen aus dem
Fenster, dann kamen wieder Eisenbahnzüge und einer hinter dem
andern fuhr über meinen auf den Schienen liegenden Körper und
vertiefte und verbreiterte die zwei Schnitte im Hals und in den Beinen. Aber warum schreibe ich das? Nur um wieder durch Mitleid

---

[1] »Seht den schönen weiblichen Kopf – mit schwarzen Locken – in präch-
tigem Kolorit – auf dunklem Hintergrunde.« K.W.Müller, Goethes letzte
literarische Tätigkeit (1832). *Goethes Gespräche,* hrsg. von Biedermann, Bd. 4,
S. 454.

noch einmal Dich an mich zu ziehn und dieses Glück noch zu genießen, ehe die wirkliche Beichte alles zerstören wird.

Wie nah ich Dir von meiner Seite durch die Berliner Reise gekommen bin! Ich atme nur in Dir. Du kennst mich aber nicht genug, Du Liebste und Beste, wenn es mir auch unbegreiflich ist, wie Du über Dinge hinwegsehn konntest, die neben Dir vorgingen. Nur aus Güte? Und wenn das möglich ist, sollte dann nicht alles möglich sein? Aber über das alles werde ich noch ausführlich schreiben.

Franz

Heute kam kein Brief, vielleicht ist er zuhause. Die Ungeduld, das zu erfahren, ist auch ein Grund dafür, daß ich aufhöre.

Könntest Du mir, Felice, etwas darüber schreiben, wie sich die Eindrücke, die zuerst meine Brief[e] und dann meine Gegenwart auf Dich machten, zueinander verhalten?

28. III. 13

Ich will nicht mehr klagen, die 7 Wochen – oder sind es nur noch 6, ich habe keinen Kalender bei der Hand – sind zu kurz und zu lang, zu kurz, um alles zu sagen, zu kurz, um den Glauben daran, daß Du Dich gegen mich nicht veränderst (Du willst mir ja auf das, was ich zu gestehen habe, nicht geradezu antworten), völlig zu genießen, sie sind aber auch fast zu lang, als daß man sie durchleben könnte. Ich suche Dich überall, kleine Bewegungen der verschiedensten Menschen auf der Gasse erinnern mich an Dich durch ihre Ähnlichkeit ebenso wie durch ihre Gegensätzlichkeit, aber ich kann es nicht aussprechen, das mich so erfüllt; es erfüllt mich ganz und läßt keine Kraft übrig, es zu sagen.

Ich habe Dich zu lange in Wirklichkeit gesehn (dafür wenigstens habe ich die Zeit gut ausgenützt), als daß mir Deine Photographien jetzt etwas nützen könnten. Ich will sie nicht ansehn. Auf den Photographien bist Du glatt und ins Allgemeine gerückt, ich aber habe Dir in das wirkliche, menschliche, notwendig fehlerhafte Gesicht gesehn und mich darin verloren. Wie könnte ich wieder herauskommen und mich in bloßen Photographien zurechtfinden!

Nur für das Ausbleiben von Nachrichten habe ich die alte Empfindlichkeit behalten. Mir fehlt jedes Vertrauen. Nur in glücklichen Zeiten des Schreibens habe ich es, sonst aber geht die Welt ihren ungeheueren Gang durchaus gegen mich. Ich überlege immer alle Möglichkeiten für das Ausbleiben Deines Briefes, denke sie hundertmal durch, so wie man in der Verzweiflung beim Suchen irgendeines Gegenstandes hundertmal den gleichen Ort absucht. Wäre es nicht möglich, daß Dir wirklich etwas Ernstliches geschehen ist und daß mich dadurch, während ich mich hier so beiläufig herumschleppe, in Wirklichkeit etwas Schreckliches getroffen hat? Diese Gedanken drehn sich den ganzen Tag langsam aber unaufhörlich in mir herum. Wenn ich, Liebste, von morgen ab Dir tagebuchartige Berichte schicke, so halte es nicht für Komödie. Es werden darin Dinge sein, die ich wirklich nicht anders aussprechen könnte, als wenn ich sie nur für mich sage, sei es auch in Deiner lieben, stillen Gegenwart. Ich kann natürlich nicht an Dich vergessen, wenn ich an Dich schreibe, da ich ja auch sonst an Dich nicht vergessen kann, aber ich will mich gewissermaßen aus dem Dusel, in dem allein ich es schreiben darf, durch Anrufung Deines Namens nicht wecken. Dulde nur, bitte Felice, alles, was Du hören wirst; ich kann jetzt nicht schreiben; ich werde alles grob heraussagen müssen; Du hast vor paar Tagen gesagt, daß Du die Verantwortung für alles auf Dich nimmst, das wäre ja noch viel mehr, als geduldig alles anhören. Ich werde versuchen, alles zu schreiben, bis auf das, was ich vor mir selbst niederzuschreiben mich schämen würde. – Und nun leb wohl Liebste, Gott behüte Dich! Nun kenne ich Berlin beiläufig, schreib mir alle Gassen* und Orte mit Namen, wo Du warst.

Dein

30.III.13

Ich fange noch immer nicht an, ich bin zu unruhig, ich liebe Dich zu sehr. Ich wäre Dir unentbehrlich geworden, sagst Du? Gebe es Gott, schreit es aus mir, und ich soll diesen Schrei mit der Hand ersticken?
Mein ganzer heutiger Schlaf war in den verschiedensten Beziehungen von dem Gedanken daran erfüllt, daß ich heute keinen Brief

* [Am unteren Rand] nicht Gassen, sondern Straßen

bekomme. Er kam auch nicht, und ich spürte es früher in der Kehle, ehe ich die Worte des Dienstmädchens verstand. Dispensieren soll ich Dich vom Briefeschreiben? Liebste, das wäre wenig. Aber von mir Dich befreien, das wäre eine gute Leistung. Aber ich kann ja eben nicht einmal auf die Briefe verzichten. Ich bin von dem Bedürfnis nach Nachrichten von Dir ganz durchsetzt. Zu den nebensächlichsten Lebensäußerungen bekomme ich nur durch Deine Briefe Fähigkeit. Um den kleinen Finger richtig zu rühren, brauche ich Deinen Brief.

Und wie soll ich nur auf Nachrichten verzichten, da ich höre, daß Dir nicht gut ist, daß Du noch immer hustest, daß Du Dich kaputt fühlst. Wenn es nur so wäre wie zur Zeit, da alles in mir gelöst war und ich richtig schreiben konnte! Da fühlte ich mich Dir beim Briefschreiben näher als sonst, heute wollte ich, wenn mir das möglich wäre, den Schreibtisch gar nicht verlassen, um keinen Augenblick dieses Beisammenseins zu verlieren. Manchmal in der Verzweiflung, wenn nichts anderes übrig bleibt, tröste ich mich noch mit solchen unbegründeten Hoffnungen. Wenn ich z. B. im Bureau auch mit der zweiten Post keinen Brief bekommen habe und nun gar nicht weiß, was anfangen und die Entschlußkraft auch zum geringsten Diktieren fehlt und die gesamte Unfallversicherung, so provisorisch sie in meinem Kopfe steckte, nun gänzlich sich aus mir entfernt und jeder kleine Aushilfsbeamte mehr weiß und besser auf seinem Platze ist als ich, dann sage ich mir manchmal: »Sei nicht traurig, Du wirst ihr nachmittag desto länger schreiben und desto länger Dich ihr ganz verbunden fühlen. Es liegt ja nur in Deiner Hand.« Nun ist das aber leider völlig falsch. Wenn ich Dir nicht schreibe, bin ich Dir viel näher, wenn ich auf der Gasse gehe und überall und unaufhörlich mich etwas an Dich erinnert, wenn ich allein oder unter Leuten Deinen Brief an das Gesicht drücke und den Geruch einatme, der auch der Geruch Deines Halses ist, – dann halte ich Dich fester im Herzen als jemals. Ach Gott, es ist ja noch ärger und es ist die Hand meines Unglücks, die sich bis in die Tiefen durchtastet: Am Telephon des »Askanischen Hofes« war ich Dir näher, fühlte die Seligkeit einer Verbindung mehr als vorher auf dem Baumstamm im Grunewald.

Liebste! Liebste! Liebste! Wie versinkt demgegenüber

der Name   Franz!

Es ist schon spät, ich gehe schlafen, nur Dich grüßen und paar Federstriche für Dich schreiben will ich, Liebste, unbegreiflich Geliebte. – Ich habe gefunden, daß ich seit Jahren zu wenig geschlafen habe, und diesem ewigen Reißen in meinem Kopf werde ich nur durch Schlafen beikommen oder gar nicht. Ich habe einen langen Spaziergang ganz allein mit Deinem gestrigen Brief gemacht, ich hätte mit zweierlei Leuten gehen können, aber ich wollte allein sein, früher wollte ich aus Koketterie, aus Unsinn, aus Faulheit allein sein und bin als leidlich frischer und gesunder Junge gelangweilt allein herumgezogen, heute bin ich aus Notwendigkeit allein und zum nicht geringen Teil aus Sehnsucht nach Dir. Ich bin weit vor die Stadt gegangen, habe an einem Abhang in der Sonne ein wenig geduselt, die Moldau zweimal übersetzt, Deinen Brief mehrmals gelesen, Steine von der Höhe hinuntergeworfen, weite Ausblicke gehabt, wie sie nur im ersten Frühjahr zu sehen sind, Liebespaare gestört (er lag im Gras, sie bewegte sich vor ihm auf und ab) – alles war nichts, das einzig Lebendige an mir war Dein Brief in meiner Tasche.

Wenn Du nur gesund bist, Liebste, ich habe solche Sorgen. Diese Bitte um Dispens vom Briefeschreiben hat mich auf den Verdacht gebracht, daß Du nicht ins Bureau gehst. Sollte das wahr sein? Liebste, bleib mir gesund, ich will nie mehr klagen, wenn Du gesund bleibst. Und geh nicht so spät schlafen, Du hast gut ausgesehn, hattest rote Wangen, warst frisch, und doch konnte man es Dir ansehn, daß Du zu wenig schläfst. Liebste, geben wir uns das Versprechen, bis Pfingsten immer um 9 schlafen zu gehn. Jetzt ist zwar schon ½10, immerhin es ist noch nicht zu spät und vom Brief bin ich gestärkt. Also gute Nacht, Liebste, sagen wir es immer um 9 Uhr einer dem andern.

Franz

Meine eigentliche Furcht – es kann wohl nichts Schlimmeres gesagt und angehört werden – ist die, daß ich Dich niemals werde besitzen können. Daß ich im günstigsten Falle darauf beschränkt bleiben werde, wie ein besinnungslos treuer Hund Deine zerstreut mir überlassene Hand zu küssen, was kein Liebeszeichen sein wird, sondern nur ein Zeichen der Verzweiflung des zur Stummheit und ewigen Entfernung verurteilten Tieres. Daß ich neben Dir sitzen werde und, wie es schon geschehen ist, das Atmen und Leben Deines Leibes an meiner Seite fühlen werde und im Grunde entfernter von Dir sein werde als jetzt in meinem Zimmer. Daß ich nie imstande sein werde, Deinen Blick zu lenken, und daß er für mich wirklich verloren sein wird, wenn Du aus dem Fenster schaust oder das Gesicht in die Hände legst. Daß ich mit Dir Hand in Hand scheinbar verbunden an der ganzen Welt vorüberfahre und daß nichts davon wahr ist. Kurz, daß ich für immer von Dir ausgeschlossen bleibe, ob Du Dich auch so tief zu mir herunterbeugst, daß es Dich in Gefahr bringt[1].

Wenn das wahr ist, Felice, – und es scheint mir vollständig zweifellos – dann hatte ich doch guten Grund, vor etwa schon einem halben Jahr mit aller Gewalt Abschied von Dir nehmen zu wollen und hatte auch guten Grund, jede äußerliche Verbindung mit Dir zu fürchten, da die Folge einer solchen Verbindung nur die wäre, daß mein Verlangen nach Dir von allen jenen schwachen Kräften losgekettet würde, die mich, einen für diese Erde Unfähigen, heute noch auf dieser Erde halten.

Ich höre auf, Felice, ich habe heute genug geschrieben.

Franz

Gerade wollte ich mich ausziehn, da kam die Mutter wegen einer Kleinigkeit herein und bot mir dann beim Weggehn einen Gute-Nachtkuß an, was schon viele Jahre nicht geschehen ist. »So ist es recht«, sagte ich. »Ich habe es niemals gewagt«, sagte die Mutter, »ich dachte, Du hast es nicht gern. Aber wenn Du es gern hast, habe ich es auch sehr gern.«

---

[1] Vgl. Brief an Max Brod vom 3. April 1913: »Gestern habe ich nach Berlin das große Geständnis geschrieben, sie ist eine wirkliche Märtyrerin und ich untergrabe ganz deutlich den Boden, auf dem sie früher glücklich und in Übereinstimmung mit der ganzen Welt gelebt hat.« *Briefe,* S. 115.

[Briefkopf der Arbeiter-Unfall-Versicherungs-Anstalt]

2. IV. 13

Ich, Liebste, soll Dir entfremden? Ich, der ich da an meinem Tisch vor Verlangen nach Dir vergehe? Ich wusch mir heute draußen im dunklen Gang die Hände, da überkam mich irgendwie der Gedanke an Dich so stark, daß ich zum Fenster treten mußte, um wenigstens in dem grauen Himmel Trost zu suchen. So lebe ich.

Franz

4. IV. 13
[vermutlich in der Nacht vom 3. zum 4. April 1913]

Es könnte sonst, Felice, leicht ein Zufall sein, daß ich heute keine Nachricht von Dir habe, denn Du bist gestern übersiedelt[1] und hattest wahrscheinlich keinen Augenblick frei. Aber andererseits sieht es heute doch nicht wie Zufall aus und bedeutet vielmehr vielleicht eine Notwendigkeit für alle Zeiten. Vielleicht bekomme ich überhaupt keinen Brief mehr*. Aber ich darf doch dem Bedürfnis, Dir zu schreiben, das seine Wurzel im Mittelpunkte meiner Existenz hat, so lange folgen, bis meine Briefe ungeöffnet zurückkommen. Sähest Du doch den Menschen, der Dir schreibt und wie zerwühlt sein Kopf ist! Franz

4. IV. 13

Neben uns wohnt schon seit 1 oder 2 Monaten ein tschechischer Schriftsteller. Er ist Lehrer und schreibt erotische Romane, wenigstens hat sein letztes Buch diesen Untertitel, und auf dem Titelblatt ist eine Dame abgebildet, die mit brennenden Herzen jongliert. »Brennende Herzen« heißt auch das Buch, glaube ich. Ich weiß nicht

* [Zwischen den Zeilen] Es wäre doch nur selbstverständlich nach dem Brief, den Du Donnerstag bekommen hast. Was erwarte ich denn?

---

[1] Anfang April übersiedelte die Familie Bauer von Berlin NO, Immanuelkirchstr. 29, nach Berlin-Charlottenburg, Wilmersdorfer Straße 73.

eigentlich, aus welchen Gründen ich mir den Menschen, ohne mich irgendwie um ihn zu bekümmern, als einen kleinen schwarzen Schleicher vorstellte. Letzthin hörte ich allerdings von einem tschechischen Schriftsteller eine Bemerkung über unsern Nachbarn, die meine Vorstellung zumindest nicht widerlegte. Er sagte nämlich, daß natürlich nur etwas lächerliche erotische Romane herauskommen können, wenn sie ein Lehrer, ohne Welterfahrung, in trockener Manier, aus seinem kleinen Erdloch heraus schreibt. Jetzt bin ich gerade zum ersten Male mit ihm im Lift zusammengekommen. Was für ein prachtvoller, beneidenswerter Mensch! Weißt Du, die Tschechen streben ja sehr zum französischen Wesen hin, und wenn auch ein solches Streben gewöhnlich nachhinkt und alte Moden des geliebten Landes annimmt, weil nur das schon Durchlebte dem Wesensfremden erreichbar ist, – so ist das bei Nachahmern des Französischen gerade am wenigsten verletzend, denn Frankreich besteht aus Tradition und aller Fortschritt geht dort so allmählich in einem geradezu nichts ausscheidenden Flusse vor sich, daß der Nachahmer fast gleichen Schritt halten kann, ohne sich zu übernehmen, oder doch wenigstens immer noch liebenswert bleibt. Und da hat dieser Mensch einen so saftigen französischen Spitzbart und einen vom Montmartre geholten Schlapphut und einen fliegenden Überzieher über dem Arm und hübsche freundliche Bewegungen, frische Augen – es ist eine Lust, ihn anzusehn[1].

Und da stehe ich und bin wieder bei mir, Felice, liebste Felice, da bin ich und suche mich durch solche Geschichtchen fortzuhaspeln. Liebste, ich habe Dein Telegramm, zuerst schien es mir fast in einer Geheimschrift abgefaßt zu sein. Du hast Donnerstag den Brief von mir bekommen und telegraphierst mir so schön, lieb und ruhig, daß ich mich mit allen Kräften zurückhalten muß, um nicht an diese Worte zu glauben und mich auch beruhigen zu lassen, besonders da heute abend auch Max in anderer aber doch sehr naher Hinsicht mich zu beruhigen gesucht und für den Augenblick fast beruhigt hat. Liebste, dieser Brief, den Du Donnerstag bekommen hast, ist wahr gemeint bis in den Grund. Ich bin jetzt so fahrig, daß ich selbst jetzt an

---

[1] Der tschechische Schriftsteller Petr Dejmek (1870–1945). Der Roman, den Kafka meint, heißt *Hry se srdcem* (Spiele mit dem Herzen), Prag 1913. Das Titelblatt des Buches zeigt eine Dame, die mit vier brennenden Herzen jongliert. Dejmek wohnte damals im selben Haus wie Kafka: Prag I, Niklasstraße 36.

ihm zweifeln könnte und er mir wie zum Spaß zweifelhaft erscheint. Aber nein Liebste, Liebste er ist wahr, er enthält keine Bilder sondern Tatsachen. So ist es, ganz genau so. Franz

[Am Rande unten] Und über alledem vergesse ich, zur neuen Wohnung Glück zu wünschen.

4.IV.13
[vermutlich in der Nacht vom 4. zum 5. April 1913]

In der vorletzten oder vorvorletzten Nacht träumte ich fortwährend von Zähnen; es waren nicht Zähne im Gebiß geordnet, sondern es war eine Masse genau, wie in den Geduldspielen der Kinder, zusammengefügter Zähne, die alle unter einander von meinen Kiefern gelenkt in schiebender Bewegung waren. Ich wandte alle Kraft an, um etwas zum Ausdruck zu bringen, was mir vor allem andern am Herzen lag; die Bewegungen dieser Zähne, die Lücken zwischen ihnen, ihr Knirschen, das Gefühl wenn ich sie lenkte – alles hatte irgendeine genaue Beziehung zu einem Gedanken, einem Entschlusse, einer Hoffnung, einer Möglichkeit, die ich durch dieses ununterbrochene Beißen erfassen, halten, verwirklichen wollte. Ich gab mir solche Mühe, manchmal schien es möglich, manchmal dachte ich, ich wäre mitten im Erfolg, und als ich früh endgültig aufwachen sollte, schien es mir beim halben Öffnen der Augen, alles sei gelungen, die Arbeit der langen Nacht sei nicht vergeblich gewesen, die endgültige, unveränderliche Zusammenstellung der Zähne habe eine zweifellose glückbringende Bedeutung, und es kam mir unbegreiflich vor, daß ich das während der Nacht nicht längst erkannt hatte und so hoffnungslos gewesen war, ja gemeint hatte, das deutliche Träumen schade dem Schlaf. Dann aber wurde ich gänzlich wach (da ruft immer unser Fräulein[1] mit klagender, vorwurfsvoller Stimme, wie spät es ist), und nun war also doch nichts erreicht, diese Unglückszeit des Bureaus fing wieder an und Du Liebste, das wußte ich allerdings damals nicht, hattest die Nacht mit Zahnschmerzen verbracht.

Weißt Du, Liebste, diese Mischung von Glück und Unglück, die mein Verhältnis zu Dir bedeutet (Glück – weil Du mich noch nicht verlassen hast und wenn Du mich verlassen solltest, mir doch einmal

---

[1] Vgl. Anm.[1] S. 82.

gut gewesen bist, Unglück – weil ich die Probe auf meinen Wert, die Du für mich bedeutest, so elend bestehe), jagt mich im Kreis herum, als wäre ich der Überflüssigste auf dieser Welt. Alle Hemmungen, die bisher (jeder Mensch hat oft Proben zu bestehen, ich habe wenige bestanden und keine war so groß und entscheidend wie diese) mich noch hielten, scheinen sich zu lösen, ich gehe in einer sinnlosen Verzweiflung und Wut herum, nicht vielleicht gegen meine Umgebung, gegen meine Bestimmung, gegen das, was über uns ist, sondern nur und mit Wollust gegen mich, gegen mich allein. Am schlimmsten vielleicht geht es mir im Bureau, diese an und für sich gespensterhafte Tätigkeit beim Schreibtisch überwächst mich, ich bringe nichts fertig, manchmal hätte ich Lust, mich dem Direktor zu Füßen zu werfen und ihn zu bitten, mich aus Menschlichkeit nicht hinauszuwerfen. Natürlich merkt kaum jemand etwas von alledem. Und vielleicht wird alles von übermorgen ab besser, ich werde nachmittag bei einem Gärtner arbeiten, darüber schreibe ich Dir nächstens.   Franz

5. IV. 13

Gestern, Felice, bekam ich überraschend Deinen Brief; um 7 Uhr abends, als ich nachhause kam, reichte mir ihn unten die Hausmeisterin. Der Briefträger war zu faul gewesen, in das 4te Stockwerk hinaufzusteigen. Wie friedlich und lieb Du schreibst! Als wäre noch bis zu diesem äußersten Schritt ein Schutzengel mit mir gegangen, – hatte ich, als ich mich entschlossen hatte, nicht alles aber das meiste zu sagen, gezierte, undeutliche Worte gebraucht und sie schließlich doch für verständlich gehalten. Nun kann ich aber nicht mehr zurück, aus diesem letzten Schritt kann ich doch keinen Spaß machen, wenn er wahr gemeint war und unbedingt notwendig war und ist. Auch habe ich in dem Brief, den Du gestern mit der zweiten Post bekommen hast, und auch in dem, welcher Dich wahrscheinlich heute auffindet, schon zu viel gesagt; daß ich heute ohne Nachricht von Dir bin, ist wohl eine Wirkung dessen*.

* [Zwischen den Zeilen] Nein, nun ist Dein Expreßbrief gekommen. Liebste, meine Angst muß Dir, die Du jenen Brief nicht verstanden hast und nicht verstehen konntest, idiotisch vorkommen; es ist aber eine schrecklich begründete Angst.

Nein, Felice, mein Aussehn ist nicht meine schlimmste Eigenschaft. »Wäre schon Pfingsten!« Dieser Wunsch bricht aus mir jetzt (jetzt!) in voller Narrheit los, jetzt, wo es doch kaum einen unsinnigeren Wunsch für mich geben kann als gerade diesen. Vorgestern ging ich an der Ankunftshalle des Staatsbahnhofes vorüber. Ich dachte an nichts Böses und nichts Gutes und bemerkte kaum die paar dort stehenden Dienstmänner, armselig angezogene Familienväter, die, wie es zu diesem Beruf in Prag gehört, sich die Augen wischten, gähnten und herumspuckten. Ohne gleich die Beziehung zu verstehen, wurde ich neidisch auf sie (was an sich nichts Besonderes gewesen wäre, denn ich beneide jeden und denke mich in jeden mit Lust hinein) und erst später fiel mir ein, daß bei diesem Neide der Gedanke an Dich beteiligt war, daß wahrscheinlich diese Dienstmänner auch hier gestanden waren, als Du zum erstenmal den Fuß von der Bahnhofsschwelle auf das Trottoir senktest, daß sie zusahen, wie Du einen Wagen mietetest, den Träger entlohntest, einstiegst und verschwandest. Irgendwo durch das Gedränge eines großen Verkehrs Deinem Wagen nachzulaufen, ihn nicht aus den Augen verlieren, durch kein Hindernis mich beirren lassen, das wäre vielleicht eine Aufgabe, der ich gewachsen wäre. Sonst aber? Was denn sonst? Franz

Aus dem beiliegenden Brief kannst Du sehn, einen wie liebenswürdigen Verleger ich habe. Er ist ein wunderschöner, etwa 25-jähriger Mensch, dem Gott eine schöne Frau, einige Millionen Mark, Lust zum Verlagsgeschäft und wenig Verlegersinn gegeben hat.

[Beigelegt]

Kurt Wolff an Franz Kafka

[Briefkopf des Kurt Wolff Verlags]

Herrn Dr. Franz Kafka
Prag   den 2. April 1913
Nikolasstr. 36

Sehr verehrter Herr Doktor Kafka!
Ich bitte Sie sehr herzlich und sehr dringend, schicken Sie mir doch freundlichst zur Lektüre möglichst *sofort* das erste Kapitel Ihres Ro-

mans, das, wie Sie und ja auch Herr Dr. Brod meinen, gut einzeln veröffentlicht werden könnte, und schicken Sie mir doch auch freundlichst gleichzeitig die Abschrift oder die Handschrift der Wanzengeschichte. Ich reise Sonntag für einige Wochen ins Ausland und möchte gern vorher beides gelesen haben.
Ich würde es als eine besondere Liebenswürdigkeit Ihrerseits auffassen, wenn Sie meinem Wunsch nachkämen.
Hoffentlich sehen wir uns bald einmal wieder und etwas behaglicher als letzthin in Leipzig.

Ihr sehr ergebener   Kurt Wolff[1]

Felice, Liebste, endlich bin ich beim Brief, nebenan ist kein übermäßig angenehmer Besuch, ich laufe schon seit 1 ½ Stunden in mein Zimmer, als wärest Du hier. Merkst Du an meiner Schrift, daß ich heute schon schwere Arbeit geleistet habe und der Federhalter für mich schon eine zu leichte Sache ist? Ja, ich habe heute zum erstenmal beim Gärtner draußen in Nusle, einer Vorstadt, gearbeitet, im kühlen Regen nur in Hemd und Hosen. Es hat mir gut getan. Und es war nicht ganz leicht, eine Stelle zu finden. Dort in der Gegend gibt es zwar viele Gemüsegärten, aber sie stehn ganz frei, ohne Umzäunung, zwischen Häusern, und gerade abend nach Arbeitsschluß, also gerade wenn ich arbeiten will, ist dort ringsherum viel Verkehr, amerikanische Schaukeln, Karussells, Musik; wie hübsch das auch sonst ist, als Arbeitsplatz hat mir das nicht sehr gefallen, besonders auch, da in diesen Gemüsegärten, die meist ganz klein sind und armen Leuten gehören, der Anbau sehr einförmig ist und man deshalb nicht viel erlernen kann. Nun wollte ich ja eigentlich nichts erlernen. Mein Hauptzweck war, mich für paar Stunden von der Selbstquälerei zu befreien, im Gegensatz zu der gespensterhaften Arbeit im Bureau, die mir förmlich davonfliegt, wenn ich sie fassen will – *dort im Bureau ist die wahre Hölle, eine andere fürchte ich nicht mehr* –, eine stumpfsinnige, ehrliche, nützliche, schweigsame, einsame, gesunde, anstrengende Arbeit zu leisten. Ganz ehrlich ist

---

[1] Im Herbst 1912 hatte Kurt Wolff den Ernst Rowohlt Verlag übernommen; seit Mitte Februar 1913 führte er ihn unter seinem Namen weiter. Der zweite Rowohlt Verlag wurde im Februar 1919 in Berlin gegründet.

ja schon diese Begründung nicht, denn ich halte die Selbstquälerei, die ich immerfort ausführe, durchaus nicht für überflüssig, sondern sogar für höchst notwendig und im Verhältnis zu Dir, Liebste, sollte mich diese Quälerei eigentlich durchbohren zu Deinem Glück. Aber für 2 Stunden wollte ich die Qual los sein und ruhig und glücklich an Dich denken dürfen und schließlich vielleicht mir für die Nacht einen ein wenig besseren Schlaf verdienen. Aber mit solchen Erklärungen hätte ich die Leute stutzig gemacht und es hätte mich vielleicht niemand aufgenommen, deshalb sagte ich, ich werde in absehbarer Zeit einen eigenen Garten haben und wolle deshalb ein wenig Gärtnerei erlernen.

Aber es ist zu spät, Felice, morgen erzähle ich weiter, heute schläfst Du wohl schlecht vor Reiseunruhe, armes Kind, es wird alles gut ausgehn. Hier ist einer, der kaum etwas anderes im Kopfe hat als gute Wünsche für Dich.

Franz

8. IV. 13

Einen Zahn hat man Dir gezogen und Schmerzen hast Du wieder gehabt. Wie wirst Du doch fortwährend geplagt und die Müdigkeit will Dich gar nicht verlassen und doch müßtest Du Dich nur einmal völlig ausruhn und könntest die Frischeste sein. Es liegt mir so nahe, jedes Leid, das Dich trifft, in Beziehung zu mir zu bringen, mich deshalb anzuklagen, selbst wenn es so unsinnig ist wie bei Zahnschmerzen. Wirst Du jetzt in Frankfurt Ruhe haben? Und ist das Ehepaar Bluen mitgefahren? Und Frl. Brühl? Und wirst Du Dich recht ausruhn? Lies nicht so lange im Bett wie in Prag! Lies am besten nur Gedichte, nicht Romane, die Dich wachhalten. Ich schicke Dir morgen Werfels Gedichte. Mit dieser Sendung belohne ich Werfel, er verdient es. Heute bekam ich von ihm eine Karte, die er, trotzdem er als nachlässig und faul bekannt ist, geradezu augenblicklich nach Erhalt eines Briefes von mir geschrieben hat und in der er sich erbietet mit zwei andern, die mir auch schreiben, alles mögliche für Löwy zu tun, dem es diesmal wieder hundeschlecht geht und der im Krankenhaus mit jenen fürchterlichen Kopfschmerzen liegt, die ihn alle Vierteljahre als Folge irgendeiner alten Nasenoperation anfallen. Er hat sich von seiner alten Truppe getrennt, mit den schönsten Absichten trotz meines Abratens eine neue Truppe gebildet, die besser als die alte sein sollte, bessere Stücke als die alte aufführen sollte, die aber – wie dies bei so zufällig, eilig zusammengebrachten Leuten selbstverständlich ist – viel schlechter war als die alte und bei der kindlichen Geschäftsführung des Löwy – er fuhr mit der Truppe immerfort zwischen Leipzig und Berlin hin und her fast ohne zu schlafen – auch viel weniger verdiente. Nun war es knapp vor dem Zusammenbruch, die Konkurrenz der alten, bessern Truppe schadete auch und nahm für die Zukunft jede Aussicht, die Schulden, die Löwy für die Truppe auf seinen Namen aufgenommen hatte, waren unsinnig hoch (was denken sich nur diese Gläubiger!) – da wurde Löwy auch noch krank (er schrieb mir: »Gott ist groß, wenn er gebt, so gebt er von alle Seiten«), die Truppe verlief sich natürlich so rasch wie möglich und nun ist er dageblieben, krank, ohne jede Mittel, mit großen Schulden, ohne Aussicht, nach einem vollständigen Mißlingen. Es ist schon eine alte Geschichte, ich weiß gar nicht, warum ich Dir davon nicht geschrieben habe; ich habe eine Menge Briefe von ihm bekommen. Vielleicht folgt er mir jetzt und fährt nach Palästina.

Liebste, ich soll schon schließen und habe Dich noch gar nicht recht angesprochen. Heute vormittag begleitete ich Dich in Gedanken auf Deiner vermeintlichen Fahrt. Es tut nichts, ich bin nachmittag zum zweitenmal nach Frankfurt gefahren.

Franz

8. IV. 13

Also in Frankfurt! Liebste, Du bist doch so brav, daß Du mir selbst im Gedränge der vielen Arbeiten dennoch schreibst. Wollte ich mit Handküssen dafür danken, kämen meine Lippen nicht von Deiner Hand. – Mir ist, als drehte sich ganz allmählich mit der Fahrt Deines Zuges mein ganzes Wesen von Berlin ab und Frankfurt zu. Wie war ich voll Interesse für Oskars letzte Reise nach Berlin, und selbst seine nächste Reise griff mir noch ans Herz, solange Du in Berlin warst, wenn ich auch wußte, daß Du zur Zeit seiner Reise nicht mehr in Berlin sein würdest. Immerhin warst Du noch in Berlin und deshalb war es eine Lust, von Berlin zu reden. Als ich aber gestern bei Oskar war – er las paar Sachen vor, um ihre Wirkung für Berlin zu erproben –, nahm ich alles als zum Teil ausgezeichnete Arbeiten hin, aber meine Gleichgültigkeit gegen die Vorlesung in dem gleichgültigen Berlin ermüdete mich geradezu. Liebste! Ja, von meiner Mutter erzähle ich Dir nächstens, ich schreibe jetzt in großer Eile. Natürlich habe ich ihr von Berlin ein wenig (Du würdest staunen wie schrecklich wenig) erzählen müssen, nur hat mir jenes Hindernis, das mir im Grunewald den Mund versperrte, den Mund auch in Prag versperrt.

Leb wohl Liebste, und viel Glück in der Ausstellung und viel Mut im Hotelzimmer.

Franz

[Briefumschlag. Stempel: 10. IV. 13]

Vor dem Schlafengehn. Spät und müde, auch bin ich wieder genug verwirrt, wolle Liebste, heute nichts weiter von mir hören. Du bist doch glücklich in Frankfurt? Ach Gott, ich lasse Dich so allein durch die Welt reisen.

Franz

10. IV. 13

Endlich weiß ich, wo Du bist, Felice. Ich wage »endlich« zu sagen, trotzdem ich nur einen Tag ohne Brief war und trotzdem Du – Aber wozu das alles wiederholen, Du nimmst mir diesen Zwang, den ich auf Dich üben muß, nicht übel, denn wenigstens ahnen mußt Du es doch, daß mein Verlangen nach einer möglichst ununterbrochenen brieflichen Verbindung mit Dir seinen Grund nicht eigentlich in der Liebe hat, denn die müßte Dich doch in Deiner jammervollen Müdigkeit der ganzen letzten Zeit zu schonen suchen, sondern in meiner unglücklichen Verfassung.

Felice, ich will keine Antworten auf meine Briefe haben, ich will von Dir hören, nur von Dir, ich will Dich in so friedlichem Zustande sehn, wie wenn ich nicht da wäre oder wie wenn ich ein anderer Mensch wäre, ich müßte ja zittern bei dem Gedanken, daß ich die Antworten bekommen könnte, die meine Briefe verdienen – aber nur das eine sag mir, Felice, damit ich darin klar sehe, von wo die Entscheidung schließlich kommen muß, sag: hast Du aus jenem

361

verdrehten, gezierten, ohnmächtigen, dummen Brief, den Du vorigen Donnerstag bekommen hast und auf den ich mich schon mehrmals berufen habe, herausgelesen, um was es sich handelt? Eigentlich dürfte ich von nichts anderem sprechen, es ist wunderbar, Ruhepausen zu genießen, Dich anschauen und an sich vergessen, aber es ist unverantwortlich.

Daran daß Du in Hannover bist, hatte ich nicht gedacht. Ich hatte geglaubt, daß Du erst von Frankfurt aus hinfährst, irre ich nicht, so hast Du es auch einmal so geschrieben. Und Deine Schwester ist in Hannover? Plötzlich? Ist alles Unglück schon vorüber? Die 5 bis 6 Wochen, von denen Du einmal die Entscheidung darüber abhängig gemacht hast, wären ja schon verstrichen. Du hast in Hannover bei Deiner Schwester gewohnt, nicht im Hotel?

Von meiner Gärtnerei mußt Du Dir nicht allzu gute Folgen für mich versprechen. Heute arbeitete ich den vierten Tag. Die Muskeln werden natürlich etwas gespannt, die ganze Figur etwas schwerer und aufrechter und das Selbstgefühl erhöht sich dadurch ein wenig. Ganz ohne Bedeutung kann es natürlich nicht sein, wenn ein Körper, der ohne gute natürliche Gaben bei einem Schreibtisch- und Kanapeeleben sich immerfort angreifen und erschüttern läßt, einmal mit dem Spaten selbst angreift und erschüttert. Aber die Grenzen solcher Wirkungen sind schon zu sehn, ich schreibe Dir darüber noch. Es ist heute schon spät, ich war abends bei Max und habe mich bei den zwei zufriedenen Menschen zu lange aufgehalten. Über diese Ehe habe ich zuerst schlecht geurteilt, aber die Gründe meines Irrtums sind mir nur zu klar.

Franz

11.IV.13

So weit sind wir jetzt von einander, Felice, die Ansichtskarte, die Du noch Mittwoch abends eingeworfen zu haben scheinst, habe ich erst heute Freitag bekommen. Solche Entfernungen fühle ich (nicht jetzt, denn ich bin ganz stumpf von einer schlechten Geschichte von Friedrich Huch, die ich in der Neuen Rundschau gelesen habe[1].

[1] Friedrich Huchs Novelle »Der Gast«, *Die Neue Rundschau* 1913, 4 (April) S. 457 ff.

aber sonst, z. B. als ich Deine Karte auf dem Tisch liegen sah) – nein, ich fahre nicht fort, siehst Du, so bricht manchmal alles über mir zusammen. Eigentlich wollte ich nur erzählen, wie ich letzthin durch Zufall auf den Gedanken kam, es wäre möglich, daß ich in Wien lebte, was für eine schreckliche Entfernung mich dann von Dir trennen würde, wie gerade noch die Entfernung in Prag noch ganz knapp zu ertragen ist und was für ein verlorener Ort dieses Wien dort unten ist, trotzdem es vor einem ½ Jahr Prag sogar näher war als Berlin.

Die Karte war wohl um 4 Uhr geschrieben, Du bist im Speisewagen gesessen, wie genau ich Dich sehe, ich kann Dir beschreiben, wo Du gesessen bist: wenn die Fahrtrichtung diese ← war, so bist Du meiner Vorstellung nach von dieser Fahrtrichtung aus gesehen am letzten oder vorletzten Tisch rechts gesessen, und zwar am Fenster, den Blick gegen die Fahrtrichtung. Ich hätte es aufzeichnen können, aber dann hätte ich Deinen Sessel leer lassen müssen und das wollte ich nicht. Solltest Du behaupten, anderswo gesessen zu haben, werde ich es nicht glauben. Jetzt merke ich übrigens, daß ich mich gewiß geirrt haben muß, denn in meiner Vorstellung sehe ich den ganzen Speisewagen bis auf Dich vollständig leer, und den Kellner, der Dir die Ansichtskarte bringt, muß ich mir schon abzwingen.

Letzthin habe ich übrigens ganz wild durcheinander von Dir, von Max und seiner Frau geträumt. Wir waren in Berlin und fanden unter anderem alle Grunewaldseen, die Du mir in Wirklichkeit gar nicht zeigen konntest, mitten in der Stadt, einen hinter dem andern. Vielleicht war ich bei dieser Entdeckung allein, ich wollte wahrscheinlich zu Dir gehn, verirrte mich fast mutwillig, sah irgendwelche merkwürdige, grauschwarze, undeutbare Erscheinungen von einem Quai aus, fragte einen Vorübergehenden um Auskunft, erfuhr, daß es die Grunewaldseen waren und daß ich, zwar mitten in der Stadt, aber doch sehr weit von Dir entfernt war. Dann waren wir auch in Wannsee, wo es Dir nicht gefallen hat (diese wirkliche Bemerkung lag mir während dieses Träumens immerfort in den Ohren), man trat durch eine Gittertür wie in einen Park oder einen Friedhof und erlebte vieles, für dessen Erzählung schon zu spät ist. Ich müßte auch zu sehr in mir bohren, um mich daran noch zu erinnern. Gute Nacht und bessere Träume.

Franz

Felice, seit Mittwoch nachmittag bist Du in Frankfurt und erst heute Sonntag vormittag erfahre ich es durch Deine Karte. Daß es kein Vorwurf ist Felice, muß Dir schon klar sein, mein Verhältnis zu Dir ist nicht derartig, daß Vorwürfe darin Platz hätten; wäre Dir nur auch das andere klar. Manchmal denke ich, daß Dir durch die Reise nach Frankfurt, durch das Fehlen der Umgebung, in der Du meine ersten Briefe bekamst, durch die Möglichkeit besseren Nachdenkens über mich, durch das Lesen meiner Briefe in Frankfurt eine richtigere Erkenntnis über mich aufgefangen sein könnte; wäre dem so, dann hättest Du allen Grund, diese Reise nach Frankfurt zu segnen. Mir geht es nicht gut, mit dem Kraftaufwand, den ich brauche, um mich am Leben und bei Besinnung zu erhalten, hätte ich die Pyramiden aufbauen können.

Franz

14. IV. 13
[vermutlich in der Nacht vom 13. zum 14. April 1913]

Seit 5 Tagen, Felice, weiß ich nichts von Dir, wie soll ich Dir da schreiben? Laß mich Dich also nur grüßen und Deine liebe Hand ein Weilchen in unverratenen Gedanken in der meinen halten. Den größten Teil des Sonntags habe ich fast ohne zu schlafen im Bett verbracht, was allerhöchstens und ganz ausnahmsweise einem 17-jährigen Jungen als Protest gegen die Welt erlaubt werden könnte. Und wie man bei diesem Liegen das Hirn in jeder Pore mit Ekel durchtränkt!

Franz

[Telegramm, aufgegeben in Prag am 14.4.1913]
Felice Bauer, Frankfurt am Main, Hotel Monopol Metropole

wieder keine nachricht bitte bitte ein offenes wort

¼10 abend 14. IV. 13

Ich muß bei meinen kartenspielenden Eltern schreiben, auch bin ich ein wenig erschöpft vom Gewöhnlichen und Außergewöhnlichen und doch, Felice, – sehr glücklich. »Es ist doch alles wie es war«, hat einen wunderbaren Klang, der bei weitem das Strenge, das in »bitte keine unnütze Sorge« liegen kann, übertrifft. Ich war am Ende meiner Kraft, dort bin ich zwar in der letzten Zeit fast immer gewesen, aber nun hing ich schon fast vornüber. Ich mußte mir sagen – aber warum will die Feder überfließen, ist wirklich alles wie es war, Felice, wirklich alles, wirklich wie es war?

Eigentlich müßtest Du doch staunen, in meinen Briefen ist es meine ewige Sorge, Dich von mir zu befreien, wenn es mir aber einmal gelungen scheint, werde ich toll. Ich verstand nicht, warum mir von einer ganzen Frankfurter Woche nur eine Karte zukommen sollte, verstand nicht, wie Du so wenig Zeit haben solltest, besonders wenn ich mich daran erinnerte, wie Du einmal früher über die Möglichkeit unseres Beisammenseins in Frankfurt geschrieben hattest, von viel freier Zeit, Fahrten in den Taunus usw. Trotzdem nahm ich das Nichtschreiben hin, es sollte so zu Ende gehn, wie es mit mir zu Ende ging. Da wurde gestern, als ich bei Max war, schon im Weggehn von irgendetwas flüchtig mit anderem vermischt gesprochen, mich aber brachte es in irgendeinem gleichgültigen Zusammenhang auf den Gedanken, Du könntest in Frankfurt, gerade in dieser Festhalle, aus der Dein Telegramm datiert ist, mit irgendeinem alten oder auch neuen Bekannten zusammengekommen sein, der Dich festhalte. Gewiß kommen dort die Vertreter aller Firmen zusammen, repräsentative, gutangezogene, kräftige, gesunde, lustige junge Leute, also Leute, gegenüber denen ich mich, wenn man mich ihnen zum Vergleich gegenüberstellen wollte, einfach niederstechen müßte. Was war natürlicher, sagte ich mir, als daß Du an einem von ihnen Gefallen finden könntest, besonders da Du damit die Bitte unzähliger meiner Briefe erfüllt hättest, alles wäre aufgelöst gewesen, ich wäre dort gewesen, wo ich sein müßte und scheinbar sein wollte, d. h. hinausgeworfen aus Deiner Nähe, wie ich es verdiente, da ich Dich nicht bei den Händen gehalten hatte, wie man die Geliebte hält, sondern mich an Deine Füße geklammert und das Gehn Dir unmöglich gemacht hatte. Warum war ich also nicht zufrieden, stand mit einem vor Schlaflosigkeit förmlich eingetrockneten Kopfe auf und atmete zum erstenmal frei, nachdem das Telegramm weggeschickt war?

Franz

Gestern abend konnte ich nicht an Dich schreiben, Deinen Brief bekam ich heute früh ins Bureau, Deine Karte jetzt in der Wohnung. Also abgemüdet, verkühlt und heiser und ich habe an der Ermüdung auch meinen Teil. Wenn es einmal zu einer Abrechnung zwischen uns kommen sollte, wie werde ich dastehn! Mein kleiner Neffe hat jetzt über die schreckliche Erscheinung einer Hausnäherin ¼ Stunde lang geweint, so aufgelöst komme ich mir auch vor nach diesen paar Tagen, wenn auch bei weitem nicht so viel in mir aufzulösen ist, wie in meinem festen Neffen. – Was mein Brief nicht erreicht hat, wird die Aussprache auch nicht erreichen, es ist schlimm. – Also jeden Tag eine Karte? Arme Felice! – Welches Fenster des Hotels gehört Dir? – Als ich Deinen Brief las (und ich schöpfte nur Atem am Schluß, um wieder von Anfang an zu lesen) glaubte ich, es gäbe für mich und für alles Heilung nur bei Dir.

Franz

Störe ich Dich denn nicht mit meinen Briefen, Felice? Ich muß Dich stören, es kann nicht anders sein. Du steckst notwendiger Weise ganz in Geschäften, die Ausstellung ist für Dein Geschäft vielleicht für ein Jahr lang entscheidend, – und da komme ich dann mit nicht dazugehörigen, fremden Dingen und hauptsächlich mit meinem Jammer. Allerdings ist jetzt, da ich es einsehe, die Ausstellung vielleicht zuende, am 20ten sollte sie doch schließen, denke ich. Nun es überkam mich und ich habe nachgegeben, ich hätte mich besser wehren sollen. Jetzt z.B. bin ich musterhaft ruhig, aber auch das ist freilich nicht schön. Schreiben, Felice! Könnte ich doch nur schreiben! Du solltest Freude von mir haben! Aber ich darf ja gar nicht wagen, erst um 11 Uhr schlafen zu gehn, nur wenn ich um 10 Uhr spätestens schlafen gehe, lassen sich die abgespielten Nerven beiläufig, nur sehr beiläufig zur Ruhe bringen. Werde ich überhaupt noch schreiben können?
Und wieder fahre ich in Deine Geschäfte mit Dingen, die Dich nicht bekümmern sollen. Ich höre auf.

Franz

Wie fährst Du nach Berlin zurück? Dienstag den 22. bin ich dummer Weise wieder in Aussig. Könnten wir uns nicht irgendwo die Hände reichen oder wenigstens auf eine etwas kleinere Entfernung hin einander zustrecken? Es würde mir gut tun vom Kopf bis zu den Füßen.

20. IV. 13

Allzulange im Bett gelegen mit den verdrießlichsten Gedanken und einer unüberwindlichen Abscheu vor jeder doch so unentbehrlichen Vorbereitung für meine Aussiger Verhandlung am Dienstag. Ich weiß nicht, ob Du meinen letzten Brief, in dem ich Dir von Aussig schreibe, schon bekommen hast. Wir treffen uns also am Dienstag auf keine Weise, aber das macht nichts, wenn Du nur, Felice, schon aus diesem schrecklichen Frankfurt weg bist. Es hielt Dich von mir ab und mir schien es, als wehrtest Du Dich nicht genug und dann schien es mir wieder, als wehrtest Du Dich zu sehr. Jetzt bist Du wohl schon auf der Reise nach Berlin, es ist 6½ Uhr. Ein Telegramm zu schicken, weißt Du, ist doch so naheliegend, aber immer und ausnahmslos bleibt es eine prachtvolle Idee. Man streckt die Hand aus dem Bett und bekommt das Papier zu lesen und wird für ein Weilchen aus dem ekelhaften Kreis seiner Gedanken mit höherer Gewalt fortgetragen. Könnte ich schreiben, Felice! Das Verlangen danach brennt mich aus. Hätte ich genug Freiheit und Gesundheit vor allem dazu. Ich glaube, Du hast es nicht genug begriffen, daß Schreiben meine einzige innere Daseinsmöglichkeit ist. Es ist kein Wunder, ich drücke es immer falsch aus, erst zwischen den innern Gestalten werde ich wach, darüber aber, über mein Verhalten nämlich, kann ich nicht überzeugend schreiben und nicht reden. Das ist auch nicht nötig, wenn ich nur alles andere hätte. Und nun sind auch noch 3 Wochen bis Pfingsten, wer kann lustig sein? Es wird alles gut werden, sagst Du. Nun ich passe auf, daran soll es nicht fehlen.

Franz

20. IV. 13

Also jetzt Sonntag abend vor dem Schlafengehn und wirklich noch nichts für die Aussiger Verhandlung vorbereitet, trotzdem ich morgen kaum Zeit dazu haben werde und trotzdem ich für diese kompliciete Verhandlung tausend Dinge geordnet im Kopfe haben sollte, wenn ich nur mit einer kleinen Hoffnung auf Erfolg oder wenigstens mit einiger Sicherheit, mich nicht zu blamieren, hinfahren will. Aber ich kann nicht, ich kann nicht. Ja wenn es nur darauf ankäme, die Akten zu studieren, aber vor dieser Arbeit liegen, um meinen Widerwillen zu markieren, Felsen, die ich erst wegräumen müßte. Ich kann nicht. Fällt Dir, Felice, nicht auf, daß ich Dich in meinen Briefen nicht eigentlich liebe, denn dann müßte ich doch nur an Dich denken und von Dir schreiben, sondern daß ich Dich eigentlich anbete und irgendwie Hilfe und Segen in den unsinnigsten Dingen von Dir erwarte. Was könnte es sonst für einen Grund haben, daß ich von der Aussiger Reise z. B. schreibe.

Mein heutiger Brief vom Nachmittag wird angerissen ankommen, ich habe ihn auf dem Weg zum Bahnhof angerissen aus ohnmächtiger Wut darüber, daß ich Dir nicht wahr und deutlich schreiben kann, nicht wahr und deutlich, wie ich es auch versuche, daß es mir also nicht einmal im Schreiben gelingt, Dich festzuhalten und *irgendwie Dir meinen Herzschlag* mitzuteilen und daß ich dann also auch über das Schreiben hinaus nichts erwarten darf. So habe ich z. B. nachmittag geschrieben, daß ich nur unter den innern Gestalten wach werde oder ähnlich. Das ist natürlich falsch und übertrieben und doch wahr und einzig wahr. Aber so mache ich es Dir nie begreiflich, mir dagegen widerlich. Und doch darf ich nicht die Feder weglegen, was das beste wäre, sondern muß es immer wieder versuchen und immer wieder muß es mißlingen und auf mich zurückfallen. Darum habe ich den Brief angerissen und hätte ihn ganz zerreißen sollen und sollte es mit jedem Briefe tun, denn wenn Du bloß die Fetzen meiner Briefe in die Hand bekämest, es wäre dasselbe oder vielmehr es wäre besser.

Nun bist Du wohl schon in Berlin, das sich mir wieder füllt und in meiner Vorstellung wieder jenen würdigen und fast erhabenen Platz einnimmt, den es dort seit einem ½ Jahre hat.   Franz

[Auf der ersten Seite am Rande links] Im Berliner Tageblatt soll Mittwoch etwas ganz Hübsches über »Betrachtung« gewesen sein, ich habe es nicht gelesen, ich habe es erst heute erfahren[1].

---

[1] Albert Ehrensteins Rezension von Kafkas *Betrachtung* im *Berliner Tageblatt* vom 16. April 1913, Beiblatt 4. Wiederabgedruckt in *Kafka-Symposion*, S. 135f.

[Ansichtskarte. Stempel: Aussig – 22. IV. 13]

Ein Ingenieur unserer Anstalt, der bei der heutigen Verhandlung Zeuge ist, während ich eine Art Ankläger sein werde, sitzt mir gegenüber und will noch rasch eine Menge Sachen besprechen, ich aber sage, daß ich zuerst (er liest mir gerade vor) eine Karte schreiben muß, sonst werde es bestimmt schlecht ausfallen.

Herzliche Grüße   Franz

[Ansichtskarte. Stempel: Aussig – 22. IV. 13]

Es ist nun doch schlecht ausgefallen, trotzdem es noch nicht ganz beendet ist. Was soll man tun, es ist nicht meine Schuld, nicht böse sein deshalb! Ich mache mir auch nicht viel daraus, denn in Prag liegt ja ein Brief, und das ist doch die Hauptsache.

FK

26. IV. 13

Ich hätte keine Zeit, Dir zu schreiben, Felice? Nein, das nicht, auch ist mir körperlich nicht schlechter als sonst. Und mutwillig beunruhigen wollte ich Dich gewiß nicht und mutwillig darauf verzichten, Dir zu schreiben, auch nicht, und mutwillig darauf verzichten, von Dir Antworten zu bekommen, erst recht nicht. Aber – höre mich bitte ruhig an – Zeit wollte ich Dir geben, Dir Dein Verhältnis zu mir klar zu machen, denn nach den Nachrichten, die ich von Dir seit Ostern habe (die ersten zwei Briefe vielleicht abgerechnet), mußte ich glauben (bitte, Felice, tritt doch für einen Augenblick an meine Seite und sieh alles an, so wie ich es sehen muß), daß ich nur noch auf eine künstliche Weise Dich bei mir halte, indem ich Brief auf Brief abgehen und so Dich nicht zur Besinnung kommen lasse und Dich dazu dränge, in der Eile alte Worte ohne den alten Sinn zu gebrauchen. Ich sage jetzt nichts Endgültiges, denn jeder neue Brief, den ich von Dir bekomme, beirrt mich von neuem selbst in der festesten Überzeugung, aber wenn es so wäre, dann wäre es wirklich das einzige gewesen, worin Du mich jemals enttäuscht hättest und überhaupt hättest enttäuschen können, denn Offenheit hätte ich selbst im Schlimmsten immer von Dir erwartet. Daß Du mich einmal verabschiedet hättest, darüber hätte ich nicht gestaunt, denn Du konntest mich nicht gleich erkennen, es war sogar unmöglich, ich näherte mich Dir förmlich von der Seite und es dauerte ein Weilchen, ehe wir einander Gesicht zu Gesicht zu drehten. Nun kenne ich ja Deine endgiltige Entscheidung nicht, sondern glaube sie nur aus Deinen letzten Briefen ahnen zu können und ich begreife nur nicht, Felice, daß Du selbst nicht wissen solltest, wie es um Dich steht. Du darfst nicht glauben, daß sich das alles, was ich sage, darauf bezieht, daß Deine Briefe kurz und selten sind, Du hast mir auch früher hie und da kurze Briefe geschrieben und ich war mit ihnen glücklich und zufrieden. Die letzten Briefe aber sind anders. Meine Sachen sind Dir nicht mehr so wichtig und was noch viel ärger ist: es liegt Dir nichts mehr daran, mir von Dir zu schreiben. Was soll ich da? Ich konnte auf die letzten Briefe nicht mehr antworten und stellte mir Donnerstag vor, wie Du im Bureau vormittags aufatmend feststelltest, daß endlich kein Brief gekommen ist.

Franz

[Briefkopf der Arbeiter-Unfall-Versicherungs-Anstalt]

28. IV. 13

Es ist nicht möglich, mit dem Schreiben zu warten, ich muß Dir antworten mitten zwischen den Büchern und Papieren, zwischen denen ich gerade einen Vortrag über »Organisation der Unfallverhütung« mit dem leersten Kopfe machen soll. Felice, wehtun wollte ich Dir also? Wehtun? Dir? Und meine Aufgabe besteht doch nur darin, alles Übel, das ohne meine Schuld von mir auf Dich eindringt, abzuschwächen, so gut ich kann. Und nun ist Dein Brief so müde und traurig. Wie steht es mit Dir? Was fehlt Dir, Du Arme? Bin ich denn ein so grenzenloser Narr? Glaubst Du, ich hätte gleich bei der ersten Ahnung einer Furcht Dir so geschrieben? Ich glaubte eine Menge Beweise zu haben, ich will sie jetzt nicht aufzählen. Dazu ist jetzt auch nicht die Zeit; als ich Deinen Brief gelesen hatte, fühlte ich einen Ruck, als sei ich wieder in die Welt gestellt, nachdem ich lange außerhalb gewesen war.

Ich war schon auf alles vorbereitet, gar als gestern kein Brief gekommen war. Ich schäme mich nicht zu sagen, daß ich es für Hilflosigkeit von Deiner Seite hielt, für Hilflosigkeit in einem andern Sinn.

zuhause
Felice, sag, ist es nicht schrecklich, Du hast ein Leid und ich bin davon ausgeschlossen. Muß ich nicht auf das Leid eifersüchtig sein, das Dich hält? Aber Du hast ja dieses Leid in der letzten Zeit gar nicht mehr erwähnt. Ich hatte fast daran vergessen. In Deinen Briefen hieß es immer nur »in Eile« und »wieder in Eile«, die Augen schmerzten mich schon beim Lesen dieser Worte.
Und nun ging ich hier herum ohne Brief von Dir, ohne Brief an Dich. Und ich hielt es aus. Es müssen doch noch Energien in mir sein. Aber ich beaufsichtigte mich auch ordentlich. Ohne es mir ausdrücklich zu sagen, war ich tätiger als sonst, aufhören oder nachgeben wäre schlimm gewesen. Ich dachte mir Verschiedenes aus, wovon ich gar nicht reden will. Nur das kann ich sagen, daß ich entschlossen war, wenn kein Brief kommen sollte, Dir in einem Brief zu erklären, wie es unendlich viel Möglichkeiten menschlichen Verkehres gibt und wie die Gleichgültigkeit, die Du (im besten Falle allerdings) für mich hast, kein Grund dafür wäre, mich ganz zu verlassen. Wir könnten, wollte ich Dir vorschlagen, auch wieder Sie zueinander sagen, ich wollte Dir Deine Briefe zurückschicken unter der Bedingung, daß Du die meinen behieltest – aber verlassen müßtest Du mich doch deshalb nicht. Und erlauben solltest Du mir trotzdem, Pfingsten nach Berlin zu kommen und Dich zu sehn, denn diese Reise war nun ein gar zu bestimmter Vorsatz, dessen Änderung mein ganzes Leben verdrehn würde. Und dieser Empfangstag Deiner künftigen Schwägerin, der mir in einem Deiner letzten Briefe geradezu als ein Hindernis unseres Zusammenkommens genannt schien, müßte Dich doch bei gutem Willen für eine halbe Stunde freilassen. Ich verstehe übrigens diese Empfangstage nicht.
Natürlich waren meine Entschlüsse nicht ganz fest. So wollte ich Dir z. B. gestern unbedingt telephonieren, wußte zwar nicht, was es sein sollte, denn wenn Du nicht einmal brieflich antworten wolltest, so schien es mir, dann wolltest Du noch weniger mündlich antworten. Trotzdem wollte ich telephonieren. Du, Deine Stimme hören an einem beliebigen zufälligen Nachmittag! Aber ich konnte

unter Deinen Briefen nicht jenen finden, auf welchem Du, wie ich mich erinnern zu können glaubte, die Nr. des Telephons notiert hattest. Wahrscheinlich war es nur auf einem Couvert gewesen. Unter den Nummern, die auf dem Geschäftspapier stehn, wußte ich aber nicht zu wählen, vielleicht hätte ich gerade die Deines Direktors ausgesucht.

Übrigens hatte ich schon einen andern Entschluß und verzichtete auf das Telephonieren. Ich wollte abend zu Max gehn und ihn bitten, Dir zu schreiben. Ich wollte ihm Deine letzten 3 Briefe zeigen, ihm erzählen, was ich Dir geschrieben hatte, ihm noch eine sehr dumme Theorie erzählen, die ich mir für Dein Verhalten gebildet hatte und ihn bitten, Dich zu fragen. Ihm würdest Du doch die Wahrheit sagen, dachte ich, ihm gegenüber würde Dich doch nichts hindern. Er sollte den Brief gleich schreiben und ich wollte ihn dann noch abend in den Zug einwerfen. Ich ging also um ½9 zu Max, aber es war noch niemand zuhause, ich ging unten eine ¾ Stunde auf und ab; aber sie kamen nicht und wenn sie nun auch jetzt gekommen wären, für meine Bitte wäre es doch zu spät gewesen. Ich ging also wieder nachhause und bin jetzt, so traurig ich gestern abend über dieses Mißlingen war, sehr froh, Dir Maxens Brief, den Du heute vormittag bekommen hättest, erspart zu haben.

Liebste, nimmst Du mich also wieder auf? Zum soundsovielten Male? Trotzdem ich gestehen muß, daß ich selbst mit Deinem heutigen Brief in der Hand bei einem neuerlichen Durchleben dieses Monats zu dem gleichen Ende käme. Und trotzdem ich weiß, daß innerhalb einer ungestörten Verbindung dieses Mißtrauen das Schlimmste ist, was man einander antun kann. Ich weiß es noch aus der Zeit her, als Du vor Monaten einmal irgendetwas Mißtrauisches schriebst, es war allerdings nur einmal, ich aber höre nicht auf. Felice! Und Pfingsten? Ich wage Dich gar nicht mehr zu küssen und werde Dich niemals küssen. Ich bin dessen nicht wert.

Franz

[Auf der ersten Seite über dem Briefkopf] Soll ich Donnerstag ein freundliches Wort von Dir haben? Dann müßtest Du den Brief expreß schicken. Es ist Feiertag und die Post wird nur einmal ausgetragen. Bis 12 Uhr aber bin ich im Bureau.

Es ist schon spät. Ich war mit Max, seiner Frau und Weltsch bei einer Jargonvorstellung, bin aber vor Schluß weggelaufen, um Dir noch paar Zeilen zu schreiben. Was für ein Gefühl, das zu dürfen! Was für ein Gefühl, bei Dir aufgehoben zu sein vor dieser ungeheuern Welt, mit der ich es nur in Nächten des Schreibens aufzunehmen wage. Heute dachte ich, man müsse sich gar nicht beklagen, wenn man in diesem Doppelgefühl lebt, daß es jemand, den man liebt, mit einem gut meint, und daß man außerdem zum Überfluß die Möglichkeit hat, sich jeden Augenblick aus der Welt zu schaffen. – Liebste, wie denkst Du Dir den Besuch zu Pfingsten? Ich habe letzthin vor dem Einschlafen eine herrliche Idee gehabt, sie ist aber nur herrlich vor dem Einschlafen, kann aber nur bei hellem Tag ausgeführt werden. Ich verrate sie aber erst, bis Du mir folgende Fragen beantwortest. Soll ich Pfingsten bei Deiner Familie einen Besuch machen? Und wie stellst Du Dir das vor?
Nachdem ich Dir diese Schwierigkeiten bereitet habe, lege ich mich ins Bett, ziemlich ruhig, wenn nicht das Leid wäre, das Dich noch immer zu bedrücken scheint.

Dein

30. IV. nachmittag

Ich hatte früh einen falschen Brief in der Eile (das Wort eigne ich mir an und gebe es Dir nicht mehr wieder) mitgenommen und muß jetzt diesen express schicken. Vorher küsse ich nur noch die liebe Hand, trotzdem sie gestern nicht einen Federstrich für mich gemacht hat.

1. V. 13

Kein Brief. Sollte ich das Telegramm schlecht verstanden haben, trotzdem ich es so oft gelesen habe, trotzdem es in der Nacht unter meinem Polster lag. Liebste, sieh darüber hinweg, daß ich Dir nur noch Vorwürfe schreibe, ich widerlicher und undankbarer Mensch, der ich bin. Aber weißt Du, ich bin im Bureau und mein Herz klopft eigentlich in dem Brief, von dem ich glaube, daß er zuhause liegt. Und dann laufe ich nachhause und es ist nichts da und damit ist das Urteil gesprochen, daß ich zumindest einen Tag und eine Nacht wieder warten muß. Ich will Dich ja nicht plagen, es ist Sommer, Du sollst nicht viel schreiben, sollst auch nicht unruhig sein, wenn Du einmal nicht geschrieben hast – gut, stellen wir also fest, daß ich nur einmal in der Woche, jeden Sonntag, *aber ganz bestimmt,* ob Du nun übersiedelst oder ob Ausstellung ist oder ein anderes Unglück in meinem Sinn, einen Brief von Dir bekomme, an dem Du eben schreiben kannst, wann Du Zeit und Lust hast, den Du dann aber schließlich jeden Samstag früh in den Briefkasten werfen mußt. Willst Du so lieb sein? Damit ich nicht mehr warten muß, damit die Zeit nicht so stockend und langsam vergeht, denn die Uhren schlagen hier nur, wenn ein Brief von Dir kommt. Mein Kopf wird auch besser werden; es sieht zwar aus, als hätte ich diese Kopfschmerzen zur Unterstützung meiner Bitte jetzt erfunden, aber ich habe sie wirklich. Vielmehr sind es keine Kopfschmerzen, sondern unbeschreibliche Spannungen. Schreiben sollte ich, sagt mein innerster Arzt. Schreiben, trotzdem mein Kopf so unsicher ist und trotzdem ich vor einem Weilchen die Unzulänglichkeiten meines Schreibens zu erkennen Gelegenheit hatte. Ja, ich habe Dir noch gar nicht geschrieben, daß nächsten Monat ein ganz kleines Buch (es hat 47 Seiten) von mir erscheinen wird, eben habe ich hier die zweite Revision. Es ist das erste Kapitel des unglücklichen Romans und heißt »Der Heizer. Ein Fragment«. Es erscheint in einer billigen Bücherei, die Wolff herausgibt und die ein wenig komisch »Der jüngste Tag« heißen wird, das Bändchen zu 80 Pfennig. Das Ganze gefällt mir nicht sehr, wie jedes nutzlose künstliche Herstellen einer Einheit, die nicht da ist. Aber erstens bin ich Wolff doch verpflichtet, zweitens hat er mir die Geschichte ein wenig herausgelockt und drittens war er so liebenswürdig sich zu verpflichten, den »Heizer« später mit Deiner Geschichte und noch einer andern in einem größern Bande nochmals herauszugeben[1]. – Sobald ich von etwas anderem rede wie von Dir, fühle ich mich wie verloren.

Franz

---

[1] Vgl. den Brief Kurt Wolffs an Kafka vom 16. April 1913, in welchem er verspricht, die Erzählungen »Die Verwandlung«, »Der Heizer« und »Das Urteil« in einem Band zu vereinigen. (Wolff, *Briefwechsel,* S. 30f.)

Du verkennst mich noch immer, Felice, selbst in dieser Kleinigkeit. Wie könnte ich Dir denn böse sein, wenn Du mir so eine freundliche Karte schickst. Nur diese kurzen Sätzchen, die ich besonders aus Frankfurt bekam und die weder eine Mitteilung noch eine Erklärung und kaum einen Gruß, sondern nur Eile, nur Eile enthielten und mit einem Seufzer des Geplagtseins begonnen und mit einem Seufzer der Erleichterung beendet schienen – schienen! schienen! – (ich muß Dir doch alles klagen, da Du mein Liebstes bist, also auch über Dich klagen) – nur jene Briefchen haben mich so aufgeregt.

Jetzt scheint Dich aber die Verlobung Deines Bruders – ich habe Dir gar nicht gratuliert, aber vielleicht bist Du auf die Schwägerin eifersüchtig, dann gibt es nichts zu gratulieren – sehr zu beschäftigen, und das ist wegen der kurzen zwei Pfingstfeiertage sehr traurig. Was werden wir an diesen zwei Tagen tun? Du mußt wissen, ich denke schon kaum mehr an die 2 Tage als vielmehr an die grauenhafte folgende Zeit, wo ich Dich, wenn nicht große Wunder geschehn, sehr lange nicht sehn werde, es müßte denn sein, daß Du mit mir nach Italien fährst oder wenigstens an den Gardasee oder gar nach Spanien zum Onkel[1]. Ich bitte Dich Felice, denke rasch und gut nach. Ich hätte eigentlich nicht davon gesprochen, daß ich Deine Eltern besuchen will, denn repräsentationsfähig sehe ich ebensowenig wie vor 2 Monaten aus und bin es auch ebenso wenig, aber ich fürchtete mich mehr als vor allem davor, wieder nur augenblicksweise mit Dir beisammen zu sein, in Berlin zu sein und etwa 5 Stunden auf dem Kanapee zu liegen und den doch immer unsichern Telephonanruf erwarten. Deinem Bruder würde ich übrigens ein wenig bekannt vorkommen, hast Du ihm damals gesagt, wer ich bin oder wie hast Du ihm sonst das Zusammentreffen erklärt? Übrigens ist ja jetzt alles ein wenig besser, da Du nicht mehr so entlegen wohnst[2]. Trotzdem denk' nach, denk' nach! Mein Kopf will nicht.

Franz

---

[1] Kafkas Onkel Alfred Löwy in Madrid.
[2] Die neue Wohnung der Familie Bauer war dem ›Askanischen Hof‹, wo Kafka in Berlin zu wohnen pflegte, beträchtlich näher als die frühere.

Als ich mich jetzt niedersetzte, um Dir zu schreiben, sagte ich »Liebste« vor mich hin und merkte es erst später. Könnte ich Dir doch einmal begreiflich machen, was Du für mich bedeutest! Und dabei kann ich es aus der Nähe noch weniger als aus der Ferne.

Ich habe nachmittag ganz allein einen Spaziergang gemacht, die Hände in den Taschen bin ich den Fluß entlang weit hinaufgewandert. Wohl war mir nicht, immer wieder mußte ich mir sagen, daß es mir vielleicht immer in gleicher Weise schlecht gegangen ist, daß immer die gleichen Gespenster an der Arbeit waren, daß aber meine Widerstandskraft viel größer war und immer, immer kleiner wird, daß es bald nur ein formaler Widerstand wird und endlich auch das aufhören muß. Es ist wahr, immer staunte ich über die Festigkeit meines Kopfes, der alles scheinbar aus Verständnislosigkeit abgeschüttelt hat, aber es war nicht Verständnislosigkeit, sondern nur längst vergangene Festigkeit. Ich saß jetzt 1 Stunde lang mit meiner Familie zusammen, absichtlich um mich aus dem Alleinsein ein wenig zurückzufinden, aber ich fand mich nicht zurück.

Der Endpunkt meines Spazierganges, ich war in jener Gegend schon jahrelang nicht gewesen, war eine elende Hütte am Fluß. Das Dach so verfallen, daß es nur formlos gerade noch aufgelagert war, der kleine Garten war ein wenig besser gepflegt, schien auch guten feuchten Boden zu haben. Jetzt in der Erinnerung kommt er mir allerdings merkwürdig dunkel vor, er lag allerdings ein wenig vertieft und als ich in ihn hineinsah, war überhaupt schon dunkel, denn ein Gewitter fing an. Das Ganze sah nicht verlockend aus, trotzdem machte ich Pläne. Das Haus dürfte nicht gar zu teuer sein, man könnte das Ganze kaufen, ein kleines ordentliches Haus hinbauen, den Garten besser instandsetzen, eine Treppe zum Fluß hinunter bauen, der Fluß ist dort genug breit und über das andere Ufer hat man eine große Fernsicht, unten könnte man ein Boot angebunden haben und alles in allem vielleicht viel ruhiger und zufriedener leben als in der Stadt, mit der man durch die elektr. Bahn sehr gut verbunden ist. (Nur eine in der Nähe befindliche Cementfabrik mit viel Rauchentwicklung könnte Bedenken machen.) Diese Überlegungen waren die einzige tröstliche Unterbrechung des langen Spazierganges.

Franz

Warum wirkt das Schreiben an Dich nicht stärker auf mich, warum beruhigt es nicht die Verzweiflungsanfälle, die ich manchmal in Gedanken daran habe, daß Du so weit bist, und die jetzt vor der Berliner Reise noch unerträglicher sind als sonst, denn was wird diesen Pfingsten folgen?

Ich soll also einen Besuch bei Euch machen? Dann beantworte mir rechtzeitig folgende Fragen: Welches ist Euere Telephonnummer, im Telephonbuch wird sie ja noch nicht stehn? Muß ich einen schwarzen Anzug haben oder genügt es, wenn ich als zufälliger Besucher im gewöhnlichen Sommeranzug komme? Das letztere wäre mir viel lieber oder besser das erstere wäre mir fast unmöglich. Bringe ich Deiner Mutter Blumen mit? Und was für Blumen?

Ich werde wieder im Askanischen Hof wohnen. Vielleicht komme ich auch wieder um 11 Uhr [abends] an, aber abgesehen davon, daß das unsicher ist (ich habe viel Arbeit im Bureau, und Arbeit, der ich immer weniger gewachsen bin, ein anderer würde das Ganze mit Leichtigkeit bewältigen), beschwöre ich Dich noch außerdem, nicht einmal daran zu denken mich abzuholen. Ich komme immer in einem schrecklichen Zustand an, und Du wirst doch nicht wünschen, daß ich Dir mitten im Bahnhof vor Unsicherheit, Zerstreutheit, Müdigkeit, Verzweiflung und Liebe in die Arme falle. Also bitte nicht daran denken!

Du schreibst, Pfingsten muß man die Vormittage mit dem Empfang zubringen, also auch Montag[1]. Das ist schlimm. Und Montag abend fahre ich ja wieder weg. Länger kann ich nicht bleiben.

Meine »herrliche« Idee besteht kurz gesagt in Folgendem: Wenn Du zustimmst, werde ich Deinem Vater alles das sagen, was ich erstens bis jetzt Dir gegenüber nicht aussprechen konnte und zweitens alles das, was ich Dir schon gesagt und geschrieben habe, ohne daß Du es genug schwergenommen hättest. Das ist mein Plan. Ist er, soweit Du Dich, Deinen Vater und mich kennst, ausführbar? Gestern sagte mir Felix bei irgendeiner Gelegenheit, daß ich einen Curator brauchen würde. Das ist keine schlechte Idee, den würde ich im gewöhnlichen und allerhöchsten Sinne brauchen, wenn nicht schon zu spät ist.

Franz

---

[1] Empfangstag aus Anlaß der Verlobung von Felicens Bruder Ferdinand.

[Am Rande der ersten und der vierten Briefseite] Antworte bitte auf alle Fragen! Hast Du Freitag zwei Briefe von mir bekommen? Du antwortest mir auf einen Vorschlag nicht.
Befeuchte nicht den Copierstift mit den Lippen, wie bei dem vorletzten Brief!

7. V. 13

Geplagt und herumgerissen wird diese Felice, *und für nichts!* Du kennst meine Klagen darüber, ich wiederhole sie nicht mehr.
Sonntag vormittag soll ich Dich also nicht sehn, Felice? Nur die Stimme hören? Eine Freude allerdings, die einen Vormittag erfüllen kann, hätte ich nur mehr als zwei Vormittage. Zum Empfangstag zu gehn wäre doch ein wenig zu phantastisch, glaubst Du nicht? Ich bin fremd, kenne weder die Hausleute noch die Gäste, gratuliere zu einer Verlobung eines Brautpaares, das ich erst im Augenblick der Gratulation kennenlerne – trotzdem hätte ich grundsätzlich nichts dagegen, denn ich bestehe in regelrechten Situationen gewiß auch nicht besser, im Gegenteil. Wenn es also von der Gesellschaft aus möglich ist, dann ist es von mir aus gewiß möglich, denn ich sehe Dich ein Weilchen länger und das genügt mir für derartige Begründungen. Sollte ich Dich aber auch dort nicht sehen können und würdest Du, was ja wahrscheinlich ist, von vielen Menschen dort herumgezogen, dann verzichte ich sehr gerne darauf, besonders da ich mir nicht denken kann, daß es für Dich ohne kleine Unannehmlichkeiten abginge. Aber da Du immerhin die Möglichkeit dieses Besuches erwähnst – aber nein, Du hast es Dir nicht gut überlegt und die Überseepost auf Deinem Schreibtisch hat Dich beirrt. Aber einmal schreibst Du, ich könnte Dich zu Heilborns (es sind 4?) begleiten, und das wäre also das beste und darum bitte ich.
Antelephonieren kannst Du mich natürlich, wann Du willst, vor 9 Uhr wird es Dir ja gewiß nicht möglich sein und von 9 Uhr ab bin ich bereit, wenn Du aber z.B. um 7 Uhr früh telephonieren willst, so mußt [Du] es nur schreiben und ich werde um 7 Uhr in der Telephonzelle stehn wie der Soldat im Wächterhäuschen. Deine Telephonnummer wüßte ich aber für jeden Fall gern.
Natürlich, meine Erzählungen für Deinen Vater waren nichts als eine Idee, das ist nicht auszuführen, es war ein Traum.
Ich habe nur die Sorge, daß ich gerade infolge meines möglichen

Besuches bei Deinen Eltern Dich weniger haben werde, als wenn ich nur zu Dir käme.

Franz

[Am unteren Rande der zweiten Seite] Für einen Brief, den Du mir vielleicht für Samstag zugedacht hast, bitte ich, adressier ihn ins Bureau, dort bin ich den ganzen Vormittag, in die Wohnung käme er gewiß erst Sonntag.

8. v. 13

Die Briefe an Dich, Felice, sollen mir nun schon in allem möglichen nützen, im Schreiben dieses Briefes z. B. soll mir mein Ärger darüber vergehn, daß ich jetzt meinen schönen Rasierspiegel zerbrochen habe.

Strafen wollte ich Dich, Felice, nicht, besonders da ich mir mit aller Phantasie nicht vorstellen kann, daß in meinem Nichtschreiben eine Strafe liegen kann, ich habe Dir ja noch nicht viele erfreuliche Briefe geschrieben und wenn ein nicht erfreulicher entfällt, dann ist es doch wirklich keine Strafe. Geschrieben habe ich Dir vielmehr deshalb nicht, weil ich gefunden habe, daß ein Teil der Unerträglichkeit des vergeblichen Wartens auf Deinen Brief darin liegt, daß, wenn ich Dir geschrieben habe und keine Antwort kommt, ein Bruch entstanden zu sein scheint, statt des Briefes kommt förmlich durch die Luft ein: »Genug! Genug!«, während wenn ich auch nicht schreibe, alles beim guten, alten, schönen Gleichgewicht bleibt und eben bloß trauriger Weise keine Nachricht kommt. Und weil ich jetzt so empfindlich und weibisch bin und die Spannungen um meinen Kopf nicht aufhören, als sei die Fassung zu klein, habe ich mich geschont und nicht geschrieben. Es war unrecht, und geholfen hat es auch nicht viel.

Warum ist denn in dem Geschäft immerfort so viel zu tun? Hat sich denn die Kundschaft in Leipzig und Frankfurt am Parlographen nicht schon gesättigt?

Als ich heute aus dem Bureau nachhause ging (mit einem ebenso netten als komischen Kollegen, er hatte den Überzieher nur umgeworfen und ich zog ihn an einem losen Ärmel im Laufschritt über den ganzen Graben[1],) sah ich ein Mädchen, das ganz in einem Ge-

---

[1] Der Graben (Na příkopě), eine Hauptstraße Prags.

379

spräch befangen aus einem offenen, freundlichen, frischen Gesicht lachte, und zwar mit so viel Ähnlichkeiten mit Deinem Lachen, daß ich es fast als einen Gruß von Dir hingenommen habe. Überhaupt gibt es so viel Ähnlichkeiten in der Welt und darin liegt etwas Beruhigendes, allerdings auch etwas Aufregendes, denn man sucht sie.

Felice, sieh mal, Du verwechselst unsere Familien! Bei Euch wird 66 gespielt, bei uns ein ganz anderes Spiel: Franzefuß. Im übrigen steht es unter den geringsten Leiden, in der Endsumme dulden ja doch meine Eltern mehr von mir, als ich von ihnen, nur sind sie allerdings auch fähig, mehr auszuhalten.

Heute z.B. geht es mir wieder besonders elend; wenn ich in keiner bessern Form in Berlin einziehe, na –! Du mußt zugeben, daß ich es verstehe, mich verlockend zu machen.

Franz

[10. Mai 1913]

Einen schönen Sonntagmorgen, Felice! Von Prag aus und in Berlin wird es bekräftigt werden.

Franz

Werde ich Dich aber allein sehn? Wüßte doch lieber niemand davon.

12. zum 13. V. 13

Eben bin ich gekommen, Felice, es ist also recht spät, aber ich muß Dir schreiben, ich denke an nichts als an Dich, alles, was ich auf der Reise gesehen habe, hatte Beziehungen zu Dir und der Eindruck von allem bestimmte sich nach der Freundlichkeit oder Unfreundlichkeit dieser Beziehungen. Wir haben noch so vieles miteinander zu besprechen, Felice! Mir schwirrt der Kopf. Das macht einem doch nur die Reise klar, anders als durch Gegenwart ist das nicht zu erkennen. Weißt Du, daß ich eigentlich jetzt sehr zuversichtlich bin, wir haben noch einiges Schreckliche zu durchsprechen und wären vielleicht doch im Freien. Du weißt ja, daß ich Dich immer auf häßlichen Wegen führe, selbst wenn ein schöner See in der Nähe ist. Macht das alles nur die späte Nachtstunde? Als ich in Berlin meinen Koffer packte, hatte ich einen andern Text im Kopf. »Ohne sie kann ich nicht leben und mit ihr auch nicht«, damit warf ich ein Stück nach dem andern in den Koffer und etwas war fast daran, mir die Brust zu zersprengen.

Jetzt werde ich es aber nicht mehr auflösen, glaubst Du nicht, es ist 1 Uhr gerade. Nur die liebe Hand schaffe ich mir noch im Geiste her. Waren das zwei Schwurfinger, die man gehoben hat, als man im Lift aufwärts schwebte?

Franz

[Am unteren Rande der beiden letzten Seiten] Eine Bitte! Bitte eines armen Menschen, der Unsicherheit nicht erträgt. Willst Du mehr als einmal wöchentlich schreiben, dann also z.B. immer einen Brief für Mittwoch und noch einen für Sonntag. Ja?

13. V. 13

Wer kann wissen, ob ich morgen einen Brief habe und wie Du, liebste, liebste Felice, die Narrheit aufgenommen hast, die ich in diesen zwei Tagen in Berlin für Dich dargestellt haben muß. Du weißt ja, Felice, nicht, Du weißt ja nicht, was mich bindet und mich zum unglücklichsten Menschen macht, trotzdem ich Dir so nahe zu sein scheine, meinem einzigen Ziel auf der Erde. Ach Gott, ich wollte, daß Du nicht auf der Welt wärest, sondern ganz in mir, oder noch besser, daß ich nicht auf der Welt wäre und ganz in Dir, einer von uns ist zu viel hier meinem Gefühl nach, die Trennung in zwei Menschen ist unerträglich. Nun, Felice, warum nehme ich Dich nicht gleich an mich, wenigstens so nahe, als es im Raume möglich ist, warum krümme ich mich statt dessen auf dem Waldboden wie die Tiere, vor denen Du Dich fürchtest. Es wird doch nicht grundlos sein, wie? Aber anderseits bin ich doch auch kein verzauberter Prinz, wenn auch verzauberte Prinzen in solche Scheußlichkeiten verborgen zu werden pflegen, es wäre schon gut und wunderbar, wenn ich bloß ein verzauberter erträglicher Mensch wäre. Du wärst zufrieden, nicht?

Aber wenn ich nun auf meiner Seite mit solchen kaum in menschliche Worte zu übersetzenden Dingen zu kämpfen habe – und seit Wochen gibt es kein Restchen meiner Kraft, das ich für anderes verwendete – was soll ich dann tun, wenn ich mich Deiner nicht sicher

381

fühle, wenn Du mich beirrst? Es ist ja so schrecklich leicht begreiflich, wenn Du es seufzend aufgibst, ich an Deiner Stelle wäre an das andere Ende der Welt gelaufen, aber Du bist doch nicht ich, Dein Wesen ist Handeln, Du bist tätig, denkst rasch, bemerkst alles, ich habe Dich zuhause gesehn (wie Du da einmal bei einer Bemerkung den Kopf gehoben hast!), ich habe Dich unter fremden Leuten in Prag gesehn, immer warst Du anteilnehmend und doch sicher – mir aber gegenüber erschlaffst Du, siehst weg oder ins Gras, läßt meine dummen Worte und mein viel begründeteres Schweigen über Dich ergehn, willst nichts ernstlich von mir erfahren, leidest, leidest, leidest nur – Felice, wie ist mir dann, wenn ich mich von Dir verabschiedet habe? Glaubst Du, ich fühle nicht mit Dir? Glaubst Du, es liegt mir dann etwas an meinem Leben?

Als Max damals in Berlin war und telephonisch mit Dir gesprochen hat[1], sollst Du ja, was ich mir so gut vorstellen kann, sehr lustig und zuversichtlich gewesen sein, viel gelacht haben, unter anderem sollst Du aber gesagt haben: »Ich weiß nicht, wieso das kommt, er schreibt mir ziemlich viel, aber es kommt in den Briefen zu keinem Sinn, ich weiß nicht, um was es sich handelt, wir sind einander nicht nähergekommen und es ist keine Aussicht, vorläufig.« Dabei war es aber gerade die Anfangszeit und in dieser Zeit kommt man sich doch mit Riesenschritten näher, weil das doch noch die großen, offenbaren, jedem zugänglichen Entfernungen zwischen Mensch und Mensch sind. Trotzdem hast Du schon damals so gedacht, während ich mich damals im geheimen grenzenlos freute, diesem angebeteten Menschen mit ein paar Sprüngen so nahegekommen zu sein. Solltest Du noch heute so denken, wie Du damals gesprochen hast? Dein Blick, Deine Worte, Dein Schweigen will es beweisen, fast alles andere widerspricht dem aber. Das erstere ist aber deutlicher; wie finde ich mich zurecht, darf ich bei dieser Resignation auch nur Deine Fingerspitzen anrühren?

Dein (wäre ich doch namenlos, ganz ausgelöscht und nur Dein)

15. V. 13

Wo ist Eberswalde? Weit von Berlin? Hattest Du schon meinen eingeschriebenen Brief, als Du die Karten schriebst? (Ich habe natürlich

[1] Vgl. Kafkas Brief an Max Brod vom 13. November 1912, *Briefe,* S. 111.

schon alle, denn vom Bahnhof ging ich gleich ins Bureau nachschauen, meine ganze Fahrt war vom ersten Schritt, den ich um 5
Uhr früh aus meiner Wohnung gemacht hatte, darauf eingestellt;
trotzdem war es sehr lieb von Dir, mir beiderlei Karten zu schicken
– nun für weitere Dankbarkeit ist zwischen uns kein Platz mehr,
glaube ich.) Aber die Antwort auf jenen Brief sind diese Karten
natürlich nicht, die Antwort bekomme ich noch, Felice, nicht wahr?
Ich bitte Dich vielmals darum. Es ist so wichtig, darauf Antwort zu
bekommen, das mußt Du doch einsehn, Liebste, Liebste! Meine
Vorstellung von Dir geht mir sonst in die Brüche. Gut, Du wirst
mir darauf antworten, ich rede nicht mehr davon.

Wie geht es Deiner Familie? Ich habe einen so verworrenen Eindruck von ihr, es liegt vielleicht daran, daß mir die Familie so sehr
den Anblick vollständiger Resignation in Bezug auf mich darge-
boten hat. Ich fühlte mich so klein, und alle standen so riesengroß
um mich herum mit so einem fatalistischen Zug im Gesicht (bis auf
Deine Schwester Erna, der ich mich gleich näher fühlte). Das entsprach alles den Verhältnissen, sie besaßen Dich und waren deshalb
groß, ich besaß Dich nicht und war deshalb klein, aber so sah *ich* es
doch bloß an, sie doch nicht, wie kamen sie also zu diesem Verhalten, das trotz aller Liebenswürdigkeit und Gastfreundschaft sie beherrschte? Ich muß einen sehr häßlichen Eindruck auf sie gemacht
haben, ich will nichts darüber wissen; nur was Deine Schwester
Erna gesagt hat, möchte ich wissen, auch wenn es sehr kritisch oder
boshaft war. Willst Du mir das sagen?

Franz

[Am Rande unten] Ich habe gerade die alte Besprechung von Max[1]
bei der Hand, ich schicke sie Dir mit einem Seufzer. Vergleiche!
Vergleiche!

[16. Mai 1913]

Liebste, höre! Weiche nicht ab von dem Weg, auf dem Du mir ent-
gegenkamst! Mußt Du es aber, dann geh zurück! Sag, fühlst Du es,
wie ich Dich liebhabe, fühlst Du es trotz allem, was mich jetzt – und
in Berlin mehr als in der Ferne – vor Dir verdeckt? Es erstickt mir

---

[1] Vermutlich Max Brods Besprechung von *Betrachtung*. Vgl. Anm.[2] S. 300·

ja das Wort in der Kehle und überfließt die Buchstaben, die ich schreiben will.

Franz

Brief hatte ich keinen, vielleicht weil Feiertag ist.

*Freitag abend. Die Tage, die ich hier getrennt von Dir verbringe, kann ich gut verwechseln, sie haben keinen Sinn für mich. Wie wenn die ganze Welt in Dich hineingestürzt wäre, ist mir. Hab' mich ein wenig lieb, Felice. Was Du mir an Liebe zuwendest, geht mir als Blut durch das Herz, ich habe kein anderes.

Wann kommt Dein Vater zurück? Ich denke viel an den Brief, infolgedessen wird er schlecht werden, wie alles, zu dem ich durch das Denken kommen will, schlecht, d.h. eine schlechte Mischung von Deutlichem und Undeutlichem. Trotzdem – es gibt augenblicklich nichts Wichtigeres für mich. Ich werde ihn so schreiben, daß Du ihn wirst lesen können, ich schicke ihn Dir vorher zur Beurteilung ein. Wann kommt also Dein Vater und wann ist die gelegenste Zeit?

Aber auch das verliert seine Wichtigkeit vor dem Brief, den ich morgen gleich früh im Bureau zu finden hoffe.

Dein F.

18. V. 13

Meine liebste Felice, hat es einen Sinn (ich rede von mir aus), die Qual der Unklarheit weiter zu tragen, nur deshalb, weil in ihr ein kleiner, unsinniger, im ersten Augenblick schon verschwindender Trost irgendwo enthalten ist? Ich warte nicht bis zur Zurückkunft Deines Vaters, ich schreibe den Brief vielleicht schon heute abend, schicke Dir ihn morgen zur Durchsicht und schicke ihn dann Deinem Vater nach Berlin oder wo immer er gerade ist. Es wird ja kein Brief sein, dessen Beantwortung von Launen abhängig sein wird, dessen Beantwortung etwa anders ausfallen könnte, ob sie hier oder dort geschrieben ist. Es hat keinen Sinn, zu warten.

Es hat vielleicht doch einen Sinn, aber ich will ihn nicht wissen. Liebste, »blind vertrauen« soll ich Dir und kann ich Dir, gewiß.

---

* Donnerstag [gestrichen]

Aber weißt Du, ob Du Dir vertrauen kannst? Ob Du Dir vertrauen kannst, in allem, was Dich erwartet? Und wenigstens von Ahnungen dessen bist Du nicht frei. Du weißt nicht, was Dich mir gegenüber bindet. Du bist dann nicht »ein dummes Kind« (ich wüßte niemanden, dem ich unterlegener wäre als Dir in Deiner Nähe), die Natur selbst hält Dich. Aber Du willst mir darüber noch schreiben *(dieses Versprechen halte ich fest!)*, und im Grunde bin ich imstande, mich von Deinem leichtesten Kopfschütteln überzeugen zu lassen.

Es gibt einen ungeheueren Einwand gegen manche Vorstellungen von zukünftigem Glück, es sind das nämlich die Möglichkeiten, die unausdenkbar sind. So wie man das Dasein Gottes aus dem Gottesbegriff, den man besitzt, beweisen zu dürfen glaubt, so kann man es auch aus dem Mangel des Begriffs widerlegen. Hätte ich Dich doch (die Vergangenheit ist ebenso sicher wie verloren) vor 8 oder 10 Jahren gekannt, wie glücklich könnten wir heute sein ohne diese jammervollen Winkelzüge, Seufzer und trostloses Schweigen. Statt dessen kam ich mit Mädchen zusammen – das ist schon alles jahrelang her –, in die ich mich leicht verliebte, mit denen ich lustig war und die ich noch leichter verließ oder von denen ich ohne die geringsten Schmerzen mich verlassen sah. (Nur die Mehrzahl nimmt sich so zahlreich aus, weil ich sie nicht mit Namen nenne und weil alles so längst vergangen ist.) Geliebt, daß es mich im Innersten geschüttelt hat, habe ich vielleicht nur eine Frau, das ist jetzt sieben oder acht Jahre her [1]. Von da an, ohne daß dazwischen Beziehungen beständen, war ich fast vollständig von allem losgelöst, immer mehr und mehr auf mich beschränkt, mein elender körperlicher Zustand, der in meiner – wie soll ich sagen? – Auflösung voranging oder folgte, half mit, mich weiter versinken zu lassen, und jetzt, wo ich fast am Ende war, traf ich Dich.

Franz

---

[1] Gemeint ist Kafkas Beziehung zu einer Frau in Zuckmantel in den Jahren 1905 und 1906. Vgl. Wagenbach, *Biographie,* S. 130f. Kafka erwähnt sie einmal in *Tagebücher* (24. Januar 1915), S. 460: »Das Süße des Verhältnisses zu einer geliebten Frau, wie in Zuckmantel und Riva...« und *Tagebücher* (Juli 1916), S. 505: »Ich war noch niemals, außer in Zuckmantel, mit einer Frau vertraut. Dann noch mit der Schweizerin in Riva. Die erste war eine Frau, ich unwissend,...« Vgl. auch Kafkas Brief an Max Brod von Mitte Juli 1916, *Briefe,* S. 139.

Ich habe heute den folgenden alten Brief an Dich gefunden aus glücklicheren, unglücklicheren Zeiten[1]. Was sagst Du zu ihm? Antworte wie Du damals geantwortet hättest.

Franz

[Ende September/Anfang Oktober 1912]

Mein Fräulein, ich unterbreche nur das Schreiben um ½1 in der Nacht, um mich einen Augenblick an Ihnen festzuhalten. Ich tue es nicht, weil ich es im Augenblicke brauchte, ich fühle mich gerade stark genug, sonst hätte ich das Schreiben ja nicht unterbrechen können. Nur zittere ich überall, so wie das Licht die Leinwand in den ersten Tagen der Kinematographie zum Zittern brachte, wenn Sie sich daran erinnern. Ich bin zu glücklich und leide zu viel schon seit mehr als einer Woche. Ich durchschreibe die erste Hälfte und verdämmere die zweite Hälfte schon einiger Nächte. Am Tag Bureau und alles mögliche und mein schwaches, elendes Wesen. Zu wem zu klagen, wäre mir jetzt gesünder, als zu Ihrer großen Ruhe?

Ihr   Franz K.

Weil man abergläubisch wird in diesen Nächten und weil man die Macht des einmal Niedergeschriebenen überschätzt und die Vervielfältigung des aufgeschriebenen Irrtums in der Ewigkeit weiterarbeiten sieht, sage ich noch, daß ich nur mein Elend, um Himmels willen aber nicht mein Glück verkleinern möchte. Geht es aber nicht anders, dann bleibe es so wie es ist. Wie wirkt Ihr Anblick schon von der Ferne auf mich!

23.V.13

Meine Felice, meine Liebste, nun habe ich Dir auf einen Brief nicht gleich geantwortet. Hast Du das wirklich geglaubt? Ist das überhaupt möglich? Nein, es ist nicht möglich, denn die Freude über

---

[1] Es ist der zweite jener nicht abgeschickten Briefe aus der »einmonatlichen Wartezeit« (28. September bis 23. Oktober 1912), die Kafka in seinem Brief an Frau Sophie Friedmann vom 14. Oktober 1912, S. 48, erwähnt.

einen Brief von Dir ist so groß, daß ich mich nicht zurückhalten kann, sofort zu antworten und wenn es mit mir noch so schlimm steht und es aus Vernunftgründen vielleicht besser wäre nicht zu schreiben. Aber denke nur, dieser Brief, den Du am Sonntag abend eingeworfen hast, kam erst heute Freitag in meine Hände. Ein Poststempel zeigt, daß er in Wien war. Während ich hier mich abquälte, wanderte dieser Brief durch die Ungeschicklichkeit eines Beamten nach Wien und langsam wieder zurück. Und ich rechnete in diesen langen Tagen: Felice antwortet mir auf meinen principiellen Brief nicht, antwortet mir nicht auf die Frage wegen des Briefes an den Vater, schreibt mir Sonntag, Montag, Dienstag nicht, fährt nach Hannover, ohne daß ich nur im geringsten den Zweck dieser Reise erfahre, gibt mir nicht die Adresse in Hannover an, will also während der Reise nichts von mir hören, schreibt mir schließlich von dieser Reise kein Wort – nun und so konnte ich doch auch nicht schreiben, zumal ich eben jenen Brief erst heute bekam, der die schlimmsten Voraussetzungen glücklicher Weise änderte. Es war keine schöne Zeit, immer wieder mußte ich mir sagen, daß Du gegen mich grausam ohne Absicht bist, und Grausamkeit ohne Absicht ist in solcher Ausdehnung doch das Hoffnungsloseste.

Aber so ist es jetzt nicht, Felice, alles muß gut werden, es muß gut werden. Der Brief an Deinen Vater ist noch nicht fertig, d. h. er war schon öfters fertig, aber immer unbrauchbar. Er muß ganz kurz und ganz deutlich sein, das ist nicht leicht. Ich will mich nicht hinter Deinen Vater stecken, Du sollst ja den Brief vorher lesen. Aber geschrieben muß er werden aus folgendem Grunde: Es gibt Hindernisse für mich, die Du beiläufig kennst, die Du aber nicht ernst genug nimmst und die Du selbst dann nicht ernst genug nehmen würdest, wenn Du sie vollständig kennen würdest. Niemand um mich nimmt sie genug ernst oder er tut es mir zuliebe, sie nicht ernst zu nehmen. Es ist das schon so oft Wiederholte: Seit 10 Jahren etwa fühle ich mich in immer zunehmender Weise nicht ganz gesund, das Wohlgefühl des Gesundseins, das Wohlgefühl eines in jeder Hinsicht gehorchenden Körpers, auch ohne ständige Aufmerksamkeit und Sorge arbeitenden Körpers, dieses Wohlgefühl, aus dem die ständige Lustigkeit und vor allem Unbefangenheit der meisten Menschen hervorgeht – dieses Wohlgefühl fehlt mir. Und es fehlt mir in jeder, aber in jeder Lebensäußerung. Und es sitzt der Fehler nicht etwa in irgendeiner besonderen Krankheit, die ich einmal gehabt hätte, im Gegenteil, seit den Kinderkrankheiten war ich derartig ausdrücklich, daß ich deshalb zu Bett gelegen wäre, vielleicht überhaupt nicht krank, ich kann mich wenigstens an eine solche Krankheit gar nicht erinnern. Dieser traurige Zustand ist nun aber da, äußert sich jeden Augenblick fast, in der Ferne scheint er erträglich, bei zeitweiligen Zusammenkünften mit Freunden sieht man über ihn hinweg, in der Familie kommt er durch Todesschweigen nicht zur eigentlichen Geltung, dagegen in der unmittelbarsten Gemeinschaft? So wie mich dieser Zustand hindert, unbefangen zu reden, unbefangen zu essen, unbefangen zu schlafen, hindert er mich an jeder Unbefangenheit. Ich wüßte nichts, wovor ich mich nicht in dieser Weise fürchtete, und das mit erfahrungsmäßiger Begründung. Sag, kann ich im übervollen Bewußtsein dessen, ohne weiters, dem liebsten Menschen, den ich habe, etwas aufbürden wollen, wovor ich selbst gleichgültige Menschen zu verschonen suche, selbst wenn es sich um zeitlich und innerlich beschränktes Zusammensein handelt, hier aber wäre alles schrankenlos. Kann ich Dich geradewegs um die Bewilligung einer Aussprache bitten, die mich schon brennt, weil ich sie allzulange verschweige? Kann ich es? Und darf ich mich damit begnügen, nur Dich zu bitten, wenn ich sehe, wie Du verwandelt bist, wenn Du mit mir bist (ohne daß diese Verwandlung zu meinen Gunsten zu deuten wäre, eher zu meiner Schande), wie Dich, dieses sonst selbstsichere, raschdenkende, stolze Mädchen eine matte Gleichgültigkeit ergreift und wie man in dieser Verfassung, wenn man nur einen Hauch von Verantwortlichkeit in sich fühlt, keinesfalls die Entscheidung über sein Schicksal, wie erst die über Deines von Dir verlangen oder annehmen kann? Wie hat mich dieser Zwiespalt niedergedrückt dort im Grunewald und Dich übrigens auch: alles sagen zu dürfen und nicht sagen zu dürfen. – Aus dem allen folgt: Ich kann die Verantwortung nicht tragen, denn ich sehe sie für zu groß an, Du aber kannst sie nicht tragen, denn Du siehst sie kaum. Natürlich gibt es Wunder, daß Du mir gut bist, ist z. B. eines, und warum sollte in der Reihenfolge der Wunder, die eine Gemeinschaft mit Dir zur Folge hätte, nicht auch meine Heilung sein. Diese Hoffnung ist nicht so klein, als daß sie die Verantwortung nicht verkleinern würde, aber die Verantwortung ist in ihrer Gänze zu groß und bleibt es.

Darum will ich Deinem Vater jetzt schreiben. Von meinen Eltern oder meinen Freunden bekäme ich keinen genügenden Rat. Sie denken zu wenig an Dich und würden mir nur das raten, was ich ja offen genug will, alle Verantwortung zu tragen, vielmehr sie würden es mir nicht raten, sie raten es mir (wenn ich es auch nicht sage, in meinen Augen steht es, was ich hören will), und allen voran in ihrer nur auf mich und den Augenblick eingeschränkten Kurzsichtigkeit meine Mutter. Sie weiß nichts, und wenn sie es weiß, begreift sie es aus Mutterstolz und Mutterliebe nicht, da ist kein Rat zu holen. Den gibt es nur bei Deinem Vater, in dieser Hinsicht war mein Besuch sehr nützlich, denn seinen Rat wird nicht das geringste gute Vorurteil zu meinen Gunsten beirren. Ich werde ihm das sagen, was ich Dir jetzt sage, nur deutlicher und werde ihn – was sich ein wenig komisch anhört und auch ein klägliches Aushilfsmittel in der großen Not ist – im Falle er mich nicht ganz verwirft, um Nennung eines Arztes bitten, dem er vertraut und von dem ich mich untersuchen lassen würde.

Franz

vom 23. zum 24. V. 13

Es ist so spät geworden über Maxens neuestem Buch »Weiberwirtschaft«[1], ich schicke es Dir in den nächsten Tagen. Auch die Geschichte »aus der Nähschule« ist darin, von der ich nur den Anfang kannte und in der ich nun ohne Rücksicht auf die Zeit und meine Schlaflosigkeit bis zum Ende weitergelesen habe.

Liebste, wieso kommt es nur, daß ich so lange ohne Nachricht von Dir bin? Wenn Du wüßtest, wie ich aus dem Worte »innige« in Deinem Telegramm alles, was ich wünsche, herausgesaugt habe, trotzdem es nur ein Formelwort war. Sollte ich Dich mit etwas im letzten Brief gekränkt haben? Das kann ich nicht recht glauben, denn wenn es auch dumm ist und geziert scheint, in solcher allgemeinen Weise über längst vergangene Dinge zu reden, so kennen wir einander doch so weit, daß Du wissen mußt, daß bei Auflösung jener Masse in regelrechte Erzählung kein Wort Dich kränken könnte.

Sollte aber die Reise nicht gut ausgefallen sein? Aber auch nicht eine Karte habe ich bekommen, und nachhause, wo man Dich doch schon Freitag wiederhatte und unmöglich so viel Sorge um Dich haben konnte wie ich, hast Du gewiß geschrieben.

[1] Max Brod, *Weiberwirtschaft*, Drei Erzählungen. Berlin 1913.

Keine Vorwürfe mehr, meine Felice, sei mir nur niemals böse, es ist vielleicht Grund dazu aber niemals Schuld. Was für ein Mensch ich werden könnte, wenn Du es willst, das glaubst Du gar nicht. Hätte ich doch Deine Hand wirklich so in meiner, wie ich mich innerlich von ihr geleitet fühle.

Franz

Darf ich Deine Mutter, Deine Geschwister grüßen? Deiner Mutter sag: Sinn und Zweck hatte die Reise, aber keinen Menschen, der sie ausführte.
Meinen Expreßbrief hast Du doch?
[Links unten am Rande] Das »angemeldete Fräulein B.« ist wunderschön, schick' mir doch öfters etwas aus dem Bureau.

25. V. [1913]

Gottes willen, warum schreibst Du mir denn nicht? Seit einer Woche kein Wort. Das ist doch schrecklich.

27. V. 13

Das ist also das Ende, Felice, mit diesem Schweigen entläßt Du mich und beendest meine Hoffnung auf das einzige Glück, das mir auf dieser Erde möglich ist. Aber warum dieses fürchterliche Schweigen, warum kein offenes Wort, warum quälst Du Dich seit Wochen sichtbar, so schrecklich sichtbar, mit mir ab? Das ist nicht mehr Mitleid von Deiner Seite, denn wäre ich der Dir fremdeste Mensch, Du hättest doch sehen müssen, wie ich unter dieser Unsicherheit so leide, daß mir manchmal die Besinnung vergeht, und es kann auch kein Mitleid sein, das in solchem Schweigen endigt. Die Natur geht ihren Gang, da ist keine Hilfe, je mehr ich Dich kennenlernte, desto mehr liebte ich Dich, je mehr Du mich kennenlerntest, desto unleidlicher bin ich Dir geworden. Hättest Du das doch eingesehn, hättest Du offen gesprochen, hättest Du doch nicht so lange gewartet, bis es Dir unmöglich wird, bis Du Dich nicht mehr überwinden kannst, mir auch nur ein Wort von einer 5-tägigen Reise zu schreiben, mir auf Briefe, in denen ich Dich um Entscheidung bitte, auch nur mit einer Zeile zu antworten, mich in meinem Unglück, daß ich so lange von Dir nichts gehört habe, irgendwie zu trösten? Und noch gestern sagtest Du mir, als ich Dich zum Telephon gerufen hatte und ich allerdings nur ganz wenig verstand, denn vor Glück, Deine Stimme zu hören, rauschte es mir zu sehr in den Ohren: Du hättest Sonntag abend mir geschrieben und spätestens heute, Dienstag, hätte ich den Brief in der Wohnung. Nein, ich habe nichts, Du hast weder Sonntag, ja nicht einmal Montag nach dem Telephongespräch geschrieben, Du kannst nicht schreiben, aber Du kannst es auch nicht sagen, daß Du nicht schreiben kannst. Wenn ich jetzt daran denke, daß das einzige Selbständige, was Du mir gestern zu sagen hattest, die Frage war, wie es mir geht, dann geht mir wirklich der Verstand aus den Fugen. So kann ich nicht länger leben. Wahrscheinlich muß ich Dich nicht mehr dazu auffordern, aber trotzdem bitte ich Dich noch ausdrücklich, schreibe mir nicht mehr, kein Wort, handle so, wie es Dir Dein Herz sagt. Ich werde Dir auch nicht schreiben, Du wirst keine Vorwürfe hören, Du wirst nicht mehr gestört werden, und nur das eine bitte ich Dich im Gedächtnis zu behalten, daß, wieviel Zeit des Stillschweigens auch vergeht, ich auf den *leisesten aber wahren* Anruf Dir gehöre, heute wie immer.

Franz

28. V. 13

Nein, ich bin nicht unruhig, Felice, das ist nicht das Wort. Aber Du willst mich nicht haben, Du willst mich nicht haben, nichts ist klarer; wenn Du mich aber doch haben willst, dann ist dieses Wollen vor Lauigkeit ganz unsichtbar. Deine Hand scheinbar zu halten, während Du durch 10 Tage Dich von mir gänzlich abgewendet hältst, das kann ich nicht ertragen. Ich habe das Frankfurter Schweigen ausgehalten, ohne eine Erklärung von Dir bekommen zu haben, dieses letzte Schweigen ist für mich zu viel und wäre es auch für einen 10 mal stärkeren Menschen. Ich will nicht vorrechnen, was noch sonst für meine Deutung spricht, wenn ich auch im letzten Grunde zugeben muß, daß ich Dich nicht verstehe. Ein Unrecht habe ich Dir getan, Du hast wirklich Sonntag abend geschrieben (ich habe den Brief erst heute bekommen, die Postbeamten müssen die Unsicherheit meiner Hände haben), aber der Inhalt des Briefes macht mein Unrecht wieder gänzlich gut. In dem Brief, den Du

Montag bekamst, habe ich vor Verzweiflung geschrien, Du hattest nichts zu schreiben. Dienstag wieder nichts und ich habe guten Grund zu glauben, daß ich Dein heutiges Telegramm einem Brief von Max verdanke. Es bleibt nichts übrig, als den Abschied zu nehmen, den Du mir zwischen den Zeilen Deiner Briefe und in den Pausen zwischen den Briefen längst gegeben hast. Ich wiederhole, Felice: Ich gehöre Dir vollständig, so besessen kannst Du nichts haben, aber innerhalb des gegenwärtigen und schon Wochen dauernden Verhältnisses kann ich Dir nicht mehr gehören, denn das kann nicht Dein wirkliches Wesen sein, das ein solches Verhältnis aufrecht halten will, in dem Du nur leidest, denn grausam bist Du gewiß nicht, und in dem ich sinnlos herumgejagt werde. Das mußte ich Dir noch sagen.

Franz

1. Juni 13

Was wird aus uns werden, meine arme Liebste? Weißt Du, wenn nicht der Löwy hier wäre, ich nicht einen Vortrag für den armen Menschen veranstalten müßte (eine von mir veranlaßte, vom Pick geschriebene Notiz liegt bei[1], und derartig ist einiges zu tun), Karten verkaufen müßte, um den Saal zu sorgen hätte und schließlich dieses nicht niederzudrückende Feuer des Löwy auf mich wirkte und mich in scheinbare Eile und Tätigkeit gebracht hätte – ich wüßte nicht, wie die paar Tage vorübergegangen wären. Schau, wir gehören zusammen, das scheint mir zweifellos, aber ebenso zweifellos ist der ungeheure Unterschied zwischen uns, daß Du gesund in jedem Sinne und deshalb bis in die Tiefe hinunter ruhig bist, während ich krank, vielleicht weniger im landläufigen, dafür aber im schlimmsten Sinne krank, und deshalb unruhig, zerstreut und lustlos bin. Die Unterschiede zwischen Deinen ersten Briefen und denen der letzten Wochen bestehn ja gewiß, sie sind aber vielleicht nicht so wichtig, als ich glaube und haben vielleicht einen andern Sinn, als ich herauszufinden glaube. Dein Verhalten zu mir hat vielleicht auch einen andern Sinn, als ich erkennen kann oder vielmehr es hat ihn gewiß, da Du es selbst sagst. So ist es eben, Du leidest an mir und bist doch, wie Du sagst, mit mir zufrieden und ich leide an Dir und muß Dich doch so haben wie Du bist und

---

[1] Siehe Anhang, S. 763.

keinen Hauch anders. Denk z. B. an jenen Brief, den Du mir aus dem Zoologischen Garten geschrieben hast. Das war kein Brief, das war das Gespenst eines Briefes. Ich kenne ihn fast auswendig. »Wir sitzen alle zusammen hier im Restaurant am Zoo, nachdem wir den ganzen Nachmittag im Zoo gesessen haben.« Ja aber warum, warum mußtest Du im Zoo sitzen? Du bist doch keine Sklavin. Du durftest Dich zuhause von der Reise ausruhn und mir 5 ruhige Zeilen schreiben. »Ich schreibe jetzt hier unter dem Tisch und unterhalte mich nebenbei über Reisepläne für den Sommer.« Also diese Zeilen, die ersten nach 8 Tagen Pause, mußt Du noch in einer übrigens unvorstellbaren Situation schreiben, die übrigens noch für mich fast einen Vorwurf bedeutet, daß ich nach 8 Tagen endlich ein Wort von Dir hören will. Dann aber wirfst Du den Brief ohne Marke ein, so daß er 3 Tage später ankommt, und glaubst nun wieder 3 Tage nicht mehr mir schreiben zu müssen. – Nun wollte ich Dir etwas Liebes sagen, in meinem tiefsten Grund ist nichts anderes für Dich als Liebe, aber es kommt noch immer Bitterkeit heraus. Kämen doch lieber Tränen und hielte man einander in den Armen!

Franz

[2. Juni 1913]

Hinter mir sitzt Löwy und liest. Nein, Felice, nicht deshalb habe ich Dir nicht geschrieben, weil ich von ihm in Anspruch genommen war, was könnte mich so in Anspruch nehmen, daß es mir die Gedanken an Dich wegnähme? Aber ich wartete auf Deinen Brief. Wie gern wollte ich Dir jetzt schwören, daß wir ruhig und durch nichts zu stören, einander schreiben werden, aber ich kann nicht für mich bürgen. Und nun, Liebste, nimm an – ohne daß es allerdings zweifellos wäre –, daß nicht nur die Ferne mich so macht, sondern daß ich so auch in der Nähe, und zwar dauernd bin, nur auf der einen Seite noch viel verzweifelter und auf der andern noch viel matter. Und indem ich dieses überlege, trage ich auch die Gedanken an den Brief für Deinen Vater immerfort in mir herum.
Liebste Felice, bitte, schreibe mir wieder von Dir wie in früherer Zeit, vom Bureau, von Freundinnen, von der Familie, von Spaziergängen, von Büchern, Du weißt nicht, wie ich das zum Leben brauche.

Findest Du im »Urteil« irgendeinen Sinn, ich meine irgendeinen geraden, zusammenhängenden, verfolgbaren Sinn? Ich finde ihn nicht und kann auch nichts darin erklären. Aber es ist vieles Merkwürdige daran. Sieh nur die Namen! Es ist zu einer Zeit geschrieben wo ich Dich zwar schon kannte und die Welt durch Dein Dasein an Wert gewachsen war, wo ich Dir aber noch nicht geschrieben hatte[1]. Und nun sieh, Georg hat so viel Buchstaben wie Franz, »Bendemann« besteht aus Bende und Mann, Bende hat so viel Buchstaben wie Kafka und auch die zwei Vokale stehn an gleicher Stelle, »Mann« soll wohl aus Mitleid diesen armen »Bende« für seine Kämpfe stärken. »Frieda« hat so viel Buchstaben wie Felice und auch den gleichen Anfangsbuchstaben, »Friede« und »Glück« liegt auch nah beisammen. »Brandenfeld« hat durch »feld« eine Beziehung zu »Bauer« und den gleichen Anfangsbuchstaben[2]. Und derartiges gibt es noch einiges, das sind natürlich lauter Dinge, die ich erst später herausgefunden habe. Im übrigen ist das Ganze in einer Nacht geschrieben von 11^h bis 6 Uhr früh. Als ich mich zum Schreiben niedersetzte, wollte ich nach einem zum Schreien unglücklichen Sonntag (ich hatte mich den ganzen Nachmittag stumm um die Verwandten meines Schwagers herumgedreht, die damals zum erstenmal bei uns waren) einen Krieg beschreiben, ein junger Mann sollte aus seinem Fenster eine Menschenmenge über die Brücke herankommen sehn, dann aber drehte sich mir alles unter den Händen. – Noch etwas Wichtiges: Das letzte Wort des vorletzten Satzes soll »hinabfallen«, nicht »hinfallen« sein. Und nun, ist also wieder alles gut?

Franz

[6. und] 7. VI. 13

Also sieh, Felice, wie traurig das ist. Montag schriebst Du mir, daß Du mir von jetzt an wieder jeden Tag schreiben willst. Dienstag bekam ich diesen Brief, Mittwoch hattest Du die Antwort. Jetzt ist Freitag abend und ich habe noch keine Zeile. Muß ich es nicht bedauern, daß Du mir »nicht aus Mitleid«, sondern aus anderem

---

[1] Die Erzählung »Das Urteil« ist zwei Tage *nach* seinem ersten Brief an Felice Bauer entstanden, und zwar in der Nacht vom 22. zum 23. September 1912. Vgl. *Tagebücher* (23. September 1912), S. 293.

[2] Vgl. *Tagebücher* (11. Februar 1913), S. 297.

Grunde schreiben willst, denn schriebest Du mir aus Mitleid, so hätte ich den Brief schon längst. Und immer wieder versprichst Du etwas, was Du nicht halten kannst. Das bist Du doch nicht.

Franz

[Am folgenden Tage, dem 7. Juni 1913]

Ich habe heute früh den Brief zuhause vergessen (ich muß jetzt immer in Eile weglaufen, denn meine Eltern sind in Franzensbad und ich muß früh ins Geschäft gehn, ebenso wie auch nachmittag, nun hat sich auch noch Ottla mit Halsschmerzen ins Bett gelegt – aber wozu erzähle ich das, will ich vielleicht auch schon auf diese Weise auf Dich einwirken? Nein, das will ich nicht, umso weniger, als ich weiß, daß es nichts nützen würde). Dann war ich doch wieder froh, daß ich ihn nicht früh weggeschickt hatte, denn heute mußte doch etwas kommen. Es kam nichts. Ich schreibe es Dir, als wüßtest Du es nicht. Aber Du weißt es und willst es so. Daß ein Brief verloren gegangen sein könnte, daran denke ich nicht mehr. Geschriebene Briefe gehn nicht verloren, verloren gehn nur Briefe, die nicht geschrieben wurden. Aber warum das? Warum das? Warum bohrst Du nur so nutzlos in mir herum?

7. VI. 13

Jetzt um ½12 abends bin ich von einem Ausflug nachhause gekommen, da liegt Dein erwarteter oder besser nicht mehr erwarteter Brief. Ein Brief von Dir ist also wirklich verlorengegangen und ich quäle mich wegen seines Ausbleibens wochenlang. Und was für Gespenster sind Dir inzwischen aufgetaucht und lösen Dir scheinbar den Mund? Ja darüber werde ich Dir morgen ausführlich schreiben und bin nur glücklich, daß dieser Mund, den ich ja in Wahrheit heute und immer nur aus der Ferne zu küssen wage und küssen kann, noch gute Worte für mich hat. Und jetzt gute Nacht. Deine Zweifel sind doch kein Zurückweichen? Wie ich mich freue, daß Du überhaupt sprichst, wenn Du auch noch nicht das Eigentliche sagst, was, Dir unbewußt, auf dem Herzen liegt. Aber die Anfangsworte sind gesagt und wir wollen mit ihnen die andern heraufziehn, damit wir ganz frei werden zur besten Entscheidung. Und nun schlafen. Nein schlafen kann ich noch immer nicht und immer weniger. Vielleicht heute doch.

Franz

Was stand in dem verlorengegangenen Brief? Und sorgfältiger die Adresse schreiben!
Ich möchte gern einmal Deiner Schwester Erna einen Gruß schicken, möchtest Du mir ihre Adresse schreiben.

10. VI. 13

Krank bist Du und läufst mit der Krankheit herum? Gingest Du lieber nicht zum Arzte, sondern bliebest zuhause und ruhtest Dich aus. Du, ich wollte Dich pflegen.
Wir brauchen übrigens beide Ruhe; was wäre natürlicher, als daß wir beide, die das gleiche Bedürfnis haben, nach dem gleichen Orte fahren?
Ob ich Dich lieb habe, mußt Du nicht fragen. Manchmal ist mir, als wäre alles, alles menschenleer und Du säßest allein auf den Ruinen von Berlin.
Dein Brief vom Freitag ist natürlich noch nicht beantwortet, vielmehr bereite ich eine Abhandlung zu seiner Beantwortung vor, die aber noch nicht fertig ist. Nicht eigentlich aus Zeitmangel, sondern aus Schwäche und Unsicherheit des Kopfes, der den Gehorsam längst versagt.
Durch irgendeinen Zufall liegt die Notiz über Löwy vor mir, hier ist sie[1]. Der Vortrag ist ziemlich schlecht ausgefallen, immerhin hat der Löwy wieder etwas Geld, zu helfen ist ihm ja vorläufig nicht. Gerne möchte ich Dich zuhören lassen, wenn er erzählt. Das kann er besser als alles Vorlesen, Recitieren und Singen, da schlägt sein Feuer wirklich zu einem herüber.
Das »Urteil« ist nicht zu erklären. Vielleicht zeige ich Dir einmal paar Tagebuchstellen darüber. Die Geschichte steckt voll Abstraktionen, ohne daß sie zugestanden werden. Der Freund ist kaum eine wirkliche Person, er ist vielleicht eher das, was dem Vater und

---

[1] Wahrscheinlich die bereits genannte Notiz im *Prager Tagblatt* vom 1. Juni; eine andere ist jedenfalls nicht erhalten. Siehe Anhang S. 763.

Georg gemeinsam ist. Die Geschichte ist vielleicht ein Rundgang um Vater und Sohn, und die wechselnde Gestalt des Freundes ist vielleicht der perspektivische Wechsel der Beziehungen zwischen Vater und Sohn. Sicher bin ich dessen aber auch nicht.

Heute schicke ich Dir den »Heizer«. Nimm den kleinen Jungen freundlich auf, setze ihn neben Dich nieder und lob' ihn, wie er es sich wünscht.

Morgen erwarte ich genauen Bericht über die Dummheiten, die der Arzt gesagt hat. Wer ist es übrigens? Ist es Euer Hausarzt? Wie heißt er?

Du, aber hindern will ich Dich durch diesen Brief nicht, nach Prag zu kommen. Komme nur, komm! Du wirst ja so erwartet.

Franz

13. VI. 13

Vor Unentschlossenheit kann ich kaum die Hand zum Schreiben rühren. Schon wieder ein Stocken in Deinen Briefen, wie es ja nun schon seit Monaten ununterbrochen gewesen ist. Ebenso wie meine Briefe seit Monaten ein Bitten um Nachricht waren, als wärest Du ein ganz fremdes Wesen, das sich unmöglich in die Leiden eines, der auf eine Nachricht wartet, hineindenken kann. Und dieses Stocken war immer auf Deiner Seite, wenn auch vielleicht nicht durch Deine Schuld. Und jetzt wieder. Bist Du vielleicht krank, wie Du es schon angedeutet hast? Ich könnte auch das nicht mehr richtig erfassen. Ich denke daran, wie ich einmal in der ersten Zeit nachhause telegraphierte »Sind sie krank?« und damit nur eine Dummheit angestellt hatte. Und wie ich letzthin 2 Stunden auf die Herstellung der telephonischen Verbindung wartete und inzwischen in dem elenden Wartezimmer eines elenden Postamtes mir einen Brief ausdachte, in welchem ich Deine Mutter rühren und ihr eine Nachricht über Deinen Zustand abzwingen wollte – und ich dann endlich Deine gesunde, helle Stimme zu hören bekam und Du mich harmlos fragtest: »Wie geht es Dir?« Seit heute früh denke ich daran, an Fräulein Brühl zu telegraphieren und werde es doch vielleicht nicht tun. Bitte, bitte, Felice, wenn Du gesund bist, schreib mir doch ein Wort. Freilich wenn Du krank bist – es ist ja schließlich möglich, meinem Ahnungsvermögen traue ich längst nicht mehr –, dann, ja ich weiß

nicht, was dann, dann bleibt mir hier nur die Angst und der Schrek-
ken, denn wie sollte ich mit meinen Wünschen etwas ausrichten
können, da ich es mit meinen Handlungen nicht kann. Aber eine
Nachricht könnte ich doch auch dann vielleicht bekommen, vielleicht durch Deine Schwester. Aber zu wem rede ich? Vielleicht bekommst Du den Brief gar nicht und ich könnte ihn ebensogut auf
meinem Tisch liegen lassen.

Franz

Das war der für Dich vorbereitete Sonntagsbrief. Ich konnte ihn
nicht schöner machen. Nun habe ich ins Bett den Eilbrief bekommen, der am Mittwoch geschrieben und Freitag abend eingeworfen
wurde. Ich bin fast zufrieden, ich vergesse alles Schlimme zu leicht.
Am auffallendsten war mir die Geschichte vom Stoffsammeln und
vom Gelegenheitsdichter. Einerseits ist es entsetzlich, andererseits
ist es aber merkwürdigerweise bei einem ganz fremden Volk. Was
für Sitten!

[15. Juni 1913]

Liebe Felice, es wird mir heute schwer, zu schreiben, nicht etwa
weil schon spät ist, aber der Brief, der morgen – wird er wirklich
kommen? – kommen wird, ist Dir abgezwungen, ich habe ihn Dir
mit dem Telegramm abgezwungen. Dein guter Geist hat Dich vom
Schreiben abgehalten, auch während des langen Sonntags, und ich
habe gegen Deinen guten Geist gekämpft. Ein schändlicher Sieg,
wenn es wirklich einer ist. Was will ich denn nur von Dir? Was
treibt mich hinter Dir her? Warum lasse ich nicht ab, folge keinem
Zeichen? Unter dem Vorwand, Dich von mir befreien zu wollen,
dränge ich mich an Dich. Wo ist eine Grenze oder ein Ausweg?
Wenn ich einmal glauben muß, daß Du für mich verloren bist, tritt
gleich die grobe perspektivische Täuschung ein und der vielleicht
irgendwo bestehende, winzige, kaum zu sehende, nie zu treffende
Ausweg nimmt dann traumhaft große, schöne Formen an und ich
stürze Dir wieder nach und ohne Übergang stock ich schon wieder.
Aber ich fühle nicht nur meine Plage, sondern die Plage, die ich Dir
antue noch viel mehr.

Franz

Liebste Felice, gerade habe ich paar Worte mit meiner Schwester gesprochen, die im Bett liegt, und mit dem Fräulein, das bei ihr ist. Meine Schwester ist brav und gut, das Fräulein die ergebenste Person, und doch habe ich die paar Worte in der äußersten Gereiztheit gesprochen und nur verlangt aus dem Zimmer hinauszukommen, in dem sie mich mit Fragen zu halten suchten. Für die Gereiztheit war nicht der geringste Grund auf Seite der Schwester und des Fräuleins, es war auch keine Möglichkeit, die Gereiztheit zu äußern, und so mußte ich in diesem schändlichen Zustand abziehn und in einem Brief an Dich irgendeine Reinigung suchen. Aber auch darin bin ich unsicher, denn ich hatte heute keinen Brief von Dir, und kann ich mich nicht an ein frisches Wort von Dir hängen, bin ich wie im Leeren.

Nun ist also Dein Vater schon wieder da und der Brief noch immer nicht geschrieben, aber Dein letzter Brief ist auch vielleicht der erste seit langer Zeit, in dem Du etwas »offen und ehrlich« hören willst und selbst irgendeine Befangenheit und Schweigsamkeit ablegst.

Du erkennst doch schon gewiß meine eigentümliche Lage. Zwischen mir und Dir steht von allem andern abgesehn der Arzt. Was er sagen wird ist zweifelhaft, bei solchen Entscheidungen entscheidet nicht so sehr medicinische Diagnose, wäre es so, dann stünde es nicht dafür, sie in Anspruch zu nehmen. Ich war wie gesagt nicht eigentlich krank, bin es aber doch. Es ist möglich, daß andere Lebensverhältnisse mich gesund machen könnten, aber es ist unmöglich, diese andern Lebensverhältnisse hervorzurufen. Bei der ärztlichen Entscheidung (die, wie ich schon jetzt sagen kann, nicht unbedingt für mich Entscheidung sein wird) wird nur der Charakter des unbekannten Arztes entscheiden. Mein Hausarzt z. B. würde in seiner stupiden Unverantwortlichkeit nicht das geringste Hindernis sehn, im Gegenteil; ein anderer, besserer Arzt wird vielleicht die Hände über dem Kopf zusammenschlagen.

Nun bedenke, Felice, angesichts dieser Unsicherheit läßt sich schwer das Wort hervorbringen und es muß sich auch sonderbar anhören. Es ist eben zu bald, um es zu sagen. Nachher aber ist es doch auch

[1] Begonnen hat Kafka diesen Brief spätestens am 10. Juni. Vgl. in seinem Brief vom 10. die Bemerkung »…vielmehr bereite ich eine Abhandlung… vor, die aber noch nicht fertig ist.«

wieder zu spät, dann ist keine Zeit mehr zur Besprechung solcher Dinge, wie Du sie in Deinem letzten Brief erwähnst. Aber zu langem Zögern ist nicht mehr Zeit, wenigstens fühle ich das so, und deshalb frage ich also: Willst Du unter der obigen, leider nicht zu beseitigenden Voraussetzung überlegen, ob Du meine Frau werden willst? Willst Du das?

An dieser Stelle habe ich vor einigen Tagen aufgehört und habe es seitdem nicht fortgesetzt. Ich verstehe es sehr gut, warum ich das nicht konnte. Es ist im Grunde nämlich eine verbrecherische Frage. die ich an Dich stelle (das erkenne ich wieder an Deinem heutigen Brief), aber in dem Widerstreit der Kräfte siegen die, die diese Frage stellen müssen.

Was Du von Ebenbürtigkeit und solchen Dingen sprichst, ist, *wenn dadurch nicht (Dir natürlich unbewußt) anderes verdeckt werden soll,* nichts als Phantasie. Ich bin ja nichts, gar nichts. Ich bin »in allem weiter« als Du? Ein wenig Menschen zu beurteilen und in Menschen mich einzufühlen, das verstehe ich, aber ich glaube nicht, jemals mit einem Menschen zusammengekommen zu sein, der auf die Dauer, im Durchschnitt, und zwar hier im Leben, im Menschenverkehr (um was handelt es sich denn sonst?) kümmerlicher wäre als ich. Ich habe kein Gedächtnis, weder für Gelerntes noch für Gelesenes, weder für Erlebtes noch für Gehörtes, weder für Menschen noch für Vorgänge, mir ist, als hätte ich nichts erlebt, als hätte ich nichts gelernt, ich weiß tatsächlich von den meisten Dingen weniger als kleine Schulkinder, und was ich weiß, weiß ich so oberflächlich, daß ich schon der zweiten Frage nicht mehr entsprechen kann. Ich kann nicht denken, in meinem Denken stoße ich immerfort an Grenzen, im Sprung kann ich noch einzelweise manches erfassen, zusammenhängendes, entwicklungsmäßiges Denken ist mir ganz unmöglich. Ich kann auch nicht eigentlich erzählen, ja fast nicht einmal reden; wenn ich erzähle, habe ich meistens ein Gefühl, wie es kleine Kinder haben könnten, die die ersten Gehversuche machen, aber noch nicht aus eigenem Bedürfnis, sondern weil es die erwachsene, tadellos gehende Familie so will. Einem solchen Menschen fühlst Du Dich nicht ebenbürtig, Felice, die Du lustig, lebendig, sicher und gesund bist? Das einzige, was ich habe, sind irgendwelche Kräfte, die sich in einer im normalen Zustand gar nicht erkennbaren Tiefe zur Literatur koncentrieren, denen ich mich aber bei meinen gegenwärtigen beruflichen und körperlichen Verhältnissen gar nicht anzuvertrauen wage, denn allen innern Mahnungen dieser Kräfte stehen zumindest ebensoviel innere Warnungen gegenüber. Dürfte ich mich ihnen anvertrauen, so würden sie mich freilich, das glaube ich bestimmt, mit einemmal aus allem diesem innern Jammer heraustragen.

Nur zur theoretischen Ausführung der Frage der Ebenbürtigkeit, denn praktisch kommt sie, wie gesagt, nicht in Betracht, wenigstens nicht in Deinem Sinne – muß ich noch hinzufügen, daß eine derartige Übereinstimmung in Bildung, in Kenntnissen, in höheren Bestrebungen und Auffassungen, wie Du sie für eine glückliche Ehe zu fordern scheinst, meiner Meinung nach erstens fast unmöglich, zweitens nebensächlich und drittens nicht einmal gut und wünschenswert ist. Was eine Ehe verlangt, ist menschliche Übereinstimmung, also Übereinstimmung noch tief unter allen Meinungen, also eine Übereinstimmung, die nicht zu überprüfen, sondern nur zu fühlen ist, also eine Notwendigkeit menschlichen Beisammenseins. Dadurch wird aber die Freiheit des einzelnen nicht im geringsten gestört, die wird eben nur gestört durch das nicht notwendige menschliche Beisammensein, aus dem der größte Teil unseres Lebens besteht.

Du sagst, es wäre denkbar, daß ich das Zusammenleben mit Dir nicht ertragen könnte. Damit rührst Du fast an etwas Richtiges, nur von einer ganz andern Seite, als Du meinst. Ich glaube wirklich, ich bin für den menschlichen Verkehr verloren. Ein fortgesetztes, lebendig sich aufbauendes Gespräch mit einem einzelnen zu führen bin ich gänzlich außerstande, einzelne ausnahmsweise, schrecklich ausnahmsweise Zeiten abgerechnet. Ich war z. B. mit Max in den vielen Jahren, seitdem wir uns kennen, doch schon so oft allein beisammen, tagelang, auf Reisen wochenlang und fast unaufhörlich, aber ich kann mich nicht erinnern – wenn es geschehen wäre, könnte ich mich sehr gut erinnern –, ein großes, zusammenhängendes, mein ganzes Wesen heraushebendes Gespräch mit ihm geführt zu haben, wie es doch selbstverständlich sich ergeben müßte, wenn zwei Menschen mit ihrem großen Umkreis eigentümlicher und bewegter Meinungen und Erfahrungen aneinandergeraten. Und Monologe Maxens (und vieler anderer) habe ich schon genug gehört, für die nur der laute und meistens auch der stumme Gegenredner fehlte.

(Liebste, es wird spät, der Brief geht nicht ab, das ist schlecht, und schlechter noch, daß er nicht auf einmal, sondern in Absätzen geschrieben ist, nicht eigentlich aus Zeitmangel, sondern aus Unruhe und Selbstquälerei.) Am erträglichsten bin ich noch in bekannten Räumen mit 2 oder 3 Bekannten, da bin ich frei, es besteht kein Zwang zu fortwährender Aufmerksamkeit und Mitarbeit, aber wenn ich Lust habe, kann ich wann ich will an dem Gemeinsamen mich beteiligen, so lang oder so kurz ich will, niemand vermißt mich, niemandem werde ich unbehaglich. Ist noch irgendein fremder Mensch da, der mir ins Blut geht, desto besser, da kann ich scheinbar von geborgter Kraft ganz lebendig werden. Bin ich aber in einer fremden Wohnung, unter mehreren fremden Leuten oder solchen, die ich als fremd fühle, dann liegt mir das ganze Zimmer auf der Brust und ich kann mich nicht rühren, und dann scheint förmlich mein Wesen den Leuten ins Blut zu gehn und alles wird trostlos. So war es z. B. an dem Nachmittag bei Euch[1], so war es vorgestern abend beim Onkel von Weltsch, also bei Leuten, die mich unverständlicher Weise geradezu liebhaben. Ich erinnere mich so genau daran, ich lehnte dort an einem Tisch, neben mir lehnte die Haustochter – ich kenne in Prag kein Mädchen, das ich so gut leiden kann –, ich war nicht imstande, im Anblick dieser guten Freunde auch nur ein vernünftiges Wort herauszubringen. Ich starrte vor mich hin und sagte hie und da einen Unsinn. Wenn man mich an den Tisch festgebunden hätte, ich hätte nicht gequälter und gezierter dastehn können. Davon wäre noch viel zu erzählen aber es genügt vorläufig.

Darnach könnte man glauben, ich sei für das Alleinsein geboren – als ich dann allein in meinem Zimmer war, war ich zwar verzweifelt über alles, aber verhältnismäßig auch glücklich und beschloß, meinen guten Freund Felix wenigstens eine Woche nicht wiederzusehn, nicht etwa aus Scham, sondern *aus Ermüdung* – aber ich komme ja auch mit mir nicht aus, außer wenn ich schreibe. Zwar, verhielte ich mich zu mir so, wie ich mich zu andern verhalte, müßte ich längst auseinandergefallen sein, aber nahe daran war ich schon oft.

Nun bedenke, Felice, welche Veränderung durch eine Ehe mit uns vorginge, was jeder verlieren und jeder gewinnen würde. Ich würde meine meistens schreckliche Einsamkeit verlieren und Dich gewinnen, die ich über allen Menschen liebe. Du aber würdest Dein bisheriges Leben verlieren, in dem Du fast gänzlich zufrieden warst.

---

[1] Vgl. Kafkas Brief an Felice vom 15. Mai 1913, S. 383, drei Tage nach seinem Berliner Pfingstbesuch.

Du würdest Berlin verlieren, das Bureau, das Dich freut, die Freundinnen, die kleinen Vergnügungen, die Aussicht, einen gesunden, lustigen, guten Mann zu heiraten, schöne, gesunde Kinder zu bekommen, nach denen Du Dich, wenn Du es nur überlegst, geradezu sehnst. Anstelle dieses gar nicht abzuschätzenden Verlustes würdest Du einen kranken, schwachen, ungeselligen, schweigsamen, traurigen, steifen, fast hoffnungslosen Menschen gewinnen, dessen vielleicht einzige Tugend darin besteht, daß er Dich liebt. Statt daß Du Dich für wirkliche Kinder opfern würdest, was Deiner Natur als der eines gesunden Mädchens entsprechen würde, müßtest Du Dich für diesen Menschen opfern, der kindlich, aber im schlimmsten Sinne kindlich ist und der vielleicht im günstigsten Fall buchstabenweise die menschliche Sprache von Dir lernen würde. Und in jeder Kleinigkeit würdest Du verlieren, in jeder. Mein Einkommen ist vielleicht nicht größer als das Deinige, ich habe genau 4588 K jährlich, bin allerdings pensionsberechtigt, aber das Einkommen ist wie eben in einem dem Staatsdienst ähnlichen Dienst sehr wenig steigerungsfähig, von den Eltern habe ich nicht viel zu erwarten, von der Literatur gar nichts. Du müßtest also viel bescheidener leben als jetzt. Würdest Du das wirklich meinetwegen, des oben beschriebenen Menschen wegen, tun und aushalten?

Und nun sprich Du, Felice. Überlege alles, was ich gesagt habe in allen meinen Briefen von Anfang an. Ich glaube meine Angaben über mich dürften niemals viel geschwankt haben. Übertrieben wird kaum etwas sein, zu wenig gesagt manches. Über die äußere Rechnung mußt Du nichts sagen, die ist klar genug, die verbietet Dir ein »Ja« aufs strengste. Bleibt also nur die innere Rechnung. Wie steht es mit der? Willst Du mir ausführlich antworten? Oder nicht ausführlich, wenn Du nicht viel Zeit hast, aber klar, wie es Deinem doch im Grunde klaren, nur durch mich ein wenig getrübten Wesen entspricht?

Franz

17. VI. 13

Liebste Felice, Du hast doch meinen schweren Brief? Ich war sehr unvorsichtig mit ihm. Ich ging abend ziemlich spät aus dem Geschäft (meine Eltern kommen erst nächste Woche, Ottla ist schon

längst gesund, das Essen ist so wie immer und mir ebenso gleichgültig), und da ich nun doch den Brief noch aufgeben wollte, mußte
ich zur Bahn gehn. Aber ich wurde von einem Bekannten aufgehalten (er sah den Brief in meiner Hand, fragte, was es sei, und ich sagte
zum Spaß und er nahm es auch als solchen, es sei ein Heiratsantrag;
Unglaublicheres kann man wirklich nicht sagen), und nun mußte
ich, sollte der Brief noch mitgenommen werden, auf den Bahnsteig
gehn. Als ich aber bei einem Automaten die Karte lösen wollte, fiel
das Geldstück heraus, denn der Automat war schon leer. Ich wollte
gerade zu einem andern gehn, da kam aus dem dunklen, leeren
Wartesaal erster Klasse irgendein Mann heraus, ein alter Mann mit
weißem Schnauzbart, vielleicht ein Eisenbahn[an]gestellter aber es
muß nicht so sein, ich sah ihn kaum an und könnte ihn auch nicht
wiedererkennen, und bot sich an, den Brief einzuwerfen, nahm ihn
und das Geldstück, fast ohne meine Zustimmung abzuwarten, in
meiner Befangenheit, meinem häufigsten Zustand, ließ ich ihm
alles, sagte noch im Halbschlaf: »Ich kann mich doch auf Sie verlassen?«, und Mann und Brief war fort.
Ich war heute so glücklich mit Deinem Brief und Deiner Karte (in
die Wohnung kommt alles verspätet, die Karte erhielt ich erst heute
mittag). Ich bin also ein unpünktlicher Briefschreiber geworden,
meinst Du? Aber doch nicht auf eigene Faust? Nein, das nicht, Dir
gegenüber nicht. Aber vielleicht meinst Du, daß es überhaupt
bessere Verständigungsmittel gibt als Briefe. Nun dann hast Du
recht, wenn auch nicht unbedingt. Was bedeutete es aber letzthin
als Du sagtest, meine Briefe wären auch anders geworden? Worin
denn? Das will ich wissen. Es müßte denn sein, Du meinst die Zeit,
als ich für mich geschrieben habe und ein anderer Mensch war.
Deine Ferienpläne verstehe ich nicht ganz. Mußt Du unbedingt im
August fahren? Ich kann nur im September. Und warum kosten die
kleinen Reisen, die Du beabsichtigst, so viel Geld? Kannst Du nicht
billig reisen? Du hast mich manchmal erschreckt. Wie Du z. B. in Prag
teuer gewohnt hast! Was für eine ungeheuere Summe Du für Palästina zu brauchen vorgabst! Kannst Du z. B. nicht III. Klasse fahren?
Ich wieder kann gar nicht anders fahren. Reisen sind doch so billig,
wie könnte es anders sein, da sie auch genau so notwendig sind.
Und darum rate ich Dir, an den Gardasee zu fahren und würde Dir
dort erklären, warum.

Franz

Ich will heiraten und bin so schwach, daß mir die Knie schlottern infolge eines kleinen Wortes auf einer Karte. Werde ich morgen einen Brief bekommen, aus dem ich sehen werde, daß Du alles Punkt für Punkt überlegt hast, Dir dessen bis auf den Grund bewußt geworden bist und doch ja sagst, also alles in Dir nicht widerlegt (das wäre schlimm, denn es ist, wohl verstanden, unwiderleglich) aber entkräftet, überwunden hast oder wenigstens aus bestimmten Gedankengängen heraus überzeugt bist, es überwinden zu können?

Franz

Wann bekamst Du meinen Brief? Wärest Du so gut, mir ein Exemplar der Berliner »Deutschen Montagszeitung« vom letzten Montag zu verschaffen. Es soll etwas über den »Heizer« drinstehn[1].

[20. Juni 1913]

Liebe, liebste Felice, nicht das, nicht das. Du sollst nicht in etwas Dich hingeben, was Dein Unglück sein könnte, sondern vielleicht, wenn Gott will, hineingehn, überlegen. Rechne mir mein Verhalten jetzt als ein Laster an, das ich vielleicht bei meiner Selbstbeschreibung vergessen haben könnte, ich kann nicht davon ablassen. Das Wort, das Du mir sagst, ist äußerlich das, wofür ich mein Leben bestimmen will, aber ich kann ihm von außen nicht ansehn, ob es das ist, was ich will. Ich halte Dir, Felice, vorläufig die Hand vor den Mund und Du hast vorläufig das Wort nicht eigentlich, sondern nur in meine hohle Hand gesprochen. Du hast das, was ich schrieb, nicht ganz gewürdigt (bitte, bitte, Felice, rechne es mir nicht schlecht an, daß ich so rede, ich muß, ich muß), ich sehe nicht, daß Du Punkt für Punkt überlegt hättest, Du hast nur alles in Bausch und Bogen überlegt, wer kann sagen, was Dir da entgangen ist. Unsichere Bedenken hattest Du allerdings, aber ich sehe nur ihre Spur (da Du einen Tag verstreichen ließest, ehe Du die Karte schriebst, und 2 Tage ehe den Brief), sie selbst sind nicht verzeichnet. Das, was ich über den Arzt sagte, macht Dir Unruhe, Du verstehst es auch nicht recht, was ganz natürlich ist, aber statt weiter darauf zu bestehn, sagst Du »lassen

[1] Heinrich Eduard Jacobs Besprechung vom 16. Juni 1913.

wir das!« Ich aber meinte, die Entscheidung des Arztes wäre, nur für den Fall als sie günstig ist, an sich nicht schon Entscheidung für mich; mehr sagte ich nicht. Du gestehst, daß in meinem Briefe häßliche Dinge standen, denn »wenn ich ängstlich wäre …« Aber Liebste, Liebste, ich verlange doch nicht nur Mut von Dir oder will Dir vielmehr nicht nur eine Aufgabe auferlegen, die nur Mut erfordert. *Aber Mut ohne Überlegung ist Selbstaufopferung.* Du glaubst mir alles, was ich sage, nur das, was ich über mich sage, ist »zu schroff«. Also glaubst Du mir den ganzen Brief nicht, denn er handelte ja nur von mir. Was soll ich da tun? Wie Dir das Unglaubliche glaubhaft machen! Du hast mich doch schon in Person gesehn, gehört und geduldet. Nicht nur Du, auch Deine Familie. Und doch glaubst Du mir nicht. Und es handelt sich auch um mehr als nur um »Berlin und was dazu gehört«, was Du verlieren würdest, darauf antwortest Du aber gar nicht und es ist das Wichtigste. »Einen guten lieben Mann?« Ich habe in meinem letzten Brief andere Eigenschaftswörter zu mir gesetzt, aber die glaubst Du mir eben nicht. Glaub mir doch, überleg alles und sag, *wie* Du es überlegt hast. Wenn Du doch heute, Sonntag, ein wenig Zeit hättest und mir ein wenig ausführlich schreiben wolltest, wie Du Dir das wochentägliche Leben mit einem Menschen wie dem von mir beschriebenen vorstellst? Tu das, Felice, ich bitte Dich darum als einer, der Dir seit der ersten Viertelstunde verlobt war.

Franz

22. VI. 13

Liebste, wie ich aus Deinen Briefen mein Leben sauge, das kannst Du Dir nicht vorstellen, aber die Überlegung, das ganz bewußte Ja-sagen ist noch nicht darin, auch nicht in Deinem letzten Briefe. Wäre es nur im morgigen Brief oder ganz besonders in der Antwort auf meinen morgigen Brief. Dieser morgige Brief nämlich, der schon fast fertig ist, ist mir so wichtig, daß ich ihn nicht heute mit der einfachen Post schicken will, sondern erst morgen rekommandiert. Nur auf den Brief dann auch noch eine ausführliche Antwort, Felice! Dann ist vielleicht dieses Bohren, dieses so notwendige Bohren, dessen Notwendigkeit Du nicht ganz einsehn willst, vorläufig zuende. Felice, Du glaubst doch nicht, daß ich Freude daran habe, Dich zu quälen, nun gut, dann bemesse daran, daß ich es doch tue, die Notwendigkeit dessen. Den morgigen Brief beantworte haargenau!

Wenn Frl. Brühl nicht nachgeholfen hat, dann ist die Handdeutung eine schöne Kunst und besonders gegebenen Falls in der Prophezeiung des »Niemals reich-Werdens« leider unanfechtbar, allerdings steckt auch ein grober Fehler darin. Aber doch, das muß ich eingestehn, hört sich das Ganze wunderbar an, nicht wunderbar richtig, meine ich, aber wunderbar beglückend. Schreib mir noch etwas darüber, nicht?

Also Dienstag bekommst Du meinen Brief. Ich wollte Dich ewig an Deinem Tisch halten, ewig mit Briefeschreiben an mich beschäftigt.

Franz

21. [22. und 23.] VI. 13

Liebste, auch das und vielleicht das vor allem berücksichtigst Du in Deinen Überlegungen nicht genug, trotzdem wir schon viel darüber geschrieben haben: daß nämlich das Schreiben mein eigentliches gutes Wesen ist. Wenn etwas an mir gut ist, so ist es dieses. Hätte ich dies nicht, diese Welt im Kopf, die befreit sein will, ich hätte mich nie an den Gedanken gewagt, Dich bekommen zu wollen. Was Du jetzt zu meinem Schreiben sagst, kommt nicht so sehr in Betracht, Du wirst, wenn wir beisammen sein sollten, bald einsehn, daß, wenn Du mein Schreiben mit oder wider Willen nicht lieben wirst, Du überhaupt nichts haben wirst, woran Du Dich halten könntest. Du wirst dann schrecklich einsam sein, Felice, Du wirst nicht merken, wie ich Dich liebe, und ich werde Dir kaum zeigen können, wie ich Dich liebe, trotzdem ich Dir dann vielleicht ganz besonders angehören werde, heute wie immer. Langsam werde ich ja zerrieben zwischen dem Bureau und dem Schreiben (das gilt auch für jetzt, trotzdem ich seit 5 Monaten nichts geschrieben habe), wäre das Bureau nicht, dann wäre freilich alles anders und diese Warnungen müßten nicht so streng sein, so aber muß ich mich doch zusammenhalten, so gut es nur geht. Was sagst Du aber, liebste Felice, zu einem Eheleben, wo, zumindest während einiger Monate im Jahr, der Mann um ½3 oder 3 aus dem Bureau kommt, ißt, sich niederlegt, bis 7 oder 8 schläft, rasch etwas ißt, eine Stunde spazieren geht, dann zu schreiben anfängt und bis 1 oder 2 Uhr schreibt. Könntest Du denn das ertragen? Vom Mann nichts zu wissen, als daß er in seinem Zimmer sitzt und schreibt? Und auf diese Weise den Herbst und den Winter verbringen? Und gegen das Frühjahr zu den Halbtoten an der Tür des Schreibzimmers empfangen und im Frühjahr und Sommer zusehn, wie er sich für den Herbst zu erholen sucht? Ist das ein mögliches Leben? Vielleicht, vielleicht ist es möglich, aber Du mußt es doch bis zum letzten Schatten eines Bedenkens überlegen. Vergiß dabei aber nicht andere Eigenheiten, die mit dem Vorigen zusammenhängen, aber außerdem in unglücklichen Anlagen begründet sind. Seit jeher war es mir peinlich oder zumindest beunruhigend, einen Fremden oder selbst einen Freund in meinem Zimmer zu haben, nun hast Du jedenfalls Menschen gerne, vielleicht auch Gesellschaften, ich könnte mich aber nur mit größter Mühe, fast mit Schmerz überwinden, Verwandte oder selbst Freunde in meiner oder – ich wage das Wort – in unserer Wohnung zu empfangen. Nichts fiele mir z. B. leichter, als in Prag wohnen und meine Verwandten überhaupt nicht zu sehn, trotzdem sie durchaus die bravsten und insbesondere gegen mich die bravsten Menschen sind und sie mir schon alle mehr unverdient Gutes getan haben, als ich ihnen jemals tun könnte. Mein Streben wäre also vorläufig eine Wohnung möglichst am Rande der Stadt, so recht unzugänglich, und mein weiteres Streben wäre für später durch Sparen ein kleines Haus mit Garten vor der Stadt zu beschaffen. Aber nun denke, Felice, Du wärest dann eigentlich in einer ähnlichen Lage wie Deine Budapester Schwester, die Du so bemitleidest, nur daß Deine Lage durch mich noch verschärfter wäre und auch ein anderer Trost Dir fehlen würde, den Deine Schwester hat. Was sagst Du nun? Darauf muß ich ganz genaue Antwort haben, das siehst Du gewiß ein, ganz genaue Antwort.

Ich weiß, Felice, es gibt eine einfache Möglichkeit, sich mit diesen Fragen rasch und günstig auseinanderzusetzen, nämlich die, daß Du mir nicht glaubst oder wenigstens für die Zukunft nicht glaubst oder wenigstens nicht vollständig glaubst. Ich fürchte, Du bist nahe daran. Das wäre allerdings das Schlimmste. Dann begehst Du, Felice, die größte Sünde an Dir und infolgedessen auch an mir. Dann gehn wir beide ins Verderben. Du mußt mir glauben, was ich von mir sage, es ist die Selbsterfahrung eines 30-jährigen Menschen, der schon einige Male aus innersten Gründen nahe am Irresein, also an den Grenzen seines Daseins war, also einen ganzen Überblick über sich hat und über das, was in diesen Grenzen aus ihm werden kann.

———

22. VI.

Das ist Samstag abend geschrieben worden, jetzt ist Sonntag nachmittag, ich habe ein Rendezvous mit Werfel und andern, und um ½6 muß ich meine Eltern abholen. Geschlafen habe ich in der Nacht nur ganz kurze Zeit*, der Kopf ist nicht in Ordnung, ich weiß nicht, ob ich alles so richtig werde niederschreiben können, wie ich will. Jedenfalls mußt Du in Deine Überlegungen den Umstand mit einbeziehn, daß ich in meiner Stellung im Bureau durchaus nicht fest sitze, die Verzweiflungszustände wegen der Arbeit dort, wegen dieses schrecklichen Hindernisses für mein Leben, wiederholen sich ständig und werden stärker, denn die Kraft, das Gleichgewicht herzustellen, schwindet an der Unmöglichkeit der Aufgabe immer mehr hin. Ich war schon öfters sehr nahe daran zu kündigen und was ein bestimmter Entschluß nicht bewirkt, wird möglicherweise die Ohnmacht, meine Arbeiten dort auszuführen, die schon zeitweise entsetzlich und von Vorgesetzten genau beobachtet war, von selbst bewirken. Was aber dann?

Aber selbst wenn und solange ich bleibe, also im günstigen, vergleichsweise günstigen Fall, werden meine Frau und ich arme Leute sein, welche diese 4588 K sorgfältig werden einteilen müssen. Wir werden viel ärmer sein als z. B. meine Schwestern, die gewissermaßen wohlhabend sind. (Von meinen Eltern kann ich, wenigsten zu ihren Lebzeiten, nichts bekommen.) Wir werden ärmer sein als Max und Oskar. Wird das meine Frau nicht beschämen und infolgedessen, nur infolgedessen, auch mich? Wird sie das ertragen? Und wenn irgendwelche große Ausgaben eintreten werden, durch Krankheit oder sonstwie, werden wir gleich verschuldet sein. Wird sie auch das ertragen?

Du hast schon mehrmals irgendein Leid erwähnt, das Ihr früher zuhause erlitten und ertragen habt. Was war das für Leid? Kann man daraus vielleicht auf Tragfähigkeit für anderes Leid schließen?

———

* [Zwischen den Zeilen] hätte ich soviel geschlafen, als ich an Dich gedacht habe, es wäre viel gewesen

Montag, kein Brief, wider Erwarten keiner. – Jetzt bin ich gerade mit meinem Vater im Nebenzimmer gewesen, wo gerade der kleine Felix aufgewacht ist. Ich hätte den Vater zu sehr gekränkt, wenn ich nicht mitgekommen wäre. Wie mich aber das Spiel anwidert, das der Vater mit dem Kind treibt und das alle mit ihm treiben! Gestern nachmittag, als alle nach der Ankunft der Eltern bei uns versammelt waren, und als alle im Spiel mit diesem Kinde, mein Vater geradezu wild allen voran, ganz besinnungslos zuunterst im Geschlechtlichen sich verloren, war ich angewidert, als sei ich zum Leben in einem Stall verurteilt, trotzdem ich mir vollständig genau einerseits meiner allzu großen Empfindlichkeit in dieser Hinsicht und andererseits auch des moralischen, merkwürdigen und von der Ferne selbst schönen Anblicks des Ganzen bewußt war. Aber da saß freilich auch meine arme Mutter da, die niemals Zeit dazu hatte und es auch nicht richtig anzustellen gewußt hätte, ihren Körper in Ordnung zu halten und die nun von den 6 Geburten und der Arbeit aufgedunsen und gekrümmt ist, da war mein Vater hochrot im Gesicht, das ruhige Leben in Franzensbad ist seinem Leiden auch nicht gut, da war meine älteste Schwester, die vor 2 Jahren noch ein junges Mädchen war und sich nach 2 Geburten mehr aus Nachlässigkeit und Unwissenheit als aus Zeitmangel wahrhaftig im Aussehen des Körpers schon meiner Mutter annähert und in einem sonderbaren Mieder mit verquollenem Körper dasitzt. Und wenn man genau zusieht, nähert sich sogar meine mittlere Schwester schon der ältesten. – Liebste, wie ich mich zu Dir geflüchtet habe! Und nun hast Du gestern nicht an mich gedacht und die Fragen nicht beantwortet, so unumgänglich ihre Beantwortung ist. Ich muß aber die Beantwortung haben, die ganz genaue Beantwortung. Ebenso wie Du mich mit nichts kränken wirst, darfst Du Dich auch durch mich nicht gekränkt fühlen, aber nicht nur das, Du darfst auch nicht etwa aus einem Trotzgefühl (wie Du es mir einmal hinsichtlich des Buches von Werfel erklärt hast) schweigen, dazu ist doch jetzt wirklich keine Zeit, und Du darfst Dich schließlich auch auf keinen Fall durch irgendwelche Mitteilungen, die Dir Max damals in Berlin gemacht hat, beirren lassen. Nur auf das, was ich jetzt schreibe, mußt Du hören, Felice, nur auf das mußt Du antworten, aber auf alles, nicht nur auf die Fragen. Dafür verspreche ich Dir aber, wenn Du da tust, und in welchem Sinne immer, an Deine Eltern, wenn ich um Dich bitte, nur ganz kurz zu schreiben. Es ist wirklich nur unsere Sache, aber Du mußt ihr gerecht werden.

Franz

26. VI. 13

Liebste Felice, als ich heute Deinen Brief gelesen hatte, nicht einmal natürlich, erschien mir unsere Lage so schrecklich, daß ich über den Tisch hinweg meinem Kollegen, diesem komischen und lieben Menschen, von dem ich Dir gewiß schon einmal geschrieben habe, das »Du« anbot. Er steckt nämlich in einer für den Augenblick unglücklichen und in ihrer Komik ihm ähnlichen Liebesgeschichte, die aber sicher gut ausgehn wird. Und nun jammert er fortwährend, ich muß ihn nicht nur trösten, sondern auch ihm helfen, und so habe ich in diesem Hin und Her von Glück und Unglück, das Dein Brief bedeutet, ihm in irgendeiner augenblicklichen Hilflosigkeit, ohne ihn weiter ins Vertrauen zu ziehn oder ziehn zu wollen (er ist übrigens unabsehbar treu und wahrhaftig), die Hand zum »Du« gereicht. Es war übertrieben und ich habe es dann bedauert.

Ich bin heute nicht in der Verfassung, Dir, Felice, richtig zu antworten, mein Kopf schmerzt mich, ich habe Dir viel zu sagen und kann es nicht in eines zusammenfassen. Du antwortest nicht alles und nicht auf alles, aber Du antwortest lieb und so ausführlich als es Dir augenblicklich möglich ist, mehr kann ich nicht verlangen. Ein Fortschritt in der Sache selbst besteht ja darin, daß durch diese Briefe der Gegenstand klarer und vor allem umgrenzter wird.

Ich habe Dir jetzt 2 Tage nicht geschrieben, weil ich Dir erstens Ruhe zum Überlegen geben wollte und weil ich zweitens traurig über Deinen Kartenbrief vom Montag war, sowohl über seinen Inhalt als auch darüber, daß Du dort versprachst, noch abend zu schreiben, trotzdem ich von vornherein wußte, daß Du es nicht tun würdest, trotzdem Du es wirklich nicht getan hast und trotzdem Du schon so oft versprochen hast, nur ganz Bestimmtes bestimmt zu versprechen.

Soweit ich es heute in meinem dummen Zustand einsehe, hängt das Zustandekommen unseres gemeinsamen Glücks von der Verwirklichung der paar »vielleicht« ab, die in Deinem Briefe stehn. Wie das feststellen? Es ist höchst unsicher, ob ein längeres Beisammensein zu dieser Feststellung genügen würde. Aber es besteht nicht einmal eine Möglichkeit, dieses Beisammensein für längere Zeit herzustellen. Ferienzeit und -ort sind nicht die gleichen und Berlin ist nicht der richtige Platz für dieses Beisammensein. Ein kurzes Beisammensein ist in dieser Hinsicht aber nutzlos. Aber weder ein kurzes noch ein langes Beisammensein genügt. Denn hier handelt es sich nur um Glauben, Mut und Sicherheit von Deiner Seite. Um Glauben: denn Deine Annahmen sind, glaube mir, Felice, nicht richtig. Mein Verhältnis zum Schreiben und mein Verhältnis zu den Menschen ist unwandelbar und in meinem Wesen, nicht in den zeitweiligen Verhältnissen begründet. Ich brauche zu meinem Schreiben Abgeschiedenheit, nicht »wie ein Einsiedler«, das wäre nicht genug, sondern wie ein Toter. Schreiben in diesem Sinne ist ein tieferer Schlaf, also Tod, und so wie man einen Toten nicht aus seinem Grabe ziehen wird und kann, so auch mich nicht vom Schreibtisch in der Nacht. Das hat nichts Unmittelbares mit dem Verhältnis zu Menschen zu tun, ich kann eben nur auf diese systematische, zusammenhängende und strenge Art schreiben und infolgedessen auch nur so leben. Aber Dir wird es »recht schwer werden«, wie Du schreibst. Die Furcht vor Menschen habe ich seit jeher gehabt, nicht eigentlich vor ihnen selbst, aber vor ihrem Eindringen in meine schwache Natur, das Betreten meines Zimmers durch die Befreundetsten war mir ein Schrecken, war mir mehr als nur ein Symbol dieser Furcht. Aber ganz abgesehen davon, trotzdem davon nicht abgesehen werden kann, wie können denn Leute, und seien es Mutter und Vater, in dem beschriebenen Herbst- und Winterleben zu uns kommen, ohne daß sie mich und, wenn sie mit mir fühlt, meine Frau unerträglich stören? »Aber so zurückgezogen zu leben, ob Du das könntest, weißt Du nicht.« »Ob ich Dir alle Menschen ersetzen könnte, weißt Du nicht.« Liegt darin Antwort, liegt darin Frage?

Das Bureau? Daß ich es einmal aufgeben kann, ist überhaupt ausgeschlossen. Ob ich es aber nicht einmal aufgeben muß, weil ich nicht mehr weiterkann, das ist durchaus nicht so ausgeschlossen. Meine innere Unsicherheit und Unruhe ist in dieser Hinsicht schrecklich, und auch hier ist das Schreiben der einzige und eigentliche Grund. Die Sorgen um Dich und mich sind Lebenssorgen und gehören mit in den Bereich des Lebens und würden deshalb gerade mit der Arbeit im Bureau sich schließlich vertragen können, aber Schreiben und Bureau schließen einander aus, denn Schreiben hat das Schwergewicht in der Tiefe, während das Bureau oben im Leben ist. So geht es auf und ab und man muß davon zerrissen werden.

Das einzige, was durch Deinen Brief vielleicht endgiltig ausgeschieden wird, sind die Bedenken wegen des unzureichenden Geldes. Das wäre schon viel. Ob Du es aber auch richtig überlegt hast? Und so geht die Zeit mit Fragen hin. Ich erinnere mich nicht, geschrieben zu haben »es sei sehr eilig«, aber gemeint habe ich es.

Franz

[Am linken Rand der letzten Seite] Die Montagszeitung? Wenn nichts vom »Heizer« drin ist, muß ich sie natürlich nicht haben.

27. VI. 13

Ich bin so traurig, es gibt so viele Fragen, ich sehe keinen Ausweg und bin so elend und schwach, daß ich immerfort auf dem Kanapee liegen und ohne einen Unterschied zu merken die Augen offenhalten oder schließen könnte. Ich kann nicht essen, nicht schlafen, im Bureau habe ich jeden Tag Verdruß und Vorwürfe, immer durch meine Schuld, zwischen uns ist es so unsicher oder nicht zwischen uns, aber vor uns, und wie ich jetzt aus dem Fenster schaue – es ist geringfügig, aber gehört doch her, denn ich spüre die Wut darüber in der Kehle –, sehe ich drüben vor der Schwimmschule einen fremden Jungen in meinem Boot herumfahren. (Das kann ich allerdings schon während der letzten 3 Wochen fast jeden Tag sehn, da ich mich nicht entschließen kann, die verlorengegangene Kette zu ersetzen.)

Gerade jetzt, wo ich im Bureau diese Zänkereien habe, die sich trotz der größten Liebenswürdigkeit von allen Seiten, durch meine Schuld, regelmäßig wiederholen müssen und wiederholen, denn ich kann nicht ordentlich sein, mir gehn Akten verloren, und wenn ich sie mit beiden Händen halte, und ich kann irgendeinen Akt, gegen den ich eine besondere Abneigung habe, nicht vornehmen, und wenn ich die Drohung, die von ihm ausgeht, jahrelang tragen sollte, und ich kann auch nichts verstecken, verhindern oder entschuldigen, sondern muß alles auf mich herunterkommen lassen, wie die Erde das Donnerwetter – (ich wiederhole) gerade jetzt muß ich

413

mich bei der deutlichen Unfähigkeit, meine gegenwärtige oder gar eine spätere noch verantwortlichere Stelle auszufüllen, ganz besonders fragen, ob ich, selbst nur in dieser Hinsicht, das Recht habe, Dich zu verlangen, selbst wenn Du den Mut hättest, Dich mir zu geben.

Gibt mir denn überhaupt Dein Verhalten irgendein Recht? Das Recht muß ich doch aus mir ganz allein ziehn. Eigentlich müßte ich mir doch sagen, daß ich ein Recht, Dich, also mein Glück zu bekommen, nur aus der eigenen Beurteilung meines körperlichen und geistigen Zustandes, meiner inneren und äußern Sicherheit, meiner Vermögensverhältnisse und meiner Zukunft ableiten kann. Spricht mir diese eigene Beurteilung das Recht ab – und sie tut es – woher bekomme ich ein zweites Recht? Aus Deinem Mut, aus Deiner Güte gewiß nicht und nicht einmal aus Deiner Liebe, selbst wenn Du sie Dir nicht nur einbildetest *(eine Möglichkeit, die Du in Deinem letzten Brief offen gelassen hast)*. Ein solches Recht – es läge schon an der verantwortungslosen Grenze zwischen Recht und Pflicht – bekäme ich erst, wenn Du sagtest: »Ich kann nicht anders, trotz allem.« Aber allem Anschein nach kannst und darfst Du das nicht sagen. Besonders wenn Du alles überlegt hast. Es wird klarer durch das Schreiben aber auch schlimmer.

Franz

[Am Rande der ersten Seite] Danke für die Zeitung. Es kitzelt einen von oben bis unten. – Für Sonntag werde ich Dir wohl nur mit Expressbrief schreiben können.

28. VI. 13

Kein Brief gestern, keiner heute. Diesmal verstehe ich es fast. Mein Schreiben wird Dir unerträglich, so wie mein Reden und Nichtreden in Nikolassee. Ich verliere auch ein wenig den Überblick, und es würde eine für mich genügende Beschäftigung sein, auf das Klopfen und Schmerzen in meinen Schläfen achtzugeben, für alles andere bin ich untauglich. Im Bureau war es noch ärger als gestern.

Gestern nachmittag, gegen Abend nach 6 Uhr saß ich auf dem Kanapee und schaute so leer im Zimmer herum. Meine Schwester war aus dem Geschäft gekommen, sie öffnete die Tür und blieb dort stehn. Sie hat in den letzten Tagen irgendwie Mitleid mit mir, auch wußte sie, daß ich fast nichts esse und wollte wissen, ob ich diesmal nachtmahlen werde. Ich aber hatte keine Lust zu sprechen, sah nur nach ihr hin und sie sah mich an, das dauerte ein Weilchen. Ich dachte bloß daran, wie es wäre, wenn statt meiner Schwester meine Frau dort in der Türe stünde und diesen Anblick hätte und ihn ertragen müßte.

Heute mittag sagte meine Mutter: »Du hast gewiß Sorgen. Ich will mich nicht in Deine Geheimnisse drängen, aber ich möchte so gern, daß Du zufrieden bist u.s.w.« Und dann an ganz unangebrachter Stelle: »Du weißt gar nicht, wie lieb Dich der Vater hat u.s.w.« Ich sagte, mehr kann ich nicht sagen: »Aber ich habe keine Sorgen, nur Unannehmlichkeiten im Bureau.« Damit waren wir fertig, aber ich weiß, daß sie mit meiner Schwester, so oft es nur geht, über Dich und mich zu sprechen anfängt. Ihre Hilflosigkeit mir gegenüber ist nicht viel kleiner als meine eigene.

Aber ich höre auf, ich will Dir den Sonntag nicht durch mehr Schreiben noch verderben, wie es unausbleiblich wäre. Es fällt mir nur Trauriges ein. Ich möchte es gern damit erklären, daß ich heute keinen Brief von Dir habe, aber es ist nicht nur das. Sei wenigstens, Felice, zu diesem Papier (wie sich mir das F in die Feder drängte) freundlich, streichle es doch einmal, ich will mich in dem Gedanken daran wohlfühlen.

Franz

29. VI. 13

Nichts? Du hattest Freitag und Samstag Briefe von mir und Du schreibst mir kein Wort? Ich hatte heute, Sonntag, Dienst im Bureau und komme jetzt (meine Familie ist auf dem Land) nachhause, das Herz klopft mir während ich die Türe öffne, als sollte ich nicht den erwarteten, vermeintlich sichern Brief bekommen, sondern den liebsten lebendigen Menschen antreffen – und es ist nichts. Das muß Bedeutung haben, sage ich mir, und es ist nicht schwer, sie auszurechnen.

Franz

1. VII. 13

Meine liebste Felice, es ist richtig, ich habe jetzt die Auskunft von der Mutter überreicht bekommen. Es ist ein großes, ebenso grausliches wie urkomisches Elaborat. Wir werden noch darüber lachen. Ich wußte, daß es meine Mutter eingeholt hat. An dem Abend des Tages nämlich, an welchem Dein letztes Telegramm gekommen war, ließ ich die Mutter den Brief lesen, den ich für Deinen Vater vorbereitet habe. Nun glaubte sie keine Zeit mehr verlieren zu dürfen und bestellte, ohne mich mehr zu fragen, die Auskunft, zweifellos mit dem Vorbehalt, daß Du nichts davon erfahren dürftest. Nächsten Tag gestand sie es mir ein, ich nahm es nicht mehr wichtig und kümmerte mich nicht mehr darum. Nun ist es da, es ist wie von jemandem geschrieben, der in Dich verliebt ist. Dabei ist es unwahr in jedes Wort hinein. Ganz schematisch, es sind wahrscheinlich wahre Auskünfte überhaupt nicht zu bekommen, selbst wenn das Bureau die Wahrheit überhaupt erfahren könnte. Und trotzdem beruhigt es meine Eltern tausendmal mehr als mein Wort. – Denke nur, der Gewährsmann lügt sogar unverschämt, seiner Meinung nach zu Deinen Gunsten. Was glaubst Du, »hört man von Dir besonders«? »Man hört von Dir besonders, daß Du gut kochen kannst.« So etwas! Natürlich weiß er nicht, daß Dir das in unserem Haushalt gar nicht nützen wird, oder daß Du wenigstens vollständig umlernen müßtest. Ich weiß es nicht, aber ich glaube doch – ich bin gestört worden und habe nur einen Augenblick noch Zeit – ich glaube doch, daß unsere Wirtschaft eine vegetarische sein wird, oder nicht? Du liebe Köchin, von deren Köchinnentüchtigkeit »man besonders hört.«

Du, mir ist elend, ich gehe aus den Fugen, wenn sie mich dort im Süden nicht wieder zusammenbringen. Nach Westerland kann ich nicht kommen, mein Chef ist auf Urlaub, und selbst wenn ich Urlaub hätte, ich käme kaum, ich muß meinen ganzen Urlaub darauf verwenden, ein wenig hinaufzukommen, schon Dir zuliebe. – Wie denkst Du Dir die Reihenfolge: mein Brief an Deinen Vater und dann der Besuch meines Vaters oder lassen wir meinen Vater überhaupt weg? Du hast ja jetzt Zeit nachzudenken. Und versuche von mir zu gesunden, aber nicht vollständig.

Franz

1. VII. 13

Du willst also trotz allem das Kreuz auf Dich nehmen, Felice? Etwas Unmögliches versuchen? Du hast mich darin mißverstanden, ich sagte nicht, durch das Schreiben solle alles klarer werden, werde aber schlimmer, sondern ich sagte, durch das Schreiben werde alles klarer *und* schlimmer. So meinte ich es. Du aber meinst es nicht so und willst doch zu mir.

Meine Gegenbeweise sind nicht zu Ende, denn ihre Reihe ist unendlich, die Unmöglichkeit beweist sich ununterbrochen. Aber auch Du zeigst Dich ununterbrochen (wenn auch natürlich als ein Mensch, der Du bist, nicht so ununterbrochen wie sie), ich kann dem Gefühl der Hoffnung nicht widerstehn und lasse (das darf ich nicht verschweigen, es geschieht im deutlichen Bewußtsein einer Verblendung) alle meine Gegenbeweise. Wenn ich es überlege, rührt ja Dein Brief meine Gegenbeweise nicht im geringsten an, Du machst nur aus dem Gefühl heraus (es ist das Gefühl der Güte aber auch der Ferne und der im guten Sinn umgrenzten Erfahrung) aus meinen großen Hindernissen »winzige«, ausdrücklich »winzige«, und traust Dir dann gerade nur den Mut zu, diese zu überbrücken. Aber wartete ich etwa auf Widerlegung? Nein. Es gab nur dreierlei Antworten: »Es ist unmöglich, und ich will deshalb nicht« oder »Es ist unmöglich, und ich will deshalb vorläufig nicht« oder »Es ist unmöglich, aber ich will doch.« Ich nehme Deinen Brief als Antwort im Sinne der dritten Antwort *(daß es sich nicht genau deckt, macht mir Sorge genug)*, und nehme Dich als meine liebe Braut. Und gleich darauf (es will sich nicht halten lassen), aber womöglich zum letzten Mal sage ich, daß ich eine unsinnige Angst vor unserer Zukunft habe und vor dem Unglück, daß sich durch meine Natur und Schuld aus unserem Zusammenleben entwickeln kann und das zuerst und vollständig Dich treffen muß, denn ich bin im Grunde ein kalter, eigennütziger und gefühlloser Mensch trotz aller Schwäche, die das mehr verdeckt als mildert.

Was werden wir nun zunächst machen, Felice? Gut, ich werde Deinen Eltern schreiben. Vorher aber muß ich es meinen Eltern sagen. Es wird diese Ankündigung, selbst wenn sie nur aus 5 Sätzen besteht, das längste Gespräch sein, das ich seit Monaten mit meiner Mutter und seit Jahren mit meinem Vater geführt habe. Es wird dadurch eine Feierlichkeit erhalten, die mir nicht lieb ist. Ich werde es ihnen erst sagen, wenn ich die Antwort auf diesen Brief habe, *denn irgendwie scheint mir Dein Wort noch immer frei zu sein.*

Was wohl Deine Eltern zu meinem Brief sagen werden? Nach dem Bild hatte ich mir Deine Mutter anders vorgestellt, damit aber hat es nichts zu tun, daß ich Angst vor ihr hatte, so wie eben Angst neben Gleichgültigkeit das Grundgefühl ist, das ich gegenüber Menschen habe. Ich hatte ja auch Angst vor Deiner ganzen Familie (vielleicht mit Ausnahme Deiner Schwester Erna), ich schäme mich nicht, das zu sagen, denn es ist ebenso wahr wie lächerlich. Ich fürchte mich ja, wenn ich genau sein will, fast vor meinen eigenen Eltern, vor meinem Vater zweifellos. Deine Mutter war ja auch eigentümlich, so schwarz gekleidet, traurig, ablehnend, vorwurfsvoll, beobachtend, unbeweglich, fremd innerhalb der Familie, wie erst mir gegenüber. Ich hatte besondere Angst vor ihr und ich glaube, ich werde sie nie verlieren. Andererseits aber fürchte ich, daß keiner in Deiner Familie mit mir zufrieden sein wird, daß nichts, was ich tun werde, ihnen richtig scheinen wird, daß ich schon im ersten Brief nicht nach ihrem Sinne schreiben werde, daß ich als Bräutigam niemals das tun werde, was sie von einem Bräutigam fordern zu dürfen glauben, daß meine Liebe zu Dir, die vielleicht niemals ein fremder oder verwandter Anwesender merken wird, nicht Liebe in ihrem Sinne ist, daß diese Unzufriedenheit (und aus Unzufriedenheit wird Ärger, Verachtung, Zorn) sich weiterhin fortsetzen und vielleicht selbst auf Dich übertragen wird, mir gegenüber wie ihnen gegenüber. Hast Du auch dazu den Mut?

Franz

3. VII. 13
[Kafkas 30. Geburtstag]

Ich habe Dir, Felice, alles geschrieben, was sich mir im Augenblicke des Schreibens aufdrängte. Alles ist es nicht, aber es läßt, wenn man aufmerkt, fast alles ahnen. Trotzdem wagst Du es, entweder bist Du unsinnig kühn oder in ahnungsvollerer Verbindung mit dem, was uns beherrscht. Daß Du mir glaubst, daran zweifle ich nicht mehr, trotzdem Du mir ein wenig auch in dem heutigen Brief ausweichst (durch das Schreiben hält man sich eben, ohne roh zu werden, nicht genug fest). Ich zweifle nicht daran, daß Du mir glaubst, denn dann wärest Du ja nicht die, die ich liebe, und ich müßte an allem zweifeln. Nein, wir halten uns also von nun ab fest und legen die Hände ordentlich ineinander. Denkst Du noch an meine lange, knochige Hand mit den Fingern eines Kindes und eines Affen? Und in die legst Du nun Deine.

Ich sage nicht, daß ich glücklich bin, ich habe zu viel Unruhe und Sorgen, bin vielleicht überhaupt nicht menschlichen Glückes fähig und das Ereignis, daß (jetzt kam Dein Telegramm, ich starre es an, als wäre es ein Gesicht, das einzige, das ich unter allen Menschen kenne und will) daß ich mit Dir, der ich mich vom ersten Abend an verbunden fühlte, ganz und gar verbunden sein soll, ist mir wirklich unübersehbar, und ich wollte davor gerne an Deiner Brust die Augen schließen.

Du hast mich so beschenkt. Die Kraft, mit der ich es 30 Jahre lang ausgehalten habe, verdient die Geschenke, aber das Ergebnis dieser Kräfte, das Dasein, verdient es wirklich nicht, das wirst Du merken, Felice. Es müßte denn sein, daß heute großer Geburtstag ist und daß sich das Leben heute, ohne das Gewonnene zu verlieren, ein besonderes Stück um seine Achse dreht.

Ich habe heute meiner Mutter beim Mittagessen (ganz kurz, sie ist immer nur kurze Zeit zuhause und ist mit dem Essen immer schon fertig, wenn ich komme; der Vater ist seit heute früh auf dem Lande) als Antwort auf ihre Geburtstagswünsche gesagt, daß ich eine Braut habe. Sie war nicht sehr überrascht und nahm es merkwürdig ruhig hin. Sie hatte kein Bedenken, nur eine Bitte und sagte, der Vater sei gewiß sowohl in dem erstern als auch in dem letztern mit ihr einig. Die Bitte war, ich möchte ihr erlauben, Erkundigungen über Deine Familie einzuziehn; bis die Nachricht kommt, bleibe mir ja noch immer die Freiheit, nach meinem Willen zu handeln, sie würden mich darin nicht hindern und nicht hindern können, aber jedenfalls solle ich mit dem Brief an Deine Eltern bis dahin warten. Ich sagte darauf, wir seien ja schon verbunden, jedenfalls sei der Brief an die Eltern eigentlich kein weiterer Schritt. Die Mutter bestand auf ihrer Bitte. Ich weiß nicht genau warum, vielleicht aus meinem ständigen Schuldbewußtsein gegenüber meinen Eltern gab ich nach und schrieb der Mutter den Namen Deines Vaters auf. Es kam mir ein wenig lächerlich vor, wenn ich daran dachte, daß Deine Eltern, wenn sie ähnliche Wünsche haben sollten, nur gute Auskunft über uns bekämen und daß kein Auskunftsbureau imstande wäre, die Wahrheit über mich zu sagen. Kennt Dein Vater übrigens das »Urteil«? Wenn nicht, dann gib es ihm bitte zu lesen.

Wenn ich daran denke, was für Mut Du hast! Bin ich denn nicht ein fremder Mensch, machen mich meine Briefe nicht noch fremder? Sind meine Verwandten Dir nicht fremd, auf der Ansichtskarte sind meine Eltern, sehn sie nicht unfaßbar, wie alle fremden Menschen aus, nur daß die Fremdheit vielleicht durch das uns gemeinsame Judentum gemildert ist? Und Du fürchtest Dich also (ich glaube, dieses Staunen werde ich niemals los werden) vor diesem Menschen nicht, der dadurch, daß er selbst sich vor allem fürchtet, noch schrecklicher wird? Hast Du um nichts Angst? Gibst Du Dich bedenkenlos? Das ist ein Wunder, darüber ist unter Menschen nichts zu sagen, dafür muß man nur Gott danken.

Franz

Übrigens, Felice, wir sind knapp dem ersten Streit ausgewichen. Dorthin, wohin kein Mensch kommen soll (das ist ernster gemeint, als gesagt), hast Du jemanden eingeladen? Aber Frl. Brühl ist wirklich eine Ausnahme, sie darf eingeladen werden, aber sie ist die einzige. Ich habe sie gern, streichle ihr für mich die Wangen.

6. VII. 13 [5. Juli 1913]

Du, jetzt ist aber Eile nötig, wenn der Brief noch morgen kommen soll. Es ist Samstag ¼7 Uhr.
Ich hatte keinen Brief heute, also keine Antwort auf meinen gestrigen Brief. Hast Du ihn anders aufgefaßt, als ich es wollte? Hab ich Deiner Meinung nach nicht recht getan, als ich der Mutter die Erlaubnis gab? Habe ich nicht recht getan, als ich es Dir schrieb? Ich habe meiner Mutter nachgegeben aus Schuldbewußtsein, wie ich schon sagte, ferner aus allgemeiner und gegenüber meiner Mutter besonders starken dialektischen Unfähigkeit, aus Schwäche dann und vor allem. Daß ich ihre große Sorge um mich sah, war mit ein Beweggrund, wenn auch bei weitem nicht der entscheidende. Daß ich es Dir aber schreiben mußte, wenn ich es schon getan hatte, das schien mir selbstverständlich, denn wir wollen doch – und werden im Zusammenleben immer viel Gelegenheit dazu haben – bis zur äußersten Grenze, soweit also als unsere Gemeinschaft geht, offen zueinander sein, sollte ich gleich jetzt diese Kleinigkeit verschweigen? Und eine Kleinigkeit ist es in diesem Sinn. Nicht ich frage nach Deiner Familie, Deine Familie ist und wird mir – so fürchte ich für Dich und sagte es auch schon – immer ferner sein, als Du es vielleicht wollen wirst, wie könnte mich also Deine Familie jetzt im

Innersten bekümmern? Und nur um Innerstes kann es sich handeln, wenn wir zusammen leben wollen. Die Richtung und das Urteil dafür muß jeder von uns in sich finden. Meine Eltern sind, wie auch Deine, auf das Äußerliche angewiesen, denn sie stehen im Grunde außerhalb unserer Angelegenheit. Sie wissen nichts als was sie durch das Bureau erfahren, wir wissen mehr oder glauben mehr zu wissen und jedenfalls wissen wir anderes und wichtigeres – auf uns bezieht sich also das Bureau gar nicht, es ist also eine Angelegenheit unserer Eltern, die man ihnen zum Spiel, um sie zu beschäftigen, gönnen kann. Uns berührt es nicht, so glaubte ich wenigstens, aber nun bekam ich keine Antwort.

Gestern abend zog ich in der Gegend herum, wo wir meinen Träumen nach zusammen wohnen sollten. Es wird schon gebaut, aber auf einem Teil des Geländes wohnen noch Zigeuner. Ich ging dort lange herum und begutachtete alles. Es wird dort schön werden, es ist ziemlich hoch, weit vor der Stadt und gestern nach dem Regen war die Luft besonders rein. Mir war dort gestern auch sehr wohl, ganz anders als jetzt. So spielt es mit mir unaufhörlich.

Franz

6. VII. 13

Du bist mir böse, Felice? Sieh, ich fühle mich schuldig, aber nicht deshalb, weil ich es getan habe, auch nicht deshalb, weil ich es Dir geschrieben habe, sondern deshalb, weil ich Dir vielleicht weh getan habe. Ich könnte ja für alles Entschuldigungen anführen, habe es ja auch schon zum Teil getan, habe ja vor allem als beste Entschuldigung dieses schlaflose Gehirn (wie es mit dieser Schlaflosigkeit enden wird, weiß ich nicht, aber auf etwas muß ein derartig dauernder unerträglicher Zustand hinzielen), aber bitte, Felice, höre auf keine Entschuldigungen, nimm es doch hin und verzeih es ohne Entschuldigungen sowie ich bereue ohne Schuld.

Nun hatte ich heute keinen Brief und war Dir gestern abend in meiner Not fast körperlich nahe. Wir, Max, seine Frau, sein Schwager, Felix und ich, waren in einem Chantant, in das meine Frau nicht hingehen dürfte. Ich habe im allgemeinen sehr viel Sinn für solche Sachen, glaube sie von Grund aus, von einem unabsehbaren Grund aus zu erfassen und genieße sie mit Herzklopfen, gestern aber versagte ich außer gegenüber einer tanzenden und singenden Negerin fast gänzlich.

Ich komme wieder zurück. Besinne Dich bitte, Felice! Wir dürfen uns doch nicht verrennen, kaum, daß wir beisammen sind.

Franz

7. VI. 13 [7. Juli 1913]

Siehst Du, Felice, schon leidest Du durch mich, es fängt schon an und Gott weiß, wie es enden wird. Und dieses Leiden ist, ich sehe es ja ganz deutlich, näher, ärger, allseitiger als das Leid, das ich Dir bisher angetan habe. Die Frage, ob ich schuld bin, kommt dabei gar nicht in Betracht, und fast könnte man sogar vom Anlaß absehn. Dir ist jedenfalls ein schweres Unrecht geschehn, und das allein bleibt zu überlegen, nämlich wie ich mich dazu stelle und was es bedeutet.

Ob meine Mutter recht oder unrecht hat, ist vollständig gleichgültig. Gewiß, sie hat recht und mehr als Du glaubst. Sie weiß fast gar nichts von Dir, als was in jenem Brief gestanden ist, den Du ihr damals geschrieben hast. Außerdem hat sie nur von mir gehört, daß ich Dich heiraten will. Sonst weiß sie nichts, denn aus mir ist ja kein Wort herauszubringen. Ich kann mit niemandem reden, aber mit meinen Eltern ganz besonders nicht. Es ist, als ob mir der Anblick derer, von denen ich herkomme, Entsetzen erregt. Wir waren gestern alle, die Eltern, die Schwester und ich, durch einen Zufall gezwungen, auf einer kotigen Landstraße schon im Dunkel etwa eine Stunde lang zu gehn. Die Mutter war natürlich trotz aller Mühe, die sie sich gab, sehr ungeschickt gegangen und hatte die Stiefel und gewiß auch die Strümpfe und Röcke ganz beschmutzt. Nun bildete sie sich aber ein, nicht so eingeschmutzt zu sein, wie es zu erwarten gewesen wäre, und verlangte dafür zuhause, im Scherz natürlich, Anerkennung, indem sie verlangte, daß ich ihre Stiefel anschaue, sie seien ja gar nicht so schmutzig. Ich aber war, glaube mir, ganz außerstande hinunterzuschauen, und nur aus Widerwillen und nicht etwa aus Widerwillen vor dem Schmutz. Dagegen hatte ich wie schon den ganzen gestrigen Nachmittag fast eine kleine Zuneigung zum Vater oder besser Bewunderung für ihn, der imstande war, das alles zu ertragen, die Mutter und mich und die Familien der Schwestern auf dem Lande und die Unordnung dort in der Sommerwohnung, wo Watte neben dem Teller liegt, wo auf den Betten eine widerliche Mischung aller möglichen Dinge zu sehen ist, wo in einem Bett die mittlere Schwester liegt, denn sie hat eine leichte Halsentzündung und ihr Mann sitzt bei ihr und nennt sie im Scherz und Ernst »mein Gold« und »mein Alles«, wo der kleine Junge in der Mitte des Zimmers, wie er nicht anders kann, während man mit ihm spielt, auf den Fußboden seine Notdurft verrichtet, wo zwei Dienstmädchen sich mit allen möglichen Dienstleistungen durchdrängen, wo die Mutter durchaus alle bedient, wo Gansleberfett auf das Brot geschmiert wird und günstigsten Falles auf die Hände tropft. Ich gebe Auskünfte, wie? Dabei gerate ich aber in etwas ganz Falsches, indem ich meine Unfähigkeit, das zu ertragen, in den Tatsachen suche, statt in mir. Es ist alles tausendmal weniger so arg, als ich es hier und früher beschrieben habe, aber tausendmal stärker, als ich ihn beschreiben könnte, ist mein Widerwillen vor alledem. Nicht weil es Verwandte sind, sondern nur deshalb, weil es Menschen sind, halte ich es in den Zimmern mit ihnen nicht aus, und nur um das wieder bestätigt zu finden, fahre ich Sonntag nachmittag hinaus, trotzdem dazu glücklicherweise kein Zwang besteht. Ich war gestern ganz zugeschnürt vor Ekel, ich suchte die Tür fast wie im Dunkeln und erst weit vom Haus auf der Landstraße war mir wohler, wenn sich auch so viel aufgehäuft hatte, daß es noch heute nicht gelöst ist. Ich kann nicht mit Menschen leben, ich hasse unbedingt alle meine Verwandten, nicht deshalb, weil es meine Verwandten sind, nicht deshalb, weil sie schlechte Menschen wären, nicht deshalb, weil ich von ihnen nicht das Beste dächte (das beseitigt die »furchtbare Scheu« ganz und gar nicht, wie Du meinst), sondern einfach deshalb, weil es die Menschen sind, die mir zunächst leben. Ich kann eben das Zusammenleben mit Menschen nicht ertragen, ja ich habe fast nicht die Kraft, es als Unglück zu empfinden. Im unbeteiligten Anblick freuen mich alle Menschen, aber diese Freude ist nicht so groß, als daß ich nicht in einer Wüste, in einem Wald, auf einer Insel bei den nötigen körperlichen Voraussetzungen unvergleichlich glücklicher leben wollte als hier in meinem Zimmer zwischen dem Schlafzimmer und dem Wohnzimmer meiner Eltern. Ich hatte gewiß nicht die Absicht, Dir ein Leid zu tun und habe es Dir getan, ich werde folgerichtig niemals die Absicht haben, Dir ein Leid zu tun und werde es Dir immer tun. (Die Sache mit der Auskunft ist vorläufig ohne Bedeutung, die Mutter hat Freitag nichts unternommen, da sie noch mit dem Vater reden wollte, Samstag kam keine Antwort von Dir, in meinem Schuldbewußtsein Dir gegenüber sagte ich der Mutter, sie möge noch warten, da Sonntag kein Brief kam, zog ich nachmittag meine Erlaubnis, die ich der Mutter gegeben hatte, wieder zurück.) Hüte Dich, Felice, das Leben für banal zu halten, wenn banal einförmig, einfach, kleinsinnig heißen soll, das Leben ist bloß schrecklich, das empfinde ich, wie kaum ein anderer. Oft – und im Innersten vielleicht ununterbrochen – zweifle ich daran, ein Mensch zu sein. Die Kränkung, die ich Dir angetan habe, ist nur ein zufälliger Anlaß, der mir das zum Bewußtsein bringt. Ich weiß mir wirklich keinen Rat.

Franz

8. VII. 13

Wenn ich heute Deinen Brief lese, Felice, der so lieb ist, daß ich mich verirre, wenn ich diese Güte zu ihrem Ursprung verfolgen will, bleibt mein Teil wieder nur, aber noch verstärkt, das, was ich gestern schrieb.

Niemand kann sagen, daß wir unbesonnen einander die Hand gereicht haben, nicht die Nähe, die täuschen kann, hat gewirkt, nicht der Augenblick, der täuschen kann, nicht ein Wort, das täuschen kann – und doch. Siehst Du, Felice, noch immer nicht (sieh es im Licht der letzten Sache an) das, was Du eigentlich getan hast und was Dir rückgängig zu machen frei steht. Es ist unmöglich, und wenn ich auch verzweifelt danach die Hand ausstrecke, es ist mir nicht gegeben. Das ist nicht Unentschlossenheit, die mir jeden Augenblick verwirrt, sondern das ist eine Überzeugung, die niemals aufgehört hat, die ich aber mißachtet habe, weil ich Dich liebe und trotzdem ich Dich liebe, die aber endlich sich nicht mißachten läßt, denn sie kommt unmittelbar aus meiner Natur.

Winde ich mich nicht seit Monaten vor Dir wie etwas Giftiges? Bin ich nicht bald hier, bald dort? Wird Dir noch nicht elend bei meinem Anblick? Siehst Du noch immer nicht, daß ich in mich eingesperrt bleiben muß, wenn Unglück, Dein, Dein Unglück, Felice, verhütet werden soll? Ich bin kein Mensch, ich bin imstande, Dich, die ich am meisten, die ich allein unter allen Menschen liebe (ich habe meinem Sinn nach keine Verwandten und keine Freunde, kann sie nicht haben und will sie nicht haben), kalten Herzens zu quälen, kalten Herzens die Verzeihung der Qual anzunehmen. Darf ich diesen Zustand dulden, wenn ich ihn genau übersehe, geahnt habe, mich bestätigt finde und weiterhin ahne? So wie ich bin, darf ich zur Not leben, ich wüte nach innen, quäle nur in Briefen, sobald wir aber zusammen leben, werde ich ein gefährlicher Narr, den man verbrennen sollte. Was würde ich anrichten! Was müßte ich anrichten! Und würde ich nichts anrichten, wäre ich erst recht verloren, denn es wäre gegen meine Natur, und wer mit mir wäre, wäre verloren. Du weißt nicht, Felice, was manche Literatur in manchen Köpfen ist. Das jagt beständig wie Affen in den Baumwipfeln statt auf dem Boden zu gehn. Es ist verloren und kann nicht anders. Was soll man tun?

Ich lese, wie Ihr über die Hochzeit Deines Bruders sprecht, wie ihn die Schwiegereltern vergöttern, wie die Schwiegereltern ihre Tochter aufopfernd lieben, glaubst Du, ich fühle menschliche Teilnahme? Dagegen habe ich Angst, wenn ich das lese, was Du über meinen Vater schreibst, als ob Du zu ihm übergingest, um Dich mit ihm gegen mich zu verbinden.

Franz

9. VII. 13

Liebste Felice, wenn Du mir nicht schreiben kannst, schreib mir nicht, aber laß mich Dir schreiben und Tag für Tag wiederholen, was Du ebenso gut weißt, daß ich Dich liebe, soweit ich Kraft zur Liebe überhaupt habe, und daß ich Dir dienen will und muß, solange ich am Leben bin.

Franz

10. [Juli] 13

Wäre ich doch bei Dir, Felice, und wäre mir die Fähigkeit gegeben, Dir alles klar zu machen, ja, wäre mir nur die Fähigkeit gegeben, alles ganz klar zu sehen. Ich bin schuld an allem. So vereinigt wie jetzt waren wir doch noch nicht, dieses Ja von beiden Seiten hat eine ent-

425

setzliche Macht. Aber was mich hält, ist förmlich ein Befehl des Himmels, eine nicht zu beschwichtigende Angst, alles, was mir früher das Wichtigste schien, meine Gesundheit, mein kleines Einkommen, mein jämmerliches Wesen, alles dieses, das auch eine gewisse Berechtigung hat, verschwindet neben dieser Angst, ist gar nichts vor ihr, und scheint von ihr nur vorgeschoben zu sein. Es ist, um ganz offen zu sein (wie ich es vor Dir immer war nach dem Grad der Selbsterkenntnis des Augenblicks) und um von Dir schließlich als Irrsinniger erkannt zu werden, die *Angst vor der Verbindung* selbst mit dem geliebtesten Menschen, und gerade mit ihm[1]. Wie soll ich Dir das erklären, was mir so klar ist, daß ich es verdecken möchte, denn es blendet mich! Und dann ist es natürlich wieder unklar, wenn ich Deinen lieben vertrauensvollen Brief lese, alles scheint in bester Ordnung und das Glück scheint uns beide zu erwarten.

Verstehst Du das, Felice, wenn auch nur aus der Ferne? Ich habe das bestimmte Gefühl, durch die Ehe, *durch die Verbindung, durch die Auflösung* dieses Nichtigen, das ich bin, zugrundezugehn und nicht allein, sondern mit meiner Frau und je mehr ich sie liebe, desto schneller und schrecklicher. Nun sag selbst, was sollen wir tun, denn so nah sind wir einander, daß, glaube ich, keiner von uns noch allein etwas tun kann, ohne die Bestätigung des andern. Überlege auch das Nichtgesagte! *Frage, ich beantworte alles.* Gott, es ist wirklich allerhöchste Zeit, diese Spannung zu lösen und gewiß ist niemals ein Mädchen von einem, der sie liebte, wie ich Dich, so gemartert worden, wie ich Dich martern muß.

Franz

13. VII. 13

Auf unserem Balkon ist es am Abend schön. Ich bin dort jetzt ein Weilchen gesessen. Ich bin unsinnig müde, heute früh, als ich, von der Nacht nur noch viel müder gemacht, aufstehn sollte, habe ich wirklich alles rund um mich verflucht, und mich insbesondere. Wenn ich nicht ordentlich schlafen kann, wie werde ich jemals

---

[1] Vgl. *Tagebücher* (Juli 1913), S. 311: »Die Angst vor der Verbindung, dem Hinüberfließen. Dann bin ich nie mehr allein.« (In der »Zusammenstellung **alles dessen,** was für und gegen meine Heirat spricht«.)

wieder ordentlich schreiben können? Und wenn ich das nicht kann, dann ist alles ein Traum und zwar ein durchschauter Traum.

Mein neuer Plan ist natürlich nicht der beste Plan. Der beste Plan wäre doch wahrscheinlich, auf irgendeine schlaue Weise etwas Geld zusammenzubringen und mit Dir für immer nach Süden zu fahren auf eine Insel oder an einen See. Im Süden ist, glaube ich, alles möglich. Dort abgeschlossen leben und von Gras und Früchten sich nähren. Aber ich brauche nicht einmal sehr tief in mich hineinzuschauen und ich will nicht einmal nach Süden fahren. *Nur die Nächte mit Schreiben durchrasen, das will ich. Und daran zugrundegehn oder irrsinnig werden, das will ich auch, weil es die notwendige längst vorausgefühlte Folge dessen ist.*

Aber mein neuer Plan ist folgender: Die Wohnung, die ich für uns ausgesucht hatte, kann erst im Mai nächsten Jahres bezogen werden, vorausgesetzt, daß ich sie bekomme, sie ist im Haus einer Baugenossenschaft, deren Mitglied ich geworden bin. Wir verlieren also, Felice, keine Zeit, wenn ich jetzt noch nicht an Deine Eltern schreibe. Bleiben wir also, wie wir sind, bis zum Feber, Jänner oder Weihnachten. Du wirst mich noch besser kennenlernen, es gibt noch einige schreckliche Winkel in mir, die Du nicht kennst. Du wirst die Sommerreise machen und Dir auch dadurch sowie durch die Briefe von meiner Reise einen bessern Überblick verschaffen. Vor allem aber werde ich im Herbst diesen Verlockungen zum Schreiben endlich nachgeben, wenn es nur meine Gesundheit erlaubt, und werde dann selbst sehn, was in mir ist. Ich habe ja so wenig erst gemacht, ich bin nichts, vielleicht gelingt mir etwas im Herbst, schonen will ich mich nicht. Du wirst dann klarer sehn, mit wem Du Dich verbinden willst und was es zu bedenken gibt. Ich freilich werde Dir dann so gehören wie heute. Was sagst Du zu diesem Plan?

Franz

[Ansichtskarte. Stempel: Prag – 14.VII.13]

Auf der Terrasse der Sommerwohnung[1]. Schöner weiter Ausblick in die Gegend. Ins Zimmer zurück ist er nicht schön. Auch in mich

---

[1] Die Sommerwohnung der Familie Kafka war damals in Radešovice (Ansichtskarte zeigt ›Landschaft und Villen von Radešovice‹), einer kleinen Ortschaft südöstlich von Prag.

nicht, dort arbeitet die Schraube weiter. – Dienstag kommt ein Brief mit einem neuen Plan.[1]

Viele Grüße.   F

17. VII. 13

Ich könnte es erst zuhause schreiben, aber meine Ungeduld läßt es nicht zu. Du schreibst mir nicht. Verachtest Du mich? Das solltest Du doch nicht. Sieh, den liebsten Menschen den ich habe, gönne ich mir nicht, zögere in der allgemeinen menschlichen Unlust meiner Existenz nach ihm zu greifen oder setze mir zumindest eine Frist. Liebste, verachte mich nicht deshalb, es gibt genug Verächtliches an mir, dieses aber ist es nicht.

Franz

19. VII. 13

Ich habe seit Sonntag keinen Brief von Dir. Ich kann nicht wissen, was geschehen ist. Mein Brief muß Dich gekränkt haben, anders ist es nicht möglich. Wenn er Dich aber gekränkt hat, dann hast Du ihn mißverstanden, wenn auch allerdings das wieder unglaublich ist, denn Du kennst mich doch seit einem ganzen Jahr und mußt wissen, daß ich bei Besinnung nicht imstande bin, ein Wort nieder-zuschreiben, über das Dich zu kränken Du Ursache hättest. Du selbst hast gesagt, daß wir uns nichts übelnehmen wollen, und nun willst Du damit anfangen? Felice, bitte, schreib mir ein Wort, sei es gut oder böse, mach' mein Elend nicht größer, als es ist, das Schweigen ist doch die ärgste Strafe, die sich ausdenken läßt.

Franz

27. VII. 13

Wieder ein Sonntag ohne Dich! Es ist doch ein häßliches Leben. Und das schlimme ist, daß Du mir nur deshalb nicht geschrieben haben kannst, weil Du meinen Expreßbrief mißverstanden hast. Der Brief, den Du heute bekommen hast, hat es ja klar gemacht. Aber darf es überhaupt ein Mißverständnis unter uns geben? Bin ich

---

[1] Bezieht sich offenkundig auf den ›neuen Plan‹ im vorhergehenden Brief, den Kafka vermutlich später aufgab als die Karte.

nicht Dein, bist Du nicht mein? Ist es ein Einwand dagegen, daß ich bis an den Hals in meiner Familie stecke? Desto großartiger wird der Schwung sein, mit dem ich herauskomme. Wer weiß übrigens, was aus mir geworden wäre, wenn ich, blutleerer Mensch, nicht 30 Jahre in dieser Familienwärme gelegen hätte?

Aber in alledem ist kein ernsthaftes Hindernis, wir gehören zusammen und werden zusammensein, nur müssen wir dem Vater irgendwie klarmachen, daß wenn wir einmal verheiratet sind, kein Heller seines Vermögens in unsere Wirtschaft kommen darf. Schon die Vorstellung dessen macht mir ein Wohlbehagen.

Freilich weiß ich dann noch immer nicht, was Deine Eltern sagen werden und wie man sie zum Sprechen bringt.

Aber nun bitte, liebste Felice, jeden Tag schreiben, wenn es möglich ist, und zwar ins Bureau, sonst dauert es zu lange, ehe ich es bekomme. Das weißt Du ja und schreibst mir doch immer wieder (immer wieder!, in den letzten 14 Tagen war es alles in allem einmal) in die Wohnung.

Also Mut und Vertrauen und kein Mißverstehen!

Franz

28. VII. 13

Wieder kein Brief. Wie Du mich nur so quälen kannst, Felice! So unnütz quälen! Wo doch ein paar Worte mir wohl täten und die Kopfschmerzen ein wenig beseitigen könnten, in denen mein Kopf wie in einer Haube steckt. Schriebest Du doch, daß Du Dich noch nicht entschlossen hast oder daß Du nicht schreiben kannst oder nicht willst. Mit 3 Worten wäre ich ja zufrieden, aber nichts! nichts!

30. VII. 13

Ich hätte gestern, ja schon vorgestern einen Brief von Dir haben müssen, Felice. Und wenn schon keinen Brief, so auf meinen gestrigen Brief gestern ein Telegramm. Du hättest mich nicht in diesem Zustande lassen dürfen. Wußtest Du, was ich tun würde, wenn ich wenigstens in Briefen grundlos mich von Dir verlassen sah? Ich habe Dich im Laufe dieses wunderbaren und schrecklichen Jahres ärger gequält, aber immer aus innerer Notwendigkeit, niemals aus äußerer, wie Du mich von Frankfurt aus und jetzt wieder. Diese Besuche und Verwandten! Ich werde keinen von dem andern unterscheiden und ich fürchte, sie werden alle meine Feinde sein in gegenseitiger Feindschaft. Wie soll ich sie ansehn, wenn ein kleines Erstauntsein der versammelten Gesellschaft oder ein kleines Unbehagen darüber, daß Du nicht da bist, sondern 5 Zeilen an mich schreibst, Dir bedenklicher scheint als meine Verzweiflung in diesen Nächten und Tagen, die sich an Kopfschmerzen und aufgeregtem Wachsein für mich kaum unterscheiden. Werde ich für Dich mehr sein, Felice, bis ich Dein öffentlicher Bräutigam bin? Ebenso aber wie dann keiner, nur weil Gesellschaft da ist, das Recht haben wird, Dich vom Schreiben an mich abzuhalten, wenn dieses Schreiben so nötig ist wie es am Sonntag war – ebenso hat auch heute niemand das Recht dazu, und wenn er es hat, darfst Du es nicht anerkennen. Ich bin unglücklich darüber, daß Du mir nicht geschrieben oder telegraphiert hast, *unglücklicher als Du Dir denken kannst*. Das ist kein Übelnehmen, kein Mißverständnis, Felice, es rührt auch meine Liebe zu Dir nicht an, die ist unantastbar. Es ist nur begründete Trauer.

Franz

Ich habe den Brief noch einmal gelesen. Meine liebste Felice, wenn Du in Dir nur die leichteste Möglichkeit fühlst, diesen Brief übelzunehmen, so denke daran, daß Du ja gar nicht weißt, wie es mir – unerzählbar – infolge des Ausbleibens jeder Nachricht in der letzten und allerletzten Zeit gegangen ist.

1. VIII. 13

Mit was für einem Menschen ich jetzt herumgegangen bin! Entweder ist er ein großer Narr oder ein kleiner Prophet. Aber hier soll er sich nicht einmischen! –

Meine liebste Felice, hast Du meinen heutigen Brief verständig aufgenommen? Weißt Du übrigens schon, daß Du einen weißhaarigen Mann bekommen wirst? Wie es mit mir hinuntergeht! Das Herzklopfen, das z. B. diesen Brief begleitet!

Liebste, nun fährst Du wieder weiter weg von mir, und es tut Dir gar nicht leid. Im Gegenteil, Dein Haus heißt Sanssouci. Sag Deiner

Schwester, daß sie gar nicht meine Freundin ist, wenn sie Dich vom Schreiben abhält. Meine Eltern gewöhnen sich allmählich an ihre neue Sorge und fangen an, sie in ihre übrigen einzuordnen. Warum glaubst Du, daß es besser ist, wenn ich in Deiner Abwesenheit an Deinen Vater schreibe? Mir schiene es eigentlich besser, wenn Du dabei wärest, wenn der erste Brief von mir in Euere Wohnung kommt, der nicht an Dich gerichtet ist.

Worüber soll ich mich mit Max beraten? Für das, was uns nur angeht, und es ist sehr Verantwortungsvolles, dafür kann doch niemand im eigentlichen Sinne die Verantwortung tragen, also auch nicht raten. Sollte ich mir aber an Maxens Finanzwirtschaft ein Beispiel nehmen, so wäre das allerdings schlimm. Max hat mehr Geld als ich, auch mehr Einkünfte, ist gar nicht geizig, gar nicht verschwenderisch – und doch wird dort mehr von Geld und Mangel gesprochen als gut ist. Und gerade dieses Reden über das Geld – woran gewiß die Frau, wenn auch in aller Unschuld, schuld ist – gibt dem Geld eine erhöhte Bedeutung, die man ihm auf jeden Fall, selbst wenn man wirklich an Mangel leidet, leicht entziehen könnte. Ich erinnere mich, ich stand an den Spiegel gelehnt, als die Frau vor ihm sich einen Spitzenüberwurf umlegte (sie kleidet sich ein wenig auffallend und ohne die rechte Zusammenstimmung, wenn auch wieder in aller Unschuld), ich sagte, um etwas zu sagen: »Wie kostbar das aussieht!« Sie antwortete mit wegwerfender Handbewegung: »Aber es ist ja billig wie alles.« Das ist traurig, unsinnig und erniedrigend. Das will ich nicht lernen.

Franz

2. VIII. 13

Meine liebe, liebe Felice! Heute ist kein Brief, es ist ja heute ganz natürlich, aber ich kann, wenn es sich um Deine Briefe handelt, Natürlichkeit und Sonderbarkeit nicht mehr unterscheiden, ich will sie einfach haben, muß sie haben, lebe durch sie.

Ich habe einen Einfall, der, wenn er Dir gefällt, großartig wäre. Wenn Deine Antwort auf meine letzten Briefe kommt, könnte ich an Deinen Vater schreiben. Wenn Deine Eltern nicht ängstlich sind – schließlich ist ja kein besonderer Grund für Ängstlichkeit, denn Deine Eltern kennen mich ja nicht; es müßte denn sein, Du verrätest mich, dann freilich – wenn also Deine Eltern nicht ängstlich sind, wären wir vielleicht in 14 Tagen vor unseren Eltern verlobt. Wäre es dann nicht möglich – jetzt kommt der Einfall –, daß Du über Prag zurückfährst? Nicht etwa, daß Du einen Teil der Urlaubszeit verlieren solltest, das nicht, nur daß Du auf der Rückfahrt einige Stunden in Prag bleiben könntest. Vielleicht am letzten Sonntag oder am letzten Samstag, wäre es am Samstag, so könnte ich Dich vielleicht nach Berlin zurückbegleiten. Ja? Wäre das gut? Es wäre nämlich nicht gut, wenn ich nur auf mich Rücksicht nähme. Denn jedes Wort und jeder Blick den Du mit meinen Verwandten tauschen wirst, wird mich kränken, nicht etwa nur aus Eifersucht, sondern vor allem deshalb, weil ich mich so gegen sie abgeschlossen habe und in dieser Abgeschlossenheit glücklich bin, jetzt aber durch Dich, die Du ein Teil meines Wesens bist, eine neue Verbindung mit ihnen, wenn nicht angeknüpft, so doch angedeutet wird. Daran, Felice, mußt Du, wenn Du mich nicht unglücklich machen willst, immer denken, wenn Du mit ihnen oder auch mit anderen sprichst. In dieser Hinsicht habe ich mich wirklich in der Hand. Ich kann z. B. gelegentlich alles über mich ausschwätzen, nicht mit Absicht, aber es ergibt sich so – und trotzdem rollt schließlich alles wieder ganz rein in mich zurück und ich bin ganz fremd, trotzdem ich vielleicht das Wichtigste gesagt habe. Bei Dir, fürchte ich, würde ich es nicht so empfinden, Du bist mir zu viel wert, wenn Du mit den Leuten schwätzen würdest, würde ich mich mit Dir in ihnen verlieren. – Aber einmal mußt Du ja, so traurig es mir ist, mit den Verwandten bekannt werden, würdest Du also kommen? Das Glück Deiner Gegenwart würde mir ja alles erträglich machen.

Franz

Was ist das für ein Mädchen, Dein Fräulein Danziger?

3. VIII. 13

Meine liebste Felice, wie ich Deine Briefe brauche kannst Du schon daraus sehn, daß mir an jedem Tag, an dem ich keine Nachricht habe, abgesehn von diesem Unglück noch ein ganz besonderes Unglück passiert. Das zu verhindern liegt in Deiner Hand. Heute war ich schon wirklich traurig. Wieder kein Brief. Und um die Wahrheit zu sagen, fahre ich seit Wochen hauptsächlich deshalb nicht schon am Morgen aufs Land, um den vermeintlich sichern Sonntagsbrief möglichst bald zu bekommen; schon seit Wochen aber habe ich durch diese Vorsicht nichts als Trauer gewonnen. Heute allerdings kam das Telegramm. Aber vielleicht ist es gar nicht an mich. »Kafta« steht dort statt Kafka und »pliol« steht dort statt Felice. Immerhin es ist schön und ich bin ganz zufrieden.

Bitte, Felice, zeig, daß Du Vertrauen zu mir hast und versprich mir, daß Du eine Bitte, die ich erst nach Einlangen Deines Versprechens sagen werde, unbedingt und genau erfüllen wirst. Es ist nichts Unmögliches und nichts Schlechtes, also versprich es mir und zwar mit feierlichen Worten.

Warum glaubst Du, daß jetzt ein Besuch meines Vaters in Berlin für uns beide von Nutzen wäre? Du hast Dich so ausgedrückt. Woran dachtest Du dabei?

Ich träume fast jede Nacht von Dir, so groß ist mein Bedürfnis bei Dir zu sein. Ebenso groß aber, und zwar aus den verschiedensten Gründen, die Angst davor. Ich glaube ich werde während unserer Verlobungszeit, selbst wenn wir erst im Mai heiraten sollten, kaum einmal nach Berlin kommen. Wird das Dir und den andern insbesondere recht sein? Wirst Du das billigen können?

Franz

Hast Du Bücher mit und welche?

4. VIII. 13

Liebste Felice, ich widerrufe alles, was ich vielleicht gestern gesagt habe. Es ist eine berechtigte Angst, die mich von Dir jetzt abhält, die mich auch abhält zu wünschen, daß Du jetzt nach Prag kämest, aber noch berechtigter ist eine weit darüber hinausgehende ungeheuere Angst davor, daß ich zugrunde gehe, wenn wir nicht bald beisammen sind. Denn wenn wir nicht bald beisammen sind, richtet sich die Liebe zu Dir, die keinen andern Gedanken in mir neben sich duldet, auf eine Vorstellung, auf einen Geist, auf etwas ganz und gar Unerreichbares und dabei ganz und gar und niemals zu Entbehrendes, und das wäre allerdings imstande, mich aus dieser Welt zu reißen. Ich zittere beim Schreiben. Komm also, Felice, komm, wenn Du nur irgendwie kannst, auf der Rückreise nach Prag.

Gleichzeitig mit dieser Bitte muß ich Dir in einer andern und fast wichtigsten Sache die Wahrheit sagen, besonders da Du seit langer Zeit mich nicht danach gefragt hast und es förmlich stillschweigend geduldet hast, daß diese Frage aus unserm Briefwechsel ausgeschaltet wird. Ich habe doch früher immer gesagt, daß mein körperlicher Zustand mich hindert zu heiraten, und dieser Zustand ist seitdem wahrhaftig nicht besser geworden. Ehe ich Dir einen der entscheidenden Briefe schrieb, etwa vor 1½ Monaten, war ich beim Arzt, bei unserm Hausarzt. Er ist mir nicht besonders angenehm, aber nicht viel unangenehmer als Ärzte überhaupt. An und für sich glaube ich ihm nicht, aber beruhigen lasse ich mich von ihm wie von jedem Arzt. In diesem Sinne sind auch Ärzte als Naturheilmittel zu verwenden. Diese Beruhigung (gegen mein inneres Wissen) bekam ich von ihm damals nach großer Untersuchung in überreichlichem Maß. An demselben Nachmittag schrieb ich an Dich. Nun habe ich in der letzten Zeit Herzklopfen und später Stechen und Schmerzen in der Herzgegend bekommen, die gewiß zum größten Teil, wenn auch nicht ganz in der unerträglichen Trennung von Dir ihre Veranlassung haben. Zum Teil kommen sie auch daher, daß ich in der letzten Zeit zu viel geschwommen und zu viel und zu schnell marschiert bin, alles das allerdings auch, um mich zu ermüden und auf diese Weise des Verlangens nach Dir Herr zu werden. Darin hat es mir allerdings nicht geholfen, dafür habe ich diese Herzschmerzen. Heute war ich wieder beim Arzt. Organisches findet er, wie er sagt, nichts, wenn ihm auch an irgendeiner Stelle der Herzton nicht ganz rein scheint. Ich möge aber am besten gleich auf Urlaub gehn (das geht nicht), ich möge etwas einnehmen (das geht auch nicht), ich möge gut schlafen (das geht auch nicht), ich möge nicht nach dem Süden gehn, nicht schwimmen (das geht auch nicht) und ich möge mich ruhig verhalten (das geht erst recht nicht).

Das mußtest Du noch erfahren, ehe ich den Brief an Deinen Vater schreibe.

Wie freue ich mich aber jetzt auf die regelmäßigen Briefe, die wenn nicht morgen, so bestimmt Mittwoch beginnen werden!

Dein Franz

[am Rande] Ist kein Brief verloren gegangen? Dieses ist der 4te Brief nach Westerland?

Liebste Felice, ich habe gestern schändlich übertrieben, wenn ich schrieb, daß ich erst für Mittwoch einen Brief erwartete. Ich habe ihn vielmehr für heute bestimmt erwartet, ganz bestimmt. Und wenn nicht einen Brief, so eine Karte von der Reise. Und wenn nicht eine Karte, so ein Telegramm. Ich werde verächtlich durch dieses Betteln, aber ich kann mich in viel weniger wichtigen Dingen nicht beherrschen, wie erst im Erwarten der Nachrichten von Dir. Immerfort laufen mir dann die Gedanken durcheinander: Du schreibst mir nicht gern, Du denkst nicht an mich, Du liebst mich vielleicht nur aus irgendeiner Erinnerung heraus. Elende, unbezähmbare Bettelei!

Übrigens kam gerade jetzt ein Telegramm. Ich dachte natürlich nicht anders als es wäre von Dir, und das Mädchen, das es brachte, bekam einen glückseligen Blick. Unterdessen ist es aus Madrid. Der Onkel [Alfred Löwy] dort ist mir der nächste Verwandte, viel näher als die Eltern, aber natürlich auch nur in einem ganz bestimmten Sinn. Ich hatte von ihm in der letzten Zeit drei Briefe bekommen, ohne daß ich Lust gehabt hätte, ihm zu schreiben. Da, vor 5 Tagen (4 Tage braucht ein Brief, um nach Madrid zu kommen, das ist nicht viel, wenn man es mit der Verbindung Prag–Westerland vergleicht) schrieb [ich] ihm einmal in der Nacht einen Begleitbrief zur »Arkadia«, die ich ihm gleichzeitig schickte. Ich klagte mich ordentlich in dem Brief aus und schrieb auch (dieser Onkel hätte eigentlich von unserer Verlobung vor meinen Eltern erfahren sollen) mit schöner Überleitung, daß ich mich nächstens öffentlich verloben werde. Später fiel mir die merkwürdige Übereinstimmung jenes Briefes mit dem »Urteil« ein. Gewiß steckt im »Urteil« auch vieles vom Onkel drin (er ist Junggeselle, Eisenbahndirektor in Madrid, kennt ganz Europa *außer* Rußland), und nun zeigte ich ihm in einem ähnlichen Briefe, wie Georg seinem Freunde, meine Verlobung an und überdies in einem Begleitbrief zur »Arkadia«[1]. – Nun muß aber der Onkel meinen Brief mißverstanden haben und glauben, wir wären schon öffentlich verlobt, denn in dem Telegramm, das vor mir liegt, heißt es wortwörtlich: »sehr erfreut gratuliert herzlichst dem Brautpaar Onkel Alfred«. So werden wir von Madrid aus in die Sphäre der Öffentlichkeit gehoben, während Deine Eltern noch ruhig hin-

[1]Vgl. Anm.[2] S. 46.

leben und nichts oder wenig von dem schrecklichen Schwiegersohn wissen, der ihnen droht.

Franz

6. VIII. 13

Endlich sehe ich wieder Deine liebe Schrift. Die Karten aus Hamburg habe ich gar nicht bekommen, solltest Du sie nicht deutlich und allgemein lesbar adressiert haben? Auf der heutigen Karte steht z. B. Niklasstr. Nr. 6 und so ein Fehler kann mir unter Umständen großes Leid machen [1].

Von meinen Eltern müssen wir nicht mehr reden; deren hörbare Warnungen sind erledigt. Rücksichtlich des Briefes an Deinen Vater finde ich aber bei Dir keinen entschiedenen Rat, eher dreierlei einander widersprechende Ratschläge. Ich will aber auch keinen Rat, sondern schicke den Brief an Deinen Vater (allerdings nur an den Vater, die Mutter ist darin nur erwähnt, die Form dafür, den Brief an Vater und Mutter zu richten, kann ich nicht finden) weg, sobald ich Deine Antwort auf meine neue Herzgeschichte habe. Heute z. B. habe ich gar nicht geschlafen, ganz und gar nicht, ich hörte die meisten Uhrenschläge, sonst duselte ich und irgendein Gedanke, der Dich betraf, ich weiß nicht mehr welcher, fuhr unaufhörlich, einförmig und rasend schnell wie ein Weberschiffchen durch meinen Dämmerzustand.

Mitten in der Nacht bekam ich in meiner Hilflosigkeit einen förmlichen Irrsinnsanfall, die Vorstellungen ließen sich nicht mehr beherrschen, alles ging auseinander, bis mir in der größten Not die Vorstellung eines schwarzen napoleonischen Feldherrnhutes zu Hilfe kam, der sich über mein Bewußtsein stülpte und es mit Gewalt zusammenhielt. Dabei klopfte das Herz geradezu prächtig, und ich warf die Decke ab, trotzdem das Fenster vollständig offen und die Nacht ziemlich kühl war. Und sonderbarer Weise war mir früh, trotzdem ich es in der Nacht für ausgeschlossen gehalten hatte, ins Bureau zu gehn, gar nicht besonders schlecht, abgesehn von Schmerzen im Herzen und ringsherum. Und als ich dann im Bureau Deine Karte und den Brief (der am Montag nachmittag geschriebene Brief kam also Mittwoch früh) bekam, war mir noch um ein großes Stück besser. – Es ist das Charakteristische meines ganz zerrütteten

---

[1] Kafkas Adresse war damals Niklasstr. 36.

Zustandes, daß mir jeden Tag ganz anders zumute ist, natürlich auf der Grundlage eines unveränderlichen schlechten Grundzustandes.

Wie, mein Einfall hinsichtlich Deines Prager Besuches wäre nichts als Dummheit gewesen? Geh, Felice, das ist doch nicht wahr. Natürlich mußtest Du von meinen Eltern eingeladen werden, aber unter dieser Voraussetzung wäre es doch die einfachste Sache von der Welt. Und überdies, was das Entscheidende ist, so schön.

Mit meinem Urlaub hatte ich ein großes Unglück. Zuerst wollte ich 14 Tage reisen und die andern 14 Tage in einem Sanatorium bleiben. Nun wird es aber unbedingt notwendig werden, die ganze Zeit in einem Sanatorium zu bleiben, da wählte ich mir ein Sanatorium bei Genua in Pegli aus, das wäre gleichzeitig Reise (infolge der Nähe Genuas) und Sanatorium gewesen. Nun aber erfahre ich, daß die Saison dieses Sanatoriums erst am 1. Oktober beginnt, während ich den Urlaub im September nehmen muß. So werde ich wahrscheinlich nur in das San. Hartungen in Riva am Gardasee gehn [1]. Schade! Über Maxens Wirtschaft muß ich Dir noch schreiben, sonst mißverstehst Du mich vielleicht.

Du, in Seebädern wird soviel photographiert, ich möchte Dich z. B. im Strandkorb sitzen sehn oder in den Dünen, könnte ich nicht ein Bild bekommen?

Franz

Grüße auch das Frl. Danziger von mir, wir kennen einander nicht, aber sie lebt neben dem Liebsten, was ich habe, ist das nicht Beziehung genug? Was für eine feste Schrift sie übrigens hat!

7. VIII. 13

Meine liebste Felice! Wie? Kopfschmerzen, schlechter Schlaf, sonderbare Träume, und das zu einer Zeit, wo Du Dich von der vielen Plage erholen sollst? Es ist unsere noch immer unklare Lage, sonst nichts. Morgen nach Deinem Brief schreibe ich an Deinen Vater und dann wollen wir beide ruhig und sicher werden. Wir müssen es doch, besonders Du, denn dann erwartet Dich doch erst die große Not, das Beisammensein mit mir unbeherrschtem Menschen, den Du Dir vielleicht doch noch anders vorstellst, als er ist. Arme, lieb-

---

[1] Kafka hatte im September 1909 seinen Urlaub mit Max und Otto Brod in Riva verbracht.

ste Felice! Ein Jahr lang müßte ich zu Deinen Füßen liegen, um Dir für den Mut zu danken, daß Du nach allem was Du von mir weißt, doch mit mir leben willst. Gelegenheit zu solchem Dank werde ich ja haben, bis wir beisammen sein werden, möchtest Du nur, Felice, dann den Blick haben, in allem diesen Dank zu sehn, auch wenn es nicht geradewegs auf Dich gerichtet sein wird, wenn es sich auch vielleicht geradezu in mich verkriecht. Kurz, möchtest Du die Gabe haben, nicht enttäuscht zu sein.

Schreib mir, Felice, etwas Genaueres von Deinem Leben dort in Westerland. Das Allgemeine weiß ich doch, aber an Einzelheiten will ich mich sättigen. Von Deiner Cousine hast Du mir niemals etwas Einzelnes geschrieben. Allein bleibt Ihr doch wohl nur die ersten Tage, zumindest mit den Leuten in der Pension, da doch gemeinsam gegessen wird, müßt Ihr ja bekannt werden. Was sind das für Leute? Wie heißen sie? Wer gefällt, wer mißfällt Dir? Und hat sich auf der Schiffsreise nichts Erzählenswertes ereignet (Ich lese jetzt eine alte Ausgabe von Robinson Crusoe, dort ereignet sich, wie es natürlich ist, auf den Schiffsreisen immerfort etwas. »Mittlerweile war der Sturm so heftig, daß ich sah, was man selten siehet: nämlich den Schiffer, den Hochbootsmann und etliche andere, denen es mehr als den übrigen zu Herzen ging, in vollem Gebete auf den Augenblick warten, da das Schiff untersinken würde.«)? Und wie verbringst Du den Tag im einzelnen? Liest Du auch? Und was? Und ist es gar nicht gefährlich zu baden, wenn man nicht schwimmen kann?

Das Versprechen, das ich Dir in bianco abgenommen habe und für das ich Dir vielmals danke, betrifft das »Müllern«. Ich werde Dir nächstens das »System für Frauen« schicken, und Du wirst (denn Du hast es doch versprochen, nicht?) langsam, systematisch, vorsichtig, gründlich, täglich zu »müllern« anfangen, mir darüber immer berichten und mir damit eine große Freude machen[1].

Franz

---

[1] Seit etwa Herbst 1909 turnte Kafka regelmäßig nach dem System des dänischen Gymnastik-Lehrers J. P. Müller. Vgl. Karten an Max Brod vom 10. und 18. März 1910 und den Brief [Frühjahr 1919?], *Briefe*, S. 79f. und S. 254. (Zur überzeugenden Umdatierung des letztgenannten Briefes auf ›Frühjahr 1910‹ vgl. Kurt Krolop »Zur Geschichte und Vorgeschichte der Prager deutschen Literatur des ›expressionistischen Jahrzehnts‹.« in *Weltfreunde*, Prag 1967, S. 83, Anm. 106.) 1913 erschien die Version des Müllerschen Systems für Frauen.

[am Rande] Deine beiden Briefe kamen gleichzeitig. Nur weiter so regelmäßig, und mein Herz wird auch regelmäßiger werden. Möchtest Du mir nicht einmal einen Brief Deiner Eltern schicken, damit ich sehe, wie sie Dir schreiben. Über den künftigen vegetarischen Haushalt schweigst Du? Und ich habe Jubel erwartet.

8. VIII. 13

Gestern habe ich Dir gedankt, weil zum erstenmal nach langer Zeit an zwei aufeinander folgenden Tagen Briefe von Dir kamen, und heute ist schon wieder keine Nachricht da. Es könnte für Tyrannei erklärt werden, daß ich jeden Tag einen Brief verlange, es ist aber keine oder vielmehr es ist nur dann eine, wenn Dir nichts an mir liegt, dann freilich ist es Tyrannei. Und insbesondere jetzt müßtest Du mir schreiben und regelmäßig schreiben. Du weißt genügend, wie ich leide ohne Brief. Du weißt, wie mein jetziger Zustand ist, wie er sich förmlich nach der Regelmäßigkeit Deiner Briefe richtet, Du weißt, daß mir im Notfall paar flüchtige Zeilen genügen, Du weißt, daß Du mir versprochen hast, von Westerland regelmäßig zu schreiben, Du weißt, daß der Brief, auf den ich Antwort von Dir erwarte, mir besonders wichtig war, Du weißt, daß ich noch über das Gewöhnliche hinaus unruhig sein muß, wenn Du mir in einem Brief von Kopfschmerzen und schlechtem Schlaf schreibst, nächsten Tag aber nichts – und trotz alledem schreibst Du mir nicht, fühlst Dich durch meinen täglichen Brief nicht gedrängt, mir paar Worte zu schreiben. Aber schließlich, ich verlange ja gar nicht tägliche Briefe, wenn es nicht möglich ist, das habe ich Dir doch schon so oft gesagt, *nur regelmäßige Briefe will ich, aber auch das verweigerst Du mir.* Und Du erträgst es, den Mittwoch ruhig zu verbringen, auch ohne mir eine kleine Ansichtskarte zu schicken, trotzdem Du weißt, daß ich am Freitag von Postbestellung zu Postbestellung zittere. Ach, was hilft es mir, daß Du von mir träumst, wenn ich den Beweis habe, daß Du während des Tages nicht an mich denkst. Und es ist nicht das erstemal. Du tust Unrecht, Felice, ganz gleichgültig, ob Du aus innern oder äußern Gründen nicht schreiben kannst.

Franz

439

Als ich heute früh Deine beiden Briefe vom Mittwoch bekam und hörte, der eine wäre schon gestern abend angekommen, wollte ich Dich telegraphisch wegen meines gestrigen Briefes um Verzeihung bitten. Als ich aber die beiden Briefe gelesen hatte, konnte ich es nicht. Das sind wirklich der Zeit und dem Herzen abgezwungene Briefe, die mich trostlos machen. Ich bin nicht ganz so unglücklich, als wenn ich nichts bekommen hätte, das gestehe ich, aber nach einer andern Seite hin ist das Unglück viel größer. Schriebest Du mir doch in solcher Laune nur Karten, damit man sich ...

So weit hatte ich im Bureau geschrieben, ich war todtraurig. Ich saß erstarrt über diesen Briefen, aus denen ich auch beim 100[s]ten Lesen und bei größter Selbsttäuschung nichts von dem herauslesen konnte, was ich brauchte. Mit einigen äußerlichen Änderungen konnten es Briefe an einen fremden Menschen sein oder vielmehr sie konnten es nicht sein, denn dann – so schien es mir – wären sie weniger flüchtig nicht etwa geschrieben, sondern gefühlt gewesen. Liebste Felice, sieh', ich bin doch nicht irrsinnig, mag ich auch besonders jetzt und Dir gegenüber überempfindlich sein, denn Du bist für mich von unersetzlichem Wert, wie das aber auch sein mag, was ich aus Deinen Briefen nicht herauslesen kann, das steht eben nicht drin. Es ist wieder jene Verwunderung, wie ich sie manchmal hatte, wenn wir beisammen waren (Du warst dann mir gegenüber wie ermattet und unzugänglich aus innerm Zwang) und wie ich sie merkwürdiger Weise immer zu fühlen bekomme, wenn Du von Berlin verreist. So war es, als Du in Frankfurt, so war es, als Du in Göttingen und Hamburg warst. Zerstreut Dich die Reise oder läßt sie Dich aufwachen? Das sind doch Tatsachen, die nicht geleugnet, aber doch erklärt werden können. Wenn ich in meiner Erinnerung den allerersten Brief, den Du mir schriebst, mit Deinem letzten vergleiche, Felice, so muß ich fast sagen, so wahnsinnig das aussieht, der erste dürfte mich mehr freuen als dieser. Natürlich ist das nur ein einzelner Brief und noch in dem vorvorletzten hast Du mir unzählige Male mehr Liebes erwiesen, als ich verdiene. Aber immerhin auch die letzten zwei Briefe sind da, und um Verdienst handelt es sich hier nicht. Kannst Du es mir erklären und im guten Sinn und nicht nur durch den Hinweis auf meine Einbildungen, dann bitte,

bitte, Felice, tue es. Gib eine Erklärung für die paar geschriebenen Briefe dieser Art und für die Reihe der nichtgeschriebenen. Unter den geschriebenen stehn die aus Frankfurt obenauf, dann jener Brief aus dem Zoologischen [Garten] (unter dem Tisch geschrieben) und dann dieser letzte vom Mittwoch abend, in dem nichts steht, als daß »Erna schilt den ganzen Tag mit mir, sie behauptet, ich verbringe den ganzen Tag im Zimmer mit Schreiben, anstatt in die Luft zu gehn.« Liebste Felice, was bedeutet das, was soll damit gesagt sein?

Und doch muß ich im Anblick des Bildes, das ich jetzt zuhause vorgefunden habe, eingestehn, daß ich mich Dir mit unendlicher Gewalt verbunden fühle, und wenn nicht dieser durchlittene Vormittag mir in der Erinnerung die Fähigkeit gegeben hätte, das Obige, das Unbedingt-Notwendige niederzuschreiben, ich lieber nur gedankt hätte, wie ich es im Anblick Deines Bildes ununterbrochen tue.

Dein Franz

10. VIII. 13

Sieh Felice, das Telegramm habe ich, danke Dir vielmals dafür und bitte Dich auch um Verzeihung wegen der ungerechten Vorwürfe und der Verbitterung Deines Urlaubs, die vielleicht von mir aus geht. Nun habe ich heute im Bureau mir Deine Karte vom Freitag geholt. (Vom Donnerstag, falls Du geschrieben haben solltest, habe ich nichts bekommen, vielleicht war es in die Wohnung adressiert und kommt erst morgen), aber darauf kommt es ja gar nicht an, ich bin doch kein Teufel, der Dein Schreiben überwacht, ich erschrecke bloß über den Inhalt Deiner Briefe, nach denen ich wirklich so ein Teufel zu sein scheine, der nur irgendwie beruhigt werden muß, damit er nicht quält. Das wiederholt sich, Felice, in allem, was ich aus den letzten Tagen von Dir habe. Im vorvorletzten Brief: »Nun kannst Du Dich gewiß nicht beklagen u.s.w.« Im letzten: »Erna schilt u.s.w.« In der heutigen Karte: »Es wäre eine Sünde im Zimmer zu bleiben ...«. Aber liebste Felice! Schreiben wir denn nicht über das Schreiben, wie andere über Geld reden? Ist das zweite schlimmer als das erste? Wenn Du nur meinetwegen schreibst, ist es schrecklich.

Ich fürchte mich, den Brief abzuschicken, vielleicht bin ich nicht ganz urteilsfähig; wenn ich es aber nicht bin, stammt das doch wieder aus dem gleichen Grund und hat also berechtigten Sinn.
Ist es die ungeheuere Entfernung, die Dich von mir treibt, ist es Dein wirkliches durch mich zeitweise übertäubtes Gefühl? Du bist doch beständig, hast genügend klaren Einblick, hast Dich in der Hand – aber desto ärger und bedeutungsvoller sind diese immer wiederkehrenden Pausen.

Dein Franz

11. VIII. 13

Heute habe ich die Karte aus Kampen bekommen. (Sollte die Karte vom Donnerstag ebenso verloren gegangen sein, wie die aus Hamburg?) Wenn ich die Wahrheit sagen soll, eine solche Karte macht mir eine reinere Freude als die letzten Briefe. Es läßt sich nichts Schlechtes aus ihr herauslesen und, mit Selbsttäuschung, Gutes ahnen. Du hast einen netten Ausflug gemacht, den jemand (wer ist es?) für »entzückend« hält. Du hast ein wenig an mich gedacht und ich könnte, wenn nichts vorhergegangen wäre, ganz zufrieden sein. Aber auch um augenblickliche Zufriedenheit und erst recht nicht um meine handelt es sich hier, es handelt sich vielmehr um folgendes: Wenn Du das Opfer auf Dich nehmen willst, Felice, meine Frau zu werden – daß es ein Opfer ist, habe ich, der Wahrheit gemäß, bis in alle Einzelheiten zu beweisen mich angestrengt –, dann darfst Du, wenn Du nicht uns beide einem endlosen Unglück ausliefern willst, Deine Neigung zu mir nicht leichtsinnig beurteilen oder gar unbeurteilt lassen. Niemand kann verlangen, daß Dir Dein Gefühl für mich völlig klar ist, wohl aber mußt Du seiner sicher sein. Aber angesichts Deiner letzten Briefe und in Erinnerung an frühere ähnliche Zeiten verzweifle ich daran, diese Sicherheit in Dir zu finden. Irgendwo, eine andere Erklärung habe ich nicht, muß eine Täuschung verborgen liegen, die von Zeit zu Zeit zu wirken aufhört und die Du deshalb auch zumindest ahnen mußt, die Du aber nicht auffindest, weil Du sie aus rätselhaften Gründen nicht suchst. Gerade das aber wäre Deine Pflicht. Ebenso wie es ein kleines, leicht zu beseitigendes Vorurteil, eine bloße Schwäche sein kann, kann es auch etwas sein, das, wie es Dich jetzt nur zu Zeiten von mir abhält, Dich in Zukunft gänzlich von mir abhalten könnte. Oder hält Dich vielleicht nichts von mir ab, wenn Du beispielsweise – es ist nicht das einzige Beispiel – die Frage eines Wiedersehns mit folgenden 3 Sätzen erledigst: »Daß ich jetzt nach Prag komme, ist ganz und gar ausgeschlossen. Wieso glaubst Du aber, daß Du vorerst überhaupt nicht nach Berlin kommen könntest? Wie ist es denn mit den Weihnachtsferien?« Und wir sind jetzt im August. – Ich tue hier, Felice, das weiß ich, etwas, was von außen gesehn schrecklich ist. Es ist vielleicht das Schlimmste, was ich Dir getan habe, aber das Notwendigste gleichzeitig. Du willst den Unterton in dem, was Du sagst – halte Dich nicht an das eine Beispiel –, nicht hören, also wiederhole ich es für Dich laut noch einmal.

Franz

12. VIII. 13

Mich überläuft ein Widerwillen, Felice, wenn ich daran denken muß, daß Du an einem schönen Morgen, halbwegs frisch ausgeschlafen, in Erwartung eines angenehmen Tages beim Frühstück sitzt und Tag für Tag meine verfluchten Briefe wie Nachrichten aus der Unterwelt Dir überreicht werden. Was soll ich aber tun, Felice? Ich fühle in Deinen letzten Briefen und Karten Deine Nähe, Deine Hilfe, Deine überzeugte Entschlossenheit nicht, und ohne ihrer sicher zu sein, kann ich nicht die geringste Anknüpfung mit Deinen Eltern vollziehn, denn Du, ganz allein Du bildest meine einzige wesentliche Verbindung mit Menschen und *nur Du sollst sie in Zukunft bilden*. Ich muß also die Antwort auf meinen gestrigen Brief abwarten. Verstehst Du denn meine Lage nicht, Felice? Ich leide noch viel mehr, als ich leiden mache, was allerdings an sich, trotzdem es viel bedeutet, noch nicht die geringste Selbstrechtfertigung für mich enthält.

Dein Franz

[14. August 1913]

Liebste Felice! Erst in dem letzten Brief erkenne ich Dich wieder. Du warst wie hinter Wolken. Noch in dem Brief von Montag (den ich, wegen ungenügender Frankierung wahrscheinlich, erst heute, Donnerstag, bekam) und in dem ersten Dienstagbrief. Ich fragte mich, ob ich den bösen Blick habe, daß mir alle diese Briefe nicht genügten. Immerfort war dort von den Mängeln der Ullsteinhalle

443

die Rede. Wer bezweifelt, daß sich dort schlecht schreiben läßt, aber wer verlangt, daß Du dort schreiben sollst? Schon das Bild der Ullsteinhalle tat meinen Augen immer weh. Du schriebst doch sowieso mit Bleistift, konntest Du also nicht beim Frühstück mir paar Zeilen schreiben oder am Strand? Dann fand ich auch aus verschiedenen Anzeichen, daß Du meine Briefe nur ganz flüchtig liest. Ein Beispiel: Ich schrieb vom Onkel aus Madrid, Du verlegtest ihn nach Mailand. Daran lag ja nicht viel, aber ebensogut konntest Du irgendeines meiner wichtigsten Bedenken in irgend eine andere Himmelsgegend verlegen, ohne daß Du es aussprachst und ohne daß ich es merkte.

Erst Dein zweiter Dienstagbrief hat mich ein wenig beruhigt, und ich glaube, es ist wieder meine Felice. Endlich ist sie wieder aufgetaucht. Vielleicht bist Du nur müde, Felice. Es wäre ein Wunder, wenn Du es nicht wärest. Nun, ich denke an keine andere der vorhandenen Möglichkeiten und gleichzeitig mit diesem Brief geht auch der Brief an Deine Eltern ab. Bis Berlin gehen sie gemeinsam.

Der Mann in Euerer Pension soll die Graphologie lassen. Ich bin durchaus nicht »sehr bestimmt in meiner Handlungsweise« (es müßte denn sein, daß Du es erfahren hast), ich bin ferner gar nicht »überaus sinnlich«, sondern habe großartige, eingeborene asketische Fähigkeiten, ich bin nicht gutherzig, bin zwar sparsam, aber gerade »aus Zwang« bin ich's nicht und sonst sehr freigebig bin ich schon gar nicht, und mit dem, was der Mann sonst sagte und das Du Dir nicht merken konntest, wird es sich ähnlich verhalten. Nicht einmal das »künstlerische Interesse« ist wahr, es ist sogar die falscheste Aussage unter allen Falschheiten. Ich habe kein literarisches Interesse, sondern bestehe aus Literatur, ich bin nichts anderes und kann nichts anderes sein. Ich habe letzthin in einer »Geschichte des Teufelsglaubens« folgende Geschichte gelesen: »Ein Kleriker hatte eine so schöne süße Stimme, daß sie zu hören die größte Lust gewährte. Als ein Geistlicher diese Lieblichkeit eines Tages auch gehört hatte, sagte er: das ist nicht die Stimme eines Menschen, sondern des Teufels. In Gegenwart aller Bewunderer beschwor er den Dämon, der auch ausfuhr, worauf der Leichnam (denn hier war eben ein menschlicher Leib anstatt von der Seele vom Teufel belebt gewesen) zusammensank und stank.«[1] Ähnlich, ganz ähnlich ist das Verhältnis zwischen

[1] Zitiert aus Gustav Roskoff, *Geschichte des Teufels*. Leipzig 1869, Bd. I, S. 326. Die Einfügung in Klammern ist von Kafka.

mir und der Literatur, nur daß meine Literatur nicht so süß ist wie die Stimme jenes Mönches. – Man muß allerdings schon ein ganz ausgepichter Graphologe sein, um das aus meiner Schrift herauszufinden.

Zu Deinem Graphologen füge ich einen Kritiker. Im »Literarischen Echo« erschien letzthin eine Besprechung von »Betrachtung«[1]. Sie ist sehr liebenswürdig, aber an sich nicht weiter bemerkenswert. Nur eine Stelle ist auffallend, es heißt dort im Verlauf der Besprechung: »Kafkas Junggesellenkunst …« Was sagst Du dazu, Felice?

Kurz noch zu den andern Punkten: Auf dem Müllern bestehe ich durchaus, das Buch geht heute ab, wenn es Dir langweilig ist, so machst Du es nicht gut, strenge Dich an, es ganz genau *(natürlich in sehr vorsichtigem Fortschreiten!)* zu machen, und es wird Dich schon infolge seiner gleich spürbaren Wirkung nicht langweilen können; wegen des Kochens mach' Dir keine Sorge; Deiner im Schlaf sprechenden Cousine leg', wenn sie schläft, vorsichtig ein Tuch über das Gesicht.

Franz

15. VIII. 13

Nun aber, Felice, werde ruhig. Es ist Urlaub und Sommer, die Unruhe soll weder im Zimmer noch draußen sein. Ich habe Deinen Eltern das Unumgängliche gesagt; es war nicht leicht, das Notwendige und das Wahrheitsgemäße so zu vereinigen, daß es den Eltern noch lesbar und begreiflich blieb, es ist mir immerhin, wenn auch nur halb gelungen. Jedenfalls wird zwischen uns nicht mehr von Angst und Sorgen gesprochen werden, was davon noch übrig ist, muß zwischen den Zähnen zerbissen werden. Gewiß hatte ich mit meinen Vorwürfen in den letzten Briefen zum größten Teil Unrecht, ich will darüber nicht ausführlich reden, die Vorwürfe kamen aber auch nicht etwa nur aus Kränkung über einzelne Briefstellen, sie kamen aus tieferer Angst. Lassen wir sie jetzt! Ich habe ein Mittel gefunden, Dich mit solchen Dingen nicht mehr zu quälen. Ich schreibe zwar das Unentbehrliche auf, schicke es aber nicht weg, vielleicht kommt einmal eine friedliche Zeit, wo wir es gemeinsam in Ruhe lesen können und ein beruhigender Blick und Händedruck

---

[1] Paul Friedrich, »Gleichnisse und Betrachtungen«, *Das literarische Echo* 15. Jg., Heft 22 (15. August 1913), S. 1547 ff.

vielleicht, vielleicht alles leichter und rascher beseitigt als ein langsam von Westerland herwandernder Brief. Die letzten Leiden, die ich Dir verursacht habe, Felice, nimm als einen Teil des schon beginnenden Opfers hin, das die Verbindung mit mir für Dich bedeutet. Anderes kann ich nicht sagen. Beziehe es mit in Deine Überlegung und Antwort ein, wenn Deine Eltern Dich über meinen Brief ausfragen werden.

Nun schreibe mir auch nicht mehr soviel. Ein großer Briefverkehr ist ein Zeichen dafür, daß etwas nicht in Ordnung ist. Der Frieden braucht keine Briefe. Dadurch, daß ich Dein Bräutigam vor aller Welt werde, hat sich an sich nichts geändert, immerhin ist es das Zeichen für das Ende jeder nach außen gehenden Wirkung der Zweifel und der Angst. Infolgedessen sind die vielen Briefe nicht mehr nötig, nur äußerste, aufs Haar berechnete Regelmäßigkeit der Briefe ist nötig. Du wirst staunen, was für ein schwacher, wenn auch pünktlicher Briefschreiber aus mir werden wird, wenn ich Bräutigam bin. Es gibt dann immer stärkere Verbindungen, denen gegenüber Briefe lächerlich sind.

Franz

18. VIII. 13

Liebste Felice, Du wirst mir doch nicht krank. Es geht Dir nicht besonders? Was bedeutet das? Und warum erklärst Du es nicht näher? Muß ich mir allein Vorwürfe darüber machen, daß ich durch Quälereien Dich krank mache? Ist nicht anderes schuld? Und was ist es? Und Du schläfst noch immer nicht gut? Wahrhaftig meine Schlaflosigkeit sollte doch für uns beide ausreichen. Hast Du genug Ruhe? Hast Du gutes und vernünftiges Essen? Was bedeutet nur das, es ginge Dir nicht besonders? Schreibe mir keine Briefe mehr, nur Karten, aber bitte, Felice, zu einer solchen Nachricht, es ginge Dir nicht besonders, füge auch eine kleine Erklärung oder eine kleine Hoffnung hinzu. Wenn Du nur schreibst, es ginge Dir nicht besonders, so kann ich das stundenlang anstarren, ohne eine Erklärung herauszulesen oder wenigstens ohne eine gute Erklärung herauszulesen. Und schicke mir dann nicht Karten mit solchen Bildchen, sondern wirkliche Ansichtskarten, aus denen ich mir eine Vorstellung davon machen kann, wo und wie Du lebst, denn das ist mir doch das wichtigste.

Die Post scherzt wohl wieder mit uns. Deinen Brief vom Freitag bekam ich erst jetzt Montag, und der Flaubert, der doch schon vorigen Montag bei Dir hätte ankommen sollen, scheint auch erst jetzt gekommen zu sein. In dem Buch ist aber Leben! Hält man sich fest daran, geht es in einen über, sei man, wie man sei.

Gestern kam Max von seiner Reise zurück, ich war bei ihm, dort waren auch seine Eltern, und da erfuhr ich die große Neuigkeit, daß Frau Brod von irgendjemandem von irgendwo – den Namen würde man mir niemals nennen – einen Glückwunsch bekommen habe. Ich hörte nichts, verstand nichts, hatte Kopfschmerzen von einer schlaflosen Nacht und richtete mich darauf ein, sinnlos herumzustarren. Das war zwar nur der Ausdruck eines elenden Zustandes, gleichzeitig aber auch der Ausdruck der Traurigkeit darüber, daß sich fremde Leute in meine Angelegenheit einmischen oder einmischen möchten, wozu ich ihnen ein Recht selbst bei äußerster Berücksichtigung ihrer Freundschaft, Anteilnahme, Hilfsbereitschaft und Liebenswürdigkeit niemals zugestehen kann.

Die Photographien! Felice. Die Photographien! Man wartet!

Sieh, was für ein schönes Gedicht ich bekommen habe, es ist gerade im »März« erschienen[1]. Schick es mir wieder zurück. Ja dort sind wir vor zwei Jahren gelegen. Ich weiß nicht mehr, wie das Dorf geheißen hat, ganz nahe bei Lugano. – Und nun sieh zu, daß Du gesund wirst. Die Cousine und die Freundin sollen nichts tun als Dich bedienen und pflegen. Hätte ich doch auch eine Aufgabe dabei.

Franz

20. VIII. 13

Nun siehst Du, Felice, wie recht ich mit meinem Vorwurf hatte, daß Du nicht genug an mich denkst. Oder hast Du an mich gedacht, als Du Dich so weit vorwagtest, bis Du in Gefahr kamst? Nein, da war ich gar nicht in Deinen Gedanken. Und ist es jetzt schon gut? Und immer dieses Herzklopfen! Nein, Felice, darin will ich keine Annäherung an mich. Laß mein Herz sich benehmen, wie es den abgespielten Nerven beliebt, Deinem Herzen aber laß seinen ruhigen ein-

---

[1] Max Brods Gedicht ›Lugano-See‹, das Franz Kafka gewidmet ist, erschien in der Münchener Wochenschrift *März* VII (August 1913), S. 247. Vgl. Brod, *Biographie*, S. 100.

geboren Gang. Und wie kann Halsentzündung Folge des Schrekkens sein? Ein wenig undeutlich ist das. War ein Arzt bei Dir? Sag, Felice, warst Du nicht widerstandsfähiger, ehe Du mich kanntest? Bin ich nicht mehr schuld als alle Wellen? Und hätte ich Dich auch nur halb so viel gequält in diesem Jahr wie mich, der wirklich nicht gerade zu meinem, aber zu Deinem künftigen Schrecken immer mehr weißes Haar bekommt. Einmal schriebst Du, daß Du Angst hattest vor einem kahlköpfigen Bewerber, und jetzt bietet Dir ein fast Weißhaariger den Ehemannsarm an.

Bei Deinem heutigen Brief fällt mir ein, daß wir zumindest in einer Hinsicht ganz gegensätzlich sind. Dich freut, Du benötigst die mündliche Aussprache, der unmittelbare Verkehr tut Dir wohl, Schreiben beirrt Dich, es ist Dir bloß ein unvollkommener Ersatz und meistens nicht einmal ein Ersatz, auf viele Briefe hast Du mir nicht eigentlich geantwortet, und zwar, wie es bei Deiner Güte und Bereitwilligkeit zweifellos ist, nur aus dem Grunde, weil Dir das Schreiben widerstrebte, so gern Du Dich z. B. mündlich zu diesem oder jenem geäußert hättest.

Bei mir ist ganz das Gegenteil der Fall. Mir widerstrebt das Reden ganz und gar. Was ich auch sage ist falsch in meinem Sinn. Die Rede nimmt allem, was ich sage, für mich den Ernst und die Wichtigkeit. Es scheint mir gar nicht anders möglich, da auf die Rede unaufhörlich tausend Äußerlichkeiten und tausend äußerliche Nötigungen wirken. Ich bin deshalb schweigsam, nicht nur aus Not, sondern auch aus Überzeugung. Nur das Schreiben ist die mir entsprechende Form [der] Äußerung, und sie wird es bleiben, auch wenn wir beisammen sind. Wird Dir aber, die Du von Deiner Natur auf das Sprechen und Zuhören angewiesen bist, das, was mir zu schreiben gegönnt sein wird, als meine wesentliche, einzige (zwar vielleicht nur an Dich gerichtete) Mitteilung genügen?

Franz

21. VIII. 13

Liebe Felice, ich kam gestern zu spät nachhause, als daß ich Dein gestriges Telegramm noch mit einem Telegramm hätte beantworten können. Auch mußtest Du gestern abend meinen Brief schon haben.

Sonntag an Dich zu schreiben, bin ich auf folgende Weise gehindert worden: Ich ging Sonntag in den Gassen allein herum und es fiel mir ein, daß wir über die wichtigste Angelegenheit oder über die zumindest (was für eine unsichere Hand ich heute habe, nicht? aber ich kann auch ruhig schreiben sieh nur!) mit dem Wichtigsten verknüpfte Angelegenheit nur wenig und meist andeutungsweise gesprochen oder geschrieben haben. Was war natürlicher, als daß ich mich mit großen Schritten nachhause wendete, um alles, klar bis zur Möglichkeit, aufzuschreiben und Dir vorzulegen. Es war Abend, das war für die Klarheit des Aufzuschreibenden von Vorteil. Was lag mir am Schlaf! Da traf ich einen Bekannten, wir kamen in ein beruhigendes, zerstreuendes, nichtssagendes Gespräch, und als ich ihn los war, dachte ich menschlicher, dachte an die Qual, die ich Dir die ganze Zeit bereitet hatte, und ließ vorläufig das Wichtigste ungeschrieben. War es eine Sünde von mir, nicht zu schreiben – und das war es gewiß – so war es eine gut gemeinte. Und als ich nun gar las, daß Du Montag im Bett gelegen bist und alles andere brauchtest als Sorgen, segnete ich meinen Bekannten.

Ob Du meiner Mutter schreiben sollst? Zuerst muß doch Dein Vater mir antworten. Dann aber, im günstigen Fall, tu das, was Dir lieber ist, der Mutter schreiben oder ihren Brief abwarten. Ich habe dafür kein Gefühl. Wenn Du willst, daß sie Dir zuerst schreibt, so wird sie Dir zuerst schreiben.

Nach Berlin komme ich kaum vor meinem Urlaub, Felice. Erstens hättest Du in meinem jetzigen Zustand wenig Freude an mir (womit ich spätern Eindrücken nicht vorgreifen will). Zweitens gefällt uns beiden (in den Gründen mögen Verschiedenheiten sein) die Verlobungszeit nicht. Es ist etwas Richtiges in den orientalischen Hochzeitsbräuchen, wo der Bräutigam erst bei der Hochzeit die Braut zu sehen bekommt. Der Schleier wird gehoben »das ist also Felice!« und er liegt ihr zu Füßen. Sie aber springt zurück, so erschrickt sie vor dem Weißhaarigen. Drittens will ich den Urlaub zusammenhalten, und ein Sonntag bleibt mir kaum mehr übrig. Das sind die allgemeinen Gründe. Billigst Du sie?

Franz

[am Rande] Die Photographien! Und den Brief der Schwester!

Unausgesprochen ist vielleicht nichts, Felice, hab darin keine Angst, aber von Dir ganz begriffen ist vielleicht gerade das Wichtigste nicht. Das ist kein Vorwurf, nicht die Spur eines Vorwurfes. Du hast das Menschenmögliche getan, aber was Du nicht hast, kannst Du nicht fassen. Niemand kann das. Und ich allein habe doch alle Sorge und Angst in mir, lebendig wie Schlangen, ich allein sehe ununterbrochen in sie hinein, nur ich weiß, wie es um sie steht. Du erfährst nur durch mich, nur durch Briefe von ihnen, und das was Dir dadurch von ihnen überliefert wird, verhält sich an Schrecken, an Beharrlichkeit, an Größe, an Unbesiegbarkeit zu dem Wirklichen nicht einmal so, wie sich mein Geschriebenes zu dem Wirklichen verhält, und das ist doch schon ein gar nicht zu umfassendes Mißverhältnis. Das sehe ich klar, wenn ich Deinen lieben zuversichtlichen gestrigen Brief lese, bei dessen Schreiben Du ganz die Erinnerung, in der Du mich von Berlin her hältst, vergessen haben mußt. Nicht das Leben dieser Glücklichen, die Du in Westerland vor Dir hergehen siehst, erwartet Dich, nicht ein lustiges Plaudern Arm in Arm, sondern *ein klösterliches Leben an der Seite einen verdrossenen, traurigen, schweigsamen, unzufriedenen, kränklichen Menschen,* der, was Dir wie ein Irrsein erscheinen wird, mit unsichtbaren Ketten an eine unsichtbare Literatur gekettet ist, und der schreit, wenn man in die Nähe kommt, weil man, wie er behauptet, diese Kette betastet.
Dein Vater zögert mit der Antwort, das ist selbstverständlich, aber daß er auch mit den Fragen zögert, scheint mir zu beweisen, daß er nur ganz allgemeine Bedenken hat, welche eine Auskunft – gänzlich lügenhafter Weise – mehr als nötig beseitigen wird, daß er aber gerade über jene Stelle meines Briefes, die mich verraten könnte, unachtsam, weil dies gänzlich außerhalb seiner Erfahrung liegt, hinweggeht. Das darf nicht sein, sagte ich mir heute die ganze Nacht und entwarf einen Brief[1], der ihm das klar machen sollte. Er ist nicht fertig, ich schicke ihn auch nicht weg, es war nur ein Ausbruch, der mich nicht einmal erleichtert hat.   Franz

24. VIII. 13

Liebste Felice! Das Mädchen weckte mich aus meinem Dusel und reichte mir Deinen Brief. Er kam wie eine Ergänzung der grellen

[1] Vgl. Tagebücher (21. August 1913), S. 318 ff.

Vorstellungen, die in dem ewigen halbwachen Zustand, in dem ich nun schon alle Nächte verbringe, mir durch den Kopf gehn. Aber käme das Mädchen in beliebiger Nachtstunde und brächte Deinen Brief, immer würde er sich meinem Gedankengang, der von nichts handelt als von Dir und unserer Zukunft, als etwas Selbstverständliches einfügen.

Arme liebste Felice! Dieses Zusammentreffen, daß ich mit niemandem so leide wie mit Dir und niemanden so quäle wie Dich, ist schrecklich und gerecht. Ich gehe förmlich auseinander. Ich ducke mich vor meinen eigenen Schlägen und nehme förmlich den größten Anlauf, um sie auszuführen. Wenn das nicht die schlimmsten Vorzeichen sind, die uns erscheinen können!

Nicht ein Hang zum Schreiben, Du liebste Felice, kein Hang, sondern durchaus ich selbst. Ein Hang ist auszureißen oder niederzudrücken. Aber dieses bin ich selbst; gewiß bin auch ich auszureißen und niederzudrücken, aber was geschieht mit Dir? Du bleibst verlassen und lebst doch neben mir. Du wirst Dich verlassen fühlen, wenn ich lebe, wie ich muß, und Du wirst wirklich verlassen sein, wenn ich nicht so lebe. Kein Hang, kein Hang! Meine kleinste Lebensäußerung wird dadurch bestimmt und gedreht. Du wirst Dich an mich gewöhnen, Liebste, schreibst Du, aber unter welchen, vielleicht unerträglichen Leiden. Bist Du imstande, Dir ein Leben richtig vorzustellen, währenddessen, wie ich es Dir schon schrieb, wenigstens im Herbst und Winter, für uns täglich gerade nur *eine* gemeinsame Stunde sein wird und Du als Frau die Einsamkeit schwerer noch tragen wirst, als Du es Dir heute als Mädchen in der Dir gewohnten, entsprechenden Umgebung nur von der Ferne denken kannst? Vor dem Kloster würdest Du unter Lachen zurückschrekken und willst mit einem Menschen leben, den sein eingeborenes Streben (und nur nebenbei auch seine Verhältnisse) zu einem Klosterleben verpflichten? Seien wir ruhig, Felice, ruhig! Ich bekam heute von Deinem Vater einen ruhigen, überlegten Brief, dessen Ruhe gegenüber mein Zustand mir wie eine Narrheit schon außerhalb der Welt erschien. Und doch ist Deines Vaters Brief nur deshalb ruhig, weil ich Deinen Vater betrüge. Sein Brief ist freundlich und offen, mein Brief war nur eine Verschleierung der unglückseligsten Hintergedanken, mit denen ich nur Dich immer wieder anfallen muß, meine liebste Felice, deren Fluch ich bin. Dein Vater entscheidet sich, wie natürlich, nicht, sondern behält die Entscheidung einer Besprechung mit Dir und Deiner Mutter vor. Sei, Felice, ehrlich Deinem Vater gegenüber, wenn ich es schon nicht war. Sag' ihm, wer ich bin, zeig' ihm Briefe, steige mit seiner Hilfe aus dem fluchwürdigen Kreis, in den ich, verblendet durch Liebe wie ich war und bin, Dich mit meinen Briefen und Bitten und Beschwörungen gedrängt habe.

Franz

24. VIII. 13

Du fragst, wie es mir gegangen ist? Es ist mir so gegangen, daß ich, seitdem ich Dein Telegramm habe, also seit 4 Tagen, den Brief an Deinen Vater fertiggeschrieben in der Schublade habe.

Als ich heute Deinen Brief gelesen hatte, ging ich gleich ins Nebenzimmer, wo die Eltern nach dem Mittagessen immer ein wenig Karten spielen und fragte sofort: »Vater, was sagst Du also dazu, daß ich heiraten will?« Es ist das erste Wort, das ich mit dem Vater über Dich gesprochen habe. Von der Mutter weiß er natürlich alles, was die Mutter weiß. Sagte ich Dir schon einmal, daß ich meinen Vater bewundere? Daß er mein Feind ist und ich seiner, so wie es durch unsere Natur bestimmt ist, das weißt Du, aber außerdem ist meine Bewunderung seiner Person vielleicht so groß wie meine Angst vor ihm. An ihm vorbei kann ich zur Not, über ihn hinweg nicht. Wie jedes unserer Gespräche (aber es war kein Gespräch wie eben jedes unserer angeblichen Gespräche, es waren haltlose Bemerkungen von meiner und sehr kräftige Reden von seiner Seite) wie jedes unserer Gespräche begann auch dieses mit gereizten Bemerkungen von seiner und mit der Feststellung dieser Gereiztheit von meiner Seite. Ich fühle mich jetzt außerstande, zu schwach, um das Ganze zu beschreiben, ohne aber etwa durch das Gespräch besonders hergenommen zu sein, denn meine Unterlegenheit gegenüber meinem Vater ist mir ja bekannt und klar und greift meinen Vater gewiß viel mehr an, als mich. Das Wesentliche war, daß er mir die Not darstellte, in die ich durch Heirat mit meinem Einkommen geraten muß, ohne die Not bei meinem Mangel an Konsequenz (hier kamen gräßliche Vorwürfe, daß ich ihn zur Beteiligung an der verfehlten Asbestfabrik verlockt habe und mich jetzt um sie nicht kümmere) ertragen oder gar beseitigen zu können. Als Nebenargument, dessen Zusammenhang mit meiner Sache mir nicht mehr ganz klar ist, aber damals bestand, machte er zum Teil ins Leere, zum Teil meiner Mutter, zum Teil auch mir Vorwürfe wegen der Ehe meiner zweiten Schwester, mit der er in financieller Hinsicht (berechtigter Weise) nicht zufrieden ist. So verlief vielleicht eine halbe Stunde. Schließlich, wie meistens gegen Schluß solcher Szenen, wird er sanft, nicht sehr sanft an und für sich, aber vergleichsweise so sanft, daß man sich ihm gegenüber nicht zu helfen weiß, besonders ich, der ich für ihn überhaupt kein natürlich empfundenes Wort habe. (Das Merkwürdigste in meinem Verhältnis zu ihm ist aber vielleicht, daß ich es bis aufs äußerste verstehe, nicht mit ihm, aber in ihm zu fühlen und zu leiden.) Und so sagte er also zum Schluß (die Übergänge fehlen eben in meiner Beschreibung), er sei bereit, wenn ich es will, nach Berlin zu fahren, zu Euch zu gehn, die seiner Meinung nach unwiderleglichen Einwände vorzubringen und, wenn man über diese Einwände hinweg einer Heirat zustimmt, auch nichts mehr einwenden zu wollen.

Nun mische Dich Du, Felice, in mein Gespräch mit dem Vater. Du mußt mir schon ein wenig helfen standzuhalten. Für Dich ist ja mein Vater ein fremder Mann. Wäre es also als Anfang gut, wenn er nach Berlin fährt? Ist jetzt die richtige Zeit? Und wie wäre es einzuleiten? Da sind Antworten, klug und schnell wie Schlangen nötig.

Franz

[Vermutlich Nacht vom 24. zum] 25. VIII. 13

Liebste Felice, ich habe vielleicht mittag nicht ganz richtig geschrieben. Ich bin so abhängig vom Augenblick und von seinen Kräften. Versteh mich also recht! Was der Vater sagte, ist Zustimmung in seiner Art, soweit er zu etwas seine Zustimmung geben kann, was ich will. Er spricht vom Glück der Kinder, das ihm am Herzen liegt und er lügt kaum jemals im Ernst, dazu ist sein Temperament zu stark. Aber was er dahinter noch fürchtet, ist etwas anderes. Darin ist er vielleicht Deiner Mutter ein wenig ähnlich, daß er überall den Zusammenbruch ahnt. Früher als er noch vollständiges Vertrauen zu sich und zu seiner Gesundheit hatte, waren diese Befürchtungen nicht so stark, insbesondere wenn es sich um Dinge handelte, die er selbst begonnen hatte und selbst durchführte. Heute aber fürchtet er alles und schauderhafter Weise wird diese Furcht wenigstens in den Hauptsachen immer bestätigt. Schließlich ist ja mit solchen regelmäßigen Warnungen nichts weiter gesagt, als daß das Glück selten ist, und das ist dann allerdings der Fall. Nun hat aber der Vater sein Leben lang schwer gearbeitet und aus nichts verhältnismäßig etwas gemacht. Dieses Fortschreiten hat aber schon seit Jahren, seit dem Erwachsensein der Töchter aufgehört und hat sich jetzt durch die Verheiratungen der Töchter in einen entsetzlichen Rückschritt verwandelt, der ununterbrochen anhält. Dem Gefühl des Vaters nach hängen ihm seine Schwiegersöhne und seine Kinder, ich jetzt ausgenommen, ununterbrochen am Halse. Das Gefühl ist leider vollständig berechtigt und wird noch durch das Leiden des Vaters, eine Arterienverkalkung, maßlos verstärkt. Nun denkt er, jetzt heirate ich, der bis jetzt zum Teil außerhalb dieser Sorgen war, muß seiner Rechnung nach, wenn nicht sofort, so in zwei Jahren bestimmt in Not geraten, werde, wie ich es auch jetzt in Abrede stellen mag, ihn, der sich vor Sorgen kaum rühren kann, um Hilfe bitten oder er werde, wenn ich nicht bitte, sie mir doch irgendwie zu verschaffen suchen und sein Ruin und der Ruin der vielen, die seiner Meinung nach von ihm abhängen, werde dadurch noch beschleunigt werden. So mußt Du ihn verstehn, Felice. Aber nun laß Dich bitte nach alledem, wie ich es schon lange nicht zu denken wagte, lange und möglichst ruhig von mir küssen.

Dein Franz

Wenn man ihn darin, wenigstens in diesem Hauptpunkt irgendwie trösten könnte! Ich habe keine richtige Beurteilung des Geldes (wenn ich auch von meinem Vater Geiz in kleinen Dingen geerbt habe, die Erwerbslust aber leider nicht) und der Lebensbedürfnisse erst recht nicht. Wenn mir der Vater sagt, wir werden in Not geraten, so glaube ich es, und wenn Du mir sagst, wir werden nicht in Not geraten, glaube ich es noch lieber. Disputieren kann ich jedenfalls mit meinem Vater darüber nicht, da muß eine bessere Zunge kommen.

———

Und bitte, Felice, schreib mir regelmäßig in diesen schlimmen Zeiten!

———

Der Brühl ist ein schrecklicher Mensch. Einmal veruntreut er, einmal hat er ein Verhältnis oder hängt beides zusammen? Die meisten Kinder verdienen doch schon etwas?

Wenn Du mein Schutzengel bist – und ich glaube jeden Tag mehr, daß Du es bist –, dann bin ich jetzt lange ohne Schutzengel gewesen. Ich glaube, ich werde Dir auf den morgigen Brief viel zu antworten haben. Zuerst aber muß ich sehn, was in dem Brief steht.   Franz

[Briefkopf der Arbeiter-Unfall-Versicherungs-Anstalt]

[28. August 1913]

Felice, heute bekam ich den Brief, den Kartenbrief und den Brief Deines Vaters. Du bekamst doch Sonntag und Montag Briefe von mir, auch Deinem Brief nach scheinen sie angekommen zu sein, doch Du beantwortest sie nicht. Auch in dem Brief Deines Vaters steht nicht die geringste Erwähnung dessen, daß Du mit Deinem Vater über das, was an dieser Heirat Wagnis für Dich ist, gesprochen hättest. Er muß es aber wissen, es geht ihn nicht nur mittelbar, es geht ihn unmittelbar an. Könnte ich reden, ich käme nach Berlin, ich kann aber nicht und muß also schreiben, ich habe in aller Kürze und Oberflächlichkeit, was zu sagen ist, in dem beiliegenden Brief an Deinen Vater aufgeschrieben. Bitte, bitte, liebste Felice, gib ihm den Brief! Es muß sein[1].   Franz

---

[1] Siehe folgenden Brief. – Am 16. Mai 1913 erwähnte Kafka zum ersten Mal die Absicht, Felicens Vater zu schreiben. Darüber hatte er wohl mit ihr während seines vorhergehenden Pfingstbesuches in Berlin gesprochen. Daß er diesen Brief schreiben wollte, sagte Kafka an zahlreichen Stellen seiner Korrespondenz mit Felice zwischen dem 23. Mai und dem 14. August. An diesem Tag schrieb er: »Der Brief an die Eltern machte mir große Schwierigkeiten…« (Vgl. *Tagebücher* S. 316.) Am 15. August hieß es im Brief an Felice: »Ich habe Deinen Eltern das Unumgängliche gesagt«. Am 21. August beklagte er sich darüber, daß ihr Vater noch nicht geantwortet habe. Erst am 24. August erhielt Kafka Carl Bauers Antwort: »Ich bekam heute von Deinem Vater einen ruhigen, überlegten Brief… Und doch ist Deines Vaters Brief nur deshalb ruhig, weil ich Deinen Vater betrüge…« Bereits am 21. August 1913 hatte er einen offenbar deutlicheren Brief entworfen (vgl. *Tagebücher*, S. 318 ff.), den er jedoch nicht abschickte. Inzwischen scheint Felice auf Drängen Kafkas bei ihrem Vater erwirkt zu haben, daß Carl Bauer einen zweiten Brief an ihn schrieb. Diesem Brief glaubte Kafka entnehmen zu können, daß sie gerade darüber, »was an dieser Heirat Wagnis« für sie sei, mit ihrem Vater nicht gesprochen habe. So legt denn Kafka den folgenden Brief für Carl Bauer bei. Wie aus der weiteren Korrespondenz hervorgeht, hat Felice diesen Brief ihrem Vater nicht übergeben, womit sich Kafka schließlich abfand. Vgl. Kafkas Brief an Felice vom 2. September 1913, S. 460 f.

Meine Mutter? Sie bettelt seit 3 Abenden, seitdem sie meine Sorgen ahnt, ich möchte doch heiraten auf jeden Fall, sie will Dir schreiben, sie will mit mir nach Berlin fahren, was will sie nicht alles! Und hat nicht die geringste Ahnung von dem, was für mich notwendig ist.

Franz Kafka an den Vater Felicens, Herrn Carl Bauer

[28. August 1913]

Sehr geehrter Herr Bauer!

Ich weiß nicht, ob Sie die Geduld und den Willen haben, jetzt, nachdem ich Ihre zwei gütigen Briefe erbettelt habe, noch die folgenden Dinge anzuhören. Daß ich sie aber unbedingt aussprechen muß, das weiß ich. Ich müßte sie aussprechen, selbst wenn mir die Briefe nicht das Vertrauen eingeflößt hätten, das ich jetzt zu Ihnen habe.

Was ich Ihnen in meinem ersten Briefe über mein Verhältnis zu Ihrer Tochter geschrieben habe, ist wahr und wird es bleiben. Es fehlt aber bis auf eine Andeutung, die Ihnen vielleicht entgangen ist, etwas Entscheidendes darin. Vielleicht glaubten Sie darauf nicht eingehn zu müssen, da Sie glaubten, die Auseinandersetzung mit meinem Charakter sei gänzlich Sache Ihrer Tochter und sei auch vollkommen vollzogen. Sie ist es nicht, immer wieder glaubte ich es zu Zeiten, immer wieder aber zeigte es sich, daß es nicht geschehen war, nicht geschehen konnte. Ich habe mit meinem Schreiben Ihre Tochter verblendet, meistens nicht täuschen wollen (manchmal täuschen wollen, weil ich sie liebte und liebe und der Unvereinbarkeit schrecklich mir bewußt war) und vielleicht gerade damit ihr die Augen zugehalten. Ich weiß es nicht.

Sie kennen Ihre Tochter, sie ist ein lustiges, gesundes, selbstsicheres Mädchen, das lustige, gesunde, lebendige Menschen um sich haben muß, um leben zu können. Mich kennen Sie nur von meinem Besuch (fast möchte ich sagen, es sollte genügen), ich kann auch nicht wiederholen, was ich von mir in etwa 500 Briefen Ihrer Tochter geschrieben habe. Bedenken Sie also nur dieses eine Wichtigste: Mein ganzes Wesen ist auf Literatur gerichtet, die Richtung habe ich bis zu meinem 30[s]ten Jahr genau festgehalten; wenn ich sie einmal verlasse, lebe ich eben nicht mehr. Alles was ich bin und nicht bin, folgert daraus. Ich bin schweigsam, ungesellig, verdrossen, eigennützig, hypochondrisch und tatsächlich kränklich. Ich beklage im Grunde nichts von alledem, es ist der irdische Widerschein höherer Notwendigkeit. (Was ich wirklich kann, steht hier natürlich nicht in Frage, hat keinen Zusammenhang damit.) Ich lebe in meiner Familie, unter den besten, liebevollsten Menschen, fremder als ein Fremder. Mit meiner Mutter habe ich in den letzten Jahren durchschnittlich nicht zwanzig Worte täglich gesprochen, mit meinem Vater kaum jemals mehr als Grußworte gewechselt. Mit meinen verheirateten Schwestern und den Schwägern spreche ich gar nicht, ohne etwa mit ihnen böse zu sein. Für die Familie fehlt mir jeder mitlebende Sinn.

Neben einem solchen Menschen soll Ihre Tochter leben können, deren Natur, als die eines gesunden Mädchens, sie zu einem wirklichen Eheglück vorherbestimmt hat? Sie soll es ertragen, ein klösterliches Leben neben einem Mann zu führen, der sie zwar lieb hat, wie er niemals einen andern lieb haben kann, der aber kraft seiner unabänderlichen Bestimmung die meiste Zeit in seinem Zimmer steckt oder gar allein herumwandert? Sie soll es ertragen, gänzlich abgetrennt von ihren Eltern und Verwandten und fast von jedem andern Verkehr hinzuleben, denn anders könnte ich, der ich meine Wohnung selbst vor meinem besten Freunde am liebsten zusperren würde, ein eheliches Zusammenleben mir gar nicht denken. Und das würde sie ertragen? Und wofür? Etwa für meine in ihren und vielleicht selbst in meinen Augen höchst fragwürdige Literatur? Dafür sollte sie allein in einer fremden Stadt in einer Ehe leben, die vielleicht eher Liebe und Freundschaft als wirkliche Ehe wäre.

Ich habe das Wenigste von dem gesagt, was ich sagen wollte. Vor allem: entschuldigen wollte ich nichts. Zwischen Ihrer Tochter und mir allein war keine Lösung möglich, dazu liebe ich sie zu sehr und sie gibt sich zu wenig Rechenschaft und will vielleicht auch nur aus Mitleid das Unmögliche, so sehr sie es leugnet. Nun sind wir zu dritt, urteilen Sie!

Ihr herzlich ergebener   Dr. F. Kafka

30. VIII. 13

Liebste Felice, Du kennst mich nicht, in meinem Schlechtsein kennst Du mich nicht, und auch mein Schlechtsein geht auf jenen Kern zurück, den Du Literatur nennen kannst oder wie Du willst. Was für ein elender Schreiber und wie böse über mich selbst hinaus bin ich doch, daß ich Dich davon nicht überzeugen konnte. (Seit früh und auch jetzt halte ich die Hand an der linken Schläfe, es geht nicht anders.)

Es sind ja kaum Tatsachen, die mich hindern, es ist Furcht, eine unüberwindliche Furcht, eine Furcht davor, glücklich zu werden, eine Lust und ein Befehl, mich zu quälen für einen höheren Zweck. Daß Du, Liebste, mit mir unter die Räder dieses Wagens kommen mußt, der nur für mich bestimmt ist, das ist allerdings schrecklich. Die innere Stimme verweist mich ins Dunkel und in Wirklichkeit zieht es mich zu Dir, das ist nichts zu Vereinbarendes, und wenn wir es doch versuchen, trifft es mit gleichen Schlägen Dich und mich.

Liebste, ich will Dich doch nicht anders haben, als Du bist, ich liebe doch Dich und keine Gestalt in der Luft. Aber dann kommt wieder die Tyrannei, die ich durch mein bloßes Dasein über Dir ausüben muß, dieser Widerspruch zerreißt mich. Auch er zeigt die Unmöglichkeit.

Wärest Du hier, sähe ich Dich leiden (es wäre nicht das allein, Dein Leiden in der Ferne ist mir ärger), hätte ich die Möglichkeit zu helfen, würden wir gleich heiraten können, besinnungslos, ich ließe natürlich alles und auch dem Unglück ließ ich seinen Weg. Aber gegenwärtig ist dieser Ausweg nicht zu finden. Ich könnte mit dem Blick auf Deinen heutigen lieben, selbstmörderischen Brief Dir versprechen, alles so zu lassen, wie es in Deinem Sinne war und Dich nicht mehr zu quälen. Aber wie oft habe ich das versprochen! Ich kann nicht für mich bürgen. In Deinem nächsten Brief oder vielleicht heute in der Nacht kommt diese Angst wieder, ich entgehe ihr nicht, die Zeit bis zur Heirat wäre nicht durchzubringen. Was sich bisher jeden Monat wiederholte, wird sich jede Woche wiederholen. In jedem zweiten Brief werde ich dafür beängstigende Anknüpfungen finden, und dieser schreckliche Kreisel in mir wird wieder in Gang gebracht sein. Das wird nicht Deine Schuld sein, war es niemals, Felice, es ist die Schuld einer allgemeinen Unmöglichkeit. Ich las z. B. Deinen letzten Brief. Du wirst Dir nicht vorstellen können mit welchen angsterfüllten Gedanken. Da standen die Überlegungen, durch welche Deine Eltern dazu geführt worden waren, ihre Zustimmung zu geben. Was kümmerten mich diese Überlegungen, ich haßte diese Überlegungen. Du schriebst von der möglichen Liebe Deiner Mutter zu mir, was fing ich mit dieser

Liebe an, ich, der sie niemals erwidern, der dieser Liebe niemals entsprechen konnte und wollte. Selbst vor der ausführlichen Besprechung mit Deinen Eltern erschrak ich. Selbst vor der Verbindung zwischen Verlobung und Feiertagen und dem Aussprechen dieser Verbindung erschrak ich. Das ist Irrsinn, ich überblicke das gut, aber gleichzeitig ein unausrottbarer, das weiß ich.

Und das alles sind doch nur Zeichen meines ganzen Wesens, das an Dir immerfort rütteln würde. Erkenne das doch, Felice, ich liege auf dem Boden vor Dir und bitte, stoße mich fort, alles andere ist unser beider Untergang. Das ist das Wort, das ich, glaube ich, etwa im Jänner geschrieben habe, es bricht wieder durch, es ist nicht zurückzuhalten. Du würdest es selbst sagen, wenn ich mich vor Dir aufreißen könnte.

Franz

2. IX. 13

Ich bin ruhiger geworden, Felice, Sonntag lag ich noch mit Kopfschmerzen im Wald und drehte den Kopf vor Schmerzen im Gras, heute ist es schon besser, aber mehr beherrsche ich mich nicht als früher, ich bin ohnmächtig mir gegenüber. In Gedanken kann ich mich teilen, ich kann ruhig und zufrieden an Deiner Seite stehn und dabei meinen in diesem Augenblick sinnlosen Selbstquälereien zusehn, ich kann in Gedanken über uns beiden stehn und im Anblick des Leides, das ich Dir, dem besten Mädchen zufüge, um eine ausgesuchte Marter für mich beten, das kann ich. Letzthin schrieb ich folgenden Wunsch für mich auf: »Im Vorübergehn durch das Parterrefenster eines Hauses an einem um den Hals gelegten Strick hineingezogen und ohne Rücksicht, wie von einem, der nicht acht gibt, blutend und zerfetzt durch alle Zimmerdecken, Möbel, Mauern und Dachböden hinaufgerissen werden, bis oben auf dem Dach die leere Schlinge erscheint, die meine letzten Reste gerade erst beim Durchbrechen der Dachziegel verloren hat.«[1]

Aber in Wirklichkeit kann ich nichts, bin ganz in mich eingesperrt und höre Deine geliebte Stimme nur von der Ferne. Gott weiß, von welchen Quellen sich diese ewigen, gleichförmig sich drehenden Sorgen nähren. Ich kann ihnen nicht beikommen. Ich dachte (Du dachtest es auch), ich würde ruhiger werden, wenn ich Deinem

---

[1] Mit geringen Abweichungen in den *Tagebüchern* (21. oder 22. Juli 1913), S. 310.

Vater schriebe. Es geschieht das Gegenteil, verstärkter Angriff verstärkt die Kräfte dieser Sorgen und Ängstigungen unmäßig. Es wirkt hier eben das Diktat, das alle Schwächlinge beherrscht und das auf äußerste Buße, auf äußersten Radikalismus drängt. Die Lust, für das Schreiben auf das größte menschliche Glück zu verzichten, durchschneidet mir unaufhaltsam alle Muskeln. Ich kann mich nicht frei machen. Die Befürchtungen, die ich habe, für den Fall, daß ich nicht verzichte, verdunkeln mir alles.

Liebste, was Du mir sagst, sage ich fast ununterbrochen, die geringste Loslösung von Dir brennt mich, was zwischen uns zwei vorgeht, wiederholt sich in mir viel ärger, vor Deinen Briefen, vor Deinen Bildern erliege ich. Und doch – Sieh, von den vier Menschen, die ich (ohne an Kraft und Umfassung mich ihnen nahe zu stellen) als meine eigentlichen Blutsverwandten fühle, von Grillparzer, Dostojewski, Kleist und Flaubert, hat nur Dostojewski geheiratet, und vielleicht nur Kleist, als er sich im Gedränge äußerer und innerer Not am Wannsee erschoß, den richtigen Ausweg gefunden.[1] Das alles kann an und für sich für uns ganz bedeutungslos sein, jeder lebt ein neues Leben und stünde ich selbst im Kern ihres Schattens, der auf unserer Zeit liegt. Aber es ist eine Grundfrage des Lebens und Glaubens überhaupt und von da aus hat das Deuten des Verhaltens jener vier mehr Sinn.

Liebste, alles aber verliert den Sinn im Verhältnis zu der Qual, die ich Dir antue und die sicher ist, während ich die Qual in der Zukunft für Dich nur fürchte. Du bist so lieb, kniete ich einmal vor Dir, ich könnte nicht mehr fort, glaube ich. Über das, was ich über Deinen vorvorletzten Brief geschrieben habe, Deine Eltern betreffend, gehst Du hinweg wie ein Engel. (Gerade kommt Dein Telegramm. Liebste, quäl' Dich doch nicht! Ich bekam doch Deinen Brief erst heute mittag. In die Wohnung werden die Briefe doch so schlecht zugestellt, das weißt Du ja. Nun ist auch schon $\frac{1}{2}6$, ich kann nicht mehr telegraphieren.)

Daß Du jenen Brief dem Vater gibst, verlange ich gar nicht. Ich schrieb ihn nur in der Aufregung und für jeden Fall. Die endliche Entscheidung ist weder bei Deinem Vater noch bei mir, sondern nur bei Dir. Deinem Vater gebührt vielleicht die Entscheidung

---

[1] Felicens Schwester Erna berichtet den Herausgebern, Kafka habe mit ihr das Kleist-Grab am Wannsee besucht. Lange habe er, so erinnert sie sich, »tief in Gedanken versunken« an dieser Stätte verweilt.

nicht, ich bin zwischen Widersprüchen eingespannt und kann mich nicht rühren, in diesen Widersprüchen war ich von allem Anfang an.

Den Brief gib also dem Vater nicht, wenn Du nicht willst, aber einen andern Brief kann ich ihm jetzt auch nicht schreiben, ich habe förmlich die Hände nicht frei. Sag ihm, daß Dich etwas, vielleicht etwas Aufzuklärendes, an mir beirrt hat, daß Du nicht willst, daß ich an ihn schreibe, beides ist wahr. Unbeirrt kannst Du nicht geblieben sein, und so schreiben, wie ich jetzt müßte, läßt Du mich nicht. Sag' ihm also dieses, willst Du?

Gewiß, zusammenzukommen, zu zweit in Dresden oder in Berlin, das wäre das beste. In jedem Sinn. Selbst wenn ich nichts zu sagen und nur mich hinzustellen wissen werde. Nicht daß es für mich gut sein wird, im höhern Sinn, so wie ich jetzt bin, aber das ist gleichgültig. Nun fahre ich aber Samstag weg. Habe ich Dir schon von dem Internat. Kongreß für Rettungswesen und Hygiene erzählt? Es hat sich gestern doch im letzten Augenblick entschieden, daß ich hinfahre[1]. Ich verliere dadurch einige Tage der Ferien, habe aber einige Vorteile. Ich fahre also Samstag nach Wien, bleibe dort wahrscheinlich bis nächsten Samstag, fahre dann nach Riva ins Sanatorium, bleibe dort und werde dann in den letzten Tagen vielleicht eine kleine Reise durch Oberitalien machen. Ist es in Riva zu kühl, fahre ich überhaupt südlicher.

Verwende, Felice, die Zeit dazu, ruhig zu werden; wenn Du ruhig wirst, wirst Du über mich klar werden. Ich bin vor Deinen ruhigen Augen wie ein Irrlicht herumgefahren, denk' darüber nach, ob das, was Du nur in der Eile im Durchein[an]der gesehen hast, auf die Dauer etwas Entscheidendes bedeuten kann. Für den Preis Deiner Ruhe will ich auf Briefe überhaupt verzichten, schreib mir während dieser Zeit nur in einem äußersten Fall. Auch ich werde Dir nicht eigentlich schreiben. Aber ich notiere mir immer auf einem Notizblock während der Reise Beobachtungen und Bemerkungen und die werde ich Dir immer gesammelt zwei-, dreimal in der Woche schicken. Wir werden dadurch ohne persönliche, durch meine Schuld Dich aufreibende Verbindung und doch nicht ohne Verbindung sein.

---

[1] Zur selben Zeit wie der 2. Internationale Kongreß für Rettungswesen und Unfallverhütung fand in Wien der XI. Zionisten-Kongreß (2.–9. September 1913) statt, den Kafka besuchte. Vgl. S. 462, S. 465 und *Briefe*, S. 120.

Und bis ich zurückkomme, treffen wir uns, wo Du willst, sehn uns nach der ganzen Zeit wieder ruhig ins Gesicht. Wenn Du das billigen wolltest!

Dein Franz

[Ansichtskarte. Stempel: Wien – 7. IX. 13]

Herzliche Grüße. Wohne Hotel Matschakerhof, wo Grillparzer zu Mittag aß, wie sein Biograph Laube sagt, »einfach aber gut«[1]. Trotzdem werde ich morgen übersiedeln, daher Adresse Hauptpost restante. Erbarmungslose Schlaflosigkeit.

Franz

[Ansichtskarte. Stempel: Wien – 9. IX. 13]

Heute früh war ich im Zionistischen Kongreß. Die richtige Anknüpfung fehlt mir. Im einzelnen habe ich sie, über das Ganze hinaus auch, im Eigentlichen aber nicht. –
Zum Tagebuch noch nicht die geringste Zeit.

Franz

[Briefkopf H. Mayreders Hotel Matschakerhof, Wien]

9.IX.13

Unmöglich, vorläufig das Tagebuch zu führen. Hätte ich doch, statt für die Mitnahme nach Wien zu danken, den Direktor auf den Knien gebeten, mich nicht mitzunehmen. Schlaflosigkeit, Schlaflosigkeit! Erste Reise mit diesen Zuständen. In der Nacht kalte Umschläge auf dem Kopf und mich doch nutzlos herumgewälzt und gewünscht, einige Stockwerke tiefer in der Erde zu liegen. Ich sage ab, wo ich nur kann und bin doch mit schrecklich vielen Leuten beisammen und sitze dort als das Gespenst bei Tisch.

Franz

---

[1] Heinrich Laube, *Franz Grillparzers Lebensgeschichte*. Stuttgart 1884, S. 164.

[Briefkopf Abgeordnetenhaus]

[Wien,] 9 Uhr abends, 13. IX. 13

Das Tagebuch über Wien setze ich nicht fort. Wenn ich die Tage in Wien ungeschehen machen könnte – und zwar von der Wurzel aus –, so wäre es das beste. Morgen früh 8.45 fahre ich nach Triest, komme dort 9.10 abends an. Montag fahre ich nach Venedig. Ich schlafe besser, bin aber innerlich unsicher gegen alle Seiten hin. Im übrigen fahre ich jetzt allein und werde sehn können, ob der Widerwille gegen meine Reisebegleitung größer war als meine Unfähigkeit zu selbständigen Handlungen, zu fremden Sprachen, zu glücklichen Zufällen. Das Telegramm habe ich bekommen. Meine Adresse ist Venedig, poste restante; wenn ich wahrscheinlich auch nicht lange dort bleibe, so wird mir doch alles nachgeschickt.

Franz

[Aufzeichnungen aus der Zeit vom 6., 7. u. 8. September 1913 auf vier beiderseitig beschriebenen Notizbuchblättern. Am oberen Rand des ersten Blattes] am 10. Sept. 1913

Zwischen den Säulen der Vorhalle des Parlamentes. Warte auf meinen Direktor. Großer Regen. Vor mir Athene Parthenos mit Goldhelm.

6/IX Fahrt nach Wien. Dummes Literaturgeschwätz mit Pick. Ziemlicher Widerwillen. So (wie P.) hängt man an der Kugel der Literatur und kann nicht los, weil man die Fingernägel hineingebohrt hat, im übrigen aber ist man ein freier Mann und zappelt mit den Beinen zum Erbarmen. Seine Nasenblaskunststücke. Er tyrannisiert mich, indem er behauptet, ich tyrannisiere ihn. – Der Beobachter in der Ecke. – Bahnhof Heiligenstadt, leer mit leeren Zügen. In der Ferne sucht ein Mann den plakatierten Fahrplan ab. (Jetzt sitze ich auf der Stufe der Herme eines Theophil Hansen.) Gebeugt, im Mantel, das Gesicht vergeht gegen das gelbe Plakat gehalten. Vorbeifahren an einem kleinen Terrassengasthaus. Gehobener Arm eines Gastes. Wien. Dumme Unsicherheiten, die ich schließlich alle respektiere. Hotel Matschakerhof. 2 Zimmer mit einem Zugang. Wähle das vordere. Unerträgliche Wirtschaft. Muß mit P. noch auf die Gasse. Laufe angeblich zu sehr, laufe noch stärker. Windige Luft. Erkenne alles Vergessene wieder. Schlechter Schlaf. Voll Sorgen. Ein widerlicher Traum*. (Die Frage des Tagebuches ist gleichzeitig die Frage des Ganzen, enthält alle Unmöglichkeiten des Ganzen. In der Eisenbahn überlegte ich es unter dem Gespräch mit P. Es ist unmöglich, alles zu sagen und und es ist unmöglich, nicht alles zu sagen. Unmöglich die Freiheit zu bewahren, unmöglich sie nicht zu bewahren. Unmöglich das einzig mögliche Leben zu führen, nämlich beisammenleben, jeder frei, jeder für sich, weder äußerlich noch wirklich verheiratet sein, nur beisammen sein und damit den letzten möglichen Schritt über Männerfreundschaft hinaus getan haben, ganz knapp an die mir gesetzte Grenze, wo sich schon der Fuß aufrichtet. Aber auch das ist eben unmöglich. Letzte Woche fiel mir das einmal vormittag als Ausweg ein, ich wollte es nachmittag schreiben. Nachmittag bekam ich eine Biographie Grillparzers[1]. Er hat das getan, gerade das. (Eben betrachtet ein Herr den Theophil Hansen, ich sitze wie seine Klio.) Aber wie unerträglich, sündhaft, widerlich war dieses Leben und doch gerade noch so wie ich es vielleicht unter größern Leiden als er, denn ich bin viel schwächer in manchem, zustandebrächte. *Später noch* darauf zurückkommen **.) Abend noch Lise Weltsch[2] getroffen.

7/IX Widerwillen vor P. Ein sehr braver Mensch im ganzen. Hat immer eine kleine unangenehme Lücke in seinem Wesen gehabt und gerade aus dieser kriecht er, wenn man jetzt dauernd zuschaut, in seiner Gänze heraus. Früh im Parlament. Vorher im Residenzkaffee Eintrittskarten zum Zionistenkongreß von Lise W. geholt. Zu Ehrenstein gefahren. Ottakring. Mit seinen Gedichten weiß ich nicht viel anzufangen[3]. (Ich bin sehr unruhig und infolgedessen auch ein wenig unwahr, und das, weil ich dieses nicht für mich allein schreibe.) In der Thalisia[4] mit beiden.

* [Unter »Traum«] (Malek)
** [Über »zurückkommen«] Traum

---

[1] Die Grillparzer-Biographie Heinrich Laubes, aus der Kafka in seiner Karte vom 7. September 1913, S. 462, zitiert.
[2] Schwester des Schriftstellers Robert Weltsch und Cousine von Kafkas Freund Felix Weltsch, später Frau Lise Kaznelson.
[3] Der Lyriker und Erzähler Albert Ehrenstein (1886–1950). Vgl. Gustav Janouch, *Gespräche mit Kafka,* Frankfurt am Main 1951, S. 51 f.
[4] Vegetarisches Restaurant in Wien.

Mit ihnen und Lise W. im Prater. Mitleid und Langweile. Sie kommt nach Berlin ins zionistische Bureau. Klagt über die Sentimentalität ihrer Familie, windet sich doch nur wie eine festgenagelte Schlange. Ihr ist nicht zu helfen. Mitgefühl mit solchen Mädchen (auf irgendeinem Umweg über mich) ist vielleicht mein stärkstes sociales Gefühl. Photographieren, Schießen, »Ein Tag im Urwalde« Karussell (wie sie hilflos oben sitzt, das sich bauschende Kleid, gut gemacht, elend getragen.) Mit ihrem Vater im Praterkaffee. Gondelteich. Unaufhörliche Kopfschmerzen. Die W. gehn zu Monna Vanna. Liege 10 Stunden im Bette, schlafe 5. Verzicht auf die Theaterkarte.

8. [IX.] Zionistischer Kongreß. Der Typus kleiner runder Köpfe, fester Wangen. Der Arbeiterdelegierte aus Palästina, ewiges Geschrei. Tochter Herzls. Der frühere Gymnasialdirektor von Jaffa. Aufrecht auf einer Treppenstufe, verwischter Bart, bewegter Rock. Ergebnislose deutsche Reden, viel hebräisch, Hauptarbeit in den kleinen Sitzungen. Lise W. läßt sich vom Ganzen nur mitschleppen, ohne dabeizusein, wirft Papierkügelchen in den Saal, trostlos. Frau Thein.

[Ansichtskarte. Stempel: Venedig – 15. IX. 1913]

Endlich in Venedig. Jetzt muß ich aber mich auch hineinwerfen, wie sehr es auch gießt (desto besser werden die Wiener Tage von mir abgewaschen werden) und wie zittrig es auch in meinem Kopf zugeht von der kleinen Seekrankheit, die ich bei der lächerlich kleinen Fahrt [Triest – Venedig], allerdings im Sturmwind, bekommen hatte.

Franz

[Briefkopf des Hotel Sandwirth, Venedig]
[Stempel: 16. IX. 1913]

Felice, Dein Brief ist weder eine Antwort auf die letzten Briefe, noch unserer Verabredung entsprechend. Ich mache Dir keinen Vorwurf deshalb, von meinen Briefen gilt ja dasselbe. Wir wollten bis ich zurückkomme, irgendwo uns treffen, um elend, wie wir beide sind, vielleicht einer aus dem andern sich Kräfte zu holen. Ist Dir denn noch nicht klar, wie es um mich steht, Felice? Wie kann ich denn in meinem unglückseligen Zustand Deinem Vater schreiben? Eingesperrt von den Hemmungen, die Du kennst, kann ich mich nicht rühren, ich bin gänzlich, gänzlich außerstande, die innern Hindernisse niederzudrücken, das einzige was ich gerade noch imstande bin, ist grenzenlos unglücklich darüber zu sein. Ich könnte Deinem Vater schreiben, gänzlich einverständlich mit Dir und ganz aus meinem Herzen, aber bei der geringsten Annäherung der geringsten Realität wäre ich unbedingt wieder außer Rand und Band und würde ohne Rücksicht, unter dem unwiderstehlichsten Zwang das Alleinsein zu erreichen suchen. Das könnte nur in ein noch tieferes Unglück führen als zu dem, bei dem wir heute halten, Felice. Ich bin hier allein, rede fast mit keinem Menschen außer den Angestellten in den Hotels, bin traurig, daß es fast überläuft, und bin doch, das glaube ich zu fühlen, in dem mir entsprechenden, von einer überirdischen Gerechtigkeit mir zugemessenen, von mir nicht zu überschreitenden und bis zu meinem Ende weiter zu tragenden Zustand. Nicht daß ich »zuviel von mir aufgeben müßte«, hindert mich, wenn dies auch in einem gewissen eingeschränkten Sinn richtig ist, vielmehr liege ich ganz und gar auf dem Boden, wie ein Tier, dem man (auch ich nicht) weder durch Zureden noch durch Überzeugen beikommen kann, wenn ich mich auch beiden und besonders dem letzteren nicht ganz entziehen kann. Ich kann mich aber nicht vorwärtsbringen, ich bin wie verstrickt, reiße ich mich vorwärts, reißt es mich stärker wieder zurück. Das ist die einzige Klarheit und Offenheit, die man heute von mir bekommen kann. Als ich heute früh aus dem Bett in den klaren venezianischen Himmel sah und solche Gedanken mir durch den Kopf gingen, schämte ich mich genug und war unglücklich genug. Aber was soll ich tun, Felice? Wir müssen Abschied nehmen.   Franz

[Ansichtskarte. Stempel: Verona – 20.9.13]

In der Kirche S. Anastasia in Verona, wo ich müde in einer Kirchenbank sitze, gegenüber einem lebensgroßen Marmorzwerg, der mit glücklichem Gesichtsausdruck ein Weihwasserbecken trägt[1]. – Von der Post bin ich ganz abgeschnitten, bekomme sie erst übermorgen in Riva, bin dadurch wie auf der andern Welt, sonst aber hier in allem Elend.   F.

---

[1] Vgl. *Tagebücher* (4. November 1915), S. 485.

Ich will versuchen, Felice, nicht nur für Dich, sondern auch für mich bis zur Grenze der möglichen Klarheit zu kommen.

Als ich Dir aus Venedig schrieb, wußte ich nicht mit Bestimmtheit, daß es der letzte Brief in der bis dahin ununterbrochenen Reihe sein würde. Als es aber nachher so kam (die Karte aus Verona war eine Ohnmacht, keine Karte), glaubte ich das Richtigste seit langer Zeit getan zu haben. Es war mir leichter gemacht dadurch, daß ich von Dir nichts hörte. Deine letzte Nachricht war das Telegramm in Venedig, welches einen Brief ankündigte, der nicht kam. Ich hielt es nicht für unwahrscheinlich, daß Du später noch nach Venedig geschrieben hast, daß aber der Brief nicht mehr bis zu mir kam, denn der italienische Postbeamte hat den Fetzen Papier, auf den er mich meine Rivaer Adresse hatte schreiben lassen, derart in eine Ecke geworfen, daß er kaum jemals wieder hervorgekommen ist. Trotzdem schrieb ich nicht. Nein, ich schrieb doch noch einmal, gleich am Tag nach der Karte aus Verona, ich war damals in Desenzano, lag im Gras, wartete auf den Dampfer, mit dem ich nach Gardone fahren wollte, und schrieb an Dich. Ich habe den Brief nicht weggeschickt, vielleicht habe ich ihn noch irgendwo, verlange ihn aber nicht zu sehn, er war zusammengestoppelt, noch die Bindewörter hatte ich erfinden müssen, widerlich war das, dort in Desenzano war ich wirklich am Ende.[1]

Du aber, Felice, hattest nun meine Zettel aus Wien und meinen Brief aus Venedig und Du dachtest nicht, daß es das Richtige war? Das einzige Richtige? Daß ich mich wegreißen *mußte,* wenn Du mich nicht verstoßen wolltest? Du dachtest das nicht? Denkst es auch heute nicht? Aber wie verbindest Du diese Unmöglichkeiten: Wie kann ich in eine neue Familie eintreten und dann eine Familie begründen, ich, der ich in meiner eigenen Familie so locker sitze, daß ich mich von keiner Seite mit jemandem zu berühren glaube? Ich, der ich vielleicht mitgenießen aber nicht mitleben kann, so sehr ich mir auch Mühe geben würde? Ich, der ich mich nicht getraue, Wahrheit dauernd im Zusammenleben zu erhalten und der ich ohne Wahrheit ein Zusammenleben nicht ertragen könnte? Du siehst, ich konnte mein Tagebuch nicht vorlegen, habe übrigens außer den

[1] Die Aufzeichnungen aus Desenzano hat Kafka später gefunden und seinem Brief an Felice vom 6. November 1913, S. 471 f., beigelegt.

Blättern, die ich Dir geschickt habe, kein Wort mehr geschrieben. Ein dauerndes Zusammenleben ist für mich ohne Lüge ebenso unmöglich wie ohne Wahrheit. Der erste Blick, mit dem ich Deine Eltern ansehn würde, wäre Lüge.

Aber nicht allein das geht in mir vor. Ein Verlangen habe ich nach Dir, daß es mir auf der Brust liegt wie Tränen, die man nicht herausweinen kann. (Aber nicht Schmerzen im Kopf, nicht Herzklopfen, nur eine mittlere, nicht die äußerste Schlaflosigkeit – alles das beginnt erst heute wieder.) Gestern starrte ich ein Mädchen im Seminar eine Stunde lang an, weil sie Dir ein wenig ähnlich war[1]. Ich machte mir schon seit Wochen Pläne für Weihnachten, wie ich das ganze Glück doch zusammenraffen könnte im letzten Augenblick. Nein, es ist dafür gesorgt, daß mich jede Wirklichkeit so gegen die Stirn schlägt, daß ich wieder zur Besinnung komme. Wenn Du mich aber jetzt fragen würdest, warum ich von solchen Plänen schreibe, wenn ich die entgegengesetzte Überzeugung habe, wüßte ich fast nur zu antworten: »Es ist lauter Schurkerei. In einer bestimmten, nicht der tiefsten Tiefe will ich nichts anderes als zu Dir hingerissen werden, und auch daß ich es sage ist noch Schurkerei.« Du hast, Felice, nicht die geringste Schuld, daß wir in solchem Unglück sind, die gehört ganz mir. Du weißt es vielleicht gar nicht ganz, wie sehr sie mir gehört, Deine Briefe aus den letzten Monaten waren im Grunde, wenn Du es überlegst, nichts (vom Leid abgesehn) als Staunen über die Möglichkeit eines solchen Menschen wie ich es bin. Du konntest nicht daran glauben. Du kannst es nicht leugnen. Wäre es nicht so, dann hättest Du z. B. nicht schreiben können, daß Deine Mutter ihre Liebe zu Dir auf mich überträgt, Du hättest nicht die Überlegungen Deiner Eltern beschreiben können mit dem Schlußsatz »blieb also nur eine Neigungsheirat«, Du hättest nicht unsere Verlobung und die Feiertage in Verbindung bringen können. Und doch bin ich so, Du mußt es glauben.

Franz

---

[1] Dieses Mädchen aus dem Seminar – Kafka besuchte damals gelegentlich das Seminar von Christian von Ehrenfels, Professor der Philosophie an der Prager deutschen Universität – wird später nochmals in den Tagebüchern erwähnt. Vgl. *Tagebücher* (14. Dezember 1913), S. 344.

GRETE BLOCH, *die als Adressatin des folgenden Briefes zum ersten Mal in dieser Korrespondenz erscheint, wurde am 21. März 1892 in Berlin geboren. Dort erhielt sie auch ihre Schulausbildung, die mit der Absolvierung der Handelsakademie beschlossen wurde. Von 1908 bis 1915 war sie in Berlin, Frankfurt am Main und Wien als Stenotypistin tätig. Nach 1915 arbeitete sie, zunächst als Sekretärin, später als Prokuristin, bei einer Berliner Firma, die Büromaschinen herstellte. Sie hatte einen um ein Jahr älteren Bruder, Hans Bloch, der in der folgenden Korrespondenz mehrmals erwähnt wird. (Vgl. Anm. S. 480)*

Grete Bloch und Felice Bauer lernten einander wahrscheinlich im April 1913 kennen. Die Freundschaft der beiden Frauen währte viel länger als deren Beziehung zu Kafka. Noch 1935 besuchte Grete Bloch auf dem Weg ins Exil, der sie zunächst nach Israel und schließlich nach Italien führte, ihre Freundin, die damals mit ihrer Familie in Genf wohnte, und übergab ihr einen Teil der an sie gerichteten Briefe Kafkas.

Kafka begegnete Grete Bloch zum ersten Mal, als sie ihn Ende Oktober 1913 in Prag besuchte, um auf Felicens Bitte zwischen ihm und ihr zu vermitteln. Mit dieser Begegnung begann die einjährige Korrespondenz, die, soweit sie erhalten ist, im folgenden vorgelegt wird.

Max Brod veröffentlicht in der dritten erweiterten Auflage seiner Kafka-Biographie (S. 294ff.) Teile eines Briefes, den Grete Bloch am 21. April 1940 aus Florenz, wo sie damals lebte, an einen Freund in Israel schrieb. Darin berichtet sie, daß sie vor etlichen Jahren ein uneheliches Kind gehabt habe, einen Sohn, »der nahezu sieben Jahre alt plötzlich in München 1921 starb«, also um das Jahr 1914 geboren sein mußte. Obgleich der Name des Vaters in diesem Brief nicht genannt wird, schien es dem Empfänger, der in dieser Sache der einzige Gewährsmann Max Brods ist, eindeutig, daß es Kafka war, dem sie die Vaterschaft zuschrieb.

Inhalt und Ton der hier vorgelegten Briefe Kafkas an Grete Bloch aus der Zeit vom 29. Oktober 1913 bis zum 15. Oktober 1914 legen aber keineswegs den Schluß nahe, daß die Beziehung zwischen den beiden von solcher Art war, daß ihr ein 1914 oder spätestens in der ersten Hälfte 1915 geborenes Kind entstammte. Was Bekannte Grete Blochs über deren geistig-seelische Verfassung zur Zeit ihres Florenzer Aufenthalts berichten, gibt überdies Anlaß, an der Verläßlichkeit der Zeugin zu zweifeln. Außerdem läßt die Tatsache, daß Kafka, Felice Bauer und Grete Bloch noch am 24. Mai 1915 einen gemeinsamen Ausflug in die Sächsische Schweiz unternahmen (eine von den dreien unterschriebene Ansichtskarte dieses Datums an Kafkas Schwester Ottla lag den Herausgebern vor), es außerordentlich zweifelhaft erscheinen, daß die Freundin der Verlobten kurz vorher ein Kind Franz Kafkas zur Welt gebracht hatte oder etwa knapp vor ihrer Niederkunft stand. Mitte 1916, zu einer Zeit also, für die sich weder dem Florentiner Brief von 1940 noch andern Korrespondenzen Hinweise auf engere Beziehungen zwischen Grete Bloch und Kafka entnehmen lassen, muß Felice ihm mitgeteilt haben, daß Grete Bloch sich in bedrängter Lage befinde. Denn eine Randbemerkung im Brief Kafkas an Felice vom 31. August 1916 lautet: »Wie trägt es Frl. Bloch und was bedeutet es für sie?«; und im Brief vom 1. September 1916 heißt es: »Fräulein Gretes Leid geht mir sehr zu Herzen; jetzt verläßt Du sie gewiß nicht, wie Du es früher manchmal ... scheinbar unbegreiflich getan hast. Wenn Du ihr Gutes tust, vertrittst Du auch mich.« Anzunehmen, daß sich das Leid, das Grete Bloch damals zu tragen hatte, auf eine Schwangerschaft bezieht, ist gewiß nur Spekulation, aber eine, die im Zusammenhang mit der späteren Aussage Grete Blochs nicht aus der Luft gegriffen scheint. Daß aber, abgesehen von der zeitlichen Diskrepanz, Kafka als möglicher Vater eines zu erwartenden Kindes so am Rande vom Zustand der unverheirateten Mutter spricht, ist so gut wie undenkbar.

Nach der Besetzung Italiens durch Hitler wurde Grete Bloch, wie eine Auskunft des Britischen Roten Kreuzes besagt, mit anderen Juden festgenommen. Sie ist vermutlich während ihrer Deportation oder in einem Konzentrationslager umgekommen.

An Grete Bloch

[Briefkopf der Arbeiter-Unfall-Versicherungs-Anstalt]

am 29. X. 13

Gnädiges Fräulein!

Ich danke Ihnen für Ihre Einladung, ich werde natürlich kommen, bestimmen Sie die Stunde nach Ihrem Belieben und lassen Sie für mich eine Nachricht beim Portier, die ich mir morgen im Laufe des Tages holen werde.

Eines darf ich aber schon jetzt nicht verschweigen: Zu Zeiten wäre ich glücklich gewesen, mit Ihnen zusammenzukommen, heute aber muß ich mir sagen, daß mir noch niemals ein Gespräch zu einer Klarstellung verholfen, sondern mich höchstens verwirrt hat. Und an Verwirrung fehlt es mir nicht, wie Sie gewiß ahnen.

Ihr ergebener   Dr. F. Kafka

Ich komme also Samstag, Felice, ich fahre hier um 3 Uhr nachmittags weg, Sonntag um 4 oder 5 muß ich dann von Berlin wegfahren. Ich werde im Askanischen Hof wohnen.

Ich sehe ein, es ist unbedingt notwendig, daß wir zusammenkommen. Zuerst wollte ich erst Weihnachten fahren, dann kam Dein
Brief und Deine Freundin [Grete Bloch], da entschloß ich mich,
diesen Samstag zu fahren; dann war Deine Freundin weg, von Dir
kam kein Brief, kleinere Hindernisse traten ein, da wollte ich die
Reise auf den Samstag in 14 Tagen verschieben (von Samstag in
einer Woche fährt Max nach Berlin, und ich wollte allein fahren).
Nach den Erfahrungen jedoch, die ich in dieser Woche an mir gemacht habe – ich bin ganz sinnlos –, und nachdem heute Dein Brief
gekommen ist, fahre ich also Samstag. Sollte mich plötzlich etwas
abhalten, telegraphiere ich.

Hoffst Du wirklich darauf, Felice, daß unser Beisammensein uns
Klarheit bringen wird? Daß es unbedingt notwendig ist, glaube ich
auch, aber daß es uns Klarheit bringen wird? Wo ich bin, ist keine
Klarheit. Erinnerst Du Dich nicht, daß Du nach jedem Beisammensein unsicherer warst als sonst? Daß wir nur in Briefen über alle
Zweifel klar waren, in Briefen, die den bessern Teil meines Selbst
enthielten?

Nun, wir werden sehn, und der Himmel soll mit uns Einsicht haben.

Franz

Die zwei Zettel aus Desenzano habe ich gefunden, sie liegen bei.
Weißt Du, daß ich seit dem Winter vorigen Jahres keine Zeile geschrieben habe, die bestehen kann?

[Die zwei beigelegten Zettel]

Desenzano, am Gardasee, Sonntag [21. September 1913], im Gras,
vor mir die Wellen im Schilf, der Ausblick ist für mich umgrenzt
von der Landzunge von Sirmione rechts, links vom Seeufer bis
Manerba, sonnig, jetzt haben sich 2 Arbeiter in der Nähe ins Gras
gelegt.

Mein einziges Glücksgefühl besteht darin, daß niemand weiß, wo ich bin. Wüßte ich eine Möglichkeit, das für immer fortzusetzen! Es wäre noch viel gerechter als Sterben. Ich bin in allen Winkeln meines Wesens leer und sinnlos, selbst im Gefühl meines Unglücks. Ginge es doch jetzt statt ins Sanatorium[1] auf eine Insel, wo niemand ist.

Dieses Klagen erleichtert mich aber nicht, ich bleibe gänzlich unbewegt, bin wie ein großer Stein, in dessen Allerinnerstem das Lichtchen einer kleinen Seele flackert. Heute träumte ich von Dir und Deinem Vater, ich könnte mich an die Einzelheiten erinnern, aber ich will nicht daran denken. Nur das weiß ich, daß ich ihm schon in der Türe noch antwortete: »Aber vielleicht bin ich nur krank.«

Tagebuch führe ich überhaupt keines, ich wüßte nicht, warum ich es führen sollte, mir begegnet nichts was mich im Innersten bewegt. Das gilt auch wenn ich weine wie gestern in einem Kinematographentheater in Verona. Das Genießen menschlicher Beziehungen ist mir gegeben, ihr Erleben nicht. Das kann ich immer wieder nachprüfen, gestern bei einem Volksfest in Verona, früher vor den Hochzeitsreisenden in Venedig.

An Grete Bloch

10. XI. 13

Liebes Fräulein!

Gestern abend bin ich von Berlin zurückgekommen, ich schreibe Ihnen früher, als ich F. schreibe. Ich verdanke Ihnen zum großen Teil diese Reise, und Sie haben sie verschuldet, ich kann Ihnen nicht anders als durch Erzählen danken.

Vorher aber möchte ich etwas eingestehn, nicht weil mir das Geständnis Freude macht, sondern weil das Schreiben ohne gänzliche oder möglichste Ehrlichkeit keinen Sinn hätte.

Als ich Ihren Brief aus Aussig erhielt, freute ich mich darauf, mit Ihnen zusammenzukommen, wenn auch ein gleichzeitig überraschend kommender Brief von F. mich beirrte. Immerhin war also mein erster Brief nicht ganz wahr. Ich erwartete (ich wußte ja von Ihnen nichts, als daß Sie geschäftstüchtig waren) ein älteres Fräulein

---

[1] Kafka fuhr am folgenden Tage von Desenzano nach Riva in das Sanatorium Dr. von Hartungen.

mit mütterlichem Sinn anzutreffen, das – ich weiß nicht genau warum – auch groß und stark sein würde. Einem solchen Mädchen, dachte ich, könnte man wirklich möglicherweise alles eingestehn, was schon allein ein Segen wäre und man könnte vielleicht einen guten Rat bekommen (dieser Glaube, ein erwachsener Mensch könne einen guten Rat bekommen, ist eine meiner größten Dummheiten) und wenn nicht Rat so vielleicht Trost und wenn nicht Trost so jedenfalls Neuigkeiten von F. Aber dann kamen Sie und waren ein zartes, junges, gewiß etwas merkwürdiges Mädchen. Ich hatte zu Hause 2 Stunden darauf verwendet, alles was ich über die Hauptsache zu sagen hatte, übersichtlich zu ordnen, aber als es zum Reden kam, brachte ich, abgesehen davon, daß ich überhaupt nicht reden kann, nur elende Bruchstücke hervor, die Sie zum Teil überhörten, zum Teil gerechterweise belanglos fanden. Trotzdem hatte ich schon während des Gespräches das Gefühl, zu viel gesagt zu haben, und dieses Gefühl verstärkte sich auf dem Nachhauseweg und zu Hause so sehr, daß es schon Wut und Verzweiflung über mich war. Ich bildete mir ein, F., der gegenüber ich schon eine so große Schuld habe, auch noch verraten zu haben. Sie konnten nicht ihre Freundin sein, sagte ich mir; mit meinem vorbereiteten Geständnis beschäftigt hatte ich Sie nicht genug geprüft. Wie konnten Sie denn F.'s Freundin sein? Ich hatte in Briefen fast nichts von Ihnen gehört; Sie selbst hatten schließlich gesagt, daß Sie sie erst ein ¾ Jahr kennen, später stellte sich heraus, daß es ½ Jahr war; Sie suchten den Grund unseres Unglücks zuerst in ganz falscher Richtung; Sie erzählten ferner ausführlich von dem Zahnleiden F.'s und mir ist (was Sie allerdings nicht wissen konnten, aber darum kümmerte ich mich in jener Nacht nicht) Krankheit der Zähne eines der widerlichsten Gebrechen, von denen ich nur bei den liebsten Menschen und selbst dort nur zur Not absehn kann; Sie erzählten mir von der Auflösung der Verlobung von F.'s Bruder und machten mir dadurch die ganze Familie, vor der ich mich in jedem Sinne fürchte und die ich am liebsten vergessen möchte, auf's äußerste lebendig – kurz, ich war ein Narr und legte alles grundfalsch aus und entschloß mich, – diese Narrheit war wenigstens folgerichtig – den nächsten Abend nicht mehr zu kommen und es in einem Brief anzuzeigen, in dem – – – es ist schon wieder spät und ich werde heute nicht fertig werden und den Brief am Morgen nicht wegschicken können und Sie werden mir vielleicht böse sein, daß ich Ihren lieben Brief, dessen klare

Güte nur bei der Stelle von den Rosen von einer Unverständlichkeit unterbrochen wird, noch nicht beantwortet habe (bemitleiden? Was meinen Sie damit? In einer gewissen Weise ist es übrigens wahr, ich bemitleide alle Mädchen, es ist das einzige unbestreitbare sociale Gefühl, das ich habe. Woher dieses Mitleid kommt, habe ich mir noch nicht klargemacht. Vielleicht bemitleide ich sie wegen der Umwandlung zur Frau, der sie erliegen sollen. Dann wäre aber mein Mitleid (wenn es nichts anderes ist) ein sehr mädchenhaftes Gefühl.)

———

In dem Brief – ich setze mein Geständnis fort – wollte ich erklären, daß alles, was ich am Abend gesprochen hatte, unrichtig gewesen ist, infolge meiner Ungeschicklichkeit und meiner damit zusammenhängenden Unehrlichkeit nur ins Leere gesprochen war, Ihre ursprünglich richtige Ansicht nur verwirrt hatte und, wenn es sich am nächsten Abend wiederholen sollte (und das würde jedenfalls geschehn), weiterhin verwirren müßte. Deshalb mußte ich es mir unbedingt versagen zu kommen.
Ich hatte schon die Überschrift des Briefes, vielleicht auch schon die ersten Zeilen geschrieben, ließ es dann aber doch und kam wieder. Was für Folgen es auch gehabt hat und haben wird, – daß ich Ihnen eine Nacht und einen Tag lang ein häßliches und vor allem sinnloses Unrecht getan habe, ist sicher.
Und jetzt werde ich von Berlin erzählen. Meine ernstlichen Entschlüsse sind immer nur soweit ernstlich, daß es mich maßlos quält, wenn ich sie nicht ausführe. Dagegen geschieht es sehr oft, daß ich sie nicht ausführe. Ich glaube auch nicht, daß ich Samstag gefahren wäre, wenn nicht noch ein Brief von F. gekommen wäre, in dem ich an das Versprechen erinnert wurde, das ich Ihnen gegeben hatte. Dann bin ich aber sehr gern gefahren.
Dann ist aber das geschehn, was immer geschieht, wenn ich nach Berlin komme und woran ich vor jeder Abreise absichtlich oder unabsichtlich vergesse. Ich muß vorausschicken, daß ich F. eigentlich in Gestalt von 4 miteinander fast unvereinbaren und mir fast gleich lieben Mädchen kenne. Die erste war die, die in Prag war, die zweite war die, welche mir Briefe schrieb (die war in sich mannigfaltig aber doch einheitlich), die dritte ist die, mit der ich in Berlin beisammen bin und die vierte ist die, die mit fremden Leuten ver-

kehrt und von der ich in Briefen oder in ihren eigenen Erzählungen höre. Nun die dritte, die hat nicht viel Neigung zu mir. Nichts ist natürlicher, ich sehe nichts als natürlicher an. Bei jeder Rückreise aus Berlin habe ich es mir mit Schrecken gesagt, diesmal überdies noch mit dem Gefühl, wie gerecht es mir zukommt. Es ist F.'s guter Engel, der sie so führt, der sie so knapp und vielleicht nicht einmal knapp an mir vorüberführt.

Ich wollte mehr darüber schreiben, ich fürchte mich, ich gerate in eine schiefe Richtung, es ist Zeit, daß ich Ihnen kurz beschreibe, wie es war. Freitag hatte F. meinen Brief, in dem ich für Samstag ½11 abends meine Ankunft anzeigte. Eine Bestätigung bekam ich nicht. Ich hatte Angst, daß der Brief vielleicht nicht angekommen ist, wollte telegraphieren, hoffte aber doch schließlich, daß ich im Hotel abends wenigstens ein Grußwort finden werde. Durfte ich nicht sogar hoffen, sie auf der Bahn zu sehn? Denken Sie, ich mußte doch Sonntag 4.30 wieder wegfahren, und selbst wenn ich bis Mitternacht bleiben, die Nacht durchfahren und aus dem Zug ins Bureau laufen wollte, so waren es doch nur wenige jämmerliche Stunden Aufenthalt. Aber es war niemand auf der Bahn und im Hotel war nichts. Nun war also mein Brief gewiß verlorengegangen, das war sehr schlimm. Trotzdem wartete ich früh bis ½9, dann war es unmöglich, länger zu warten, und ich schickte einen Radler hin. Der kam um 9, brachte einen Brief, F. schrieb, sie werde mich in einer ¼ Stunde antelephonieren, gegen 10 telephonierte sie. Alle diese Beobachtungen wären, merken Sie, keines Wortes wert ohne das Folgende. Wir gingen im Tiergarten spazieren. Ich erzähle nur das, was zu meinem Beweis gehört. F. mußte zu einem Begräbnis, das um 12 Uhr stattfand, wir rasten hin und kamen rechtzeitig an, das Letzte, was ich von F. aus dem Automobilfenster sah, war, wie sie zwischen zwei bekannten Herren durch das Gittertor des Friedhofs ging und dann zwischen Leuten verschwand. Warum bin ich Narr nicht mitgegangen, fällt mir jetzt in diesem Augenblick ein. Wir hatten verabredet, sie würde mich um 3 Uhr antelephonieren und auf die Bahn kommen, aber ich möchte jedenfalls um 4.30 fahren, übrigens könne sie auch nicht versprechen, daß sie abend frei sein werde, jedenfalls müsse sie ihren Bruder (von der Auflösung der Verlobung erfuhr ich übrigens nichts), der nach Brüssel fahre, um 6 Uhr zur Bahn begleiten. Ich mittagmahlte, lief dann ins Hotel und wollte auf den Anruf warten, aber es war erst 1 Uhr, es regnete langsam und unaufhörlich, ich war ein wenig trostlos und fuhr zu einem guten Bekannten[1] nach Schöneberg, denn im Hotel war es wirklich nicht zum Aushalten. Um ¾3 riß ich mich von meinem Bekannten los, das Unglück, den Anruf zu versäumen, wollte ich nicht erleben. Ich kam genau 3 Uhr zurück, ich hatte nichts versäumt, ich war noch nicht angerufen worden. Und nun fing das Warten an. Ich saß in der Vorhalle des Hotels und schaute in den Regen, ich ging hinauf und warf meine paar Sachen in die Handtasche, ich ging wieder hinunter und setzte mich und die Uhr ruhte nicht, bis es wirklich 4 Uhr vorüber war und ich zur Bahn mußte. Nun konnte F. freilich noch auf der Bahn sein, aber das wäre schon ein Wunder gewesen und ist auch nicht geschehn. Der Regen kann sie gehindert haben, zur Bahn zu gehn, aber zu telephonieren kann sie niemand gehindert haben. So bin ich von Berlin weggefahren, wie einer, der ganz unberechtigterweise hingekommen ist. Und darin lag allerdings eine Art Sinn.

Aber die Worte verdrehn sich mir, ich kann nicht schreiben, Sie haben mich in einem solchen elenden Zustand kennengelernt, daß ich ohne die Annahme einer ungeheuern Lebenskraft auf Ihrer Seite nicht verstehen könnte, wie Sie es nach dieser Art des Kennenlernens nur 2 Minuten ernstlich neben mir ausgehalten haben. Aber nicht nur das, ich bin sogar nicht imstande zu sagen, ob dieser Brief eine widerliche oder eine anständige Gesinnung ausdrückt, trotzdem ich natürlich viel eher das erstere glaube und fühle. Aber jetzt genug, es ist auch bald Mitternacht.

Ihr Franz K.

---

[1] Ernst Weiß (1884–1940). – Kafka hatte den aus Brünn stammenden, später in Berlin lebenden Arzt und Schriftsteller Ende Juni 1913 in Prag kennengelernt. Im September desselben Jahres sah er ihn in Wien wieder, und zwar im Kreise von Albert Ehrenstein, Felix Stössinger und Otto Pick. Vgl. *Briefe*, S. 120. Ernst Weiß, der Felice Mitte Dezember 1913 in Berlin kennenlernte, hat Kafka stets von einer Ehe mit Felice abgeraten. (Im Brief an Grete Bloch vom 18. Mai 1914, S. 580, nennt Kafka ihn »F.s Feind«.) Er war schließlich am 12. Juli 1914 bei der Lösung des Verlöbnisses im Hotel ›Askanischer Hof‹ in Berlin zugegen und verbrachte danach mit Kafka seinen Sommerurlaub an der Ostsee. – Als Kafka im Januar 1915 die Verbindung mit Felice wieder aufnahm, notierte er im Tagebuch: »Dr. W. sucht mich zu überzeugen, daß F. hassenswert ist, F. sucht mich zu überzeugen, daß W. hassenswert ist. Ich glaube beiden und liebe beide oder strebe danach.« *Tagebücher* (24. Januar 1915), S. 461.

[18. November 1913]

Liebes Fräulein, nun raube ich Ihnen Ihre Nächte, sehe Ihr alle meine Vorstellungen und Fähigkeiten übersteigendes Mitgefühl, wärme mich daran ganze Tage und antworte nicht. Ich konnte es nicht. Verstehen Sie mich recht, es ist keine Entschuldigung. Vielleicht haben Sie keinen Brief von mir erwartet, aber *ich* habe ihn erwartet, ich hatte Ihnen unmittelbar auf Ihren Brief viel zu antworten oder irgendetwas zu tun, was dem Küssen Ihrer Hand gleichkäme, aber ich konnte es nicht und kann es auch heute nicht; wenn es nicht zur rechten Zeit geschieht, schlage ich kein wahres Wort aus mir heraus. Im übrigen habe ich F. seit meinem Besuch überhaupt nicht geschrieben und auch nichts von ihr gehört. Ist das Letztere nicht merkwürdig?

Aber ich höre auf. Ich benehme mich im Brief so schändlich, wie ich es in Wirklichkeit niemals tun könnte. Ich ermatte nämlich geradezu und kann nicht weiterschreiben und das bei klarem Verstand und körperlicher Ruhe. Es entschwindet mir aber die Vorstellung, an wen ich schreibe, und ich bin wie im Nebel.

Ich werde morgen weiter schreiben und nicht von neuem anfangen, denn zwei ähnlich selbstsichere Briefanfänge habe ich schon vor paar Tagen weggeworfen. Sie müssen mir aber ausdrücklich sagen, daß Sie nicht böse sind, wenn ich nicht gleich antworte, und daß Sie sogar nicht böse sind, wenn die Antwort in nichts anderem besteht als in der Mitteilung eines wenig mitteilungswürdigen Zustandes.

———

Aber nun schreibe ich noch, ehe ich schlafen gehe, einen Traum auf, den ich gestern hatte, damit Sie sehen, daß ich bei Nacht wenigstens etwas tätiger bin als im Wachsein[1]. Hören Sie: Auf einem ansteigenden Weg lag etwa in der Mitte der Steigung, und zwar hauptsächlich in der Fahrbahn, von unten gesehen links beginnend, festgewordener Unrat oder Lehm, der gegen rechtshin durch Abbröckelung immer niedriger geworden war, während er links hoch wie Palisaden eines Zaunes stand. Ich ging rechts am Rande, wo der Weg fast frei war und sah auf einem Dreirad einen Mann von unten mir entgegenkommen und scheinbar geradewegs gegen das Hin-

[1] Vgl. *Tagebücher* (17. November 1913), S. 328f.

dernis fahren. Es war ein Mann wie ohne Augen, zumindest sahen seine Augen wie verwischte Löcher aus. Das Dreirad war wackelig, fuhr zwar entsprechend unsicher und gelockert, aber doch geräuschlos, fast übertrieben still und leicht. Ich faßte den Mann im letzten Augenblick, hielt ihn als wäre er die Handhabe seines Fahrzeugs und lenkte dieses in die Bresche, durch die ich gekommen war. Da fiel der Mann gegen mich hin, ich war riesengroß und mußte mich unbequem stellen, um ihn zu halten, zudem begann das Fahrzeug, als sei es nun herrenlos, zurückzufahren, wenn auch langsam, und zog mich mit. Wir kamen an einem Leiterwagen vorüber, auf dem einige Leute gedrängt standen, alle dunkel gekleidet, unter ihnen war ein Pfadfinderjunge mit dem hellgrauen aufgekrempelten Hut. Von diesem Jungen, den ich schon aus einiger Entfernung erkannt hatte, erwartete ich Hilfe, aber er wendete sich ab und drückte sich zwischen die Leute. Dann kam hinter diesem Leiterwagen – das Dreirad rollte immer weiter und ich mußte tief hinuntergebückt mit gespreizten Beinen nach – jemand mir entgegen, der mir Hilfe brachte, an den ich mich aber nicht mehr erinnern kann. –

So helfe ich Männern auf Dreirädern in der Nacht.

————

Zwei Irrtümer, liebes Fräulein, sind vor allem in Ihrem Brief. Ich habe nicht Interesse geheuchelt, als sie von F.'s Zahnschmerzen und von des Bruders Entlobung erzählten. Das hat mich ja außerordentlich interessiert, ich hätte gar nichts anderes hören wollen, Sie haben für meinen Geschmack viel zu wenig davon erzählt, so bin ich und darin bin ich doch nicht besonders merkwürdig, die Eiterung unter der Brücke, das stückweise Abbrechen der Brücke, das alles hätte ich mit jeder Einzelheit erfahren wollen und habe auch noch in Berlin F. gefragt. Die Lust, Schmerzliches möglichst zu verstärken, haben Sie nicht? Es scheint mir für instinktschwache Menschen oft die einzige Möglichkeit, Schmerz auszutreiben; man brennt eben die wunde Stelle aus, so wie es die von allen guten Instikten verlassene Medicin tut. Natürlich ist damit nichts Endgültiges getan, aber der Augenblick – und für mehr zu sorgen haben schlechte, schwache Instinkte keine Zeit – ist fast lustvoll verbracht. Im übrigen mag noch anderes mitgewirkt haben, jedenfalls habe ich dabei nicht geheuchelt, im Gegenteil, ich war hiebei ganz besonders wahrhaftig.

Der zweite Irrtum betrifft F.'s Briefe, darin sind Sie nicht etwa schlecht unterrichtet worden. Das letzte ½ Jahr verging tatsächlich zwischen uns darin, daß ich über unpünktliche und unvollständige Briefe jammerte und keine genügende Erklärung bekam, keine genügende Erklärung vor allem für den *Unterschied gegenüber den Briefen aus den ersten Monaten.* In dem Nichtertragenkönnen eines solchen Zustandes fühle ich mich Ihnen so nahe, es gibt sicher von mir einen Haufen Briefe darüber, die an Tollheit grenzen. Und das Schlimmste daran ist, daß dann wieder von beiden Seiten Briefe kommen, die von nichts anderem handeln als vom Schreiben, leere, zeitverschwenderische Briefe, im Geheimen nichts anderes als Darstellungen der Plage, die ein Briefwechsel bedeutet, vielmehr bedeuten kann. Aber im Grunde will man doch gar keine Briefe sondern nur zwei Worte, nicht viel mehr. Das Verlangen nach solchen Briefen ist ja nichts anderes als Angst und Sorge. – Darin hatten Sie also recht, aber es gab eben neue Angst und Sorge, und die sind bei mir immer so ausschließlich, daß ich die alten nicht nur vergesse, sondern, selbst wenn ich an sie erinnert werde, sie mir im Augenblick nicht vorstellen kann.

So, jetzt grüße ich Sie noch herzlichst und schicke den Brief weg, so unsicher und verwirrt er ist. Diese Unsicherheit kommt übrigens, wie Sie erkennen werden, aus einem einzigen Kern, fast jedes Wort, das ich aufschreibe – nicht etwa nur für Sie – möchte ich wieder zurücknehmen oder noch besser, auslöschen.

Ihr F. Kafka

Ihre Tätigkeit in Wien ist erfolgreich, schreiben Sie. Worin bestehen diese Erfolge? Heißt es, daß Sie sich schon an Wien gewöhnt haben? Wohnen Sie gut? Ich frage, weil ich selbst jetzt übersiedelt bin[1] und wieder merke, wie ich mich an neue Zimmer sofort gewöhne, was schließlich nur beweist, daß ich mit dem alten keinen Zusammenhang hatte, so sehr ich es immer wieder glaube. Ich habe übrigens eine schöne Aussicht, die Sie sich, wenn Ihrem guten topographischen Gefühl auch ein solches Gedächtnis entspricht, vielleicht bei-

---

[1] Kafkas Zimmer im Oppeltschen Haus, Niklasstraße – Ecke Altstädter Ring. Vgl. Abbildung des Hauses und der gegenüberliegenden Niklaskirche in *Franz Kafka a Praha,* hrsg. von Peter Demetz, Prag 1947, Abb. 13. (Im weiteren zitiert als ›*Kafka a Praha*‹.)

läufig vorstellen können. Geradeaus vor meinem Fenster im 4ten oder 5ten Stock habe ich die große Kuppel der russischen Kirche mit zwei Türmen und zwischen der Kuppel und dem nächsten Zinshaus den Ausblick auf einen kleinen dreieckigen Ausschnitt des Laurenziberges in der Ferne mit einer ganz kleinen Kirche. Links sehe ich das Rathaus mit dem Turm in seiner ganzen Masse scharf ansteigen und sich zurücklegen in einer Perspektive, die vielleicht noch kein Mensch richtig gesehen hat.

Jetzt darf ich aber nicht noch vergessen, der Schwester in Ihnen zu sagen, daß Max Brod jetzt in Berlin war und Ihres Bruders Tüchtigkeit sehr gelobt hat[1]. Wie arbeitet er denn? Um 7 Uhr früh geht er von zuhause fort und kommt erst abend zurück? Und woher hat er die Narben?

Entwurf eines Briefes an Grete Bloch

15/16. XII. 13

Der Hauptgrund, Fräulein, der mich bisher gehindert hat, Ihnen zu schreiben, der mich sogar in den frühern Briefen gehindert hat, war die Rücksicht darauf, daß ich erstens immer daran war, was immer ich auch schreiben wollte, F. auszuspionieren, sei es auch nur, um zu erfahren, was sie jetzt tut, daß ich ferner zweitens vielleicht Ihnen ein Unrecht tat, indem ich der Lust zu fragen nicht widerstehn zu können glaubte und so Sie zu widerwilligen Antworten zwingen konnte und daß ich drittens den Anschein bekommen konnte, ich schriebe nur um zu fragen. Keine dieser Rücksichten kann mich jetzt mehr abhalten denn es wird, ich will nicht sagen »unverständlich«, aber bedrückend, daß ich von F. gar nichts erfahren kann, so bedrückend, daß ich schreibe. Wissen Sie etwas von F.? Ist sie vielleicht krank? Aber aus Ihrem letzten Briefe (ich erschrecke als ich ihn aufschlage, er ist schon fast 3 Wochen alt) sehe ich doch daß Sie wenigstens gegen Ende November noch Karten von F. bekamen, in denen von keiner Krankheit die Rede war. Ich würde aber selbst ohne diese Andeutungen an keine Krankheit glauben, von dorther

---

[1] Dr. Hans Bloch (1891–1943) war Arzt in Berlin. Bereits als Gymnasiast stand er der zionistischen Bewegung nahe, in welcher er später eine bedeutende Rolle spielte.

kommt meine Unruhe nicht. Nun, den Abend vor Ankunft Ihres Briefes schrieb ich einen Brief an F. schickte ihn am nächsten Morgen, es dürfte der 28. XI gewesen sein, weg, übrigens rekommandiert. Zwei Tage später erfuhr ich, daß die Frau von Max, die mit F. in Berlin beisammen gewesen war und sie damals schon geradezu für Weihnachten eingeladen hatte, dies nun in einem Brief ausdrücklich nochmals wiederholt hatte. Letzten Sonntag schickte ich F. noch einen Expressbrief. Keiner dieser 3 Briefe ist beantwortet. Widerspricht das nicht, ich will wieder nicht sagen »vollständig«, aber doch zum größten Teil, ihrem Wesen? Durch welche Umstände, durch welche Gedankengänge ist es zu erklären? Wissen Sie etwas darüber und wollen Sie es mir sagen? Wenn Sie es nicht sagen können, so will ich es nicht etwa durch Mitleid erzwingen (Augenblicklich bin ich z. B. vielleicht selbst unter den Blicken von 1000 Beobachtern nicht im geringsten bemitleidenswürdig, ich sitze etwa um ½ 1 Uhr in der Nacht bequem und geradezu sinnlos ruhig, die Füße in eine Decke eingepackt, in ziemlichem Wohlbefinden beim Schreiben dieses Briefes.) Wenn Sie es aber nicht sagen können, dann sagen Sie mir nur dieses, damit ich nicht so im ganz Unklaren herumsuchen muß.

29. XII. 13 nachmittag [– 2. Januar 1914]

Du hast mir, Felice, innerhalb der letzten zehn Tage viermal versprochen, daß Du mir noch an dem Tage des jedesmaligen Versprechens schreiben wirst. Einmal hast Du es mir schriftlich durch Dr. Weiß versprochen, einmal telephonisch, zweimal telegraphisch, nach dem letzten Telegramm war der Brief für mich schon geschrieben und sollte bestimmt am Tage des Telegrammes, also am letzten Sonntag abgehn. Keinen dieser Briefe habe ich bekommen, Du hast also viermal die Unwahrheit gesagt[1].
Äußerlich sieht das vollständig sinnlos aus. Du weißt daß es rings

---

[1] Es fehlen vermutlich vier Briefe, die Kafka in der Zeit vom 27. November bis zum 29. Dezember an Felice geschrieben hat. Vgl. Kafkas Bemerkung im Brief an Grete Bloch vom 28. Januar 1914, S. 491: »Zum erstenmal seit meinem Berliner Besuch [8.–9. November 1913] schrieb ich F. ... am 27. XI. Antwort bekam ich keine ... Ich schrieb dann etwa 14 Tage später wieder einen Brief, wieder keine Antwort ... ich dürfte wohl noch 2 Briefe geschrieben und 2 Telegramme geschickt haben.«

um mich herum nichts gibt, was an Wichtigkeit mit dem versprochenen Brief auch nur im geringsten zu vergleichen wäre. Du weißt
also auch, daß Du mir durch das Nichtschreiben, besonders wenn
Du es von Zeit zu Zeit immer wieder so bestimmt versprichst,
Qualen von Minute zu Minute bereitest. Du weißt auch, daß ich,
wenigstens jetzt, ganz schuldlos bin und daß ich (ich erwähne dies
hier nur der Vollständigkeit halber, es ist ja hier ganz belanglos und
vielleicht lächerlich) auf das geringste Wort von Dir hin sofort an
Deine Eltern schreiben würde. Du leugnest es sogar gewissermaßen,
daß Du auf mich böse bist, und in allen Versprechungen hast Du
mir außer dem Versprechen selbst, immer noch eine kleine Hoffnung gemacht. Ich wiederhole, äußerlich und im ersten Augenblick
sieht das unmenschlich aus.

Ich aber, der ich Dich aus eigenem Willen unter keinen Umständen
lasse, erkläre es mir doch. Ich halte Dich für ein durchaus wahr-
haftiges Mädchen und halte Dich solcher Unwahrheiten nur bei
unwiderstehlichem Zwange für fähig. Du möchtest mich gern trösten, darum versprichst Du immer, mir zu schreiben. Du versuchst
es dann auch wirklich, aber Du kannst es dann einfach nicht, aus
äußern oder innern Gründen. Da Du auch ein selbständiges Mädchen bist, sind es wahrscheinlich innere Gründe; desto schlimmer
für mich.

Soantworte ich mir an Deiner Stelle. Und ich bitte Dich jetzt, mir nur
zu schreiben, ob ich mit dieser Selbstbeantwortung recht habe oder
nicht. Du sollst mir das nicht telegraphieren, sondern schreiben, ich
will Deine Schrift sehn, um es wirklich glauben und richtig auffassen zu können. Dagegen bitte ich Dich, es mir express in die
Wohnung zu schicken, damit ich den Brief am Neujahrsmorgen
habe, ich kann ihn nämlich nicht rasch genug bekommen, glaube
mir. Wenn Du über das »Ja« und »Nein« hinaus noch einiges zur
Erklärung schreiben willst, so wird das durchaus nur Gnade sein;
wenn aber eine solche Erklärung Dir nur die geringsten Schwierigkeiten bereiten oder den Brief auch nur um ein Weilchen verzögern
sollte, dann bitte ich Dich sogar, nichts zu erklären. Du siehst, ich
bitte nur um einen kleinen, ganz mühelosen, ganz unverbindlichen
Brief. Nenne mich darin nicht lieb, wenn ich es Dir nicht bin,
schicke mir keine herzlichen Grüße, wenn Du es nicht so meinst.
Nur einen ganz kleinen Brief. Es ist keine übermäßige Bitte.
Dagegen verspreche ich Dir, wenn ich einen solchen Brief bekom-

me, still zu sein, Dich in keiner Weise zu stören und bloß, wenn es auch hoffnungslos sein sollte, auf Dich zu warten.

Franz

29.XII.13 abend

Ich hatte den beiliegenden Brief fertig geschrieben, legte mich ein wenig ins Bett (ich hatte in der Nacht fast gar nicht geschlafen, das ist nicht etwa ein Vorwurf, ich schlafe ganz allgemein elend) und wollte dann ins Bureau, ich habe dort viel zu tun. Abend wollte ich dann zu Dr. Weiß gehn, der jetzt in Prag ist und mit mir in ein Vorstadttheater gehn wollte. In das Theater werden wir aber nicht mehr kommen, denn es ist schon 7 Uhr und ich sitze hier und schreibe. Gegen 5 Uhr kam Dein Brief, ich war noch nicht eingeschlafen. Wäre ich nicht im Bett gewesen, ich hätte ihn gleich beantwortet, jetzt bin ich froh, daß ich es nicht getan habe und statt dessen etwa 2 Stunden im Bett gelegen bin und nachgedacht habe, nicht etwa über mich, denn mit mir bin ich fertig, aber über Dich.

Ich sehe aus Deinem Brief, daß ich Dir mit meiner Bitte um einen Brief viel Leid verursacht habe, nicht so viel wie das Nichtschreiben mir, aber doch viel. Vielleicht konntest Du mir deshalb nicht schreiben, weil Du Dich bemüht hast, mir einen Brief zu schreiben, in dem der folgende Absatz nicht vorkam: »Wir würden beide durch eine Heirat viel aufzugeben haben, wir wollen es nicht gegenseitig abwägen, wo ein Mehrgewicht entstehen würde. Es ist für uns beide recht viel.« Es ist Dir aber nicht gelungen, einen solchen Brief zu schreiben. Der Absatz ist allerdings schrecklich und er wäre, wenn er so rechnerisch gemeint ist, wie er dasteht, fast unerträglich. Aber trotzdem meine ich, es ist gut, daß er geschrieben wurde, es ist sogar für unsere Einigung gut, trotzdem von dem Absatz zur Einigung kein Weg zu führen scheint, denn wenn man rechnet, kann man nicht steigen. Aber das ist nur die erste Meinung, man muß sogar rechnen, Du hast ganz recht, es müßte denn sein, daß es nicht etwa unrecht, sondern sinnlos und unmöglich ist, zu rechnen. Und das ist meine letzte Meinung.

Du hast mich mißverstanden, wenn Du glaubtest, mich halte vom Heiraten der Gedanke ab, daß ich in Dir weniger gewinne, als ich durch Beendigung des Alleinlebens aufgeben muß. Ich weiß, Du hast es auch mündlich so formuliert und ich habe dem auch widersprochen, aber nicht genug gründlich, wie ich sehe. Es hat sich für mich nicht darum gehandelt, etwas aufzugeben, ich bliebe auch nach der Heirat derjenige, der ich bin, und das ist ja eben das Schlimme, das Dich, wenn Du wolltest, erwarten würde. Was mich gehindert hat, war ein erdachtes Gefühl, im vollständigen Alleinsein liege eine höhere Verpflichtung für mich, nicht etwa ein Gewinn, nicht etwa eine Lust (wenigstens nicht in dem Sinne Deiner Meinung), sondern Pflicht und Leid. Ich glaube gar nicht mehr daran, es war Konstruktion, nichts sonst (vielleicht hilft mir die Erkenntnis auch weiter), und sie ist höchst einfach widerlegt dadurch, daß ich ohne Dich nicht leben kann. Gerade Dich, so wie Du bist, mit diesem schrecklichen Absatz in dem Brief, so will ich Dich. Und auch wieder nicht zu meinem Trost oder zu meiner Lust, sondern damit Du als ein selbständiger Mensch hier mit mir lebst.

Ich war noch nicht so weit, als ich Deinen Eltern geschrieben hatte. Eine Unmenge im Laufe des Jahres aufgehäufter Konstruktionen gingen mir fortwährend, geradezu ohrenbetäubend, durch den Kopf. Von Venedig aus machte ich ein Ende, ich konnte den Lärm in meinem Kopf wirklich nicht mehr ertragen.

Ich glaube, ich muß hier ganz wahrhaftig sein und Dir etwas sagen, wovon im Grunde niemand bisher durch mich erfahren hat. Ich habe mich im Sanatorium in ein Mädchen verliebt, ein Kind, etwa 18 Jahre alt, eine Schweizerin, die aber in Italien bei Genua lebt, im Blut mir also möglichst fremd, ganz unfertig, aber merkwürdig, trotz Krankhaftigkeit sehr wertvoll und geradezu tief[1]. Es hätte ein viel geringfügigeres Mädchen sein können, um sich meiner in meinem damaligen leeren, trostlosen Zustand zu bemächtigen, meinen Zettel aus Desenzano hast Du ja, er ist etwa 10 Tage vorher geschrieben. Es war mir wie ihr klar, daß wir gar nicht zueinander gehörten und daß mit dem Ablauf der 10 Tage, die uns zur Verfügung standen, alles zuende sein müßte und daß nicht einmal Briefe, keine Zeile geschrieben werden durfte. Immerhin bedeuteten wir einander viel, ich mußte große Veranstaltungen treffen, daß sie beim

---

[1] Die Begegnung mit der einige Male im Tagebuch (15., 20. und 22. Oktober 1913) genannten und einmal in einem Brief an Max Brod (28. September 1913) erwähnten Schweizerin in Riva. *Tagebücher,* S. 321 ff. und *Briefe,* S. 121. Ihren Namen bezeichnet Kafka stets nur mit den Initialen W. oder G.W. Aus der Tagebucheintragung vom 20. Oktober 1913 geht hervor, daß er der Schweizerin versprochen hatte, über das Zusammensein in Riva Stillschweigen zu bewahren.

Abschied nicht vor der ganzen Gesellschaft zu schluchzen anfing, und mir war nicht viel besser. Mit meiner Abreise war alles zuende. Selbst das, so widersinnig das äußerlich ist, hat dazu beigetragen, daß ich mir über Dich klarer geworden bin. Die Italienerin wußte auch von Dir, wußte auch, daß ich im Grunde nach nichts anderem strebte, als Dich zu heiraten. Dann kam ich nach Prag, war ohne jede Verbindung mit Dir, verlor immer mehr den Mut, aber dachte daran, Weihnachten vielleicht nach Berlin zu kommen und alles zur Entscheidung zu bringen.

1. 1. 14

Zuerst ein glückliches neues Jahr Dir, Felice, und wenn Du es wollen wirst, uns beiden. Es ist doch nicht so leicht, auf Deinen Brief zu antworten, wie ich anfangs dachte. Der eine Absatz sticht so hervor und das Licht wechselt auf ihm, gänzlich ihn aufzulösen scheint fast unmöglich. Darum wollte ich nur schreiben, wenn ich Zeit und Ruhe hatte, die hatte ich aber gestern nicht und auch heute eigentlich habe ich sie nicht, denn ich bin müde und in einer ¼ Stunde holen mich Felix und Oskar ab. Trotzdem schreibe ich ein wenig, um mit Dir in Berührung zu kommen, denn das tut mir wohl, es macht mich im Augenblick fast glücklich, wenn Du auch vielleicht gerade jetzt, ¼4 Uhr nachmittag, Gott weiß wo bist und Gott weiß an was denkst, das mit mir in keiner Beziehung steht und niemals in Beziehung stehen wird. Trotzdem. Daß meine Antwort so spät kommt, macht mir keine Sorgen, denn zwischen Deinem Warten auf meine Briefe und meinem Warten auf Deine Briefe gibt es keinen Vergleich, vielleicht mache ich Dir mit der Verzögerung noch einen Gefallen.

Es ist (Du weißt es ja und ich müßte es also eigentlich gar nicht erst sagen) das erstemal, daß Du von Verlusten sprichst, welche (das muß hervorgehoben werden) nicht etwa nur der Abschied von Berlin, sondern überdies die Heirat mit mir für Dich mit sich bringen würden. Du sprichst jetzt überdies nicht nur von der Möglichkeit solcher Verluste, sondern von ihrer Zweifellosigkeit. Endlich ergibt sich in Deiner Darstellung auch noch ein »Mehrgewicht«, das nach der Art der Erwähnung wahrscheinlich zu Deinen Ungunsten gedeutet werden müßte[1].

---

[1] Vgl. Brief an Grete Bloch vom 7. Februar 1914, S. 496 und Brief an Felice vom 9. Februar 1914, S. 499.

Es ist das schließlich nichts anderes als das, wovon ich ein Jahr lang Dich zu überzeugen versucht habe. Wäre es der Erfolg dessen, so könnte ich zufrieden sein. Aber in dem Fall hätte er doch allmählicher kommen müssen, nicht so plötzlich. Aber vielleicht ist er in der Zeit des Nichtschreibens gekommen, also doch allmählich und ich habe bloß von der Entwicklung nichts bemerkt. Aber dem widerspricht doch das, was Du an dem letzten Berliner Sonntag [9. November 1913] sagtest, und dem widerspricht auch Deine ganze bisherige Auffassung, nach welcher Du – ohne Rücksicht darauf, ob ich und das Leben mit mir Dir etwas Gutes bedeuten könnte – in Berlin nichts zurückließest, was für Dich von tiefer, eingreifender, unentbehrlicher Bedeutung war. Aber vielleicht hast Du Dich auch darüber bisher getäuscht und bist Dir inzwischen über Deinen Besitzstand klarer geworden. Vielleicht habe ich nicht durch Worte, aber durch mein Dasein Dir dazu verholfen. Das ist ja möglich. Ich hatte manchmal selbst den Eindruck, daß Du in Berlin für Dich Unentbehrliches besitzt. Kleinigkeiten in Deinem Verhalten mir gegenüber könnten, wenn man genauer zusieht, als Bestätigung dessen gelten. Und endlich habe ich noch immer im Ohr, was Du

1. 1. 14 Mitternacht

der Frau von Max in Berlin erzählt hast, daß das Bureau und das Leben dort für Dich sehr wichtig sei und daß Dein Direktor Dich gewarnt hat, ohne ganz genaue Überlegung Berlin zu verlassen. (Daß Du dieses einer fremden Frau, die Du ein paar Stunden erst kanntest, wiedererzähltest, war im Grunde für mich fast so schlimm, als wenn Du dem Direktor ausdrücklich zugestimmt hättest.)
Außerdem aber, Felice, muß ich ja zugeben, daß Du recht hast. Bei einfach kaltem Überblick verlierst Du gewiß. Du verlierst Berlin, Dein Bureau, die Arbeit, die Dich freut, ein fast gänzlich sorgenloses Leben, die besondere Art von Selbständigkeit, den geselligen Verkehr mit Menschen, die Dir entsprechen, das Leben mit Deiner Familie – und das sind nur die Verluste, von denen ich weiß. Dagegen kämest Du nach Prag in eine Provinzstadt mit einer Dir unbekannten Sprache, in den notwendigerweise kleinbürgerlichen Haushalt eines Beamten, der zum Überfluß nicht einmal ein vollwertiger Beamte[r] ist, Sorgen würden nicht fehlen, selbständig bliebest Du zwar, aber doch nicht unbehindert und statt des gesel-

ligen Verkehrs und statt Deiner Familie hättest Du einen Mann, der meistens (wenigstens jetzt meistens) trübsinnig und schweigsam ist und dessen persönliches seltenes Glück in einer Arbeit besteht, welche Dir als Arbeit notwendiger Weise fremd bliebe. Das sind allerdings Dinge, über welche vielleicht nur (ich weiß nicht, ob ich hier davon reden darf) Liebe hinweghelfen könnte.

Ein Fehler ist, wie gesagt, in Deiner Lehre vom Mehrgewicht ganz bestimmt. Auf meiner Seite war niemals ein »Verlust« in Frage, nur ein »Hindernis« und dieses Hindernis besteht nicht mehr. Ich wage es sogar zu sagen, daß ich Dich so lieb habe, daß ich Dich selbst dann heiraten wollte, wenn Du ausdrücklich sagtest, daß Du nur eine ganz laue Neigung und auch die nur ungewiß, für mich übrig hast. Es wäre schlecht und gaunermäßig, Dein Mitleid so auszunutzen, aber ich wüßte mir nicht anders zu helfen. Dagegen gebe ich zu, daß es unmöglich ist zu heiraten, wenn und solange Du die Verluste so überklar erkennst und voraussiehst, wie man aus Deinem Briefe schließen könnte. Das Eintreten in eine Ehe mit dem deutlichen Bewußtsein des Verlustes – das ist unmöglich, das gebe ich zu, das würde ich auch nicht zulassen, selbst wenn Du es wolltest. Schon deshalb nicht, weil in der Ehe, die ich einzig und allein will, Frau und Mann in ihrem menschlichen Kern einander ebenbürtig sein müssen, um innerhalb der Einheit selbständig bestehen zu können – das aber wäre dann unmöglich.

2.I.14

Ist es Dir aber, Felice, wirklich ernst mit Deiner Meinung, fürchtest Du wirklich den Verlust? Gehst Du wirklich so vorsichtig mit Dir um? Nein, das tust Du ganz gewiß nicht. Hier gibt es vielmehr, um klar zu sein, nur zwei Möglichkeiten: entweder willst Du von mir nichts wissen und willst mich auf diese Weise von Dir wegschieben oder Du bist bloß in dem Vertrauen zu mir unsicher geworden und führst nur deshalb die Abwägung aus. Im ersten Fall kann ich nichts hindern und nichts sagen, dann ist es also zuende, ich habe Dich verloren, ich muß zusehn, wie ich weiterhin werde bestehen können und weiß es genau, daß ich es niemals ganz verwinden werde. Im zweiten Fall dagegen ist nichts verloren, dann muß es mit uns gut werden, denn ich weiß, daß ich jede Probe Deines Vertrauens im ganzen werde bestehen können, wie schwach ich auch im einzelnen Augenblick sein mag.

So liegt es also an Dir, Felice, zu sagen, wie es sich hier verhält. Ist es der erste Fall, dann müssen wir doch Abschied nehmen, ist es der zweite Fall, dann prüfe mich, an die Möglichkeit des 3ten Falles, daß Du wirklich ohne tiefere Beziehung nur die Verluste nachrechnest, kann ich nicht glauben.

Wir hatten allerdings uns dahin geeinigt, ans Heiraten nicht mehr zu denken und einander nur zu schreiben wie früher. Du hattest es vorgeschlagen und ich habe zugestimmt, da ich nichts Besseres wußte. Jetzt weiß ich es, tun wir das Bessere! Die Ehe ist die einzige Form, in der die Beziehung zwischen uns erhalten werden kann, die ich so sehr brauche. Auch ich halte es für gut, daß wir nicht in der gleichen Stadt leben, aber nur deshalb, weil, wenn wir doch heiraten sollten, dies später geschehen wäre als jetzt, da wir so getrennt sind. Es würden Zweifel erscheinen, Möglichkeiten der Verzögerung sich finden und traurige Zeiten würden so unnütz vergehn. Sie vergehn ja auch jetzt in Überfülle.

Aber auch Dir ist das Aufrechterhalten des Briefwechsels nicht ganz ernst. Was wäre das Ergebnis? Qualen des Wartens und Niederschreiben von Klagen. Das wäre alles. So würde es langsam zerfallen und der schließliche Schmerz wäre noch viel größer und unreiner. Das werden wir nicht tun, es ginge über unsere Kräfte und würde niemandem nützen. Sieh nur, wie schon die Zeit wirkt bei dieser bloß schriftlichen Verbindung, kaum zwei Monate sind vergangen seit Du mir zum letzten Male geschrieben hast, und schon schleichen sich an kleinen Stellen, ohne daß Du es weißt, fast Feindseligkeiten in Deinem Brief. Nein, Felice, so können wir nicht weiter leben.

Ich liebe Dich, Felice, mit allem, was an mir menschlich gut ist, mit allem, was an mir wert ist, daß ich mich unter den Lebendigen herumtreibe. Ist es wenig, so bin ich wenig. Ich liebe Dich ganz genau so wie Du bist, das was mir an Dir gut scheint, wie das, was mir nicht gut scheint, alles, alles. So ist es bei Dir nicht, selbst wenn alles andere vorausgesetzt wird. Du bist mit mir nicht zufrieden, Du hast an mir verschiedenes auszusetzen, willst mich anders haben, als ich bin. Ich soll »mehr in der Wirklichkeit« leben, soll mich »nach dem, was gegeben ist, richten« u.s.f. Merkst Du denn nicht, daß Du, wenn Du solches aus wirklichem Bedürfnis willst, nicht mehr mich willst, sondern an mir vorüber willst? Warum Menschen ändern wollen, Felice? Das ist nicht recht. Menschen muß man nehmen, wie sie sind oder lassen, wie sie sind. Ändern kann man sie nicht, höchstens in ihrem Wesen stören. Der Mensch besteht doch nicht aus Einzelheiten, so daß man jede für sich herausnehmen und durch etwas anderes ersetzen könnte. Vielmehr ist alles ein Ganzes, und ziehst Du an einem Ende, zuckt auch gegen Deinen Willen das andere. Trotzdem, Felice, – sogar das, daß Du an mir verschiedenes auszusetzen hast und ändern möchtest, sogar das liebe ich, nur will ich, daß Du es auch weißt.

Und jetzt entscheide, Felice! Dein letzter Brief ist noch keine Entscheidung, er enthält noch Fragezeichen. Du bist Dir immer klarer über Dich gewesen als ich über mich. Du darfst mir jetzt darin nicht nachstehn.

Und jetzt küsse ich noch die Hand, die den Brief fallen läßt.

Franz

An Grete Bloch

23. I. 14 [1]

Liebes Fräulein!

Schade, daß ich nicht mit Ihnen sprechen konnte, als Sie in Prag waren. Ich kann mir gar nicht denken, daß man mich nicht zum Telephon geholt hätte, als Sie mich anriefen. Aber vielleicht war die Verbindung überhaupt gestört. Jedenfalls ist der Ausdruck »daß ich nicht zum Telephon zu bewegen gewesen wäre« nicht richtig, ich wäre nicht nur zu bewegen gewesen, ich wäre sogar ordentlich gerannt. Eher kann ich sagen, daß Ihnen nicht übermäßig viel daran lag, mit mir zu sprechen, und das ist allerdings das Verständlichste. Nehmen Sie mir meine Nachlässigkeit im Schreiben nicht übel, es war auch nicht Nachlässigkeit. So freundlich Ihr vorletzter oder vielmehr vorvorletzter Brief war, ich konnte nicht auf ihn antworten [2]. Überempfindlich, wie ich in allem bin, was Beziehung zu F. hat, schmeckte ich etwas Bitteres in dem Brief, etwas (trotz aller nicht nur äußerlichen Güte) mir fast Feindseliges. Ich schmeckte es nur, ich glaubte eigentlich nicht daran; ich hatte Ihnen schon in Prag zu viel Unrecht getan, um jetzt auch noch etwas derartiges geradezu zu glauben. Trotzdem aber hätte ich ohne Falschheit nicht antworten können; ich schrieb auch diesen falschen Brief nieder, trug ihn 2 Tage in der Tasche und war, als damals gerade Ihr vor-

---

[1] Abgeschickt erst am 26. Januar. Vgl. *Tagebücher* (26. Januar 1914), S. 354.
[2] Vgl. *Tagebücher* (24. Januar 1914), S. 353.

letzter Brief kam, froh, meinen Brief nicht weggeschickt zu haben. Das sind widerliche Künstlichkeiten von meiner Seite, gewiß. Ich bin auch sonst gar nicht so, habe kaum jemals Verdacht, weiß die kleinste Freundlichkeit einzuschätzen, habe von Ihnen nur Gutes, in der selbstlosesten Weise gegebenes Gutes, erfahren, – es gibt keine andere Erklärung für mein Gefühl, als daß die Unerträglichkeit, Unklarheit und dabei ewig bohrende Lebendigkeit meines Verhältnis[ses] zu F. mich auch Ihnen gegenüber auf einem ganz falschen Platze hält. Wenn ich offen sagen soll, was mir den vorvorletzten Brief unbeantwortbar machte, so war es – es war nicht allein das, aber es war doch die Hauptsache – daß nichts von F. drin stand, während Sie in den frühern Briefen, als Sie noch keine Nachrichten von F. hatten, dies immerhin mitgeteilt hatten. Ich will nicht sagen, daß Sie mich mit diesem Schweigen strafen oder quälen wollten, nein, das will ich natürlich gar nicht sagen, aber für mich war es doch beides. Vielleicht wußten Sie auch tatsächlich nichts von F., vielleicht wollten Sie gefragt sein – diese Möglichkeiten änderten für mich nichts.

Heute allerdings ist einiges anders geworden. Für den unwahrscheinlichen Fall, daß Sie es nicht wissen sollten (ich nehme auch an, daß Sie Weihnachten in Berlin waren), kann ich es ja sagen, da es nicht eigentlich F.'s Geheimnis ist: Ich habe sie neuerlich um ihre Hand gebeten (ich erzähle es hier nur ganz kurz, es war ein wochenlanges Hin- und Her) und habe keine oder fast keine Antwort bekommen[1]. Von mir aus könnte ich F.'s Verhalten verstehn, das Schweigen, meine ich, das Belassen der Unklarheit, aus ihrem Wesen, wie ich es zu erkennen glaubte, verstehe ich es nicht.

Nur um eines bitte ich Sie (und nehme Ihren letzten unerwarteten Brief als ein gutes Zeichen dafür, daß Sie mir, so wenig ich es verdiene, antworten werden, und zwar *sehr bald, aus einem bestimmten Grunde bitte ich sehr bald*), wie geht es F.? Gut? Oder leidet sie? Oder ist beides da?

Ihr F. Kafka

An Grete Bloch

28. I. 14

Liebes Fräulein!

Es ist nicht anders zu erklären, als daß ich bei allem was F. betrifft oder mit ihr in Beziehung steht, mit einer Blindheit geschlagen bin,

---

[1] Vgl. Brief an Felice vom 2. Januar 1914, S. 488 f.

die um so ärger ist, als ich darin gerade besonders klar zu sehen glaube. Wie benehme ich mich nur Ihnen gegenüber, beklage es immer wieder und fange immer wieder von neuem an. Ich kann mir aber nicht helfen, ich habe allen Widerwillen, den mein Benehmen nur erregen kann, bis zum Äußersten schon in mir und koste ihn durch, nur werde ich aber in dieser Sache, unvergleichlich ärger als irgendwann sonst, ohne meinen Willen, wie von fremder Hand, bis zum Schwindligwerden hin- und hergedreht.

Sie wissen es aber auch, denn Sie sagen in Ihrem Brief, was mich vor allem gewundert hat, kein Wort des Vorwurfs, ja nicht einmal des Staunens darüber, daß ich F. wieder um die Heirat gebeten habe. Ich habe es getan, weil es nicht anders ging, viele andere Erklärungen habe ich dafür nicht.

F.'s Brief an Sie (für den ich Ihnen vielmals danke, lassen Sie mir ihn nur noch ein wenig, natürlich erfährt F. nichts davon) ist gut und wahr und in den Tatsachen, soweit es mich betrifft, fast richtig. Wahr ist es, daß der »Brei« »heiß« war, und wahr ist auch das vom »armen Kerl«. Aber daß F. Ihnen seitdem nicht geschrieben hat, ist schlimm und geradezu ungeheuerlich. Die Daten meines Briefwechsels mit F. wüßte ich, wenigstens genau, nicht mehr, wenn sie nicht zufällig in dem seinerzeit an Sie geschriebenen und nicht abgeschickten Brief stünden und dieser Brief sich nicht jetzt gerade gefunden hätte[1]. Zum erstenmal seit meinem Berliner Besuch schrieb ich F., merkwürdiger Weise an dem gleichen Abend wie F. Ihnen, am 27. XI. Antwort bekam ich keine. Wie ich später erfuhr, hatte Frau Brod F. etwa um dieselbe Zeit schriftlich zu Weihnachten eingeladen. Antwort bekam auch sie nicht. Ich schrieb dann etwa 14 Tage später wieder einen Brief, wieder keine Antwort. Was ich dann machte, weiß ich der Reihenfolge nach nicht mehr genau, ich dürfte wohl noch 2 Briefe geschrieben und 2 Telegramme geschickt haben. Nachdem ich auch daraufhin nicht eine Zeile bekommen hatte, führte ich folgenden, ein wenig traumhaften, auch tatsächlich im Halbschlaf erdachten Plan[2] aus. (Ich erwähne ihn hauptsächlich deshalb, um dabei die Zusendung der »Galeere« zu entschuldigen.)

---

[1] Vgl. den nicht abgeschickten Brief an Grete Bloch vom 15./16. Dezember 1913, der sich im Nachlaß Kafkas fand, S. 480f.

[2] Vgl. *Tagebücher* (14., 15. und 17. Dezember 1913), S. 343ff.

Ich habe einen sehr guten Freund in Berlin, Dr. E.Weiß, eben den Verfasser der »Galeere«. Ich kannte ihn früher nur flüchtig, seinen Roman gar nicht; erst als ich im November in Berlin war, war ich etwa eine Stunde mit ihm beisammen, seitdem allerdings in den Weihnachtsfeiertagen (in Prag) sehr lange. Diesen Dr. Weiß bat ich nun Anfang Dezember, mit einem Brief von mir zu F. ins Bureau zu gehn. Im Brief stand nicht viel mehr, als daß ich eine Nachricht von ihr oder über sie haben müsse und deshalb W. hingeschickt habe, damit er mir von ihr schreiben könne. Während sie den Brief lese, werde W. neben ihrem Schreibtisch sitzen, sich umsehn, warten bis sie den Brief ausgelesen habe und dann, da er keinen weitern Auftrag habe und auch kaum eine Antwort bekommen dürfte (denn warum sollte *er* sie bekommen, *da ich* sie nie bekommen habe), weggehn und mir schreiben, wie sie aussehe und wie es ihr dem Anschein nach gehe. Das wurde auch ganz so ausgeführt. W. bekam für mich paar Zeilen, in denen mir F. versprach, am gleichen Tag ausführlich zu schreiben. Dieser angekündigte Brief kam nicht; *ich* schrieb einen Brief; als Antwort kam ein Telegramm, in dem ein Brief angekündigt wurde; der Brief kam nicht; ich telephonierte, wieder wurde mir ein Brief bestimmtest versprochen und kam nicht; ich telegraphierte, es kam ein Telegramm, nachdem der Brief an mich bereits fertig zum Abschicken bereit war. Trotzdem kam er nicht. Ich glaube, ich schrieb wieder. Endlich kam er. Es stand wenig und Trauriges drin, Trauriges ausdrücklich und außerdem Trauriges in der Undeutlichkeit des Ganzen. Darauf schrieb ich einen etwa 40 Seiten langen Brief[1], dessen Beantwortung ich seit etwa 4 Wochen erwarte oder besser nicht mehr erwarte. Tiefer demütigen, als ich es in dem Brief getan habe, kann man sich gar nicht mehr, allerdings steht in einer Art Widerspruch dazu eine Seite, eine in halbem Bewußtsein geschriebene, aber wahre Seite in dem Brief, die vielleicht die Beantwortung des ganzen Briefes unmöglich macht. Aber es kann doch nicht sein, denn diese Seite ist mit den vorigen und spätern so verbunden, daß man sie nicht nur für sich lesen kann und insbesondere Felice dürfte das nicht. Wenn sie es aber getan hat, dann hätte sie den Brief auch dann, wenn die Seite nicht drin stünde, nicht beantworten können.

Das ist beiläufig alles, was geschehen ist. Sie waren Weihnachten in Wien? Allein? Ich war fest überzeugt, daß Sie nach Berlin fahren

[1] Brief vom 29. Dezember 1913 bis 2. Januar 1914, S. 481 ff.

würden und ebenso überzeugt war ich, daß ich in Berlin sein würde. Ich wäre auch hingefahren, aber aus dem telephonischen Gespräch bekam ich als einzige klare Mitteilung die Bitte, nicht nach Berlin zu kommen, eine Bitte, die übrigens später noch telegraphisch wiederholt wurde. Als ich Sie um baldige Antwort bat, dachte ich daran, vielleicht Sonntag nach Berlin zu fahren und mit einemmal, wenn es möglich ist, alles zuende zu bringen. Ich werde es nicht tun, nach diesem Brief nicht. Ich kann nicht hinfahren, wenn ich von F. aus letzter Zeit nichts weiß. Ohne aber etwas zu wissen, kann ich F. über meinen letzten Brief hinaus nichts weiter beweisen, dazu bin ich nicht stark genug. Und so bleibt es bei der frühern Stille, nicht Ruhe.

Seien Sie mir, Fräulein, nicht böse, weder wegen meines dummen Mißtrauens noch wegen meines Vertrauens. Fast möchte ich Sie auch noch in F.'s Namen um Verzeihung bitten, denn es scheint wirklich, als ob F. und ich, seitdem wir es aufgegeben haben, einander direkt und (von meiner Seite) ununterbrochen Leid anzutun, uns gegen Sie gewendet hätten, nicht um zu klagen, sondern um Ihnen Leid anzutun.

Zeigen Sie mir, daß Sie mir verzeihen, dadurch, daß Sie die »Galeere« freundlich annehmen. Es ist nicht bloß im Tausch gegen F.'s Brief, beides Niederschriften von Freunden, geschickt, es macht mir überhaupt Freude, dieses Buch, das ich lieb habe, besonders Ihnen zu geben.

Noch eine Bitte: Ich glaube, Sie kennen Erna Bauer, kennen Sie vielleicht ihre Bureauadresse?

Mit herzlichen Grüßen   Ihr F. Kafka

An Grete Bloch

5. II. 14

Liebes Fräulein!

Ich rechne: Sonntag habe ich den Brief an Sie eingeworfen, spätestens Dienstag früh (Montag war Feiertag) hatten Sie ihn, heute ist Donnerstag. An und für sich hätte ich – von Recht ist hier gar nicht zu reden – nicht die geringste Möglichkeit, Sie zu mahnen. Und ich täte es auch nicht, wenn ich bestimmt wüßte, daß Sie aus irgendeinem beliebigen Grund bisher nicht geschrieben haben und nächstens einmal gewiß schreiben werden. Aber diese Sicherheit habe ich eben nicht, meine Lage ist von allem, was Sicherheit heißt, möglichst weit entfernt, und deshalb muß ich doch zwei Möglichkeiten eines Nichtschreibens gleich jetzt in Betracht ziehn, die mir um so näher liegen, als Sie mich ja sonst durch das schnellste Antworten verwöhnt haben. Die zwei Möglichkeiten sind: Entweder habe ich Sie irgendwie gekränkt oder Sie haben schlechte Nachrichten für mich. Beides ist nur allzu leicht möglich, ich bin so zerstreut und unsicher, daß ich wirklich irgendwie die lächerlichste Dummheit gemacht und Sie gekränkt haben kann, und daß schlechte Nachrichten für mich gekommen sind, ist womöglich noch wahrscheinlicher. Aber weder im ersten noch im zweiten liegt ein Grund, mir nicht zu schreiben. Im Gegenteil: Was ich auch Kränkendes geschrieben haben kann, es war nur äußerlicher und deshalb leicht verzeihlicher Fehler; Sie müssen das einsehen, wenn Sie meinen letzten Brief noch einmal lesen; und sehn Sie es nicht ein, so schreiben Sie mir es doch und es wird sich ganz einfach aufklären. Was aber die schlimmen Nachrichten betrifft, so wissen Sie doch, daß ich schon so lange auf Nachrichten überhaupt gewartet habe, daß selbst die schlimmsten noch eine Art guter Bedeutung für mich haben. Sie sind also so gut und schreiben mir wieder, nicht wahr?

Ihr F. Kafka

Eine Frage, die ich schon lange stellen wollte: Wird die Bureauartikelausstellung in Prag sein und werden Sie kommen?

An Grete Bloch

[7. Februar 1914]

Liebes Fräulein!
Ich wollte Ihnen unbedingt gleich antworten, nicht etwa um Ihnen etwa Wichtiges oder gar für *Ihre* menschliche Lage Wichtiges zu sagen, sondern nur um Ihnen zu schreiben, um irgendetwas wenn auch Sinnloses und Unnützes für Sie zu tun, wie mir überhaupt scheint, daß mein grundfalsches Verhältnis zu Ihnen zum Teil dadurch bestimmt worden ist, daß ich (nach außen hin scheinen das große Worte, nach innen hin ist kein Wort groß genug) immer über mich hinaus durch eine nicht zu durchreißende Hemmung, gleichzeitig gedrängt und gehalten, irgendwie Ihnen näherzukommen

versuchte und daß ich das Mißlingen dessen trotz aller schönen Selbsterkenntnis Ihnen anrechnete. Und doch liegt es nur daran, daß Sie mit mir über F. hin bekannt wurden, daß ich mich in Prag als ich Sie zum ersten Mal traf gezwungen sah, mit einem mir doch vollständig fremden Menschen über F. zu reden, daß ich sogar mit dem Mitleid dieses fremden Menschen absichtlich (die Absicht ergibt sich, man geht nicht von ihr aus) rechnete, daß meine Geschwätzigkeit in solchen Dingen (meine Geschwätzigkeit kommt allerdings mit paar Worten aus, aus Not) sich nicht halten läßt und mir vor ihr zum Sterben übel wird – alles dieses und noch mehr derartiges war die Ursache dessen, daß ich später, so sehr ich es im Grunde immer wollte, nicht ohne diese verdammten abwehrenden Bemerkungen schreiben konnte.

Ich glaube nicht, daß Mitleid glücklicher macht, besser macht es gewiß nicht, dagegen ist Mitleiden, wenn man dessen im allgemeinen und gegenüber einem bestimmten Menschen fähig ist, soweit ich es erfahren habe, immer ein Glück und es macht auch zu einem bessern Menschen. Es gibt eben keine Wage, bei der beide Schalen gleichzeitig hinaufgehn. Je mehr Menschen von einem Leid wissen, desto schlimmer das Leid und wenn nicht schlimmer so unreiner. Aber es wird auch gewiß schlimmer, es wird körperlicher, man sieht es mit den Augen der andern von andern Seiten an, und wenn man vielleicht bisher für sich allein das Ganze verbissen mit kleinen Augen angesehn und ausgehalten hat, jetzt vor dieser allbekannten Körperlichkeit muß man sie aufreißen und muß sich fügen, bis ins Allerletzte. Wird es aber nicht schlimmer, sondern nur unreiner, dann ist es vielleicht noch ärger, denn jetzt verliert man vor Widerwillen jede Hoffnung es zu überwinden.

Etwas derartiges fühlte ich damals im »Schwarzen Roß«[1], fühle ich jedesmal, wenn [ich] mit jemandem und sei es mein bester Freund so rede (geschieht es z. B. mit meiner Mutter, so schüttelt mich der Widerwille geradezu). Dazu kommt aber noch, daß ich gleichzeitig bei solchen Reden fast bis an die Oberfläche hinauf Vergnügen, Befriedung habe, daß es meiner Eitelkeit wohltut – muß es dann nicht eine Erlösung für mich sein, wenn ich (und sei es noch so lügenhaft) alles abschüttle und sage: der andere war schuld.

---

[1] Das Hotel, in dem Grete Bloch während ihres Aufenthaltes in Prag (Anfang November 1913) wohnte.

Es ist aber nicht alles, ich darf mich in solche Überlegungen nicht einlassen, ich komme niemals durch, nur im Gefühl halte ich es [Wahrscheinlich die Fortsetzung dieses Briefes] halbwegs sicher. Aber vielleicht genügt es, um das Vergangene ein wenig zu erklären und nicht mehr darüber reden zu müssen.

Es ist ja auch jetzt ganz anders; Sie sind mir, besonders nach dem letzten Brief keine Fremde mehr; das Leiden, das mit Geständnissen (wenn sie nicht ganz erzwungen und einseitig sind) verbunden ist, ist ja schließlich das Leiden des menschlichen Verkehres überhaupt; solange man lebt, darf man keine leblose Grenze setzen – und darum und aus einigen ähnlichen Gründen, soll (wenn Sie damit einverstanden sind und Sie sind es, möchte ich hoffen) alles zwischen uns gut sein und wir sollen offen mit einander reden können. Und Sie sollen, wenn Sie von sich schreiben, nicht mehr hinzufügen »die Tatsache, daß Sie sich dafür nicht interessieren können«.

An Erna Bauer werde ich nicht schreiben. Ich hielt sie wirklich für Felicens Vertraute; aber selbst wenn sie es wäre, schriebe ich ihr nicht. Darf ich F. auf Umwegen zu mir zwingen? Ist es nicht genug, daß ich es hinnehme, daß Sie für mich an F. schreiben und daß Ihnen dafür dankbar bin? Nur hätten Sie nicht verschweigen müssen, daß ich Ihnen geschrieben habe; Sie hätten alles schreiben dürfen und das nicht nur deshalb weil es so unsicher ist, ob überhaupt eine Hilfe noch möglich ist. F. hat eben das Vertrauen zu mir verloren, berechtigte Gründe dafür gibt es ja eine Menge und die eine schon erwähnte Seite des 40 Seiten langen Briefes ist nicht der unwichtigste Grund. Und mit dem Vertrauen ist auch das was F. vielleicht für mich gefühlt hat, verschwunden. Was soll F. tun? Allerdings, daß sie Ihnen nicht schreibt, dafür kenne ich gar keine Erklärung.

Warum F.'s letzter Brief traurig war? Ich schreibe einen Satz hier ab »Wir würden beide durch eine Heirat viel aufzugeben haben, wir wollen es nicht gegenseitig abwägen, wo ein Mehrgewicht entstehen würde. Es ist für uns beide recht viel.« Der Satz ist allerdings so entsetzlich (und hätte er noch so viel tatsächliche Wahrheit), daß er von F. unmöglich so gefühlt sein kann. Das widerspricht F's Wesen vollständig, muß ihm widersprechen, aber schon daß sie den Satz, aus welchen Gründen immer, niederzuschreiben imstande war, ist traurig und nimmt mir fast jede gute Aussicht. Übrigens, es war kein unüberlegt geschriebener Brief, es sollen ihm (ebenso wie es in dem an Sie geschriebenen Brief heißt) einige nicht abgeschickte Briefe vorhergegangen sein. Soweit F. und ich eine gemeinsame Zukunft haben, scheint sie wirklich nur von dem Brief getragen zu sein, den Sie jetzt geschrieben haben.

Sagen Sie mir doch, wenn Sie es wollen, wer ist der Mann in München? Sieht er und hört er nicht? Worin besteht die Wichtigkeit, die Sie für ihn haben und er für Sie? Sagten oder schrieben Sie nicht einmal, daß Sie daran denken, nächstes Jahr in das süddeutsche Geschäft Ihrer Firma einzutreten? Und was bedeutet die Stelle in Ihrem Brief, die von der »Grundbedingung einer Heirat« handelt und die ich nicht ganz verstehe. Dabei fällt mir übrigens etwas damit nicht Zusammenhängendes ein. Sie schrieben einmal, daß Ihr Zimmer dunkel ist und daß Sie sich kein besseres leisten können. Wieso kommt das, da Sie doch ein genügendes Gehalt haben? Was für ein Vielschreiber und Vielfrager ich geworden bin! Ich höre schon auf. Leben Sie wohl!

Ihr F. Kafka

Das Buch hätte gleichzeitig mit meinem Brief ankommen sollen. Ich werde morgen beim Buchhändler nachfragen.

An Grete Bloch

8. II. 14

Liebes Fräulein!

Es tut mir um unserer allen willen leid, insbesondere natürlich für Sie, daß Sie im Brief an F. und vielleicht sogar (wie soll ich Ihnen jemals dafür danken?) schon im Telegramm Unwahres sagen mußten. Aber das Schlimme liegt natürlich nicht im Unwahren, sondern in der Sache selbst, an der man nur noch mit Unwahrem rühren kann.

Sie haben recht, der Satz aus F.'s Brief ist schlimm. Äußerlich ist er zwar nur ein Mißverstehen dessen, wovon ich F. ein Jahr lang zu überzeugen suchte; innerlich ist er aber doch wahrscheinlich mehr als ein bloßes Mißverstehn. Der Brief besteht zwar nicht aus dem einen Satz, aber der Satz herrscht. Das Bedrückendste ist, daß er einerseits mit nichts übereinstimmt, was ich von F. weiß, und daß andererseits nirgends ausdrücklich von einer Änderung von Grund aus gesprochen wird.

497

Daß Ihnen die »Galeere« gefallen hat, freut mich sehr. Man muß durch das Konstruktive, welches den Roman wie ein Gitter, überall, rundherum umgibt (wie das im Wesen des W. begründet ist, weiß ich eigentlich nicht recht), den Kopf einmal durchgesteckt haben, dann aber sieht man das Lebendige wirklich bis zum Geblendetwerden. Vielleicht werde ich Ihnen bald wieder etwas von ihm schicken können[1].

Wie verbringen Sie übrigens die Sonntage? Nach dieser Anstrengung in der Woche? Ist diese Anstrengung vernünftig? Können Sie denn das lange aushalten? Was war es für eine Krankheit, von der Sie letzthin schrieben? Die Zeit zu Ihrem letzten Brief haben Sie wahrscheinlich Ihrer Mittagspause abgestohlen; das ist ebenso unrecht als lieb. Es bedeutet übrigens nichts weiter; ich bin Ihnen schon im ganzen jetzt so verpflichtet wie keinem andern Menschen, das weiß ich deutlich trotz meines Kopfes, der jetzt von Zahnschmerzen (muß sich alles drehn bis ins Lächerlichste?) ganz dumpf ist.

Ihr F. Kafka

9. II. 14

Trotz allem, F., trotz allem (und es ist viel, dieses »alles«) - als ich heute Deine Karte bekam, war es wie am ersten Tag. In dieser vom Diener als etwas ganz Nebensächliches mir zugesteckten Karte sind wieder einmal von Dir an mich gerichtete Worte, eher gute als böse, wenn auch deutbare Worte, jedenfalls Worte von Dir an mich, Du zeigst Dich mir wenigstens, willst doch etwas mit mir zu tun haben, sei der Anlaß auch welcher es wolle - mir war elend vor Glück, als ich es las, der Apfel, den ich gerade essen wollte, wurde nicht etwa hingelegt, sondern fiel mir einfach aus der Hand. Und als ich dann später, viel später zum Diktieren kam, ging es mir gleich, sobald ich mich an das Diktieren verlieren wollte, durch den Kopf: »Was ist denn? Warum bist Du ganz anders?«, und gleich wußte ich, warum ich ganz anders war.

Es ist ja nichts geschehn; Du schreibst mir, aber wer weiß, was es bedeutet. Ist es auch nur so richtig, daß Du diese Karte schreiben mußtest, während Du die letzten Briefe kaum schreiben konntest?

---

[1] Vgl. *Tagebücher* (8. und 9. Dezember 1914), S. 339.

Ist es so? Nein, ganz genau so ist es nicht, kann es auch nicht sein. Aber wie es auch sei, F., zieh die Hand nicht zurück, die Du mir, wenn auch nur schwach, so doch immerhin reichst. Laß sie mir, so wie Du sie mir einmal schon gegeben hast.

Aber jetzt fällt mir wieder Dein letzter Brief ein und das »Mehrgewicht«. Darf ich danach so bitten und Dich aus einer Lage, in der Dir wohl, natürlich verhältnismäßig wohl ist (davon scheine ich Dich doch endlich überzeugt zu haben, wenn ich nicht vielmehr eine andere Überzeugung Dir genommen habe), zu mir herüberzuziehn versuchen. Aber auch davon ist jetzt nicht Zeit zu reden.

Jetzt ist nur Zeit, Dich zu bitten, F., nicht wieder so stumm zu werden, daß man hier in Prag (für mich hängt wirklich Berlin über Prag, wie der Himmel über der Erde) verzweifelt vor Ratlosigkeit wird, hin- und herläuft, nichts sieht, nichts hört und immerfort mit den gleichen Gedanken spielt, von denen zu reden jetzt auch nicht die Zeit ist. Nur darum bitte ich, um nichts sonst. Sag mir offen, was Du denkst, ich werde Dir ebenso antworten. Was ich denke, muß ich Dir nicht sagen, das Beste kennst Du.

Franz

An Grete Bloch

9. II. 14

Liebes Fräulein!

Eine Karte von F. ist gekommen, eine kleine immerhin freundliche Karte; eine Freundlichkeit übrigens, der zu vertrauen, auf die zu bauen ich schon aufgehört habe, denn weniger freundlich hat mir F. eigentlich niemals geschrieben. Aber darauf kommt es Ihnen gegenüber gar nicht an, auch darauf nicht, wie ich mich innerlich dieser erzwungenen Karte gegenüber verantworten werde (die fast deutbare Schlußbemerkung der Karte lautet: »Ich mußte diese Karte schreiben«), es kommt vielmehr hier nur darauf an, daß die Karte da ist, daß ich sie allein auf keinen Fall hätte erwirken können, daß F. aus eigenem Willen sie nicht hätte schreiben können, und daß ich sie durchaus Ihnen verdanke. Wie groß Ihre Macht über F. ist! Vielleicht bekomme ich morgen von Ihnen eine Nachricht, wahrscheinlich wissen sie auch schon von der Karte. Nun, da ich Ihnen noch unvergleichlich mehr danken sollte als bis jetzt, verschlägt es mir fast die Worte, so gedemüthigt fühle ich mich vor Ihnen und nicht nur gedemüthigt, das wäre nicht schlimm und mein gerechter

Teil, aber so, als hätte ich auch Sie gedemüthigt, indem ich Sie bat, auf diese Weise (was sage ich auf diese Weise? es war auf keine andere möglich) von F. die Karte für mich zu entlocken. Sagen Sie nichts dazu, ich weiß, es wird vorübergehn, meine Empfindlichkeit in dieser Hinsicht ist nur um ein kleines größer als meine Vergeßlichkeit, aber ich mußte es sagen, um Sie, ehe ich Ihnen danke, mehr noch als ich danke, um Verzeihung zu bitten.

Ihr F. Kafka

An Grete Bloch

11. II. 14

Liebes Fräulein, nein, das glaube ich nicht und auch Sie schreiben es nur ohne Glauben hin; F. hätte mir ohne Ihren Brief nicht geschrieben. Mißverstehen Sie mich nicht, ich bin ja damit zufrieden, daß sie mir aus eigenem Antrieb nicht geschrieben hat, ich will sie ja so haben oder besser und einfacher, ich will sie gerade so haben, wie sie ist. Wollte ich aber sophistisch sein, dann müßte ich allerdings sagen (ich sage es nicht, aber ich verschweige es auch nicht), daß es für mich schlimmer ist, daß sie jetzt geschrieben hat, schlimmer, als wenn sie nicht geschrieben hätte; denn es zeigt, daß nur ein überwindbarer Widerstand vorhanden war, den zwar Sie überwinden konnten, ich aber nicht.

Was Sie über gegenseitige Hilfe sagen, ist nicht ganz richtig. Wenn einer ins Wasser fällt und der andere auf sein Geschrei hin ihn herauszieht, so ist das ein Regelfall der Hilfe und erzeugt vielleicht unter guten Freunden kein »Verpflichtetsein«. Sie aber mußten, um mir zu helfen, eine Unwahrheit sagen, mußten also etwas tun, was Sie, um sich zu retten, gewiß nicht tun würden, und ich, um mich zu retten, vielleicht, allerdings nur vielleicht, auch nicht. Darum also bin ich Ihnen »verpflichtet«, weil Sie nicht nur etwas für mich, sondern gleichzeitig auch etwas gegen sich haben tun müssen. Vielleicht haben Sie das aus Gutherzigkeit nicht so schwer getragen, desto schwerer bis zum Ekel ich. Darf ich Sie bitten (nicht etwa, um mein »Verpflichtetsein« aufzuheben, solche Aufhebung gibt es nicht), selbst in Ihrem nächsten Brief an F., ohne mich irgendwie zu schonen, offen einzugestehn, daß ich von Ihrem ersten Briefe wußte, selbst ihn veranlaßt habe und durch ihn, wie es sich ja auch als berechtigt erwiesen hat, eine Nachricht von ihr zu erreichen hoffte.

Bitte, liebes Fräulein, schreiben Sie ihr das und zwar ohne Rücksicht darauf, was F. selbst mir antwortet, was übrigens bis heute nicht geschehen ist, trotzdem es schon hätte geschehen können.[1] Durch Ihren letzten Brief habe ich eine sehr deutliche Vorstellung von Ihrem Leben bekommen. Hier ist auch trübes Wetter, aber um 2 Uhr mittags muß man das Licht nur in dunklen Hofzimmern anzünden, wie es das Ihre ist. Daß Sie Klavier spielen und Musik lieben, wußte ich, glaube ich, gar nicht. Mit wem spielen Sie Klavier und mit wem machen Sie Ausflüge ins Gebirge? Um Ihre Schlafsucht beneide ich Sie. Wie müssen Sie ihr an Sonntagnachmittagen in dem dunklen Zimmer nachgeben! Wenn ich das könnte! Wenn sich der Schlaf irgendwie um mich | kümmerte! Während der Zahnschmerzen, da sie mir den Kopf dumpf machten (die Schmerzen selbst sind schon vorüber, hätte ich vom Kamillentee gewußt, hätte ich ihn genommen, Medicinen aber darf man mir nicht anraten), schlief ich beiläufig, aber seit 2 Tagen fast gar nicht. Diese Art Schlaf, die ich habe, ist mit oberflächlichen, durchaus nicht | phantastischen, sondern das Tagesdenken nur aufgeregter wiederholenden Träumen durchaus wachsamer und anstrengender als das Wachen. Es gibt Augenblicke im Bureau, wo ich redend oder diktierend richtiger schlafe als im Schlaf. Und Sie haben solche Schlafsucht! Schlafen ist besser als Lesen; nur unter diesem Vorbehalt nenne ich Ihnen ein Buch, allerdings ein prachtvolles und eines überdies, in dem alles steckt, was an Wien Gutes ist. Bitte lesen Sie es! »Mein Leben« von Gräfin Lulu Thürheim, Verlag Georg Müller, 2 Bände[2]. In der Universitätsbibliothek bekommen Sie es gewiß. Es ist teuer, ungebunden glaube ich 12 M.

Herzliche Grüße Ihres   F. Kafka

An Grete Bloch   14. II. 14

Liebes Fräulein, Sie sind sehr niedergeschlagen und arbeiten doch – es gibt kein Trotzdem-arbeiten in diesem Sinn – arbeiten, so daß

---

[1] An dieser Stelle wurde der erste der insgesamt zwölf (von Grete Bloch?) auseinandergeschnittenen Briefe zusammengefügt. Vgl. »Zu dieser Ausgabe«, S. 35f. Im weiteren sind solche Schnittstellen durch einen senkrechten Strich | im Text bezeichnet.

[2] Vgl. *Tagebücher* (23. und 26. Januar 1914), S. 354f. und (Februar 1914), S. 358.

Sie ein für Ihre Jugend ungewöhnliches Gehalt beziehn, lassen nicht ab, haben Ihre ganze Existenz nach Wien hinübergetragen, bereiten sich vor, wieder wegzugehn und womöglich noch mehr zu arbeiten, da müssen in Ihnen Kräfte vorhanden sein, auf die Sie sich wohl auch für späterhin verlassen dürfen. Sie spüren kein Nachlassen der Kräfte, so dürfen Sie das nicht ausdrücken, es gibt eben eine Müdigkeit der Jugend, die das Alter zum Ersatz alles sonstigen nicht mehr kennt. Es ist kein Nachlassen der Kräfte, wenn man oben in der Gallerie der Oper weint, glauben Sie das nicht. Gerade in den allerdings leicht zählbaren Augenblicken (durch meine Schuld so leicht zählbar), in denen Sie in Prag ein wenig fröhlicher waren (fröhlicher als ich im Sinne der Lebendigkeit und Vernunft waren Sie ja immer) hatten Sie im Gesicht den Ausdruck eines ganz natürlichen und gesunden Kindes. Der Ausdruck paßte wohl nicht ganz zu Ihrem übrigen Wesen, insbesondere nicht zu der Überlegenheit, die Sie über mich hatten, aber doch schien es auch wieder Ihr eigenster Ausdruck zu sein. So war es z.B. ein paar Mal im Kaffeehaus, als Sie von der Schule erzählten, und einmal vor dem Kunstgewerbemuseum, als Sie stolperten.

Viel mag Wien schuld sein, trotzdem Sie es jetzt wieder loben. Ein solches Sichabfinden ist nicht immer das Beste. In Berlin könnte ich mir Sie nicht so traurig denken, Sie waren es dort auch gewiß nicht. Hier werden, möchte man manchmal glauben, die Lustigen traurig und die Traurigen noch trauriger. Ich weiß keine Erklärung und es ist auch nicht nötig, denn es ist gar nicht wahr und zeigt nur, wie urteilslos die Traurigkeit ist. Nach Wien möchte ich für meinen Teil | nicht, auch nicht im Mai. Es war für mich gar zu häßlich dort, ich wollte um keinen Preis wieder die Wege ins Parlament machen, die Kärtnerstraße, den Stephansplatz sehn, im Kafe Beethoven oder Museum oder gar im Ratskeller sitzen und nicht einmal wieder an einem etwas kühlen aber sehr sonnigen Vormittag allein im Garten von Schönbrunn herumgehn. Das alles und noch viel mehr will ich nicht wieder erleben, das ist schon ein für allemal abgebüßt. Nur das Grillparzerzimmer im Rathaus möchte ich gern sehn, das habe ich anzusehn versäumt, ich habe zu spät davon erfahren. Kennen Sie den »armen Spielmann« von Grillparzer? Daß sich in Wien ordentlich leiden läßt, das hat Grillparzer bewiesen.

Ich verlange natürlich nicht mehr, daß Sie F. eine Aufklärung schikken, ich habe nur deshalb darum gebeten, weil ich dachte, die Karte bedeute den Anfang besserer Zeiten und diese Besserung wollte ich nicht durch eine eigene und überdies Ihnen auferlegte Unwahrheit erschwindelt haben. Nun bedeutete aber die Karte etwas ganz anderes. Ich schreibe sie hier vollständig ab, sie ist mit einem schlechten Bleistift geschrieben und wird bald nicht mehr lesbar sein: »Berlin, Anhalter Bahnhof, am 8.2.14, Abend 10,30.

Franz, ich sitze hier im Wartesaal und hole meine Schwester von der Bahn, die aus Dresden ankommt. Lasse mich Dir viele herzliche Grüße senden. Du hörst auch wieder einmal mehr von mir. Ich mußte diese Karte schreiben. Innigen Gruß, Felice.«

F. hatte also Samstag Ihren Brief bekommen, hatte sich nicht zum Schreiben entschließen können, saß nun zufällig im Anhalter Bahnhof am Sonntag abend, ließ sich aus irgendwelchen Zufälligkeiten zu dieser Karte bewegen, war dadurch am nächsten Tag gezwungen, auch Ihnen eine Karte zu schreiben, wollte aber mit der Karte an mich nichts weiter als ein neues durch diese Karte nur stärker betontes Schweigen einleiten, denn auf meinen sofortigen Brief, auf den eine Antwort hätte kommen müssen, kam keine. Das Schreckliche oder das Gute ist, daß fast alle Annahmen versagen.

Herzliche Grüße   Ihr F. Kafka

An Grete Bloch

19.11.14

Liebes Fräulein, so wird es immer sein (falls Sie mir entgegen Ihrer sonstigen Pünktlichkeit nicht antworten oder falls Sie nicht von vornherein festsetzen, daß Sie mir erst in 1 oder 2 Wochen antworten wollen, womit ich mich dann allerdings zufrieden geben müßte), gleich muß ich mahnen oder wenigstens erinnern, denn ich bin leider dazu erzogen worden, hinter jedem Schweigen einen Haken zu fürchten, der mir an den Hals gehn könnte. Hoffentlich ist es nichts derartiges, sondern bloß Ihre viele Arbeit, was schon allerdings schlimm genug wäre oder was schon viel besser wäre, die Gräfin Thürheim [Mein Leben] hält Sie Abend für Abend.

Mir ist übrigens seit meinem letzten Brief ein eigentümliches Glück widerfahren, das ich Ihnen, die ich mit meinem Leid nicht verschone, auch nicht verschweigen darf. Mein letzter näherer, unverheirateter oder unverlobter Freund [Felix Weltsch] hat sich verlobt;

daß es zu dieser Verlobung kommen wird, wußte ich seit 3 Jahren (es gehörte für den Unbeteiligten kein großer Scharfsinn dazu), er und sie aber erst seit 14 Tagen. Dadurch verliere ich allerdings gewissermaßen einen Freund, denn ein verheirateter ist keiner. Was man ihm sagt, erfährt stillschweigend oder ausdrücklich auch seine Frau, und es gibt vielleicht keine Frau, in deren Kopf sich bei diesem Übergang nicht alles verzerrte. Überdies kann man, selbst wenn dieses nicht wäre, gar nicht rein an ihn mehr denken oder innerlich ihn tröstend und helfend, ja nicht einmal mit den Möglichkeiten des Trostes und der Hilfe wirken lassen, denn jetzt hat man, wie immer es auch sei, sich gegenüber nur eine Gemeinschaft. Aber abgesehen davon, daß ich ihm natürlich alles Gute wünsche, hat es auch für mich noch eine Glückseite, wenigstens jetzt. Wir haben nämlich, trotzdem wir doch nicht so übermäßig alt sind, er ist sogar um ½ Jahr jünger als ich, eine Art junggesellenhafter Brüderschaft gebildet, die wenigstens für mein Gefühl geradezu gespensterhaft war in manchen Augenblicken. Jetzt ist das gelöst, ich bin frei, für sich kann jeder sein wie er will und ist; in ein solches vereinzeltes Gebilde kann niemand, kaum sein Besitzer, bis in den Grund hineinschauen, um sich dort zu entsetzen, während eine Gruppe immerhin leichter zugänglich, beurteilungsfähig ist. Beglückwünschen Sie mich, und wäre es auch nur eine maskierte Bitte um einen Brief. Wie beurteilen Sie F.'s Karte?

Herzliche Grüße   F.K.

An Grete Bloch

[Begonnen am 21. oder 22., beendet am 25. Februar 1914]

Liebes Fräulein, so häßliche Worte wie »mitteilungsunwürdige Zustände« dürfen Sie mir nicht wegnehmen, die gehören mir und haben in Ihren Briefen nichts zu tun. Im Miterleben der Zustände eines andern (nicht im Mitgefühl; vor den Menschen macht das keinen Unterschied, erst vor Gott) glaube ich manchmal bis an die Grenzen menschlicher Kraft kommen zu können; nennen Sie nicht »mitteilungsunwürdig« die Zustände eines Menschen, der mir sehr nahe geht. Sie sind weder unwürdig vom Erzähler aus, noch ist der Zuhörer ihrer unwürdig, trotzdem man sonst nicht genug Schlechtes über ihn sagen kann.

Vielleicht ist es notwendig, in der Aufrichtigkeit hier noch ein Stück weiterzugehn. Ich schrieb Ihnen den ersten Brief nur F.'s wegen, daran ist ja gar kein Zweifel. Ich wollte Hilfe und war dabei roh wie ein unglückliches Kind. Daher kommt es auch, daß Sie sich einmal so große Vorwürfe wegen meiner Berliner Reise machten. Das sind doch lauter Vorstellungen, die Ihnen durch meine Briefe aufgedrängt worden sind. »Die Ereignisse des Monates November« schrieben Sie einmal. Was für Ereignisse denn? Was für Dinge denn, die sich nicht im Laufe der 1½ Jahre fast ununterbrochen wiederholt hätten, wie Trommelschläge, deren Klöppel eben in meinen unglücklichen Händen waren.

Die Briefe aber, in denen ich Sie um Hilfe bat, sind vorüber. Sie haben getan, was Sie konnten und in Ihrer Güte fast mehr als Sie durften. Sie ziehn rechts und links das Leid an sich, das in dieser Sache steckt, Sie haben sich in Prag meine »Nein« gefallen [lassen] müssen (es muß doch noch etwas an mir sein, wenn ich die Frechheit meines ersten kleinen Briefes an Sie aufzubringen imstande war) und hören jetzt das Ihnen noch viel nähergehende und überdies unklare »Nein« F.'s. Ich bitte also nicht mehr um Hilfe, was einen großen Umschwung bedeutet, denn ich hätte früher noch dringender gebeten, wenn nicht der schon längst nicht mehr berechtigte Anschein gewesen wäre, daß ich Ihnen schreibe, nur um zu bitten, ein Anschein, der, ich gebe sogar das zu, länger berechtigt war, als ich es äußerlich zugestand. Ich will keine Hilfe mehr, nur hören will ich (wenn Sie es nur ein wenig wollen), wie es Ihnen geht. Mischt sich eine Nachricht über F. ein, wird es gewiß sehr gut sein, aber selbst dann wird es nicht die Hauptsache sein. Wenn uns zweien, F. und mir, zu helfen ist, müssen wir es selbst tun; Ihre Mühe und der Lohn dieser Mühe sind ein Zeichen dessen. Es handelt sich ja nicht um Äußeres, wo man helfen könnte, sondern um Schuld, hier und dort, hier allerdings mehr, unausschöpflich mehr. Vielleicht gelingt diese Selbsthilfe einmal doch und sollte ich darüber auch weißhaarig werden, die Weißhaarigkeit geht ja auch schnell vorwärts.

Wollen Sie also Ihre Briefe an mich so auffassen?

25. II.

Das Vorige ist vor 3 oder 4 Tagen geschrieben, ich hatte den Brief auf eine endlose Mitteilung angelegt, mußte dann aufhören und so blieb er, wie es angefangenen Sachen geht, einige Tage liegen. Heute hätte ich ihn jedenfalls beendet.

Nun sehen Sie, liebes Fräulein, wie merkwürdig das ist. F.'s Brief und mein Brief sind vielleicht am gleichen Tag geschrieben. Vergleichen| Sie sie!

II

Sie tun nicht schlecht, daß Sie mir die Sätze aus F.'s Brief schreiben, sondern Sie tun sehr gut, sehr lieb und sehr verständig. Schlecht ist nicht das, was Sie tun, schlecht ist nur Ihre Lage, in der Sie in dieser Sache augenblicklich durch F.'s ebenso wie durch meine Schuld sind. F.'s Brief tat mir zuerst sehr leid, nicht so sehr seines Inhalts wegen, als daß er gerade jetzt kommen mußte. Hätte ich aber nichts von ihm erfahren, wäre es allerdings für mich noch viel peinlicher gewesen. Freilich kommt es auf Peinlichkeit nicht mehr an.

Heute mache ich Schluß, trotzdem ich glaube, daß ich Ihnen eine Menge zu sagen habe. Nächstens. Ich bin jetzt, 7 Uhr abends, noch im Bureau und habe mir in Voraussicht dessen, daß ich wenig arbeiten werde, den angefangenen Brief mitgenommen. Ich werde Ihnen bald wieder schreiben. F. erfährt natürlich von Ihrem Brief nichts.

Was hat es für einen Sinn, im halbbeleuchteten Zimmer zu schlafen? Solche Versuche sind nicht recht. Wozu das Licht, da Sie doch immerhin schlafen? Muß das Licht nicht Ihren Schlaf stören oder zumindest schlecht beeinflussen? Besonders, da es Gaslicht zu sein scheint. Und wie kann denn dann das Fenster während der Nacht ein wenig offenbleiben, wie es doch sein muß? Ich persönlich würde mich mit solchen Fragen nicht aufdrängen, das tut nur der Naturheilkundige in mir.

Herzliche Grüße   F.K.

An Grete Bloch

[Ansichtskarte. Stempel: Dresden – 1.3.14]

Herzlichste, herzlichste Grüße. Bahnhof Dresden. War in Berlin. Es konnte nicht schlimmer sein. Jetzt käme das Pfählen daran. Sie bekommen ausführlichen Brief.

Ihr F.

2. III. 14

Liebes Fräulein, ich habe gerade jetzt einen langen Brief an F. geschrieben [1], ich weiß nicht, ob ich im richtigen Zustand bin, Ihnen von der Reise zu berichten (meine Karte aus Dresden haben Sie?). Dann ist es aber wieder wahr, daß, wenn ich jemandem zu berichten schuldig und von mir gedrängt bin, Sie, nur Sie es sind. Wenn mir etwas in diesen zwei Tagen wohlgetan hat, war es der Gedanke an Sie, an Ihre Zuverlässigkeit und Wahrhaftigkeit.

Nach Ihrer heutigen Karte scheinen Sie es meinem letzten Brief nicht geradezu entnommen zu haben, daß ich nach Berlin fahren wollte. Es stand bei mir schon etwa seit 10 Tagen fest, deshalb schrieb ich auch, daß mir F.'s Brief gerade in diesem Zeitpunkt ungelegen kam, denn es bekam dann den Anschein, daß ich wegen dieses Briefes erst gefahren bin, wodurch dann F. wieder erkennen mußte, daß Sie mir einen Teil des Briefes mitgeteilt hatten. Dazu kam es aber nicht, ich log, daß ich von Ihnen seit 14 Tagen nichts gehört hatte und F. nahm das ohne weiters hin, besonders, da auch sie ohne Antwort von Ihnen ist, die sie gerade Samstag (ich kam gleichzeitig mit dem Briefträger) erwartete. Sie »rächen sich jetzt«, behauptete F., und ich freute mich aus Bosheit. (Ich hatte nicht viel Gelegenheit zur Freude.)

Ich hatte mir einen Tag Urlaub genommen und war Freitag nachts in Berlin, noch unsicher, ob F. überhaupt in Berlin war. Samstag früh ging ich zu F. ins Bureau, schickte eine Karte (die Karte eines gewissen Gotthart, die ich gerade bei mir hatte, ich wollte für den Fall, daß mich das Mädchen dem Namen nach zufällig kennen sollte, nicht angestarrt werden) zu F. und wartete. Vor mir war die Telephonzentrale, die sich in meinem Fall niemals bewährt hatte. Ich war sehr glücklich, dort zu sein. Dann kam F. (in ihrem Zimmer waren gerade viele Leute), war ein wenig, nicht übermäßig erstaunt, recht freundlich und wir standen dort ein wenig beisammen. Dann war ich mittag eine Stunde in einer Konditorei mit ihr. Nach dem Bureau (da sah ich auch ihr Zimmer) gingen wir zwei Stunden herum. Abend war F. in einem Ball, den sie, wie sie sagte, aus geschäftlichen Gründen nicht versäumen durfte. Sonntag vormittag

---

[1] Dieser Brief ist nicht erhalten. Kafka erwähnt ihn noch zweimal. Vgl. Briefe an Grete Bloch vom 3. und 9. März 1914, S. 510 und S. 516.

waren wir über 3 Stunden spazieren und in einem Kaffee. Nachmittag fuhr ich weg, F. hatte bestimmt versprochen zu kommen, kam aber nicht. Heute entschuldigt sie sich allerdings in einem Telegramm, es war ihr unmöglich; die Unmöglichkeit heißt Tante Marta oder ähnlich.

Das Ergebnis alles dessen war: F. hat mich ganz gern, das reicht aber ihrer Meinung nach für eine Ehe, für diese Ehe nicht hin; sie hat eine unüberwindliche Angst vor einer gemeinsamen Zukunft; sie könnte meine Eigenheiten vielleicht nicht ertragen; sie könnte Berlin nicht entbehren; sie fürchtet sich, schöne Kleider entbehren zu müssen, III. Klasse zu fahren, schlechtere Theaterplätze zu haben (das ist nur lächerlich, wenn es aufgeschrieben wird) u.s.w. Andererseits ist sie allerdings freundlich zu mir (freilich nicht im Gespräch; sie antwortet nicht), wir gehen eingehängt durch alle Gassen wie die glücklichsten Verlobten; sagen uns Du, auch vor dem Dr. Weiß, den wir einmal zufällig treffen; in einem Medaillon, das F. im November geschenkt bekommen hat, ist, wie mir F. zeigt, mein Bild; sie würde, wie sie sagt, einen andern nicht heiraten; meine Briefe würde sie nie wegwerfen, meine Photografien nicht zurückgeben wollen, ihre Photografien nicht zurücknehmen, gern weiter schreiben, allerdings auch damit einverstanden sein, gar nicht mehr zu schreiben. – Damit also habe ich die Nacht von Samstag auf Sonntag, damit die Rückreise verbracht.

Ihr F.K.

[Am Rand der dritten Seite] Der Brief nach München ist natürlich eingeworfen, nicht ohne Bedenken.

An Grete Bloch 3. III. 14

Liebes Fräulein Grete, den Naturheilkundigen überrascht es nicht, daß Sie Kopfschmerzen haben, dem Freund tut es aber sehr leid. Wie ist es aber möglich, bei Ihrer Lebensweise Kopfschmerzen abzuhalten, da Sie so viel arbeiten, kaum ausgehn, gar nicht turnen, abends auf dem Kanapee liegen, um es dann mit dem Bett zu vertauschen, bei geschlossenem Fenster schlafen, in der Nacht Gaslicht brennen lassen, fast jeden Tag (einmal schrieben Sie so) quälende Nachrichten bekommen, von Ihrer Familie sich verlassen fühlen und darunter leiden (F., die öfters bei Ihrer Familie gewesen ist, erzählte, daß Ihre Mutter sich nach Ihnen sehnt und glücklich wäre, wenn Sie in Berlin einen Posten hätten) – schließlich hält es der beste Kopf nicht aus, wenn so von allen Seiten auf ihn losgeschlagen wird. Würden Sie nicht als erste und zarteste Änderung Ihrer Lebensweise auf meinen Rat für eine Zeitlang vegetarisches Essen für sich einführen? Ich kann mir überhaupt nicht denken, daß Sie in dieser kleinen Hölle von Pension, die Sie übrigens sehr klar überschauen und dadurch schon ein wenig unschädlich machen, besonders gut versorgt sein sollten. Oder kocht der (oder das) »Trampel« gar so vorzüglich? Und Fleisch richtet in so einem übermüdeten und geplagten Körper, wie es der Ihre ist (um Gottes willen, bis 11 Uhr im Bureau!), nur Verwüstungen an; die Kopfschmerzen sind nichts anderes als ein Jammern des Körpers darüber. Nun gibt es aber in der Opolzer Straße in der Nähe des Hofburgtheaters das beste vegetarische Speisehaus, das ich kenne. Rein, freundlich, eine ganz angenehme Wirtsfamilie. Vielleicht ist es sogar näher bei Ihrem Bureau als Ihre Wohnung, in die Sie, wie ich annehme, nur laufen, um nach dem Essen zurückzulaufen. Daß die Pension in der »Thalisia« (so heißt das Speisehaus) billiger ist, als Ihre bisherige Pension, ist ganz gewiß und Billigkeit ist Ihnen doch wichtig, da Sie, (daran dachte ich früher gar nicht; wer darf denn das von Ihnen verlangen?) auch noch Geld wegschicken müssen. Daß Sie aber dort viel besser und mit Freude essen werden (wenn auch vielleicht nicht gleich in den ersten Tagen), daß Sie sich überhaupt freier und widerstandskräftiger fühlen werden, daß Sie besser und im Dunkel schlafen und frischer und hoffentlich ohne Kopfschmerzen wach sein werden, daran ist für mich gar kein Zweifel. Wenn Sie das doch versuchen wollten.

(Jetzt sitzen meine Eltern am Tisch, ich kann nicht mehr so ruhig schreiben, der Vater atmet schwer durch den Mund, jetzt liest er noch das Abendblatt, dann aber fängt er mit der Mutter das gewöhnliche Kartenspiel mit Ausrufen, Lachen und Streit an, Pfeifen nicht zu vergessen.)

Den Brief nach München habe ich gleich eingeworfen, wußte aber nicht, ob ich recht tue, weiß es auch noch heute nicht. Aber urteilen kann ich darüber nicht, und so habe ich Ihnen gefolgt. Ein Besuch bringt doch immer Klarheit, warum hätte es dieser nicht tun sollen? Über den Zusammenhang, der zwischen Ihnen, dem Mädchen und dem Mann gewesen sein soll, denke ich nutzlos nach. War es in Berlin?

Zu der Zeit, als Sie Ihre letzten Bemerkungen über F. und mich niederschrieben, am Sonntag vormittag, gingen wir, F. und ich, im Tiergarten spazieren. Vielleicht sagte F. gerade |: »Hör doch auf zu bitten. Immerfort willst Du das Unmögliche«, oder vielleicht sagte sie: »Es ist so. Du mußt es glauben. Halte Dich doch nicht an jedes Wort«, oder: »Ich kann Dich ganz gut leiden, aber das langt nicht zur Ehe. Halbes aber tue ich nicht«, worauf ich antwortete: »Das andere ist aber doch auch nur ein halbes«, worauf F. antwortete: »Ja, aber es ist die größere Hälfte.« Wahrscheinlich aber sagte F., während Sie schrieben, überhaupt gar nichts, sondern sah stumpf seitwärts und ließ mich unverantwortliche Reden und Versprechungen vorbringen, die ich gestern in einem Brief alle samt und sonders widerrufen habe[1].

Sie werden einen Unterschied zwischen meiner Dresdner Karte und meinem gestrigen Brief bemerkt haben. Er ist durch einen guten und festen Entschluß erklärt, der mir die Möglichkeit gibt, allein, ohne F. (wenigstens ohne F. als positivem Inhalt meines Lebens) weiterzuleben, so lange es eben geht. Bis etwas Wirkliches daraus wird, schreibe ich es Ihnen sofort, es ist aber noch eine kleine Frist bis dahin.

Sehr schade, daß Sie nicht einmal geschäftlich herkommen. Die Ausstellung wird also doch sein? Ich fragte F. darüber, sie wußte aber davon gar nichts, nur von einer Ausstellung, die nächstes Jahr wahrscheinlich in Düsseldorf sein wird.

Um 7 Uhr habe ich im allgemeinen nichts mehr im Bureau zu tun, nur wenn ich vor lauter andern Gedanken vormittag gar nichts gemacht habe oder wenn ich mir einen Tag Urlaub nehmen will, wie letzthin.

Wenn in meiner Unterschrift ein Unterschied gegen früher ist, so bedeutet er das Gegenteil dessen, was Sie glauben oder besser nicht glauben, sondern nur im Scherz sagen. Ich sehe meinen Namen nicht gern geschrieben und nehme unwillkürlich von jemandem, dem ich mich nahe fühle, das gleiche an. Was im Namen steckt, ist diesem Menschen gegenüber selbstverständlich. Trotzdem: Herzlichste Grüße Ihres

Franz Kafka

---

[1] Gemeint ist die Auseinandersetzung in Berlin am Sonntag, dem 1. März 1914. Vgl. *Tagebücher* (März 1914), S. 366 und Briefe an Felice vom 17., 21. und 25. März, 3. und 9. April 1914, S. 523, 528 ff., 533, 538 f. u. S. 546.

Liebes Fräulein Grete, ich weiß nicht, ob ich lange werde schreiben können, es ist möglich, daß man mich plötzlich abholt, trotzdem schreibe ich gleich, ich will Sie, selbst wenn der Brief nichts Wichtiges enthalten kann, nicht unnütz warten lassen, auch das leiseste, kürzeste Staunen darüber, daß keine Antwort kommt, will ich nicht verschulden, selbst dazu sind Sie mir – nun sagen wir etwa – zu wichtig. Aber bestimmen Sie doch (ja, jetzt bin ich antelephoniert worden, ich werde bald aufhören müssen) selbst nach Ihrem Belieben die Fristen, in denen wir ganz regelmäßig einander von jetzt ab schreiben können, unabhängig von verzögernden Launen und Zufällen und natürlich auch vorbehaltlich wichtiger Nachrichten vor dem regelmäßigen Termin. Ich für meinen Teil bin glücklich darüber, Sie zu kennen, aber ich denke auch für Sie wird dieser Verkehr nicht schlecht sein, besonders da diese ewig belastende Traurigkeit, mit der ich mich vor Ihnen bisher immer breit gemacht habe, vielleicht doch ein Ende nehmen wird. Wie lange ich nur z. B. in diesem Zustand gebraucht habe, Sie zu erkennen! Wie ich nur als regelrechter trockener Schleicher im Hotel neben Ihnen sitzen und halb an dem vorüberhören konnte, was Sie sagten![1]

Ich sehe aus Ihrem Briefe nicht ganz unzweifelhaft, ob Sie meine beiden Briefe seit dem Besuch bei F. haben oder nur den zweiten, und ich weiß daher nicht genau, welche Einzelheiten über F. Sie wissen und welche Sie wissen wollen. F. sieht sehr wechselnd aus, an der Luft meist sehr frisch, im Zimmer manchmal müde, gealtert mit fleckiger, rauher Haut. Ihre Zähne sind noch in schlechterem Zustand, alle, durchwegs alle plombiert. Diesen Montag begann für sie wieder eine Reihe von Besuchen beim Zahnarzt, der ihr neue Goldkronen machen wird. Ich kann das alles und noch anderes feststellen, sehn, genau beobachten, es rührt auch von der Ferne nicht an mein Gefühl für F.

Ihre Einwände gegen eine Heirat mit mir waren ernsthaft so ausgesprochen, wie ich sie letzthin angeführt habe, bis etwa auf die Bemerkungen über Eisenbahnen, Theaterbesuche u.s.w., die außerhalb der eigentlichen Reihe nebenbei fielen, aber doch ausdrücklich

---

[1] Erste Zusammenkunft in Prag Anfang November 1913.

gegen mich gerichtet waren. Nein, ich halte es nicht für oberfläch-
liche Anschauungen, das kann ich nicht sagen; warum sollten sie
nicht tief begründet sein? Liebe ich das Ganze, liebe ich auch die
Konsequenzen; daß man manchmal dabei die Zähne fletschen
möchte, unterbricht nichts. Aber darin, liebes Fräulein Grete, müßten Sie doch F. kennen?

Ich sehe auf die Uhr, es ist höchste Zeit, ich beantworte morgen den
übrigen Teil Ihres Briefes.

Leben Sie wohl und bleiben Sie bitte die gute Freundin

Ihres (ja wie denn?) Franz K.

der zum Dank für die Sonne nur die Eiseskälte seines Zimmers hat,
die er lieber für sich behält.

An Grete Bloch

6. III. 14

Liebes Fräulein Grete, das ist eine gute Nachricht, aber so unsicher.
Solange überhaupt von Ihrer Reise nicht die Rede war, war es allerdings noch unsicherer und ich kann also zufrieden sein. Kommen
Sie doch, kommen Sie doch, wenn es irgendwie geht. Aber – wenn
es sich nur um einen Nachmittag handeln sollte und nicht um mehr,
kommen Sie nicht an einem Nachmittag, wie es der heutige ist, wo
ich steif vor Kopfschmerzen nach elender Nacht fast ohne es zu wissen 2 Stunden lang auf dem Kanapee gelegen bin, gewiß ein Anblick, um Schrecken einzujagen. Aber hingegen – wenn es sich wirklich nur um einen Nachmittag handeln sollte, kommen Sie immer,
meine Kopfschmerzen werden weg sein, ich werde ganz erträglich
sein; unerträglich werde ich nur sein, wenn Sie nicht kommen. Sie
werden kommen, sonst würden Sie mir durch die Ankündigung
nicht solche Lust gemacht haben, das hätten Sie nicht getan.

Jetzt will ich aber gar nicht mehr schreiben, wenn ich weiß, daß Sie
kommen; es hat keinen Sinn mehr. Wie verläuft Ihre Reise? Nur in
Böhmen? Oder wirklich auch nach Budapest? Sie schreiben mir
doch von der Reise hie und da eine Karte? Immerhin ist für mich in
dem Gefühl, daß Sie reisen (abgesehen natürlich davon, daß Sie herkommen) ein wenig Unheimlichkeit, denn bisher waren Sie für

mich in Wien so sicher, immer zu erreichen, und nun werden Sie den Unsicherheiten einer Reise ausgesetzt. Sind die Kopfschmerzen schon verschwunden? Es genügt mir gar nicht, wenn Sie für meinen Rat nur danken und ihn nicht wenigstens auch ausprobieren. Schade, daß das vegetarische Gasthaus in Prag so schlecht und schmutzig eingerichtet ist, daß ich Sie gar nicht dahin werde einladen können.

Sie haben mir etwas zu erzählen und verschieben es auf nächstens. Heißt das, daß Sie es mir werden erzählen können? Nun, von Montag ab erwarte ich Sie.

Herzlichste Grüße Ihres   Franz K.

Ja, die Adresse: Altstädter Ring 6

An Grete Bloch

[7. März 1914]

Liebes Fräulein Grete, nun kommen Sie also wieder nicht! Sie hätten mir nicht die Hoffnung machen sollen, um sie jetzt so zu enttäuschen. Oder kommen Sie doch nach Prag, nur später, erst nach Budapest? Jemand muß doch die Maschinen hier in Ordnung bringen, alles ist in greulicher Unordnung, glauben Sie.

Über den Termin der Briefe werden wir nichts bestimmen, vielleicht haben Sie recht. Jedenfalls aber, diesen negativen Termin bestimme ich: vor Ihrer Abreise von Wien, in der Hetze, die Sie jetzt durchmachen, dürfen Sie mir keine Zeile mehr schreiben, wohl aber eine Karte, gleich nach Ihrer Ankunft in Budapest. Nun ist also die Reise nach Budapest doch Wahrheit geworden.

Aus Ihrem vorletzten Brief geht mir noch immer im Kopf herum, was Sie von Ihrer Familie sagten. Wir hätten darüber am Sonntag nachmittag irgendwo im Wagen, im freien Land, ruhig und bis zum Ende reden können, heute im Zimmer, mit ewig kochenden Schmerzen im Hinterkopf, nur ein paar Worte. Ich glaube gefunden zu haben, daß Eltern im allgemeinen gerechter gegen die Kinder sind als umgekehrt. Es hat, sogar bis in eine gewisse Tiefe, den gegenteiligen Anschein und ist doch nicht so. Sobald durch gewisse Lebensumstände die natürlich immer vorhandenen Gegensätze straff gezogen werden, ist das Erste die Entstehung von Hochmut hier und dort. Die Eltern kennen die Kinder von Grund aus und sehn

noch über sie hinweg, und ebenso glauben die Kinder gegenüber
den Eltern zu stehn. Sich demütigen ist schwer, besonders in einem
so genau umschriebenen Verhältnis, es ist aber auch für die Beurteilung nicht entscheidend. Entscheidend sind nur die Augenblicke
der| äußersten Not und da treten – so viel ich sehen konnte, bei Be-
kannten, bei mir nur ahnungsweise – die Eltern mit einem derartig
geraden Schritt aus dem Gemisch von Widerlichkeit, Roheit und
Hinterlist, das ihnen angedichtet worden ist, daß man wie vor einer
Erscheinung steht. Es gibt mehr oder wenigstens dauernder verkannte Eltern, als es verkannte Kinder gibt. Sie sprechen sich gewiß
auch eine Schuld gegenüber Ihren Eltern zu, denn Sie nennen sich
eine verschlossene und unfreundlich[e] Tochter. Verschlossensein
und Unfreundlichsein heißt aber den Blick abwenden und nicht
gerecht sein wollen, denn zum Gerechtsein braucht man das ganze
Leben, es ist nicht zu lang dazu. Wohl aber gebe ich zu, daß man
vielleicht gegenüber seinen Eltern nicht gerecht sein kann, ich kann
es wenigstens durchaus nicht, aber die Möglichkeit der Liebe sollte
man selbst in seinem eigenen schlimmsten Falle fühlen können. –
Kennen Sie die beiliegende Geschichte [Das Urteil]? Es ist ein Son-
derabdruck aus einem Jahrbuch [Arkadia], nehmen Sie sie auf die
Reise mit. Vielleicht gefällt sie Ihnen besser als der Heizer.
Über F.'s Verhältnis zu Ihnen kann ich keine eigentliche Auskunft
geben. Meine Urteilsfähigkeit ihr gegenüber ist schon so schwach
geworden, daß mir alle Urteile gleich falsch vorkommen. Auch
sprachen wir wirklich sehr wenig von Ihnen, denn – ich wiederhole
– während der etwa 7 Stunden, die wir im ganzen miteinander verbracht haben, hat F., wenigstens meiner Erinnerung nach, überhaupt nur in halben abgebrochenen Sätzen gesprochen. Ich merkte
nicht, daß sie Ihnen nahesteht, aber auch nicht fern. Es kann, fällt
mir jetzt während des Schreibens ein, kein natürlicher Zustand gewesen sein, in dem sie sich befand. – Das Ausbleiben einer Nachricht
von Ihnen schien sie ein wenig unruhig zu machen. Einmal, vor
dem Dr. Weiß (nur damals war sie lebhaft und mir gegenüber sehr
freundlich) sagte sie scherzend (ich erzählte davon, daß Ihnen die
»Galeere« sehr gefallen hatte): »Dir scheint an Frl. Bloch sehr viel zu
liegen.« Das konnte ich nur bejahen. Über F.'s Verhältnis zu Ihnen
kann ich wirklich gar nichts sagen, noch weniger, als über ihr Verhältnis zu mir.

Ihr Franz K.

Liebes Fräulein Grete, so genau durchschaue ich Ihren Zustand nicht, um zu verstehn, warum Sie mit Bezug auf Ihre Arbeit einen solchen Satz niederschreiben: »mir ist zum Sterben übel.« Gerade diese Arbeit, die Ihnen doch gegenüber den zwei wichtigsten Seiten, gegen die Sie sich zu wehren

———

Herzlichste Grüße Felix

mein kleiner Neffe war gerade hier, ich habe ihn auch Grüße für Sie aufschreiben lassen, vielleicht hat eine solche Unschuld mehr Macht in Gruß und Wunsch, als mein zittriger Kopf

———

haben, gegen Berlin und München vollständige Selbständigkeit gibt; die müßte Ihnen doch wert sein, wie sie auch sonst sein mag. Außerdem aber ist sie doch auch aussichtsreich; Sie selbst sagten, daß Sie daran denken, später nach England oder Amerika zu gehn und auf Ihrem Geschäftspapier steht eine Reihe der begehrenswertesten Filialen, unter denen nur eine nicht begehrenswert ist, leider gerade die, in der Sie jetzt sind und zwar allem Anschein nach nicht nur der Stadt sondern auch den Chefs nach. Diese Selbständigkeit und diese Freiheit und das Wohlgefühl ihres Besitzes scheinen mir durch die Eintönigkeit der Arbeit (die übrigens in Berlin nicht so drückend gewesen sein dürfte) nicht zu teuer erkauft. Mein letzter Rat in dieser Sache bleibt immer: weg von Wien. Wenn es schon nicht möglich ist, in Prag wenigstens eine Zweigfiliale, wenn schon keine Filiale, zu errichten und Ihnen die Leitung zu geben (es scheint mir geschäftlich unsinnig, ein solches Geschäftsgebiet wie das böhmische nicht ganz auszunutzen), wäre es dann nicht besser, gleich z. B. nach Frankfurt zu gehn? Ich glaube auch kaum, daß Sie in Wien etwas für Ihre spätere Arbeit zulernen können, trotzdem oder gerade weil das Geschäft vielleicht in Wien schwerer als anderswo ist. Trotzdem aber| scheinen Sie sich in Wien für längere Zeit einrichten zu wollen.

Nebenbei: Die Aussicht von Ihrem Schreibtisch geht auf das Postsparkassagebäude oder ist es die Aussicht aus dem Zimmer Ihrer Chefs? Wenn ich nicht irre, ist es von Otto Wagner gebaut und wurde früher sehr gelobt. Ich für meinen Teil aber kann mir sehr gut vorstellen, was für ein trostloses Gegenüber so ein aufdringlich absichtsvolles Gebäude sein muß. Es scheint kein anderes Ende für Absätze zu geben als: weg von Wien.

Dagegen, daß wir uns Ostern sehn sollen, hätte ich nichts einzuwenden, als daß es noch 4 Wochen bis dahin dauern wird. Wenn ich aber von der Zukunft reden will, muß ich ganz offen sein. Es ist auch gut so, ich will vor Ihnen auch kein vorläufiges Geheimnis haben, nur dürfen Sie dann nicht von Befürchtungen für unsere Freundschaft reden, die nicht die geringste weitergehende Begründung haben, als alle Befürchtungen für alles, was menschlich ist. Nein, liebes Fräulein Grete, davon reden wir nicht mehr. Mit mir aber steht es so: Ich habe letzten Montag F. einen Brief geschrieben, – es ist dumm, aber es will nicht auf das Papier. Sonntag wäre ich glücklich gewesen, Ihnen alles mündlich erzählen zu können, jetzt bitte ich Sie, lassen Sie mir noch 2, 3 Tage Zeit, dann ist sowieso alles klar, es handelt sich dabei gar nicht so sehr um F. sondern um mich und jenen Entschluß, von dem ich Ihnen schon geschrieben habe. Jedenfalls, wenn ich in Prag bin zu Ostern, müssen wir einander sehn, entweder in Wien oder in Prag oder, was vielleicht am besten wäre, irgendwo in der Mitte, im Böhmerwald oder sonstwo. Seien Sie mir bitte nicht böse, gar nicht böse, daß ich oben den Satz nicht zu Ende geschrieben habe, ich selbst bin deshalb traurig genug, denn es zeigt mir, wieviel ich noch in mir werde überwinden müssen, um den Entschluß auszuführen. Gut ist nur, daß es sich sehr bald entscheiden muß.

Herzlichste Grüße Ihres   Franz K.

An Grete Bloch

12. III. 14 [vermutlich 11. März 1914]

Liebes Fräulein Grete, es wäre doch gut gewesen, wenn wir für unsere Briefe Termine bestimmt hätten. Ich müßte mir dann nicht immer wieder Gedanken, immer wieder verworfene Gedanken darüber machen, daß Sie mir wegen irgendetwas zürnen, wegen irgendetwas nicht schreiben zu dürfen glauben, während doch gewiß kein anderer Grund für Ihr Nichtschreiben ist als der, daß Sie im Geschäft überanstrengt oder gar nach Budapest gefahren sind.

Ich hatte letzthin nicht einmal das Wichtigste dessen gesagt, was ich zu Ihrem letzten Briefe sagen wollte; der Mißerfolg, den ich mit mir selbst am Ende meines letzten Briefes hatte, hatte mir alle Lust am Weiterschreiben verdorben. Sollte Sie doch der Schluß beirrt haben? Sollte es für Sie noch nicht so klar sein wie für mich, daß unsere Beziehungen zu F. sich zwar aus unserer gegenseitigen Beziehung nicht entfernen lassen, denn dazu sind sie zu stark und vielleicht unauflösbar, daß sie aber wenigstens jetzt der wichtigste Teil nicht mehr sind, daß ich also gut von dieser Sache schweigen kann, wenn mir das Wort versagt, daß dies aber nicht im geringsten unsere Hände von einander lösen darf, die wir als gute Freunde einander gereicht haben. Die Angelegenheit mit F. ist mir so unklar oder besser irgendwo im letzten Grunde, wohin meine Augen kaum reichen, so schrecklich klar, daß sie mir von jedem Wort, das ich von ihr gebrauche, noch mehr getrübt, noch unreiner, noch quälender wird. Aber nun sind hoffentlich die Tag[e] bis zum Schluß schon an der Hand zu zählen.

[Vermutlich die Fortsetzung dieses Briefes]

Über Sonntag nach Prag zu kommen, um abends wieder wegzufahren, das tun Sie bitte auf keinen Fall, daran denken Sie gar nicht einmal; wie sollte ich mich damit abfinden können, Sie so geplagt zu sehn und an Plage fehlt es Ihnen doch auch sonst nicht. Dagegen wäre es vielleicht, da Sie Samstag schon um 3 frei sind, möglich, wenn Sie einmal, noch vor Ostern, Lust hätten, einander entgegenzufahren, Samstag abend einander irgendwo auf der Mitte des Weges zu treffen und den Sonntag mit einander zu verbringen. Wollten Sie das? Ich will es sehr. Schreiben Sie mir doch darüber. Wir wollen dann das Cursbuch durchsehn und einen schönen Ort herausfinden.

Herzlichste Grüße   Ihres Franz K.

Lesen Sie die Gräfin Thürheim?

An Grete Bloch
12. III. 14

Liebes Fräulein Grete, nur paar Worte: Ich habe heute einen Brief von F. bekommen (mit welchen Mitteln er erzwungen ist, schäme ich mich zu sagen; könnte man die Kraft, die ich darauf verwendet habe, koncentrieren, man müßte fähig sein, die Sonne vom Himmel zu reißen), er erklärt vielleicht nicht alles, aber vieles, auch F.'s Verhalten Ihnen gegenüber. F. hat viel Unglück in ihrer Familie gehabt, ich weiß aus dem Brief nichts Näheres darüber, als daß ihr Bruder gestern nach Amerika sich eingeschifft hat. Ob es ein Geheimnis ist, weiß ich nicht, Ihnen gegenüber gewiß nicht. Das Unglück mag sehr schlimm sein, ich im ersten Eigennutz ziehe daraus das Glück, zum ersten Mal seit langer Zeit wieder F.'s menschliche Stimme zu hören, seit einem halben Jahr etwa zum ersten Mal wieder. Wären nur die Mittel nicht so schmählich, mit denen ich das erreicht habe!

Vielleicht habe ich morgen Nachricht von Ihnen. Sie sind mir nicht böse, Sie dürfen es nicht sein, nicht vor Ihnen bin ich am Schluß des vorletzten Briefes verstummt, sondern nur vor dem Papier.

Im übrigen habe ich F. heute vorgeschlagen, uns morgen abend in Dresden zu treffen; ich müßte morgen früh ihre telegraphische Antwort bekommen.

Herzlichste Grüße Ihres   Franz K.

13. III. 14

Du bist unglücklich, F., und ich störe Dich. Das ist eben mein Unglück. Mein Glück wäre, Dir ein Trost, wenn auch nur ein kleiner Trost zu sein. Das bin ich aber nicht. Mein Verhältnis zu Dir auf der einen Seite und das Unglück in Deiner Familie auf der andern Seite hältst Du auseinander, als wären es zwei ganz verschiedene Dinge und das erste das Nebensächliche. Wenn Du es so tust, dann ist es auch so oder wenigstens allem Anschein nach so, denn Bestimmtes will ich in dieser Hinsicht nicht sagen, das ist Deine Sache, F.

Ich weiß nicht, wie oft ich Deine zwei Briefe gelesen habe. Es ist Gutes darin, gewiß, aber auch viel Trauriges und das meiste eine Mischung, die weder gut noch traurig ist. Dein heutiges Telegramm macht alles noch ein wenig dunkler oder, um ein Wort Dir wegzunehmen, ohne das ich nicht auskommen kann: bitterer. Es war nicht besonders klug von mir, vielleicht auch nicht besonders zartfühlend, Dich zu bitten, morgen nach Dresden zu kommen, da Du jetzt in den ersten Tagen nach dem Unglück Deinen Eltern beistehen mußt. War es ein Fehler, so sind die 7 Worte Deines Telegramms Strafe genug[1]. Aber vielleicht war es nicht so sehr ein Fehler, als vielmehr das Unvermögen, zwischen dem Unglück Deiner Familie und mir zu sondern, wie Du es tust.

Lassen wir das, F., aber was soll jetzt geschehn? Keinesfalls, F., keinesfalls darfst Du mich wieder in die Unsicherheit zurückwerfen, aus der ich durch die gestrigen Briefe wenigstens einen Schritt hinausgekommen bin. Das darfst Du keinesfalls, dort hinunter gehe ich nicht mehr zurück, lieber opfere ich mein Bestes und laufe mit dem Rest weg, wohin immer. Wenn wir aber vorwärts kommen wollen, müssen wir doch miteinander sprechen, das meinst Du doch gewiß auch, F., nicht? Kein Zweifel, daß das am besten, leichtesten, unbehindertsten, ausführlichsten in Dresden geschehen kann. Du selbst hast es letzthin in Berlin nebenbei vorgeschlagen, hast es früher schon öfters erwähnt. Ein ernstliches Hindernis besteht dafür nicht, willst Du es also nächsten Samstag tun? Du konntest in der letzten Zeit nicht schreiben, auch jetzt noch bereitet es Dir Qualen, ich sehe das zum Teil auch ein, es ist ein Grund mehr, der für die Zusammenkunft spricht. Schiebe sie aber bitte, Felice, über den nächsten Sonntag nicht hinaus. Denke, ich bin ein Fremder, der Dich nur einmal in Prag gesehen hat und der Dich um eine Gefälligkeit bittet, die für Dich eine Kleinigkeit, für ihn eine Unentbehrlichkeit bedeutet. Du würdest sie ihm nicht verweigern. Was für dumme Reden! Du würdest auch ohne sie die Notwendigkeit der Zusammenkunft einsehn. Siehst Du sie aber nicht ein und weißt Du etwas, was Deiner Meinung nach besser ist, dann sag es, ich füge mich, nur aus diesem Zustand muß es hinausführen; alles ist gut, wenn es das zustande bringt. Ich könnte ja auch nach Berlin kommen, aber abgesehen davon, daß es gewiß nicht so gut wäre wie in Dresden – ich fürchte mich, nach Berlin zu kommen, solange es zwischen uns nicht ganz klar ist, ich fürchte mich vor dem Anblick der ersten Vororte, ich fürchte mich vor dem Bahnsteig, wo ich den Hals verdreht habe, ich fürchte mich vor dem Eingang des Bahnhofs, wo ich den anfahrenden Automobilen entgegengesehen habe, ich fürchte mich vor allem. Jetzt nicht das! Komm nach Dresden! Laß mich so glücklich sein, unter Deinem Leid zu leiden, statt allein unter meinem.

Franz

---

[1] Kafka erhielt am selben Tage aus Berlin ein Telegramm: »Nach Dresden zu kommen unmöglich   Gruß Felice«. Vgl. seinen Brief an Grete Bloch vom 13. März 1914, S. 520.

Ich vergaß es zu sagen, meine Mutter war glücklich über Deinen Brief, es war gar nicht nötig, ein gutes Wort über Dich zu sagen, sie läßt Dich herzlichst grüßen, sie wollte Dir gleich antworten, ich bat sie, es vorläufig zu lassen. Das Wichtigste ist jetzt, daß wir, daß Du zuerst ins klare kommst. Darin könnte Dich meine Mutter nur stören, hoffentlich hat sie es nicht schon mit ihrem ersten Brief getan.

Franz

An Grete Bloch

13.III.14

Liebes Fräulein Grete, hätte ich Ihren letzten Brief vorgestern bekommen, hätte ich seinen ersten Teil, der mich, ohne meinen Entschluß zu kennen, widerlegen will, sehr gut entkräften können, heute nach F.'s Brief und dem heutigen Telegramm: »nach Dresden zu kommen unmöglich Gruß Felice« kann ich es wenigstens augenblicklich nicht, trotzdem es im Princip auch heute möglich wäre. Aber keine Rätsel; ich werde glücklich sein, Ihnen erzählen, Ihnen zuhören, mit Ihnen spazieren, Ihnen gegenüber sitzen zu dürfen. (Übrigens, wie oft sehe ich Sie schweratmend auf dem karierten Oberbett der Schuldienerfamilie liegen! Frl. Grete war schon damals ein wenig fassungslos, hat es aber überwunden und ist immer besser geworden, trotzdem sie es nicht glauben will.) Nun ist freilich die Zusammenkunft mit F. für morgen nicht zustandegekommen, würden Sie, liebes Fräulein Grete, falls die Zusammenkunft mit F. für nächsten Sonntag möglich wird, aber nur für diesen Fall, unsere Zusammenkunft auf den nächstnächsten Sonntag verschieben? Ich habe die Fahrpläne schon durchgesehn. Wären Sie nicht begierig, einmal Gmünd zu sehn? Es liegt gerade auf der Mitte des Wegs, die Züge laufen geradezu einander entgegen, jeder, Sie und ich, fährt etwa um 4 Uhr von zuhause weg und kommt um 7 Uhr, ich etwa um ½8 erst, in Gmünd an. Nächsten Abend fahren wir dann mit den gleichen, nur gewechselten Zügen wieder nachhause. Ich halte das für ausgezeichnet, abgesehn allerdings davon, daß ich Ihnen damit eine gleichlange Reise aufbürde wie mir. Vielleicht finden wir doch einen Ort, der im übrigen auch passend doch näher bei Wien ist. Nun sprechen Sie!
Daß Sie glauben, mir nicht schreiben zu dürfen, mag in Ihrem Den-

ken seine Berechtigung haben, es ist aber keine, die mir Ehre macht oder die mich beruhigen könnte. Trostloses hören und Trostloses erleben ist zweierlei, wie sehr einen auch das Hören in diesem oder jenem Fall zum Miterleben zwingt. Trostloses Erleiden kann man sich allerdings auch in einer ganz verzweifelten Stunde zu einem Vorzug umdeuten, dessen man wert bleiben muß; das Vertrauen eines leidenden Menschen aber, der einem auch sonst viel bedeutet, ist immer ein Vorzug und selbst ein Trost.

Ist das, was ich über Wien sage, nicht richtig, bestätigt es nicht auch der Angestellte, mit dem Sie jenen Auftritt hatten? Aber irgendwie scheint Sie Wien doch festzuhalten, trotzdem Sie das Schöne von Wien noch gar nicht kennen, da Sie die Gräfin Thürheim noch nicht gelesen zu haben scheinen. Kennen Sie übrigens den »Armen Spielmann« von Grillparzer? Habe ich das nicht schon einmal gefragt? Ehe Sie den und dann noch Grillparzers Selbstbiographie und dann etwa noch seine Reisetagebücher aus Deutschland, Frankreich und England kennen, hätte es vielleicht nicht viel Sinn, das Grillparzerzimmer im städtischen Museum anzusehn, dann aber wäre ich froh, wenn Sie es tun und mir davon schreiben würden. Bevor Sie das getan haben, verlassen Sie Wien nicht, dann aber rasch.

Herzlichste Grüße Ihres   Franz K.

Ist in den letzten Tagen vielleicht etwas Besonderes geschehn, das Sie so niedergeschlagen macht?

An Grete Bloch
16. III. 14

Liebes Fräulein Grete, wenn Sie den letzten Brief verloren wissen wollen, weil dort stand, daß Sie mir nicht schreiben können, weil Sie zu traurig sind, so mag dieser Teil des Briefes verlorengegangen sein, aber sonst soll das lieber nicht vorkommen. Briefe sollen zumindest ebenso selten im Innern verloren gehn, wie es auf der Post geschieht.

——

Aber jetzt bin ich ordentlich aufgehalten worden und nun ist spät. Also nur noch das Wichtigste, wenn auch dieses gerade nur jenes ist, das einem einfällt, wenn man viel Zeit hat.

Mein »hoffentlich«, liebes Fräulein Grete, haben Sie mißverstanden, es bezog sich auf die Notwendigkeit eines klaren Schlusses, nicht auf die Art des Schlusses. Allerdings ist auch diese Hoffnung vorläufig nicht in Erfüllung gegangen, ein Brief ist bereits nicht beantwortet, der zweite wird morgen nicht beantwortet werden und so wird es weitergehn, aber unmöglich lange. Ich stehe dem jetzt natürlich ein wenig anders gegenüber als früher, trotzdem aber – nein, davon wollen wir jetzt nicht reden.

Mein Eindruck vom Bruder und das, was Sie andeuten, ist einander ziemlich ähnlich, und F. liebt ihn so, ist stolz auf ihn gewesen, ich glaube wenigstens, es war so, Sie müssen das genauer wissen – was für ein Unglück, einem solchen Menschen immerfort mit Liebe folgen müssen!

Eines fiel mir in den letzten Tagen ein, muß nicht F. (oder glaubt sie nicht etwa, es zu müssen), jetzt, nachdem der Bruder gänzlich versagt hat, ihre Eltern erhalten oder wenigstens wesentlich unterstützen? Wissen Sie nichts darüber? Der Vater ist alt, kann nicht mehr lange arbeiten, vielleicht hat er sich jetzt überdies für den Sohn irgendwie verpflichten müssen – glauben Sie nicht, daß darin eine mögliche Erklärung (nicht die einzige, bei weitem nicht die einzige!) für F.'s Verhalten liegen könnte? Es wäre das ein Hindernis, dessen Überwindbarkeit ich vorläufig nicht einsehe, das aber, wenn und so lange es verschwiegen wird, vollständig unüberwindbar ist.

Heute Schluß, es ist zu spät und ich will den Brief noch einwerfen, um Sie nicht falschen und mich kränkenden Glücksgefühlen über den Verlust von Briefen zu überlassen.

Herzlichste Grüße Ihres   Franz K.

17. III. 14

Nein, F., Du darfst mir jetzt die Antwort nicht schuldig bleiben, jetzt noch weniger als früher. Auf zwei Briefe bin ich wieder ohne Antwort, auf zwei Briefe, auf welche die Antwort selbstverständlich war, zumindest die Antwort, daß wir zusammenkommen und offen miteinander reden müssen. Und mit Vertrauen, wie ich es immer zu Dir hatte und Du viel zu selten zu mir. Du magst Gründe für Dein Nichtantworten haben, sinnlos würdest Du mich und – Du schriebst es wenigstens – auch Dich nicht so quälen. Aber keiner dieser Gründe kann bis zum Ende standhalten, es sind Scheingründe, es sind Gespenster, rede doch, F., laß mich doch an diese Gespenster heran. Was Du im Tiergarten über Deine ungenügende Zuneigung zu mir gesagt hast, mag wahr gewesen sein und wahr sein, aber anderes war nicht wahr, wie sich jetzt zeigt, zumindest Dein Schweigen war nicht wahr. F., erkenne doch endlich, wer ich bin, wer ich durch die Liebe zu Dir geworden bin.

Franz

An Grete Bloch

18. III. 14

Liebes Fräulein Grete, nur keine Rache, nur das nicht! Ich schreibe schon ins Bureau. Daß ich Ihnen lieber in die Wohnung geschrieben habe, hat verschiedene Gründe gehabt, unter anderem den, daß ich auf den ersten Bureaubrief keine Antwort bekommen und daraus geschlossen habe, daß die Briefe im Bureau in schlechterer Stimmung gelesen werden, was ja gewiß wahr ist. Außerdem aber habe ich Ihnen im ersten Bureaubrief mit solcher Energie (übrigens ganz verpuffter Energie) geraten, aus Wien wegzugehn, daß ich nachträglich Angst bekam für den Fall, als der Brief zufälligerweise von jemand andern geöffnet worden sein sollte, für eine gegnerische Firma gehalten zu werden, die, was ja nicht so unwahrscheinlich aussehn würde, nach Frl. Bloch schnappen will.

Daß Sie meine Annahme rücksichtlich F.'s bestätigen, ermutigt mich zum Verständnis manches Unverständlichen. Allerdings kann sich nach dem, was Sie sagen, durch die Abreise des Bruders, wenn sie nicht weitere Folgen hat, in der Lage der Familie nicht viel verschlimmert haben, da er sie ja nicht viel verbessert hat. Daß die Reisekosten F. abhalten würden, nach Dresden zu fahren, ist allerdings eine mir zu freundlich gesinnte Erklärung, nein, liebes Fräulein Grete, daran glauben Sie auch nicht im Ernst. Zumindest können die Reisekosten F. nicht abhalten, mir zu schreiben, daß sie nicht kommen kann, und tatsächlich sind schon nicht ein, nicht zwei, sondern bald schon 3 Briefe unbeantwortet. Auch die Mutter ist doch kein ernstliches Hindernis, F. hat selbst öfters von der Möglichkeit einer Zusammenkunft in Dresden gesprochen. Nein, nein, das ist es nicht.

Wohl aber liegt mir jetzt sehr viel daran, mit F. zusammenzukommen, um – F.'s Brief, von dem ich Ihnen geschrieben habe, gibt mir ein viel besseres Hilfsmittel dazu, als ich es früher hatte – möglichste Klarheit und Entschlußfreiheit für mich zu bekommen. Darum habe ich ihr vor einer Stunde telegraphiert, ob sie damit einverstanden ist, daß ich Samstag nach Berlin komme. Durch Telegramme läßt sie sich zu Telegrammen doch noch am leichtesten zwingen.

Fahre ich aber nicht nach Berlin und müssen Sie nicht nach Budapest, dann sind wir – nicht wahr? – in Gmünd beisammen. Nicht etwa von Ihnen aus gesehn, liebes Fräulein Grete, wohl aber von ganz oben aus gesehn, verdiene ich den Sonntag in Gmünd unbedingt. Sehen Sie nur in der Beilage[1], wie man für später für uns sorgen will.

War es ein wichtiger Besuch, der Besuch vom Montag? Hat er Sie ein wenig erheitert? Um die Zeit, als Sie den Brief schrieben, dürfte ich etwa aus dem Bett aufgestanden sein, um ein Fenster zu schließen, denn von dem Sturmwind zitterten mir alle Zimmerwände. Sie weckten mich nicht, denn ich schlief nicht, aber ich wollte Ruhe haben. Dann schlug nur noch irgendeine unerreichbar ferne offene Tür auf dem Gang oder sonstwo oder gar nur im Halbschlaf regelmäßig krachend auf und zu.

Sie schreiben nichts mehr von den Kopfschmerzen; bedeutet das, daß sie durch strenge vegetarische Diät beseitigt sind? Dadurch machen Sie aber eine ungemeine Freude Ihrem unter selten aufhörenden Kopfschmerzen leidenden Naturheilmenschen

Franz K.

18. III. 14

Es ist 9 Uhr abends. Die telegraphische Antwort auf mein heutiges Telegramm hätte, wenn Du sie gleich nachmittag abgeschickt hättest, unter gewöhnlichen Umständen schon kommen müssen. Ich weiß nicht, ob Du im Bureau oder zuhause bist, Du hältst mich keines Wortes wert. Nachhause wollte ich nicht telegraphieren, um Deine Eltern nicht zu erschrecken, es wird mir aber nichts anderes übrig bleiben. Ich muß Dich überall suchen, das ist meine Pflicht gegen mich und vielleicht sogar gegen Dich. Du wirst es auch ein-

---

[1] Beilage nicht vorhanden.

sehn, F., wäre nur diese Einsicht schon da! Ich habe heute telegraphiert: »Wenn Du nicht nach Dresden kommst, komme ich Samstag nach Berlin. Bist Du damit einverstanden? Wirst Du zur Bahn kommen?«

Das war das Telegramm. Ich habe es hier wiederholt und werde in dieser oder jener Form nicht aufhören, es zu wiederholen.

Franz

Frau Julie Kafka an Felice Bauer

[Briefkopf des Galanterie-Waren-Geschäftes Hermann Kafkas]

18.3.14

Liebes Fräulein!

Ich bestättige Ihren l. Brief und werde Ihnen nächste Woche schreiben. Heute werfe ich nur diese wenigen Zeilen aufs Papier, um Sie zu ersuchen, dem Franz auf seine Briefe sogleich zu antworten, denn ich sehe, welche Sorgen ihm Ihr Stillschweigen verursacht. Von diesem Briefe, den ich Ihnen heute sende, darf er nichts erfahren.

Mit herzlichem Gruß   Julie Kafka

An Grete Bloch

[19. März 1914]

Liebes Fräulein Grete, ich bitte Sie nicht etwa, diesen Samstag mich nicht sehn zu wollen, denn dazu ist keine Bitte nötig, es würde sich ja nur um ein Opfer Ihrerseit[s] handeln, das in dieser Fahrt nach Gmünd für Sie liegt, das alles weiß ich ja sehr gut – dagegen bitte ich Sie, mit dem Aufgeben dieses Sonntags nicht den ganzen Gedanken dieser Zusammenkunft aufzugeben, die mir schon im Vorgefühl mehr Freude gemacht hat, als nur irgendetwas in der letzten Zeit. Ich will Ihnen einen anständig und halbwegs mit sich fertigen Menschen zeigen, nicht diesen Menschen, der ich jetzt bin und dessen Anfänge (nur die ersten Anfänge!) Sie von Ihrem Prager Besuch schon kennen. Ich habe wirklich keine Antwort auf mein Telegramm bekommen und auch auf meinen vierten Brief (seit dem Samstag) nichts. Sie scheinen in Ihrem letzten Brief nicht ganz zu verstehn, warum ich mit F. sprechen will. Vielleicht war das, was ich von F.'s letztem Brief sagte, nicht ganz deutlich. Dieser Brief war nämlich, vielleicht nicht ganz, aber fast, wie ein Brief aus unsern guten Tagen, fast vollständig entgegengesetzt allem, was in der letzten Zeit zwischen uns vor sich gegangen ist. Darum hat er mir einen solchen Rückschlag gegeben und mich jetzt mit Schreiben und Warten wieder in die ärgste Zeit zurückgestoßen.

Heute schreibe ich übrigens an die Eltern, es muß ein Ende haben, gut oder schlecht.

Herzlichste Grüße Ihres   Franz K.

An die Eltern Felice Bauers

19. III. 14

Sehr geehrter Herr Bauer,
verehrte gnädige Frau!

Wenn ich Sie jetzt aus einer unerträglichen Lage heraus um eine Nachricht bitte, so knüpfe ich natürlich nicht an Ihren letzten, so gütigen, in scheinbar unerhörter Weise von mir noch nicht beantworteten Brief an. Davon zu reden ist jetzt nicht die Zeit, ich weiß auch nicht, ob ich es darf. Immerhin hielten Sie mich doch damals Felicen's nicht ganz für unwert, darf ich heute daraus die Hoffnung nehmen, daß Sie meine Bitte um eine Nachricht, eine ganz kurze Nachricht über Felicen's Befinden mir erfüllen werden?

Samstag hatte ich die letzte Nachricht von Felice. Seitdem habe ich teils ins Bureau, teils in die Wohnung, vier Briefe und ein Telegramm geschickt, alles ist unbeantwortet. In unserer allerletzten Korrespondenz kann nicht der geringste Grund für dieses Schweigen liegen, im Gegenteil, nach dem Vorangegangenen schien Antworten eine selbstverständliche Notwendigkeit. Ich kann also nur glauben und bei Tag und Nacht es überlegen, daß Felice krank ist oder daß ihr sonst irgendetwas Schlimmes seit Samstag zugestoßen ist.

Sollten diese Befürchtungen tatsächlich begründet sein und wollen Sie überhaupt meine Bitte erfüllen, dann bitte ich Sie herzlich, telegraphieren Sie mir paar Worte. Ich werde von morgen mittag ab nichts tun, als auf Nachricht warten, wie ich schon seit langem unfähig bin, etwas anderes zu tun.

Ihr ergebener   Dr. Franz Kafka
Prag, Altstädter Ring 6

Daß äußerliche Zufälle sich noch einmischen, um unsere Lage überflüssig zu verwirren, daß mein Telegramm an einem Nachmittag kommt, an dem Du nicht im Bureau bist, daß Dein Telegramm falsch adressiert ist, daß schließlich, wie ich jetzt sehe, mein Brief an Deine Eltern um einen Tag sich verspätet hat (er war Donnerstag schon aufgegeben, Du siehst es aus dem beiliegenden Schein) – das alles ist schlimm, aber mit uns steht es jetzt so, daß auch der schlimmste Zufall nichts mehr verschlimmern kann.

Als ich heute Dein Aviso zum telephonischen Gespräch bekam, konnte ich nicht gut aus dem Bureau weg, brannte auch nur darauf, möglichst rasch zu erfahren, was Du wolltest, dachte übrigens in irgendeiner unsinnigen Hoffnung daran, daß Du Deinem Expressbrief telephonisch in irgendetwas seine Schärfe nehmen wolltest – und ließ mich deshalb von der Anstalt aus verbinden. Das war schlecht, wir haben keine Zelle, im Praesidialzimmer, wo das Telephon ist, steht immer eine Menge Leute herum, zufällig stand ein Direktor, ein widerlicher Mensch, hinter mir, machte Späße, ich hätte ihm fast mit dem Fuß einen Stoß gegeben, ich verstand deshalb schlecht, vor allem aber verstand ich eine Zeitlang überhaupt den Sinn Deiner Worte nicht. Ich hatte ja annehmen müssen, daß der Brief an Deine Eltern schon gestern angekommen war, daß Du von ihm wußtest, ehe Du mir telegraphiert hattest und natürlich auch ehe Du mir geschrieben hattest. Ich mußte also beim Telephon, abgesehen davon, daß ich wenig verstand, auch überlegen, was Du eigentlich wolltest, warum Du mich zum Telephon gerufen hattest. Dazu kam durch das Hören Deiner Stimme – darum doch fürchte ich mich zu telephonieren – wieder diese Sucht, Dich zu sehn, über mich; hinzufahren war das einfachste Mittel, alles aufzuklären und über alles aufgeklärt zu werden; also sagte ich, ich fahre nach Berlin. Ich überhörte mit Gewalt alles, was dagegen sprach, überhörte das Zögernde Deiner Antwort, überhörte das Widerwillige und ganz Unbestimmte in Deiner Zusage, auf die Bahn zu kommen, vergaß gänzlich, was auf Deinen heutigen Brief zu antworten war – und sagte, ich komme. Ich lief aus dem Bureau, lief ein wenig kreuz und quer im Regen, überlegte, alles schien mir so hoffnungslos, die Hinfahrt hätte ich gern auf mich genommen, aber vor der Rückfahrt hatte ich so entsetzliche Angst, ich war nicht mehr sicher, ob ich fahren würde. Zuhause fand ich dann das Telegramm Deines Vaters: »felice wohl, ihren brief soeben erhalten felice wie mir sagt gestern geschrieben«, und jetzt war ich bald ganz entschlossen, nicht zu fahren. Ich sah, daß Deine Eltern meinen Brief erst heute bekommen hatten, verstand, warum Du mir telephoniert hattest, verstand, daß alles, was Du gesagt hattest, auch das Nichtgehörte, eine Art Vorwurf deshalb war, daß ich an Deine Eltern geschrieben hatte, erinnerte mich an Deine böse Wendung im Tiergarten, als ich gegenüber Deinem unaufhörlichen halben Schweigen gesagt hatte, ich würde zu Deinem Vater gehn, um Klarheit zu bekommen – und bin also nicht gefahren. Ich habe Dir ins Bureau telegraphiert, Deinem Vater habe ich telegraphisch gedankt.

Bei allem, Felice, was ich im folgenden sage, bin ich mir gut bewußt, daß Dich in der Familie ein großes, mir allerdings nicht ganz klares Unglück getroffen hat, ich sehe, daß es Dich ganz irrsinnig hin- und herreißt und ich sehe auch, daß Du es genau so trägst, wie das Mädchen es tragen mußte, das ich in Dir liebe. Bei allem, was ich sage, bin ich mir dessen bewußt.

Als ich heute Deinen Expressbrief gelesen hatte, einmal und zehnmal und öfter, schien es mir, wie wenn Du meine letzten Briefe gar nicht gelesen hättest. Die letzten vier oder fünf Briefe seit Samstag magst Du ja wirklich nicht gelesen haben, wie wäre es sonst möglich, daß Du mir kein Wort geantwortet hättest, wie wäre es auch möglich, daß Du mir Vorwürfe darüber machen wolltest, daß ich, ohne Antwort auf so viel Briefe und auf ein Telegramm, in unaufhörlicher, mit Dir sich beschäftigender Sorge endlich an Deine Eltern (die Adresse Deiner Schwester hattest Du mir nicht gegeben) geschrieben habe, um zu erfahren, wie es Dir geht. (Übrigens habe ich Dir ja in der vorletzten Schweigepause auch geschrieben, daß ich Deinen Vater fragen werde, und dieses Schweigen jetzt war ja viel unbegründeter als jedes frühere, ja es war gänzlich unverständlich, und Du machst auch keinen Versuch, es zu erklären. Ich kann auch nicht verstehn, warum Du gerade auf mein Telegramm antworten wolltest und schließlich auch geantwortet hast, während Du 4 oder 5 Briefe, aus denen ja mein Zustand viel deutlicher ersichtlich war, einfach weggelegt hast.) Aber diese Briefe meine ich jetzt nicht, auch den Brief, den ich gleich nach meiner Rückkehr von Berlin geschrieben hatte und mit dem ich den Brief meiner Mutter ankündigte, auch den kannst Du nicht gelesen haben. Felice, sieh doch, ich ließ doch meine Mutter nicht schreiben, damit sie für mich meine Frau erobere (wenn in der Hölle meines Kopfes irgendwo in einem Winkel eine Ahnung einer solchen Hoffnung war, so bin ich dafür nicht verantwortlich), ich ließ meine Mutter schreiben, damit sie sich unmittelbar von Dir die Bestätigung dessen hole, was Du mir im Tiergarten gesagt hattest. Warum ich das meiner Mutter erlaubte, werde ich vielleicht noch in diesem Briefe sagen.

Du schreibst heute: »Wir wollen ein[en] Strich durch die Reden im Tiergarten machen«, das wäre schön, ich wüßte nichts Schöneres; aber auf der nächsten Seite sagst Du: »Du hast mir gesagt, die Liebe, die ich für Dich habe, genügt Dir«, nichts kann aber doch den Strich schrecklicher durchstreichen, als dieses. Felice, merkst Du denn nicht, daß ich auf dem Grund meiner Hoffnungslosigkeit etwas derartiges sagen kann, niemals aber von Dir endgültig hinnehmen kann. Deine Worte bedeuten doch, einfacher ausgedrückt, nichts anderes, als daß Du Dich opfern willst, weil Du einsiehst, »ich muß Dich haben.« Werde ich Menschenopfer annehmen und das Opfer des liebsten Menschen überdies? Du müßtest mich doch hassen, wenn ich es täte, aber nicht nur das: wenn es genau so wahr ist, wie es in Deinem Briefe steht, dann haßt Du mich schon jetzt. Du mußt doch den hassen, den Du nicht genügend liebst, um freiwillig mit ihm leben zu können, der Dich aber durch irgendwelche Mittel (und bestünden diese Mittel auch aus nichts anderem als aus seiner Liebe zu Dir) zwingt zu diesem Zusammenleben. Dein vorletzter Brief war freundlich, ich sah, Du warst so tief im Unglück; was Du im Tiergarten gesagt hattest, schien in diesem Unglück gesprochen; zu dem gesprochenen Wort hattest Du keine andere Überlegung als Dein Leid; im Brief gabst Du mir zwar unbestimmte, aber desto schöner auszudenkende Hoffnungen. In diesem Brief sind bestimmte Hoffnungen, aber vorher der Schlag auf den Kopf.

Zwei Unklarheiten kann man ja auch noch in Deinem letzten Brief finden, sie sind die letzte kleinste Möglichkeit für die fast unsterbliche Hoffnung. Du bist noch immer so unglücklich, noch immer so unfähig zu überlegen und außerdem gestehst Du ein (dafür bedarf es allerdings keines Eingeständnisses), daß Du im Tiergarten »nicht alles« gesagt hast. Wäre nur der übrige Brief nicht so klar, ich könnte mich an diese zwei Unklarheiten halten! Wie sehr wollte ich das! Sag mir doch, Felice: Warum zwingst Du Dich, warum willst

Du Dich zwingen? Was hat sich seit dem Spaziergang im Tiergarten verändert? Nichts, Du sagst es ja. Was hat sich aber bei Dir seit unsern guten Tagen verändert? Alles, Du sagst es auch. Warum also willst Du Dich opfern, warum? Frage nicht immer, ob ich Dich will! Diese Fragen zu lesen, macht mich zum Sterben traurig. Solche Fragen stehn in Deinem Brief, aber kein Wort, kein Wörtchen von Dir, kein Wort darüber, was Du für Dich erwartest, kein Wort darüber, was die Heirat für Dich bedeuten würde. Alles stimmt zusammen, für Dich ist es ein Opfer, darüber ist dann nichts mehr zu sagen.

Ich wäre ganz gewiß nicht imstande gewesen, das, was ich jetzt geschrieben habe, Dir ins Gesicht zu sagen, eher wäre ich imstande gewesen, mich vor Dich hinzuwerfen und Dich für immer zu halten. Deshalb ist es gut, daß ich nicht gefahren bin.

Du fragst nach meinen Plänen, ich weiß nicht genau, was Du damit meinst, aber ich glaube, ich kann Dir sie jetzt offen sagen. Als ich von Riva zurückkam, war ich aus verschiedenen Gründen entschlossen zu kündigen. Ich sah es schon seit einem Jahre und seit länger ein, daß mein Posten nur dann einen Sinn, nur dann einen guten Sinn für mich hätte, wenn ich Dich heirate (jemand anderer kommt, seitdem ich Dich kenne, für mich nicht in Betracht, wird auch nicht in Betracht kommen). Dann bekäme mein Posten einen guten Sinn, würde fast liebenswert werden. (Ähnliches brachte ich auch dem Dr. Weiß bei und er besteht jetzt, wie Du im Kaffeehaus gehört hast, geradezu unbedingt darauf.) Heirate ich Dich nicht, dann ist mein Posten, so leicht er mir sonst (von Ausnahmszeiten abgesehen) fällt, eine Widerlichkeit, denn ich verdiene mehr, als ich brauche, und das ist sinnlos. Es kommt noch einiges dazu, wovon ich doch lieber nicht reden will. Das alles aber sagte ich meiner Mutter zum erstenmal, als ich von Berlin zurückkam. Sie verstand das alles ziemlich gut, bat mich aber, zuerst Dir schreiben zu dürfen, vielleicht verstand sie es nur deshalb so gut, weil sie mir das, was ich von Dir gesagt hatte, nicht glaubte und auf ihren Brief an Dich große Hoffnungen setzte. Jetzt weißt Du also auch, warum ich meine Mutter habe schreiben lassen.

Nun, Felice? Mir ist fast so, als stünde ich auf dem Perron des Anhalter Bahnhofes, Du wärest ausnahmsweise gekommen, ich hätte Dein Gesicht vor mir und sollte mich für immer von Dir verabschieden. – Für Montag erwarte ich noch einen Expressbrief, ein

Wunder; was weiß ich denn, was ich erwarte. Von Dienstag ab erwarte ich nichts mehr.

Franz

An Grete Bloch
20. III. 14 [vermutlich 21. März 1914]

Liebes Fräulein Grete, will ich den Brief noch heute einwerfen, bleiben mir nur wenige Minuten. Von Freitag her haben Sie noch einen Brief im Bureau. Freitag selbst habe ich nicht geschrieben, weil ich zu zerstreut war. Der heutige Tag sollte nämlich ent|scheidend sein. Gut, er war entscheidend. Nach einer Woche nutzlosen Wartens hatte ich heute an einem Tag – ich rechne zusammen – von Berlin: 3 Telegramme, einen telephonischen Anruf und einen Expressbrief. Ich war mittag auch schon fast auf dem Weg zum Bahnhof. Das Resultat alles dessen ist, daß ich heute einen langen, vielleicht, wahrscheinlich, den letzten Brief an F. geschrieben habe. Die Klarheit des heutigen Briefes von F. war fast vollständig. Aber davon reden wir besser bei unserem nächsten Wiedersehn. Niederschreiben läßt es sich | ganz und gar nicht. Ihre kleine Karte hat mich mehr gefreut als alles was ich von Berlin bekommen habe. Sie sind – jetzt sage ich eine ungeheuere Dummheit oder vielmehr: dumm ist nicht, was ich sage, sondern daß ich es sage – Sie sind also das beste, liebste und bravste Geschöpf.|
Auch F. ist es, gewiß, das wird meine ewige Meinung bleiben und loskommen werde ich von ihr – das ist ebenso gewiß – niemals. Aber sie kann mir gegenüber eben nicht anders und wir müssen uns fügen. Vielleicht ist es die gleiche Gewalt, die mich an ihr festhält und sie von mir abhält. Da gibt es wirklich keine Hilfe.

Herzlichste Grüße Ihres   Franz K.

An Grete Bloch
22. III. 14

Liebes Fräulein Grete und Frühjahrskind, draußen auf dem Ring ist ein großes nicht endenwollendes Begräbnis, ein Fenster meines Zimmers ist offen, meine Schwester und eine Cousine liegen drin, ich habe sie schon beide an den Röcken hereinziehn wollen, aber es geht nicht, so sitze ich hier und friere. (Jetzt sagt die Cousine auch noch: »Singen wir doch mal was!« Schon singen sie.) Nein, ich kann jetzt nicht weiter schreiben.

———

In Wien haben Sie einen Brief, keinen Glückwunschbrief allerdings, denn wie sollte ich wissen, daß Sie ein Frühjahrskind sind, wenn Sie so oft Gedanken auch aus andern traurigen Jahreszeiten haben. Aber im ganzen paßt es doch irgendwie gut zu Ihnen.
Wie man Sie hin und her reißt! Jetzt in Troppau, jetzt in Budapest, nur in Prag niemals. Werden Sie übrigens zu F.'s Schwester gehn?
In dem Brief, den ich Ihnen nach Wien geschrieben habe, steht, daß ich gestern auf einen Expressbrief F.'s mit einem langen und wahrscheinlich letzten Brief geantwortet habe. Ich füge hinzu, daß die letzte aber scheinbar ganz sinnlose Frist morgen, Montag ist. Kommt morgen, Montag, nicht irgendein (nach dem letzten Brief und Telephongespräch, auch das war Samstag, ein Anruf F.'s) ganz unvorstellbarer Brief von F., dann sind wir beide, F. und ich, frei. Allerdings wird nur F. ihre Freiheit gleich und ganz genießen können, ich aber später einmal und teilweise vielleicht auch. Wenn ich es nicht können werde, desto schlimmer für mich.
So viele Briefe und Telegramme sind gekommen? Haben Sie also doch so viele Freunde und Bekannte? Und die »erwünschten Seiten«? Laufen nicht zwischen diesen und Ihnen irgendwelche Mißverständnisse hin und her, deren Aufklärung dem ganz in ihnen Befangenen nicht möglich ist, die aber entweder die Wünsche bringen oder das »Erwünschte« auflösen könnte? Und würden Sie mir vielleicht einmal sagen, was Ihnen z. B. Ihre Mutter zum Geburtstag geschrieben hat? Alles war »lieb und gut«, wie Sie schreiben. Daß F. nicht Ihnen geschrieben hat, daran mag ich vielleicht unschuldiger Weise schuld sein, gerade Freitag bekam sie ein an mich geschicktes aber falsch adressiertes Telegramm als unbestellbar zurück, telegraphierte dann wieder, schrieb dann einen Brief, hat auch sonst viel zu tun, Sorgen wegen des Bruders, von dem noch keine Nachricht gekommen ist, »wie nervös und wie kaputt ich bin«, beginnt dieser Brief und ähnlich auch der frühere; es ist schon Zeit, daß die Peitsche, die ich zum Überfluß noch für sie bedeute, endlich von ihr weggezogen wird.
Nun aber reisen Sie doch genug, mehr vielleicht, als Ihnen lieb ist

und gewiß mehr, als Ihnen gut ist. Ich werde Sie nicht noch nach Gmünd fahren lassen. Aber Ostern, wenn Sie in Wien sind und sonst keinen Besuch haben, komme ich wahrscheinlich hin.

Herzlichste Grüße Ihres   Franz K.

25. III. 14

Liebste F., in Deinem letzten Brief (wie lange bin ich jetzt bei diesem Worte stillgesessen und habe Dich hergewünscht!) kommt ein Satz vor, der mir von allen Seiten ziemlich klar ist; das gab es schon seit langem nicht. Er handelt von den Befürchtungen, die Du wegen eines Zusammenlebens mit mir hast. Du glaubst nicht oder Du zweifelst vielleicht nur oder willst vielleicht nur meine Meinung darüber hören, daß Du an mir die Stütze haben wirst, die Du unbedingt brauchst. Geradezu kann ich darauf nichts antworten. Vielleicht bin ich auch augenblicklich zu müde (ich habe auf Dein Telegramm bis 5 Uhr nachmittag warten müssen. Warum? Und auf den Brief habe ich sogar 24 Stunden warten müssen entgegen Deinem Versprechen. Warum?) und tief unter der Müdigkeit zu glücklich über Deinen Brief.

————

Es ist spät abend. Ich werde heute auch das Wichtigste nicht mehr schreiben können. Die genaue Nachricht über mich, liebste F., die Du willst, kann ich Dir nicht geben; die kann ich Dir höchstens geben, wenn ich im Tiergarten hinter Dir her laufe, Du immer auf dem Sprung, ganz und gar wegzugehn, ich auf dem Sprung, mich hinzuwerfen; nur in dieser Demütigung, wie sie tiefer kein Hund erleidet, kann ich das. Jetzt kann ich nur sagen, wenn Du mir die Frage stellst: Ich liebe Dich, F., bis an die Grenze meiner Kraft, darin kannst Du mir vollständig vertrauen. Im übrigen aber, F., kenne ich mich nicht ganz. Es gibt Überraschungen und Enttäuschungen mit mir in unaufhörlicher Folge. Ich meine, diese Überraschungen und Enttäuschungen wird es nur für mich geben, ich werde alle Kraft aufwenden, nichts als die guten, die besten Überraschungen meiner Natur zu Dir zu lassen, dafür kann ich bürgen, nicht bürgen kann ich aber dafür, daß mir immer gelingt. Wie könnte ich dafür bürgen angesichts des Durcheinanders meiner Briefe, das Du in der langen Zeit von mir bekommen hast? Wir waren wenig beisammen, das ist wahr, aber selbst wenn wir viel beisammen gewesen wären, hätte ich Dich (um das dann allerdings Unausführbare) gebeten, mich nach den Briefen zu beurteilen, nicht nach der unmittelbaren Erfahrung. Die Möglichkeiten, die in den Briefen stecken, die stecken auch in mir, die schlechten wie die guten; unmittelbare Erfahrung nimmt die Übersicht, und zwar, soweit es mich betrifft, im ungünstigen Sinn. Daß ich Dich dadurch, wenigstens dadurch nicht verlocken will, wirst Du gewiß zugeben, wenn Du Dich an manche Briefe erinnerst.

Im übrigen aber glaube ich, daß dieses Unfertige, dieses möglicherweise in glücklicher, möglicherweise in unglücklicher Bewegung-Sein meines Wesens für das Glück Deiner Zukunft mit mir gar nicht entscheidend sein muß, Du mußt den Wirkungen dessen gar nicht geradezu ausgesetzt sein, Du bist nicht unselbständig, F., Du hast vielleicht oder besser ganz bestimmt Lust, unselbständig zu werden, aber das ist eine Lust, der Du kaum auf die Dauer nachgeben würdest. Du könntest es nicht.

Zu Deiner Schlußfrage aber, ob es mir möglich ist, Dich so zu nehmen, als wäre nichts gewesen, kann ich nur sagen, das ist mir nicht möglich. Wohl aber ist es mir möglich und weit darüber hinaus notwendig, Dich mit allem, was gewesen ist, zu nehmen und bis zum Sinnloswerden zu halten.

[Beigelegt]

Darauf nämlich mußt Du doch achten, F., ich bin in einer ganz andern Lage als Du. Du könntest, müßtest oder würdest jedenfalls, wenn wir auseinandergingen, oder vielleicht darf ich jetzt »auseinandergegangen wären« sagen, Dein gegenwärtiges Leben vorläufig fortsetzen. Ich könnte das mit meiner Lebensweise nicht, ich bin ganz zweifellos an einem toten Punkt. Daß ich das durch Dich erkannt habe, dürfte ich niemals vergessen.[1] So zweifellose Zeichen

---

[1] Ein Echo dieses Gedankens findet sich im Schlußkapitel des Prozeß-Romans, der – nach der Lösung des Verlöbnisses – zum größten Teil in der zweiten Hälfte dieses Jahres entstand: Auf dem Weg zu seiner Hinrichtung begegnet Josef K. noch einmal Fräulein Bürstner, oder zumindest einer ihr sehr ähnlich sehenden Frau. (Im Manuskript kürzte Kafka ihren Namen stets mit ›F. B.‹ ab.) Als die ihn begleitenden Henker ihm erlauben, die Wegrichtung zu bestimmen, bestimmt er sie nach dem Weg, »den das Fräulein vor ihnen nahm, nicht etwa, weil er sie einholen, nicht etwa, weil er sie möglichst lange sehen wollte, sondern nur deshalb, um die Mahnung, die sie für ihn bedeutete, nicht zu vergessen.« Der Prozeß, S. 268.

für die Notwendigkeit einer Entscheidung habe ich in meinem Leben noch nicht bekommen. Ich muß mich aus meinem gegenwärtigen Leben herausreißen, entweder durch die Heirat mit Dir oder durch Kündigung und Abreise. Hätte ich Montag Dein Telegramm nicht bekommen, hätte ich vielleicht Dienstag aber jedenfalls Mittwoch einen schon fertigen Brief weggeschickt, der mir, wie ich hoffen konnte, eine kleine Stellung, einen kleinen finanziellen Rückhalt in Berlin verschafft hätte, im übrigen hätte ich versucht, ohne Ehrgeiz in dieser Hinsicht, mich im untersten Journalismus irgendwo festzuhalten[1]. Es wäre mir gelungen, daran ist kein Zweifel. Daß es mir aber gelungen wäre, Dich und die verlorene Möglichkeit (sie wäre der Voraussicht nach wenigstens für Jahre verloren gewesen), Dich zu heiraten, zu vergessen, das glaube ich nicht.

Ich muß schließen, sonst geht der Brief nicht weg, ich kann Dich aber nicht auf Briefe warten lassen, denn ich stelle mir immer vor, daß ich an Deinem Tische sitze und warte (was allerdings ganz falsch ist). Ich werde aber noch auf Deinen letzten Brief antworten. *Nur schreib mir bitte gleich, und seien es nur paar Zeilen. Nicht warten lassen!* Sieh, F., wenn Du mich heiraten willst, dulde es nicht, daß um die Poststunde und lange nachher das Herz Deines künftigen Mannes sich krampft.

Du sagst, ich soll nach Berlin kommen, aber das siehst Du doch ein, daß wir, ehe ich mit Deinen Eltern zusammenkomme, mit Dir und Du mit mir reden mußt. Das ist doch unbedingt nötig. Wäre es wirklich für diesen Sonntag in Dresden unmöglich? Was Du dagegen sagst, ist richtig; was ich dafür sage, aber gleichfalls. Und Du selbst hast mir doch früher öfters und sogar letzthin in Berlin eine Zusammenkunft in Dresden freiwillig angetragen. Da mußten Dir doch die Möglichkeiten einer passenden Einrichtung vorschweben. Versuch es, F., und schreibe mir jedenfalls bald.

Franz

Montag bekam ich eine Karte »Guten Tag wünscht Muzzi Braun.«[2] Es stimmte nicht ganz, Dein Telegramm kam erst am Abend.

---

[1] Vgl. *Tagebücher* (5. April 1914), S. 372, Briefe an Grete Bloch vom 15. und 17. April 1914, S. 551 und S. 554, Brief an Felice vermutl. März 1916, S. 649, und an Kurt Wolff vom 27. Juli 1917, *Briefe*, S. 157f.

[2] Die in den folgenden Briefen noch mehrmals genannte Muzzi (oder Wilma) war Felicens Nichte, Tochter ihrer ältesten, in Budapest verheirateten Schwester Else.

26. III. 14

Liebes Fräulein Grete, es ist doch sehr fraglich, ob ich Sie mit dem Brief noch in Budapest antreffe. Ihre Karte brauchte mehr als zwei Tage, es ist schon Donnerstag – kurz, ich schreibe nach Wien und begrüße Sie auf dem Tisch Ihrer Wohnung. Es ist auch schön zu warten, bis die Tür sich öffnet und die müde Reisende hereinkommt.
Ob es Muzzis Wunsch bewirkt hat, weiß ich nicht, immerhin hat sich F.'s und meine Sache ein wenig zum Bessern gewendet. Schrieb ich Ihnen von der montäglichen Frist? Ich glaube. Nun, es kam lange nichts, es war schon etwa 5 Uhr, ich fühlte mich schon als ein Freigelassener im guten und im schlechten Sinn. Da kam ein Telegramm und kündigte einen Brief für Dienstag an. Dienstag kam, Brief nicht, F. wird nicht müde, mich warten zu lassen. Mittwoch kam der Brief, kein schlechter Brief, vielleicht ist es ein neuer und guter Beginn.
Nun möchte ich aber gerne wieder etwas von Ihnen hören, liebes Fräulein Grete. Wie hat das neue Lebensjahr angefangen? Ist er schön, der ungarische Anfang? Wie halten Sie die viele Arbeit aus? Ich denke an die Gräfin Thürheim, die auch in Budapest war. (»Buda ist eine Ansammlung von stillosen und unansehnlichen Häusern mit Ausnahme der Festung, die eine Stadt für sich bildet. Pest ist etwas besser, aber ein Judennest und ein Versammlungsort von Kaufleuten. Die Straßen sind breit, man sieht auch einige hübsche Häuser, man begegnet aber viel mehr Tieren als Menschen. Ich schätze, daß die Ochsen und Schweine ⅓ der Bevölkerung ausmachen.«) Auch sie hat dort viel gearbeitet (Band I, 164), war aber im ganzen unzufrieden. Da ich Sie, liebes Fräulein Grete, einmal durch Zufall mit der Gräfin zusammengebracht habe und Sie 2 jetzt zusammenhalte, zweifle ich daran, daß es Ihnen in Budapest sehr gefallen hat. Hoffentlich höre ich bald, wie es war.

Herzlichste Grüße Ihres   Franz K.

28. III. 14

Liebes Fräulein Grete, heute nur paar Worte und Dank dafür, daß Sie auch in Budapest nicht an mich vergessen haben. Ich habe nur paar Augenblicke Zeit, bin den ganzen Nachmittag mit einer alten Dame aus dem alten Halberstadt herumgelaufen und fühle mich jetzt womöglich noch verlassener, als der Hund und der Papagei, die in Halberstadt in 7 Zimmern auf diese Dame warten. Aber nicht etwa von dieser Dame fühle ich mich verlassen, das ganz und gar nicht.

Von mir ist nichts Neues zu sagen, wenn nicht gerade dieses eine Neuigkeit sein sollte. Von F. ist nichts gekommen.

Herzlichste Grüße Ihres   Franz K.

Haben Sie den Brief in Budapest bekommen?

An Grete Bloch

31.III.14

Liebes Fräulein Grete, was ist denn geschehn? Wie ich auch rechne, heute hätte ich doch schon eine Nachricht von Ihnen aus Wien haben müssen. Waren Sie vielleicht auch noch Sonntag in Budapest oder sind Sie gar übermüdet und krank oder sind Sie mir gar am Ende böse? Aber wenn Sie mir wegen irgendetwas böse sind, dann hätten Sie mir doch richtiger Weise desto rascher schreiben müssen, damit ich möglichst rasch Gelegenheit bekomme, mich zu entschuldigen. So aber weiß ich nichts, denke bloß hin und her und bin unruhig, um so mehr, als ich weiß, daß Sie mir gewiß geschrieben hätten, wenn Sie hätten schreiben können.

Für alle möglichen Fälle herzlichste Grüße   Ihres Franz K.

3.IV.14

Du verstehst mein Telegramm nicht, F.? Ich nehme an, daß es nicht verklopft worden ist; es sollte lauten: »Letzten Brief konnte ich nicht beantworten. Mußte mir sagen, daß Du mich ohne ein anderes Gefühl nur demütigen willst. Was konnte der letzte Brief sonst bedeuten, was bedeuteten die sonst grundlosen niemals erklärten Pausen zwischen Deinen Briefen.«

(Dein gestriges Telegramm bekam ich, trotzdem es mittag aufgegeben zu sein scheint, sonderbarerweise sehr spät. Um 8 Uhr abends war ich noch zuhause, das Telegramm war noch nicht da. Dann ging ich weg und kam erst um ½1, da fand ich das Telegramm.) Du verstehst also das Telegramm nicht? Erinnere Dich, F., an unser letztes Beisammensein, tiefere Demütigung kann wohl ein Mensch vom andern nicht erfahren als ich damals von Dir, tiefere Demütigung kann man allerdings auch nicht herausfordern, als ich es damals getan habe. Das Demütigende lag nicht etwa in Deiner Abweisung; die war Dein selbstverständliches Recht. Das Demütigende lag darin, daß Du mir überhaupt nicht antwortetest, die wenigen Antworten ganz unbestimmt ließest, mir einfach einen dumpfen Haß und Widerwillen zeigtest, der so schrecklich überzeugend war, daß in mir selbst die Erinnerungen an unsere guten Zeiten davon berührt wurden und ich an manches mich erinnerte, das leicht im Sinne Deines gegenwärtigen Verhältnisses zu mir gedeutet werden konnte. Du sagtest wenig, aber vieles von dem wenigen habe ich nach Wort und Ton genau im Kopf. Du sprachst von der Möglichkeit (der Möglichkeit!) Deiner Liebe zu irgendjemandem früheren, von dem Du nicht reden wolltest, daß Du nichts Halbes tun könntest und das Mich-nicht-Heiraten (ich wendete ein, dies sei doch auch etwas Halbes, da Du doch behauptetest, vollständig fremd sei ich Dir nicht) die größere Hälfte sei, daß Du meine Eigenheiten nicht ertragen könntest, daß ich endlich um Himmelswillen aufhören möge, immerfort um das Unmögliche zu bitten, daß ganz nach meinem Belieben der Briefwechsel aufhören könne, daß Du aber darauf eingehen würdest, ihn fortzusetzen (dabei wußte ich genau so wie Du, daß Du mir nicht antworten würdest, wie es auch geschehen ist), und solcher Dinge gab es eine Menge. Habe ich etwas davon vergessen, so kann ich auf das Vergessene aus meinen Antworten schließen. Allerdings beweisen diese Antworten auch, welcher Gemeinheiten ich fähig bin. Ich verleugnete mich, ich fragte, ob Dich mein Vegetarismus störe, ob Du mich nicht ohne Liebe heiraten könntest, schließlich schämte ich mich nicht, die Fabrik anzuführen.

Es wäre kein Grund, alles das zu wiederholen, besonders da Du damals in einer außergewöhnlichen, mir allerdings noch nicht anvertrauten, Lage warst. Aber Du sagst, daß Du das Telegramm nicht verstehst. – Mein erster Brief (seit Berlin) widerrief das meiste dessen, was ich gesagt hatte, soweit man überhaupt die eigenen Worte widerrufen kann und darf. Meine Demütigungen hörten nicht auf;

hattest Du im Tiergarten mündlich geschwiegen, so schwiegst Du jetzt schriftlich, Du antwortetest nicht einmal meiner Mutter gleich. Aber es kam eine Erklärung, Du hattest so viel Leid gehabt. Das war aber dann im Schlimmsten vorüber, trotzdem schwiegst Du wochenlang, ließest 5 Briefe unbeantwortet. War das nicht Verachtung? Du erklärtest auch nicht mit einem Wort dieses Schweigen, trotzdem Du wußtest, wie ich darunter litt. War das nicht noch schlimmer als der Tiergarten? Einmal schriebst Du: »Wenn Dir meine Liebe genügt, dann gut.« Etwas derartiges hattest Du nicht einmal im Tiergarten mir gesagt. Einmal schriebst Du: »Was ich in Berlin gesagt habe, ist alles wahr gewesen, wahr an sich, wenn es auch vielleicht nicht alles war.« Aber dieses »alles« habe ich nie erfahren.

Auch das zu erwähnen, wäre kein Grund, Felice, denn es kam dann ein Brief, der alles gutzumachen schien, der vorletzte. Alles schien gut, der endgültige Anfang besserer Zeiten schien gekommen. Ich schrieb glücklich zurück, bat dringend wie vielleicht niemals, mich nicht auf Antwort warten zu lassen, schrieb, wie ich mit Herzschmerzen nur die ergebnislosen Poststunden überstehe, bat für den nächsten Tag, wenn es nicht anders ginge, nur um paar Zeilen – und wartete vier Tage. Und was kam dann? Dann kam Dein letzter Brief, paar Zeilen im Restaurant nach dem Essen geschrieben, das Ausbleiben der Antwort nicht erklärt, die Reise nach Dresden (ohne Erklärung Deiner frühern öftern Bereitwilligkeit zu einer solchen Reise) einfach abgelehnt, Flüstern Deiner Schwester, Du möchtest Dich kürzer (noch kürzer! noch kürzer!) fassen. Das war alles. Konnte ich an eine Antwort oder gar an Weiteres denken, wenn Du für mich im Laufe von 4 Tagen nur einen Augenblick nach dem Essen frei bekommen hast, mit keinem Wort auf den Inhalt meiner Briefe antwortetest und die ganze Angelegenheit sich nur so widerwillig und nebensächlich in Dein sonstiges Leben einzwängen ließ. War damit nicht alles vom ersten Schritt im Tiergarten an wieder lebendig? Konnte ich darauf antworten? Verstehst Du es jetzt, daß ich es nicht konnte?

Wenn Du, F., nach dieser Erklärung, die nicht nur über mich, sondern auch über Dich Erklärung sein soll, glaubst, daß ich kommen soll, komme ich natürlich sofort. Ich käme morgen, Samstag, um ½11 abends und müßte um 4½ nachmittag zurück, da ich Montag wie jetzt überhaupt schwere widerliche Arbeit habe. Wenn Du willst, daß ich komme und mich von der Bahn abholen willst (ich würde Dich lediglich nachhause begleiten, Du könntest um ½12 schon zuhause sein), dann telegraphiere mir sofort, damit ich das Telegramm bis 12 Uhr mittag habe, und ich laufe gleich zur Bahn.

Franz

An Grete Bloch

[3. oder 4. April 1914]

[Obere Hälfte der Seite fehlt]

doch wohl von München die Post nachgeschickt wird. (Ist es nicht möglich, daß er nach Prag kommt?) Und die Aufregung im Bureau ist erst recht unverständlich. Ihre Arbeit in Budapest war doch nicht der Verkauf; der war doch Aufgabe des früher hingeschickten Vertreters. Sind das so verbohrte und bösartige Menschen? Und für Ihre maßlose Anstrengung hatten sie keine […] zu tun, habe auch sonstige […] und Abhaltungen, denn – ich fahre wahrscheinlich morgen nach Berlin, erwarte nur noch für morgen vormittag ein Telegramm. Sie tun mir übrigens unrecht, Fräulein Grete, wenigstens in diesem Punkte tun Sie mir unrecht, wenn Sie die damalige Fristsetzung »unergründlich« nennen. Ich weiß zwar nicht genau, worin Sie mein Unrecht sehn, darin daß ich überhaupt eine Frist setzte oder darin daß ich *noch* eine Frist setzte. Meinen Sie das letztere, so scheint es aber nicht zu sein, – dann verstünde ich es eher. Aber Sie wissen ja nicht, was für ein Brief es war, den ich mit jenem fristsetzenden Brief (übrigens einem ohne die geringste Überlegung nur aus vollständiger Notwendigkeit 12 Seiten lang hingeschriebenem Brief) beantwortete[1]. Der Hauptsinn und Hauptwortlaut jenes Briefes von F. war: »Du hast mir gesagt, die Liebe, die ich für Dich fühle, genügt Dir, also gut«. Es tut mir leid, wenn Sie mir unrecht tun, und dieses Leid wird natürlich nicht im geringsten dadurch ausgeglichen, daß Sie im meisten viel zu gut von mir denken.

Nein, an Gmünd vergesse ich nicht und auch an Wien nicht. Ich habe Ihnen auch einiges zu erzählen und vieles zu fragen. Kommt es jetzt in Berlin zu keinem guten Ende, dann ist es das Ende überhaupt und ich komme wohl Ostern nach Wien. Sonst aber – wie wäre es, wenn Sie Ostern nach Berlin fahren und ich in Prag in Ihr Coupé einsteigen würde?

Herzlichste Grüße   Ihres Franz K

---

[1] Kafkas Brief an Felice vom 21. März 1914, S. 527 ff.

Haben Sie eigentlich (ich will Ihr Urteil über mich besser verstehn) den Brief in Budapest und die 3 Briefe in Wien bekommen?

An Grete Bloch

Liebes Fräulein Grete – in Eile und Halbdunkel – F. und ich haben uns gestern telephonisch geeinigt, daß ich (da ich heute schon um ½5 aus Berlin hätte wegfahren müssen und viel und Widerliches, wenigstens für meine vollständig geschwundene Bureaukraft, viel im Bureau zu tun habe) erst Ostern nach Berlin komme. Das telephonische Einvernehmen war recht gut, soweit mir schien und soweit ich über diese für mich neue Erfindung urteilen kann, mit der ich fast nichts anzufangen weiß. F. hat mich diese Woche schon 3 oder 4 mal angerufen, das Telephon ist im 2ten Stock, ich im 4ten, ich werde nun telephonisch hinuntergerufen, werde, da ich nicht bei meinem Tisch bin, sondern aus Notwendigkeit oder, bloß um mich vor der Arbeit zu verstecken, bei einem meiner 30 Referenten stehe oder bei einer meiner zwei Schreibmaschinen sitze, erst ein Weilchen gesucht, laufe dann ins 2te Stockwerk hinunter, setze mich außer Atem zum Apparat, der ohne Zelle offen im Präsidialzimmer ist, wo es immer herumlungernde, aufpassende, viel zu gut gelaunte oder viel zu gesprächige Menschen gibt, die man, wenn sie hinter einem stehn, zwar durch einen Fußtritt zur Ruhe bringen kann, gegen die man aber auf einige Entfernung hin machtlos ist, gebunden an den Apparat; und wie ich schon beim gewöhnlichen Telephonieren mangels jeglicher Schlagfertigkeit nichts sagen und vor lauter Nachdenken über diese Unfähigkeit auch kaum etwas verstehen kann, (es ist bei mündlicher Unterhaltung nicht viel anders), so verstehe ich beim interurbanen Gespräch fast nichts und habe jedenfalls gar nichts zu sagen, kann also auch darüber gar nicht urteilen. Vor einer Woche etwa wurde ich einmal auch von F. angerufen, redete, wie mir schien, mit der ängstlichsten Stimme, deren ich mich vor dem ganzen Präsidialzimmer schämte, aber F. schrieb mir, meine Stimme hätte sich »furchtbar böse« angehört, vielleicht deshalb, weil ein in dem Augenblick übersprühend lustiger Direktor hinter mir stand und mich schonend darauf aufmerksam machte, ich solle statt der Augen lieber den Mund ans Telephon legen (womit er ja zweifellos recht hatte).

Gott weiß, warum mir die Klage über dieses kleine Leid so angewachsen ist. Liebes Fräulein Grete, ich fahre also nach Berlin und Sie nicht und so werden wir uns wieder nicht sehn, das ist viel schlimmer. Ich dachte noch gestern bestimmt daran (sogar im Augenblick des Telephonierens dachte ich statt zu telephonieren daran), daß Sie nach Berlin fahren würden, da Sie nun so lange nicht zuhause waren. Ergibt sich keine geschäftliche Notwendigkeit dazu? Übrigens zerbreche ich mir den Kopf, was die von Ihnen schon öfters erwähnten »privatgeschäftlichen Angelegenheiten« sein können. Und auch drei wichtige Briefe an einem Tag sind wirklich zu viel (ist darunter einer von dem versäumten Besuch?), Sie hätten es nötig, sich loszureißen. Genügt dafür eine Fahrt in den Wiener Wald? Vollständig recht haben Sie darin, was Sie über mich und F. sagen. Ich verstehe gar nicht, wie ich mich in letzter Zeit auf der Gemeinheit versteifen konnte, von Ihnen, die mit F. nicht in Verbindung ist, eine Art Urteil zu verlangen, da ich, abgesehen von der äußerlichen Unmöglichkeit alles zu erzählen, ob ich will oder nicht, auch fälsche und verschweige. Natürlich erfährt F., da Sie es nicht wollen, kein Wort über Sie, von der ich übrigens, soweit es einzelne Vorkommnisse betrifft, nur ganz Allgemeines weiß.

Herzlichste Grüße Ihres   Franz K.

7. III. 14 [Vermutlich 7. April 1914]

Um die Wahrheit zu sagen, F.: in dem gestrigen nutzlosen und aufgeregten Warten auf Deinen Brief (das wievielte Mal wartete ich nutzlos, F.?) war ich entschlossen, den Brief, wenn er heute kommen sollte, nicht zu öffnen. Der Brief hätte ja schon Sonntag kommen können, die Antwort auf meinen letzten Brief war mir natürlich dringend, ich hatte also auch schon den ganzen Sonntag gewartet. Außerdem war es unwahrscheinlich, daß der Brief heute kommen würde. Warum gerade heute? Dieser Brief, den ich heute bekommen habe, den ich kaum paar Augenblicke ungeöffnet in der Tasche hatte und der mich (ich verstehe es nicht, aus dem Inhalt ist es auch gar nicht zu verstehen) trotzdem glücklich macht – dieser Brief hätte, soweit es auf Dich ankam, auch morgen oder übermorgen oder gar nicht kommen müssen. Aus sich heraus drängt er nicht.
Mein Telegramm, F., war nicht böse, möglich, daß es auf dem Formular so erschien. Merkwürdig ist das: Mein letzter Brief schien

mir böse; das hast Du nicht gefühlt, also war er es vielleicht auch nicht und schien nur mir so. Im Telegramm sagte ich nur, daß es mir nicht möglich gewesen war zu antworten, im Brief aber sagte ich den Grund, wurde mir in der Zusammenfassung der Menge des ganz und gar Unklaren bewußt, das noch zwischen uns ist. Es ist eine Menge allerdings, aber vielleicht müßtest Du mir ein Wort sagen und es wäre keine Menge und vielleicht gar nichts mehr.

Täusche Dich nicht, F., täusche Dich nicht! Die Rolle, welche Deine Familie in Deinem letzten Briefe spielt, deutet auf eine Art Täuschung hin. Täusche Dich nicht! Du müßtest, F., nicht davon reden, daß Du meine Demütigung gewollt oder nicht gewollt hast, Du müßtest bloß alles, was ich im letzten Brief angeführt habe, erklären; das übrige würde von selbst klar. Du tust aber dieses Einfache nicht (das Verschieben der Erklärung bis zur Aussprache hilft nichts, Du weißt gut, daß ich in Deiner Nähe mit allem zufrieden bin und zufrieden sein muß), also kannst Du es wahrscheinlich nicht. Dann aber mußt Du mir die Deutung überlassen. Hättest Du mich doch demütigen wollen, es wäre nicht das Schlimmste. Ich habe es ja nur deshalb (aber im Ernst, doch im Ernst) angenommen, weil es der für mich günstigste Fall war. Was dann übrigbleibt, wenn diese Annahme falsch ist, wenn Du mich also nicht demütigen wolltest – davon rede ich lieber nicht.

Ich komme also Ostern, aber nicht Samstag mittag, sondern Samstag abend um, wenn ich nicht irre, 6^{h}51. Mir wäre es natürlich am liebsten, wenn Du jedenfalls zur Bahn kämest. Nun ist es aber, wie ich gestern erfahren habe, nicht ausgeschlossen, daß auch Max und seine Frau mit mir fahren, wahrscheinlich auch Otto Pick (alle in literarischen Angelegenheiten), es wäre Dir vielleicht unangenehm, im Bahnhof mit ihnen allen zusammenzukommen. Wir müßten uns dann eben (möglichst bald, also vielleicht um ½8, ich werde wieder im Askanischen Hof wohnen) an einem von Dir zu bestimmenden Orte treffen.

Du willst täglich einen Brief haben, F.? An und für sich müßtest Du das nicht sagen und hättest ihn. Aber wie paßt Deine Bitte zu der Vorstellung, die ich in der letzten Zeit öfters im Halbschlaf habe: Du legst meine Briefe, ungelesen und jedenfalls unbeantwortet, einen auf den andern oder wirfst einen dem andern nach. Nicht einmal in meinem Halbschlaf solltest Du das tun.

Franz

7.IV.14

Liebes Fräulein Grete, geht es also wieder besser? Und Sie denken wirklich daran, das Grillparzerzimmer für sich und für mich anzusehn? Den »armen Spielmann« schicke ich als Führer durch das Zimmer.

Wenn Sie verschlafen haben, so ist das doch ein Zeichen der Gesundheit. Ich kann nicht verschlafen, habe aber keinen Vorteil davon, denn trotzdem bin ich Sonntag vor 12 Uhr nicht fertig. Teils aus Faulheit, teils aus Unentschlossenheit, teils in Erinnerung an frühere (nicht etwa schönere) Zeiten, in denen ich bis 12 Uhr und weiter in alle Ewigkeit schlafen konnte, liege ich und rühre mich kaum, stundenlang. Es wäre mir wahrscheinlich, wenn ich Wiener wäre, auch unmöglich, jemals ins Grillparzerzimmer zu kommen. Hätten Sie für meine Berliner Reise (Sie haben doch meinen gestrigen Brief bekommen?), falls Sie nicht doch noch im letzten Augenblick mitfahren wollten, irgendeinen Auftrag, den ich, was es auch sei, mit größter Freude und meiner größten (noch immer nicht übermäßig großen) Geschicklichkeit ausführen wollte. Vielleicht ein Besuch bei Ihren Eltern, Ihrem Bruder oder sonstwem? Ausrichten von Grüßen oder Wünschen? Aber nicht nur das, sondern alles, alles.

Mit herzlichsten Grüßen   Ihr Franz K.

Wann übersiedeln Sie?

8.IV.14

Liebes Fräulein Grete, Ihren Montagsbrief und das gestrige Päckchen bekam ich heute früh gleichzeitig. – Aber dieser Antrag aus Berlin, das ist ja ein Glücksfall, nichts weniger! Sie müssen unbedingt nach Berlin. Hätte ich die Macht, so müßte das Papier diese Worte: »Sie müssen nach Berlin!« einfach und laut wiederholen, daß es in Ihrem Bureau widerhallt und die Chefs im Nebenzimmer aufhorchen. Was Sie auch immer in Berlin durchgemacht haben mögen und wovon ich nichts weiß, wie sich auch das Verhältnis zu Ihrer Familie ausbilden mag (besser als früher wird es gewiß sein) – auf jeden Fall gewinnen Sie durch die Annahme des Postens. Berlin ist eine so viel bessere Stadt als Wien, dieses absterbende Riesendorf; Sie werden, da man ja selbst an Sie herantritt, eine bessere Stellung in Ihrem Posten wiederfinden; Sie kommen gewissermaßen (solche seltenen Möglichkeiten soll man nie aus der Hand geben) als jemand zurück, der recht behalten hat; Sie haben in Berlin jedenfalls bessere und angenehmere Arbeit (der Abschied von Ihren jetzigen Chefs kann ja bei Ihnen nur ein gerührtes Aufatmen loslösen); können mehr reisen, was Ihnen doch Freude macht; bekommen aber auch für den Fall, daß Sie wieder wegwollten, bessere Verbindungen, als Sie sie von Wien aus anknüpfen könnten; ebenso wie Sie von Berlin aus nach Wien kamen, können Sie später auf bessere Plätze kommen, von Wien aus schwer, wie Sie selbst eingestehn; die Kleinlichkeit und das Unverständnis Ihrer Chefs in Wien hat Sie überrascht, also gibt es das in Berlin wenigstens in diesem Ausmaß nicht; vielleicht werden Sie | dort auch besser gezahlt, jetzt wo Sie doch Bedingungen stellen können; jedenfalls leben Sie aber bei Ihren Eltern und können, wenn Sie schon helfen müssen, dies auf einfachere, ausgiebigere und doch leichter, für alle leichter, zu tragende Art tun. Nehmen Sie an! Auf jeden Fall nehmen Sie an! Schreiben Sie mir, daß Sie angenommen haben und ich gratuliere Ihnen telephonisch zur Freude der an ihren Apparaten horchenden Chefs.

Wenn Sie aber annehmen, dann wäre vielleicht darin eine Möglichkeit gegeben, Ostern nach Berlin zu fahren. Einerseits entfällt das Hindernis, das für Sie in den vorauszusehenden Versuchen Ihrer Eltern, Sie zu halten, liegen würde, anderseits wäre es vielleicht für Sie gut, schon jetzt bei der Firma vorzusprechen. Nun, das werden Sie besser wissen als ich, aber rücksichtlich der Annahme könnte, wenn Sie nur auf sich hören, irgendein im Augenblick übermächtiges Gefühl, das dann in der Wiener Einsamkeit nicht dauern, nicht dauernd Sie aufrecht erhalten würde, alles verderben. Das soll es nicht. Nehmen Sie an, Fräulein Grete, nehmen Sie an!

Ihrer guten Wünsche für meine Reise, und nicht nur für meine Reise, bin ich gewiß. Diese Gewißheit ist schon so in mich eingegangen, daß ich nicht mehr sondern kann, was ich ihr verdanke; es ist nicht wenig.

Das Packerl wird F. überreicht, so wie Sie es wollen. Für den Fall, daß Sie nicht fahren, erwarte ich Ihre übrigen Aufträge.

Mit den herzlichsten Grüßen   Ihr Franz K.

Besser wird es ja doch, F., heute habe ich nur 4 Stunden auf Deine Antwort gewartet, immerhin noch 4 Stunden. Es ist ja ganz natürlich, daß jeder seinen Vorteil sucht, ich in Briefen Antwort haben will, Du Antwort nur mündlich geben willst, denn mündlich mußt Du sie dann nicht geben. Hast Du aber genau überlegt, ob es auch wirklich Dein Vorteil ist? Was Du mir sagen sollst, sollst Du doch auch Dir sagen; was Du mir verschweigst, das verschweigst Du – so hoffe ich wenigstens – auch Dir. Und das solltest Du wohl nicht, um unserer beiden willen solltest Du das nicht.

Sag nicht, daß ich zu streng mit Dir umgehe; was zur Liebe in mir fähig ist, es dient nur Dir. Aber sieh, mehr als 1 ½ Jahre laufen wir einander entgegen und schienen doch schon nach dem ersten Monat fast Brust an Brust zu sein. Und jetzt nach so langer Zeit, so langem Laufen sind wir noch immer so weit auseinander. Du hast, F., die unbedingte Pflicht, soweit es Dir möglich ist, Dir über Dich klar zu werden. Wir dürfen einander doch nicht zerschlagen, wenn wir endlich zusammenkommen; es wäre doch schade um uns.

Ich rede hier anders als damals im Tiergarten. Ich gestehe ein, daß erst Dein Entgegenkommen mir die Möglichkeit gibt, über uns nachzudenken, aber auch die unvermeidliche Notwendigkeit, es zu tun. Ich muß es nicht eingestehn, es ist ja deutlich genug: Wenn Du Dich von mir entfernst, verliere ich jede Fähigkeit, über uns nachzudenken; während Du Dich von mir entfernst, liegt ja darin auch keine Gefahr.

Du hast recht, ich weiß nicht, warum es Dir unangenehm sein sollte, mit Max und seiner Frau zusammenzukommen. Ich bemerke jetzt, daß ich es nur deshalb angenommen habe, weil es mir unangenehm gewesen wäre. Übrigens entfällt diese Gefahr; ich hatte mich auch geirrt, nur Max sollte kommen und jetzt kommt auch Max nicht, wie er mir heute gesagt hat. Bleibt also noch Pick. Es ist besser, Du kommst gegen ½8 in den Askanischen Hof, aber pünktlich, ich bitte Dich.

Ja, Fräulein Bloch kommt nicht. Ich habe sie sehr lieb.

Franz

10. IV. 14

Liebes Fräulein Grete, daß F. Ihnen nicht geschrieben hat, ist, falls sie nicht sehr wichtige Gründe dazu hat – fast wollte ich geradewegs sagen, daß mich dieses Nichtschreiben F.'s in einer so wichtigen Sache, in meiner Vorstellung von F., beirrt, nun sage ich aber doch lieber, daß es mir bloß unverständlich ist. Es würde mir aber Freude machen, wenn ich vielleicht morgen noch paar Zeilen von Ihnen bekäme, durch die ich erfahren würde, daß F. Ihnen doch geschrieben hat.

Also Aufträge habe ich keine bekommen, und von Ihrer Familie wollen Sie nichts durch mich hören. Die Übersiedlung an sich (gar eine Übersiedlung im April und während der Ostern!) hätte mich nicht gehindert hinzugehn und hätte niemand gehindert, mir Grüße für Sie mitzugeben. Allerdings hätte ich, um irgendeinen Vorzug vor einem Brief zu haben, lügen müssen, daß ich Sie bald sehen werde und gar so bald wird es wohl nicht sein.

Aber wenn ich Ihnen auch darin Recht gebe, daß ich nicht zu Ihren Eltern soll, so müssen Sie mir – und Sie scheinen glücklicherweise nicht mehr weit davon entfernt zu sein – darin Recht geben, daß Sie von Wien weg sollen. Und wäre es auch nur, um meinem Eigennutz nachzugeben, der meinen Haß gegen Wien nicht dadurch beirren lassen will, daß Sie dort sind.

Herzlichste Grüße! Gute Erholung auf dem Land! Ihr Franz K.

Frau Julie Kafka an Felice Bauer

Prag 13.4 1914

Liebe Tochter!

Obzwar wir wusten, welche Absicht unser Sohn mit seiner Reise nach Berlin hatte, überaschte uns dennoch die freudige Nachricht von Euerer Verlobung[1], welche wir heute erhielten und hätten wir Euch gerne telegraphisch unsere Gratulation dargebracht. Ich kenne aber, l. Felice, nur Deine Bureaux-Adresse und hättest Du daher auch erst Morgen das Telegramm bekommen. Unser aller Wunsch ist, euch beide glücklich zu sehen, und hoffen wir dieß vom ganzen

---

[1] Ostern 1914 (12. und 13. April) war die inoffizielle Verlobung in Berlin.

Herzen. Wir werden uns herzlich freuen, Dich bald zu umarmen und bitte ich Dich, uns Deinen lieben Besuch recht bald anzuzeigen. Die Grüße Deiner l. Eltern erwiedern wir aufs herzlichste und indem ich, so auch der l. Vater Dich innigst im Geiste umarmen, bleibe ich Deine Mutter

Julie Kafka

Von unseren Kindern folgen die herzlichsten Grüße.

14. IV. 14

Ich habe, F., gewiß niemals bei irgendeiner Handlung mit solcher Bestimmtheit das Gefühl gehabt, etwas Gutes und unbedingt Notwendiges getan zu haben wie bei unserer Verlobung und nachher und jetzt. In dieser Zweifellosigkeit gewiß nicht. Und Du? Für Dich? Ist es für Dich auch so? Fange Deinen nächsten Brief mit der Antwort darauf an.

Nimm mir mein übermüdetes, zerstreutes, unaufmerksames, fahriges, vielleicht auch gleichgültiges Wesen während dieser zwei Tage nicht übel. Es bedeutete nichts anderes, als daß ich gar nicht bei mir war, sondern irgendwie, ohne daß Du es vielleicht wolltest oder auch nur duldetest oder gar nur fühltest, ganz bei Dir.

Ich will übrigens nicht sagen, daß es schöne Tage waren und daß in ihnen nicht die Möglichkeit gelegen wäre, viel schöner zu sein. Der erste Abend zwischen uns verlief so, wie ich es vorausgesehen hatte, ganz genau so, äußerlich, wie innerlich in mir. Daß ich am nächsten Tag sofort mit Deinem Vater sprechen würde, wußte ich auch längst und hatte es gar nicht vom Gespräch am Vorabend abhängig gemacht. Nicht einmal von der Hoffnung hatte ich es abhängig gemacht, das Gespräch später einmal in Ruhe nochmals aufnehmen zu können. Ich habe vollständiges Vertrauen zu Dir, Felice, vollständiges Vertrauen, suche Dich damit abzufinden, so gut Du kannst. Daß ich fragte und doch wieder fragen werde, geht mehr auf ein mir fremderes logisches Bedürfnis als auf ein Bedürfnis des Herzens zurück. Das ist natürlich in dieser Schärfe nicht richtig, nur beiläufig ist es so, es gibt auch noch hinter der Logik einige Quellen des Leidens.

(Was meint Fräulein Bloch dazu [damit?], wenn sie in dem Telegramm, das ich gerade jetzt bekommen habe, sagt: »Innige Glückwünsche ihrer zufriedenen Grete Bloch«?)

Das Häßlichste und geradezu Wüste aber war, daß wir niemals oder nur in Augenblicken auf der Gasse allein waren und daß ich mir niemals in einem Kuß Ruhe bei Dir holen konnte. Du hättest mir die Möglichkeit geben können und hast es nicht getan, ich war viel zu zerfahren, um sie mir zu erzwingen. Alles Recht, das mir die Sitte aus der Tatsache des Verlobtseins gibt, ist für mich widerlich und völlig unbrauchbar; Verlobtsein ist ja jetzt nichts, als ohne Ehe eine Komödie der Ehe zum Spaß der andern aufzuführen. Das kann ich nicht, dagegen kann ich darunter irrsinnig leiden. Ich wollte manchmal Gott danken, daß wir jetzt nicht immerfort in derselben Stadt sind; dann aber möchte ich Gott wieder nicht dafür danken, denn wären wir in der gleichen Stadt, so würden wir gewiß früher heiraten, ohne Rücksicht auf Dienstjubiläen.[1] Aber wie das auch sein mag, komm' jetzt nur recht bald. Vielleicht fügt Deine Mutter paar Zeilen an den Brief, den Du meinen Eltern schreibst; sie wird dann natürlich aufs freundlichste eingeladen werden. Hast Du schon im Bureau von Deiner Verlobung erzählt und über einen möglichst frühen Termin des Austritts Dich mit der Direktion geeinigt? Bei der Ärztin gekündigt? Mit der Arbeit an der Revue ein Ende gemacht? Mögest Du mir auch nur eine meiner vielen Bitten bewilligen, so laß es die sein: Arbeite nicht so viel, geh spazieren, turnen, mach' was Du willst, arbeite nur nicht noch außerhalb des Bureaus. Ich nehme Dich für die Zeit außerhalb des Bureaus in meine Dienste und schicke Dir den Gehalt dafür, wie hoch und wie oft Du ihn willst. Das bestätige ich mit meiner Unterschrift:

Franz

[am Rande] Herzlichste Grüße an Mutter und Schwestern.

An Grete Bloch

14. IV. 14

Liebes Fräulein Grete, hielte ich statt des Telegramms Ihre Hand, so wäre es schöner.

Es ist mir in Berlin nicht schlecht, nicht gut, aber jedenfalls so gegangen, wie es nach einem zweifellosen Gefühl für mich notwendig war. Mehr kann ein Mensch überhaupt nicht verlangen und ich wüßte von nichts, das ich mit solcher Bestimmtheit jemals getan

---

[1] Felicens fünfjähriges Dienstjubiläum bei der Firma Carl Lindström im August 1914.

hätte. Ich rede natürlich immer nur von der Notwendigkeit, die für mich bestand, nicht von F.'s Notwendigkeit.

Ich hätte Ihnen, Fräulein Grete, heute nicht mehr geschrieben, denn ich bin sehr müde, habe in Berlin fast gar nicht geschlafen, heute im Bureau nur mit letzter Kraft gearbeitet, nicht zu vergessen, daß ich jetzt noch einige Stunden zu arbeiten habe – aber es gibt etwas, was ich Ihnen nicht bald genug schreiben kann und das ist dieses: Meine Verlobung oder meine Heirat ändert nicht das geringste an unserem Verhältnis, in welchem wenigstens für mich schöne und ganz unentbehrliche Möglichkeiten liegen. Ist es so und wird es so sein? Und nochmals, falls es nicht schon gesagt sein sollte: Alles das ist unabhängig davon, was ich und was (soweit ich dies als Bräutigam sagen kann) F. Ihnen in unserer gemeinsamen Sache zu verdanken haben.

F. erzählte von einem Expressbrief, in dem Sie schrieben, daß Sie auf 2, 3 Monate nach Budapest gehen wollen. Habe ich recht verstanden? Wie ist dies damit zu vereinbaren, daß Sie doch nach Berlin wollen?

Und wird es möglich sein, daß Sie wirklich (vielleicht geschäftlich) nach Prag kommen, wenn F. Ende April oder Anfang Mai hier ist. Sie würde sich natürlich nach Ihnen einrichten. Ich wollte F. eigentlich hindern, davon Ihnen zu schreiben, da es allzusehr bloß hingeschrieben scheint, denn eine halbwegs leichte Möglichkeit für Sie herzukommen, dürfte sich doch leider kaum ergeben. Aber vielleicht eine gemeinsame Besichtigung von Gmünd? Schreiben Sie doch F. davon.

Herzlichste Grüße Ihres   Franz K.

An Grete Bloch 15. IV. 14

Liebes Fräulein Grete, ich habe eine ganz offenbare und wirkliche Sehnsucht nach Ihnen. Als ich heute die Plakate der Bureauausstellung (20.–29. Juni) zum erstenmal auf dem Weg ins Bureau im Vorüberlaufen sah, wurde ich ganz froh. Kommen Sie dann? Für eine Woche? Schön, schön, schön! Und vorher am 2., 3. Mai wollen Sie kommen, wollen die große Fahrt machen? Natürlich wird es F. so einrichten, daß sie auch hier ist; ich schreibe es ihr morgen, Sie haben ihr wohl auch geschrieben. Aber vielleicht geht es doch in Ihrem wie auch in meinem Sinn, daß wir alle 3 in Gmünd zusammenkommen. Ich weiß nur nicht, ob das Verlobte dürfen; Nichtverlobte haben es viel besser, die dürfen alles und müssen nichts. Was für eine Neuigkeit in Ihren Briefen? Sie streichen einen Satz bis zur Unleserlichkeit durch und brechen einen Absatz ab, weil er von Ihnen handelt? Sehn Sie doch, wie notwendig mein gestriger Brief war. Sie dürfen mich nicht aufgeben, das geht ganz und gar nicht, und ich werde es mir nicht gefallen lassen. Es besteht auch gar kein Grund dafür. Und ich will wissen, wie es Ihnen geht, und zu was für einem Zug Sie müssen und was für Sätze Sie durchstreichen.

Nach Ihrer letzten Karte scheint es ja wieder, als ob Sie von Berlin abrücken wollten. Man muß nicht vor Ruinen sitzen, um die Welt zu genießen, das kann man am Hundekehlensee auch und um so besser, je weiter er von Wien ist. Sie wollen es nicht glauben? Ich weiß nicht, was das »bedingungslose Ausliefern« bedeutet, ich habe absichtlich mit F. darüber nicht gesprochen; sie sagte mir nur immer wieder, wie Ihre Mutter Sie herbeiwünscht. Und F. bleibt ja noch so lange in Berlin. Bis September, sie will nicht früher heiraten. Das ist ja noch fast ein halbes Jahr.

Jetzt fällt mir ein, daß ich immerfort früher von irgendeinem Entschluß geredet habe, der mir Widerstandskraft gibt, ohne ihn verraten zu haben. Dieser Entschluß bestand darin, daß ich für den Fall, als ich F. nicht geheiratet hätte, meinen Posten hier aufgegeben oder, wenn es möglich gewesen wäre, einen längern Urlaub ohne Gehalt genommen hätte und nach Berlin gegangen (nicht wegen F. sondern wegen Berlin und seiner vielen Möglichkeiten) und Journalist oder sonst etwas ähnliches geworden wäre. Was meinen Sie nun nachträglich dazu, Fräulein Grete?

Der »arme Spielmann« ist schön, nicht wahr? Ich erinnere mich, ihn einmal meiner jüngsten Schwester vorgelesen zu haben, wie ich niemals etwas vorgelesen habe. Ich war so davon ausgefüllt, daß für keinen Irrtum der Betonung, des Atems, des Klangs, des Mitgefühls, des Verständnisses Platz in mir gewesen wäre, es brach wirklich mit einer unmenschlichen Selbstverständlichkeit aus mir hervor, ich war über jedes Wort glücklich, das ich aussprach. Das wird sich nicht mehr wiederholen, ich würde niemals mehr wagen, es vorzulesen.

Sie waren traurig oben bei der Ruine im Gras? Nichts scheint mir natürlicher. Ich war immer auf dem Land traurig. Was für eine Kraft gehört dazu, ein solches weites Land im Umblick sich anzupassen. Vor einer Berliner Straße gelingt mir das im Handumdrehn. Und doch waren Sie auch ruhig und innerlich friedlich draußen.

Herzlichste, herzlichste Grüße   Ihres Franz K

An Grete Bloch   16.IV.14

Liebes Fräulein Grete, das war schon viel besser. Natürlich wußte ich ganz genau, was Sie schreiben würden, Sie haben es oft genug schon angedeutet, oft genug schon den Versuch gemacht, sich aus der Schlinge zu ziehn, die aber gar keine Schlinge ist, sondern nur – nun, jedenfalls werde ich diese Schlinge mit allen Zähnen festzuhalten versuchen, falls Sie sie lösen wollten. Aber es ist ja gar nicht daran zu denken. Und die Briefe? Natürlich können Sie über die vergangenen verfügen (nicht über die künftigen!), aber warum wollten Sie sie nicht in meinem Besitz lassen? Warum soll überhaupt die geringste Änderung geschehn? Was helfen überhaupt Regeln Menschen und gegenüber Menschen? Ich sage auch noch heute, daß ich keinen fremden Menschen haben will und sage gleichzeitig, daß ich über jeden Augenblick glücklich sein werde, den Sie bei uns (dieses »uns« ist heute allerdings noch nicht viel mehr als eine Fabel) verbringen werden. F. wird die Briefe nicht lesen, wenn Sie nicht wollen; es ist auch gar nicht nötig, F. weiß schon oder könnte es auch ohne die Briefe wissen, wer Sie sind. Und weiß sie es nicht, dann werden ihr auch die Briefe nicht dazu verhelfen.
Macht es Sie nicht stolz, daß man in Berlin solchen Wert darauf legt, Sie zu bekommen? Mir geht es eigentümlich mit der Vorstellung von Ihrer jedenfalls ganz außergewöhnlichen Geschäftstüchtigkeit. Ich habe diese Tugend so wenig, daß ich mir deren Detail gar nicht vorstellen kann. Ich höre aber davon, auch jetzt in Berlin, glaube es auch natürlich, kann es aber mit aller Anstrengung nicht vollständig mit dem Fräulein Grete, an das ich schreibe, zusammenbringen, nur annähern kann ich es gerade noch.
Warum sollen Sie erst vom 1.VIII. nach Berlin kommen? Warum Henkersfristen? Wer hat denn um Himmels willen in Berlin andere Gelüste auf Ihren Kopf, als ihn zu streicheln? Kommen Sie doch früher! z.B. zu dem leider großen Tag, den man bei Ihnen Empfangstag nennt und der zu Pfingsten sein dürfte[1].

---

[1] Die offizielle Verlobungsfeier mit Verwandten und Freunden.

Frau B.[auer]? Nun, sie ist mir ein wenig unheimlich und ich ihr sehr. Ihr leuchte ich wohl am wenigsten ein, den andern, sei es auch mit Hilfe von Mißverständnissen, mehr oder weniger. Toni gefällt mir sehr, auch Erna, die ich allerdings nur paar Minuten Samstag abend gesehen habe, Sonntag und Montag war sie in Hannover. Den irgendwie verdächtigen Blick der Frau hatte ich immerfort auf mir, wäre ich an ihrer Stelle gewesen, hätte ich allerdings noch viel verdächtigendere Blicke gemacht, ich mache sie sogar an meiner Stelle. Nun, manchmal kam ich ihr krank vor, manchmal sinnlos, meistens dumm und selten auch überschlau; aus solcher Urteilsmischung ergibt sich kein sehr gutes Verhältnis, und sei es selbst gegenüber dem künftigen Schwiegersohn. Überhaupt wird man nicht viel Liebes an mir haben beobachten können, ich war übermüdet, zerfahren, unaufmerksam, dann wieder gleichzeitig zerstreut und überwach (einer meiner häßlichsten und häufigsten Zustände), trumpfte ganz unnötiger Weise mit meinem Vegetarianismus auf, aß nur Gemüse, war möglichst langweilig und es hätte schon eines göttermäßigen Blickes bedurft, um in mir die Ruhe und Notwendigkeit meines Handelns und Daseins zu erkennen.

Herzlichste Grüße Ihres   Franz K.

17. IV. 14

Liebste F., ich habe nur 10 Minuten und nicht einmal die ganz. Was soll ich tun und schreiben in der Eile? Zuerst danken dafür, daß Du den August als Austrittsmonat nennst, er soll es bleiben. Ich sah »furchtbar elend« aus, gewiß, mir war auch derartig, dieses Aussehn habe ich mir ja im Laufe eines halben Jahres erkämpft. Mich pflegen würde nicht helfen, der Zeitablauf wird helfen und jeder Tag, um den Du den Termin näher rückst, wird helfen und jedes Vertrauen und jede Geduld, die Du mir gegenüber zeigst, wird helfen und das letzte am meisten. Wir sind doch (es ist gefährlich, in der Eile auf so zugespitzte Bemerkungen sich einzulassen) wir sind doch äußerlich gegensätzliche Menschen, müssen also einer mit dem andern Geduld haben, müssen den fast göttermäßigen, nur dem gesteigertesten menschlichen Gefühl gegebenen Blick für des andern Notwendigkeit, Wahrheit und endlich Zugehörigkeit haben. Ich habe, F., diesen Blick, darum ist auch mein Vertrauen in unsere Zukunft fest. Streift mich einmal der leichteste Schein eines solchen Blickes aus Deinen Augen, so zittere ich vor Glück.

Franz

Schreib mir gleich, seien es nur paar Worte.
Könnte ich nicht Frl. Brühl mit irgendetwas irgendeine Freude machen. Ich kann nicht von weinenden Mädchen hören.

An Grete Bloch

17. IV. 14

Liebes Fräulein Grete! Die Briefe an drei Onkel und eine Tante sind geschrieben, ich darf mir jetzt auch das Vergnügen machen, Ihnen zu schreiben.
Das ist schön, daß Sie mit meinem Berliner Übersiedlungsplan so übereinstimmen. Ich will ja nach Berlin, Berlin tut mir von allen Seiten gut. Aber es wäre doch jetzt wenigstens ein großes Risiko damit verbunden, wenn ich meinen sichern Posten aufgeben würde. Allein hätte ich es tun können oder vielmehr, ich hätte es tun müssen. Jetzt aber, mit F.? Kann ich sie dazu überreden, ihren schönen Posten, an dem sie so hängt, aufzugeben, um dann mit mir in dem gleichen Berlin vielleicht Not zu leiden. Mein Selbstvertrauen ist nicht groß, wie Sie wissen, ist auch durch meine Vergangenheit und durch mein beamtenmäßiges Leben nicht sehr vergrößert worden.

––––

Spät, spät. Es bleibt heute nur noch übrig, aufs herzlichste zu grüßen. Es ist für mich eine Freude, das jeden Tag tun zu können.

Ihr Franz K.

F. hat mir über Ihren Brief noch nichts geschrieben.

An Grete Bloch

18. IV. 14

Liebes Fräulein Grete, nachdem ich Ihren ersten Brief gelesen hatte, wußte ich sofort, was ich Ihnen zunächst antworten könnte: daß Sie nämlich im Grunde F.'s Verhältnis zu Ihnen durchaus nicht so eindeutig auffassen, wie Sie es schreiben. Das Schreiben selbst verführt oft zu falschen Fixierungen. Es gibt eine Schwerkraft der Sätze, der man sich nicht entziehen kann. Ich will gar nicht den Satz herschreiben, in dem Sie F.'s angebliche Meinung über Sie zusammenfassen. Sie würden mir böse sein, wenn ich es täte. Der Satz ist bei weitem nicht schlimm, er ist gut, wie Ihr ganzes Wesen, er ist bei weitem nicht so schlimm, wie z. B. die gemeinen Schimpfworte, die ich einmal vor sehr kurzer Zeit im Halbschlaf gegen F. gebrauchte (F. weiß davon) – immerhin, Sie mußten ihn widerrufen, wenn nicht gleich, so am nächsten Tag, Sie hätten ihn auch widerrufen, wenn F.'s Brief nicht gekommen wäre. So aber haben Sie die Frage, die ich um ½9 früh stellte, mit dem Brief um ½11 schon beantwortet. Allerdings, würden Sie mich geradezu nach meiner Meinung über F.'s Verhältnis zu Ihnen fragen, ich wüßte keine ganz brauchbare zu geben, aber das wäre nicht entscheidend, ich weiß auch andere Antworten nicht, viele andere Antworten nicht.

Was die Briefe anlangt, so ist es bloß Ihre vorläufige Meinung, daß ich sie verbrennen soll, bis ich verheiratet bin. Nun bin ich aber noch nicht verheiratet und erst die Meinung, die Sie dann darüber haben werden, wird doch entscheidend sein. Lassen Sie sie doch also vorläufig in meinem Besitze. Sie haben mir einmal die Freude gemacht, sie zu bekommen, lassen Sie mir noch die Freude, sie ein wenig zu behalten. Glauben Sie übrigens, daß wir, F. und ich, sehr einig sein könnten, wenn wir nicht einmal in einer menschlich uns so nahegehenden Sache, wie es der Inhalt Ihrer Briefe ist, einig sein könnten, also mit den gleichen Augen lesen könnten?

Auch die Bewunderung Ihrer Geschäftstüchtigkeit müssen Sie mir lassen. Ich an Ihrer Stelle würde eher den präcisen Apparat unpräcis machen, als selbst präcis werden. Und die Patenterteilung? Könnte ich das doch im Detail besser würdigen! Es scheint mir, als hätten Sie sich damals im Hotelzimmer Mühe gegeben, mir einiges zu erklären, aber ich habe nichts behalten[1].

Gewiß sollen Sie spätestens am 1.VII. in Berlin sein! Ganz gewiß. Ganz gewiß werden Sie sich auch geschäftlich besser fühlen: Die stärkende Wirkung von Berlin fühle ja selbst ich oder vielmehr ich weiß, ich würde sie zu fühlen bekommen, wenn ich nach Berlin übersiedelte. Das Risiko ist aber für mich doch groß, ich habe meine

[1] Erste Begegnung in Prag Anfang November 1913.

Fähigkeit des Schreibens gar nicht in der Hand. Sie kommt und geht wie ein Gespenst. Seit einem Jahr habe ich nichts geschrieben, kann auch nichts, so viel ich weiß. Dabei hatte ich einen Glücksfall in den letzten Tagen entsprechend Ihrer Patenterteilung: Eine Geschichte[1], übrigens meine größte, aber auch einzige, vor einem Jahr geschriebene Geschichte ist von der Neuen Rundschau angenommen, übrigens auch mit andern liebenswürdigsten Angeboten. Hätte ich in diesem Jahr etwas geschrieben, wäre es nicht so gewagt, nach Berlin zu gehn, so aber wäre es doch eine verzweifelte Handlungsweise, F. aus ihrem jetzigen angenehmen Zustand in ein so unsicheres Leben zu schleppen. Das müssen Sie wohl auch zugeben.

Herzlichste Grüße Ihres   Franz K.

[Am Rande] Über unsere Zusammenkunft nächstens.

An Felicens Mutter, Frau Anna Bauer

19. IV. 14

Liebe Mutter!

Jetzt ordnet sich mir schon ein wenig die Erinnerung an die zwei Tage und ich kann Dir jetzt ruhig und bestimmt aus vollem Herzen danken, Dir, dem Vater und Euch allen. Ich habe mich wirklich während der zwei Tage unaufhörlich, aber unaufhörlich beschenkt gefühlt und darin, daß Ihr mir Felice gebet, das größte Zeichen Euerer Liebe gesehn, das ich jemals von Euch verlangen könnte und für das ich niemals würdig werde danken können.

Alles andere ist nebensächlich. Nebensächlich ist, daß Du, liebe Mutter, vielleicht manches an mir auszusetzen hast und vielleicht noch mehr auszusetzen finden wirst, ohne es ändern zu können. Wir sind keiner für uns vollkommen, um wieviel weniger noch für den andern. Denke, liebste Mutter, aber nicht zuerst daran, sondern zuerst daran, daß Du Felice einem Menschen gibst, der sie gewiß nicht weniger lieb hat als Du (natürlich aus seinem andern Wesen heraus) und der ihr ein glückliches Leben zu bereiten suchen wird, soweit nur seine angespanntesten Kräfte ausreichen.

Und jetzt kommt nur bald, alle freuen sich auf Euch. Jede Verzöge-

---

[1] Vermutlich »Die Verwandlung«, die jedoch erst im Oktober 1915 in der Monatsschrift *Die weißen Blätter* erschien.

rung Eueres Kommens ist doch grundlos, jede bringt mir Leid.
Auch wegen der Wohnungssuche ist es wichtig, daß Ihr bald kommt.
Zögert Felice, so treibe sie doch ein wenig im geheimen an, liebste
Mutter!
Herzlichste Grüße und Küsse Dir und allen von

Deinem Franz

19. IV. 14

Was für eine Freude, Liebste, auch einmal wegen der Briefe ins Unrecht gesetzt zu sein. Gewiß, ich hätte Deiner Mutter schon geschrieben haben sollen und habe es erst heute getan. Ich hätte auch Deinem Vater das Buch gleich Dienstag schicken sollen und habe es
erst Freitag geschickt. Aber erstens bin ich gar nicht pünktlich im
Briefschreiben (die Briefe an Dich sind keine Briefe, sondern Win-
seln und Zähnefletschen), meine Hand ist schwer und, wenn keine
Nachricht von Dir kommt, wie letzthin, ist diese Hand eben ganz
gelähmt und kann nicht einmal das Buch für Deinen Vater einpacken.
Ob ich mir dessen bewußt bin, daß ich Dir ganz gehöre? Ich mußte
nicht mir dessen bewußt werden, das weiß ich schon seit 1½ Jahren.
Die Verlobung hat daran nichts geändert, zu festigen war dieses Bewußtsein nicht mehr. Eher denke ich manchmal, daß Du, F., [Dir]
nicht immer ganz klar darüber bist, wie sehr und in welcher besondern Weise ich Dir gehöre. Aber Geduld, alles wird klar werden
F., in der Ehe wird alles klar werden und wir werden die einigsten
Menschen sein. Liebste, liebste F., wären wir schon so weit! Diese
Augenblicksbeziehungen an paar Sonntagen in Berlin, an paar Tagen in Prag können nicht alles lösen, wenn auch im Kern alles längst
gelöst ist, vielleicht seit meinem ersten Blick in Deine Augen.
Jeder hat etwas anderes geglaubt, ich habe geglaubt, Du würdest
meiner Mutter antworten und habe darüber vergessen, Deiner Mutter zu schreiben. Du schreibst, Du müßtest Dich selbst einladen. Wie
denn? Hast Du den Brief meiner Mutter vom letzten Montag nicht
bekommen, in dem sie Dich doch eingeladen hat und gewiß sehr
herzlich.

———

Ein Freund meines Madrider Onkels [Alfred Löwy], der bei der
österreichischen Botschaft in Madrid angestellt ist, war hier und ich

bin mit ihm ein wenig spazieren gewesen. Merkwürdig: jetzt ist schon spät, wir sind viel herumgegangen, haben auch Ottla und eine Cousine mitgehabt, haben noch andere Leute getroffen und jetzt, da ich mich nach diesem für mich ungewöhnlichen Unternehmen hinsetze (in den letzten Jahren bin ich wohl bei Tag nur allein oder mit Felix, dem andern Felix spazierengegangen), da ich mich also hinsetze, um Dir zu schreiben, merke ich, daß ich nicht im geringsten umdenken muß, sondern während des ganzen Spaziergangs, in der Elektrischen, im Baumgarten, am Teich, bei der Musik, beim Butterbrotessen (sogar einen Bissen Butterbrot am Nachmittag habe ich gegessen, eine Monstrosität hinter der andern!), auf dem Nachhauseweg immer nur Dich, immer nur Dich im Kopfe hatte. Im Geiste bin ich mit Dir vereinigt in einer Unlöslichkeit, an die kein Rabbinersegen von der Ferne heranreicht.

In die Zeitung gebe ich die Anzeige erst morgen für Dienstag. Mein Direktor kommt morgen von einer Reise zurück und ich wollte nicht, daß die Anzeige früher in der Zeitung steht, ehe ich es ihm privat gesagt habe. Mittwoch bekommst Du die Zeitung. Natürlich wissen schon fast alle davon, die es angeht. Was haben denn Deine Freunde und Bekannten gesagt, haben es viele dem Friseur nachgesprochen? – Und im übrigen – so wird jeder Brief schließen – glaube ich, daß Du sehr bald kommen solltest. Wann denn, F., wann denn?

Dein Franz

Über die Kopfschmerzen bitte schreib mir gleich!

20. IV. 14

Meine Liebste, jetzt abend komme ich nachhause, habe mich nutzlos herumgetrieben, auf Tennisplätzen, auf den Gassen, im Bureau (ob dort vielleicht eine Nachricht von Dir wäre) und finde nun Deinen Brief. Ich werde unfähig, etwas zu tun, wenn ich nicht Nachricht von Dir habe, ich war wirklich unfähig, die kleine Anzeige in die Zeitung zu geben, trotzdem das schon möglich ist, da ich es heute dem Direktor gesagt habe. Aber ich konnte nicht, übrigens war es auch im Berliner Tageblatt nicht.

Ich weiß nicht einmal mehr, womit ich letzthin so beschäftigt gewesen bin, es wird nichts sehr Wichtiges gewesen sein. Über Unwichtigem ist es spät geworden, so wie heute auch. Was für ein provisorisches Leben ohne Dich!

Mit Max komme ich natürlich zusammen, sogar jeden Tag. Nur sind wir, wenn ich genau zusehe, einander nicht so nahe, wie wir es früher, zeitweise allerdings nur, gewesen sind. (Niemals waren wir einander so nahe wie auf Reisen, warte ich schicke Dir nächstens zwei gedruckte Kleinigkeiten von unsern Reisen, eine erträgliche von mir und eine ganz unerträgliche von uns beiden gemeinsam geschrieben[1]. Ich verspreche nicht so ins Blaue wie Du den Brief für meine Mutter, die Reklammarken für den Chef, das Berliner Tageblatt und die Kündigung bei der Ärztin für mich. Ich verspreche auch ins Blaue, aber mein Blau ist nicht gar so grenzenlos.) Wir (der Sicherheit halber nochmals: Max und ich) sind durch meine Schuld einander nicht mehr so nahe, er fühlt es auch in seiner Schuldlosigkeit gar nicht so, hat mir auch z.B. seinen neuen Roman »Tycho Brahes Weg zu Gott«, eines seiner persönlichsten Bücher, eine peinigend selbstquälerische Geschichte geradezu, gewidmet[2]. Aber auch meine Schuld ist nicht eigentlich Schuld oder nur zum kleinen Teil. Ich bin Max unklar und wo ich ihm klar bin, irrt er sich. Ich bin in der letzten Zeit trotz aller äußerlichen mich betreffenden Geschwätzigkeit (dieses Laster kennst Du noch nicht, Du hast es selbst auch nicht, dafür liebe ich Dich ja auch) immer verschlossener, immer menschenscheuer geworden, ich kann trotz dem innern Drängen der Geschwätzigkeit und selbst einer berechtigteren Lust zur Mitteilung nicht aus mir hinaus, es ist auch nicht eigentlich Scheu vor Menschen, sondern Unbehaglichkeit in ihrer Nähe, Unfähigkeit zur Herstellung vollständiger, lückenloser Beziehungen, ich verliere so selten den fremden Blick für andere (verstehst Du das?), ich getraue mich zu behaupten, daß selten jemand so fähig ist wie ich, schweigend in halber Nähe, ohne unmittelbar dazu gezwun – endgültige Unterbrechung, 2 Onkel kommen, einer aus Triesch in Mähren, der andere ein Prager[3], eine Merkwürdigkeit,

---

[1] »Die Aeroplane in Brescia«, veröffentlicht in der *Deutschen Zeitung Bohemia* vom 28. September 1909, und die gemeinsam mit Max Brod verfaßte Reisegeschichte »Richard und Samuel«, erschienen in den *Herder-Blättern*, 1. Jg., Nr. 3 (Mai 1912), S. 15 ff. Wiederabdruck in Franz Kafka, *Erzählungen und kleine Prosa*, Berlin 1935, S. 264 ff.

[2] Max Brods Roman *Tycho Brahes Weg zu Gott*, zuerst in der Monatsschrift *Die Weißen Blätter* (Januar bis Juni 1915) in Fortsetzungen veröffentlicht, erschien 1916 im Verlag Kurt Wolff. Dem Roman ist die Widmung vorangestellt: »Meinem Freunde Franz Kafka«.

[3] Kafkas Onkel Siegfried Löwy, Landarzt in Triesch (bei Iglau in Mähren) und Rudolf Löwy, Buchhalter in Prag.

ich muß aufhören, nur damit Du nicht Angst bekommst wegen des angefangenen Satzes, unnötige Angst, glaube mir, wir vertrauen einander doch, nicht?, also damit Du nicht Angst bekommst, schließe ich noch den Satz – gen zu sein, Menschen vollständig mit einer mich selbst erschreckenden Kraft zu fassen. Das kann ich, dieses Können ist aber, wenn ich nicht schreibe, allerdings fast eine Gefahr für mich. Nur gibt es, da ich Dich habe, keine Gefahr für mich, und auch für Dich, Liebste, soll es keine geben.

Franz

Keine Kopfschmerzen, unbedingt keine!
Kündigen der Ärztin! Bald kommen!
Ausstattung vorbereiten!

[21. April 1914]

Eine Narrheit, eine Krankheit, F., habe ich Deinen Brief oder eine kleine Nachricht nicht, so kann ich nichts machen, auch nicht die Annonce in die Zeitung geben. Nicht daß ich etwa in der Weise aufgeregt wäre wie früher, wir gehören ja zusammen (wie das B.T. [Berliner Tageblatt] laut und mein Herz leiser aber bestimmter sagt) und es macht nichts aus, wenn eine Nachricht ausbleibt, es sollte sogar gut sein, wenn Du ein Aufatmen in Deiner vielen Arbeit zum wirklichen Aufatmen statt zum Schreiben benutzt, aber trotzdem – die Anzeige gebe ich also erst morgen hinein, Freitag bekommst Du sie[1]. Aber ein Fehlen der Übereinstimmung ist das nicht, F., wie die Zeitungen überhaupt meinem Gefühl nach wenig mit unserer Sache zu tun haben. Die Anzeige im [Berliner] Tag[e]blatt ist sogar ein wenig unheimlich, die Anzeige des Empfangstages klingt mir so, als stünde dort, daß F.K. am Pfingstsonntag eine Schleifenfahrt im Varieté ausführen wird[2]. Die beiden Namen aber stehn warm und gut beisammen, das ist schön und muß so sein.
Es ist spät, den Expressbrief bekam ich erst jetzt um 9, jedenfalls kam er erst nach 2 ins Bureau. Herzlichste Grüße, Dank für den Kuß, kann ihn aber nicht erwidern, küßt man von der Ferne, fällt man mit seinem gutgemeinten Kuß in Dunkel und Sinnlosigkeit, statt den fernen lieben Mund zu berühren.

Franz

---

[1] Eine unscheinbare Notiz erschien erst am Freitag, dem 24. April 1914, im *Prager Tagblatt:* »Dr. Franz *Kafka,* Vize-Sekretär der Arbeiter-Unfallversicherungsanstalt in Prag, hat sich mit Fräulein Felice *Bauer* aus Berlin verlobt.«, siehe Abb. S. 577.
[2] Siehe Abb. S. 577.

Liebes Fräulein Grete, ich verstehe nicht ganz, was Sie mit der Beschreibung Ihres allgemeinen Verhaltens zu Menschen meinen. Es ist ebenso bestimmt wie allgemein gesagt, kann aber weder für das Allgemeine noch für mich passen, paßt also wieder nur auf einen ganz besondern Fall, der Ihren armen unruhigen Kopf nicht läßt und von dem ich nichts oder zu wenig weiß. Mir gegenüber stimmt gar nichts davon, was Sie sagen. Sie haben sich mir gegenüber so richtig und vor allem so unbeirrt, durch sich und mich unbeirrt, verhalten, als wären Sie nicht ein anderer Mensch sondern mein eigenes mit selbständigem und gutem und liebenswertem Leben begabtes Gewissen. Glauben Sie es nur! Vielleicht täuschen Sie sich im allgemeinen auch über Ihr Wesen. Vielleicht sehen Sie zu sehr von sich ab, sind zu gut, zu heldenhaft. Es sieht manchmal so aus. Es wird nicht wenige Menschen geben, die Ihnen dankbar sein müssen. Stecken die in der dritten Kategorie Ihrer Einteilung? Dann werde ich mich hüten, dankbar zu sein.

Es war kein »scharfes Abrechnen« in meinem letzten Brief, das war es gewiß nicht, es wollte nur ein Festhalten und Drücken Ihrer Hand sein, nichts sonst. Sie wissen es auch. Die mangelnde Eindeutigkeit Ihres Verhältnisses zu F. ist nicht Ihre Schuld, vorausgesetzt, daß diese Eindeutigkeit überhaupt fehlt und nicht bloß für meine gleichzeitig blöden und überwachen Augen.

Haben Sie auf dem Semmering sich wegen Berlin schon entschlossen? Klar und ohne Verzweiflung? Und werden Sie also nicht nach Budapest fahren? Und am 2. Mai in Prag sein? Gmünd wäre viel besser, ich habe F. davon noch nicht geschrieben. Schwierigkeiten hätte es, F. bleibt nur wenige Tage, und der Tag in Gmünd entfiele als Besuchstag, übernachten müßte man auch, die Mutter müßte man in Prag lassen und ich hätte eine neue unheimliche Narrheit ausgeführt, die Fahrt könnte doch nur Sonntag gemacht werden, also gerade an dem Tag, an dem meine Eltern vollständig freie Zeit haben – immerhin, es wäre schön und frei in Gmünd, und zumindest bis zum letzten Augenblick überlegenswert bleibt es.

Ob Sie sich auf die »Geschichte« [Die Verwandlung] freuen dürfen? Ich weiß nicht, der »Heizer« hat Ihnen nicht gefallen. Jedenfalls, die »Geschichte« freut sich auf Sie, daran ist kein Zweifel. Übrigens heißt die Heldin Grete und macht Ihnen wenigstens im ersten Teil keine Unehre. Später allerdings, als die Plage zu groß wird, läßt sie ab und fängt ein selbständiges Leben an, verläßt den, der sie braucht. Eine alte Geschichte übrigens, mehr als ein Jahr alt, damals wußte ich den Namen Grete noch nicht zu schätzen, lernte es erst im Laufe der Geschichte.

Herzlichste Grüße (die Adjektiva müssen hinreichen, man schickt sie doch nicht ins Blaue, nicht die Adjektiva müssen richtig sein, sondern der Mensch muß es sein, dem man sie schickt)

Ihres   Franz K.

22. IV. 14

Meine liebe F., alles Briefpapier verschrieben, nur dieser Abschnitzel Deines Briefes ist noch da. Du, ich dachte durch die Verlobung Dir mehr freie Zeit zu verschaffen und habe Dir offenbar noch viel mehr Arbeit gemacht. Sehr schade! Von Deinem Vater bekam ich jetzt einen sehr freundlichen Brief; meine Mutter macht sich irgendwelche Sorgen wegen einiger Zeilen von Dir an meinen Vater. Was für Dinge! Komm' bald, heiraten wir, machen wir Schluß. Die schöne Wohnung, von der ich sprach, wird erst im Feber frei, und selbst das ist unsicher. Eine schöne, schöngelegene, genug teuere Wohnung mit ebensoviel unersetzlichen Vorteilen als Nachteilen bleibt bis zum 2. Mai abends reserviert. Das bedeutet, daß Du spätestens am 1. Mai in Prag sein mußt.

Wie wird es mit dem Besuch des Fräulein Grete?

Franz

24. IV. 14

Der dritte Brief, den ich heute anfange. Immer wieder mischt sich heute in die Briefe an Dich Dein Bekannter aus Breslau, dessen Namen ich mir nicht etwa aus Trotz, aber doch aus irgendeiner Notwendigkeit nicht merken kann; nicht einmal sein Aussehn kann ich mir merken, trotzdem ich doch sein Bild groß genug in Deinem Zimmer habe hängen sehn. Ihn selbst dagegen kann ich nicht vergessen; es ist zum Teil Deine Schuld, Du hast mir zu wenig Deutliches und zu viel Andeutungsweises von ihm erzählt.

Heute hatte ich von Dir kein Wort, das wäre nicht schlimm; schlimmer ist, daß ich nun schon wohl seit ¾ Jahren keine ruhig geschriebene Seite von Dir bekommen habe.

Ich danke Dir für den Brief an die Eltern, er hat sie beide vollständig befriedigt. Mir fiel bei dem Brief wieder einmal ein, wie merkwürdig Euere Sprache ist. Worte wie »furchtbar, riesig, ungeheuer, famos« streut Ihr nur so hin, das richtig charakterisierende »sehr« sucht Ihr lieber zu vermeiden und ersetzt es durch das unbestimmt zurückhaltende »recht«.

Sonntag bekommst Du, F., keinen Brief von mir, sei nicht böse deshalb, ich schreibe nicht gerne nachhause; als Familienfremder konnte ich schreiben; wurden Späße darüber gemacht, so waren sie doch nicht gut gemeint; heute würden oder könnten nur gutgemeinte Späße darüber gemacht werden und die, gerade die, täten mir leid.

Dein Brief an meine Eltern hat mich vor allem wegen des Datums Deines Besuches enttäuscht. Wie? Erst am 5ten willst Du kommen? Warum erst am 5ten? Dein Chef ist doch schon zurück. Und was tue ich mit der Wohnung, die ich mir mit Mühe bis zum zweiten habe reservieren lassen?

Was für trübsinnige Mitteilungen ich Dir heute mache! Laß mich wenigstens Deine Hand küssen, damit ich mein Gesicht verstecken kann.

F

25.IV.14
[vermutlich vom 26. April 1914]

Liebste F., von zwei Sachen schreibst Du nicht, trotzdem Du weißt, daß mich beide Deinetwegen (laß *mich* jetzt beiseite!), geradewegs Deinetwegen sehr bekümmern. Um das eine habe ich bisher gar nicht gefragt, es ist Dein Bruder. Du hast mir einmal geschrieben, ich würde in Berlin darüber Ausführliches hören, ich habe nichts gehört, nur den einen Brief gelesen und daraus schließen (ich meine aus dem Inhalt des Briefes schließen) können, wie viel Du mir von dieser Sache, was Dich betrifft, ich wiederhole, nur was Dich betrifft, verschwiegen hast. Nun aber schweigst Du weiter.

Das zweite ist Dein Bekannter aus Breslau. Ich scheue mich nicht, danach offen zu fragen, denn wenn es ein noch wirkendes Gespenst

563

ist, wird es sich auch ungerufen melden, wirkt es nicht mehr, dann werde ich es auch durch diesen Anruf nicht wecken. Verweise mich nicht auf mündliche Aussprache, Du hast frühere derartige Versprechen auch nicht erfüllen können. Rede offen oder sage offen, warum Du nicht reden kannst. Es gibt so vieles, was man nicht klar sagen, worin man sich aus eigener Schwäche oder aus Schwäche des Zuhörers nicht mitteilen kann, umso mehr hat man die Pflicht, dort, wo Klarheit möglich ist, klar zu sein. Das Bild mag ruhig in Deinem Zimmer hängen, ich soll aber in meinem Zimmer auch ruhig sein dürfen.

F

Was die Kraftausdrücke anlangt, hast Du mich ein wenig mißverstanden. Nicht diese Ausdrücke an und für sich sind merkwürdig, merkwürdig ist, daß Ihr einerseits diese vor lauter Riesenhaftigkeit leeren Worte wählt (den Mädchen scheinen sie unter schwerem Atem wie große Ratten aus dem kleinen Mund zu kommen), andererseits aber auch gern matte, wenig bezeichnende Worte bevorzugt, und so in einer Art Riesentempo nicht eigentlich darstellt, sondern die richtige Darstellung umläuft.

Die Besuche mögen Dir viel Plage machen, aber doch auch Vergnügen, nicht? Jedem sein Teil, Du empfängst die Gäste, ich die Gespenster.

Gratulationen bekomme ich genug, wenn auch gewiß nicht so viel wie Du. Die ersten habe ich geöffnet, die spätern nicht mehr, sie werden auch ungelesen wirken, wenn es ihnen und uns so bestimmt ist. Die beiliegende Karte schicke ich für Deine Tante, sie ist von dem Mann, den sie zu kennen behauptet.

Du kommst also Freitag; das kann als sicher gelten. Willst Du die Wohnung sehn, ist es der letzte Termin. Die Wohnung ist sehr schön; wenn bei der Besichtigung so gutes Wetter wie jetzt sein wird, dann wirst Du sie nehmen, sonst wirst Du zweifeln. Sie ist genug weit gelegen, ganz frei, mitten im Grün[en], 3 Zimmer, 2 Balkone, 1 Terrasse, 1200 K, viel Geld, mehr eigentlich als wir zahlen können. Ich rede so, als hätte ich einen Überblick darüber, was wir zahlen können.

Hast Du keine Lust, nach Gmünd auf einen Tag zu fahren? Ich hätte große Lust.

Schick mir die Adresse Deiner Schwester Elsa! War Deine Mutter

mit meinem Brief zufrieden? Hast Du auch [Brods] »Weiberwirtschaft« und Werfel bekommen?

An Grete Bloch   26. IV. 14

Liebes Fräulein, gut, lassen wir die Entscheidung offen. Möge ich
jeden Augenblick, während F.'s Hiersein, die Hoffnung haben, Sie
zu erblicken. Jede solche Hoffnung ist bisher so sinnlos vergangen,
möge es mit dieser nicht so sein. Wegen Gmünd hat mir F. noch
nicht geschrieben. Sie dürfte am 1. oder 2. kommen, natürlich
schreibe ich Ihnen noch das Datum.
Nun gehn Sie also ganz bestimmt nach Berlin. Waren es gute, waren
es schlechte Nachrichten, auf die Ihr jetziger Entschluß zurückgeht?
Wegen der gemeinsamen Fahrt lassen wir nun aber die Entscheidung nicht offen, sondern wir fahren ganz bestimmt zusammen,
denke ich. Wie freue ich mich darauf, Ihnen im Coupé gegenüber
zu sitzen, nicht zu erzählen, denn das kann ich nicht, aber immerhin
dazusitzen, zu nicken, den Kopf zu schütteln, Ihre Hand zur Begrüßung ordentlich zu drücken und es mir im übrigen wohl sein zu
lassen. Schöne Fahrt!
Zum Abschied darf Ihnen Wien gefallen. Vergessen Sie nicht an das
Grillparzerzimmer! Übrigens glaube ich nicht, daß die Abschied-
traurigkeit darauf zurückgeht, daß man das, wovon man Abschied
nimmt, lieb gehabt hat. Die Traurigkeit hat vielleicht ihren Grund
eher im gegenteiligen Gefühl. Man fühlt, daß man zu leicht sich
trennt, man fühlt, daß man zu leicht auch verabschiedet wird, die
äußerlichen Verbindungen, die sich im Laufe der Zeit hergestellt
haben und in der Ruhe des Nichtüberprüftwerdens fast innerliche
Verbindungen darzustellen schienen, zeigen sich als die Gering-
fügigkeiten, die sie sind. Man erinnert sich traurig an die Schein-
verbindungen, die sich ergeben haben und sieht traurig die Schein-
verbindungen voraus, die sich ergeben werden. Man braucht ja
beides, Freiheit und Gebundenheit, aber jedes an seinem Platz, und es
wird einem sehr übel, wenn man merkt, daß man die Plätze verwechselt hat. So ist es mir oft gegangen; das tut nichts, seien Sie mit
mir froh, daß Sie von Wien wegkommen. Was hat Ihr Bruder mit
der citierten Bemerkung gemeint? Sonderbar ist sie. Und was sind

das für sonstige Raben in Berlin, die Ihnen abraten? Wie wenig ich von Ihnen weiß! Und wie viel ich wissen möchte! Sogar der Besuch interessiert mich, den Sie hatten.

Die Ratschläge, die Sie mir anbieten, könnte ich wohl brauchen, aber schriftlich lassen sie sich kaum geben. Wie wollen Sie mir hinsichtlich einer Wohnung raten, die Sie nicht kennen? Und wie wollen Sie mir wegen der Verwendung meiner paar Kronen raten, da es doch ganz unmöglich ist, daß F. damit auskommt. Aber so sorgenvoll ich sonst bin, das macht mir nicht die allergeringste Sorge. Dafür fehlt mir die Phantasie. Vielleicht ist auch das sonstige Sorgengedränge zu groß, um noch etwas durchzulassen. Im übrigen bin ich freier von Kopfschmerzen, als ich es jemals gewesen bin. Und Sie? Sie waren noch vor kurzem so geplagt, ist es besser? Haben Sie schon vegetarisch gegessen? Und die Thürheim werden Sie nun wohl auch schon kaum lesen. Werden Sie noch nach Teplitz fahren?

Herzlichste Grüße Ihres   Franz K.

29. IV. 14

Du mißverstehst mich, F. Was Du mir über den Breslauer Bekannten schreibst, kümmert mich gar nicht; wie er heißt, wie er verheiratet ist, kümmert mich gar nicht; er selbst kümmert mich ja überhaupt nicht.

Über Deinen Bruder scheinst Du also mittelbar befriedigende Nachricht bekommen zu haben. Das freut mich um unser aller willen.

Ich hatte erwartet, daß Du mir schon den bestimmten Tag Deiner Ankunft wirst nennen können. Wenn Du nicht Freitag kommst, ist die eine Wohnung verloren. Die Wohnung ohne Dich zu nehmen, möchte ich nicht verantworten wollen, denn das, was an der Wohnung Dir gefiele, müßte den Ausgleich für die Nachteile bilden, die sich dadurch für Dich ergeben würden, daß die Wohnung ziemlich weit von der Mitte der Stadt liegt, daß Du unter lauter Tschechen wärest und einiges dergleichen. Suche also Dein Kommen möglich zu machen. Ich werde mir morgen noch andere Wohnungen in einer andern vielleicht bequemer liegenden Gegend anschauen, damit Du dann ohne zu große Mühe das Beste wählen kannst. Gestern habe ich eine Wohnung mit 3 Zimmern gesehn, die nur 700 K kostet, mitten in der Stadt, gleich hinter dem Museum, das den Wenzelsplatz oben abschließt. Eine Wohnung, wie man sie manchmal in Angstträumen bewohnt. Schon auf der Treppe kämpft man mit verschiedenen Gerüchen, man muß durch die finstere Küche eintreten, in einem Winkel weint ein Haufen Kinder, ein vergittertes Fenster hat Blei- und Glasglanz, das Ungeziefer wartet in seinen Löchern auf die Nacht. Das Leben in solchen Wohnungen kann man fast nur als Wirkung eines Fluches verstehn. Hier wird nicht gearbeitet, gearbeitet wird anderswo, hier wird nicht gesündigt, gesündigt wird anderswo, hier will man nur leben und kann es kaum. Wir sollten uns nicht nur Wohnungen ansehn, die wünschenswert sind, wir sollten einmal zusammen auch eine solche Wohnung ansehn, Felice.

F.

An Grete Bloch

29. IV. 14

Wegen wessen quälen Sie sich denn, liebes Fräulein Grete? Und so halsbrecherisch? Mir hätten Sie nicht wohlgetan, mir täten Sie nicht immerfort Gutes? Mir, der ich Ihnen gegenüber immer das Gefühl habe, daß es nur zweierlei reines, tränenloses, an die Grenzen unserer Kraft schlagendes Glück gibt: einen Menschen haben, der einem treu ist und dem man sich treu fühlt und dann sich selbst treu sein und sich vollkommen auszunützen, sich ohne Asche zu verbrennen.

Ihr Brief ist so eilig geschrieben; ich verstehe nicht alles. Wenn man Sie für Berlin aufnimmt, so muß man Ihnen doch die Möglichkeit geben, sich dort einzurichten; daß Sie dort Ihre Familie haben, geht doch niemanden etwas an. Ist es aber notwendig, daß Sie so bald mit der Arbeit beginnen, dann wird man doch, besonders da Sie in dem gleichen Gesamtgeschäft bleiben, nicht viel dagegen einwenden können, daß Sie früher, etwa eine Woche vor Pfingsten, von Wien weggehn. Und in welchem Zustand, Fräulein Grete, ist jener Brief, nicht geschrieben sondern gelesen worden, in dem angeblich steht: Bleib', wo Du bist –

Immerhin, damit muß man nun rechnen, daß Sie Pfingsten nicht in Berlin sein werden, und daß mein Gegenüber im Coupé zu seinem und meinem Leid mein Vater sein wird. Schlimm! Schlimm! Und in Berlin werde ich das Kunststück des Empfangstags allein mit meinen zwei Beinen und Händen ausführen müssen. Ohne Ihre Hilfe.

(F. wird mit *ihrem* Kunststück beschäftigt sein.) Nun, damit werde ich mich ab|finden müssen. Und mich damit trösten müssen, daß Sie endlich aus der Wiener Enge und Trostlosigkeit herauskommen, Ihre Kräfte fühlen und wieder die so natürliche Lust an sich selbst bekommen werden. Vielleicht ist Ihre Lage im Wesen gar nicht so verschieden von meiner, nur daß sie Ihnen überraschender kam, Ihnen gar nicht entspricht und schließlich prachtvoll von Ihnen gesprengt werden muß.

Der Schaden, der für mich darin liegt, daß Sie Pfingsten wahrscheinlich nicht in Berlin sein werden, könnte ja für mich dadurch zum Nutzen gewendet werden, daß Sie nun doch jetzt mit F. zusammenkommen. Wann F. kommt, weiß ich allerdings noch nicht bestimmt. Ich nahm an, daß sie Freitag kommt, jetzt zweifele ich wieder. Gestern hatte ich einen Brief, in dem sie schreibt: »Grete schrieb mir inzwischen, daß sie nicht nach Prag kommen kann, da sie bereits am 1. Juni abgehen (schrecklich-schönes Berliner Wort!) wird. Ich werde ihr aber morgen noch einmal schreiben.« Wenn F. nicht F. wäre, müßten Sie also heute einen Brief haben, in dem auch etwas über Gmünd stehn müßte. Davon nämlich schrieb mir F. noch nicht. Für jeden Fall: Sobald ich bestimmt erfahre, wann F. kommt, telegraphiere ich Ihnen. Es steht Ihnen dann frei zu telegraphieren: »Ich komme«, und gleich laufe ich und reserviere Ihnen ein Zimmer in F.'s Hotel.

Doch verstehe ich gut, daß diese Reise durchaus eine Plage wäre (Samstag her, Sonntag zurück, anders wäre es doch nicht?), abgesehen von den Belästigungen, die ich wenigstens nicht vollständig von Ihnen abhalten könnte, und daß es deshalb besser von mir gehandelt wäre, gar nicht zu bitten.

Herzlichste Grüße   Ihres Franz K.

Werden Sie nach Teplitz kommen? Wird sich vielleicht die Berliner Firma an der Prager Ausstellung beteiligen?

An Grete Bloch

[Ende April 1914]

Liebes Fräulein Grete, es gibt kein anderes Papier im Haus. Das Bessere ist schon verschrieben, aber es ist gerade recht für Sie, ich will

Ihnen ja nicht Briefe schreiben, sondern durch paar Minuten Ihnen so nahe sein, als es die hunderte km. erlauben.

Bin ich mißverstanden worden? Nein. Und trotzdem wollen Sie nicht kommen? Alle Gründe, die gegen Gmünd sprechen, sprechen für Prag. Wenn Frau B. [Bauer] Sie nicht gut vertragen kann – ich selbst habe nichts derartiges gemerkt –, dann gibt es für Sie und mich nur eine neue Gemeinsamkeit, aber ein Hindernis für Ihren Besuch ist darin nicht gelegen. Ich für meinen Teil wäre sehr froh, wenn Sie kämen und F. gewiß auch, sie hat mir Ihren Besuch schon mit den freudigsten Ausdrücken angekündigt. Ich verstehe es noch nicht richtig auszudrücken, aber es scheint mir manchmal für mich förmlich notwendig, daß Sie dabei sind, wenn F. zum ersten Mal bei mir zu Hause ist. Für Sie spricht natürlich genug dagegen: die große Reise, das Reden mit fremden Leuten, nicht mit vielen, aber immerhin mit einigen, und andere Kleinigkeiten, die sich nicht voraussehn lassen. Ich will Sie nicht zwingen, aber zwingen werde ich mich müssen, Sie zu entbehren. Vielleicht hat F. einen guten Einfall, von Gmünd hat sie mir noch nicht geschrieben; will sie hin, dann wird mich nichts halten.

F. schreibt mir jetzt regelmäßiger, wenn auch nur wenig, so doch jeden Tag, außer heute, heute habe ich noch nichts bekommen. Gestern aber

———

Schluß, es ist spät, übrigens kam gerade, als ich vor paar Stunden den letzten Satz schrieb, ein Telegramm von F., als wolle sie mir gewissermaßen im letzten Augenblick die Hand halten, die eine Art Vorwurf niedergeschrieben hat. Es war zu spät.

Herzlichste Grüße Ihr   Franz K.

An Grete Bloch
[3. Mai 1914]

Liebes, liebes Fräulein Grete, in aller unsinnigen Eile, die das Umhergeschlepptwerden eines Brautpaares, gar eines wohnungsuchenden mit sich bringt. Aber es ist mir unmöglich, ganz unmöglich, Sie heute nicht zu grüßen. Das Liebste und Schönste unter dem Lieben und Schönen, das Sie geschickt haben, ist Ihr Bild. Ich merkte, ich hatte Ihr Gesicht ganz vergessen; seit jener Zeit hat es sich in meiner Erinnerung ganz aufgelöst und was sich allmählich im Laufe der Zeit zu einem neuen Menschenbild zusammensetzte, war ein Mensch, an dem mir so viel lag, daß ich glaubte, an seinem Gesicht könne mir gar nichts liegen. Und nun vor dem Bild ist das natürlich gar nicht wahr. Ich wäre so froh, wenn ich ein Bildchen von Ihnen bekäme; bekäme ich nur eins, so würde ich das wählen, wo Sie mit den 2 Mädchen beisammen sitzen. Nicht etwa zum Dank dafür, das wäre komisch, sondern aus eigenem Antrieb lege ich die schiefgedrehte Fratze bei[1].

Heute nichts mehr; ich habe Ihnen viel zu erzählen, zu klagen, daß Sie nicht da sind, mich zu freuen, daß Sie nicht da sind. Da diese Mischung auch geblieben wäre, wenn Sie gekommen wären, bin ich doch eigentlich sehr traurig, daß Sie nicht gekommen sind, ich hätte mehr bitten sollen. Gestern nachmittag haben wir Sie angerufen, aber Ihr Bureau war schon zu.

Morgen oder übermorgen schreibe ich.   Ihr Franz K.

An Grete Bloch

                                        [vermutlich 5. Mai 1914]

Liebes Fräulein Grete, nun habe ich die Bilder, sie liegen vor mir, das am Denkmal ist das schönste (so matt stützen Sie sich auf Ihre Nachbarin?), der »einsame Weg« ist noch charakteristisch, die andern sind nur Hilfsmittel, keine Hilfe, aber alle sind mir viel wert, glauben Sie. In was für einem schönen Park sind Sie? In einer Villa? Lustig doch im ganzen. Sind es Freundinnen?

———

Spät, spät. F. ist heute weggefahren. Morgen schreibe ich mehr. Ich bin über die kleinen Arbeiten nicht unglücklich, schrieb ich dergleichen? Unglücklich war ich bloß darüber, daß ich gehindert war, Ihnen gleich zu danken. Sonst aber, zwar nicht »glücklichster Bräutigam«, das nicht, das nicht, glücklichster Bräutigam ist nur der, welcher auch über sich am glücklichsten ist. Nein, nein.

                            Morgen wieder!   Ihr Franz K.

---

[1] Vermutlich wieder das Bild in Wagenbach, *Monographie,* S. 57.

7. V. 14

Liebes Fräulein Grete, was ich auch immer sein mag, jedenfalls bin ich zerstreut, treibe mich am liebsten in Parks und auf den Gassen herum, drücke mit der einen Hand die andere, komme nachhause, esse von Ihrem wunderbaren Obst, laufe wieder weg, suche Wohnung, miete eine schlechte, fürchte nicht mehr loszukommen, immer gefallen mir nur die vorletzten; ehe ich mich an die letzte gewöhne, liebe ich die vorletzte, so daß man mich geradezu von der Schwelle wegreißen muß. Aus der ersten und schönsten haben mich förmlich alle hinausgedrängt, ich selbst habe zugestoßen.

———

Wieder mißlungene Versuche, die letzte Wohnung loszuwerden. Abgesehen von den verschiedensten guten und schlechten Launen beider Wohnungen, sind sie im Wesen ganz entgegengesetzt. Die, welche ich genommen habe, dreht sich um die Küche im ¾ Kreis herum; die, welche ich nehmen will und die ich schon längst kannte, streckt sich ganz ausgebreitet gegen Osten. Wird es gelingen? Jetzt wird der letzte Versuch gemacht werden. Sie werden es noch in diesem Brief erfahren. Spannend, nicht?
Liebes Fräulein Grete, was soll ich Ihnen nun erzählen? Im Grunde hat sich gar nicht viel ereignet. Felice sieht gut aus, o ja, ist auch lustig, scheint sich hier auch ziemlich wohlgefühlt zu haben. Meine Verwandten haben sie fast lieber als mir lieb ist. In F.'s Verhältnis zu Ihnen ist ganz gewiß seit dem Berliner Zusammenleben nicht die geringste Änderung eingetreten. Sie sagen, Sie beobachten genau; in diesem Falle haben Sie es nicht getan, sonst hätten Sie sich nicht über F.'s Schweigen wundern können. F.'s Schweigen ist ja nicht als solches zu beurteilen, sondern als Zeichen ihres Wesens. Lieben wir sie, so müssen wir, ob wir wollen oder nicht, ihr ganzes Wesen lieben und wir tun es. Ich will darüber nichts mehr sagen, es führt ins Weite. Nicht Ihretwegen, das wissen Sie wohl, sondern meinetwegen tue ich es nicht.

———

Die Wohnung, die sich um die Küche dreht, bin ich glücklich losgeworden, aber die wahnsinnig hohe, schöne Wohnung habe ich auch noch nicht genommen. Viele Hindernisse: schlechte Tapeten, hoher Zins, kein Dienstbotenzimmer, nur ein Eingang in die Zimmer u.s.w., und wie ich alles dieses überlege, fängt auf einem von irgendeinem Teufel aufgestellten Klavier in der Nachbarwohnung irgendein Teufel mit Macht zu spielen an, daß es in der leeren Wohnung widerhallt. Nichts fürchte ich mehr als Musik um die Wohnung herum. So bin ich wieder langsam die 100 oder 200 Treppenstufen hinuntergestiegen.

Was hat sich nun bei Ihnen ereignet? Oder habe ich Ihrem letzten Brief nur mißverständlich entnommen, daß etwas Besonderes geschehen ist? Vor allem das für mich Wichtigste: Werden Sie Pfingsten oder vor Pfingsten in Berlin sein? Werden Sie vorher noch nach Teplitz fahren?

Es schlägt 9, schnell den Brief zur Bahn, trotzdem nichts im Briefe steht. Seien Sie mir ja nicht böse, ich bin ein wenig im Wirbel, aber ich will nicht heraus; besser man dreht sich und läßt nur den Kopf ein wenig schwindlig hängen, als man liegt ganz und gar auf dem Boden.

Ihr Franz K.

An Grete Bloch

8.v.14

Liebes Fräulein Grete, es bedrückt mich, wenn ich sehe, wie Sie unter der Unbegreiflichkeit meines Zustandes oder besser unter Ihrer eingeborenen Güte leiden. Gewiß, ich hätte allen Grund, glücklich zu sein, und F. ist gewiß der Hauptteil dieses Glücks. Eine gewisse Art von Unbegreiflichkeit – und meine ist von dieser Art – kann vor lauter Unbegreiflichkeit zur Widerlichkeit werden; nur Ihnen gegenüber soll sie dies nicht werden. Glauben Sie mir meine Gründe ungesagt, was um so leichter sein sollte, als ich hinzufüge, daß es leicht möglich ist, daß alles sich auf das Beste auflöst. Dieses würde sogar zu dem Grundgesetz passen, das ich für mein Leben nach der Erfahrung aufgefunden habe. Ich erreichte nämlich bisher alles, was ich wollte, aber nicht gleich, niemals ohne Umwege, ja meistens auf dem Rückweg, immer in der letzten Anstrengung und, soweit sich das beurteilen ließ, fast im letzten Augenblick. Nicht zu spät, aber fast zu spät, es war schon immer das letzte Hämmern des Herzens. Und ich habe auch niemals das Ganze dessen erreicht, was ich wollte, es war auch meistens nicht mehr alles vorhanden, ich hätte, selbst wenn es da gewesen wäre, auch nicht alles bewältigen können, aber immerhin bekam ich immer ein großes Stück und meistens das Wichtigste. Solche Gesetze, die man selbst auffindet, sind natürlich an sich ganz bedeutungslos, aber doch nicht ohne Bedeutung für die Charakterisierung dessen, der sie findet, besonders da sie ihn, wenn sie einmal gefunden sind, mit einer Art wirklicher Körperlichkeit beherrschen. – Im übrigen werden Sie unser Glück oder Unglück sehn können, denn wir haben beschlossen – und Sie dürfen sich ja nicht wehren – daß Sie, bis wir einmal verheiratet sind, längere Zeit (und zwar gleich am Anfang; da Sie jetzt keinen Urlaub haben, werden Sie ihn eben im Winter bekommen) bei uns leben müssen. Nehme ich die im letzten Brief erwähnte Wohnung, haben wir Platz genug. Und wir wollen ein schönes Leben führen und Sie sollen allerdings, um mich zu prüfen, meine Hand halten und ich soll, um zu danken, Ihre Hand halten dürfen.

Aber wie benimmt man sich denn im Bureau Ihnen gegenüber! Das ist wahrhaftig schändlich. Heute hätten Sie einen Brief von mir bekommen sollen. Nun, man macht Ihnen jedenfalls den Abschied nicht schwer. Aber vielleicht tun das die Mädchen doch, Sie haben also Freundinnen.

Zu Hardt[1] sage ich gleich 2 Wahrheiten. Erstens mißfällt er mir. Früher, und diese Novelle, die ich nicht kenne, stammt aus seiner Frühzeit, schrieb er gute Dinge, der hat auch die 3 Novellen von Flaubert, wenigstens für meinen damaligen Geschmack, sehr gut übersetzt. Aber später hat er schändliche Sachen gemacht und macht sie noch weiterhin. An und für sich wollte ich nichts von ihm lesen. Die zweite Wahrheit aber ist, daß alles, was Sie ergriffen haben, für mich Wert besitzt, und daß alles, was von Ihnen ausgeht, dadurch für mich wertvoll wird.

Ist Familienabend auch noch eine Einrichtung besonderer Art? Ich wußte bisher nur vom Empfangstag, und der ist am Pfingstmontag.

Herzlichste Grüße Ihres   Franz K.

Lesen Sie übrigens französisch? Und das Grillparzerzimmer? Und die Thürheim?

[Am Rande] Mir aber lieber ins Bureau schreiben. In der Wohnung wartet der Brief stundenlang nutzlos auf dem Tisch.

---

[1] Ernst Hardt (1876–1947), Erzähler, Lyriker, Dramatiker und Übersetzer.

12. V. 14

Liebes Fräulein Grete, so müde? Und 3 Wochen wollen Sie in diesem Provisorium noch leben, in dem Sie nicht schlafen können? Das ist doch zu viel Rücksicht der Vermieterin, zu wenig Rücksicht Ihnen gegenüber. Es tut mir leid und ärgert mich.

Es war sehr lieb von Ihnen, daß Sie in das Museum gegangen sind. Ich dachte doch nicht daran, etwas Neues zu erfahren (trotzdem auch das geschehen ist), aber ich hatte das Bedürfnis zu wissen, daß Sie im Grillparzerzimmer gewesen sind, und daß dadurch auch zwischen mir und dem Zimmer eine körperliche Beziehung entstanden ist. Mehr ergibt sich ja auch nicht, wenn man selbst dort war, viel mehr wenigstens nicht, gar im Anblick übersiedelter Schaustücke. Das Bild des Zimmers, das Sie mir schickten, ist es das Bild des wirklichen Zimmers oder des Rathauszimmers? Ein schönes Zimmer jedenfalls, in dem sich gut leben, gut im Lehnstuhl bei Sonnenuntergang schlafen ließe. Übrigens ein alter unerfüllbarer Wunsch: Vor dem Tisch bei einem großen Fenster sitzen, eine weite Gegend vor dem Fenster haben und bei Sonnenuntergang ruhig schlafen ohne die Last des Lichtes, des Ausblicks zu fühlen, unbeirrt ruhig zu atmen. Was für Wünsche! Und wie dumm ausgedrückt! So ist es nicht.

Hatten Sie übrigens nach dem »Armen Spielmann« auch den selbständigen Wunsch, das Zimmer zu sehn? Er war doch ein fürchterlicher Mensch; wenn sich unser Unglück von uns loslösen und frei umhergehen würde, es müßte ihm ähnlich sehn, jedes Unglück müßte ihm ähnlich sehn, er war lebendiges, abzutastendes Unglück. Eine kleine Geschichte aus den Tagebüchern oder Briefen: Die Verlobung war schon längst aufgelöst, nur die schwachsinnigsten Verwandten dachten noch an irgendeine ferne Möglichkeit einer Heirat, Katharina war schon längst über 30. Einmal abend ist G. bei den Schwestern zu Besuch, wie die meisten Abende; K. ist besonders lieb zu ihm, er nimmt sie halb aus Mitleid auf den Schoß – die zwei Schwestern gehn wahrscheinlich im Zimmer herum – und stellt dabei fest und schreibt es später auf, daß K. ihm damals vollständig gleichgültig war, daß er sich damals antrieb, daß er sich im geringsten Gefühl hätte untertauchen wollen, aber daß ihm nichts übrig blieb, als sie auf dem Schoß zu halten und sich nach einem Weilchen wieder von ihr zu befreien. Es war übrigens nicht nur aus Mitleid, daß er sie auf den Schoß genommen hatte, es war fast ein Versuch; noch ärger, er sah es voraus und tat es doch[1].

Sie haben doch meine letzten 2 Briefe bekommen? Ich will wissen, wo Sie Pfingsten sein werden; Sie fragten, wann der Empfangstag sein wird, das schien doch darauf hinzudeuten, daß Sie möglicherweise doch kommen könnten. Wenn es wäre!

Denken Sie, ich habe noch keine Wohnung. Ich spiele schon mit dem Gedanken (alle Wohnungen sind in der Stadt so teuer und F. soll doch anfangs in der Stadt wohnen), nur eine 2 Zimmer Wohnung zu mieten. Was denken Sie darüber?

Ich habe hier im Manuscript einen neuen Roman von Ernst Weiß[2], heiß und schön wie die »Galeere«, noch schöner und ohne Mühe einheitlicher. Wollten Sie ihn lesen, und hätten Sie überhaupt in der nächsten Zeit Gelegenheit dazu? Wohl kaum. – Nochmals: Lesen Sie französisch?

Herzlichste Grüße Ihr   Franz K.

An Grete Bloch   16.V.14

Liebes Fräulein Grete, die Zahnschmerzen bedeuten offenbar, daß Ihnen in Wien auch dieses Schlimmste nicht erspart werden, daß aber von der Abreise ab alles besser werden soll. Was könnten die Zahnschmerzen für einen andern Sinn haben? Und warum sollten Sie sinnlos geplagt werden? Was Schlaflosigkeit und »Kopferweiterung« bedeutet, das weiß ich auch in diesem Augenblick sehr gut und scheine dieses Wissen gar nicht verlieren zu wollen, die wirklichen allerschlimmsten Zahnschmerzen aber hatte ich vielleicht noch nicht und lese davon in Ihrem Brief wie ein Schuljunge, der ganz ratlos ist. Wie behandeln Sie eigentlich Ihre Zähne? Putzen Sie sie (ich rede jetzt leider zu der Dame, die vor Zahnschmerzen auf Höflichkeit und Förmlichkeit nicht achtet) nach jedem Essen? Was sagen die verfluchten Zahnärzte? Wenn man sich ihnen einmal

---

[1] Vgl. die im Nachlaß Grillparzers aufgefundene Notiz, die Heinrich Laube in seiner Biographie *Franz Grillparzers Lebensgeschichte,* Stuttgart 1884, S. 65, zitiert: »Mittags bei Fröhlich. Es erwachte, wie jedesmal nach jeder Versöhnung, eine Art Verlangen in mir. Ich nahm sie auf den Schoß und liebkoste ihr, das erste Mal nach langer Zeit. Aber die Empfindung ist erloschen. Ich möchte sie gar zu gern wieder anfachen, aber es geht nicht.«

[2] *Der Kampf,* Berlin 1916.

ergeben hat, muß man das Elend bis zum Ende auskosten. Ich glaube, F. hat mit ihrem fast vollständigen Goldgebiß verhältnismäßige Ruhe. Könnten Sie sich diese Ruhe nicht auch auf diese Weise verschaffen? In der ersten Zeit mußte ich, um die Wahrheit zu sagen, vor F.'s Zähnen die Augen senken, so erschreckte mich dieses glänzende Gold (an dieser unpassenden Stelle ein wirklich höllenmäßiger Glanz) und das graugelbe Porzellan. Später sah ich, wenn es nur anging, absichtlich hin, um nicht daran zu vergessen, um mich zu quälen und um mir schließlich zu glauben, daß das alles wirklich wahr sei. In einem selbstvergessenen Augenblick fragte ich F. sogar, ob sie sich nicht schäme. Natürlich schämte sie sich glücklicherweise nicht. Jetzt aber bin ich damit, nicht etwa nur durch Gewohnheit (die blickmäßige Gewohnheit könnte ich mir ja noch gar nicht erworben haben), fast ganz ausgesöhnt. Ich würde die Goldzähne nicht mehr wegwünschen, das ist aber kein ganz richtiger Ausdruck, weggewünscht habe ich sie eigentlich niemals. Nur scheinen sie mir heute fast passend, besonders präcis und – was nicht geringfügig ist – ein ganz deutlicher, freundlicher, immer aufzuzeigender, für die Augen niemals wegzuleugnender, menschlicher Fehler, der mich vielleicht F. näher bringt, als es ein, im gewissen Sinn auch fürchterliches, gesundes Gebiß imstande wäre. – Es ist hier nicht ein Bräutigam, der das Gebiß seiner Braut verteidigt, eher ist hier einer, der das, was er sagen will, nicht richtig darzustellen imstande ist, der aber außerdem Ihnen ein wenig Mut machen will, wenn es nicht anders geht, allerdings nur dann, etwas Radikales gegen Ihre Schmerzen zu tun. Aber vielleicht ist es besser, auch damit zu warten, bis Sie in Berlin sind.

Das Aussehn meiner diesmaligen Schrift entschuldigt sich dadurch daß ich mich vorgestern tief in den rechten Daumen geschnitten, einen kleinen Kübel mit meinem Blut angefüllt habe und nun den Daumen naturheilgemäß, also ohne Pflaster oder Verband behandele, wodurch er zwar 10 mal langsamer, aber 100 mal schöner ohne Entzündung, ohne Anschwellen, als eine wahre Augenweide wieder zusammenheilt.

In der Übersiedlungszeit schicke ich Ihnen den Roman von Weiß doch vielleicht lieber nicht. Übrigens scheinen Sie mich mißverstanden [zu] haben, es ist erst das Manuscript, das Buch dürfte erst im Herbst erscheinen. Wenn Sie es geradezu wollen, schicke ich es Ihnen natürlich gleich. Pfingsten werde ich Sie also nicht sehn, viel-

Grete Bloch

Die Verlobung ihrer Kinder **Felice** und **Franz** zeigen ergebenst an

Carl Bauer und Frau **Anna** geb. **Danziger.**

Berlin-Charlottenburg, Wilmersdorferstrasse 73.

Hermann Kafka und Frau **Julie.**

Prag; Altstädterring 6.

Felice Bauer
Dr. Franz Kafka
Verlobte.

Berlin, im April 1914.

Empfangstag Pfingstmontag. 1. Juni.

---

* **(Verlobung.)** Dr. Franz Kafka, Vize-Sekretär der Arbeiter-Unfallversicherungsanstalt in Prag, hat sich mit Fräulein Felice Bauer aus Berlin verlobt.

Anzeige im ›Berliner Tageblatt‹ vom 21. April 1914 und Notiz im ›Prager Tagblatt‹ vom 24. April 1914.

leicht gibt es aber Ersatz. Mein Madrider Onkel kommt anfangs Juni zu Besuch, ich werde wahrscheinlich mit ihm wieder nach Berlin, allerdings nur für einen Sonntag, fahren, dann werde ich Sie also sehen, stelle Ihnen auch Dr. Weiß vor, ja?

Wohnung habe ich schon. 3 Zimmer, Morgensonne, mitten in der Stadt, Gas, elektr. Licht, Dienstmädchenzimmer, Badezimmer, 1300 K. Das sind die Vorteile. Die Nachteile sind: 4. Stock, kein Aufzug, Aussicht in eine öde, ziemlich lärmende Gasse[1]. Nun, Sie werden ja (da Sie die Einladung angenommen haben, wofür ich Ihnen die Hand küsse) alles genau kennenlernen müssen.

Herzlichste Grüße Ihres   Franz K.

[Am Rande] Kann man eigentlich Muzzi schon ein Bilderbuch schicken? Wie alt ist sie?

An Grete Bloch   17.V.14

Liebes Fräulein Grete, so schlimm ist also das geworden, das ich gestern noch für vorübergehend angesehen habe. Sie liegen, sind zuhause? Wie wird die Sache behandelt? Natürlich mit Schmerzen? Die Medicin versteht es ja nicht anders, als Schmerzen mit Schmerzen zu behandeln, das heißt dann »die Krankheit bekämpft« haben. Ihren Brief bekam ich erst heute, gestern hatten wir Feiertag[2], die Post wurde nur einmal ausgetragen, ich hätte Ihnen sonst natürlich das Manuscript schon geschickt. Nun schicke ich es also morgen. Mit Zweifeln allerdings, ob die Schmerzen und der Roman gegenseitig zu einander passen werden. Aber es ist ja schrecklich, den Mund voll Schmerzen haben und Stunde für Stunde so hinbringen zu müssen. Kommen die 2 Freundinnen zu Ihnen und ist in Anbetracht Ihres Zustandes das Wohnungsprovisorium wieder beseitigt?

Mein Chef ist jetzt auf 14 Tage nach Wien zu einer Enquete gefahren, ich wollte ihm Grüße für Sie auf den Rücken schreiben und ihn

---

[1] Abbildung des Hauses (Lange Gasse Katastralnummer 923, Nr. 5) in Gustav Janouch, *Franz Kafka und seine Welt,* Wien 1965, S. 146. (Im weiteren zitiert als ›Janouch, *Kafka und seine Welt‹.*)

[2] St. Nepomukstag, 16. Mai. St. Nepomuk ist der Schutzheilige von Böhmen.

sowohl durch die Biber- als auch durch die Glasergasse einige Male am Tage marschieren lassen. Jetzt wäre es nutzlos gewesen, denn Sie sind zuhause und nur der (in diesem Geschlecht werde ich keine Sicherheit bekommen, ich kenne den Ausdruck auch nur von Ihnen) Trampel hätte Ihnen erzählen können, daß unten auf der Gasse ein Mann mit Grüßen für Sie auf dem Rücken herumwandert.

———

Es ist spät, denken Sie, ich habe heute den ganzen Nachmittag seit langer Zeit zum erstenmal geschlafen, besser als seit 300 Nächten. In den Nächten schlafe ich nämlich schändlich schlecht.
Zu dem Manuscript will ich nur noch sagen (nicht Ihnen gegenüber, denn das wäre nicht nötig, aber um dem Dr. Weiß gegenüber meine Pflicht erfüllt zu haben), Sie sollen es niemandem borgen.
Herzliche Grüße und so rasche Besserung aller Leiden, wie sie noch niemand erlebt hat!

Ihr Franz K.

An Grete Bloch   18. V. 14

Liebes Fräulein Grete, was das Zahnweh anlangt, das ja glücklicher Weise schon vorüber ist und über das man also ruhig reden und ruhig angehört werden kann, so entwinden Sie mir mein Recht nicht, wenn es natürlich auch richtig bleibt, daß jeder Gesunde jedem Kranken gegenüber idiotisch erscheint und sich auch wirklich idiotisch verhält. Das gilt besonders von Ärzten, die sich berufsmäßig so verhalten müssen. Aber daß Zugluft allein keine Zahnschmerzen in gesunden Zähnen verursacht, daran ist für mich kein Zweifel. Gesunde Zähne fühlen sich überhaupt erst in Zugluft wohl. Und wenn auch Vernachlässigung der Zähne nicht gerade durch schlechte Pflege erfolgt ist, so ist sie, nicht anders wie bei mir, durch Fleischessen erfolgt. Man sitzt bei Tisch, lacht und spricht (ich habe für mich wenigstens die Rechtfertigung, daß ich nicht lache und spreche), und inzwischen entstehen aus winzigen Fleischfasern zwischen den Zähnen Fäulnis- und Gährungskeime in nicht kleinern Mengen als aus einer toten Ratte, die zwischen zwei Steine geklemmt ist. Und nur Fleisch ist derart faserig, daß es nur mit großer Mühe und selbst dann nicht gleich und vollständig entfernt werden kann, es müßte denn sein, daß man Raubtierzähne hat, zugespitzt, auseinandergestellt, zum Zerreißen der Fasern eingerichtet.

Aber schließlich hilft das alles nichts. Sie waren noch nicht in der Opolzergasse[1] (so heißt sie; glaube ich) und gehn auch jetzt in der Zeit der jungen Gemüse nicht hin. Wenn es sich um eine fremde Sache handelt, z.B. um das Grillparzerzimmer, so sind Sie lieb und tun es. Handelt| es sich aber um Sie, sind Sie nicht lieb und tun es nicht.

Daß Sie sich den Eingang in die Lichtensteingallerie erzwungen haben, hat mir sehr gut gefallen. Denn es bedeutet das Vorhandensein eines guten und nach Ihrem ganzen Wesen (ich bin jetzt ganz objektiv, urteile von mir aus gar nicht) gewiß gut begründeten Selbstvertrauens, denn mit nicht gut begründetem würden Sie gewiß nichts unternehmen. Sie belauern sich ja übergenug. Aber in diesem Fall sagten Sie sich, daß Ihnen durch das Geschlossensein der Gallerie Unrecht geschehe, daß Sie, und sogar Sie allein, das Recht haben, sie anzusehn und so haben Sie sich dieses Recht erzwungen. Ich weiß nicht, ob ich für mich, für andere wohl, dessen fähig gewesen wäre. Nicht daß ich vielleicht unfähig gewesen wäre, den Mann zu überreden, mich einzulassen, aber der ganze Gedankengang, der zu diesem Manne führte, hätte, wenigstens nicht lückenlos, in mir nicht entstehen können. Meine Gesamtlage muß demnach doch schlechter sein, als die Ihre.

Den Roman [Der Kampf] habe ich Ihnen heute geschickt. In die Wohnung. Vor Dr. Weiß müssen Sie sich nicht fürchten; wenn hier etwas zu fürchten wäre, hätte ich es schon selbst abgeschöpft. Aber ich habe nichts gefunden. Er ist ein sehr lieber, sehr vertrauenswürdiger, in gewissen Richtungen, allerdings nur in gewissen, sehr einsichtiger und in glücklichen Momenten prachtvoll lebhafter Mensch. Übrigens F.'s Feind. Ich zögere nicht, Ihnen zuliebe einen Fischerkatalog zu zerreißen (es ist übertrieben, das Bild löst sich leicht heraus) und Weiß' Bild Ihnen zu schicken[2]. Diese starren Augen hat er nicht, an Zwicker gewöhnte Augen reißen sich vor Schrecken so auf, wenn der Zwicker abgenommen wird.

Herzlichste Grüße   Ihres Franz K.

[1] Das vegetarische Restaurant ›Thalisia‹ in Wien.

[2] *Das 27. Jahr, S. Fischer Verlag,* Berlin 1913, S. 289.

Das Wetter ist hier auch sehr schön, man nützt es leider nicht sehr
gut aus, liegt nicht im Wald, wie es eigentlich sein müßte, aber man
nützt es auch nicht wieder so schlecht aus, daß man an dem kostbaren Sonntagnachmittag mit Tante Emilie im Zimmer über die
Ausstattung verhandelt. Wenn dadurch die Ausstattung beschleunigt, der Anlaß ihrer Verwendung nähergerückt würde, dann wäre
allerdings kein Sonntagnachmittag zu kostbar, aber da dies nicht so
ist –

Dieses Wetter bringt auch die Fehler unser[er] Wohnung, die ich
allerdings schon definitiv genommen habe, besonders deutlich zu
Bewußtsein und die Notwendigkeit des nächstsommerlichen Um-
zugs ist fast unabweislich. Im Winter mag sie recht gut sein: Man
ist zwischen Häusern, abgeschlossen, warm, hat doch genug Sonne
und Luft. Aber für andere Jahreszeiten ist es dort ein wenig traurig,
kein Grün vor dem Fenster, nur eine ziemlich lärmende, ziemlich
öde Gasse, allerdings liegt es an einer platzartigen Erweiterung der
Gasse, immerhin sieht man die gegenüberwohnenden Parteien und
wird gesehn. Infolgedessen wird auch wenigstens für die 2 Zimmer
mit Gassenaussicht ein Möbelstück nötig, das sonst nicht nötig gewesen wäre. Welches? (Übung des Scharfsinns)

Die Pläne werde ich mir verschaffen, wenn auch meine letzte Zeich-
nung ganz vertrauenswürdig ist. Du mußt Dich nur nicht von der
äußern Form abhalten lassen, sie zu studieren und Dich in sie ein-
zuleben. Versuch nur, durch die gezeichneten Zimmer zu spazieren,
aus dem Fenster Dich hinauszulehnen u.s.f. und Du wirst eine ganz
genaue Vorstellung von der Wohnung bekommen. Genauer wäre
allerdings die Vorstellung, die Du bekämest, wenn Du einen Ausflug nach Prag machtest, um Dir die Wohnung wirklich anzusehn[1].
Über den Zustand meines Fingers verrate ich nichts[2]. Du mußt
ihn aus dem Zustand meiner Handschrift zu erkennen suchen. Immerhin könnte ich schon Deiner Mutter schreiben, und es ist dumm,
daß ich es so verzögere.

Eine Frage im Vertrauen (Vertrauen sowohl gegenüber Deinen als
meinen Verwandten): Ich möchte die Ottla, die von meinem Plan
nichts weiß, auch sonst weiß niemand davon, gern früher, etwa

[1] Vgl. Brief an Grete Bloch vom 16. Mai 1914, S. 577.
[2] Vgl. denselben Brief, S. 576.

schon Sonntag, nach Berlin schicken. Sie soll doch ein Vergnügen von der Reise haben; wenn sie aber erst Donnerstag fährt und spätestens Montag wegfahren, überdies den ganzen Juni, die ganzen Tage durch, die Eltern im Geschäft vertreten muß, so wäre es ein gar zu geringfügiges Vergnügen. (Überdies kann sie ja auch dann zur Hochzeit nicht mehr kommen.) Wäre das irgendwie zu ermöglichen, fände sich vor allem irgendeine gleichaltrige bureaufreie Verwandte oder Bekannte, die tagsüber paar Stunden für sie übrig hätte oder ihr Anweisungen gäbe, wie sie allein den Tag nützlich und angenehm verbringen kann? Das Wohnen im Hotel und alles sonstige würde wohl keine besondern Schwierigkeiten machen. Die Anforderungen, die das an ihre Selbständigkeit stellen würde, wären nicht gar zu groß und ganz gesund. Die Sache liegt also so, daß Du darüber ganz frei urteilen sollst, was umso leichter möglich ist, da, wenn Du zu viel Schwierigkeiten sehn würdest, die Nichtausführung des Planes niemanden (außer mich vielleicht im ersten Augenblick) enttäuschen wird, da niemand von dem Plane weiß. Antworte jedenfalls gleich.

Herzlichste Grüße   Franz

Falls Du die Sache für ausführbar hältst, müßtest Du express schreiben, denn Donnerstag ist hier Feiertag.
[Am linken Rand der ersten Seite] An die B.Z. [Berliner Zeitung] hast Du vergessen.[1]

An Grete Bloch   21.V.14

Keinen Baldriantee, liebes Fräulein Grete, bitte nicht. Oberster Satz der Naturheilkunde: »Alles, was schlecht ist, ist wirklich schlecht.« Schlechter Schlaf ist zwar auch schlecht und das Wachsein nach schlechtem Schlaf noch schlechter (so ist es fast Tag für Tag), aber man hat wenigstens im Augenblick keine eigentliche Verantwortung dafür, man hat es bekommen und trägt es. Aber mit Bewußtsein Baldriantee zu trinken, womöglich während des Trinkens in die Tasse schauen mit der doppelten Hoffnung, daß sie bald leer sein wird und daß es etwas helfen wird, das ist doch menschenunwürdig.

---

[1] Wahrscheinlich die B.Z. vom 9.5.1914 mit C. Hoffmanns Rezension des »Heizers«.

Ich schlafe doch nicht deshalb schlecht, weil ich zu wenig Baldriantee im Leib habe, es gibt 100 Gründe dafür, warum ich schlecht schlafe, aber dieser eine Grund trifft gewiß nicht zu.

Schon letzthin wollte ich es Ihnen schreiben, habe aber daran vergessen. Denken Sie, ich habe zufällig, als F. hier war, herausgefunden, welches der Hauptgrund meines alten Verdachtes gegen Sie gewesen ist. (Übrigens kann jener Verdacht durchaus nichts Schlechtes gewesen sein, da er der Anfang einer für mich so guten Sache war.) Dieser Hauptgrund war Ihr Pelzwerk. Ich habe es damals nicht gewußt. Ich habe Ihnen doch schon gesagt, daß ich Sie mir entsprechend dem Begriffsinhalt, den Geschäftstüchtigkeit für mich hat, falsch vorgestellt hatte, ich erwartete, ein großes, starkes, älteres Mädchen zu treffen. Nichts stimmte nun, so hätte sich ja meine Phantasievorstellung mit der Wirklichkeit ausgleichen können. Daran hinderte mich aber hauptsächlich, wie ich jetzt weiß, Ihr Pelzwerk. Eine Boa war es nicht, ich glaube, man nennt dieses Kleidungsstück Stola oder ähnlich. Es paßte Ihnen nicht oder vielmehr ich merkte nicht, daß es Ihnen nicht paßte, es gefiel mir bloß nicht. Dabei war es im ersten Anblick so auffallend für mich dort im Eingang des Hotels. Auch habe ich seit jeher gegen diese Art der Pelzbehandlung (Ausbreiten des Pelzes und unten Seidenfütterung) einen entschiedenen Widerwillen. Vielleicht spielt hierbei irgendein Gedanke daran mit, daß nomadenhafte Jäger die Felle so tragen dürfen, allerdings ohne sie mit Seide zu füttern. Auch ist für mich damit eine Vorstellung von Ärmlichkeit und Unechtheit verbunden, daß bei diesem Kleidungsstück oben Pelz und unten nur Seide ist, trotzdem ich natürlich weiß, daß das Ganze sehr kostbar sein kann und daß es überhaupt nicht möglich ist, in dieser Form oben und unten Pelz zu haben. Aber schon in dieser flächenhaften Behandlung des Pelzes liegt für mich etwas Widerliches, der Anblick dieses Plattgedrückten ist mir peinlich, hat mich schon in frühern Jahren an meinen Schwestern viel geplagt. – Und diese Vorstellung Ihres Pelzes hat sich mir lange nicht von der Vorstellung Ihrer Person losgelöst. Immer wieder sah ich Sie in der Zeit, da wir einander noch nicht schrieben, von diesem Pelz umwickelt, Sie spielten mit den Enden (seine Beweglichkeit und Anpassungsfähigkeit machte mir ihn noch ärger), Sie hielten ein Ende vor den Mund wegen des Nebels. Ich weiß noch, wie ich aufatmete, als ich Sie auf dem Bahnhof in einem schönen Reisemantel, endlich ohne Pelz, förmlich freier, reiner, heller sah. Es war aber schon zu spät. – Heute allerdings dürften Sie von 500 solchen Pelzen umwickelt sein und ich getraute mich, Sie aus allen zu befreien.

Franz K.

[Auf der ersten Seite unten] Ich bin aus verschiedenen Gründen, über die ich Ihnen noch schreiben werde, sehr begierig auf den Eindruck, den der »Kampf« auf Sie machen wird. Wollten Sie nicht auch Dr. Weiß paar Zeilen schreiben?

22. V. 14

Ich binde mich insoferne, als ich diesen Brief morgen an Dich absenden will, gleichgültig dagegen, was in dem Brief steht, den ich morgen von Dir bekomme. Bekomme ich keinen Brief, dann schicke ich allerdings auch diesen nicht.

Das, was ich sagen will, ist vielleicht veranlaßt, aber durchaus nicht verursacht, weder durch Dein Schweigen über die Reise meiner Schwester, noch durch Dein sonstiges augenblickliches Schweigen, noch endlich durch manches in Deinen letzten Briefen. Insbesondere die Reise meiner Schwester ist eine Geringfügigkeit, die sich von Deiner Seite aus durch ein einfaches aber sofortiges Nein vorzüglich hätte erledigen lassen. Vor allem ist aber das, was ich sagen will, insoferne von alledem unabhängig, weil es über das alles hinweg für uns allgemeine Geltung hat.

Ich bin, wenn ich hier allein an meinem Schreibtisch sitze, natürlich unabhängiger von Dir, als wenn ich bei Dir bin. Was ich hier sage, ist nicht etwa freier, nicht etwa wahrheitsgemäßer gesagt, aber es hat zumindest die gleiche Geltung wie das, was ich in jenem abhängigen Zustand sage. Wahr ist beides, wahr, soweit es in meinen Kräften steht. Wenn Dir daran liegt – und es muß Dir daran liegen –, über die Dich betreffenden Gedankengänge meiner selbständigen Verfassung im klaren zu sein, dann wirst Du Dir, soweit ich mich erinnere, diese Klarheit am besten aus dem Brief verschaffen, den ich Dir unmittelbar nach meiner vorletzten Berliner Reise geschrieben habe[1]. Vielleicht hast Du ihn und findest ihn. Ich will nicht

---

[1] Dieser Brief, wahrscheinlich bald nach dem 1. März 1914 geschrieben, ist nicht erhalten.

583

wiederholen, was dort stand, und kann es auch nicht. Jedenfalls bildet das dort Gesagte die letzte, von keiner Seite widerrufene Grundlage unseres Verhältnisses.

Ich weiß, sie ist nicht ganz fest, zumindest von Dir nicht ausdrücklich anerkannt, das bildet eben meine Sorge. Wir mögen uns jetzt fest bei den Händen halten, vielleicht, aber der Boden unter uns ist nicht fest und verschiebt sich ununterbrochen und gesetzlos. Ob die Festigkeit des Bei-den-Händen-Haltens dies auszugleichen imstande ist, das weiß ich zeitweilig nicht. An mir soll es jedenfalls nicht fehlen.

F.

24. V. 14

Meine liebste Felice, ich halte das Versprechen, das ich mir gegeben habe, und schicke trotz Deines letzten Briefes den inliegenden Brief weg. Es ist auch richtig, denn wenn er auch vom augenblicklichen Anlaß ausging, so fällt er doch keineswegs mit ihm weg, zumal nicht einmal der Anlaß ganz weggefallen ist. Es ist auch kein Wort darin, dessen ich mich schämen müßte, und kein Satz, der in der Hauptsache etwas anderes enthielte als Sorge um Dich.

Mit meinem Plan betreffend die Schwester ist es schlecht ausgefallen. Ich habe Dich in Erkenntnis der schweren Ausführbarkeit im Vertrauen gefragt. Du hieltest es für schwierig, aber doch ausführbar und sprachst offenbar auch mit Deiner Mutter darüber; das war ganz richtig gehandelt. Ebenso richtig war es von mir gehandelt, daß ich aus Deinem letzten Brief noch keine vollständige Zustimmung herauslas und eine bestimmtere Antwort nach dieser oder jener Seite hin erwartete (übrigens auch ganz entsprechend Deinem nicht erfüllten Versprechen, mir noch einmal zu schreiben). Jedenfalls hätte ich auf den letzten Brief hin die Schwester noch nicht hingeschickt. Das war alles richtig. Nun aber schreibt Deine Mutter an meine Mutter (sehr liebenswürdig übrigens und mir schmerzlich in Erinnerung bringend, daß ich noch nicht geschrieben habe) und erwähnt darin – den Wortlaut weiß ich jetzt nicht –, daß auch sie es gern gesehn hätte, wenn Ottla früher gekommen wäre, daß sie es aber nicht gewagt hat, sie einzuladen u.s.w. Dadurch ist diese kleine Angelegenheit, die, wenn sie nicht glückte, nur mich und Dich betreffen sollte, zu einer Familienangelegenheit geworden. Das ist nicht richtig. Nur ich habe gebeten, nur ich konnte abgewiesen werden. Das ist doch ganz klar.

Nun trotzt auch Ottla, nicht ganz ohne meine Zustimmung, und will überhaupt nicht fahren. Ich finde das gar nicht schlecht; wenn sie schon gelegentlich meiner Verlobung nicht das Vergnügen eines mehrtägigen Berliner Aufenthaltes haben soll, so soll sie wenigstens das Vergnügen des Trotzens haben. Natürlich richtet sich der Trotz gar nicht gegen Euch, sondern hauptsächlich gegen den Vater. Aber das führt schon in das Dunkel der Familiengeschichten, in dem sich niemand auskennt.

Da Du in Deinem Brief vom Theater schreibst und von eventuellen Theaterbesuchen, so habe ich den Theaterzettel angesehn. Ich finde nur 2 Vorstellungen, die mir Freude machen würden, sonst gar nichts. Und beide Vorstellungen fallen für uns weg. »König Lear« wird Samstag gegeben. Ich werde zwar wahrscheinlich um 7 Uhr kommen, doch werden wir wohl kaum den ersten Abend ins Theater gehn können. Und [Wedekinds] »Franziska« fällt wohl weg, da es sich um eine Premiere handelt, gewiß keine Karten mehr zu bekommen sind und Smoking notwendig sein dürfte, eine Forderung, die ich nicht erfüllen kann.

Ich schicke Dir auch noch einen Brief meines Onkels, der auch Dir gilt. Ich werde mit 60 Jahren keine solche oder aber eine wahrhaft himmlische Laune haben. Ist er nicht liebenswürdig? Wenn Du Lust hast, schick mir eine Antwort für ihn, ich setze sie dann fort. Auch das Original schick mir bitte zurück.

Wenn Dich jemand fragen sollte, wie Dein Bräutigam aussieht, so sag', daß Du ihn fotografiert hast und zeig das beiliegende Wölkchen. Ich bin es wirklich, und Du hast es wirklich fotografiert.

Franz

[Beigelegt]

Brief von Kafkas Onkel Alfred Löwy aus Madrid

[Briefkopf der spanischen Eisenbahngesellschaft]

Madrid, 14. 5 1914

Lieber Franz und liebes Frl. Felice.

Euer herzlicher, gemeinsamer Brief ohne Datum (die Glücklichen zählen nicht die Tage) hat mich freudigst überrascht; er klingt wie ein Liebes-Duo und nicht als Brief sondern als Musik werde ich ihn aufbewahren.

Ich wiederhole Euch meine innigste Gratulazion für Euer gegenwärtiges und meine herzlichsten Wünsche für Euer zukünftiges Glück. Möget Ihr nie vergessen, daß jeder seines Glückes eigener Schmied ist.

Wie gerne hätte ich Euern Wunsch erfüllt, Eurer baldigen Verlobung in Berlin beizuwohnen, doch ist dies leider unausführbar. Je näher der Zeitpunkt meiner Urlaubsreise anrückt, desto mehr Schwierigkeiten stellen sich entgegen und jetzt sehe ich schon voraus, daß ich frühestens erst am 6. Juni von hier fortkomme; mit der Reisedauer und einigen Tagen Aufenthalt in Paris, der absolut nothwendig ist und Ihr seht, daß ich vor dem 15. Juni nicht in Prag sein kann. Macht nur keine böse Miene, in's Unvermeidliche muß man sich mit Anmuth schicken.

Besten Dank für die gute Meinung, die Du, meine liebe »neue« Nichte, mich betreffend hast; doch bist Du in dieser Beziehung viel nachsichtiger als unser Franz, der so manches an mir zu kritisieren findet. Doch bin ich ihm darob gar nicht böse, denn ich bin nicht ohne Fehler – ganz im Gegentheil – und Du wirst's auch schon merken.

Ich umarme Euch beide von Herzen und bleibe Euer treuer, alter und neuer Onkel   Alfred

An Grete Bloch

24. V. 14

Liebes Fräulein Grete, Ihren Brief bekam ich heute früh ins Bett (alte inhaltslos gewordene Gewohnheit des Lange-im-Bett-bleibens noch aus den Zeiten der wunderbaren Schlafsucht her!) lag dann noch wohl eine ganze sehr angenehm verlaufene Stunde und beantwortete dabei Ihren Brief im Selbstgespräch. So ausgiebig und richtig wie jene Antwort war, insbesondere F. betreffend, wird die jetzige in der Nachmittagshitze (dann gehe ich aber schwimmen) gewiß nicht werden.

Es gibt Überzeugungen, die so tief und richtig in einem sitzen, daß man sich um ihre einzelweise Begründung gar nicht kümmern muß. Man ist übrigens so sehr von ihnen ausgefüllt, daß für Argumente kein Platz ist; man wüßte nicht, wo man sie unterbringen sollte.

Nur wenn sie einem abgefordert werden, liefert man sie, aber sie sind mit der unsagbaren Begründung an Elementarkraft natürlich nicht zu vergleichen. Ich habe nicht viele derartige Überzeugungen (von außen gesehen kann man sie natürlich unbesorgt Vorurteile nennen); über zwei davon, über die Überzeugung von der Fluchwürdigkeit der heutigen Medicin und der Überzeugung von der Häßlichkeit einer Pelzstola (Sie nennen es Shawl?) verhandeln wir. Nur ist zwischen den beiden Überzeugungen in Bezug auf Sie ein Unterschied. Baldriantee, auch wenn Sie ihn trinken, gefällt mir nicht, gegen eine Pelzstola dagegen, wenn Sie sie tragen, habe ich nicht das geringste einzuwenden. Ich rede ganz im Ernst. (Ich fürchte mich nicht einmal vor dem als so schrecklich angekündigten Kleidungsstück, nur neugierig bin ich. Was kann es denn nur sein? Eine 5m Schleppe? Ein Dirndl-Kostüm?)

Sie haben sehr recht, auch Schlaflosigkeit ist etwas Menschenunwürdiges. Wenn ich jemandem den gegenwärtigen Zustand meines Kopfes wie ihn die heutige Nacht hinterlassen hat zeigen könnte, würde er die Hände zusammenschlagen. Aber ich weiß ja die Hauptgründe meiner Schlaflosigkeit, zum großen Teil eine 30jährige ziemlich unrichtige Lebensweise. Es ließe sich noch sehr vieles und Wirkungsvolles dagegen heute tun, z. B. regelmäßig und bald schlafen zu gehn, aber ich tue es nicht. Das ist meine Schuld und die muß ich tragen. Wir hassen beide falsches Pelzwerk, warum hassen wir nicht beide falschen Schlaf? Ein zweiter Grundsatz der Naturheilkunde ist: Vermeide es in einen Organismus mit einem Mittel einzugreifen, dessen vollständige, in einem Organismus arbeitende, also notwendig nach allen Seiten verlaufende Wirkung Du nicht kennst. Aus diesem Grunde kann es keine berechtigte Specialheilkunde geben und jeder mit internen Leiden sich beschäftigende Specialist ist ein niederschießenswerter Herr. Organismen lassen sich nicht teilen, ohne irgendwie zerstört zu werden. Habe ich ein zu großes Stück Kohle und kann es nicht durch die Ofentüre bringen, dann ist es sehr praktisch, wenn ich es zerschlage. Wenn ich aber durch eine für mich zu enge Tür gehen soll, dann wird es gar nicht praktisch sein, wenn ich mich zu diesem Zweck halbiere. Bestünde ich z. B. nur aus Schlaf, der sich mit der Zeit in Nichtschlaf verwandelt hat, dann würde ich natürlich nicht zögern, dem Nichtschlaf Baldriantee zu geben, ja ich würde ihn sogar mit Brom oder Veronal vollschütten, um aus dem Nichtschlaf einen Schlaf zu erhalten. Da ich aber nicht nur Schlaf bin, sondern Mensch, wäre das ein falscher Vorgang. |

[Wahrscheinlich die Fortsetzung dieses Briefes]

Aber darüber werde ich heute nicht alles sagen können, was ich zu sagen habe.

In meinem Verhältnis zu F. gibt es meines Wissens nicht das Geringste, was Sie, liebes Fräulein Grete, nicht ebenso wie F. wissen könnten und meinem Gefühl nach auch wissen sollten. Die Frage, wie Sie sie formulieren: »Vor Ihrer Verlobung wußte ich stets…, dann kam ein Satz (?) für ein mögliches Ja« verstehe ich nicht genau. Meinen Sie aber damit die Frage, was sich im Vergleich zu der Zeit vor der Verlobung in dem Verhältnis zwischen F. und mir geändert hat, dann muß ich allerdings eine etwas merkwürdige Antwort geben: Es hat sich nichts geändert. Äußerlich natürlich manches, innerlich nichts, wenigstens nichts wovon ich wüßte oder was mir zur Deutung anvertraut worden wäre. Sie fragen, was F. schreibt. Sie schreibt ziemlich regelmäßig. Nur hat sie sehr viel im Bureau zu tun und die Briefe beschränken sich auf Besprechung der Wohnungsangelegenheit u. dgl. An wirklich Erfreulichem habe ich nur zweierlei erfahren, daß sie endlich der Ärztin gekündigt hat und statt dessen schwimmen lernt. Vom Bruder sind ganz gute Nachrichten gekommen, er hat eine Stellung, die ihn scheinbar ernährt. F. muß, soweit ich gesehen habe, unendliches für ihn getan haben. – Viel mehr habe ich nicht gehört.

Dagegen habe ich zu Ihrem Brief noch eine Unmenge zu sagen, verschiebe es aber, denn es ist schon spät, auch will die Feder nicht in Zug kommen. Nur noch wegen der Adresse, weil Sie so angelegentlich nach ihr fragen*. Ich trug das Manuscript in unser Geschäft, um es einpacken zu lassen. Die Adresse wollte ich selbst schreiben. Aber meine jüngste Schwester Ottla (sie arbeitet fast den ganzen Tag im Geschäft) machte, weil sie kindisch ist (sie ist 20 Jahre, aber ein liebes und gutes Kind) Anspruch darauf, selbst die Adresse zu schreiben. Sie schrieb sie also nach meinem Diktat, übrigens unter fortwährendem Schimpfen meinerseits, da ich die Schrift zu klein und unleserlich fand. Besonders das W von Wien ärgerte mich. Nun ist das Paket aber doch angekommen.

Herzlichste Grüße   Ihres Franz K.

* [Dahinter, zwischen den Zeilen] Warum fragen Sie so?

Was werde ich morgen zu hören bekommen? Und warum soll Berlin Sie schweigsam machen?

Die Adresse von Dr. Weiß, für den Fall, daß Sie ihm doch schreiben wollten, ist nicht mehr die, welche auf dem Manuscript steht, sondern Charlottenburg, Grolmannstraße 61.

———

Denken Sie, nach Budapest habe ich noch nicht geschrieben. Ich kann mich nicht dazu entschließen. Ich bin so schreibfaul, gar fremden Menschen gegenüber. Und es ist gewiß sehr unrecht von mir. Merkwürdig ist, daß sowohl F's als Ihr Versuch, mir die Schwester näherzubringen, mich ein wenig abhält zu schreiben. Ein wenig nur, denn meine Abneigung gegen dieses Schreiben sucht überall Gründe. F. schickte mir etwa vor einem Jahr auf meine Bitte einen Brief der Schwester[1]; er enthielt auf 8 Seiten nur Haushaltungsrechnungen und solche allerkleinlichster Art. Er war fast komisch. Und die Stelle, die Sie aus ihrem Brief letzthin zitierten, war ziemlich leer. Und trotzdem habe ich diese Schwester doch irgendwie gern, kann ihr aber vorläufig nicht schreiben.

25. V. 14

Im Augenblick schlägt mir das Herz mit der Wut, mit der es in einem Schuljungen schlagen muß, wenn er Indianergeschichten gelesen hat. Ich habe paar Seiten in den Lebenserinnerungen von Berlioz gelesen. Aber davon will ich nicht reden.

Wie Felice? Dir verfliegt die Zeit zu rasch? Schon Ende Mai? Schon? Nun, ich sitze hier an der Kurbel; wenn Du willst, drehe ich die Zeit zurück. Auf welchen Monat der letzten zwei Jahre soll ich sie zurückdrehn? Antworte genau!

Du beschämst mich, F., Du schreibst, meiner Schrift nach dürfte mein Finger schon besser sein. Besser? Mein Finger ist schon längst heil, und die Schrift meines letzten Briefes war fast meine schönste.

Du betrübst mich auch. Bist wenig scharfsinnig. Welches Möbel man braucht? Eine spanische Wand natürlich oder eine Matte, um »müllern« zu können. Um nackt bei offenem Fenster müllern zu können, ohne daß die Leute gegenüber die gute Gelegenheit benützen und mitzuturnen anfangen.

Den Theaterzettel habe ich schon gesehn. Für mich entfällt nach

[1] Vgl. Brief an Felice vom 23. zum 24. Februar 1913, S. 312.

meinem gestrigen Brief die Möglichkeit ins Theater zu gehn. Dagegen könnten wohl die Mutter und Ottla ins Theater gehn. Und zwar am besten vor Samstag, ehe der Vater kommt, denn für ihn bedeutet Theater kein Vergnügen. Wenn er gehen würde, würde er sich zwingen. Es ist daher besser, man zeigt ihm irgendetwas anderes, das Cinetheater, von dem Du einmal sprachst, oder sonst etwas, für das man immer auch später Karten bekommt. Für die Mutter und Ottla wäre vielleicht am besten »Was Ihr wollt« am Freitag. Sonst besorge aber für sie keine Karten, bitte, auf keinen Fall.

Ja, Ottla ist mit ihrem Trotz schon fertig und fährt sehr gern mit. Wieder Familiengeschichten und Dunkel.

Wo sollen sie wohnen? In Euerer Nähe gibt es wohl keine Hotels, und wenn es welche gibt, werden sie unnötig teuer sein. Wäre nicht also wieder der Askanische Hof zu beziehn? Ich bin in Glück und Unglück so mit ihm verwachsen, ich habe dort förmlich Wurzeln zurückgelassen, an die ich mich förmlich, wenn ich wiederkomme, ansetze. Man liebt mich auch dort. Allerdings ist es ein wenig unbequem eingerichtet, auch genug teuer, aber – ich bleibe dabei – mir doch das liebste.

Du mußt nur in jedem Brief schreiben, daß Vorbereitungen für die Hochzeit gemacht werden, und Du machst mich schon zufrieden. Allerdings verstehe ich nicht ganz die Größe der damit verbundenen Arbeit. Vergiß übrigens nicht, daß zu Deiner Ausstattung in viel höherem Maße als Möbel und Wäsche das Schwimmen gehört. Du hast mir versprochen, mir über jeden Fortschritt im Schwimmen zu berichten. Du berichtest nichts, soll das heißen, daß Du seit der Anmeldung keinen Fortschritt gemacht hast? Ich kann das nicht glauben. Übrigens wirst Du Pfingsten geprüft werden. Lernst Du an der Stange oder an einem Apparat?

Den Plan der Wohnung bekommst Du. Daß Adler[1] im gleichen Hause wohnt, stört mich nicht, solange nicht die Lindströmapparate so vervollkommt(?) sind, daß sie aus dem Mezzanin bis im 4ten Stockwerk zu hören sind. Es müßte denn sein, daß alle Zwischenwohner von ihm Apparate kaufen. Was wir zwei dann oben auf diesem ungeheueren Resonanzkasten machen werden, weiß ich allerdings nicht.

Franz

---

[1] Adler war der Prager Vertreter der Firma Carl Lindström A.G.

Franz Kafka an Felicens Mutter, Frau Anna Bauer

Liebe Mutter!   25.V.14

Du warst also verletzt, und ziemlich ernsthaft. Du hättest eben, wie ich es wollte, länger in Prag bleiben sollen, wo es keine Stadtbahn gibt und wo, wenn es eine Stadtbahn gäbe, ich sicher Deinen Finger rechtzeitig von der Tür weggezogen hätte. Aber nun werden wir alle in großem Aufzug kommen, um den Finger anzusehn, und ihn, wenn er, wie ich sehr hoffe, es schon verträgt, durch einen guten Kuß endgültig zu heilen suchen.
Mit den herzlichsten Grüßen für Euch alle

Dein Franz

Kleine tschechische Lektion:
[Briefkopf: ›Úrazová pojišťovna dělnická pro Královstvi České v Praze‹[1]]

28.V.14

Im Bureau. Es gibt viel zu tun. Böse war ich nicht. Ich war wütend, traurig und einiges dergleichen, aber böse nicht. (Wäre ich nicht sowieso schlaflos, hätte es vielleicht zu meiner Schlaflosigkeit beigetragen.) Der Genauigkeit halber füge ich hinzu, daß Dein Nichtschreiben nicht zwei, sondern 3 Tage gedauert hat.
Es ist immer das alte, wie in der ganzen Weltgeschichte: Jeder sucht sich seinen Boden zum Kampf aus. Es wird mir nichts übrig bleiben, als mir auch den andern Boden zu erobern. Ein guter Zwang für eine gute Sache.
In den nächsten Tagen wirst Du von 2 Seiten scheinbar auf meine Anregung hin wegen Möbelkaufes angegangen werden. Einmal von den Deutschen Werkstätten. Sie schreiben mir öfters, endlich mußte ich ihnen antworten. Im übrigen halte ich ihre Möbel wirklich für die besten, ich meine für die anständigsten, einfachsten. Außerdem wird ein Vertreter einer Prager Firma kommen. Den laß nur rasch hinausbefördern. Er war einmal bei mir im Bureau, ich brummte etwas in meiner Verschlafenheit, er gab seine Visitkarte ab, behauptete, als ehemaliger Berliner Deinen Geschmack

---

[1] Arbeiter-Unfall-Versicherungs-Anstalt für das Königreich Böhmen in Prag.

besonders gut treffen zu können und ging. Nun kam er letzthin wieder. Er war ein wenig besser angezogen und mein unglückseliges Personengedächtnis spiegelte mir einen bekannten Advokaten in ihm vor. Ich gehe freundlichst auf ihn zu, drücke ihm die Hand und – erfahre, wer er ist. (Du mußt wissen, die Firma, die er vertritt, hat äußerst teuere, überladene Möbel.) Nun konnte ich mich nicht mehr so rasch in einen unfreundlichen Käufer verwandeln und gab ihm, da er anläßlich einer Berliner Reise (er dürfte Freitag zu Dir kommen) darum bat, Deine Adresse. Auch bat er darum, daß ich ihn brieflich ankündige. Einem Mann, dem ich so freundlich die Hand gedrückt hatte, konnte ich auch das nicht abschlagen und führe es jetzt auf diese gemeine Weise aus.

Grüße alle, Deine und meine[1], und laß Dich küssen auf das sonderbar liebe Gesicht.

F

An Grete Bloch 29. V. 14

Liebes Fräulein Grete, wenn Sie dies lesen, sind wir beide, hoffentlich wir beide, in Berlin. Es ist sehr lieb von Ihnen, daß Sie gekommen sind, sehr lieb. Da ich mündlich das Wort vielleicht nicht so auszusprechen imstande wäre (die gleichen Vorbehalte, die Sie wegen Ihres Kleides machen, mache ich wegen meiner Stummheit, mit der ich geschlagen und gesegnet bin), schreibe ich es noch rasch hin.

Ihr vorletzter Brief kam Mittwoch, erst nach mehrfachem Lesen bemerkte ich oder glaubte zu bemerken, daß Ihrer Meinung nach der Brief schon Dienstag und infolgedessen eine Antwort von mir schon Mittwoch hätte kommen sollen. Nein, er kam erst Mittwoch früh und gleich darauf bekam ich im Bureau den andern Brief. Wenn Sie nach Prag gekommen wären, wäre ich gewiß Samstag mittag weggefahren und 6.51 nach Berlin gekommen. Jetzt aber zweifle ich fast daran und werde wahrscheinlich erst um 3 fahren und um ½11 abends kommen. Mein Gepäck wird aus Schlaflosigkeit, Magendrücken, Kopfzucken, Schmerzen im linken Fuß bestehn, aber neben der Wiedersehensfreude wiegt es nicht zu schwer. Beeilen Sie sich nur zu F.* zu kommen, ohne Rücksicht auf das

* [Darüber, zwischen den Zeilen] der ich nichts verraten habe

[1] Kafkas Mutter und seine Schwester Ottla waren schon in Berlin.

Felice Bauer und Franz Kafka (Anfang Juli 1917).

Zur Verlobung im Deutschen Kaiserhause:
Prinzessin Viktoria Luise mit ihrem Bräutigam, dem Prinzen Ernst August, Herzog zu Braun-
schweig und Lüneburg auf einem Spaziergang in Karlsruhe. Neben dem Brautpaar: Prinz
Oskar von Preußen.

Zum Brief Kafkas vom 14. zum 15. Februar 1913.

Kleid, verbessern Sie nichts mehr daran, es wird, wie es auch sein mag, mit den, nun, mit den zärtlichsten Augen angesehen werden.

Ihr Franz K.

An Grete Bloch　　　　　　　　　　　　　　　　　　2. V. 14
[vermutlich vom 2. oder 3. Juni 1914]

Liebes Fräulein Grete, nur paar Zeilen, ich mußte nachmittag die Schlaflosigkeit der Nacht zu ersetzen suchen, abend im Geschäft die Eltern vertreten, es bleibt wenig Zeit, aber Zeit genug, um folgendes zu sagen: Was Sie für mich im ganzen bedeuten, das können Sie nicht wissen, aber selbst das, was Sie davon wissen, muß Ihnen das Bewußtsein geben, daß Sie mir gegenüber in einer von Ihnen durchaus nicht durchschauten aber gänzlich mitgefühlten Lage für mich vielleicht alles tun, was ein Mensch für den andern tun kann, und daß dieses Alles immer wieder in allem, was Sie tun, besonders in Ihrem Blick vereinigt ist und wirkt; auch wirkt, Fräulein Grete, auch wirkt. Und nun küsse ich noch Ihre liebe Hand.　　Franz K.

An Grete Bloch

[Briefkopf der Arbeiter-Unfall-Versicherungs-Anstalt]
4. VI. 14

Liebes Fräulein Grete, gut gefahren, schlecht geschlafen, im Bureau das Gespenst eines Beamten nach dem dritten Hahnenschrei dargestellt. In der Erinnerung ist es zu fassen, denn es ist überlebt, in der Gegenwart schien kein Augenblick vor dem Ende des Erlebens gesichert. Ich dachte an nicht viel anderes, als es möchte doch endlich ein gutes Nervenfieber oder sonst etwas kommen, was mich vor aller Augen niederschlägt und mir das Recht gibt, mich nachhause tragen zu lassen. Statt dessen aber diktierte ich einen langen Bericht über die Expertise zur 5ten Gefahrenklassifikation und die Schreibmaschinistin, ein rosiges, junges, festes Frauenzimmer, klagte manchmal schüchtern über Schläfrigkeit, weil sie erst (erst!) um 1 Uhr nachts schlafen gegangen war.
Heute ist es ein wenig besser, ich habe etwas geschlafen. Das Schlimmste oder besser das fast Schlimmste ist, daß ich so wenig

Zeit habe. Sagte ich Ihnen nicht, daß ich vor den Feiertagen zu schreiben angefangen habe? (Darauf sagten Sie übrigens etwas merkwürdig Falsches: es wäre nicht das Wichtigste.) Nun habe ich mir seit dem gestrigen Vormittag und seit der heutigen ein wenig bessern Nacht das Gelübde gegeben, um ½ 11 schlafen zu gehn. Das ist fast das Ende des Schreibens. Außerdem abend die Stunde im Geschäft. Die Nacht kommt, und wieder ist gleich die Stunde da, um die Fortsetzung des Berichtes zu diktieren. Aber vielleicht haben Sie recht, das Wichtigste ist nicht, daß ich in Prag schreibe, das Wichtigste ist, daß ich von Prag wegkomme.

Die Legende[1] habe ich jetzt gelesen. (Was für eine Freude macht die sofortige Erfüllung eines Versprechens! Eine weit über die eigentliche Erfüllung hinausgehende Freude.) Ihr Bruder gefällt mir besser als dieses Stück. Es hat gewiß gute Einzelheiten, auch überraschende Einzelheiten, aber selbst aus deren Güte und Überraschungsfähigkeit wäre ich meinem Gefühl nach nicht imstande, etwas entscheidend Gutes darüber zu sagen. Es ist doch nur kindliche Arbeit, von hier und dort zusammengetragen und ein schwaches Ganzes abgebend. Merkwürdig, daß er Ihnen Überschwänglichkeit vorwarf, während er solcher Überschwänglichkeit der bloßen Worte fähig ist (da wehrte sich das Leben in mir und schrie auf wie ein todwundes Tier u.s.w., nein, das ist nicht gut oder vielmehr, es ist kindlich und kann alles werden). Er wird gewiß Besseres schreiben oder hat es schon getan. Und jedenfalls wird er Besseres leisten, denn er macht den Eindruck eines sehr aufmerksamen, richtig denkenden, sichern, ein wenig zu scharfen, ausdauernden Menschen. Das sind wohl die notwendigsten Fähigkeiten, die man haben muß, um nützlich zu sein, lauter Fähigkeiten, die ich sehr gut beurteilen kann, denn ich habe keine von ihnen. Übrigens hätte er tatsächlich dort bei Tisch ein wenig freundlicher mit Ihnen sprechen können, zumindest gegenüber dem Blick, mit dem Sie ihn ansahn. Aber vielleicht war es freundlich und ich bin nur zu überempfindlich, sobald es auf Sie ankommt.

Franz K.

Über Berlin zu reden, werden wir ja noch Gelegenheit haben.

[Über dem Briefkopf] Ein Kärtchen, das im Buch lag, lege ich bei.

[1] Diese Legende von Hans Bloch muß Kafka im Manuskript gelesen haben; sie wurde nie gedruckt.

Liebes Fräulein Grete, gestern war wieder ein Tag, an dem ich vollständig gebunden war, unfähig, mich zu rühren, unfähig, den Brief an Sie zu schreiben, zu dem mich alles drängte, was in mir noch Rest des Lebens war. Manchmal – Sie sind die einzige, die es vorläufig erfährt – weiß ich wirklich nicht, wie ich es verantworten kann, so wie ich bin zu heiraten. Eine auf die Festigkeit der Frau begründete Ehe? Das wird ein schiefes Gebäude, nicht? Es stürzt ein und reißt noch den Grund aus der Erde heraus.

Ach Gott, ich verstand doch, Fräulein Grete, was Ihre Beurteilung des Schreibens bedeutete. Aber auch gut verstanden, ist sie nicht richtig, wenn sie auch allerdings befolgt wird. Jeder bringt sich auf seine Weise aus der Unterwelt hinauf, ich durch das Schreiben. Darum kann ich mich, wenn es sein soll, nur durch das Schreiben, nicht durch Ruhe und Schlaf, oben erhalten. Viel eher gewinne ich Ruhe durch das Schreiben, als das Schreiben durch Ruhe.

Aber ich rede immerfort von mir, schon das allein zeigt das Wesen meines Zustandes an. Ich glaube, ich habe das auch in Berlin getan, trotzdem ich doch wissen mußte, daß ich sichtbar und lebendig nur dann eigentlich bin, wenn ich das, was mich betrifft, möglichst tief hinunterdrücke.

Gefreut hat mich, nicht nur als Bestätigung meiner Voraussage, daß Sie sich in Berlin trotz Ihrer gegenteiligen Behauptung besser befinden als in Wien. Sie befinden sich besser. Sie haben eine bessere Stellung, arbeiten lieber (es gibt keinen »Stall« mehr), sehen Ihre Familie vor sich, gewisse quälende Phantasien der Entfernung fehlen, Berlin unterstützt Ihre Widerstandskraft wie die jedes andern. Was bedeutet es, daß die Mutter »zu aufmerksam« für Sie sorgt?

Mit dem, was ich über Ihren Bruder sagte, wollte ich nicht Sie mitumfaßt haben. Hätte ich das wollen, so hätte ich noch manches einfügen müssen, für das mir die Worte fehlen, und das ich, wenn ich die Worte hätte, nicht niederschreiben würde. Sie mögen aber recht haben und es mag vieles Gemeinsame vorhanden sein, für das mir, soweit es Ihren Bruder betrifft, natürlich der Blick fehlt. Vielleicht sind in diesem Sinn sogar in der Legende Ansätze, die mir entgehn. Das Wenige, was die jüdischen Dorfbewohner z. B. betrifft, macht den Eindruck des Wahren, ist aber allgemeine zionistische Sehnsucht und in dieser ersten kleinen Gestaltung jedem, der in der Reihe geht, erreichbar. Trotzdem, was hier vorhanden ist, würdige ich gut. Aber unüberwindbar bleibt für mich der trockene Aufbau der ganzen Allegorie, die nichts ist als Allegorie, alles sagt, was zu sagen ist, nirgends ins Tiefere geht und ins Tiefere zieht. Aber Sie erzählten von Novellen Ihres Bruders. Die wären zweifellos charakteristischer, denn in der Legende arbeitet er unter dem Zwang der Allegorie, anderswo ist er gewiß freier, offener, mit mehr Sicherheit zu beurteilen. Schließlich kann eine solche Arbeit wie die Legende erst am Ende eines Lebens gelingen, wenn man alle seine Kräfte entwickelt und bereit hat und es wagen kann, sie über die ganze Strecke einer Arbeit hin bewußt zu zwingen, ohne daß man sich nach den ersten Schritten von dem größten Teil verlassen sieht. Gerade so aber ist es Ihrem Bruder gegangen, ohne daß er sich in seiner Unnachgiebigkeit dadurch hätte beirren lassen.

Herzlichste Grüße, herzlichen Händedruck.   Franz K.

An Grete Bloch

8. VI. 14

Liebes Fräulein Grete, habe ich wirklich so jammervoll geschrieben? Nun, es ist nicht ganz so schlimm, wenigstens nicht dauernd so schlimm. Setzt man sich zum Schreiben, so sammelt sich alles und nichts will vergessen sein, weil der Brief an Sie geht und von Ihnen für jedes die gute und liebe Antwort kommt. Schließlich bleibt dann für mich die Selbstberuhigung, daß ich doch nicht alles geschrieben habe und dadurch ein Recht habe, den Trost aus Ihren Briefen ganz in mich hineinzutrinken.

Ich werde im Juli irgendwo in einen Wald übersiedeln und an mir zu bessern suchen, was in der Eile möglich sein wird. Bei uns pflegen die Eltern zu sagen, daß man an den Kindern merkt, wie alt man wird. Wenn man keine Kinder hat, muß man es an seinen Gespenstern merken und man merkt es um so gründlicher. Ich weiß, als ich jung war, lockte ich sie so hervor, sie kamen kaum, ich lockte sie stärker, ich langweilte mich ohne sie, sie kamen nicht und ich dachte schon, sie würden niemals kommen. Ich war aus diesem Grunde schon oft nahe daran, mein Leben zu verfluchen. Später kamen sie doch, nur hie und da, es war immer hoher Besuch, man mußte Verbeugungen machen, trotzdem sie noch ganz klein waren, oft waren sie es gar nicht, es sah bloß so aus oder klang bloß so, als ob sie es wären. Kamen sie aber wirklich, so waren sie mir selten wild, sehr stolz konnte man auf sie nicht sein, sie sprangen einen höchstens so an wie der kleine Löwe die Hündin, sie bissen, aber man bemerkte es nur, wenn man mit dem Finger die gebissene Stelle fixierte und mit dem Fingernagel nachdrückte. Später aber wurden sie größer, kamen und blieben nach Belieben, zarte Vogelrücken wurden Rücken von Denkmalsriesen, sie kamen durch alle Türen, die geschlossenen drückten sie ein, es waren große knochige, in der Menge namenlose Gespenster, mit einem konnte man kämpfen, aber nicht mit allen, die einen umstanden. Schrieb man, so waren es lauter gute Geister, schrieb man nicht, so waren es Teufel und man konnte nur noch gerade aus ihrem Gedränge die Hand heben, um zu zeigen, wo man war. Wie man die Hand oben verrenkte, dafür war man wohl nicht verantwortlich. –

Daß Sie es jetzt besser haben, ist ein von Ihnen so verdientes Glück, daß man es als etwas ganz Selbstverständliches hinnehmen sollte. Was müssen Sie in den letzten Monaten gelitten haben, und ich schrieb immerfort und anfangs sogar hinterhältig nur von mir! In Ihr häusliches Unglück habe ich natürlich keinen Einblick, aber glauben Sie nicht, daß das, was Sie dort gequält hat und quält, alle guten Gegenkräfte erzeugt hat, mit denen Sie jetzt gegenüber der Welt so gut auszukommen wissen. [Strindbergs] »Totentanz« kenne ich übrigens nicht, weiß nicht, was Sie damit meinen; spielt es nicht in einem Leuchtturm?

Das wollte ich sagen. Mühen Sie sich nicht mit dem Schreiben an mich, gehn Sie früher aus dem Bureau. Paar Zeilen genügen mir, die allerdings brauche ich. Zwei Sätze und Ihre Unterschrift genügt. Und wenn ich allzu sehr klage, verzeihen Sie. Es ist ja alles zu ertragen, das Leid bleibt zwar, aber die Tage wechseln, der Ausdruck des Leides wechselt, die Widerstandskraft wechselt und so wird man im Wechsel halb lebendig doch noch hingetragen.

Franz K.

[Am Rande] Ich habe keine Karte vom Sonntag bekommen.

Liebes Fräulein Grete, ein merkwürdiger, ein durchaus merkwürdiger Brief.

Sie glauben nicht, daß es schon besser ist und machen mir dadurch, natürlich gegen Ihre Absicht, weitere Angst, »ohne die Gründe nennen zu können«. Allerdings bei meiner Natur an sich das beste Mittel, mir die Angst zu nehmen, wenn nicht eben zwar sichtbare aber undurchdringliche Gründe für die äußerste Unruhe vorhanden wären.

Dann aber im Widerspruch zum ersten Satz: Sie finden keinen Glauben zur Notwendigkeit meines Zustandes. Sehen Sie doch von den erkennbaren Eigentümlichkeiten, die mich als einzelnen Menschen charakterisieren, ab und nehmen Sie das Ganze als einen typischen Fall. Ein durch seine Lebensumstände und durch seine Natur gänzlich unsocialer Mensch, mit nicht festem augenblicklich schwer zu beurteilendem Gesundheitszustand, durch sein nichtzionistisches (ich bewundere den Zionismus und ekle mich vor ihm) und nichtgläubiges Judentum von jeder großen, tragenden Gemeinschaft ausgeschieden, durch die Zwangsarbeit des Bureaus in seinem besten Wesen unaufhörlich auf das quälendste erschüttert – ein solcher Mensch entschließt sich, allerdings unter dem stärksten innersten Zwang, zum Heiraten, also zur socialsten Tat. Das scheint mir nicht wenig für einen solchen Menschen.

Und schließlich kommt in Ihrem Brief diese Grobheit, die mir übrigens als solche eine wahre Freude gemacht hat: »drei Monate werden Sie doch noch erleben können«. Aber Fräulein Grete, wenn man sagt, daß die 3 Monate zu lang sind, so sagt man doch damit, richtig verstanden, gleichzeitig auch, daß sie zu kurz sind. Das ist es.

Sie fragten letzthin nach Ottla. Es geht ihr gut, trotzdem sie den ganzen Tag im Geschäft ist. Denn ihre Gedanken sind nicht im Geschäft, sondern ausschließlich in der Blindenanstalt, wo sie seit paar Wochen, insbesondere seit den letzten 14 Tagen, einige gute Freunde und einen allerbesten hat. Ein junger Korbflechter, dessen eines Auge geschlossen und dessen anderes Auge riesenhaft aufgequollen ist. Das ist ihr bester Freund, er ist zart, verständig und treu. Sie besucht ihn an Sonn- und Feiertagen und liest ihm vor, möglichst lustige Sachen. Ein allerdings etwas gefährliches und schmerzliches Vergnügen. Was man sonst mit Blicken ausdrückt, zeigen die

Blinden mit den Fingerspitzen. Sie befühlen das Kleid, fassen den Ärmel an, streicheln die Hände, und dieses große, starke, von mir leider, wenn auch ohne Schuld, vom richtigen Weg ein wenig abgelenkte Mädchen nennt das ihr höchstes Glück. Weiß, wie sie sagt, erst dann, warum sie glücklich aufwacht, wenn sie sich an die Blinden erinnert. Sammelt die ganze Woche Cigarren und Cigaretten (spart dafür Geld vom Essen), um sie Sonntag den Blinden zu überreichen, hat sogar irgendwo eine alte Cigarrentasche aufgetrieben, die sie heute hintragen wird. Mit den blinden Mädchen verkehrt sie nicht, auch die blinden Freunde verkehren nicht mit den blinden Mädchen, sie sind, wie sie sagen, zu hochmütig. »Unsere weiblichen Pfleglinge sind zu hochmütig«.

Über solchen Beschäftigungen hat Ottla bis heute versäumt, nach Berlin zu schreiben. Sie weiß keine Anrede. »Liebe Eltern« kann sie nicht schreiben, da stimme ich zu. Aber auch »Meine Lieben« kann sie nicht schreiben, denn so schreibt immer eine alte, verwitwete, süßliche, sehr brave, aber ohne Orthographie dahinlebende, körperlich ungeheuere, von widerlichen Schmerzen, die niemand glaubt, geplagte Tante, unter der man die Ansprache »Meine Lieben«, die ihr gehört, förmlich erst wegziehn müßte. Wissen Sie keinen Rat?

Herzlichste Grüße Ihres Franz K.

[Am Rande] Die Karte von der Schloßbrücke habe ich nicht bekommen. Was stand auf ihr?

An Grete Bloch   14.VI.14

Liebes Fräulein Grete, vor allem: ich war weder böse noch hatte ich Grund dazu und ich könnte höchstens darüber böse sein (und auch darin natürlich nur auf mich), daß Sie der letzte Brief nicht an sich davon überzeugen konnte. Eher war es eine krankhafte Überreiztheit (eine einzige besonders schlechte Nacht kann das schon besorgen, da ich in meinem Zustand auf jede Nacht, auf jede Hoffnung des Schlafes angewiesen bin. Ich muß auch heute aufpassen, denn die letzte Nacht war äußerlich wie die erste Nacht des Verbrechers nach der Tat. Immerfort aufgeschreckt und unter kurzen Gebeten wieder eingeduselt. Es gab aber schon bessere Nächte in der Zwischenzeit), es war also vielleicht eine Überreizung, die mich dazu brachte, fast mit Bewußtsein im Brief Dinge zu lesen, die dort nicht standen und die, selbst wenn sie dort gestanden wären, ihren Ursprung, Ihr gutes großes Herz nicht verleugnet hätten. Aber es machte mir irgendeine Freude, mir von Ihnen, sei es auch in der Einbildung, etwas Grobes sagen zu lassen, und ich war böse genug, dieser Verlockung nachzugeben.

Mein »Bekenntnis« fassen Sie im allgemeinen richtig auf und erstaunen demgemäß auch richtig. Nur den Mittelpunkt des »Bekenntnisses« fassen Sie nicht genau und der ist (bei einer gewissen Eingrenzung und Nichtbeachtung von Einzelheiten) sehr einfach, leider sehr einfach. Unter den angeführten Punkten ist nämlich einer, von dem (Ottla war jetzt hier und hat mich mit ihren Erzählungen vom Blinden, zu dem sie jetzt mit einem Rosenstrauß gehn wird, zerstreut) aus alles beherrscht wird. Es ist, wie Sie leicht sehn werden, mein Gesundheitszustand, das was Sie »nichts« nennen. Wäre ich gesünder und fester, wären alle Schwierigkeiten überwunden, ich wäre längst nicht mehr im Bureau, ich wäre F.'s ganz sicher und der ganzen Welt sicher; was mir noch fehlen würde, könnte ich aus meiner Gesundheit ersetzen, während ich jetzt alles auf meine Gesundheit rückbeziehen muß. Soll ich darüber noch mehr sagen? Auch dieser Gesundheitszustand ist täuschend, täuscht selbst mich, zu jeder Zeit kommen, auf Nuancen genau, die gerade für die Zeit ungelegensten Überzeugungen. Eine ungeheuerliche Hypochondrie, gewiß; die aber so viele und tiefe Wurzeln in mich geschlagen hat, daß ich mit ihr hänge und falle. Sie heben meine »Hartnäckigkeit« als gutes Zeichen hervor. Darin liegt etwas Wahrheit. Hartnäckigkeit kann aber auch das Ergebnis der Verzweiflung sein.

Der Gesundheitszustand liegt eben auf einer Wagschale, alles andere von mir angeführte auf der andern. Es gibt einen Zeitpunkt, wo das Ganze in Schwebe ist und auf Entscheidung wartet. Entweder die Gesundheit ist stark genug, hebt die andere Wagschale und läßt alles, was auf ihr ist, in Luft zergehn, oder aber sie hält nicht stand, wird selbst gehoben und nun endlos von dem Inhalt der andern Wagschale geheizt und zu einem wirklichen Gespenst ausgebrütet.

Von Tante E.[Emilie]'s[1] Krankheit erfahre ich erst durch Sie. Da-

---

[1] Eine Tante Felicens, Schwester des Vaters.

gegen weiß ich wohl, daß ich Erna noch nicht geschrieben habe und es, auch meinem Bedürfnis nach, tun sollte. (Erna kam mir manchmal fast großartig vor.) Dann müßte ich aber auch Toni schreiben und meine Hand ist, so lieb mir auch Toni ist, unsinnig schwerfällig. Für Else habe ich mich schließlich doch überwunden.

Traurig hat mich gemacht, daß Sie meinetwegen so lange wachgeblieben sind, tun Sie es nicht wieder. Zufrieden dagegen war ich, daß es Ihnen bei gutem Willen auch möglich ist, um ½6 aus dem Bureau wegzugehn. Wie wäre es, wenn Sie mit F. schwimmen lernen würden?

Ihr Franz K.

An Grete Bloch
[16. oder 17. Juni 1914]

Liebes Fräulein Grete, nur paar Zeilen, in einem schönen Park geschrieben, das Rauschen eines Springbrunnens und den friedlichen Lärm der Kinder im Ohr. Was bedeutet das, ich bekomme Sinn für die Vergnügungen ganz alter Ehepaare, für den Blick über Rasenflächen, das Stillsitzen in der Abendsonne, das Beobachten von Spatzen. Mein Kopf, der nun 4 Nächte – es war schon viel besser – fast keinen Schlaf bekommen hat, beruhigt sich ein wenig. Und wie lebe ich? Sie sitzen im Bureau und klopfen Ihren Schülern auf die Finger, während ich – heute war ein besonderer Schontag – eine Stunde, allerdings nutzlos, zu schlafen versucht habe, dann auf der Schwimmschule war, geschwommen, dann geturnt habe, dann nach einem Spaziergang in einer Milchhalle saure Milch getrunken habe und jetzt im Park sitze und Ihnen schreibe. Könnte mich ein Kindermädchen besser pflegen, als ich es tue? Und in der Nacht? In der Nacht werde ich 2–3 Stunden federleicht unter häufigem Erschrecken schlafen und dann endgiltig aufwachen, augenblicksweise vielleicht noch das halbe Bewußtsein verlieren, aber einschlafen gar nicht mehr und pünktlich durch alle Uhrenschläge vom Turm her daran erinnert werden, daß die Zeit vergeht, daß nach der schrecklichen Nacht der schreckliche Morgen kommt u.s.f. Wie blödsinnig ich klage! Und weiß doch gut, daß es vorübergehn muß und daß ich daran noch nicht zugrunde gehen werde.

Heute abend komme ich übrigens besonders spät ins Bett. Dr. Weiß kommt, wie er mir gestern geschrieben hat, heute um 11 Uhr aus

Berlin. Es ist mir ein wenig unheimlich. Er wollte nach Prag kommen, aber erst Anfang Juli, nun kommt er so plötzlich. Was tue ich, wenn er wegen meiner Nachrichten kommt. Es wäre nicht unmöglich, aber für mich scheußlich.

Das hätte also wieder der Klagemensch in mir verursacht, so wie er – das Gewissen brannte mich den ganzen Tag und hat heute über Ihren Briefen wieder zu brennen angefangen – auch Ihre gestrige Unruhe verursacht hat. Wie erträgt nur Gott diese Klagen? Warum schlägt er mich nicht nieder? Aber – so sagt wieder der Klagemensch in mir – er schlägt mich ja nieder.

Ja, Erna werde ich nun doch ganz bestimmt schreiben. Ich wollte auch gern Erna und Toni etwas schenken. Es ist wieder meine Schwäche, die den Menschen geradezu anzupacken nicht imstande ist, so sehr sie es wünscht, und sich also damit begnügen muß, ihn mit Geschenken zu umgehn. Erna will ich ein Buch geben, für Toni wollte F. in meinem Namen etwas kaufen und schenken, hat es aber offenbar vergessen und vergißt es nun wahrscheinlich absichtlich noch während sie die Briefe liest, in denen ich sie daran erinnere. Können Sie mir einen Rat geben? Sie sind doch nun einmal meine Ratgeberin im großen und kleinen.

Aber jetzt ist schon spät, ich beendige meine heutige Licht- Luft- und Wasserbehandlung, stecke den Bleistift ein und wandere nachhause.

Herzlichste Grüße   Ihr Franz K.

Wollten Sie mir nicht noch etwas von Ihrem Bruder schicken? – Was bedeutet die Klage über den dummen Wochenanfang? – Die Briefe liest natürlich niemand mehr mit und wird niemand mehr lesen.

An Grete Bloch

18. VI. 14

Liebes Fräulein Grete, wieder nur paar Worte.
Der Dr. Weiß nimmt mich in Anspruch, ich habe keine Zeit. Aber er ist mir sehr lieb. (Die Befürchtung, daß er meinetwegen kommen würde, war sehr übertrieben.) Er bringt das Berlin mit, das ich brauche: trägt es um sich herum. Zieht mich, und sei es auch nur

einen Zoll, aus dieser Jammergrube des Bureaus heraus. Hat mehr Befürchtungen für mich oder vielmehr andere oder noch besser gesagt zum Teil andere, als ich sie habe, nimmt mir (so formalistisch kindisch, nüchtern bin ich in vielem) einen Teil der Sorgen ab, gibt mir einen Teil von auf dem Boden liegenden Hoffnungen frisch in die Hand zurück, kurz, ich fühle mich (morgen fährt er weg) besser als seit Wochen, schlafe elend aber doch besser.

Viele Grüße   Franz K.

An Grete Bloch

20. VI. 14
[vermutlich 24. Juni 1914]

Liebes Fräulein Grete, ich habe jetzt 2 Nächte besser geschlafen (seit der Abreise des Dr. Weiß gab es schon wieder gräuliche Nächte), bin jetzt allein und kann meine Lage ruhiger überschauen. Sie ist so sonderbar, daß ich mit dem klareren Kopf, den ich heute habe, gar nicht über sie reden kann.
Ich habe vor paar Tagen mit dem einen Chef einer großen Wäschefabrik, Joss und Löwenstein, gesprochen, Eugen Löwenstein heißt er. Das Gespräch kam auf Organisationsfragen, er läßt gerade durch einen Amerikaner seinen ganzen komerciellen und technischen Betrieb neu organisieren. Das erste, woran ich natürlich dachte, waren Ihre Maschinen. Sie haben sie auch in der Fabrik, aber sie wollen sie abschaffen, die Leute arbeiten nicht gerne damit, es bewährt sich nicht. Ich antwortete natürlich, daß die Leute offenbar mit den Maschinen, die meiner »Erfahrung« nach ausgezeichnet sind, nicht richtig umzugehn verstehn, daß sie durch irgendeinen tüchtigen Menschen, z. B. durch ein Berliner Fräulein, das ich kenne, unterrichtet werden müßten. Er sagte, ja, das sei allerdings möglich, er würde – zuerst müsse er noch mit seinem Bureaudirektor sprechen – sehr gerne das Fräulein auf seine Kosten herkommen lassen, wie lange der Unterricht auch dauern möge. Der Lesti[1] werde sich zwar ärgern, denn er schreibe fortwährend an die Fa. und werde immerfort abgewiesen, aber das mache nichts. – Nun ist dieser Herr Löwenstein jetzt weggefahren, bleibt über den Juli weg, kommt erst anfangs August, dann soll ich bei ihm anfragen und dann kann es arran-

[1] Grete Bloch arbeitete in Wien bei der Firma Joe Lesti Nfg.

giert werden. Wollen Sie? Wird es möglich sein? Ich wäre froh. Ich weiß zwar nicht, ob Sie in das böhmische Geschäft jetzt noch eingreifen dürfen; aber wenn die Firma ausdrücklich sagt, daß sie nur Sie und keinen andern haben will, so muß sich doch aus Geschäftsrücksichten irgendeine Möglichkeit dafür finden, daß Sie kommen dürfen.

Herzlichste Grüße Ihres   Franz K.

Franz Kafka an Felicens Mutter, Frau Anna Bauer

24. VI. 14

Liebe Mutter!

Deine Karte habe ich erst spät bekommen. Was nicht in mein Bureau, sondern in die Wohnung adressiert ist, kommt ins Geschäft, wo es, besonders wenn die Mutter nicht da ist, verlegt wird und nur durch Zufall wieder einmal hervorkommt. In der Zwischenzeit höre ich dann Gerüchte, daß eine Karte für mich angekommen ist, die man zwar gelesen hat, deren Inhalt man aber nicht genau kennt. So war es auch mit Deiner Karte, liebe Mutter. Vielen Dank für Deine freundliche Aufmerksamkeit, der Brief an Felice enthielt zwar Wichtiges wie immer, aber nichts Dringendes, er konnte liegen bleiben.

Deine Bemerkung über den erwarteten und nicht gekommenen Brief hat mich traurig gemacht. Natürlich bist Du im Recht, das ist selbstverständlich. Ihr habt meine Eltern und die Schwester und mich über alle Vorstellung hinaus schön und lieb empfangen und bewirtet und behandelt. Ich hatte allen Grund, Euch von Herzen dankbar zu sein und es Euch zu sagen und zu schreiben. Ich habe es nicht getan. Warum? Siehst Du, liebe Mutter, hier ist einer der Fehler, die ich habe, mit denen Du nie einverstanden sein wirst. Es handelt sich auch in diesem Fall nicht gerade nur um das Schreiben, das weiß ich sehr wohl, trotzdem sogar das Schreiben hier durchaus nicht nur Sache der Form, sondern Sache des Herzens gewesen wäre. Trotzdem – ich bin nicht schlechter als einer, der geschrieben hätte, glaube mir.

Und nun küsse ich Dir herzlichst die Hand und bitte Dich, alle die Deinigen von mir zu grüßen, in Berlin und auswärts.

Dein Franz

Liebes Fräulein Grete, Sie wundern sich warum ich nicht schreibe, wie es mir geht*. Weil es schwer zu sagen ist. Ich schlafe z. B. zwar schlecht, aber viel besser als zur Zeit meiner letzten Klagen. Ich glaubte, die Gründe des Nichtschlafens erkannt zu haben und warf mich gegen sie. Nun brennt mich wieder anderes. Und ich fange an, Furcht zu bekommen, daß alles nur Vorspiegelungen sind, hinter denen der eigentliche Kern des eigentlichen Unglücks wartet, von dem ich noch gar nicht unmittelbar weiß, sondern nur durch seine unerträglichen Drohungen. Wie ist es mit Ihren Hauptgründen des Schweigens?

Was ist es für ein Schmerz im Fuß? Hatten Sie nicht einmal schon etwas derartiges?

Erna habe ich geschrieben, aber wie ich aus Ihrem Brief sehe, zu spät. Ich fahre wahrscheinlich morgen nach Hellerau[1], habe mich dort wenigstens schon angezeigt. Ob ich nächste Woche werde fahren können, weiß ich nicht, wir werden einander darüber noch schreiben. Wird Ihnen der Besuch des Präsidenten Ehren bringen? Ich kann nicht weiter schreiben, sehn Sie nur! Es drängt sich vieles, aber eines drängt das andere hinunter.

Und nur, um etwas Tröstliches mir zu holen und Ihnen zu schreiben, schlage ich dreimal die Bibel auf, die gerade neben mir liegt und finde schließlich den Satz: »Denn in seiner Hand ist, was unten in der Erde ist und die Höhen der Berge sind auch sein.« Aber es klingt mir fast ohne Sinn.

Herzlichste Grüße Ihres   Franz K.

Gerade will ich den Brief schließen, schaue noch zufällig auf und sehe in einem Fach des Tischaufsatzes eine Karte mit dem Stempel Charlottenburg. Begreife das nicht, da ich in meinen Briefschaften vollständige Ordnung habe, sehe nach und finde die Schloßbrückenkarte, die mir jemand unauffindbar auf den Tisch gelegt hat, und die ich jetzt zum erstenmal in die Hand bekomme. So sieht es auf meinem Schreibtisch aus.

* [Zwischen den Zeilen] Übrigens glaube ich, Ihnen in letzter Zeit 2 allerdings sehr geringfügige Briefe geschrieben zu haben.

---

[1] Vgl. *Tagebücher* (30. Juni 1914), S. 406 f.

30. VI. 14

Liebes Fräulein Grete! Kein Anruf, sondern ein In-die-Augen-schauen. Sie sollen nicht so reden, ich bin nicht anders, nur allerdings hin- und hergeworfen und so reißt es auch an meiner Hand, die Ihre gute Hand hält. Haben Sie Geduld mit mir. Frauen sind doch geduldig, aber allerdings, vielleicht erschöpfe ich die beste Frau. Übermorgen bekommen Sie einen ausführlichen Brief, heute ist schon zu spät. Wegen der Dresdner Reise habe ich F. geschrieben, ich komme in 14 Tagen nach Berlin und weiß also nicht – F. gegenüber wußte ich es, Ihnen gegenüber nun wieder nicht –, ob ich nächsten Sonntag nach Dresden komme.

Herzlichste Grüße Ihr   Franz K.

1. VII. 14

Liebes Fräulein Grete, wieder spät, es wird kein ausführlicher Brief. Ich treibe mich viel in der freien Luft und im Wasser herum, fühle mich aber nicht wohl, habe Müdigkeit in allen Gelenken bis zu Schmerzen, liege, wenn ich zuhause bin, nur auf dem Kanapee, bewundere Ihre Arbeitsfähigkeit und begreife sie nicht, habe eine Arbeit angefangen liegen und kann kaum die Hand heben, um sie fortzusetzen. Klagen scheint mir das Überflüssigste, was es auf der Welt gibt und gerade dazu, nur dazu reicht die Kraft gerade noch aus. Übrigens nicht einmal vollkommen dazu, wie Sie bemerkt haben.

Sie machten letzthin eine Bemerkung über gemeinsam geschriebene Karten. Ich habe darüber nachgedacht. Sie haben unrecht und recht. Alles, was ich von Berlin bekomme, ist mir lieb aber, im Augenblick unbewußt, muß auch das Verlangen vorhanden sein, lieber jeden allein für sich zu haben, nicht gemeinsam; den Einzelnen liebe ich, die Gemeinsamkeit nicht so; ich bin ungesellig bis zum Verrücktsein, nicht nur für mich, sondern für alle, die ich liebe. Eine Krankheit, vielleicht eine behebbare.

F. wird Ihnen gesagt haben, daß ich von Sonntag in einer Woche nach Berlin fahre oder vielmehr über Berlin in den Urlaub. Ich weiß also nicht, ob ich nächsten Sonntag in Dresden sein werde; habe auch noch eine kleine allerdings sehr leicht zu umgehende Verpflichtung, meine Schwester vor dem Urlaub in ihrer Sommerfrische zu besuchen. Am wahrscheinlichsten ist aber, daß ich in Prag bleiben werde; ich kann mich kaum zeigen. Sind Sie von Sonntag in einer Woche in Berlin?

Ich höre auf, ich schreibe morgen wieder.

Herzlichste Grüße Ihr   Franz K.

Der Schmerz im Fuß? Was für ein Schmerz denn? Wie hat Sie der Präsident ausgezeichnet?

An Grete Bloch

2. VII. 14

Liebes Fräulein Grete, die Häufigkeit soll für die Leere meiner Briefe entschädigen, wenn ich dadurch vielleicht auch statt einen Mangel zu beseitigen, zwei Übel aufhäufe. Ich habe das Bedürfnis, Ihnen zu schreiben, bin aber zu müde, um etwas anderes zu sagen, als daß ich Sie herzlichst grüße und Sie, wenn nicht diesen Sonntag in Dresden – ich werde wahrscheinlich den ganzen Sonntag über auf den Brettern der Schwimmschule mich strecken und mit geschlossenen Augen dem Auf und Ab der Müdigkeit in den Gelenken und Muskeln folgen (menschenwürdige Beschäftigung) –, so jedenfalls von Sonntag in einer Woche in Berlin sehen muß.

Ihr Franz K.

Durchschrift oder Entwurf eines Briefes von Grete Bloch an Franz Kafka[1]

3.7.14

Ist die Angst meines vorgestrigen Briefes, den Sie wohl erst heute erhalten werden, da ich ihn, um noch eine Bedenkzeit, eine allerdings sinnlose, herauszuschlagen, erst gestern einwarf, nicht begrün-

---

[1] Vermutlich die Erwiderung auf Kafkas Brief vom 1. Juli 1914.

det? und durch Sie selbst gerechtfertigt? Könnte mich etwas mehr entsetzen als Ihr gestriger Brief und der heute *nicht* eingetroffene, was entgegen Ihrer sonstigen Pünktlichkeit kein gutes Zeichen ist? Doktor mir versagen fast die Worte. Wenn Sie sich nicht in sich selbst täuschen – kann ich das heute nach all diesen Gegenbeweisen noch hoffen? – steht es schlimm. Ich sehe auf einmal so klar und bin ganz verzweifelt. Daß ich mit Gewalt in einer Verlobung ein Glück für Sie Beide sehen wollte und Sie so bestimmt habe, schafft – das ist sicher – eine grenzenlose Verantwortung, der ich mich kaum mehr gewachsen fühle.

Fast möchte ich Sie bitten *nicht* hierher zu kommen, wenn Sie nicht klar, in sich gefestigt und *absolut* freudig sein können. F. sprach ich nur flüchtig. Nach all diesen Briefen wage ich ihr kaum in die Augen zu sehen. – Grollen dürfen Sie mir nur, ob meiner lächerlichen unverantwortlichen Weichlichkeit bei der Beantwortung früherer Briefe. G.

An Grete Bloch

3. VII. 14

Mein liebes Fräulein Grete, das ist allerdings ein sehr eindeutiger Brief. Ich könnte sagen, daß ich Sie endlich überzeugt habe. Früher als F., denn wir kennen einander erst seit November, während um F. das erste Mal zu überzeugen, fast ein Jahr nötig war, wobei ich allerdings hinzufügen muß, daß am Anfang jenes Jahres mein Zustand ein ungewöhnlicher gewesen ist, so daß die Länge der Zeit, die ich brauchte, um F. zu überzeugen, verständlicher wird[1].

Es hat sich in unserem Verhältnis, Fräulein Grete, um nichts anderes gehandelt (allerdings auf der, wie ich hoffe, von jeder möglichen Erkenntnis möglichst unerschütterten Grundlage unserer Freundschaft) als darum, Sie zu überzeugen. Sie hätten keine Briefe citieren müssen oder vielmehr, es ist nicht genug, daß Sie sie citiert haben. Wir haben, soweit es auf mich ankommt, nicht zweierlei sondern dreierlei Zeiten miteinander verbracht. Ich meine damit die

---

[1] Gemeint ist die Selbstgewißheit, die ihm damals seine literarische Produktivität gab. Vgl. Briefe an Felice vom 1. November 1912, 2.–3., 3.–4. und 17.–18. März 1913, S. 66, S. 321 ff. und S. 341.

zwei Tage in Prag, die Sie nicht erwähnen. Was in den Briefen steht, habe ich Ihnen schon damals zu sagen versucht und war damals weder verlobt noch habe ich damals um die Verlobung gekämpft, nur innerlich war Unruhe, allerdings. Eine doppelte Unruhe wegen der Unmöglichkeit, zwei Fragen zu beantworten: erstens, wie wird es F. gehn, wenn ich mich nicht mehr melde (übrigens kam damals gleichzeitig mit Ihnen ein Brief von F.) und zweitens, wie wird es mir gehn. Die Aussichten, die durch diese beiden Fragen eröffnet wurden, schienen mir unerträglich. Damals mich auf die Fußspitzen stellen und über alles hinweg die Aussichten zu suchen, die sich zeigen würden, wenn ich mich meldete – das konnte ich allerdings nicht.

Nun habe ich Sie also überzeugt, Fräulein Grete, und Sie fangen an, in mir nicht F.'s Bräutigam sondern F.'s Gefahr zu sehn. Das ist deutlich, undeutlich wird Ihr Brief erst gegen Ende, wo Sie für F. einen in verschiedener Hinsicht ebenbürtigen Mann verlangen. Entweder, Fräulein Grete, man ist »heiter, temperamentvoll, intelligent und grundgut« oder man ist es nicht, sondern ist traurig, schwerfällig, auf sich eingeschränkt und vielleicht nach dem Guten strebend, aber mit schwachen Kräften. Bessern kann man solche Zustände mit Absicht nicht; menschliche Organisationen sind nicht Wasser, das man aus einem Glas ins andere gießt. Schließlich ist man aber wirklich nicht nur das, sondern ist auch gewiß nicht vollständig gesund und zumindest neurasthenisch bis in den Grund hinein. Gewiß, das ist ganz klar, geradezu triumphierend klar in diesen Tagen, in denen ich trotz aller Pflege und trotzdem ich im Bureau wenig arbeite, vor Müdigkeit vergehe. Angenommen, ich wäre lustig, welche Lustigkeit könnte in einer solchen Lage bestehn? Sie fragen oder Sie werfen bloß die Frage auf, wie ich F. gegenüber bin. Wenn Sie es nicht ausdrücklich ausgeschlossen hätten, hätte ich gedacht, daß F. von Ihrem Brief weiß.

Übrigens habe ich heute Geburtstag, so bekommt Ihr Brief noch zufällig eine besondere Feierlichkeit. (Übrigens habe ich außer Ihrem Brief und zwei Kleinigkeiten heute noch einen sehr unangenehmen Brief bekommen. Das macht aber nichts, Unannehmlichkeiten stärken mich merkwürdiger Weise.) Ich bin von Ihrer Güte und Herzlichkeit vollständig überzeugt und küsse in dieser Überzeugung Ihre Hand.

Ihr Franz K.

[Monogramm am Kopf des Bogens ›H.K.‹]

Prag, 4.7.1914

Meine liebe Anna!

Dein schöner lieber Brief hat mich beschämt und ich bitte Dich, mir wegen meines langen Stillschweigens nicht böse zu sein. Ich war jetzt immer so beschäftigt, daß ich faktisch nicht die richtige Muße hatte, mich zum Schreiben zu setzen, es geht mir so ähnlich wie Dir. Du hast Deine Plage mit der Wirtschaft und ich mit dem Geschäfte. Die Hauptsache aber ist, daß wir alle gesund sind und es freut uns zu hören, daß die l. Tante Emilie eine Sommerfrische sucht, denn bei dieser Hitze, wie sie in Prag ist und wahrscheinlich nicht weniger in Berlin, kann man sich nur am Lande nach einem Unwohlsein am besten erholen. Wäre ihr nicht Franzensbad zu empfehlen? Sie sollte jedenfalls einen Arzt fragen.

Wir haben uns in Franzensbad sehr erholt. Wir hatten vor 12 Tagen einen sehr lieben Besuch meines Bruders Alfred aus Madrid. Leider hatte er sich nur 4 Tage bei uns aufgehalten aber es waren schöne Stunden, die wir mit ihm verlebten. Es war ihm leid, Euch nicht besuchen zu können, denn er hätte sehr gerne unsere liebe Felice gesehen und umarmt. Er versprach jedoch, so Gott will, sicher nächstes Jahr wieder zu kommen, da er zum Congres nach Berlin fahren muß und so wird er die Gelegenheit haben, das Angenehme mit dem Nützlichen zu verbinden und Euch zu besuchen. Vom l. Karl, Deinem liebenswürdigen Manne, hatten wir einen sehr schönen Brief und ich werde trachten, seine herzlichen Zeilen so bald als möglich zu erwidern und bitte Dich, ihm dann das Schreiben nachzuschicken.

Für die Wohnung interessiere ich mich sehr, aber leider kann ich nichts veranlassen, bis sie geräumt wird und dies wird wahrscheinlich nicht früher sein, als am 14. August, dann werde ich schon schauen, daß sie schön hergerichtet wird. Ich weiß mich nicht zu erinnern, ob bei den Möbeln im Schlafzimmer oder Herrenzimmer ein Schlafdivan sein wird, denn man muß auch an das Praktische denken, wenn sie Besuch bekommen, wohin dann das Haupt niederlegen. Ich würde dann dem Franz ein Gastbett herrichten, Pölster und Federbett und Decke und würde Dich ersuchen um das Maas von den Überzügen, damit sie auch auf die Betten, die Felice bekommt, passen. Natürlich muß [es] ein Patentschlafsofa sein, wo man die Betten bei Tag aufbewahren kann. Bitte mir darüber zu schreiben.

Jetzt schaue ich auf die Uhr und sehe, daß schon 11 Uhr Abend ist. Mein lieber Hermann ist nach Radesovitz zu den Kindern gefahren und ich sitze und schreibe und bin mit meinen Gedanken bei Euch. Bei Tag komme ich absolut nicht dazu, einen Privat-Brief zu schreiben. Wenn man so allein im Zimmer ist und Ruhe hat, so geht es rascher. Ottla ist schon im Bett und Franz arbeitet in seinem Zimmer. Ich habe ihn soeben überrascht und gesehen, wie er mit Wonne die Fotografie der l. Felice betrachtet. Sie ist aber wirklich sehr gelungen. Sie ist sprechend ähnlich. Nun das Papier geht zur Neige, die Augen sind fast geschlossen und so muß ich schließen und zwar mit vielen, vielen Grüßen von mir, dem l. Vater und Kindern, die alle gesund und frisch sind, und bleibe in Freundschaft Dich herzlichst umarmend

Julie Kafka

Franz Kafka an die Eltern Felice Bauers[1]

[Briefkopf Hotel Askanischer Hof, Berlin]

Berlin, den 13. VII. 1914

Nun weiß ich nicht mehr, wie ich Euch ansprechen soll und darf.

Ich werde nicht kommen, es wäre eine unnütze Quälerei für uns alle. Ich weiß, was Ihr mir sagen würdet. Ihr wißt, wie ich es hinnehmen würde. Ich komme also nicht.

Ich fahre wahrscheinlich heute nachmittag nach Lübeck. Ich nehme als verhältnismäßig kleinen Trost, aber immerhin als Trost den Gedanken mit, daß wir einander gut bleiben können und gut bleiben, wenn auch die Verbindung, die wir alle wünschten, sich jetzt ebenso allen als unmöglich erwiesen hat. Felice hat Euch gewiß ebenso wie mich überzeugt. Ich sehe immer klarer.

Lebt wohl, besonders nach Euerem gestrigen Verhalten gehört Euch meine Verehrung bedingungslos, behaltet mich nicht in schlechtem Angedenken.

In Dankbarkeit   Franz K.

---

[1] Geschrieben am Tage nach der Auflösung des Verlöbnisses im Hotel ›Askanischer Hof‹, bei der Grete Bloch, Ernst Weiß, Felicens Vater und ihre Schwester Erna zugegen waren. Ein Bote überbrachte den Brief. Vgl. *Tagebücher* (23. und 27. Juli 1914), S. 407 ff.

Frau Julie Kafka an Frau Anna Bauer

[Monogramm am Kopf des Bogens ›H.K.‹]

Prag 20.7.1914

Meine l. Anna!

Ich kann Dich nicht anders nennen, denn ich bin Dir gut. Wenn sich auch unsere Kinder entzweit haben, darf unsere Freundschaft nicht wanken und nicht darunter leiden. Was zwischen ihnen vorgekommen ist, kann ich nicht begreifen, es ist mir unverständlich. Dienstag kam von Franz ein Brief von Berlin. Wir hatten viel zu thun. Der l. Hermann reichte mir den Brief uneröfnet und ich ließ alles liegen u. stehn, ging ins Comptoir um nicht beim lesen gestört zu sein. Wer mich beim lesen beobachtet hätte, würde sicher über mein Aussehn erschrocken sein, denn ich war zur Salzsäule erstarrt, alles hätte ich eher gedacht als dieß. Ich war den ganzen Tag wie zerschlagen und war nur froh, daß mich mein Alter nicht gefragt hat, was Franz schreibt. Er hat in der Beschäftigung vergessen, daß ein Brief von Franz kam. Erst den zweiten Tag, nachdem er ausgeschlafen hat, habe ich ihn gefragt, ob er gar nicht neugierig ist was sein Sohn schreibt u. da habe ich ihm den Brief vorgelesen. Du kannst Dir denken wie ihm dabei war. Du würdest mir einen großen Gefallen erweisen, wenn Du mir den Brief, der so verhängnisvoll war, einschicken würdest, denn ich kann gar nicht begreifen, was darin so Schreckliches stand[1]. Daß Franz Felice in seiner Art sehr gerne hatte, weis ich. Er hatte aber nie die Gabe besessen, seine Liebe wie andere Menschenkinder zu zeigen. Ich bin davon fest überzeugt, daß er mich zärtlich liebt, er hat mir trotzdem nie besondere Zärtlichkeit bewiesen, auch dem Vater und seinen Schwestern nicht und doch ist er der beste Mensch, den Du Dir denken kannst. Sein Geld theilt er mit seinen armen Kollegen, denn für seine Bedürfnisse braucht er nicht viel[2]. Vielleicht ist er nicht für die Ehe geschaffen, denn sein trachten ist nur sein Schreiben, das ist

[1] Vermutlich einer der Briefe an Grete Bloch aus der Zeit von Anfang Mai bis Ende Juni 1914. In diesen Briefen sind mehrere Zeilen, die starke Zweifel Kafkas an der Möglichkeit einer Ehe mit Felice ausdrücken, wahrscheinlich von Grete Bloch zum Zweck der Zitierung beim »Gerichtshof im Hotel« (Askanischer Hof), rot unterstrichen worden. Vgl. in Kafkas Brief an Grete Bloch vom 3. Juli 1914: »Sie hätten keine Briefe citieren müssen...«, S. 608.
[2] Vgl. Wagenbach, *Biographie,* S. 149.

ihm das Wichtigste im Leben. Dabei baute ich auf die Klugheit Felicens, denn ich sagte mir, daß eine gescheite Frau die Kraft besitzt, einen Mann umzumodln. Nunn ging meine Hoffnung in Brüche. Vielleicht müssen wir doch noch nicht die Flinte ins Korn werfen. Die Kinder sollen nicht gänzlich die Freundschaft brechen, sie mögen sich ein Jahr gegenseitig prüfen, es hat ja keine Eile mit dem Heiraten, sie sind noch jung u. können warten. Dieß ist meine Meinung u. bitte ich Dich um die Deinige.

Heute kam ein Brief von meinem Bruder Alfred aus Madrid, der mich wieder vom frischen aufregte. Er schickte beiliegend einen Scheck auf den Betrag von 1000 Kronen als Hochzeitsgeschenk für Franz u. Felice. Ich schrieb ihm auch jetzt Abend einen Brief in welchem ich anfrage, wie ich ihm das Geld zurückschicken kann. Ich schreibe diesen Brief um 10 Uhr Abend, denn bei Tag habe ich keine Minutte Zeit. Das Armband welches ich Felice schenkte, soll sie als Andenken an eine mütterliche Freundin behalten. Ich muß schließen, denn das Papier geht zu Ende. Ich grüße Dich herzlichst, so wie auch alle Deine Lieben und bleibe freundschaftlichst

Deine Julie Kafka

Von unserem l. Manne u. Kindern folgen viele Grüße.

Frau Julie Kafka an Frau Anna Bauer

[Monogramm am Kopf des Bogens ›H.K.‹]

Prag, 7.8.1914

Meine liebe Anna!

Auf Deinen lieben Brief bin ich Dir schon lange Antwort schuldig, aber ich bin sicher, daß Du mir verzeihen wirst, denn bei diesen schlimmen Zeiten hat man so viele Sorgen und mein Kopf ist so benommen, daß ich keines richtigen Gedankens fähig bin. Unsere beiden Schwiegersöhne sind eingerückt, unsere Tochter Elly wohnt mit ihren beiden Kindern bei uns in Franzens Zimmer und Franz hat sich in der Wohnung Peppos[1] in der Bilek-Gasse einquartiert, da die Vally mit dem Kinde noch bei ihren Schwiegereltern in Böhmisch-Brod weilt. Ist Euer Schwiegersohn kein Soldat? Habt Ihr

---

[1] Kafkas Schwager, Josef Pollak.

niemanden aus Euerer Mischpoche[1] beim Militär? Bei uns in Prag sieht es sehr traurig aus. Wir haben wohl das Geschäft offen, man sieht aber den ganzen Tag keine Kundschaft. Es ist uns aber alles gleichgiltig, wenn nur unsere lieben Kinder wieder bald gesund zurückkehren. Die Angelegenheit mit Franz ist natürlich dadurch in den Hintergrund getreten. Auch uns kostet die Sache Geld, denn wir müssen für ½ Jahr die Wohnung bezahlen. Was machen alle Deine Kinder? Sind sie noch auf Urlaub, oder was wahrscheinlicher ist, schon wieder in Berlin? Dieses Jahr haben sich die Sommerfrischen nicht rentiert, denn bei der Panik kam alles von Kurorten Seebädern u. Sommerfrischen retour. Wie geht es der lieben Tante Emilie? Sie wohnt wahrscheinlich noch bei Euch. Dein lieber Karl ist wohl jetzt auch zu Hause, denn die Geschäfte liegen bei diesen Zeiten alle brach darnieder. Ich lese jetzt fast keine Zeitung, denn je mehr man liest desto nervöser wird man. Von unseren Schwiegersöhnen hatten wir bis zum Dritten dieses [Monats] noch immer Bericht, aber seit der Zeit lassen sie nichts mehr von sich hören, wahrscheinlich sind sie aus dem Orte wo sie einrückten abmarschiert, und nicht überall ist Postverbindung. Dadurch sind unsere Töchter noch mehr aufgeregt. Feldsorgen lassen sich nicht aussorgen. Wir müssen alles dem Allmächtigen überlassen. Dein versprochener Besuch bei uns ist wahrscheinlich in Folge des Krieges aufgeschoben, aufgehoben darf er nicht werden, Du must Wort halten und zu uns kommen. Du wirst von uns allen mit offenen Armen empfangen werden.

Und nunn lebe wohl, grüße mir alle Deine Lieben aufs herzlichste und sei freundschaftlichst umarmt von

Deiner   Julie Kafka

Von meinem l. Alten u. allen Kindern folgen die besten Grüße.

An Grete Bloch[2]

15. X. 14

Es ist ein sonderbares Zusammentreffen, Fräulein Grete, daß ich gerade heute Ihren Brief bekam. Das, womit er zusammengetroffen

---

[1] Hebräisch-jiddisch: Verwandtschaft.
[2] Vgl. *Tagebücher* (15. Oktober 1914), S. 438 f., wo der Brief aus dem Gedächtnis wiederholt wird.

ist, will ich nicht nennen, es betrifft nur mich und die Gedanken, die ich mir heute nacht machte, als ich mich etwa um 3 Uhr ins Bett legte.

Ihr Brief überrascht mich sehr. Es überrascht mich nicht, daß Sie mir schreiben. Warum sollten Sie mir nicht schreiben? Sie sagen zwar, daß ich Sie hasse, es ist aber nicht wahr. Wenn Sie alle hassen sollten, ich hasse Sie nicht und nicht nur deshalb, weil ich kein Recht dazu habe. Sie saßen zwar im Askanischen Hof als Richterin über mir – es war abscheulich für Sie, für mich, für alle – aber es sah nur so aus, in Wirklichkeit saß ich auf Ihrem Platz und habe ihn bis heute nicht verlassen.

In F. täuschen Sie sich vollständig. Ich sage das nicht, um Einzelheiten herauszulocken. Ich kann mir keine Einzelheit denken – meine Einbildungskraft hat sich in diesen Kreisen so viel herumgejagt, daß ich ihr vertrauen kann – ich sage, ich kann mir keine Einzelheit denken, die mich davon überzeugen könnte, daß Sie sich nicht täuschen. Das, was Sie andeuten, ist vollständig unmöglich, es macht mich unglücklich zu denken, daß etwa F. aus irgendeinem unerfindlichen Grunde sich selbst täuschen sollte. Aber auch das ist unmöglich.

Ihre Anteilnahme habe ich immer für wahr und gegen sich selbst rücksichtslos gehalten. Auch den letzten Brief zu schreiben ist Ihnen nicht leicht geworden. Ich danke Ihnen dafür herzlich.

Franz K.

[Telegramm, aufgegeben in Prag am 27. Oktober 1914]
Felice Bauer, Berlin, Lindström, Gr. Frankfurter Str. 137

brief folgt es geht jetzt langsam herzliche gruesse

[Monogramm am Kopf des Bogens ›H.K.‹]

[Ende Oktober/Anfang November 1914]

Es hat sich, Felice, zwischen uns, soweit es mich betrifft, im letzten Vierteljahr nicht das geringste geändert, nicht in gutem und nicht in schlechtem Sinn. Ich bin natürlich auf Deinen ersten Anruf bereit und hätte Deinen frühern Brief, wenn er angekommen wäre, gewiß und gleich beantwortet. Ich habe allerdings nicht daran gedacht, Dir zu schreiben – im Askanischen Hof war die Wertlosigkeit von Briefen und allem Geschriebenen zu deutlich geworden –, aber da mein Kopf (auch in seinen Schmerzen und gerade heute) der alte geblieben ist, hat es ihm an Gedanken und Träumen, die von Dir gehandelt haben, nicht gefehlt, und das Zusammenleben, das wir in meinem Kopfe geführt haben, war nur manchmal bitter, meistens aber friedlich und glücklich. Einmal allerdings wollte ich Dir, zwar nicht schreiben, aber eine Nachricht durch jemanden andern schikken lassen, Du wirst es nicht erraten, es war eine besondere Gelegenheit, ausgedacht während des Einschlafens, gegen 4 Uhr früh, der üblichen Zeit meines ersten Schlafes.

Vor allem aber dachte ich deshalb nicht daran zu schreiben, weil mir wirklich das Wichtigste in unserer Beziehung klar schien. Du warst schon seit langem im Irrtum, wenn Du Dich so oft auf Unausgesprochenes beriefst. Es hat nicht an Aussprache, aber an Glauben gefehlt. Weil Du das, was Du hörtest und sahst, nicht glauben konntest, dachtest Du, es wäre Unausgesprochenes vorhanden. Du konntest nicht die Macht einsehn, die meine Arbeit über mich hat, Du sahst sie ein, aber bei weitem nicht vollständig. Infolgedessen mußtest Du alles, was die Sorge um diese Arbeit, nur die Sorge um diese Arbeit, an Sonderbarkeiten in mir hervorrief, die Dich beirrten, unrichtig deuten. Nun traten aber außerdem diese Sonderbarkeiten (zugegebener Weise abscheuliche Sonderbarkeiten, mir selbst am widerlichsten) Dir gegenüber stärker auf als jemandem sonst. Das war sehr natürlich und geschah nicht nur aus Trotz. Sieh, Du warst doch nicht nur der größte Freund, sondern gleichzeitig auch der größte Feind meiner Arbeit, wenigstens von der Arbeit aus gesehn, und sie mußte sich deshalb ebenso, wie sie Dich in ihrem Kern über alle Grenzen liebte, in ihrer Selbsterhaltung mit allen Kräften gegen Dich wehren. Und zwar in jeder Einzelheit. Ich dachte z. B. daran, als ich einmal abend mit Deiner Schwester bei einem fast ausschließlichen Fleischessen saß. Wärest Du dabei gewesen, hätte ich wahrscheinlich Knackmandeln bestellt.

Auch im Askanischen Hof habe ich nicht aus Trotz geschwiegen. Was Du sagtest, war doch so deutlich, ich will es nicht wiederholen, aber es waren Dinge darunter, die fast unter 4 Augen zu sagen unmöglich hätte sein sollen. Allerdings sagtest Du sie erst, nachdem ich lange genug geschwiegen oder ganz Wesenloses gestottert hatte. Du wartetest auch nachher noch lange genug, damit ich sprechen sollte. Ich sage auch jetzt nichts mehr dagegen, daß Du Frl. Bl. [Bloch] mitgenommen hattest, ich hatte Dich ja in dem Brief an sie fast entwürdigt, sie durfte dabeisein. Daß Du allerdings auch Deine Schwester [Erna], die ich damals kaum kannte, hinkommen ließest, verstand ich nicht. Aber beider Anwesenheit beirrte mich nur wenig, es ist möglich, daß ich, wenn ich etwas Entscheidendes zu sagen imstande gewesen wäre, aus Trotz geschwiegen hätte. Das ist möglich, aber ich hatte nichts Entscheidendes zu sagen. Ich sah, daß alles verloren war, ich sah auch, daß ich es noch im letzten Augenblick durch irgendein überraschendes Bekenntnis retten konnte, aber ich hatte kein überraschendes Bekenntnis zu machen. Ich hatte Dich lieb wie heute, ich sah Dich in Not, ich wußte, daß Du durch mich zwei Jahre unschuldig gelitten hast, wie Schuldige nicht leiden dürften, aber ich sah auch, daß Du meine Lage nicht begreifen konntest. Was hätte ich tun sollen? Nichts anderes, als das, was ich getan habe: mitzufahren, zu schweigen oder etwas ganz Dummes zu sagen, die Geschichte von dem komischen Droschkenkutscher anzuhören und Dich anschauen mit dem Gefühl, daß es das letzte Mal sei.

Wenn ich sage, daß Du meine Lage nicht begreifen konntest, so behaupte ich nicht zu wissen, wie Du hättest handeln sollen. Hätte ich das gewußt, ich hätte es Dir nicht verschwiegen. Ich habe Dir meine Lage immer wieder darzustellen versucht, Du hast sie natürlich auch verstanden, aber in lebendige Beziehung zu ihr kommen, das konntest Du nicht. Es waren und sind in mir zwei, die miteinander kämpfen. Der eine ist fast so wie Du ihn wolltest, und was ihm zur Erfüllung Deines Wunsches fehlt, das könnte er durch weitere Entwicklung erreichen. Nicht einer Deiner Vorwürfe im Askanischen Hof bezog sich auf ihn. Der andere aber denkt nur an die Arbeit, sie ist seine einzige Sorge, sie macht, daß ihm die gemeinsten Vorstellungen nicht fremd sind, der Tod seines besten Freundes würde sich ihm zuallererst als ein wenn auch vorübergehendes Hindernis der Arbeit darstellen, der Ausgleich zu dieser Gemeinheit liegt darin, daß er für seine Arbeit auch leiden kann. Die zwei kämpfen nun, aber es ist kein wirklicher Kampf, bei dem je zwei Hände gegeneinander losschlagen. Der erste ist abhängig vom zweiten, er wäre niemals, aus innern Gründen niemals imstande, ihn niederzuwerfen, vielmehr ist er glücklich, wenn der zweite glücklich ist, und wenn der zweite dem Anschein nach verlieren soll, so kniet der erste bei ihm nieder und will nichts anderes sehn als ihn. So ist es, Felice. Und doch kämpfen sie miteinander und doch könnten beide Dir gehören, nur ändern kann man nichts an ihnen, außer man zerschlägt beide.

In Wirklichkeit stellt sich das nun so dar, daß Du das alles vollständig hättest anerkennen müssen, daß Du hättest einsehn müssen, daß alles, was dort geschieht, auch für Dich geschieht, und daß alles, was die Arbeit für sich braucht, nicht Trotz, nicht Laune, sondern Hilfsmittel ist, zum Teil notwendig an sich, zum Teil durch meine für diese Arbeit äußerst feindlichen Lebensumstände erzwungen. Sieh, wie ich jetzt lebe. Allein in der Wohnung meiner ältesten Schwester. Sie wohnt, da der Schwager im Krieg ist, bei meinen Eltern. Soweit mich nicht einzelnes, insbesondere die Fabrik, stört, ist meine Zeiteinteilung diese: Bis ½3 im Bureau, dann Mittagessen zuhause, dann 1 oder 2 Stunden Zeitunglesen, Briefeschreiben oder Bureauarbeiten, dann hinauf in meine Wohnung (Du kennst sie) und schlafen oder bloß schlaflos liegen, dann um 9 hinunter zu den Eltern zum Abendessen (guter Spaziergang), um 10 mit der Elektrischen wieder zurück und dann so lange wach bleiben, als es die Kräfte oder die Angst vor dem nächsten Vormittag, die Angst vor den Kopfschmerzen im Bureau erlaubt. Während des letzten Vierteljahres ist heute der zweite Abend, an dem ich nicht arbeite, der erste war etwa vor einem Monat, da war ich zu müde. Ich hatte im Laufe der letzten Zeit auch 14 Tage Urlaub[1], da hatte sich natürlich die Zeiteinteilung ein wenig geändert, soweit es in der Eile dieser kurzen 14 Tage, in der Aufregung, daß ein Tag nach dem andern vergeht, möglich war. Ich saß eben durchschnittlich bis 5 Uhr früh beim Tisch, einmal auch bis ½8, schlief dann, in den letzten Tagen des Urlaubs gelang es mir schon wirklich zu schlafen, bis 1 oder 2 Uhr nachmittag, und nun war ich allerdings frei und hatte Urlaub bis abend.

Vielleicht siehst Du, Felice, die Möglichkeit einer Lebensweise ein, wie ich sie während des Urlaubs führte, aber mein Leben in der übrigen Zeit kannst Du nicht billigen oder konntest es wenigstens bisher freiwillig nicht. Ich sitze oder liege während der Stunden des Tages, die allein ich als mir entsprechendes Leben anerkenne, allein in diesen stillen 3 Zimmern, komme mit niemandem zusammen, auch mit meinen Freunden nicht, nur mit Max für paar Minuten auf dem Nachhauseweg aus dem Bureau und – bin nicht glücklich,

---

[1] Vom 5. bis zum 19. Oktober 1914. Vgl. *Tagebücher* (7. und 15. Oktober), S. 437f.

gewiß nicht, aber doch manchmal zufrieden damit, daß ich, so gut es unter diesen Umständen geht, meine Pflicht erfülle.

Diese Art der Lebensführung habe ich immer eingestanden, sie war immer die Frage und die Probe. Du hast diese Frage nicht mit »nein« beantwortet, aber Dein »ja« umfaßte niemals die ganze Frage. Was aber als Lücke in dieser Antwort blieb, das füllte sich bei Dir, Felice, mit Haß oder, wenn das Wort zu stark sein sollte, mit Widerwillen. Es begann damals, als Du in Frankfurt warst, die unmittelbare Veranlassung weiß ich nicht, vielleicht war auch keine vorhanden, jedenfalls begann dieser Widerwille in Deinen Briefen aus Frankfurt aufzutreten, in der Art, wie Du auf meine Angst um Dich antwortest, in der Art, wie Du Dich zurückhieltest. Wahrscheinlich wußtest Du damals selbst noch nichts davon, später mußtest Du es aber erkennen. Was war denn die Angst, von der Du später im Tiergarten so oft sprachst und die Dich noch viel mehr als zum Sprechen zum Schweigen zwang, was war sie denn sonst als Widerwillen vor meiner Lebensweise und mittelbar auch vor meinen Absichten, mit denen Du nicht in Einklang kommen konntest, die Dich beleidigten. Ich sehe Dich, wie Du mit Tränen in den Augen dem Dr. W. [Weiß] zuhörtest – es war Angst; wie Du (einzelne vielleicht nicht immer richtige Beispiele!) am Abend, bevor ich zu Deinen Eltern ging, keine klare Antwort geben konntest, – es war Angst; wie Du in Prag über manches an mir klagtest – es war Angst, immer, immer wieder Angst. Ich setze Angst statt Widerwillen, aber die beiden Gefühle mischten sich. Und was Du schließlich im Askanischen Hof sagtest, war es nicht der Ausbruch alles dessen? Konntest Du noch zweifeln, als Du Dich damals hörtest? Gebrauchtest Du nicht sogar den Ausdruck, daß Du Dich verlieren müßtest, wenn Du – Und selbst in Deinem heutigen Brief, Felice, finde ich Stellen, die noch aus dieser Angst herkommen könnten. Du darfst mich, Felice, nicht mißverstehn. Dieser Widerwille bestand, aber Du hattest Dich ja vor aller Welt entschlossen, ihm zu trotzen. Es konnte zu einem guten Ende führen, ich selbst hoffte es ja in glücklichen Stunden. Davon rede ich aber jetzt nicht. Du willst eine Erklärung meines letzten Verhaltens und diese Erklärung liegt eben darin, daß ich Deine Angst, Deinen Widerwillen dauernd vor mir sah. Ich hatte die Pflicht, über meiner Arbeit zu wachen, die mir allein das Recht zum Leben gibt, und Deine Angst zeigte mir oder ließ mich fürchten (mit einer viel unerträglicheren Angst), daß hier für meine Arbeit die größte Gefahr bestand. »Ich war nervös, ich war zermürbt, ich glaubte am Ende meiner Kraft zu sein«, so wie Du schreibst, war es. So wild haben die zwei in mir nie gekämpft wie damals. Und ich schrieb dann den Brief an Frl. Bl. [Bloch][1]. Vielleicht habe ich aber meine Angst noch nicht gut begründet, Deine Erklärung im Ask. H. [Askanischen Hof] fand doch erst später statt, die darf ich jetzt nicht heranziehn. Eines der deutlichsten Beispiele ist aber die Nichtübereinstimmung wegen der Wohnung, jede Einzelheit Deines Planes erschreckte mich, wenn ich ihr auch nichts entgegensetzen konnte und jeder zweifellos Dir recht geben mußte. Nur Du selbst hättest Dir nicht recht geben dürfen. Du wolltest etwas Selbstverständliches: eine ruhige, ruhig eingerichtete, familienmäßige Wohnung, wie sie die andern Familien Deines und auch meines Standes hatten. Du wolltest überhaupt nichts mehr als was diese Leute hatten (auch in Deinem heutigen Brief sind sie erwähnt, es sind die, denen es »im Schlafen zufällt«), aber das was diese hatten, wolltest Du vollständig. Ich bat Dich einmal – es war schon nahe der letzten Angst – die Feierlichkeit im Tempel zu verhindern, Du antwortetest darauf nicht, ich nahm in meiner Angst an, daß Du über meine Bitte erbittert wärest, und tatsächlich erwähntest Du im A. H. [Askanischen Hof] auch diese Bitte. Was bedeutete aber die Vorstellung, die Du Dir von jener Wohnung machtest? Sie bedeutete, daß Du mit den andern übereinstimmtest, aber nicht mit mir; für jene andern ist aber die Wohnung berechtigter Weise etwas ganz anderes, als sie es für mich gewesen wäre. Diese andern sind, wenn sie heiraten, fast gesättigt und die Ehe ist für sie nur der letzte große, schöne Bissen. Für mich nicht, ich bin nicht gesättigt, ich habe kein Geschäft gegründet, das sich von Ehejahr zur Ehejahr weiterentwickeln soll, ich brauche keine endgültige Wohnung, aus deren geordnetem Frieden heraus ich dieses Geschäft führen will, – aber nicht nur, daß ich eine solche Wohnung nicht brauche, sie macht mir Angst. Ich habe einen solchen Hunger nach meiner Arbeit, daß er mich schlaff macht; meine Verhältnisse hier sind aber meiner Arbeit entgegengesetzt, und richte ich in diesen Verhältnissen eine Wohnung nach Deinem Wunsche ein, so heißt das – wenn nicht in Wirklichkeit, so doch im Zeichen –, daß ich den Versuch mache, diese Verhältnisse zu lebenslänglichen zu machen, also das Schlimmste, was mich treffen kann.

---

[1] Einer der Briefe an Grete Bloch, auf die Anm.[1] S. 612 verweist.

Ich möchte das, was ich jetzt gesagt habe, irgendwie einschränken und dadurch genauer bestimmen. Du kannst mit Recht fragen, was für Pläne wegen der Wohnung ich von Dir also erwartete. Ich kann darauf nicht eigentlich antworten. Am entsprechendsten und natürlichsten für meine Arbeit wäre es allerdings gewesen, alles wegzuwerfen und irgendwo eine Wohnung noch höher als im 4ten Stock zu suchen, nicht in Prag, anderswo, aber allem Anschein nach bist weder Du geeignet, im selbstgewählten Elend zu leben, noch bin ich es. Vielleicht bin ich dazu sogar noch weniger geeignet als Du. Nun, wir haben es noch keiner erprobt. Erwartete ich also etwa diesen Vorschlag von Dir? Nicht geradezu; ich hätte zwar nicht gewußt, was tun vor Glück über einen solchen Vorschlag, aber erwartet habe ich ihn nicht. Aber es gab vielleicht einen Mittelweg oder vielmehr es gab ganz bestimmt einen solchen. Und Du hättest ihn gewiß gefunden, ohne Suchen, ganz selbstverständlich, wenn, ja eben, wenn nicht jene Angst, jener Widerwille gewesen wäre, der Dich vor dem abhielt, was für mich und für unser Zusammenleben unbedingt notwendig war. Ich konnte ja noch immer hoffen, daß es zu dieser Einigkeit käme, aber das waren nur Hoffnungen, gegenwärtig waren jedoch jene Anzeichen des Gegenteils, vor denen ich Angst haben mußte und gegen die ich mich auch wehren mußte, wenn ich wollte, daß Du einen lebenden Mann bekommst.

Nun kannst Du ja gewiß das Ganze wenden und sagen, daß Du ebenso gefährdet warst in Deinem Wesen wie ich in meinem und daß Deine Angst ebenso berechtigt war wie meine. Ich glaube nicht, daß es so war. Ich liebte Dich doch in Deinem wirklichen Wesen, und nur wenn es feindlich an meine Arbeit rührte, fürchtete ich es. Ich hätte doch, da ich Dich so liebte, nicht anders können als Dir helfen, Dich zu erhalten. Immerhin ist das nicht ganz wahrheitsgemäß, gefährdet warst Du, aber wolltest Du denn gar nicht gefährdet sein? Niemals? Gar nicht?

Es ist nichts Neues, was ich gesagt habe, vielleicht ist es ein wenig neu zusammengefaßt, neu ist es aber nicht. Neu ist jedoch, daß es außerhalb eines ständigen Briefwechsels geschrieben ist und daß ich deshalb und weil Du diese Zusammenfassung wolltest, Hoffnung habe, eine klare Antwort zu bekommen. Ich bin begierig auf Deine Antwort. Du mußt mir antworten, Felice, wieviel Du auch an meinem Briefe aussetzen mögest. Ich warte sehr ungeduldig auf Deine

Antwort. Als ich gestern den Brief abbrach – es war schon spät –
und mich niederlegte, schlief ich ein kleines Weilchen, aber als ich
dann erwachte und bis zum Morgen nicht mehr eigentlich ein-
schlief, kam unsere Sorge und unser Leid – hier ist wirklich etwas
Gemeinsames – unverändert wie in der ärgsten Zeit über mich. Es
hängt ja noch alles zusammen, nichts ist von diesen Sorgen aufgelöst, wenn man es nur ein wenig herankommen läßt. Es reißt einen
herum, als ob es einen an der Zunge festhielte. Ich glaubte in dieser
Nacht manchmal, die Grenzen der Narrheit wären schon hinter mir
und ich wußte nicht, wie ich mich retten sollte. Du wirst mir also
antworten und wirst mir, wenn Du besonders freundlich sein willst,
es telegraphisch anzeigen, wenn Du diesen Brief bekommst.
Du erwähnst den Briefwechsel mit Erna. Ich weiß nicht, was Du
damit meinst, daß ich unabhängig von diesem Briefwechsel Dir antworten soll. Es trifft sich gerade, daß ich Erna morgen schreibe. Ich
werde ihr daher auch schreiben, daß ich Dir geschrieben habe. Erna
war über alle Begriffe gut zu mir und ist es auch zu Dir[1].

Franz

[Telegramm, aufgegeben in Prag am 3. November 1914]
Felice Bauer, Berlin, Gr. Frankfurter Str. 137

brief unterwegs herzlichen gruss elsa brod

Frau Julie Kafka an die Familie Bauer zum Tode von Felicens Vater

[Monogramm am Kopf des Bogens ›H.K.‹]

Prag 27.11.1914

Meine Lieben!
Wir haben Euch unser Beileid telegrafisch übermittelt, aber es drängt
mich aus der Tiefe meines Herzens, Euch auch schriftlich unsere

---

[1] Von den Angehörigen Felicens schätzte er Erna am meisten. Schon anläßlich seines ersten Besuchs bei der Familie Bauer (Pfingsten 1913) war sie
freundlicher zu ihm als die anderen. Als er nach der Auflösung des Verlöbnisses von Berlin abreiste, begleitete sie ihn zum Lehrter Bahnhof: »Und E.
ist lieb zu mir; glaubt sogar unbegreiflicherweise an mich, trotzdem sie mich
vor dem Gericht [Auseinandersetzung im ›Askanischen Hof‹] gesehen hat;

innigste Theilnahme an dem herben Verluste, den Ihr erlitten, auszusprechen[1]. Worte sind zu schwach, um Euch unseren Schmerz
beim Erhalt der Trauernachricht zu schildern. Ich weiß, daß es verlorene Mühe wäre, Euch trösten zu wollen, nur die Zeit wird den
Schmerz lindern können. Du liebe gute Anna mußt trachten, Dich
Deinen lieben Kindern zu erhalten, denn wenn man sich alles wohl
überlegt, ist das Sterben nicht das Ärgste, besonders wenn man so
stirbt, wie Dein lieber Mann, ohne jeden Todeskampf, das muß
Euch allen in diesen schweren Tagen ein Trost sein.

Wahrscheinlich hat auch bei diesem Todesfall der Krieg viel verschuldet, denn die täglichen großen Aufregungen legen sich nicht
in die Kleider.

Auch wir haben große Sorgen. Unser Schwiegersohn Peppo ist vor
3 Wochen mit einer Handverwundung nach Hause gekommen. Wie
lange die Heilung dauern wird, wissen wir noch nicht. Vom l. Karl
haben wir öfters Nachrichten. Meine ganze Familie nimmt innig-
sten Antheil an Euerer Trauer, besonders mein Mann, der den Ver-
ewigten wie einen wahren Freund liebte. Auch wir hatten vor 6
Wochen einen schmerzlichen Verlust erlitten. Der älteste Bruder
meines Mannes, Filip Kafka aus Kolin, ist nach kurzer Krankheit
gestorben. Es war im 68. Jahre u. war schon sein letzter Bruder.
Zwei jüngere sind ihm im Tode vorangegangen.

So geht Einer nach dem Anderen.

Bitte Euch der l. Tante Emilie unser Beileid zu übermitteln, für sie
ist es auch ein großer Verlust, den sie nicht so leicht überwinden
wird.

Nun lebet recht wohl und seid immer unserer Freundschaft ver-
sichert

wie es wünscht   Euere Julie Kafka

---

ich fühle sogar hie und da die Wirkung dieses Glaubens an mich...«. Vgl.
Tagebücher (28. Juli 1914), S. 411. Auf der Rückreise von dem dänischen Ost-
seebad Marielyst nach Prag kam Kafka am 26. Juli 1914 noch einmal mit
Erna Bauer in Berlin zusammen. Das geht aus einer gemeinsam geschriebenen Postkarte an Ottla Kafka hervor, die sich im Besitz von Ottlas Tochter,
Frau Věra Saudková, befindet.
[1] Am 5. November starb Carl Bauer plötzlich an einem Herzschlag. Kafka
deutete diesen Tod, den er zur Auflösung seines Verlöbnisses in Beziehung
setzte, als ein Zeichen des »Verderbens«, das er über diese Familie brachte.
Vgl. *Tagebücher* (5. Dezember 1914), S. 446.

Soll ich zusammenfassen, F.? Zunächst eine ebenso unmittelbare als alte Beobachtung. Ich setze die Feder an und bin Dir nahe, bin Dir näher, als wenn ich bei dem Kanapee stehe. Hier wirfst Du mich nicht um, hier weichst Du meinen Augen nicht aus, meinen Gedanken nicht aus, meinen Fragen nicht aus und selbst dann nicht, wenn Du schweigst. Sind wir hier etwa in der Wohnung auf dem Dachboden mit der Kirchturmuhr als Standuhr? Möglich.

Wir haben festgestellt, daß wir keine gute Zeit miteinander verbracht haben. Und das ist noch hochtrabend gesprochen. Vielleicht haben wir keine vollständig freie Minute miteinander verbracht. Ich erinnere mich an Weihnachten 1912. Max war in Berlin und glaubte Dich auf einen grausigen Brief vorbereiten zu müssen, der Dir drohte. Du versprachst, tapfer zu bleiben, aber sagtest etwa folgendes: »Es ist so merkwürdig, wir schreiben einander, regelmäßig und sehr oft, ich habe schon viele Briefe von ihm, ich möchte ihm gern helfen, aber es ist so schwer, er macht es mir so schwer, wir kommen einander nicht näher.« Dabei – versteh mich recht – ist es ja fast geblieben, für beide. Der eine erkennt es früher, der andere später, der eine vergißt es in dem Augenblick, als sich der andere daran erinnert. Aber es wäre ja leichte Abhilfe, sollte man glauben. Kann man nicht näher kommen, geht man weiter weg. Aber das ist nun auch wieder nicht möglich. Der Wegzeiger zeigt nur die eine Richtung.

Das ist die erste Erbarmungslosigkeit. Die zweite liegt in uns beiden. Ich habe gefunden, wir sind beide erbarmungslos gegen ein-[an]der; nicht etwa weil dem einen zu wenig an dem andern liegen würde, aber erbarmungslos sind wir. Du wahrscheinlich ganz unschuldig, daher ohne Schuldgefühl, also auch das Leid dieses Gefühls. Bei mir ist es anders. Ein Unglück ist es vielleicht, daß ich

---

[1] Am 23. und 24. Januar 1915, einem Wochenende, trafen Kafka und Felice einander in Bodenbach, der auf der böhmischen Seite liegenden Grenzstadt an der Eisenbahnstrecke Berlin–Prag. Wie es zu dieser Verabredung kam, ist aus den erhaltenen Briefen nicht ersichtlich. Während des gemeinsamen Aufenthalts in Bodenbach las Kafka ihr aus Dichtungen vor, die in der zweiten Hälfte des Jahres 1914 entstanden waren, darunter auch die Türhüterlegende »Vor dem Gesetz«, die ein Jahr später zum ersten Mal im Druck erschien in *Vom jüngsten Tag. Ein Almanach neuer Dichtung*, Leipzig 1916. Vgl. *Tagebücher* (24. Januar 1915), S. 459ff.

nicht streiten kann, ich erwarte etwa förmlich ein Aufblühn der Überzeugung, nach der ich verlange, von innen her, und gebe mir keine Mühe, auf dem geraden Wege zu überzeugen oder vielmehr ich gebe mir Mühe, aber es ist gar nicht zu merken, so groß ist meine Unfähigkeit darin. Darum haben wir keinen äußerlichen Streit, wir gehn friedlich nebeneinander her, aber unterdessen zuckt es zwischen uns, als ob jemand unaufhörlich die Luft zwischen uns mit einem Säbel zerschneiden würde. Um es nicht zu vergessen: Auch Du streitest nicht, auch Du duldest, und dieses Dulden ist vielleicht zum Ausgleich, da es doch auch unschuldig ist, viel schwerer als meines.

Und nun geschieht natürlich das, was ich genau vorhersah. Ich fuhr nicht freiwillig hin, ich wußte, was mir drohte. Mir drohte die Verlockung der Nähe, diese unsinnige Verlockung, die mir förmlich im Genick sitzt und selbst in diesem Eiszimmer nicht von mir abläßt. Du warst vormittag bei der Bank, auf der die zwei Taschen lagen, und Du standest nachmittag vor den paar Stufen, die zum Kaffeehaus führten. Daran zu denken ist fast unerträglich, trotz der vielen und harten Denkübungen der letzten Jahre. Ich weiß nicht, wie ich damit bei der Arbeit durchkommen werde, aber es muß doch sein.

Ich werde Dir nur wenig schreiben, die Briefe gehn so langsam, man schreibt auch nicht so frei wie sonst, ich werde Dich auch nicht wieder mit Bitten zum Briefschreiben drängen, wir haben mit Briefen wenig erreicht, wir müssen es auf andere Weise zu erreichen suchen. Ich werde mir vielleicht doch wieder, so unmöglich es jetzt scheint, die Nachmittage zur Arbeit verschaffen können, werde es jedenfalls versuchen. Und diese Arbeit gilt doch in gewissem Sinn Dir, trotzdem z. B. irgendein Teufel Dich zu der Bemerkung gezwungen hat, ich solle versuchen, etwas aus der Fabrik zu machen. Warum verstehst Du die Fabrik besser als mich!

Genug; ich habe noch viel zu tun. Die Hausmeisterin ist krank und ich muß das Bett, das ich früh zerworfen habe, jetzt wieder in Ordnung bringen. Auch auskehren und Staub abwischen sollte ich, aber da das auch die Hausmeisterin fast immer versäumt, ist es auch heute nicht dringend. Wenn Du mich früh – die Hausmeisterin wird mich auch voraussichtlich nicht wecken – durch einen guten freundlichen Traum rechtzeitig etwa um ½8 wecken wolltest, so wäre das sehr lieb. Richte es aber womöglich so ein, daß der Traum, ehe er mich weckt, richtig abläuft bis zum wahren guten Ende, das uns beiden irgendwo bereitet sein möge.

Viele Grüße Franz

[Am Rande] Das Buch von Werfel habe ich Dir geschickt.

11.11.15

Ich werde klagen F., klagen bis mir leichter wird. Du wirst aber nicht lachen? Meiner Arbeit ging es verhältnismäßig gut bis einige Tage vor Bodenbach, da mußte der Bruder des Schwagers einrükken, die Fabrik, das Jammerbild einer Fabrik, fiel an mich. Die Quälereien, die sie mir schon lange vorher, seit ihrem Bestand fast, bereitet hat (sinnlos, denn sie hat wahrhaftig keinen Vorteil davon), sind nicht zu Ende zu erzählen. Jetzt aber mußte ich wirklich heran und jeden Tag hingehn, an Arbeit war nicht mehr zu denken trotz Einsetzens der letzten Willenskraft. Die Fabrik stand ja still, aber immerhin ist ein Lager da, Gläubiger und Kunden müssen vertröstet werden u.s.w., ich mußte die Arbeit, die ich gerade in der letzten Zeit besonders festgehalten hatte, aus der Hand lassen. Aber die Sache besserte sich bald, wenigstens vorläufig, der Bruder des Schwagers dient jetzt in Prag, kann also für 1–2 Stunden nach der Fabrik sehn, für mich war das sofort ein Zeichen zurück[zu]treten. Wieder saß ich in der stillen Wohnung und suchte mich von neuem einzugraben. Es ist für mich sehr schwer, mich nach einer Pause wieder zurückzufinden, es ist, als sei die mit vieler Plage aufgesprengte Tür wieder unbeobachtet ins Schloß gefallen, darin liegt gewiß ein Verdachtsgrund gegen meine Fähigkeiten. Immerhin gelang es mir endlich wieder hineinzukommen, ich war wie verwandelt. Warum geschieht es nicht einmal, daß ich dort statt der bezwungenen Arbeit Dich finde. Das Glück dauerte nur zwei Tage, denn ich mußte übersiedeln. Was das Wohnungssuchen bedeutet, wissen wir beide. Was für Zimmer habe ich jetzt wieder gesehn! Man muß glauben, daß sich die Leute unwissend oder mutwillig im Schmutz begraben. Wenigstens ist es hier so, sie fassen Schmutz, ich meine überladene Kredenzen, Teppiche vor dem Fenster, Photographieaufbaue auf den mißbrauchten Schreibtischen, Wäscheanhäufungen in den Betten, Kaffeehauspalmen in den Winkeln, alles dieses fassen sie als Luxus auf. Aber mir liegt ja an allem nichts. Ich will nur Ruhe, aber eine Ruhe, für welche den Leuten der Begriff fehlt. Sehr verständlich, kein Mensch braucht im gewöhnlichen Haushalt die Ruhe, die ich brauche; zum Lesen, zum Lernen, zum Schlafen, zu nichts braucht man die Ruhe, die ich zum Schreiben brauche. Seit gestern bin ich in meinem neuen Zimmer[1] und habe gestern abend Verzweiflungsanfälle gehabt, daß ich glaubte, die Notwendigkeit aus dem Zimmer und aus der Welt hinauszukommen sei für mich die gleiche. Und dabei geschah nichts besonderes, alle sind rücksichtsvoll, meine Wirtin verflüchtigt sich zum Schatten mir zuliebe, der junge Mensch, der neben mir wohnt, kommt abend müde aus dem Geschäft, macht paar Schritte und liegt schon im Bett. Und trotzdem, die Wohnung ist eben klein, man hört die Türen gehn; die Wirtin schweigt den ganzen Tag, paar Worte muß sie mit dem andern Mieter vor dem Schlafengehn noch flüstern; sie hört man kaum, den Mieter doch ein wenig: die Wände sind eben entsetzlich dünn; die Schlaguhr in meinem Zimmer habe ich zum Leidwesen der Wirtin eingestellt, es war mein erster Weg, als ich eintrat, aber die Schlaguhr im Nebenzimmer schlägt dafür desto lauter, die Minuten suche ich zu überhören, aber die halben Stunden sind überlaut angezeigt, wenn auch melodisch; ich kann nicht den Tyrannen spielen und die Einstellung auch dieser Uhr verlangen. Es würde auch nichts helfen, ein wenig flüstern wird man immer, die Türglocke wird läuten, gestern hat der Mieter zweimal gehustet, heute schon öfter, sein Husten tut mir mehr weh als ihm[2]. Ich kann keinem böse sein, die Wirtin hat sich früh wegen des Flüsterns entschuldigt, es sei nur ausnahmsweise gewesen, weil der Mieter (meinetwegen) das Zimmer gewechselt hat und sie ihn in das neue Zimmer einführen wollte, auch werde sie vor die Tür einen schweren Vorhang hängen. Sehr lieb, aber aller Voraussicht nach werde ich Montag kündigen. Allerdings, ich bin so verwöhnt durch die stille Wohnung, aber anders kann ich nicht leben. Lache nicht, F., finde mein Leiden nicht verächtlich, gewiß, so viele leiden jetzt, und was ihr Leiden verursacht, ist mehr als ein Flüstern im Neben-

[1] Kafkas erstes eigenes Zimmer in der Bilekgasse, in dem selben Hause, in dem die Wohnung seiner Schwester Valli Pollak war. Vgl. *Tagebücher* (10. Februar 1915), S. 463.
[2] Vgl. zu dieser Beschreibung die Situation des Erzählers in dem Stück »Der Nachbar«, *Beschreibung eines Kampfes*, S. 131 ff. Nach der Datierung von Pasley und Wagenbach ist dieses Stück Mai/Juni 1917 entstanden. Vgl. *Kafka-Symposion*, S. 82.

zimmer, aber gerade im besten Fall kämpfen sie für ihre Existenz oder richtiger für die Beziehungen, die ihre Existenz zur Gemeinschaft hat, nicht anders ich, nicht anders ein jeder. Begleite mich mit guten Wünschen auf der Wohnungssuche.

Auf Deinen Brief antworte ich noch. Wann verreist Du wieder? Letzthin stand in einem Feuilleton ein Abschnitt über die Umwandlung einer Grammophonfabrik in eine Konservenfabrik, es war zweifellos Euere Fabrik beschrieben, es hat mich sehr gefreut, das zu lesen. Das ist doch eine Fabrik, zu der ich herzlichere Beziehungen habe als zu der meinen. Herzliche und gute Grüße

Franz

Wie hat Dir Werfel gefallen?

[Postkarte] [Prag,] 3. III. [1915]

Heute kam, F., Dein Brief, einer ging also verloren, Dein Brief oder der meine, es ist abscheulich. Ich werde Dir von jetzt ab regelmäßig alle 14 Tage einen eingeschriebenen Brief schicken. Ja, es ist vieles zu sagen, aber in offenen Briefen es zu sagen ist fast unmöglich. Auch habe ich fast eine Abneigung gegen Briefe; was hilft es, wenn das Schreiben gelingt und alles andere ist so mißlungen. In Deinem Brief stecken Möglichkeiten der Zukunft, er ist lieb und gut. Du hast mich in B. [Bodenbach] nicht mißverstanden, aber es steht davor als Preis für mich ein ordentlicher und schöner Entschluß, der ausgeführt und nicht geschrieben werden muß.

Franz

[auf der andern Kartenseite] Brief geht heute ab.

———

Das Manuskript[1] jetzt zu verschicken ist so schwer; bis es geschrieben oder gedruckt ist.

3. III. 14 [1915]

Telegramm und Karte sind abgeschickt. Wochen der Arbeitsunlust, der Kopfschmerzen, der im engen Kreis ewig herumwandernden Gedanken sind hinter mir. Die Kopfschmerzen sind auch heute mächtig da (ich schlafe eben zu wenig), aber sonst ist es besser und

---

[1] Vermutlich das Manuskript des Progreß-Romans.

wird auch besser werden. Zähigkeit fehlt mir eigentlich nicht, nur arbeitet sie meistens auf der Gegenseite.

Das Zimmer [Bilekgasse] habe ich schon gekündigt, es hat viel Entschlußkraft gekostet. Fast jeden Morgen ist die alte Frau zu meinem Bett gekommen und hat mir neue Verbesserungsvorschläge zugeflüstert, mit denen sie die Ruhe in der Wohnung noch vermehren wollte. Die fertige Kündigung im Kopf, mußte ich noch danken. Als ich schließlich am vorletzten Tag den Mund zur Kündigung aufmachte, nahm sie gerade aus dem Kasten den Theatermantel ihrer Tochter (es gibt eine Art gelblicher Theatermäntel mit Spitzenkragen, die mich ganz trübselig machen, und dieser Mantel war ein solcher), sie wollte mit der Tochter abend zu einem kleinen Fest gehn, da wollte ich ihr nicht die Freude verderben und verschob die Kündigung auf den nächsten Tag. Es war übrigens nicht ganz so schlimm, wie ich es erwartet hatte, immerhin vertraute sie mir an, daß sie geglaubt habe, ich werde bis zu meinem Tode (über den Zeitpunkt drückte sie sich nicht näher aus) bei ihr bleiben. Das Zimmer, das ich jetzt gemietet habe, ist vielleicht nicht viel besser, immerhin ist es ein anderes Zimmer[1]. Es war vielleicht nicht so sehr die Unruhe in der Wohnung, die mich von dort vertrieben hat, denn ich habe ja in der letzten Zeit fast gar nichts in meiner Arbeit erreicht, habe also im Grunde weder die Ruhe noch die Unruhe der Wohnung erproben können, es war vielmehr meine eigene Unruhe, ein Gefühl, das ich nicht weiter ausdeuten will.

Dagegen will ich Deinen Traum deuten. Hättest Du Dich nicht auf den Boden unter das Getier gelegt, hättest Du auch den Himmel mit den Sternen nicht sehn können und wärest nicht erlöst worden. Du hättest vielleicht die Angst des Aufrechtstehns gar nicht überlebt. Es geht mir auch nicht anders; das ist ein gemeinsamer Traum, den Du für uns beide geträumt hast.

In Deinem Brief sagst Du einmal im Scherz, ich soll nach Berlin kommen, und einmal im Ernst, was aus uns werden soll. Beides gehört zusammen. Sage offen, glaubst Du, daß wir in Prag eine ge-

---

[1] Im Haus ›Zum goldenen Hecht‹ in der Langen Gasse Katastralnummer 705, Nr. 18 (heute 16), Dort wohnte er als Untermieter bei einem Herrn Salamon Stein. Sein Zimmer, ein Balkon- und Eckzimmer im 5. Stock, bot eine besonders schöne Aussicht über die Dächer und Türme der Prager Altstadt auf den Laurenziberg jenseits der Moldau. Vgl. Brief vom 21. März 1915, S. 630 f. und *Tagebücher* (17. März 1915), S. 467.

meinsame Zukunft haben können? Es liegt durchaus nicht an Prag, wenn dies nicht möglich sein sollte. Es liegt auch nicht an äußerlichen Verhältnissen. Im Gegenteil. Wenn der Krieg nur halbwegs milde vorübergegangen sein wird, werden die Verhältnisse voraussichtlich ganz günstig sein. Denke nur, ich habe gerade jetzt K 1200– zubekommen, eine schöne Menge Geld an sich, das mich aber hier gar nicht freut, das ich vielmehr fast abwehren wollte, als sei es eine Vergrößerung des Hindernisses. Was meinst Du?

Noch einige Fragen: Warum schläfst Du schlecht und worin besteht das Schlechte Deines Schlafs? Wie kamst Du zu dem Briefumschlag? Warum liest Du so alte und nicht gute Bücher wie »Betrachtung«? Ein Vorschlag: Willst Du nur die Bücher, aber vollständig, lesen, die ich Dir schicken werde? Du müßtest allerdings mit dem Briefband von Flaubert und Browning beginnen. Und im Sommer machen wir eine Reise.

Franz

[21.März 1915]
[Ankunftsstempel: Berlin – 23.3.15]

Noch keine Nachricht, F., und es dauert schon lange. Wie beginnst Du das Frühjahr? Ich habe heute nach langer Zeit einen Spaziergang gemacht, es ist nämlich Sonntag und gutes Wetter, einer jener Augenblicke, wo die Anordnung im Gerichtssaal sich ändert, die lächerlichsten Verschiebungen vorgenommen werden, wo man glaubt, sehr gut behandelt worden zu sein und alle Rechnungen trotz zweifelloser, in die Augen schlagender Unrichtigkeiten stimmen. Dieses Gefühl ist aber an einem falschen Platz, es ist zumindest eine überflüssige Anhäufung, an diesem Vormittag brauchte ich es nicht, wohl aber gestern und vorgestern und sofort, wo ich vormittag den schmerzenden Kopf förmlich in den Händen drehte, denn ihn sich selbst zu überlassen schien unmöglich. Der heutige Vormittag gleicht das vielleicht aus, aber gestern wußte ich das nicht und morgen habe ich es vergessen.

Seid Ihr schon übersiedelt? Ich bin übersiedelt, in ein Zimmer, in dem der Lärm etwa zehnmal größer ist als in dem frühern, das aber im übrigen unvergleichlich schöner ist. Ich dachte unabhängig von der Lage und dem Aussehn des Zimmers zu sein. Aber das bin ich nicht. Ohne freiere Aussicht, ohne die Möglichkeit, ein großes

Stück Himmel aus dem Fenster zu sehn und etwa einen Turm in der Ferne, wenn es schon nicht freies Land sein kann, ohne dieses bin ich ein elender, gedrückter Mensch, ich kann zwar nicht angeben, was für ein Teil des Elends dem Zimmer anzurechnen ist, aber es kann nicht wenig sein; ich habe in dem Zimmer sogar Morgensonne, und da ringsherum viel niedrigere Dächer sind, kommt sie voll und geradewegs zu mir. Ich habe aber nicht nur Morgensonne, denn es ist ein Eckzimmer und zwei Fenster gehn nach Südwesten. Damit ich aber nicht übermütig werde, trampelt über mir in einem (leeren, nichtvermieteten!!) Atelier bis abend jemand mit schweren Stiefeln hin und her und hat dort irgendeinen im übrigen zwecklosen Lärmapparat aufgestellt, der die Illusion eines Kegelspiels erzeugt. Eine schwere Kugel rollt schnell geschoben über die ganze Länge der Zimmerdecke, trifft in der Ecke auf und rollt schwerfällig krachend zurück. Die Dame, von der ich das Zimmer gemietet habe, hört es zwar auch, versucht aber, weil man für einen Mieter nichts unversucht läßt, den Lärm logisch zu negieren, indem sie darauf hinweist, daß das Atelier unvermietet und leer ist. Worauf ich nur antworten kann, daß dieser Lärm nicht die einzige grundlose und deshalb eben nicht zu beseitigende Quälerei in der Welt ist.

Übrigens wohne ich nicht etwa auf dem Land, denn, wenn ich auf meinem Balkon stehe, sehe ich jener Wohnung fast in die Fenster, deren Pläne Du und ich einmal studiert haben. Auch diese Wohnung hatte heute Morgensonne in allen 3 Gassenfenstern. Ich wußte nicht, was ich zu den Fenstern sagen sollte. Was hättest Du gesagt? Ich sehe die Fenster auch am Abend, gewöhnlich sind alle 3 beleuchtet, allerdings nicht so lange wie meines. Ich lebe ganz allein, bin jeden Abend zuhause, war schon einen Monat lang nicht bei den Samstagabenden[1], war aber schon 2 Monate unfähig zu jeder erträglichen Arbeit. Jetzt ist aber genug von mir geredet. Nun von Dir!

Herzlichst F.

[Stempel: Prag – 5. IV. 15]

Auch am Sonntag, Felice, an einem schönen stillen grauen Sonntag. Nur ich und der Kanarienvogel sind wach in der Wohnung. Ich bin

---

[1] Die wöchentliche Zusammenkunft der Freunde Brod, Weltsch und Baum, an der Kafka sonst teilnahm. Vgl. Anm.[2] S.122.

hier bei den Eltern. In meinem Zimmer allerdings, dort lärmt wahrscheinlich die Hölle, hinter der rechten Wand werden scheinbar Baumstämme abgelagert, man hört, wie der Stamm im Wagen gelockert wird, dann wird er gehoben, er seufzt wie etwas Lebendiges, dann ein Krach, er fällt und die Resonanz des ganzen verfluchten Betonhauses nimmt sich seiner an. Über dem Zimmer auf dem Boden schnurrt die Maschinerie des Aufzugs und hallt durch die leeren Bodenräume. (Das ist das frühere vermeintliche Ateliergespenst, es gibt aber dort auch Dienstmädchen, die beim Wäschetrocknen mit ihren Pantoffeln förmlich meine Schädeldecke abtasten.) Unter mir ist ein Kinder- und Gesellschaftszimmer, bei Tag schreien und laufen die Kinder, immer wieder flötet irgendwo eine Tür, die aufgerissen wird, das Kindermädchen will ihrerseits durch Schreien Ruhe erzwingen, am Abend schwatzen die Erwachsenen durcheinander, als hätten sie unten jeden Tag ein Fest. Aber um 10 Uhr ist es zuende, wenigstens bis jetzt, manchmal war schon um 9 Ruhe und wenn dann meine Nerven dazu noch imstande sind, können sie eine wunderbare Ruhe genießen.

Für den Tageslärm habe ich mir aus Berlin – ich muß immer wieder auf Berlin zurückgreifen – eine Hilfe kommen lassen, Ohropax, eine Art Wachs von Watte umwickelt. Es ist zwar ein wenig schmierig, auch ist es lästig, sich schon bei Lebzeiten die Ohren zu verstopfen, es hält den Lärm auch nicht ab, sondern dämpft ihn bloß – immerhin. Im Strindbergroman »Am offenen Meer«, den ich vor paar Tagen gelesen habe – es ist eine Herrlichkeit, kennst Du ihn? –, hat der Held für ein ähnliches Leid, wie ich es habe, sogenannte Schlafkugeln, die er in Deutschland gekauft hat, Stahlkügelchen, die man ins Ohr rollen läßt. Es scheint aber leider nur eine Strindbergische Erfindung zu sein.

Ob ich durch den Krieg leide? Was man durch den Krieg an sich erfährt, das kann man im wesentlichen noch gar nicht wissen. Äußerlich leide ich durch ihn, weil unsere Fabrik zugrunde geht, wie ich mehr ahne als weiß, denn ich war schon einen Monat lang nicht dort. Der Bruder meines Schwagers wird hier ausgebildet und kann sich also vorläufig noch ein wenig darum kümmern. Der Bruder [Mann] meiner ältern Schwester ist in den Karpathen beim Train und wohl nicht in unmittelbarer Gefahr, der Mann meiner andern Schwester war, wie Du weißt, verwundet, war dann paar Tage in der Front, ist mit Ischias zurückgekommen und wird jetzt in Teplitz kuriert[1]. Außerdem leide ich am Krieg meistens dadurch, daß ich nicht selbst dort bin. Aber das sieht, so glattweg niedergeschrieben, fast nur dumm aus. Übrigens ist es vielleicht nicht ausgeschlossen, daß ich noch darankomme. Mich freiwillig zu melden, hindert mich manches Entscheidende, zum Teil allerdings auch das, was mich überall hindert.

Auch das, was uns, F., hindert, in Prag zu leben, so gut die Bedingungen hier sind und so erstrebenswert sie vielleicht auch in paar Jahren im Rückblick scheinen werden. Ich bin hier nicht am Platze, und zwar kämpfe ich hier nicht gegen die Umgebung (wenn es so wäre, dann gäbe es keine liebere und bessere Hilfe, als die Deine), ich kämpfe nur gegen mich selbst und in solchen Kampf Dich mit hinunterzuziehn, das darf ich um unser beider willen nicht tun, es hat sich fast augenblicklich bestraft, als ich es in Verblendung wollte. Ehe man das Recht auf einen Menschen fühlt und hat, muß man entweder weiter gekommen sein als ich oder den Weg, den ich meinen Kräften suche, gar nicht machen. In Prag aber scheine ich in meinen Verhältnissen gar nicht weiter kommen zu können.

Meine Bemerkung über das Geld scheinst Du mißverstanden zu haben. Es ist eine monatliche Gehaltserhöhung um 100 K, die mir, was ihre Verwendung anlangt, natürlich keine Sorgen macht. Denke nur, ich hafte ja mit allem, was ich habe, für die Fabrik. Meine Unzufriedenheit bezog sich darauf, daß durch dieses Geld die Grube, in der ich sitze, wieder ein wenig tiefer gegraben wird.

Von Dir schreibst Du so wenig, F. Was Du arbeitest, ob Du weniger Arbeit hast als früher, was die neue Stellung bedeutet, mit wem Du verkehrst, warum Du am Sonntag nachmittag allein zuhause sitzt, was Du liest, ob Du ins Theater gehst, ob Dein Gehalt nicht verringert ist, wie Du Dich kleidest (in Bodenbach war es sehr schön, das Jäckchen), wie Du zu Erna stehst – von dem allen höre ich nichts und es gehört doch sehr in meinen Gedankenkreis. Und Dein Bruder? Und Dein Schwager?

Noch eines: Über den Verlust der Wohnung, die mir gegenüber ist, müssen wir nicht trauern. Eine Wohnung ohne Aussicht (mein Zimmer dagegen hat weite Aussicht nach zwei Seiten, das ist aller-

---

[1] Kafkas Schwager Karl Hermann, der Mann seiner Schwester Elli, war als Soldat in den ungarischen Karpathen; sein Schwager Josef Pollak, der Mann seiner Schwester Valli, war leicht verwundet worden.

dings ohne nähere Beschreibung schwer zu begreifen), in der eine Frau mit einer Tochter wohnt, von welcher letztern mir nur eine giftig gelbe Bluse, Wangenbehaarung und Watschelgang erinnerlich sind. Die Wohnung darf man verloren geben.

Herzlich   Franz

[Stempel: 20. IV. 15]

Wie lange ich schon ohne Nachricht bin, Felice! Was geschieht mit Dir? Wenn einem jemand lange nicht antwortet, ist es so, als ob er gegenüber sitzt und schweigt; man ist versucht zu fragen: Woran denkst Du?

Es ist jetzt Zeit, an das vorige Jahr zu denken; woran zu denken übrigens immer Zeit ist. Sie war wunderbar im blauen Kleid, als sie hereinkam, aber der Kuß war nicht rein, nicht rein gegeben, nicht rein genommen. Nicht rein gegeben: denn er hatte kein Recht zu diesem Kuß; daß er sie liebte, gab ihm das Recht noch nicht; daß er sie liebte, hätte ihm diesen Kuß verwehren müssen. Denn wohin wollte er sie nehmen? Wo stand er selbst? Durch die gemeinsame Anstrengung der Eltern (die er, sehr ungerecht natürlich, dafür fast haßte) und einiger anderer war ihm einmal ein Brett unter[ge]schoben worden, auf dem er noch jetzt stand. Und weil dieses Brett stark genug war, zwei zu tragen, – aus dieser trostlos lächerlichen Tatsache zog er das Recht, sie mit zu sich zu nehmen. Aber in Wirklichkeit hatte er keinen Boden unter den Füßen; daß er es bis jetzt zustande gebracht hatte, auf seinem Brett zu balancieren, war kein Verdienst, sondern eine Schändlichkeit. Sag mir also, wohin er sie tragen wollte; es ist unausdenkbar. Er liebte sie eben und war unersättlich. Er liebt sie heute nicht weniger, wenn er auch endlich darüber belehrt worden, daß er sie so leicht und einfach nicht bekommen kann, selbst wenn sie zustimmt. Ich verstehe nur nicht, wie sie, ein kluges, klarsehendes Mädchen, belehrt durch Qualen ohne Ende, ich verstehe nicht, wie sie noch immer glauben kann, hier in Prag wäre es möglich und gut. Sie war doch hier, hat nicht alles aber vieles gesehn, hat so viel darüber zu lesen bekommen und glaubt es noch immer. Wie stellt sie es sich vor? Sie hat doch nicht einmal, sondern mehrmals das Richtige zumindest gefühlt, ihre kindlich

bösartigen Worte im Askanischen Hof¹ waren doch Beweis genug.
– Etwas anderes:

———

Könnten wir einander Pfingsten sehn? Ich wäre sehr froh. Wer
weiß, ob die Sommerreise, von der Du scheinbar nichts hören willst,
nicht schon durch den Wegfall jedes Urlaubs unmöglich wird. Nun
will ich aber Pfingsten nach Berlin nicht kommen. Aber überhaupt
nach Deutschland zu kommen, macht widerliche Schwierigkeiten.
Du weißt, wie lange ich wegen des Passes gebettelt habe und dann
kam er doch nicht rechtzeitig. Nachher war ich dann gar nicht mehr
dort. Die Beilagen sind dort geblieben, irgendeine Ratte benagt
Deine zwei Telegramme, die mir gehören. Das gleiche Spiel wie
damals müßte jetzt wieder beginnen. Ein Brief von Dir, ein Nachweis dringender Familienangelegenheiten wäre nötig und wieder
dieses lange Warten. Du hast einen Paß. Wolltest Du nach Bodenbach kommen, wir blieben Pfingsten in der Böhmischen Schweiz.
Wenn Du allein kommen könntest, wäre es natürlich das beste. Ist
das nicht möglich, nimm mit, wen Du willst. Und schreib mir bald
darüber.

Herzlichst   Franz

Zwei Bücher sind auf dem Weg zu Dir, sie müßten eigentlich schon
längst angekommen sein.

[Ansichtskarte. Stempel: Sátoraljaujhely – 24. April 1915]²

Herzliche Grüße. Wenn auch nur ein Teil der Karten ankommt, sie
haben alle den gleichen Sinn. Ich reise mit der Wahnvorstellung
einer hinunterhängenden Hand, die ich hebe und küsse.

Franz

[Ansichtskarte. Stempel: Hatvan – 25. April 1915]

In Begleitung meiner Schwester zum Schwager. Herzliche Grüße
und Bitte um Unterbrechung des langen Schweigens. An Pfingsten

———

¹ Vgl. *Tagebücher* (23. Juli 1914), S. 407: »…sagt gut Durchdachtes, lange
Bewahrtes, Feindseliges.«
² Kafka begleitete seine älteste Schwester Elli auf einer Reise zu ihrem Mann,
der als Soldat in Ungarn war. Vgl. *Tagebücher,* S. 468 ff.

halte ich fest. Ich komme, wenn Du willst, auch nach Deutschland, muß dann aber einen Brief von Dir vorweisen.

Franz

[Ansichtskarte. Stempel: Nagymihály – 26. April 1915]

Grüße von Schritt zu Schritt.

Franz

[Ansichtskarte. Stempel: Budapest – 27. April 1915]

Die Schwester abgeliefert und zurück, leider. Herzliche Grüße

F.

[Ansichtskarte. Wien, Ende April 1915]

Letzte Station. Herzliche Grüße.

F.

[Ansichtskarte. Stempel: Všenory-Dobřichovice – 3.5.15]

Antwort auf die Frage: Ja, ja, ja. Aber Du solltest nicht fragen und solltest wissen, wen Du fragst und wer antwortet. Und Pfingsten? Briefe brauchen so lange Zeit, Dein Brief aus Freienwalde kam mit maßloser Verspätung knapp nach meiner Abreise an, Dein zweiter Brief ziemlich rechtzeitig, das Buch gestern, ich lag dankbar einen halben Nachmittag darüber[1]. Heute bin ich seit früh auf dem Land, allein nur mit einer Biographie Bismarcks, in der ich kaum lese. In Prag kann mir fast nur Alleinsein ein verhältnismäßiges Behagen verschaffen.

Herzlichst   Franz

[Ankunftsstempel: Berlin – 6.5.15]

Nicht so schreiben, Felice. Du hast unrecht. Es sind Mißverständnisse zwischen uns, deren Lösung allerdings ich bestimmt erwarte,

---

[1] Wahrscheinlich Strindbergs *Entzweit*. Vgl. *Tagebücher* (3. und 4. Mai 1915), S. 475.

wenn auch nicht in Briefen. Ich bin nicht anders geworden (leider), die Waage, deren Schwanken ich darstelle, ist die gleiche geblieben, nur die Gewichtsverteilung ist ein wenig verändert, ich glaube, mehr über uns beide zu wissen und habe ein vorläufiges Ziel. Wir werden Pfingsten darüber sprechen, wenn es möglich sein wird. Glaube nicht, Felice, daß ich nicht alle hindernden Überlegungen und Sorgen als fast unerträgliche und widerliche Last empfinde, alles am liebsten abwerfen wollte, den geraden Weg allen andern vorziehe, gleich und jetzt im kleinen natürlichen Kreis glücklich sein und vor allem glücklich machen wollte. Es ist aber unmöglich, die Last ist mir nun einmal auferlegt, die Unzufriedenheit schüttelt mich, und sollte ich auch das Mißlingen ganz klar vor Augen haben, und nicht nur das Mißlingen, sondern auch den Verlust aller Hoffnungen und das Heranwälzen aller Verschuldung – ich könnte mich wohl nicht zurückhalten. Warum glaubst Du übrigens, Felice – es scheint wenigstens, daß Du es manchmal glaubst – an die Möglichkeit eines gemeinsamen Lebens hier in Prag? Früher hattest Du doch schwere Zweifel daran. Was hat sie beseitigt? Das weiß ich noch immer nicht.

————

Und nun wieder die Zeilen im Buch[1]. Es macht mich unglücklich, das zu lesen. Nichts ist zuende, kein Dunkel, keine Kälte. Aber ich fürchte mich fast, das niederzuschreiben, es ist, als bestätigte ich erst die Tatsache, daß solche Dinge wirklich niedergeschrieben werden konnten. Was für Mißverständnisse häufen sich wieder auf.

Sieh, Felice, das einzige, was geschehen ist, ist, daß meine Briefe seltener und anders geworden sind. Was war das Ergebnis der häufigern und andern Briefe? Du kennst es. Wir müssen neu anfangen. Das Wir bedeutet aber nicht Dich, denn Du warst und bist im Richtigen[2], soweit es auf Dich allein ankam; das Wir bedeutet viel-

---

[1] Vermutlich die später in diesem Brief erwähnten Zeilen, die Felice ihm in eine als Geschenk übersandte Ausgabe von Flauberts *Salammbô* geschrieben hatte.

[2] Kafka übersetzt hier wörtlich den Ausdruck *dans le vrai* aus einer Wendung Flauberts, welche die Nichte des Dichters, Caroline Commanville, in ihren Kafka bekannten *Souvenirs intimes* zitierte. Kafka hat das Flaubertsche *Ils sont dans le vrai* in Gesprächen oft gebraucht, wobei er sich als einen Menschen sah, der außerhalb des ›Richtigen‹ lebte. Vgl. Brod, *Biographie,* S. 121 f. und sein ›Nachwort zur ersten Ausgabe‹ von Kafkas Roman *Das Schloß,* S. 484 f.

mehr mich und unsere Verbindung. Zu einem solchen Anfang aber taugen Briefe nicht, und wenn sie doch nötig sind – sie sind nötig –, dann müssen sie anders sein als früher. Im Grunde aber, Felice, im Grunde. – Erinnerst Du Dich der Briefe, die ich Dir vor etwa zwei Jahren, es dürfte etwa in diesem Monat gewesen sein, nach Frankfurt geschrieben habe? Glaube mir, ich bin im Grunde gar nicht weit entfernt davon, sie gleich jetzt wieder zu schreiben. Auf der Spitze meiner Feder lauern sie. Sie werden aber nicht geschrieben.

———

Warum weißt Du nicht, daß es ein Glück für mich wäre (und unser Glück, vielleicht nicht unser Leid, aber jedenfalls unser Glück soll gemeinsam sein trotz Salammbô, gegen die ich übrigens immer Verdacht hatte; in die Éducation hättest Du es nicht hineinschreiben können) also daß es ein Glück für mich wäre, Soldat zu werden, vorausgesetzt allerdings, daß es meine Gesundheit aushält, was ich aber hoffe. Ende dieses Monats oder anfangs des nächsten komme ich zur Musterung. Du sollst wünschen, daß ich genommen werde, so wie ich es will.

Und Pfingsten kommen wir zusammen. Schade, daß ich noch keine Nachricht von Dir habe. Hättest Du nur einen kleinen Einwand dagegen, nach Bodenbach zu fahren, werde ich versuchen, einen Paß zu bekommen und Dich zu besuchen; wenn es sein muß auch in Berlin.

Die Memoiren[1] sollen nicht Deine Gesinnung bilden oder beeinflussen, das war nicht meine Absicht. Aber das Leben dieses Menschen ist wirklich mitlebenswert. Wie er sich opfern will und opfern kann! Ein förmlicher Selbstmord und eine Auferstehung bei Lebzeiten. Und wofür opfert er sich? Welcher Leser erkennt einen Erfolg, der aus dem Buch herausgenommen sich auch nur aufrecht erhalten kann. Ich freue mich, daß Du es liest. Hoffentlich stört Dich Muzzi nicht zu sehr, wenn sie am Tischrand das Wasser aufdreht. Viele Grüße an Dich und sie.

Franz

———

[1] Vermutlich Lily Braun, *Memoiren einer Sozialistin*, 2 Bde., München 1909-1911. Vgl. Brief an M.E. (November-Dezember 1920), *Briefe*, S. 282.

[Postkarte. Stempel: Prag – 4.v.15]

Briefe gehn zu langsam, einer ist auf dem Weg, aus Unruhe um Dich schreibe ich diese Karte, nimm sie nur als Händedruck, das andere steht im Brief. Heute erfahre ich, daß Du am 24. [April] in Budapest gewesen bist, wir waren also wahrscheinlich gleichzeitig dort; was für ein gütiger und ungeschickter Zufall! Ich war nur abends zwei Stunden auf der Rückfahrt dort, hätte aber leicht bis nächsten Mittag dort bleiben können. Wie dumm das ist! Der größte Teil des Behagens, das ich in Budapest hatte, bestand darin, daß ich an Dich dachte, daran, daß Du dort gewesen bist (in Zeiten, die nur scheinbar für uns besser waren), daran, daß Du die Schwester dort hast, und so fort und alles mögliche. Zusammengenommen gab das ein Gefühl der Nähe, aber zu denken, daß Du wirklich dort warst, plötzlich vor meinem Kaffeehaustisch hättest stehn können! Dumm!

[Ansichtskarte. Všenory-Dobřichovice,] Sonntag, den 9. Mai [1915]

Zumindest 3 Wochen ohne Nachricht, ohne Antwort auf Briefe und viele Karten. Bin recht unruhig. Sitze im äußerlichen Gegensatz hiezu auf einer hohen Gartenterrasse mit einem weiten Tal vor mir, Felder, Wiesen, ein Fluß und Hügel mit Wäldern. Sonniger, kühler Tag. Wo bist Du? Wo Du auch seist,

herzlichste Grüße

[Postkarte. Stempel: Prag – 26.v.15]

Liebe Felice, Du hast letzthin einige phantastische Fragen über den Bräutigam von F. an mich gestellt. Ich kann sie jetzt besser beantworten, denn ich habe ihn auf der Rückfahrt im Zug beobachtet[1]. Das war leicht möglich, denn es war ein solches Gedränge, daß wir zwei förmlich auf einem Platze saßen. Nach meiner Meinung also ist er ganz an F. verloren, Du hättest ihn sehen sollen, wie er die lange Fahrt über im Flieder (niemals sonst nimmt er etwas Derartiges auf eine Fahrt mit) die Erinnerung an F. und an ihr Zimmer

---

[1] Kafkas Rückreise von Prag von dem gemeinsamen Ausflug in die Böhmische Schweiz während der Pfingstfeiertage (23. und 24. Mai).

suchte. Zu seiner andern Seite saß der alte Herr W[1]. und recitierte Heinesche Gedichte. Aber seinem Zuhörer gefällt zwar Herr W., aber Heinesche Gedichte nicht. Nur eine kleine Zeile gefällt ihm, aber die ist vielleicht gar nicht von Heine. Sie steht als Motto, ich glaube, mehrmals in Heines Schriften: »Sie war liebenswürdig und er liebte sie. Er aber war nicht liebenswürdig und sie liebte ihn nicht. (Altes Stück)« Aber ich wollte nicht von Heine schreiben, sondern Dir verschiedene Auskunft geben, die Du zu wünschen scheinst. Nächstens. Ich glaube, der Betreffende hat mehr Vertrauen zu mir als zu F.

[am Rande] Einen Kuß auf die breite weiche Hand im dünnen Handschuh.

[Postkarte. Stempel: Prag – 27. v. 15]

Liebe Felice, sieh, er sagt, daß ihm bange ist. Er sagt, er sei zu lange dort geblieben. Zwei Tage wären zu viel gewesen. Nach einem Tag kann man sich leicht loslösen, zwei Tage aber erzeugen schon Verbindungen, deren Lösung weh tut. Unter demselben Dach schlafen, an einem Tisch essen, die gleichen Tageszeiten zweimal durchleben, das stellt unter Umständen schon fast eine Ceremonie dar, die ein Gebot hinter sich hat. Er fühlt es wenigstens so, ihm ist bange, er bittet um die Heidelbeer-Photographie, will Auskunft über die Zahnschmerzen haben und wartet sehr ungeduldig auf eine Nachricht. Im übrigen will ich nicht sagen, daß er augenblicklich unglücklich ist, er freut sich jetzt darauf, daß er vielleicht doch genommen wird[2]. Sollte er aber, was allerdings sehr schlimm wäre, doch nicht genommen werden, dann will er im Gegensatz zu dem Obigen möglichst bald den gemeinsamen Ausflug an die Ostsee machen.

F

---

[1] Vermutlich der Vater seines Freundes Felix Weltsch.
[2] Kafka hoffte sehr, zum Militärdienst einberufen zu werden, vor allem auch, um dem Beamtendasein und der ›Beamtenhaftigkeit‹ zu entgehen. Vgl. seine Briefe an Felice vom 5. April, 3. Mai 1915, 14. Mai 1916, S. 633 bzw. S. 638 und S. 656 und *Tagebücher* (14. Mai 1915, 11. Mai und 27. August 1916), S. 477 bzw. S. 500 und S. 511.

[Postkarte. Stempel: Prag – 10. VII. 15]

Liebe Felice, etwas Schlimmes habe ich geahnt, aber etwas derartiges nicht. Auf den Films ist kein lebendiger Hauch, wir haben mit dem Deckpapier statt mit den Films photographiert. Ich reiche die Films in Dein Zimmer, Du wirfst sie in meines zurück – alles sinnlos, die Juden laufen vor Deinem Apparat weg, ich schaue in Elbogen [bei Karlsbad]¹ zu Dir auf, glaube, es sei für die Dauer, alles sinnlos und sinnlos. Dir ist nichts geschehn, Du hast den Apparat und Dich, aber wie wirst Du mich trösten?

Franz

[Postkarte. Stempel: Rumburg – 20. VII. 15]²

Liebe Felice, Du wirst jetzt öfters Nachricht bekommen, verzeih das Schweigen. Es ist mir nach der Rückkehr in Prag unerträglich geworden, ich mußte weg, es drängte mich weg, und da auch Schlaflosigkeit und was damit zusammenhängt mich wegtrieben, gab ich nach. Ich wollte entweder weit weg, z.B. nach Wolfgang am See oder nach alter, aber immer schwächer werdender Gewohnheit in ein Sanatorium. Schließlich schreckten mich die schlechten Zugverbindungen von der Ferne ab (nach Wolfgang 17 Stunden) und so bin ich im Sanatorium. Schändlich aber konsequent, paßt auf mein sonstiges Leben wie der Deckel auf den Topf. Übrigens bleibe ich wohl nicht lange. Für den Herbst bleibt eine Woche frei, schlechtestenfalls. Meine Hauptkrankheit ist – ich weiß nicht – Ungeduld oder Geduld.

Herzlichst   Dein Franz

[Ansichtskarte. Rumburg, Ende Juli 1915]

Schon ein wenig eingewöhnt. Große, schöne Wälder. Ein einfaches, hügeliges aber noch nicht bergiges Land, so ist es für meinen augen-

---

¹ Offenbar trafen Kafka und Felice einander im Juni 1915 in Karlsbad. Vgl. Briefe vom 9. August und 5. Dezember 1915, 18. Januar und 9. April 1916, S. 643, 644, 647 und 651.
² Kafka war vom 20. bis 31. Juli 1915 in einem Sanatorium in Rumburg (Nordböhmen).

blicklichen Zustand gerade recht. Sonntag fahre ich übrigens nachhause. Heute bekomme ich ein Paket von zuhause, freue mich, darin vielleicht etwas von Dir zu finden.

Herzlich   Franz

9. August 15

Liebe Felice, ich habe in Deinem Sinne mit ihm gesprochen, ganz offen, und er hat mir auch offen geantwortet[1].

Ich sagte: »Warum schreibst Du nicht? Warum quälst Du F.? Daß Du sie quälst, ist doch aus ihren Karten offensichtlich. Du versprichst zu schreiben und schreibst nicht. Du telegraphierst »Brief unterwegs«, aber es ist kein Brief unterwegs, sondern er wird erst 2 Tage später geschrieben. Etwas derartiges dürfen vielleicht einmal und ausnahmsweise Mädchen machen, es kann unschuldig sein, wenn es zu ihrem Charakter gehört. Bei Dir aber ist es nicht unschuldig, denn Dein Schweigen kann nur ein Verschweigen bedeuten und deshalb nicht entschuldigt werden.«

Er antwortete etwa: »Es kann doch entschuldigt werden, denn es gibt Verhältnisse, wo sich das Aussprechen vom Verschweigen wenig unterscheidet. Mein Leid ist etwa ein vierfaches:

Ich kann in Prag nicht leben. Ob ich anderswo leben kann, weiß ich nicht, daß ich aber hier nicht leben kann, ist das Zweifelloseste, was ich weiß.

Ferner: Ich kann deshalb F. jetzt nicht haben.

Ferner: Ich muß (es ist sogar schon gedruckt) fremder Leute Kinder bewundern[2].

Endlich: Manchmal glaube ich, ich werde von dieser allseitigen Quälerei zermahlen. Aber das augenblickliche Leid ist nicht das Schlimmste. Das Schlimmste ist, daß die Zeit vergeht, daß ich durch

---

[1] Vgl. die Ich-Er-Form des Dialogs in diesem Brief mit der Form der ›Er‹-Betrachtungen im Band *Beschreibung eines Kampfes* (S. 291 ff.), deren autobiographische Natur durch diesen Brief noch deutlicher wird. Dies gilt auch von anderen Betrachtungen, die Kafka in die ›Er‹-Form faßte, ja sogar vom Ende des Romans *Der Prozeß,* wo der Autor, wie die Handschrift der letzten Seite zeigt, von der dritten Person unvermittelt in die erste überging. Vgl. Heinz Politzer, »Ein Kafka-Autograph«, in *Die Schrift,* Brünn, I, 1935, S. 94 ff.

[2] Gemeint ist das in den Band *Betrachtung* aufgenommene Stück »Das Unglück des Junggesellen«.

dieses Leid elender und unfähiger werde, die Aussichten für die Zukunft ununterbrochen trüber werden.

Ist das nicht genügend? Was ich etwa seit unserem vorletzten Beisammensein mit F. leide, kann sie nicht ahnen. Wochenlang fürchte ich mich, in meinem Zimmer allein zu sein. Wochenlang kenne ich Schlaf nur als Fieber. Ich fahre in ein Sanatorium und bin von der Narrheit dessen überzeugt. Was will ich dort? Gibt es dort etwa keine Nächte? Noch ärger, dort sind auch die Tage wie Nächte. Ich komme zurück und verbringe die erste Woche wie besinnungslos, denke an nichts als mein oder unser Unglück und weder im Bureau noch sonst im Gespräch begreife ich mehr als das Alleroberflächlichste, und dieses nur unter allen Schmerzen und Spannungen des Kopfes. Eine Art Blödsinn ergreift mich. War ich in Karlsbad nicht ähnlich? Und dabei erinnere ich mich jetzt an die letzte Nacht in Bodenbach, als ich um 4 Uhr die Decke über mich zog. Ich dachte: jetzt ist F. hier – ich habe sie – 2 ganze Tage – dieses Glück! Und dann kam Karlsbad und die – ich sage auch das – wahrhaft abscheuliche Fahrt nach Aussig.

Damit ist nicht viel aber einiges gesagt. Das könnte ich auch F. schreiben. Was sie antworten würde, wäre im Grunde kurz: »Du bist selbst schuld.« Es wäre zwecklos, eine solche Antwort hervorzurufen, darum schreibe ich nicht. Wäre mir etwas Neues geschehn, ich hätte ihr natürlich gleich geschrieben, aber dieses Alte, in den letzten Monaten allerdings ungeheuerlich gewordene kennt sie, oder vielmehr, sie hat davon gehört. Ein Heilmittel weiß ich ja nicht. Etwa nächsten Sonntag in Bodenbach zusammenkommen? Es wäre kein Heilmittel.

Es ist so merkwürdig. F. schreibt ganz anders als sie spricht. Würde sie so sprechen wie sie schreibt, es wäre alles anders, ich sage nicht, daß es besser wäre, aber alles wäre anders. Sie sagt, daß ich mich an Worte halte, möglich, aber sie tut es gewiß noch mehr. Hätte ich das, was ich jetzt gesagt habe, z. B. F. gegenüber gesagt, so würde sie wahrscheinlich antworten: »Nun sieh, wie Du bist. In Bodenbach zusammenkommen nennst Du kein Heilmittel. Und Du sagst, es wäre nicht besser, wenn ich so sprechen würde, wie ich schreibe.« Unbekümmert darum behaupte ich: »Wenn ich voriges Jahr in einem ähnlichen Zustand gewesen wäre, wie jetzt (er war anders, wenn auch nicht weniger unerträglich), dann wäre F. zweifellos heute in Prag, das zweite Leid wäre beseitigt und vielleicht das dritte, aber das erste und die Hälfte des vierten so angewachsen, daß es uns alle begraben hätte.«

So spricht er, und sein Aussehn bestätigt seinen Zustand. Er ist im Fieber, vollkommen unbeherrscht und zerstreut. Augenblicklich scheint es nur zwei Heilmittel für ihn zu geben, Heilmittel, nicht in dem Sinn, daß sie das Vergangene ungeschehn machen, sondern ihn vor Weiterem bewahren könnten. Das eine wäre F., das andere der Militärdienst. Beide sind ihm entzogen. Ich konnte ihm schließlich darin nicht Unrecht geben, wenn er nicht schreibt. Richtet er mit dem Schreiben nicht mehr Kummer an als mit Schweigen?

Herzlich Franz

Den angekündigten Brief wegen der Berliner Reise habe ich nicht bekommen. Er hätte aber vorläufig auch nur für einen Sonntag Bedeutung, da allen Reklamierten neuestens ihr Urlaub genommen worden ist.

[Ansichtskarte. Říčany, vermutlich Sommer 1915]

Eine Nacht Sommerfrische. Herzliche Grüße   Franz

Adresse: S. Fr. [Sophie Friedmann]
Waldenburg, Preußisch-Schlesien
Fürstensteiner Str. 66

Max Brod grüßt bestens.

[Stempel: Prag – 5.XII.15]

Liebe Felice, es ist alles unverändert, gehn die Stiche im Kopf nicht tiefer, bin ich froh. Darum schreibe ich auch nicht, das habe ich schon erklärt, und es ist auch an sich gut begründet. Du erinnerst Dich noch gewiß daran, wie ich [in] Karlsbad war. Ich bin, wenn es möglich ist, noch ärger. Einen solchen Menschen will ich aber jetzt nicht an Dich heranschieben, Du sollst mich nicht so sehn, übrigens weiß ich gar nicht, ob Du nach Bodenbach kommen könntest, nach Berlin kommen kann ich natürlich nicht, denn ich habe keinen Paß. Aber wie ich sagte, auch in Bodenbach will ich mich nicht zeigen, ich zeige mich nicht einmal in Prag. Womit ich aber nicht sagen will, daß ich ganz hoffnungslos bin. Wie könnte ich ohne Hoffnung leben?

Aber für Dich besteht doch kein unmittelbares Hindernis für das Schreiben. Warum erfahre ich nicht manchmal etwas über Dich? Du bist traurig über mich? Was soll ich tun? Ich glaube, selbst die wahrhaftige Stimme eines Engels vom Himmel her könnte mich nicht emporbringen; so tief liege ich. Wenn Du fragtest, warum es so ist, könnte ich kaum mehr als äußerliche Erklärungen geben, selbst der Hinweis auf Schlaflosigkeit und Kopfschmerzen wäre es, so sehr und überaus wirklich diese sind.

Das Paket an Deine Schwester geht morgen ab. Nächstens schicke ich Dir den neuen Roman von Max [Tycho Brahes Weg zu Gott], der mir sehr lieb ist.

Mit herzlichsten Grüßen

Franz

Welches ist die Adresse von Erna? Ich will ihr die »Verwandlung« schicken.

———

Deine lieben Karten kamen. Es wäre schön zusammenzukommen, wir sollen es aber doch nicht machen. Es wäre wieder nur etwas Provisorisches und an Provisorischem haben wir schon genug gelitten. Ich könnte Dir nur wieder, sogar jetzt noch, Enttäuschung bringen, Wechselbalg aus Schlaflosigkeit und Kopfschmerz, der ich bin. Diesmal also nicht, ich werde gar nicht von Prag wegfahren, sondern die Feiertage über auf den alten Wegen kriechen.

Wie geht es Dir in Deinem Posten? Hast Du vom Bruder Nachricht? Und Deine Familie? Meine seltenen leeren Antworten können nicht zeigen, wie lieb mir Nachrichten von Dir sind.

F

[Postkarte. Ankunftsstempel: Berlin – 24. 12. 15]

Liebe Felice, heute nur paar Zeilen, auch kommt eine Karte sicherer, auch brennt wieder der Kopf. Nur zu Deiner Hauptfrage: Gewiß will ich mich nach dem Krieg anders einrichten, Ich will dann nach Berlin übersiedeln, trotz aller beamtenmäßigen Zukunftsfurcht, denn hier geht es nicht weiter. Aber was für ein Mensch wird dann übersiedeln? Von meinem jetzigen Zustand aus gesehn, ein Mensch, der günstigsten Falls eine Woche für sich wird arbeiten können, um dann mit seiner Kraft endgültig zuende zu sein. Was für eine Nacht heute! Was für ein Tag! 1912 hätte ich wegfahren sollen.

Herzlichste Grüße   Franz

[auf der anderen Seite]
Vom Fontanepreis erfuhr ich auch fast erst aus den Zeitungen, nur früher einmal hatte mich der Verleger unbestimmt darauf vorbereitet. Sternheim kenne ich weder persönlich noch schriftlich[1]. »Verwandlung« ist als Buch erschienen, sieht gebunden schön aus[2]. Ich schicke sie Dir, wenn Du willst. Ernas Adresse? Kam das Paket zufriedenstellend an?

[Postkarte. Stempel: Prag – 26. XII. 15]

Liebe Felice, sehr lobenswert die Reise nach Garmisch. Jedenfalls viel gesünder als alles andere. Auch ich habe – und nicht nur diesmal – mit dem Gedanken einer Reise nach Prag gespielt. Faßt man aber alle Rücksichten zusammen, ist es besser, Du kommst nicht. – Das Geburtstagsgeschenk für Muzzi wird, soweit mein Geschmack reicht und soweit sich in der Eile etwas Gutes (vor allem Bilderbücher) beschaffen läßt, morgen zusammengestellt. – Ich bitte um je ein Stück aller Aufnahmen aus Garmisch. Ein Herr S. Stein, bei dem ich hier wohne, ist jetzt zu Besuch bei seinem Schwiegersohn Justizrat Dr. S. Friedländer, Charlottenburg, Kaiserdamm 113. Schick ihm die Bilder, dann bekomme ich sie schnell. Er bleibt aber bestimmt nur bis zum 31., es ist sehr unwahrscheinlich, daß er länger bleibt, wenn es auch immerhin möglich ist.

Herzlichste Grüße   Franz

---

[1] Den Fontane-Preis des Jahres 1915 erhielt Carl Sternheim für seine Erzählungen »Busekow«, »Napoleon« und »Schuhlin«. Sternheim, der Millionär war, gab die mit dem Preis verbundene Geldsumme von 800 Mark, einer Empfehlung Franz Bleis entsprechend, an Kafka weiter. Vgl. Wolff, *Briefwechsel*, S. 34 ff.
[2] Kafkas Erzählung, bereits im Heft X (Oktober 1915) der *Weißen Blätter* veröffentlicht, erschien im November 1915 als Doppelband (22/23) der Bücherei *Der jüngste Tag* (Kurt Wolff, Leipzig).

Liebe Felice, wohl das erstemal seit 10 Tagen, daß ich die Feder in der Hand habe, um etwas für mich zu schreiben. So lebe ich.

Auf den letzten Brief konnte ich nicht gleich antworten. So hatte ich ihn nicht erwartet. Dein Bild im Schnee war anders gewesen. Und trotzdem, ich verstehe es ja, es ist schrecklich. Ich weiß es, aber ich weiß keine Hilfe und ich weiß nicht, wo Du eine Hilfe siehst, die nicht herangezogen wurde. Jetzt ist keine Änderung möglich aber auch später, im günstigsten Fall? Im günstigsten Fall werde ich dann nach Berlin kommen als ein von Schlaflosigkeit und Kopfschmerzen zerfressener Mensch. (Letzthin hörte ich unversehens eine gute Nachricht, die gar nicht unmittelbar mich betraf, und über die ich mich in frühern Jahren ruhig ein Weilchen gefreut hätte. Jetzt ist aber mein Zustand ein derartiger geworden, daß ich über dieser Nachricht einen Augenblick lang buchstäblich die Besinnung verlor und einen Tag und eine Nacht den Kopf wie von einem dichten Netz dünner einschneidender Stricke umspannt hatte.) Ich werde also nach dem Krieg nach Berlin kommen als ein solcher Mensch, Felice. Meine Aufgabe wird zunächst sein, mich irgendwo in ein Loch zu verkriechen und mich abzuhören. Was wird sich ergeben? Der lebendige Mensch in mir hofft natürlich, das ist nicht erstaunlich. Der urteilende aber nicht. Doch sagt auch der urteilende, daß ich, selbst wenn ich mich dort in dem Loch abtun werde, das Beste getan haben werde, was ich noch konnte. Aber Du, Felice? Erst wenn ich aus dem Loch hervorkomme, irgendwie hervorkomme, habe ich ein Recht auf Dich. Und damit übereinstimmend wirst auch Du erst dann den richtigen Blick für mich haben, denn jetzt bin ich für Dich, aber ganz richtiger Weise, sei es im Askanischen Hof, sei es in Karlsbad, sei es im Tiergarten, ein böses Kind, ein Narr oder sonst etwas, ein böses Kind, zu dem Du unverdienter Weise lieb bist, aber Du sollst es verdienter Weise sein.

Das ist der Ausblick, der sich dem heißen Kopfe zeigt. Stellt man sich auf die Fußspitzen, kann er schön sein; da man das aber nicht aushält, ist er trostlos, das leugne ich nicht.

———

Von Deiner Schwester bekam ich gestern einen liebenswürdigen Brief, der mich sehr beschämt, denn ich habe doch an der Sendung für Muzzi nicht das geringste Verdienst, nur die mittelmäßige Auswahl stammt von mir. (Mit den 20 M sind natürlich beide Pakete überreichlich bezahlt.) Auch ein hübsches Bild von Muzzi lag bei. Eine etwas phantastische Aufnahme. Muzzi mit einer Palette vor einem Bild (Storch mit Kind). Was für ein kluges, hübsches, gut gebautes Kind das ist. Ich habe viel zu wenig und viel zu schlechte Sachen geschickt – fiel mir vor dem Bild ein.

———

In Deinem letzten Briefe heißt es, daß ein Bild beigelegt ist. Es lag nicht bei. Das bedeutet eine Entbehrung für mich.

———

Du klagst, daß ich wenig schreibe. Was soll ich nach dem Obigen schreiben? Ist nicht jedes Wort für den Schreiber und den Leser ein Zerren an den Nerven, die doch Ruhe oder vielmehr Arbeit, aber andere Arbeit brauchen. Glückbringendere Arbeit. Jetzt, da ich den Brief überlege, ist es, als hätte ich ihn sorgfältig zusammengestellt, um zu quälen. Und das wollte ich doch nicht, wollte alles andere.

Franz

[Postkarte. Stempel: Prag – 24. 1. 16]

Liebe Felice – Das Buch wird mit vielem Dank angenommen (ich kenne es nicht, ich weiß nur, daß der Mann ein guter Freund von Dr. Weiß ist), der Vorwurf aber? Ist nicht mein Schreiben entsetzlicher als mein Schweigen? Und noch ärger als dieses mein Leben? Und allerdings im ganzen ähnlich die Qual, die ich Dir bereite. Aber innerhalb meiner Kraft und Deiner Mithilfe sehe ich kein anderes Gegenmittel als zu warten, selbst wenn man dabei bis zu Staub zerrieben wird. Ich weiß nichts anderes. Was bedeutet Schweigen diesem Schreiben gegenüber? Ist nicht jenes besser? Ich möchte eine Falltür unter mir sich aufmachen und mich irgendwohin versinken lassen, wo der elende Rest von Kräften, den ich habe, für eine spätere Freiheit bewahrt bliebe. Mehr weiß ich nicht.

Herzliche Grüße   Franz

Liebste Felice! Die Verkühlung als Grund meines Schweigens war nur eine Abkürzung. Ich war auch verkühlt, lag auch einen Tag im Bett, ging dann 2 Tage aus, es gefiel mir draußen nicht und ich legte mich wieder für 2 Tage – aber die Verkühlung war nicht einmal der Grund meines Zuhausebleibens, ich legte mich aus allgemeiner Verwirrung und Hilflosigkeit und erhoffte von dieser Veränderung, zu der meine Kraft gerade noch ausreichte, Erleichterung. Denn ich bin verzweifelt wie eine eingesperrte Ratte, Schlaflosigkeit und Kopfschmerzen rasen in mir, ich kann wirklich nicht beschreiben, wie ich meine Tage hinbringe. Meine einzige Rettungsmöglichkeit, mein erstes Verlangen ist Freiheit vom Bureau. Es gibt Hindernisse: Fabrik, angebliche Unentbehrlichkeit im Bureau, in dem jetzt viel zu tun (Nebeneinführung: Amtstunden von 8–2 und 4–6), aber alle Hindernisse dieser Art dürften nichts sein, gegenüber der Notwendigkeit freizuwerden, gegenüber dieser immer schiefer werdenden Ebene. Aber meine Kraft genügt nicht, noch kleinere Hindernisse wären für sie zu groß. Ich habe nicht etwa Angst vor dem Leben außerhalb des Bureaus, dieses ganze Fieber, das mir den Kopf Tag und Nacht heizt, stammt von Unfreiheit, aber wenn z. B. mein Chef zu klagen anfängt, die Abteilung bricht zusammen, wenn ich geh (unsinnige Vorstellung, deren Lächerlichkeit ich klar durchschaue), er selbst sei krank u.s.f., dann kann ich nicht, der in mir großgezogene Beamte kann nicht. Und wieder weiter diese Nächte, diese Tage.

Wenn Du, Felice, irgendeine Schuld an unserem gemeinsamen Unglück hast (ich rede jetzt nicht von meiner, die übersteigt alle Berge), so ist es die, daß Du mich in Prag befestigen wolltest, trotzdem Du verpflichtet warst einzusehen, daß gerade das Bureau und Prag mein und damit unser steigendes Verderben bedeutet. Du wolltest mich ja nicht absichtlich hier festlegen, das glaube ich gar nicht, Deine Vorstellung der Lebensmöglichkeiten ist furchtloser und beweglicher als meine (der ich zumindest bis zu den Hüften im österreichischen Beamtentum und darüber hinaus noch in persönlichen Hemmungen stecke), deshalb hattest Du auch kein zwingendes Bedürfnis, mit der Zukunft genauer zu rechnen. Trotzdem wärest Du verpflichtet gewesen, auch das in mir zu bewerten oder zu ahnen, und zwar selbst gegen mich, selbst gegen meine Worte. Ich wäre im

Grunde keinen Augenblick lang gegen Dich gewesen. Was geschah statt dessen? Statt dessen gingen wir in Berlin Möbel für die Prager Einrichtung eines Beamten einkaufen. Schwere Möbel, die einmal aufgestellt, kaum mehr wegzubringen schienen. Gerade ihre Solidität schätztest Du am meisten. Die Kredenz bedrückte mir die Brust, ein vollkommenes Grabdenkmal oder ein Denkmal Prager Beamtenlebens. Wenn bei der Besichtigung irgendwo in der Ferne des Möbellagers ein Sterbeglöckchen geläutet hätte, es wäre nicht unpassend gewesen. Mit Dir, Felice, mit Dir natürlich, aber frei sein, meine Kräfte arbeiten lassen, die Du nicht achten konntest, wenigstens in meiner Vorstellung nicht, wenn Du sie mit diesen Möbeln überbautest. Alte Dinge, verzeih. Aber unendlich besprechenswert, solange sie nicht durch neue bessere abgelöst sind.

Herzlich   Dein Franz

[Vermutlich Nachschrift zu diesem Brief]
Alles, was ich schreibe, sieht so hart aus, ich kann es nicht so weggehn lassen, denn ich meine es nicht hart, aber ich bin so bis auf den Grund zerkratzt und wankend, daß ich nicht genau verantwortlich gemacht werden darf. Ich lese z. B., daß Du verkühlt bist und kann es lange nicht richtig fassen, so dicht um mich sind die Gespenster, von denen mich zu befreien das Bureau mich hindert. Tag und Nacht hängen sie an mir, wäre ich frei, es wäre meine Seligkeit, sie nach meinem Willen zu jagen, so aber senken sie mich langsam ein. Solange ich nicht frei bin, will ich mich nicht sehen lassen, will Dich nicht sehn. Wie Du gänzlich irregehst, Felice, traurig irregehst, wenn Du andere Gründe suchst.

Das Buch habe ich erst zu lesen angefangen, im allgemeinen halte ich mich von allem, auch vom Lesen zurück. Es ist äußerst umständlich, gibt aber immerhin einen charakteristischen Menschen, mit dem ich allerdings vorläufig nicht viel anzufangen weiß. Übrigens bin ich kein Kritiker, weiß so schlecht zu zerlegen, mißverstehe so leicht, lese so oft an Wichtigem vorüber, trage so unsicher den Gesamteindruck.

Hast Du »Tycho Brahe« bekommen, den ich Dir vor langer Zeit vom Verlag schicken ließ und den »Jüngsten Tag – Almanach«[1], den ich Dir eingeschrieben geschickt habe?

---

[1] *Vom jüngsten Tag.* Ein Almanach neuer Dichtung, Leipzig 1916. Er enthält (S. 126 ff.) den Erstabdruck von »Vor dem Gesetz«.

[am Rande] Danke für die Ausschnitte. Das Wort Asbest muß ich buchstabieren, um es lesen zu können, so fremd ist es mir[1].

[Telegramm an Felice Bauer, Technische Werkstätte, Berlin, Markusstraße 52. Prag, den 6.4.1916]

bekomme keinen pass herzliche gruesze = franz

[Postkarte. Stempel: Karlsbad – 9.IV.16]

Liebe Felice – für 2 Tage in Karlsbad geschäftlich. Ottla ist mit. Unser erster Weg gestern abend war – ähnlich wie wir in Weimar in der ersten Mitternacht zum Goethehaus gingen[2] – zur Villa Tannhäuser. Es ist hier alles – bis auf meine schlechte Nacht – anders als im vorigen Jahr. Gestern vor der Abreise bekam ich Deinen Brief. Ist es gut, solche Briefe zu schreiben, gut für Dich, gut für mich? Gewiß nicht. Das kann doch dem gegenwärtigen Zustand gegenüber nichts nützen. Nach Waldenburg kann ich nicht kommen, weil ich, wie Du ja weißt, keinen Paß bekomme, es wäre denn, ich brächte eine amtliche Berliner Bestätigung über die Notwendigkeit der Reise vor.

Herzliche Grüße   Franz

[am Rande] Besten Gruß   Deine Ottla

[Anfang April 1916]

Liebe Felice, Dein Brief kam gleichzeitig mit dem ersten freundlichen Wetter. Es ist auch gut zu lesen, was Du schreibst. Nur solltest Du nicht leugnen, was Dir an Möbeln liegt, nicht an jenen und nicht an Möbeln an sich, aber an dem, was um sie ist, an dem, was etwa zwischen Hausball und Hausfrieden liegt und was Du z.B. in Waldenburg »so herrlich gemütlich« gefunden hast. Das ist von

---

[1] Kafka war Teilhaber an einer kleinen Asbest-Fabrik in Prag, an die er nicht gerne erinnert wurde. Vgl. Brief an Felice vom 1. November 1912, S. 68 und Brod, *Biographie,* S. 112ff.

[2] Kafka besuchte im Sommer 1912 Weimar zusammen mit Max Brod.

meiner Seite weder Wortklauberei noch sonst etwas Böses, es ließe sich dabei recht gut Deine Hand zusammengeballt in meiner halten. Im Grunde war es auch nicht Deine Sache, die Möbel nicht zu kaufen, sondern meine und ich habe sie auch, wenn auch nur sehr unvollständig, getan. – Vor der Zusammenkunft warne ich Dich und mich, denke genügend stark an frühere Zusammenkünfte und Du wirst es nicht mehr wünschen. Du hast glücklich-unglücklicherweise nicht immer Zahnschmerzen, nicht immer darf ich Aspirin holen, nicht immer Dich auf dem Gang von Gesicht zu Gesicht lieb haben. Also keine Zusammenkunft. – Dr. Weiß, mit dem ich ununterbrochen in brieflicher Verbindung war, ist in den letzten Tagen in Prag gewesen, kommt auch wieder und fährt dann nach Berlin. Wir sind, wenigstens vorläufig, ganz auseinandergegangen, unter Umständen, die bis in Kleinigkeiten der alten Szene im Askanischen Hof geglichen haben. Es ist das, ich meine die Ähnlichkeit, nicht besonders merkwürdig. Im Grunde sind mir immer nur die gleichen primitiven Vorwürfe zu machen, deren oberster und blutnächster Vertreter ja mein Vater ist. – Das Geburtstagsgeschenk für die Schwester ist natürlich abgegangen. – Bekommst Du Urlaub?

Herzlichste Grüße   Franz

[Postkarte. Stempel: Prag – 14. IV. 16]

Liebe Felice, ich werde jetzt öfters Karten schicken, Briefe gehn zu langsam[1], auch kommt es nicht darauf an, etwas mitzuteilen, als vielmehr sich des andern zu vergewissern. Ich werde Ostern in Marienbad sein, wo ich Osterdienstag geschäftlich zu tun habe. Urlaub werde ich, wenn es möglich ist, schon im Mai nehmen. Ich halte es eben nicht mehr aus. Übrigens weder hier noch dort. Die Kopfschmerzen in Karlsbad waren nicht geringer als die in Prag. Im Feld wäre es besser. Heute war Musil[2] – erinnerst Du Dich an

---

[1] Wegen der militärischen Postzensur brauchten Briefe von Prag nach Berlin oft fünf bis sieben Tage. Postkarten passierten die Zensurstellen schneller.
[2] Robert Musil hatte Kafka im Februar 1914 zur Mitarbeit an einer literarischen Zeitschrift – vermutlich an der *Neuen Rundschau* – gewinnen wollen. Vgl. *Tagebücher* (23. Februar 1914), S. 362. Im August-Heft 1914 der *Neuen Rundschau* rezensierte Musil dann Kafkas »Betrachtung« und »Der Heizer«.

ihn? – bei mir, Oberleutnant bei der Infanterie, krank und doch recht
gut in Ordnung.

Herzliche Grüße   Franz

[Postkarte. Stempel: Prag – 19. IV. 16]

Liebe Felice, das geht ja erfreulich schnell, danke auch für die Ausschnitte. – Was Dr. Weiß anlangt, so hast Du mich mißverstanden.
Wir wollen nichts mehr miteinander zu tun haben, solange es mir
nicht besser geht. Eine sehr vernünftige Lösung. Allerdings ein wenig getrübt durch die letzthin erfolgte Zusendung seines neuen Buches[1]. Aber was für ein außerordentlicher Schriftsteller er ist! Lies
das Buch unbedingt! Er ist zwar jetzt in Berlin, aber ich sehe keinen
Nutzen, den eine Zusammenkunft zwischen Dir und ihm irgendjemandem und irgendetwas bringen könnte. Im Gegenteil. – Ostern
bin ich in Marienbad, wo ich Osterdienstag amtlich zu tun habe. –
Ich war letzthin bei einem Nervenarzt; ein ziemlich nutzloser
Besuch. Diagnose: Herzneurose. Therapie: Elektrisieren. Ging
nachhause und schrieb ihm ab: Was hätte die Behandlung eines
Folgezustandes für einen Sinn? – Viel Vergnügen Ostern. Meinen
Reisen ist die Freude immer schon vorher abgerissen.

Herzlich   Franz

[Postkarte. Stempel: Prag – 25. IV. 16]

Liebe Felice, ich war nicht in Marienbad, die dienstliche Reise
mußte verschoben werden, vielleicht wird sie Mitte Mai sein, ich
werde sie dann mit meinem Urlaub verbinden und 3 Wochen in
Marienbad bleiben, ruhig leben, so wie ich es will und soweit Kopfschmerzen und Selbstvorwürfe es erlauben. Dann allerdings wieder
nach Prag zurückkommen und, was mir beschieden ist, womöglich
noch weniger lebenswert finden als früher. Und Du? Deine Ostern?
Dein Urlaub? Dein Chef? Jetzt an den Ostertagen war ich ganz
allein, kritzelte nur so für mich, um zu sehen, ob mir nach den 2
Jahren noch ein Satz gelingt, wechselte zwischen Gasse, Tisch und

---

[1] *Der Kampf*, vgl. Anm.[2] S. 575. Weiß hatte das Buch, das Kafka bereits
im Manuskript kannte, in der Hoffnung geschickt, Kafka würde es in den
Weißen Blättern rezensieren, Kafka lehnte ab, wie aus einem unveröffentlichten Brief von Ernst Weiß an Rahel Sansara vom 27. VI. 1916 hervorgeht.

Kanapee und befand mich bis auf einen Tag leidlich, bis auf einen Tag, an dem mich Unruhe förmlich peitschte und Kopfschmerzen mir den Kopf ansägten. Und damit ist die Litanei zuende.

Herzlichsten Gruß   Franz

[Postkarte. Stempel: Prag – 28. IV. 16]

Liebe Felice, heute kamen 3 Karten, zwei von Altwasser, wo ist denn das? Und eine aus Waldenburg, in Wohlbefinden geschrieben, das freut mich sehr. – Natürlich erinnere ich mich an die Tante, wenn auch dort, wo andere das Personengedächtnis haben, bei mir ein Loch ist. Von ihrem Gesicht weiß ich fast nichts, wohl aber weiß ich, daß sie sehr munter, Anteil nehmend, mitteilsam gewesen ist und daß ich ihr ein langes, lebendiges Leben vorausgesagt hätte. Woran ist sie denn gestorben? An zwei Situationen, in denen sie die zweifellose Oberhand hatte, erinnere ich mich sehr stark. Das eine Mal war es am Hundekehlensee, das andere Mal in einem Kaffeehaus, ich glaube, im Tauentzienpalast. Wir 3 saßen zusammengedrängt an einer Tischecke und sie gab Dir Ratschläge für die Zukunft. Nicht die wahren, nicht Dir, nicht mir.

Herzlichste Grüße   Franz

[Telegramm an: Felice Bauer, Technische Werkstätte, Berlin, Markusstraße 52. Prag, den 6. 5. 1916]

briefe erst heute gekommen bitte keine vorwuerfe deshalb nicht laut nicht geheim   herzlich franz

[Postkarte. Stempel: Prag – 7. V. 16]

Liebe Felice – wieder die Karten. Ich hatte eine solche Woche, daß es Mißbrauch gewesen wäre zu schreiben. Vielen Dank für die Briefe und verzeih mir die maßlose Gedächtnisverwirrung. Schon damals in Berlin gingen mir die Verwandten wie Schatten vor den schlaflosen Augen herum und seitdem ist mein Gedächtnis wahrhaftig nicht besser geworden. Ich hielt also unglaublicherweise Frau Klara (wahrscheinlich Levin) für die Tante Danziger und hatte sie überdies mit Frau Wachsmann in eins gebracht. Eine starke Leistung. Jedenfalls merke ich, daß ich mich an Tante Natalie nicht im geringsten erinnere, nur irgendein Halbdunkel sehe ich in der Gegend ihres Sessels aus der Zeit als wir dort im Berliner Zimmer saßen, den Wohnungsplan vor uns ausgebreitet.

Herzlichst   Franz

[Postkarte. Stempel: Prag – 11.v.16]

Liebe Felice – es gibt aber auch noch andere Gedächtnisirrtümer, z.B. die Bemerkung von Frau Sophie, ich hätte ihr geschrieben u.s.w. Ich glaube ihr seit jenen alten Zeiten, als ich sie bat Dich zu suchen, und sie so lieb war, es [zu] tun, überhaupt nicht geschrieben zu haben. Und eine solche Klage erst recht nicht. – Den Roman von Weiß wirst Du inzwischen wohl schon bekommen haben. Lies ihn aufmerksam, versuche den Menschen herauszuhören. Unser Auseinandergehn, zuerst von mir, dann von ihm verursacht und schließlich von mir veranlaßt, war sehr richtig und erfolgte auf Grund eines vollständig zweifellosen Entschlusses, wie er bei mir doch gewiß nicht häufig ist. – Mein Urlaub wird schon wieder fraglich. Ich fahre zwar Samstag nach Marienbad, aber wahrscheinlich nur dienstlich. Darüber nächstens.

Herzlichste Grüße   Franz

[Briefkopf des Hotel Neptun, Marienbad]

[Marienbad, vermutlich 14. Mai 1916]

Liebe Felice – auf dienstlicher Reise in Karlsbad und Marienbad, diesmal allein. Es gibt Gespenster der Gesellschaft und solche des Alleinseins, jetzt sind die letztern an der Reihe, besonders wenn es regnet, kühl ist und die Kutscher auf dem Hofe schwätzen. Trotzdem wollte ich gern einige Monate hier allein bleiben, um zu sehen, wie es mit mir steht. Die Zeit vergeht und man vergeht nutzlos mit ihr. Es ist recht trübselig, man muß nicht einmal eine besondere Anlage dafür haben, solche Dinge geradezu ununterbrochen zu bemerken. Ich hätte Lust, Deine Haare aus der Stirn zu streichen und Deine Augen darüber zu befragen, aber in der Nähe sinkt die Hand.

Der bisher größte Versuch – also immerhin noch Steigerungen! – vom Bureau loszukommen ist fast vorüber und fast erfolglos. Die Reklamierten sollen neuestens nur einen ganz kleinen Urlaub bekommen und diesen nur ausnahms- und gnadenweise. Diesen Anlaß benützte ich – das war nicht unklug – zu einem Brief an den Direktor, in welchem ich nach ausführlicher Begründung, die ich hier übergehe, zwei Bitten stellte: erstens für den Fall, daß der Krieg im Herbst zuendegeht, dann einen langen Urlaub ohne Gehalt, zweitens für den andern Fall Aufhebung der Reklamation. Die Lügenhaftigkeit, die darin liegt (die Begründung ist noch lügenhafter gewesen), wirst Du ja erkennen, sie bringt mich gewiß auch um den Erfolg. Der Direktor hält die erste Bitte für komisch, die zweite ignoriert er, beides wahrscheinlich nicht mit Unrecht, wenn er sich an meine gekünstelte (3 mal ganz und gar überschriebene) Begründung hält. Er glaubt, das Ganze sei nur eine Erpressung des gewöhnlichen Urlaubs, bietet mir ihn sofort an und behauptet, dies seit jeher beabsichtigt zu haben. Ich antworte, der Urlaub hätte niemals zu meinen wesentlichen Hoffnungen gehört, er helfe mir fast nichts und ich könne auf ihn verzichten. Das versteht er nicht und kann es auch nicht verstehn. Er kann auch nicht begreifen, woher mein Nervenleiden stammt und fängt wie ein Nervenarzt zu sprechen an; unter anderem sagt er charakteristischer Weise, nachdem er verschiedene nervenquälende Sorgen erwähnt hat, die ihn bedrückt haben oder bedrücken, für mich aber nicht in Betracht kommen: »Außerdem müssen Sie doch wegen Ihrer Stellung und Laufbahn nicht die geringste Sorge haben, ich aber hatte in meinen Anfängen Feinde, die mir sogar diesen Lebensast ansägen wollten.« Lebensast! Wo wächst mein Lebensast und wer sägt ihn an? Während er aber wirklich angesägt wird, mit anderer Säge und in anderem Holz als der Direktor meint, lüge ich weiter mit der Unverantwortlichkeit von Kindern, allerdings unter Zwang. Ich kann die einfachste praktische Aufgabe nur mittels großer sentimentaler Szenen bewältigen; aber wie schwer das ist! Was für Lügen, Kunststücke, Zeitaufwand, Reue dafür aufgebracht werden! Und wenn es mißlingt, kann man nur zustimmen. Ich kann es aber nicht anders. Wenn ich nach rechts gehen will, gehe ich zunächst nach links und strebe dann wehmüthig nach rechts (die Wehmut ergibt sich dann für alle Beteiligte[n] von selbst und ist das Widerlichste). Der Hauptgrund mag Angst sein: nach links zu gehn muß ich mich nicht fürchten, denn dorthin will ich ja eigentlich gar nicht. Ein bezeichnendes Beispiel ist die Kündigung in meiner ersten Stellung gewesen: Ich kündigte nicht, weil ich eine bessere Stellung hatte, wie es auch richtig war, sondern weil ich es nicht ertragen konnte, wie ein alter Beamter ausgeschimpft worden war. – Nun, lassen wir es heute, auch die Sonne fängt an hervorzukommen.

Herzlichste Grüße   Franz

[Postkarte. Marienbad, Mitte Mai 1916]

Liebe Felice, der Brief war knapp nach der Ankunft während des wildesten Regens geschrieben, diese Karte kurz vor der Abfahrt. Karlsbad ist recht angenehm, aber Marienbad ist unbegreiflich schön. Ich hätte schon viel früher meinem Instinkt folgen sollen, der mir sagt, daß die Dicksten auch die Klügsten sind. Denn abmagern kann man überall auch ohne Quellenanbetung, aber in solchen Wäldern sich herumtreiben nur hier. Allerdings ist jetzt die Schönheit gesteigert durch die Stille und Leere und durch die Aufnahmsbereitschaft alles Belebten und Unbelebten; dagegen kaum beeinträchtigt durch das trübe, windige Wetter. Ich denke, wenn ich ein Chinese wäre und gleich nach Hause fahren würde (im Grunde bin ich ja Chinese und fahre nachhause), müßte ich es doch bald erzwingen, wieder herzukommen. Wie würde es Dir gefallen!

Herzlichst   Franz

[Postkarte. Stempel: Prag – 26.v.16]

Liebe Felice, vorläufig nur kurzen Dank, vor allem für das Bild. (Ist das Gesicht schmaler geworden?) Was sollen mir die andern Bilder, ich schenke sie Max. Aus Marienbad bin ich schon fast 14 Tage zurück und habe nicht geschrieben, aus den verschiedensten Gründen. Ein solches Hin- und Hergetriebenwerden, nur die Kopfschmerzen sind treu. Paß unmöglich zu bekommen. Über Weiß schreibe ich noch. Vergnügen hat mir die Nachfrage nach dem Onkel gemacht, den Du seit jeher in Mailand localisierst, während er in Madrid

[lebt]. Eine kleine Genugtuung, wenn auch nicht meiner Behandlung der Frau Wachsmann zu vergleichen. – Der lange Urlaub ist so gemeint, wie Du ihn auffaßt, allerdings mehr als eine Erleichterung des Losreißens denn eine Sicherung der Zukunft.

Herzlichst   Franz

[Postkarte. Stempel: Prag – 26. v. 16]

Liebe Felice, es ist Nachmittag im Bureau, ich kann vor Kopfschmerzen gar nichts machen, nicht arbeiten, nicht lesen, nicht still sitzen – »also schreibst Du mir«, denkst Du, aber ein Vorwurf wäre das nicht. Es ist natürlich nicht immer so schlimm, aber seit 3 Tagen unausgesetzt. –

Ein schönes Bild, nur hast Du auf andern Bildern ein fröhlicheres Gesicht. Auch der Kragen trübt das Bild. Mephisto trägt, wenn ich nicht irre, einen solchen Kragen, auch Strindberg habe ich so gesehn, aber Du, Felice? Trotzdem ein schönes Bild, mit dem Du mir viel Freude machst. Und alles unverändert Balkon, Blumengitter, Aussicht. Man sucht sich durchzuwinden durch das Gedränge der dunklen Zeiten. – Wie verhält es sich mit Deinem Urlaub? Chef ist schon fort? Was macht Deine Familie, Erna, der ich schon endlos lange nicht geschrieben habe?

Herzliche Grüße   Franz

[Vermutlich 28. Mai 1916]

Liebe Felice, es regnet wieder, es ist wieder Sonntag, nur bin ich nicht in Marienbad, ein wenig losgebunden, sondern in der Grube, in Prag, und im Kopfe wühlt es seit 5 Tagen wie schon seit langem nicht.

Über den Roman von Weiß [Der Kampf] urteilst Du vorsichtig, und das ist richtig. Vielmehr als eine unsichere Bewegung, halb Liebe halb Bewunderung, bringe ich auch nicht zustande. Ich weiß, das Feuer im Kern des Buches ist wirkliches Element; um sich aber einem fremden Element vollständig hinzugeben, dazu gehört Irrsinn. (Schlaflosigkeit und Kopfschmerzen sind bloß Vorbereitung.) Merkwürdig aber, daß aus solchem Ursprung ein Roman hervor-

kommt, den nicht wenige fast nur als Unterhaltungsroman ein-
schätzen zu dürfen glauben. Sie fühlen also nicht die Messerwir-
kung[1]. Du fühlst sie. »Vielleicht kann ich diese Wahrheit nicht vertragen«, schreibst Du. Sollte ich diese Wirkung beschreiben, so versage ich. Solchen Durchdenkens bin ich – wenigstens jetzt – nicht
fähig.

Daß ich in dem Buch erscheine, glaube ich auch, aber nicht mehr als
viele andere, denn darin bin ich wahrhaftig nicht vereinzelt. Es ist
der Typus, der dem westeuropäischen Juden gleich, gewissermaßen
auf der ersten Ebene, erscheint, wenn er sich zurücklehnt und die
Augen schließt. Wären solche Typen auch noch »kraftvoll«, es wären vollendete Teufel; hier zeigt sich die Vorsehung gütig.

Aber Franziska, über sie wollte ich noch etwas von Dir hören. Hier
ist doch das Verlangen des Buches. Faßt man hier zu, so hält man
den Autor beim Halse.

Daß Du nicht viel Neues darin findest, wundert mich. Ich finde so
viel, daß ich mich kaum auskenne. Die scheinbare Einförmigkeit ist
ja nur das Halbdunkel, das nötig ist, um gewisse Dinge für Men-
schenaugen erträglich zu machen.

Übrigens ist es schon lange her, daß ich es zum letztenmal im Manuskript gelesen habe. Bis ich es im Buch gelesen haben werde, schreibe
ich Dir noch.

In 14 Tagen gehe ich, besonders wenn mein Zustand nicht besser
wird, auf 3 Wochen nach Marienbad. Ich wollte fest bleiben und
entsprechend dem Brief an den Direktor vorläufig nicht auf Urlaub
gehn, aber ich ertrage es nicht. Was man sich übrigens im Bureau
von mir gefallen läßt, übersteigt alle Beamtentraditionen.

Was machst Du, Felice, in Deiner freien Zeit? Du hast schon lange
nicht davon geschrieben. Warst Du bei den »Troerinnen«? Ich war
hier vor paar Tagen dabei[2]. Werfels Arbeit ist außerordentlich, darüber kein Wort; dagegen bin ich nach dem Eindruck der Aufführ-

---

[1] Vgl. Kafkas Brief an Oskar Pollak vom 27. Januar 1904, *Briefe*, S. 27f.:
»Ich glaube, man sollte überhaupt nur solche Bücher lesen, die einen beißen
und stechen. [...] ein Buch muß die Axt sein für das gefrorene Meer in uns«
und die kritische Bemerkung über Ernst Weiß' *Galeere* in *Tagebücher* (9. Dezember 1913), S. 339.
[2] *Die Troerinnen des Euripides*. In deutscher Bearbeitung von Franz Werfel.
Das Stück wurde am 24. und 25. Mai 1916 in Prag als Gastspiel des Berliner
Lessing-Theaters aufgeführt.

rung (Lessingtheater) ohne Zögern bereit, für den Rest meines Lebens auf den Besuch des Theaters zu verzichten, wie ich es ja schon lange geübt habe.

Herzlichst Franz

[Postkarte. Stempel: Prag – 30. v. 16]

Liebe Felice, ich schicke Dir zwei Drucksachen zur Unterhaltung, zur guten ein »Zeitecho« mit einem Aufsatz von Max[1] (er hat in Ausbreitung dieser Grundideen in diesem Winter einen Cyklus von 11 Vorträgen gehalten, daneben 2 Stunden wöchentlich in der Flüchtlingsschule vor über 50 Mädchen, mit denen ich letzthin auf einem Ausflug beisammen war, und 1 Stunde in einem zionistischen Mädchenklub), zur traurigen Unterhaltung den letzten Anstaltsbericht, dessen Text etwa von Seite 10–80 meine Arbeit ist. Mit dem einige 100 Seiten starken Jubiläumsbericht verschone ich Dich, übrigens noch mit einem Jahresbericht, dessen Name ich aber nicht einmal nenne. – Deine Friedmann Photographien haben sehr gefallen, besonders die Liebesszene.

Herzlichst   Franz

[Postkarte. Stempel: Prag – 31. v. 16]

Liebe Felice, natürlich außerordentlich einverstanden. Was bedeutet aber der Vorschlag, in ein Sanatorium zu gehn? Ein eigenes, für mich erstaunliches, Bedürfnis? Oder ein Zugeständnis für mich? Was mich betrifft, habe ich voriges Jahr mit den Sanatorien endgültig abgeschlossen; Kranke, als solchen fühle ich mich jetzt ernstlich, sollen Sanatorien lieber ausweichen. Das gilt aber nur für mich allein, bist Du mit, ist es mir überall recht. Nur kann ich aber nicht nach Deutschland, Du aber vielleicht nach Marienbad. Wolltest Du? Sanatorien gibt es in Böhmen keine guten, das beste in Rumburg ist noch schlecht genug. Ich für meinen Teil wollte meinen unglücklichen Kopf schon Pfingsten nach Marienbad tragen, warte aber sowohl was Zeit und Ort anlangt, auf Deinen Entschluß.

Herzlich   Franz

---

[1] Max Brod, »Die drei Hauptströmungen der zeitgenössischen Literatur«, *Zeit-Echo* (München), Jg. II (1915–16), Nr. 13, S. 196 ff.

[Postkarte. Stempel: Prag – 31.v.16]

Liebe Felice, zur vormittag nur oberflächlich behandelten Sanatoriumsfrage. Mein Haupteinwand gegen Sanatorien ist, daß sie zu viel Zeit und zu viel Gedanken unnütz verbrauchen. Ich will im kleinen Urlaub etwas zu arbeiten versuchen (so viel oder so wenig als dieser Kopf noch hervorbringt) und ich will, wenn Du dort bist, mit Dir beisammen sein, aber ich will nicht mich praxieren, packen, elektrisieren, heilbaden, untersuchen, durch besonders gute Diagnosen mich besonders gut über meine Krankheiten informieren lassen, es ist fast ein neues Bureau im Dienst des Körpers. Das Entscheidende bleibt aber vorläufig: warum willst Du in ein Sanatorium? Wenn es auch in Böhmen kein gutes Sanatorium gibt, so gibt es doch solche in Schlesien, Niederösterreich, Steiermark. Gespannt auf die Antwort.

Franz

[Postkarte. Stempel: Prag – 3.vi.16]

Liebe Felice, nach dem Brief beginnt Dein Urlaub am 2. oder 3. Juli, nach dem Telegramm, das ja viel neuer ist, scheint er erst gegen Mitte Juli beginnen zu wollen. Sollte ich Montag keine genauere Nachricht haben, werde ich telegraphieren. – Die Verkühlung sowie die »enorme Arbeit« werden in dem großen Buch, das ich über Dich führe, zu Deinen Ungunsten eingetragen. Das wäre nicht schlimm, schlimm ist, daß Du Dich so quälst und ich, hilflos für Dich, hilflos für mich zuschauen muß. – Die Sternheimschen Erzählungen[1] scheinen mir bedeutend, besonders die literarisch vielleicht schwächste: Schuhlin. Eine sehr populäre und sehr widerwillige Darstellung. Wir sprechen darüber vielleicht. – Möge uns ein gutes Wiedersehn beschieden sein.

Herzlichste Grüße   Franz

[Telegramm an: Felice Bauer, Technische Werkstätte, Berlin, Markusstraße 52. Prag, den 9.6.1916]

warum keine antwort

---

[1] Carl Sternheim, *Die drei Erzählungen* [»Busekow«, »Napoleon« und »Schuhlin«], Kurt Wolff: Leipzig 1916. Vgl. Anm.[1] S. 646.

[Postkarte. Stempel: Prag – 14. VI. 16]

Liebe Felice, vorläufig sind wir also einig, gewählt ist Marienbad. Ärztliches Zeugnis ist jetzt in Deutschland nicht mehr nötig, Du kannst also gewiß kommen. Deine Gründe, die für ein Sanatorium sprechen, habe ich trotz geringen Talentes dafür, auch schon vorher überlegt, sie sprechen aber im Grunde auch ebensogut gegen das Sanatorium. Vielleicht sind wir auch – ich weiß es nicht – durch Leid, Zeitablauf und sonstige Besonderheit ein Stückchen über diese Rücksichten hinaufgehoben. Gerne wüßte ich etwa 10 Tage vorher den Beginn unseres Urlaubs. Ich habe nämlich ein kleines Geschäft in Tepl (sehr nahe bei Marienbad), möchte es mit der Hinfahrt verbinden, muß aber meine Ankunft in Tepl 10 Tage vorher ansagen.

Herzliche Grüße   Franz

[Postkarte. Stempel: Prag – 19. VI. 16]

Liebe Felice, früher als Du will ich eigentlich nicht gerne fahren, dagegen gerne warten, bis Du fahren kannst, vorausgesetzt allerdings, daß es sich nicht bis in den August hinzieht, denn im August muß ich in Prag sein. Wenn Du aber Ende Juni fährst, so stimmt es ja ausgezeichnet und ich erfahre vielleicht schon morgen von Dir das endgültige Datum. Es wäre mir wegen des Tepler Geschäftes lieb. Übrigens hat sich gestern Max entschlossen, mit seiner Frau auch nach Marienbad zu fahren. Die Zeit ist noch nicht bestimmt. Die jüngste Schwester der Frau ist an Lungenentzündung gestorben. Kondoliere nicht, sie ist unsinnig traurig und will nichts hören. Eine Woche vor Dir will ich nicht fahren, weil meine drei Wochen auch nicht ganz sicher sind und weil ich auch in Erwartung Deiner Ankunft unruhiger wäre als für Ferien gut ist.

Franz

[Telegramm an Felice Bauer, Technische Werkstätte, Berlin O 27, Markusstraße 52. Prag, den 27. 6. 1916]

bin sonntag zweiten juli abend marienbad hotel neptun

[Briefkopf des Hotels Schloß Balmoral u. Osborne, Marienbad[1]]

10. Juli 1916

Liebe Mutter, nicht aus den alten Zeiten nehme ich das Recht zu dieser Ansprache sondern aus den neuen. Felice und ich haben uns, wie das zu geschehen pflegt, hier in Marienbad getroffen und haben gefunden, daß wir vor Jahren die Sache verkehrt angefaßt haben. Es war auch nicht sehr schwer das einzusehn. Nun wird eben das Gute nicht zum ersten und auch nicht zum zweitenmal fertig, wohl aber zum zehntausendsten Mal und dabei halten wir jetzt. Und wollen es auch festhalten, wozu ich Deiner mütterlichen Zustimmung gewiß zu sein glaube noch aus jenen Tagen her, als Du vom Balkon her mit freundlichem Winken meinen letzten Spaziergang durch die Mommsenstraße begleitet hast. Es ist seitdem manches anders geworden und weniges besser, das weiß ich wohl; aber unter diesem wenigen ist das Verhältnis zwischen Felice und mir und dessen Sicherung für die Zukunft. Das wollte ich Dir heute schreiben mit dem ehrerbietigsten Handkuß für Dich und herzlichen Grüßen für Erna und Toni.

Dein Franz

---

[1] Im Jahre 1916 verbrachten Kafka und Felice ihren Urlaub gemeinsam in Marienbad, wo sie vom 3. bis zum 13. Juli im Hotel ›Schloß Balmoral‹ wohnten. Kafka blieb nach Felicens Abreise noch weitere zehn Tage in Marienbad. Sein Gesundheitszustand besserte sich von Tag zu Tag. Die Kopfschmerzen wichen und auch die Schlaflosigkeit, unter der er zuvor besonders stark gelitten hatte. In seinem Brief an Max Brod vom 12. zum 14. Juli 1916 berichtet Kafka: »Es waren seit dem Tepler Vormittag [8. Juli] so schöne und leichte Tage, wie ich nicht mehr geglaubt hätte, sie erleben zu können.« *Briefe,* S. 140. – Und seinem Tagebuch vertraut er an: »Ich war noch niemals, außer in Zuckmantel, mit einer Frau vertraut. Dann noch mit der Schweizerin in Riva. Die erste war eine Frau, ich unwissend, die zweite ein Kind, ich ganz und gar verwirrt. Mit F. war ich nur in Briefen vertraut, menschlich erst seit zwei Tagen. So klar ist es ja nicht, Zweifel bleiben. Aber schön der Blick ihrer besänftigten Augen, das Sich-Öffnen frauenhafter Tiefe.« (*Tagebücher* (Juli 1916), S. 505 bzw. Wagenbach, *Monographie,* S. 101.) Vgl. dazu die Stelle im Brief an Max Brod: »Im Grunde war ich noch niemals mit einer Frau vertraut ...« *Briefe,* S. 139. Noch 1922 spricht Kafka im Tagebuch davon, daß er »in Marienbad vierzehn Tage glücklich war ... allerdings nach der schmerzensvollen Grenzdurchbrechung.« *Tagebücher* (29. Januar 1922), S. 567. Vgl. auch *Tagebücher* (3.–6. Juli 1916), S. 502 ff.

Liebe Mutter,

ich hoffe, Du verstehst die vorstehenden Worte von Franz so, wie sie gemeint sind. Du hast ja nun Gelegenheit, ihm Deine Liebe von neuem zu schenken. Wenn Du an Franz schreiben willst, er bleibt vorläufig noch hier, während ich ja schon Ende der Woche zurück muß.

Also, ich hoffe, es wird nun Alles gut und schicke Dir viele herzliche Grüße.

Deine Felice

[Postkarte. Stempel: Marienbad – 14. VII. 16]

Meine arme Liebste, ich schreibe mit Deiner Feder, Deiner Tinte, schlafe in Deinem Bett, sitze auf Deinem Balkon – das wäre nicht schlimm, höre aber durch die nur einfache Tür den Lärm des Ganges und den Lärm der Doppelmieter rechts und links. Die Verfluchten unten, die kleine Teufelin an der Spitze, haben die Zimmer verwechselt oder richtiger ein Zweibettenzimmer gebraucht und deshalb verwechselt[1]. Nun zum Wohnungssuchen fehlt mir die Kraft, da Du weg bist. – Für Dich waren hier 2 Karten von Frl. Erna, 1 Karte und 1 Telegramm von Frl. Grete, es steht nichts drin, was Du nicht ebenso gut von ihnen erfahren kannst, höchstens daß Frl. Erna sehr viel laufen muß wegen ihres Schneiders. – Ich gehe jetzt in den Dianahof, um über den Butterteller gebeugt an Dich zu denken. Viele, viele Grüße

Franz

[Postkarte. Stempel: Marienbad – 15. VII. 16]

Meine liebe Felice, allein sein und nicht den Trost eines stillen Zimmers haben, das ist arg. Verzweifelt, in Angst vor dem häuslichen Lärm schlug ich mich gestern abend verzweifelt durch den Stadtpark – den Stadtpark! – durch das Korso – das Korso! – und kam doch als Behorcher alles Lärms viel zu früh zurück. Wie hast Du es

---

[1] Während der Abwesenheit Kafkas – er hatte am Tage zuvor Felice nach Franzensbad begleitet – war das Zimmer, das er bis dahin bewohnt hatte, ohne sein Wissen vermietet worden. Ihm wurde statt dessen das zuvor von Felice bewohnte Zimmer zugewiesen. Vgl. Brief an Max Brod [Mitte Juli 1916], *Briefe,* S. 140.

nur in dem Zimmer ertragen können! Heute morgens war ich auf der Wohnungssuche, fand aber nichts, da niemand für nur eine Woche ein gutes Zimmer hergeben kann. – Statt bei der Grundsteinlegung war ich mit Erdmuthe[1] im Dianahof, sei nicht böse darüber, daß ich Dir die Grundsteinlegung nicht beschreiben kann. Im Dianahof habe ich mit Liselotte, der ganz kleinen Rundwangigen, angebunden und sie gestern, bei Befestigung einer Rose an ihrer Brust, lange beraten.

Franz

[Postkarte. Stempel: Marienbad – 16.VII.16]

Liebste, arme Liebste (ach wie schwätzt das alte Ehepaar nebenan) allein auf den alten Wegen und doch wäre es, bis darauf daß ich nichts mache, nur ruhe, im ganzen recht gut. Denn ich habe Sicherheit hinsichtlich Deiner, Sicherheit, soweit wir unserer Art nach im Augenblick Sicherheit haben können. Nütze die Sicherheit auch für Dein Wohl aus, ich bitte Dich. Fange etwa bei der Vermeidung des Zuckerknackens an, der Weg zur Höhe ist endlos. (Nun tappt der alte Eheherr mit schwerem Schritt aus dem Bett.) – Mein Abschiedsgespräch mit Helenchen: »Sie haben uns schlecht geraten, der Zug hatte keinen Anschluß.« »Ach so, ich dachte ans Radfahren.« »Wir hatten keine Räder.« »Ach so, dann hätten Sie Eger besichtigen können, sehr schön.« »Wir hatten uns aber für 11 Uhr angezeigt.« »Ach so, dann hätten Sie zu Fuß gehn können, schöner Weg.« »Hatten aber Gepäck.« »Ach so, dann hätten Sie mit dem Wagen fahren können, schöne Fahrt.« »Danke, haben wir gemacht, haben aber das Trinkgeld für Sie dabei verloren.«

Franz

[Postkarte. Stempel: Marienbad – 18.VII.16]

Meine Liebste – zuerst und obenauf: Kopfschmerzen seit 2 Tagen, weiß nicht, warum und wofür. Sind es Nachläufer? Oder ewige

---

[1] *Erdmuthe Dorothea Gräfin von Zinzendorf, geborene Gräfin Reuß zu Plauen.* Ihr Leben als Beitrag zur Geschichte des Pietismus und der Brüdergemeine dargestellt. Von Lic. Wilhelm Jannasch. *Zeitschrift für Brüdergeschichte.* (Herrnhut) VIII. Jg. (1914). (Der ganze Jahrgang ist dieser einen, 507 Seiten starken Arbeit gewidmet.)

Begleiter? – Sieh nur, den höchsten Kurgast von Marienbad, d. h. denjenigen, auf den das größte menschliche Vertrauen gerichtet ist, haben wir gar nicht gekannt: der Belzer Rabbi, jetzt wohl der Hauptträger des Chassidismus. Er ist seit 3 Wochen hier. Gestern war ich zum erstenmal unter den etwa 10 Leuten des Gefolges bei seinem Abendspaziergang. Darüber wäre viel zu sagen, ich habe aber jetzt ausführlich an Max darüber geschrieben, der mich von der Anwesenheit des Rabbi benachrichtigt hat[1]. – Und wie geht es Dir, mein höchster Marienbader Kurgast? Habe noch keine Nachricht, begnüge mich mit den Erzählungen der alten Wege, z. B. heute der Trotz- und Geheimnis-Promenade.

Franz

[Postkarte. Stempel: Marienbad – 19.VII.16]
[geschrieben am Abend des 18. Juli 1916]

Meine Liebste – während unsere alten Freunde mit Dir fortgereist zu sein scheinen (hat der liebe Kosteletz wirklich existiert?), kommen neue und haben mir unter anderem gestern, als ich von der Waldquelle nachhause ging, einen kleinen Schrecken verursacht, der im Augenblick geradezu betäubend war. Im behaglichen Kosteletzschritt kommt mir nämlich, unmöglich zu vermeiden, mein Direktor entgegen, nicht der, den Du dem Husten nach kennst, sondern der oberste, mit dem ich gut stehe, und hinter ihm Frau und Tochter. Wie mag ich ausgesehen haben! Es bedurfte nicht der Klage über Kopfschmerzen, die ich auch wirklich hatte, es bedurfte nicht des Hinweises, daß ich immerfort allein in den Wäldern sein muß – mein Anblick genügte, dreifaches Mitleid stand um mich herum. Ich war zwar 1 Stunde mit ihnen beisammen, eine nächste Zusammenkunft wurde aber nicht bestimmt besprochen. So bin ich wieder allein, leider auch ohne Nachricht.

Franz

[Postkarte. Marienbad, 19. Juli 1916]

Liebste Felice – schlechter Schlaf und Kopfschmerzen quälen mich immerfort und machen mir Sorge. Weiß keinen gegenwärtigen

---

[1] Vgl. Brief an Max Brod (Mitte Juli 1916), *Briefe,* S. 141 ff. und zum Marienbader Aufenthalt des Belzer Wunderrabbis den Beitrag von Julius Elias, »Marienbad«, *Berliner Tageblatt* vom 20. Juli 1916 (Abendausgabe).

Grund dafür, bin hinsichtlich Deiner ruhig und froh. Hätte ich zu arg mit mir gewirtschaftet vier Jahre lang? Wird so heimgezahlt?[1] Oder vielleicht ist es nur zeitweilige Wirkung der Waldluft, die mir übrigens großen Hunger macht. Sag mir einen Trost. Zur Arbeit läßt mich mein Zustand nicht zu, das ist nicht das ärgste; was hätte ich auch in 8 Tagen plötzlich machen wollen, auch ist nicht meine Arbeitszeit. Wie wird es aber werden? – Die Einladung[2] ist an Dich schon abgegangen, bin äußerst begierig, wie und wann Du es anfaßt. – Der Vater trägt mir in einer mit Schreibmaschine geschriebenen Karte Grüße für Dich auf. Ich nehme sie mit in meine auf und überfalle Dich nun mit der ganzen großen Menge.

Franz

[Postkarte]   [Marienbad,] 20. Juli [1916]

Liebste Felice – also eine richtige (oder richtiggehende?) Frau Elster hat mir einen Nachmittag des Zusammenseins mit Dir gestohlen. – Heute ein wenig besser geschlafen, also ein wenig freier, nach dem Essen allerdings kein Schlaf. Gestern abend (es war ein wenig wärmer, ich konnte auf dem Balkon sitzen) begann mir das Zimmer zu gefallen. Heute ist eine neue Familie mit Jungen nebenan eingezogen (Du altes liebes Ehepaar!), es müssen recht geschickte und lebhafte Jungen sein, schon 5 Minuten lang schlagen sie einen Nagel oder sonstwas ein. – Trotz Schlaflosigkeit und Kopfschmerz werde ich dick, nicht so wie mein Direktor, aber doch in entsprechender Unterordnung. Gestriger Speisezettel: um $\frac{1}{2}11^h$ – $2 \times$ Milch, Honig, $2 \times$ Butter, 2 Brötchen; 11^h ¼ kg Kirschen; 12^h Kaiserfleisch, Spinat, Kartoffel, Vanillenudeln, Brötchen; 3^h Milch in Schale, 2 Brötchen; 5^h Chokolade, $2 \times$ Butter, 2 Brötchen; 7^h Gemüse, Salat, Brot, Emmentaler; 9^h 2 Kuchen, Milch. Nun?

Franz

[Postkarte. Stempel: Marienbad – 21. VII. 16]   20. Juli

Liebste Felice, für den Brief vom Dienstag, außerdem habe ich noch in den letzten Tagen drei Karten bekommen, einen besondern Dank.

[1] Vgl. *Tagebücher* (20. Juli 1916), S. 508.
[2] Einladung zur Mitarbeit am Jüdischen Volksheim. Vgl. Briefe (Mitte Juli) S. 141.

Du hast einen großen und guten Einfluß auf mich, Felice, und daß Du ihn gut benützen wirst, glaube ich auf Grund der gemeinsamen Tage trotz aller kleinen Zwischenverdunklungen. Möge es mit mir Dir gegenüber ebenso sein! Es ist viel zu tun, auf meiner Seite mehr als auf Deiner, aber auf beiden viel. Es wäre viel zu frühzeitig, wenn jetzt schon mit Kopfschmerzen die Kräfte aufhörten. Es wäre gut, wenn wir bald wieder zusammenkämen. – Ich sitze im Dianahof, es regnet, ich kann nicht fort. Ich bin ein wenig, aber nur ein wenig, trübsinnig und erkenne, daß ich das Bedürfnis habe, einer Handarbeit zuzusehn, aber nicht jener, die das kleine Mädchen am Nebentisch verfertigt. Und dabei bin ich noch immer durchaus gegen alle Handarbeiten.

Viele Grüße   Franz

[Postkarte]   [Marienbad,] 21. Juli [1916]

Liebste – wieder ein wenig besser, kein vollständiger, sondern zumindest zehnteiliger Traumschlaf, immerhin Schlaf und besserer Kopf. Bliebe ich noch lange und könnte jeden Tag ein »besser« hinzufügen, könnte dann am Ende von hier aus zu Dir, das wäre ein gesegneter Lebensweg. Unausführbar schon deshalb, weil ich für das Essen hier zu viel ausgebe, der mitgeteilte Speisezettel wiederholt sich in grotesken Formen täglich. – Max habe ich natürlich längst geschrieben, bin sehr ungeduldig zu hören, was für einen Eindruck das jüdische Volksheim auf Dich macht und wie Du zugreifen kannst. – Bei Felix war ich nicht. Seine erste Karlsbader Karte fängt an: »Es ist kalt, neblig, es regnet, mich friert, den Papa friert, meine Frau friert. Es ist teuer, das Brod ist schlecht, die Luft ist rauh. Ich habe keine Furunkeln. Meine Frau hat Halsschmerzen u.s.f.« Du siehst, das Leben ist auch dort nicht leicht. Möge ihm der Curaufenthalt leicht werden!

Franz

[Postkarte. Stempel: Marienbad – 22. VII. 16]   21. Juli 16

Liebste – übertreibe ich das Schreiben wieder wie in frühern Zeiten? Zur Entschuldigung: ich sitze auf Deinem Balkon, auf Deiner Tischseite, es ist, als wären die 2 Tischseiten Wagschalen; das an unsern guten Abenden bestehende Gleichgewicht wäre gestört; und ich, allein auf der einen Wagschale, versänke: Versänke, weil Du fern bist. Darum schreibe ich. Auch deshalb, weil es in meinem Kopf trotz der Besserung der letzten 2 Tage immer noch saust und ich nach dem Frieden bei Dir wenigstens mit der schreibenden Hand hintaste. Es ist jetzt hier fast die Stille, die ich will: Das Nachtlicht brennt auf dem Balkontischchen, alle andern Balkone sind leer wegen der Kälte, nur von der Kaiserstraße her kommt das gleichmäßige, mich nicht störende Gemurmel.

Leb wohl und schlafe tausendmal besser als

Dein Franz

[Postkarte]   [Marienbad,] 22. Juli [1916]

Liebste Felice, man kann natürlich nicht berechnen, wie die Karte den Adressaten antrifft, ich kann das leider am allerwenigsten – immerhin, seit 2 Tagen habe ich keine Nachricht (man wurde so verwöhnt durch das Beisammensein, zwei Schritte nach links und man konnte Nachricht haben), heute ist Felix mit Frau, Bruder und Vater hier, ich laufe wegen jeder Post nachhause und finde schließlich die liebe, trotzdem küssenswerte, aber jedenfalls brummige, ein wenig brummige Karte. Gewiß, man ist in fremder Wohnung nicht ungestört, aber warum hinderst Du mich, auf Deinen Knien zu klagen, nimm es doch als das Sich-hingeben, das es ist. Und Liselotte? Ich habe die Stelle schon sehr oft gelesen und fürchte noch immer mich zu blamieren, wenn ich sie ernst nehme. Traust Du mir die Geschmacklosigkeit zu, mich mit etwas derartigem – ich sage nicht, zu befassen – aber zu rühmen? Es ist das 3jährige, runde kleine Mädchen, über das wir im Dianahof einmal gelacht haben. Sie bekam eine Rose, und um diese handelte es sich. Liebste Felice!

Franz

[Postkarte. Stempel: Marienbad – 23.VII.16]

In unserm alten Egerländer[1]. So sind wir, wie Du siehst, nach den vielen Einladungen doch zusammengekommen, zu spät für Dich.

Viele Grüße   Franz

---

[1] Beliebtes Ausflugslokal in der Umgebung von Marienbad.

Soll auch Grüße von Baum und Frau schicken.

Beste Grüße sendet Irma Weltsch

Nun sind wir doch gekommen, aber leider zu spät. Nur noch der Balkon ist geblieben. Desto herzlicher unsere Grüße

Felix Weltsch

Herzliche Grüße vom alten Weltsch   Paul Weltsch

[Postkarte. Stempel: Marienbad – 24. VII. 16]

Wieder und noch im Egerländer. Gäste auf Gäste, Du siehst, man tröstet mich. Alle sind gut zu mir, auch der Kosteletzfreund, zwei Tische von uns entfernt, lächelt mir freundlich zu, will mir offenbar, ohne es selbst zu wissen, einen Gruß für Dich auftragen.

Franz

Dir und allen Deinen Lieben meine herzlichsten Grüße

Deine Julie Kafka

Wäre ich doch der Kostelez…[1] und würde er mir in's Ohr brüllen! Ich danke Dir für Deine lieben Grüße und erwidere sie herzlichst.

Deine Valy

[Postkarte. Stempel: Prag – 25. VII. 16]

Meine arme Liebste (arm, weil wir alle arm sind und weil man Armen, wenn man nicht anders helfen kann, die Wangen streichelt), wieder im Bureau, im Bodensatz des Jammers. Unter anderem einen Brief vom Verlag [Kurt Wolff] gefunden, in welchem – nein, unsinnige Dinge augenblicklich, die vor 2, 3 Jahren wunderbaren Sinn hätten haben können[2]. – Wollte als letzte Marienbader Handlung auf dem Balkon Dir schreiben, aber die Zeit reichte nur zu kleinem

---

[1] Zweiter Teil des Wortes unleserlich.
[2] Vgl. Brief an den Kurt Wolff Verlag vom 28. Juli 1916, *Briefe,* S. 146 f.

Umblick und zum Verschlingen eines ½ kg Kirschen. Die letzte Nacht war übrigens die beste, fast 6 Stunden (meines Wissens) ununterbrochenen Schlafes, eine unerhörte Leistung meiner Nerven. (Immerfort stören mich Leute und umstehen meinen Tisch.) Hier aber fängt noch mehr an meinem Kopf zu rütteln an als dort, weiß nicht, wie es sein wird. Gewiß, daß wir einander festhalten ist gut. – Der »Heizer« kann doch nicht vergriffen sein, nach Marienbad kam er, allerdings spät. Ich schicke ihn. Über Erdmuthe nächstens, das Buch ist genug wichtig für uns. Jüdisches Volksheim? Viele Grüße und Annahme des einen ewigen Kusses.

Franz

[Postkarte] [Prag,] 26. Juli 16

Meine Liebste, gut daß manche meiner Karten gemeinsam kommen, es gibt dann einen Ausgleich, beherrschen kann ich mich im Augenblick des Schreibens so schlecht. – Es ist ein Irrtum, wenn Du glaubst, daß ich mit Deinem Leben ohne Mittagessen zufrieden bin. Das ist vielmehr eine sehr schlechte Einrichtung, mit der ich mich erst zufriedengeben werde, wenn Du mir eine genaue Aufstellung des täglichen Speisezettels schickst. Es wird doch irgendeine Wirtschaft in der Nähe geben, die etwas Eßbares herstellt. Schreibe mir jedenfalls darüber. Die Vorstellung des Cacaos und des Brötchens, von dem Du Dich den Tag über nährst *(übrigens ohne auch nur annähernd zu fletschern)*[1] macht mich fast trübsinnig, besonders wenn ich demgegenüber Deine überreichliche Arbeit stelle. – Die Geschichte[2] werde ich jetzt nicht schicken, es ist zu umständlich, sie gehört Dir ebensogut, wenn sie bei mir ist. – Mußt Du denn selbst in die Fabrik laufen, kann nicht jemand von dort zu bestimmten Stunden herüberkommen und nachfragen?

Viele Grüße   Franz

[Postkarte] [Prag,] 27. Juli [1916]

Liebste – nach einem Arbeitsvormittag. Die einzige Erkenntnis, die ich noch im Kopfe habe, ist die der vollständigen Unvergleichlich-

---

[1] Nach dem Namen des amerikanischen Gesundheitspredigers Horace Fletcher (1849–1919), der besonders das gründliche Kauen der Nahrung empfahl.
[2] Vermutlich die Erzählung »Blumfeld, ein älterer Junggeselle«, aus der_er ihr in Marienbad vorgelesen hatte.

keit meines Diktierzimmers und der Marienbader Wälder. – Was bedeutet die Vergrößerung der Fabrik? Ist sie bedeutend? Hängt sie mit dem Patent zusammen? Macht sie Dir viel Mehrarbeit? – Du fragst nach meinem Direktor, nein, mit dem habe ich nicht mehr gesprochen, wohl aber die ganze Familie öfters gesehn, bin ihr aber wie ein Schuljunge immer davongelaufen, einmal schon in einer Entfernung von 5 Schritten. Am letzten Tag habe ich aber der Frau 5 baumlange Rosen geschickt und unter anderem geschrieben, daß »Mein leidiger (ein wertvolles undeutbares Wort) Zustand mich um die Ehre und das Vergnügen gebracht hat, persönlich u.s.f.« Nicht übel, wie? Und nicht durchaus unwahr. – Viele Grüße und Handkuß zur Stärkung der vom Diktieren müden Lippen.

Franz

[unten am Rande] Jüdisches Volksheim?

[Postkarte] [Prag,] 28. Juli 16

Meine Liebste – immer noch, 4 Tage seit der Ankunft, habe ich noch irgendwie in mir die Nachwirkung der innern und äußern Ruhe, die ich in Marienbad mit Deiner und der großen Wälder Hilfe haben durfte. Sie wird schon schwächer, die Nachwirkung, Kopfschmerzen, Angstträume, die alten Schlafunterbrechungen wagen sich wieder vor, immerhin habe ich doch einiges Vertrauen dazu gewonnen, daß ein wenig Reisen und viel Ruhe und Freiheit meinen auseinandergehenden Kopf noch vielleicht zusammenfassen könnten. Es müßte aber bald sein. Innerhalb des Bureaulebens hat jede Kräftigung nur Schlechtes zur Folge, nämlich ein neues, kräftigeres Aufbegehren und dann ein noch tieferes Zurücksinken. Gern wüßte ich, was Dir Marienbad hinterlassen hat und ob und wie sich Dein jetziges Leben im Guten oder Schlechten vom frühern unterscheidet. Viele Grüße

Franz

[Postkarte] [Prag,] 29. Juli [1916]

Meine Liebste – das ist nun eine schöne Sache, die Fabrik vergrößert und Du allein. Ich habe Mehrarbeit, wenn Du Mehrarbeit hast. Wie es sich mit diesem Gefühl etwa in Karlshorst leben lassen wird, weiß ich wirklich nicht[1]. Jetzt ist nur der Trost, daß es keine eigentliche Mehrarbeit ist (außer den Berichten an den Chef), sondern nur eine Mehrverantwortung, das ist allerdings schlimm genug. Schreib mir aber noch besonders, ob und was für Mehrarbeit damit verbunden ist und wie sich das zeitlich ausdrückt. Traurig bin ich darüber, daß Dich das Geschäft so immer mehr verschlingt. Arbeitest Du auch für Lindström? (Wie fiel die Streitsache wegen des Honorars aus? Wenn es sich so verhält, dann wirst Du allerdings für das Volksheim wenig Zeit haben, und *ich bin geradezu gierig auf Nachrichten über Deine Beteiligung.* Es kommt mir (und muß auch Dir nicht) auf den Zionismus hiebei ankommen, sondern nur auf die Sache selbst und was sich aus ihr etwa ergibt.

Viele Grüße   Franz

[Postkarte]   [Prag,] 30. Juli [1916]

Liebste – ich lese nochmals die gestrige Karte. Was schreibst Du an Dr. Lehmann?[2] Stell Dich ihm jedenfalls zur Verfügung. Die geringe Zeit, die Dir bleibt, kannst Du (Spazieren und Turnen nehme ich aus) nicht besser verwenden als dort, es ist unzähligemal wichtiger als Theater, als Klabund, als Gerson und was es sonst noch gibt. Es ist auch eine der eigennützigsten Angelegenheiten. Man hilft nicht, sondern sucht Hilfe, es ist aus dieser Arbeit mehr Honig zu holen als aus allen Blumen der Marienbader Wälder. Ich weiß nicht, wie Du zu der Meinung kommst, daß nur Studenten in Betracht kommen. Natürlich haben Studenten und Studentinnen als die durchschnittlich selbstlosesten, entschlossensten, unruhigsten, verlangendsten, eifrigsten, unabhängigsten, weitsichtigsten Menschen die Sache angefangen und führen sie, aber jeder Lebende gehört ebensogut dazu.

Viele Grüße   Franz

---

[1] Kafka erwog, nach der Heirat mit Felice in dem Berliner Vorort Karlshorst zu wohnen.

[2] Dr. Siegfried Lehmann, der im jüdischen Schulwesen, zunächst in Berlin und später in Israel, eine große Rolle spielte. Von ihm erschien Anfang März 1917 der Beitrag »Idee der jüdischen Siedlung und des Volksheims«, *Jüdische Rundschau* XXII, Nr. 9, S. 76f. und Nr. 10, S. 83f.

Liebste – schon einige Tage ohne Nachricht (ich sage lieber einige, es sind aber nur drei), im Zusammenhang mit der Arbeit, die Dir jetzt aufgebürdet wird, ist es mir unheimlich längere Zeit ohne Nachricht. Allerdings arbeitet auch mein Kopfschmerz (ich schlafe kaum länger als eine Stunde, schlafe dann wieder ein, aber wieder nicht für länger) in der gleichen Richtung; ein kühler, ruhiger Kopf blickt anders als ein heißer und schmerzender. Widerlich, widerlich, gar an einem schönen Tag. Der gestrige Sonntag (ich lag bis ½1 im Bett) war noch erträglich und ich habe den Nachmittag allein mit Spazieren, Im-Gras-Liegen, Milchtrinken, Lesen (Lublinski, Die Entstehung des Judentums) gut verbracht. Und Du? Weißt Du übrigens, daß »warte nur, balde u.s.f.« nicht eigentlich ein Segensspruch ist und daß, selbst wenn er es wäre, das »balde« doch so sehr fraglich oder vielmehr kaum fraglich ist.

Viele Grüße   Franz

Liebste – vier Tage keine Nachricht, es ist fast ein wenig unheimlich, ein Sonntag liegt dazwischen. Ich habe jetzt ein neues Vergnügen für die freie Zeit: im Gras liegen. Reicht Zeit und Lust nicht hin, vor die Stadt zu gehn (es ist doch sehr schön um Prag, wie es mir Sonntag schien), lege ich mich auf den Spielplätzen nieder, wo arme Leute mit ihren Kindern sitzen. Es ist dort gar nicht zu laut, viel stiller als beim Kreuzbrunn [in Marienbad]. Letzthin lag ich dort fast im Straßengraben (das Gras ist heuer aber auch im Straßengraben hoch und dicht), als ein ziemlich vornehmer Herr, mit dem ich manchmal amtlich zu tun habe, zweispännig zu einem noch vornehmern Fest vorüberfuhr. Ich streckte mich und fühlte die Freuden (allerdings nur die Freuden) des Deklassiertseins. Aber Du? Am Sonntag warst Du so lebendig bei mir und nun ist still.

Franz

Liebste – schon den 5ten Tag ohne Nachricht, ich will nicht glauben, daß Du nicht schreibst, will auch nicht an Erkrankung oder dergleichen glauben, trotzdem ist es recht trostlos und mein Schreiben verliert den Sinn. Gestern habe ich Dir eine Nummer der Jüdischen Rundschau geschickt, der Aufsatz von Max zeigt, was er gearbeitet hat, die Briefstellen zeigen, um was für Mädchen es sich handelt, das Feuilleton zeigt (nicht sehr gut geschrieben) eine merkwürdige zionistische Stimmung[1]. Jedenfalls mußt Du Dich vor dem Jüdischen Volksheim wegen des Zionismus, den Du nicht genügend kennst, nicht fürchten. Es kommen durch das Volksheim andere Kräfte in Gang und Wirkung, an denen mir vielmehr gelegen ist. Der Zionismus, wenigstens in einem äußern Zipfel, den meisten lebenden Juden erreichbar, ist nur der Eingang zu dem Wichtigern. Was hilft das Schreiben? Du schweigst.

Viele Grüße   Franz

[Postkarte]   [Prag,] 3. August [16]

Liebe Felice – in Deiner Karte vom 1. August, auf die ich mich eine Woche lang gefreut habe, steht fast gar nichts von Dir. Und gerade auf Nachrichten von Dir geht doch mein Verlangen, nicht auf Nachrichten über das Mäntelchen (über dessen Verlust Du Dich übrigens nicht »schrecklich ärgern« mußt. Gib mir die nötigen Anweisungen für den Einkauf und die Adresse der Schwester und ich schicke das Mäntelchen hin). Ich weiß, daß Du übermäßig viel zu tun hast; hättest Du aber doch statt der 10 Zeilen über das Mäntelchen 10 Zeilen über Deine Arbeit, Dein Essen, Dein Befinden geschrieben, so daß ich gefühlt hätte, daß es Dich zu dieser Art Näherherankommen drängt, über diese Ferne hin, die nun nach den neuen Paßvorschriften geradezu unendlich geworden ist. Was hilft das Klagen und Schreiben! Kehren wir wieder zu dem frühern 14 Tage-Schreiben zurück.

Franz

[Postkarte]   [Prag,] 5. August [1916]

Liebste – es lebe das Mädchen, das Dir helfen wird! Was für gute oder schlechte Folgen hat die Verpflichtung, die Du hinsichtlich

---

[1] *Jüdische Rundschau* XXI, Nr. 29 (21. Juli 1916), in der Max Brods Aufsatz, »Aus der Notschule für galizische Flüchtlinge in Prag« und die von Kafka erwähnten Briefproben (S. 241 f.) erschienen sind.

Deines Postens eingegangen bist? Was bedeutet es, daß Du zu Tische gehen wirst? Wohin? – Und Dr. Lehmann? Am 26. Juli hieß es: »Jedenfalls schreibe ich morgen an Dr. L.« Am 1. August: »Ich werde einmal an den Dr. L. schreiben.« Und jetzt am 2.: »Ich werde mich sehr energisch darum kümmern.« Zusammen ist das ja sehr viel, aber nicht gerade eine Steigerung. Übrigens weiß ich gar nicht, was Du ihm schreiben willst, das Einfachste wäre wohl, einmal hinzugehn, es ist ja in Charlottenburg, also wohl nicht sehr weit[1]. Eigentliche Vereinsabende werden jetzt im Sommer wahrscheinlich selten sein. – Und sonst? Was liest Du? Wie sind die Sonntage? Wie kannst Du Freitag zu dem Maler [Feigl] fahren? Du warst in Karlshorst?

Herzliche Grüße   Franz

[Postkarte]   [Prag,] 7. August 16

Liebste – besser so als anders, besser daß wir schriftlich nicht recht zueinander kommen (irgendetwas fehlt mir in Deinen letzten Karten; es sind so auf Formeln gebrachte Berichte; zum Teil widerwillig geschrieben; Deine übermäßige Arbeit wird wohl den größten Teil der Schuld haben), besser sage ich ist das, als daß wir uns mündlich nicht hätten verständigen können. Wir waren hinsichtlich dessen bisher in einem Grundirrtum, Marienbad hat es richtiggestellt. Wenn Du früher alles aus dem schriftlichen in den mündlichen Verkehr schieben wolltest, so schien mir das eine Ausflucht, jetzt glaube ich, daß Du recht hattest. Wir werden das Schreiben so einschränken, daß es Dich in Deiner Arbeit nicht stört und (das ist mir auch wichtig) daß Dich die Arbeit im Schreiben nicht stört und Du nicht gezwungen bist, zehn kalte, zusammengeraffte, zerstreute Zeilen statt einer guten, lebendigen, beglückenden zu schreiben. Ich meine es nicht böse.

Franz

---

[1] Die Familie Bauer wohnte damals in Berlin-Charlottenburg, Wilmersdorferstraße 73 (Ecke Mommsenstraße). Kafka verwechselt hier aber, wie er später erklärt, das Jüdische Volksheim mit dem Jüdischen Siedlungsheim, das sich in Charlottenburg befand.

[Postkarte. Stempel: Prag – 8.VIII.16]

7. August [1916] Glockenschlag 11

Liebe Felice, da ich jetzt am Abend an Dich denke und glücklich bin, es frei zu dürfen, anders als vor Marienbad, fällt mir unter anderem eine Stelle aus Erdmuthe ein. Es ist nicht die, wegen welcher ich das Buch für uns wichtig nannte, in diesem Sinne sind nicht Stellen wichtig sondern das Ganze, aber diese Stelle, die ich meine, ist so aufdringlich lehrhaft, daß ich ihr den Gefallen tun muß. Als die Gräfin nach der Hochzeit, 22 Jahre alt, in ihre neue Dresdner Wohnung kam, welche die Großmutter Zinzendorfs für das junge Paar in einer für die damaligen Verhältnisse wohlhabenden Weise hatte einrichten lassen, brach sie in Tränen aus. »Dies tröstet mich«, schreibt sie, »daß der liebe Gott weiß, wie wir im Geringsten nicht schuld an diesen Tändeleien sein. Er gebe nur die Gnade, daß ich mich als sein wahres Kind in andern Stücken beweise, weil ich es hierin nicht gekonnt, wie ich gewollt. Er halte meine Seele fest und kehre meine Augen ab von aller Torheit der Welt.«[1]
In eine Tafel einzugraben und über dem Möbelmagazin einzulassen.

Franz

[Postkarte]   [Prag,] 9. August [1916]

Meine Liebste, schöne, schöne Tage. Wenn ich ein wenig Zeit, Lust und Kraft habe, gehe ich aus der Stadt hinaus, liege nicht nur im Straßengraben. Es gibt hier in der Nähe hinterm Baumgarten auf einer hohen Straßenböschung einen kleinen Wald, an dessen Rand ich gern liege. Links sieht man den Fluß und jenseits schwach bewaldete Höhen, mir gegenüber ein vereinzelter Hügel mit einem mir schon seit der Kindheit rätselhaften, weich in die Gegend eingefügtem alten Haus und rings herum friedliches, welliges Land. Die Abendsonne leuchtet mir dann gerade ins Gesicht und auf die Brust. – Mutter und Valy (die Du wohl meinst, wenn Du Ottla schreibst) sind gestern gekommen, der Schwager ist hier auf Urlaub. – Telschow kenne ich nicht. – Mein Schreiben ist weder Sparsamkeits- noch Verschwendungssache. – Für Frl. Grete [Bloch] herzlichste Grüße. Was sagt sie zum Volksheim?

Franz

---

[1] *Erdmuthe Dorothea Gräfin von Zinzendorf,* S. 86f. Vgl. Anm. S. 665.

Prag 9.8.1916

Meine liebe Anna!

Es ist bereits über zwei Jahre, daß wir einander nicht geschrieben haben und was haben wir in dieser verflossenen Zeit alles erlebt, mehr schmerzliches als freudiges. Nunn wollen wir hoffen, daß uns das Schicksal noch viele Freuden an dem Glücke unserer Kinder erleben läßt und uns für all die Sorgen reichlich entschädigt.

Ich wollte Dir noch aus Franzensbad schreiben, hatte aber weder die Ruhe noch die Zeit dazu. Man ist mit der Kur den ganzen Tag so beschäftigt, man hat eine große Correspondenz mit seiner Familie und so ist einem immer der Tag zu kurz. Ich bin also Montag am 7. um 4 Uhr Nachmittag in aller Eile mit der l. Vally nach Prag gefahren und kamen um 10 Uhr Abend an und wurden von allen unseren Lieben darunter war auch der l. Peppo, am Bahnhofe erwartet. Wir haben unsere Kur um zwei Tage gekürzt, da unser Peppo unvermutet einen 14tägigen Urlaub erhielt und uns Montag telegraphierte. Vielleicht verliert Vally durch die freudige Aufregung den Kopfschmerz, von dem sie die Franzensbader Kur nicht befreite. Der Arzt verspricht den Erfolg in 6–8 Wochen nach der Kur, nunn ich will es hoffen!

Jetzt zu unseren andern Sorgenkindern. Du kannst Dir meine Überraschung denken, als ich von Franz aus Marienbad eine Karte erhielt, mit einem eigenhändigen Gruß von Felice. Obzwar ich immer vermutete, daß die Freundschaft zwischen ihnen nicht erloschen ist, hatte mich doch der Gruß freudig überrascht und besonders, als sie uns in Franzensbad besuchten, hatten wir große Freude mit ihrer Gesellschaft. Ich sah aus beider Augen die Harmonie der Seelen und so hoffe ich, daß sie nach dem Kriege ihr gegenseitiges Glück finden werden. Auch meinem lieben Manne ist unsere Felice als seine Tochter sehr willkommen. Ich bin jetzt wieder flott im Geschäfte, da fast unser ganzes männliches Personal assentiert wurde und befinde mich dabei fast wohler wie in Franzensbad. Wenn man das Rackern gewöhnt ist, kann man sich an Ruhe u. Müßiggang schwer gewöhnen. Nun lebe wohl, lasse bald von Dir hören, grüße alle Deine Kinder, besonders Felice und sei auch Du herzlichst gegrüßt von

Deiner Julie Kafka

Von meinem l. Manne u. Kindern folgen die herzlichsten Grüße.

Meine Liebste – was für Vorwürfe macht Dir Deine Mutter und gar
Kopfschmerzen bereitende Vorwürfe? Von dieser Seite her hätte
doch jetzt Friede sein sollen. Schreib mir darüber. – Man kann nicht
sagen, daß Du den Sonntag lustig verbracht hast. Warum fährst Du
nicht gleich früh aufs Land an diesen wenigen Sommersonntagen,
die noch übrig sind? Ich lief mit Ottla herum (die ein Beamter, der
uns traf, wie er mir heute sagte, für meine Braut gehalten hat) und
endigte bei saurer Milch in einem Garten. – Du schreibst, Du kämest
vom Mittagessen; wo war das? War am Montag schon das Hilfsmädchen da, das eigentlich schon am Samstag hätte kommen sollen? – Schwer zu raten, was Du lesen sollst. Ich würde im Zusammenhang mit dem Volksheim zur Wiederaufnahme der Memoiren[1] raten, die ich Dir einmal geschickt habe. – »Legt sie die Arbeit
in den Schoß nieder... höchst schmeichelhaft...« wie aber, wenn
sie bei einem Höhepunkt neue Farben auszusuchen beginnt?

Herzlichste Grüße   Franz

Meine Liebste – der Brief an Dr. L. ist sehr gut, anderes wollte ich
nicht. Daß Du ihn geschrieben hattest, konnte ich nicht wissen.
Überdies irrte ich mich in der Adresse mit dem Siedlungsheim; das
ist in Charlottenburg. – Der Ausflug nach Friedrichshagen wird
hier sehr gebilligt; könnte derartiges nicht öfters wiederholt werden? Letzthin habe ich Felix und seine Frau in das schon beschriebene, sehr lückenhaft beschriebene Wäldchen geführt, hatte viel
Anerkennung. Ein unendlich friedlicher Ort, Du bist dort sehr
lebendig bei mir. – Im übrigen ist alles trostlos genug, letzthin hatte
mich der Kopfschmerz für 3, 4 Tage losgelassen, damit ich mich einmal vernünftig umsehn könne, gestern war es aber arg und heute ist
es nicht viel besser. Und damit verstumme ich auf Deiner lieben
Hand.

Franz

---

[1] *Memoiren einer Sozialistin.* Vgl. Anm. S. 638.

[Zwei Postkarten]   [Prag,] 13. August [1916]

Liebste, wenn man solche unbestreitbare Dinge liest, wird einem
noch wirrer als wirr: Fontane hatte 1876 eine Beamtenstelle als
Sekretär der Kgl. Akademie der Künste angenommen und nach
3½ Monaten unter gräßlichem Streit mit seiner Frau sie gekündigt.
Er schreibt an eine Freundin: »Alle Welt verurteilt mich, hält mich
für kindisch, verdreht, hochfahrend. Ich muß es mir gefallen lassen.
Das Sprechen darüber habe ich aufgegeben u.s.w.«, dann: »ich bin
jetzt 3½ Monate im Dienst. In dieser ganzen Zeit habe ich auch
nicht eine Freude erlebt, nicht einen angenehmen Eindruck empfangen. Die Stelle ist mir, nach der persönlichen wie nach der sachlichen
Seite, gleich zuwider. Alles verdrießt mich; alles verdummt mich;
alles ekelt mich an. Ich fühle deutlich, daß ich immer unglücklich
sein, daß ich gemütskrank, schwermütig werden würde.« »Ich habe
furchtbare Zeiten durchgemacht. Und was geschehen sollte, mußte
rasch geschehn. Noch hab' ich vielleicht die Kraft und Elastizität,
die Dinge wieder in so guten Gang zu bringen, wie sie bis zu dem
Tage waren, wo mir diese unglückselige Stelle angeboten wurde.
Die Weisheit der Menschen nutzt mir nichts. Was sie mir sagen können, hab' ich mir in 100 schlaflosen Stunden selbst gesagt. Schließlich muß ich doch dafür aufkommen und die bequemen Tage (bequem trotz ihres innern Schreckensgehaltes) mit arbeitsvollen vertauschen.« »Man kann nicht gegen seine innerste Natur, und in jedes
Menschen Herz gibt es ein Etwas, das sich, wo es mal Abneigung
empfindet, weder beschwichtigen noch überwinden läßt. Ich hatte
mich zu entscheiden, ob ich, um der äußern Sicherheit willen, ein
stumpfes, licht- und freudeloses Leben führen oder u.s.w.«[1] So,
heute hat Dir also Fontane statt meiner geschrieben.

Herzlichste Grüße   Franz

[Postkarte]   [Prag,] 14. August [1916]

Liebste – den Sinn der Verpflichtung, die Du eingingst, verstehe ich
noch nicht. Ein Vorteil für Dich war also nicht damit verbunden,

---

[1] Fontanes Briefe an Mathilde v. Rohr vom 17. Juni und 1. Juli 1876. *Briefe
Theodor Fontanes.* Zweite Sammlung, hrsg. von Otto Pniower und Paul
Schlenther, Berlin 1910, Bd. I, S. 360 bzw. S. 363. Veränderungen des Brief-
textes durch Kafka sind nicht besonders gekennzeichnet.

dann war es also nur eine Gefälligkeit von Deiner Seite. Warum wurde sie verlangt? Und in welcher Form wurde sie gegeben? Und wenn Du sie nicht gegeben hättest, was wäre dann geschehn? – Die Chokoladentafel als Mittagessen macht mich wehmütig, besonders da ich gleichzeitig das Knacken höre, unter dem sie verschwand. Oder bezog sich das Abschwören des Knacken auch auf Chokolade? Auch das sonstige Mittagessen war schwach. Wie heißt das Restaurant? Ich will mir doch etwas darunter vorstellen. Die Hand, die Dich führen sollte, zittert hier vor Nervosität.

Franz

[Postkarte]   [Prag,] 15. August 16

Liebste – zu Deinem Gedenkbrief[1]: um die Wahrheit zu sagen, an das Datum erinnere ich mich eigentlich nicht, ja nicht einmal ohne weiters an das Jahr. Hätte ich unmittelbar ohne Hilfe es angeben sollen, so hätte ich gesagt: vor 5 Jahren war es. Das wäre natürlich ganz unrichtig, denn 5 Jahre waren es nicht, entweder waren es 4 oder 4000 Jahre. Dagegen erinnere ich mich an alle andern Einzelheiten wohl viel genauer als Du, schon deshalb, weil Du damals keine Ursache hattest, aufmerksam zu sein, nicht wahr? Auch fälschst Du die historische Wahrheit, wenn Du sagst, ich hätte Dich nicht ins Hotel begleitet, das habe ich doch mit Herrn Dir. Brod getan. Jede Einzelheit weiß ich. Ich kenne noch beiläufig jene Stelle auf dem Graben, wo ich ohne Grund aber absichtlich aus Unruhe, Verlangen und Hilflosigkeit vom Trottoir mehrmals in die Fahrbahn stolperte. Und dann entschwebtest Du im Aufzug, statt mir ohne Rücksicht auf Hr. Brod ins Ohr zu sagen: »Komm mit nach Berlin, laß alles liegen und komm!«[2]

Franz

[Postkarte]   [Prag,] 16. August 16

Liebste – bei wem, wo und wie hast Du Dich über die Sache erkundigt? Wer, wo, wie und was hat Dir darüber Auskunft gegeben? Nein, nein, in einer mir so wichtigen Sache mußt Du ein wenig aus-

---

[1] Ein Brief, den Felice zum Jahrestag der ersten Begegnung (13. August 1912) geschrieben hatte.
[2] Vgl. Brief vom 27. Oktober 1912, S. 61.

führlicher sein. Schade, daß es so lange dauern wird, ehe ich über den Donnerstag Bericht bekomme, vor Montag wird es wohl nicht sein. – An den Tisch im Cafe des Westens konnte ich mich nicht gleich erinnern, immer sah ich nur das rauchige, von lauter Fremden, die einander kannten, überfüllte Lokal vor mir, in dem ich einmal allein, ganz Trübseligkeit, gewesen bin. Dann erst fiel mir das Mittagessen auf der Veranda mit Dir und Toni ein, sehr lustig war ich allerdings auch damals nicht. Aber vor 4 Jahren! Was für ein entzückender, schwarzhaariger, nervenstarker, langschlafender, hartköpfiger (nicht im übertragenen Sinn) Junge muß ich damals gewesen sein. Darüber solltest Du mir einmal schreiben, vielleicht bade ich mich in der Beschreibung wieder jung.

Viele Grüße   Franz

[Postkarte]   [Prag,] 17. August 16

Liebste, mach mir nicht Sorgen oder wenigstens Unbehagen durch Unbestimmtheiten wie in der Karte von Samstag. Warum fällt Dir jetzt plötzlich Franzensbad[1] und der letzte Abend ein? Was ist das viele, das Dir darüber durch den Kopf geht? Worüber bist Du Dir nicht so ganz klar? Worüber ist so schwer zu schreiben? (Aber leicht Sorgen zu machen) Worüber wäre noch recht viel zu sagen? Der Zwang, der zu diesen Andeutungen führte, zeigt, daß es wichtig wäre, offen zu sprechen. Ich bitte Dich sehr darum. Ich kann hier keine Rücksichten und Bedenken gelten lassen. Ist man beisammen, kann man schweigen; das verkürzt zwar das Leben, aber das durchschnittliche Leben ist lang. Ist man dagegen so weit von einander, dann soll man jede Gelegenheit benützen, offen zu reden. Wir sind ja, faßt man es zusammen, heute jeder auf einer Insel, von der das Postschiff nur einmal im Jahr abgeht. Und da willst Du in Andeutungen schreiben?

Viele Grüße   Franz

[Am Rande] Bitte schreib auch »Pořič« deutlicher, ich lese es immer mit Angst.

---

[1] Dorthin hatte Kafka sie nach dem gemeinsamen Aufenthalt in Marienbad begleitet.

[Zwei Postkarten]   [Prag,] 18. August [1916]

Liebste – gestern keine Nachricht; »sie« hat Dienstag keine Zeit und
Lust gehabt, an mich zu schreiben, habe ich gedacht; heute kommt
aber Brief und Karte, sehr lieb und gut. – Daß Du mit dem Volksheim endlich in Berührung kommst freut mich ungemein. Wo hast
Du mit der Dame gesprochen? – Die Dokumente. Ja, das ist schwer.
Besonders der Matrikenauszug wird nicht leicht zu bekommen sein.
Es ist auch schon so lange her, seit ich geboren wurde. Ich glaube
immer, meine Papiere habt Ihr schon vor 2 Jahren irgendjemandem
in Berlin gegeben, im Tempel vielleicht oder in einem Amt, ich
weiß nicht. Ich werde mich jedenfalls danach umsehn, es braucht
aber einen energischen Aufschwung. – In der Betrachtung der endlosen Zeit sind wir einig, wenn ich auch gewiß bin, daß nicht jede
vergehende Minute so an Dir rüttelt wie an mir. Das ist aber auch
gut so. – Eine Bitte: Du weißt, daß mein Vetter geheiratet hat. Er
hat sich als Hochzeitsgeschenk von meinen Eltern ein Bild gewünscht. Ich habe an einen Maler (den ich sehr hoch stelle und der
übrigens auch schon einmal zwischen uns erwähnt worden ist) Fritz
Feigl, Wilmersdorf, Waghäuslerstraße 6, geschrieben. Um den Preis
zu drücken, habe ich, nicht ganz anständiger Weise, gelogen, daß
ich das Bild schenken will. Er antwortet mir nun, daß die Bilder, die
ich bezeichnet habe, in Köln sind und daß er nicht weiß, was er
unter seinen Berliner Bildern für mich aussuchen soll. (Gleichzeitig
fragt er, ob 200 K nicht zu viel ist. Es ist zu viel.) Soll ich ihm schreiben, daß er sich mit Dir in Verbindung setzen soll und daß Du (mit
dem unbestechlichen Blick für das durchschnittliche jüdische Hochzeitsgeschenk) die Auswahl treffen wirst? Du würdest bei der Gelegenheit viel Sehenswertes sehn, nämlich ihn, seine Bilder, seine
Frau, seine Wohnung.
                                              Viele Grüße   Franz

[Postkarte]   [Prag,] 19. August [16]

Liebste – wegen des Malers Feigl. Ich will ihn nicht so lange warten
lassen, bis Deine Rückantwort ankommt. Ich biete ihm also 150 K
an (ich sehe das Ganze nicht als Kauf, sondern als Gefälligkeit an,
200 K wäre auch nur ein Gefälligkeitspreis, wenn auch ein etwas
höherer) und bitte ihn, falls er zustimmt, Dich anzutelephonieren

und mit Dir das Bild auszusuchen. Ich warte auch deshalb nicht auf Deine Antwort, weil, wenn Du Dich vielleicht mit der Sache nicht abgeben willst, Du noch immer beim Telephon sagen kannst, Du hättest Dich inzwischen mit mir geeinigt, daß er das Bild selbst aussuchen soll. Also je nach Wille und Laune.

Franz

[Zwei Postkarten. Stempel: Prag – 20. VIII. 16]

19. August 16

Liebste – keine Nachricht, aber die etwas unregelmäßige Verbindung hat den nicht kleinen Vorteil, daß man in solchem Fall nur an Verspätung glauben kann. – Wenn man, um sich im Augenblick zu erhalten immer irgendeine gegenwärtige Freude haben muß, so besteht meine darin, Dich in einem beginnenden Zusammenhang mit dem Jüdischen Volksheim zu wissen. – Zu dem, was Du mir über Deine Mutter geschrieben hast, wollte ich schon längst etwas sagen: Ich verstehe beides, sowohl daß Deine Mutter etwas von Dir wissen will, als auch (das verstehe ich besonders gut, besser als Du), daß Du nichts sagst. Aber dazwischen muß doch ein Ausgleich möglich sein. Gar so viel zu erzählen ist nicht, höchstens gemeinsam zu überdenken. Was unsere Verbindung betrifft, so ist deren Tatsache absolut bestimmt, soweit Menschen bestimmen können; der Zeitpunkt selbst ist nur relativ bestimmt und die Einzelheiten unseres künftigen Lebens müssen wir (unter Ausschluß Prags) der Zukunft überlassen. Das läßt sich wohl auch der Mutter sagen, wenn auch z. B. für mich ein unendlicher Zwang nötig wäre, das zu sagen. Aber Deine Mutter hat doch an unserer Zukunft noch ein anderes Interesse als das allgemein mütterliche, auch das erfordert Aussprache, so nebelhaft auch im Augenblick die Zukunft durcheinandergeht. – Ganz unverständlich ist mir dagegen die Forderung der Mutter, daß Du Sonntag mittag zuhause bist. In dieser Weise kann das doch gar nicht gefordert werden, besonders da Du ja abend sehr oft mit der Mutter beisammen bist und es sich doch nur um die paar Sonntage mit schönem Wetter handelt. Gibst Du mir darüber keine befriedigende Antwort, schreibe ich in der Sache Deiner Mutter selbst. Das klingt sehr böse, ist aber das möglichste Gegenteil.

Viele Grüße   Franz

Liebste, also Donnerstag morgens sahst Du für den Abend nicht die Dragonerstraße[1] sondern Friedrichshagen voraus, was gesundheitlich und landschaftlich sicher richtig war, mich aber mit Rücksicht auf die Erkundigungen, die Du Sonntag im Cafe des Westens einziehen haben wolltest, ein wenig enttäuscht hat. Offenbar hat die montägige Auskunft der Frau Dr. Zlocisti (von der hier sehr viel Gutes erzählt wird. Wie war Dein Eindruck?) die vorige Auskunft hinfällig gemacht. Aufmerksam wollte ich Dich darauf machen, wie groß der Vorteil ist, der darin liegt, daß Du in eine werdende, noch unfertige Sache kommst, die Du von Anfang an mit allen Fehlern und Lehren des Anfangs wirst miterleben können. Ich freue mich sehr auf Nachrichten. – Ja, Fontane! Du mußt der Frau nicht Unrecht tun, so sehr Unrecht sie selbst gehabt hat, und zwar oft. Ich habe zwar das Jahr genannt aber verschwiegen, daß Fontane damals 57 Jahre alt war, also immerhin sehr berechtigte Ansprüche für sich erheben konnte, daß aber dem die Ansprüche einer Familie mit – ich glaube – 5 Kindern entgegenstanden. Im Recht war er, aber einfach war es nicht. Noch eine Stelle über seine Frau zu dieser Sache: »Ich würde ihre Forderung unendlich lieblos nennen müssen, wenn ich nicht annähme, sie hätte sich in ihrem Gemüt mit dem berühmten Alltagssatz beruhigt: der Mensch gewöhnt sich an alles. Dieser Satz ist falsch. Ich bin so unsentimental wie möglich, aber es ist ganz gewißlich wa[h]r, daß zahllosen Menschen, alten und jungen, das Herz vor Gram, Sehnsucht und Kränkung bricht. Jeder Tag führt den Beweis, daß sich der Mensch nicht an alles gewöhnt. Auch ich würde es nicht gekonnt haben und wäre entweder, wenn ich durchaus hätte aushalten müssen, tiefsinnig geworden oder hätte doch eine traurige Wandlung aus dem Frischen ins Abgestandene, aus dem geistig Lebendigen ins geistig Tote durchgemacht. Das heißt dann freilich ›sich gewöhnen‹ aber wie!«[2] Es ist das alles flüchtiger, leichter gesagt, als es gemeint ist, und es ist vielleicht sogar flüchtiger gemeint, als es in Wahrheit ist, denn Fontane sprang so kräftig als er war darüber weg. Aber seine Forderung gegenüber seiner Frau, das zu verstehn (ich meine, es mitzuleben) war zu hart,

---

1 In der Dragonerstraße 22 (heute: Max-Beer-Straße 5) war das Jüdische Volksheim.
2 Fontane an Mathilde v. Rohr am 1. Juli 1876, vgl. Anm. S. 680.

ich leugne die Möglichkeit dessen; sie allerdings hätte im Vertrauen auf ihn schweigen sollen, aber wenn sie es in der langen Ehe nicht gelernt hatte (ich meine das Vertrauen und das Schweigen), so mußte man es auch jetzt nicht erwarten. Übrigens fehlen uns zur Abhaltung des ordentlichen Gerichts ihre Briefe. Jetzt aber genug. Hoffentlich morgen wieder Nachricht, ich schnappe nach den Karten, wie die kleine Maus nach dem Speck in der Falle, in der sie mich heute im Bureau entsetzt hat.

Viele Grüße   Franz

[Postkarte]   [Prag,] 22. August 16

Liebste, bin gerade bei der Schreibmaschine, versuche es also einmal so. Mein Schreibmaschinenfräulein ist auf Urlaub, ich bin augenblicklich fast krank vor Sehnsucht nach ihr, denn der Ersatzmann, so geduldig, eifrig und ängstlich er ist (ich höre zeitweilig sein Herz klopfen), wütet ohne es zu wissen, in meinen Nerven. Nun morgen, nein übermorgen kommt sie wieder. Wie ist denn Dein Hilfsmädchen? Es ist so still von ihr. Es fällt mir ein: schreib mir auch einmal mit der Maschine. Da müßte es doch viel mehr werden, als z. B. der letzte Sonntagsgruß (von Freitag und Samstag habe ich noch nichts), vielleicht wird Schreibmaschinenschrift auch schneller zensuriert. – Also auch Sonntag im Bureau und schon zum zweitenmal, sehr unrecht. Was klappt nicht? Und vom Volksheim nichts Neues, sehr schade. Noch ein allerdings alter Einfall (bei der Schreibmaschine überfallen sie mich): Könntest Du mir nicht einige Bildchen von Dir schicken, ja hast Du mir sie nicht sogar schon versprochen? – Heute fahren Max und Frau mit meinen Ratschlägen und unserem Führer nach Marienbad, es ist mir sehr angenehm, wieder einmal gewissermaßen Vertreter in Marienbad zu haben. Es ist so weit und so für uns verloren (man wird weinerlich bei der Schreibmaschine). Viele Grüße, natürlich auch für Frl. Grete, so ist es immer gemeint.

Franz

Hast Du eigentlich die Jüdische Rundschau gelesen?[1]

---

[1] Vgl. Kafkas Postkarte vom 2. August 1916, S. 674f.

Sehr zufrieden, Felice, sehr zufrieden bin ich mit Dir, nur bist Du zu weit, als daß ich Dir wirklich zeigen könnte, wie zufrieden ich bin. Hoffentlich kommt bald eine Verständigung von Dr. Lehmann, es dauert so lange. Zu Deinem Plan, der sehr gut ist: Es ist wichtig, was Du tust und wie Du es tust; das letztere natürlich noch wichtiger, aber das Entscheidende ist doch nur das, was sich daraus vielleicht entwickelt, nämlich daß für Dich diese großen Kräfte- und Anknüpfungsmöglichkeiten, die in einer solchen Vereinigung liegen, lebendig werden. Jedenfalls, übernimm für den Anfang nur sehr wenig, sowohl aus Rücksicht auf Dich, die Du doch so überlastet bist, als auch aus Rücksicht auf die Sache, die Du zuerst ruhig überblicken sollst.

Franz

[am Rande] Von Freitag u. Samstag hatte ich keine Nachricht, verloren?

Liebste, als noch Pünktlichkeit möglich war, ist man eigentlich nicht sehr bestrebt gewesen, sie zu erhalten, also sollte man jetzt nicht klagen. Und klagt doch an manchem Morgen. – Wer ist das Fräulein Schwabe, deren Namen ich nicht erinnere von Dir gehört zu haben. Sie scheint ja nicht sehr freundlich über den Maler Feigl gesprochen zu haben, vorausgesetzt daß Deine Zweifel an der Sehenswürdigkeit der Wohnung und Frau daher stammen. Tatsächlich kenne ich nur ihn und seine Bilder, seine Frau nur ganz flüchtig, seine Wohnung gar nicht. Das für Dich Sehenswürdige sollte meiner Meinung nach in der Beispielhaftigkeit des Ganzen liegen, in dem Aufbau einer Wirtschaft auf viel Wahrem und wenig Faßbarem. Es wird sich übrigens nach seiner heutigen Karte (»wir werden uns sehr freuen, Ihr Fräulein Braut persönlich kennenzulernen«) hauptsächlich um die Auswahl aus etwa 8 Prager Bildern handeln, die ich von Prag aus kenne, ohne sie aber in der Erinnerung voneinander genau sondern zu können, ich weiß nur, ich habe damals alle vor Staunen angestarrt. Augenblicklich sind die Bilder in Köln, sind aber allem Anschein nach auf dem Weg nach Berlin. (Klar ausgedrückt!) Bis sie kommen, ruft er Dich an. Und nun springe ich von der Unpersönlichkeit der Schreibmaschine in höchstpersönliche Grüße hinein.

Franz

[Postkarte]   [Prag,] 26. August [1916]

Liebste, ein gutes Bild und verdient besondern Dank, da es ohne Aufforderung (die aber schon auf dem Wege ist) geschickt zu sein scheint. Du Schwarze oder Bronzene bist besonders in der Haltung deutlich, das weiße Fräulein Grete ist sehr wahr, Frl. Schürmann zu momentmäßig, als daß man etwas sagen dürfte, wenn man nicht sagen will, daß das Gesicht, die Augen, die Nase, das Lächeln etwas sehr verzierlicht und versüßlicht sind, besonders neben dem sehr gut aussehenden Bruder besteht sie etwas schwer. Nun, das ist aber keine Beurteilung. – Die Sonntagsfrage kann ich erst dann für gelöst ansehn, bis ich die Nachricht vom ersten ganztägigen Sonntagsausflug bekommen habe. – Auf manche Fragen bekomme ich keine Antwort z. B. was die plötzliche Erinnerung an den letzten Abend in Marienbad u.s.w. bedeutet hat, oder wie es sich mit Deiner Mutter und unserer Zukunft verhält.

Viele Grüße   Franz

[Postkarte]   [Prag,] 30. August [1916]

Liebste, lange keine Nachricht. Auch bei mir ging es etwas verwirrt zu, das ist aber keine eigentliche Ausnahme. – Ich bin neugierig, was für einen Eindruck Du von Feigl mitbringst. Du erinnerst Dich richtig, ich schrieb von ihm, bei ihm in Berlin war ich aber nicht. Sehr schade, daß Dich der Besuch einen wahrscheinlich schönen Sonntagnachmittag kostet. Allerdings nur einen Nachmittag, denn mittag hattest Du Besuch, bist also nicht aufs Land gefahren, trotzdem Du es doch bei nächster Gelegenheit tun wolltest und im Grunde gewiß auch gerne tätest und trotzdem die Waldenburger[1] rechtzeitig morgens weggefahren waren. Einen schweren Teil der Schuld trage eben ich wegen der Bilder. – Jüdisches Volksheim? Dazu wollte ich nur sagen: Vielleicht und wahrscheinlich werden

---

[1] Felicens Verwandte Max und Sophie Friedmann, die zeitweilig in Waldenburg (Schlesien) wohnten.

gewisse Ausgaben dafür nötig sein. Die mußt Du durchwegs mich tragen lassen, um mir, außer der Freude an Deiner Arbeit auch noch eine andere Art der Teilnahme zu ermöglichen.

Franz

[Zwei Postkarten] [Prag,] 31. August 16

Liebste, besten Dank für den Brief und seine schöne Ausführlichkeit. Es liegt ja etwas Enttäuschendes in der Schreibmaschinenschrift und man ist versucht, hinter das kalte Blatt zu sehn, ob dort vielleicht das Lebendige zu fassen wäre, aber der Vorteil ist doch groß. Du fühlst Dich auch, scheint mir fast, bei der Schreibmaschine im mehr Gewohnten. – Unter Menschen wie dem Maler und seiner Frau habe ich Dich gern, man erkennt ihn übrigens, glaube ich, besser, wenn man zuerst allein mit ihm gesprochen hat. Hast Du vor Bildern Vertrauen zu Dir, ich zu mir nur selten. Vor 2, 3 Bildern Feigls hatte ich es. Ich glaube sogar, daß er schon viel geleistet hat. – Sie sind schon 3, 4 Jahre verheiratet. Sie schien mir ein wenig sehr kalt, aber ich merkte wohl, daß sie nach 1 Stunde Kaffeehaus und ½ Stunde Spaziergang nicht beurteilt werden könne. Etwas sonderbar zusammengespannt sahen sie wohl aus, da sie aber mit ihrer Einheit offenbar sehr zufrieden waren, erkannte auch ich sie sehr gern an. Aus der Schule erinnere ich mich kaum mehr an ihn. Suche ich mir ihn vorzustellen, so steigt nur etwas sehr Unfähiges und Langes in der letzten Bank auf, aber es ist gar nicht sicher, daß er es ist. – Sehr stark wirkt auf mich seine Art zu reden und zu denken, das halb Irrsinnige aber sehr Methodische darin. Das ewig Suchende und ewig Sichere, das Du ganz übereinstimmend mit mir etwa »augenblicklichen Optimismus« nennst, trotzdem Du es wohl nur gefühlt haben kannst, denn beim Tee wird es kaum sehr deutlich in Erscheinung getreten sein. Die Wirkung des Knabenhaften gegenüber der Frau kann ich mir nicht erklären, sie lebt doch, wenn auch kalt, schwer und stolz, ganz in seinem Wesen. So schien es mir. Glaubst Du, daß das Pariser Bild ein passenderes Hochzeitsgeschenk wäre? Was ist es? Wie groß? Wird er es auch schicken? Wir zahlen 150 K, sehr wenig für das Bild, sehr viel für das Geschenk. Schreib mir gelegentlich noch über den Nachmittag. Wie Du Dich dort fühltest.

Franz

[am Rande] Wie trägt es Frl. Bloch und was bedeutet es für sie?

Liebste – noch immer freue ich mich mit dem gestrigen Brief, es waren besonders zwei Dinge drin: gute Beobachtung und Respekt vor Menschen. Schreib mir noch ein wenig über den Nachmittag, besonders auch über das, was Du gesehen hast. Er [Friedrich Feigl] hat doch so eine große Arbeit vor, Zeichnungen zu den Hauptwerken Dostojewskis für den Verlag Müller. Hat er etwas davon gezeigt? Die Depression, von der Du schreibst, hatte das Ehepaar gerade auch, als ich zuletzt mit ihnen sprach. Diesmal war sie allerdings begründet, wie mir heute der Bruder Feigls, der mich im Bureau besucht hat, erzählte. – Fräulein Gretes Leid geht mir sehr zu Herzen; jetzt verläßt Du sie gewiß nicht, wie Du es früher manchmal (ich verstehe es ja am besten; man wird manchmal, während man mit aller Kraft irgendwo hinein will, am Kragen geradewegs hinausgeführt) scheinbar unbegreiflich getan hast. Wenn Du ihr Gutes tust, vertrittst Du auch mich. – Nach 3 Tagen außerordentlicher Kopfruhe fiebere ich heute, seit gestern schon, von den Fuß- bis zu den Haarspitzen. Ich war übrigens vor etwa 14 Tagen bei einem Arzt, der so gut ist, wie Ärzte sein können. (Meine Verzweiflungsanfälle führen nicht aus dem Fenster, sondern ins Ordinationszimmer.) Ich schreibe darüber noch.

Herzlichste Grüße   Franz

Liebste, nur paar Worte, ich habe mich sehr verspätet, Ottla erwartet mich auf der Schwimmschule, das Blut jagt mir wieder ungebeten durch den Kopf, ich muß ihn ein wenig der Luft aussetzen. – Deiner Schwester habe ich noch nicht geschrieben, auf einem Telegramm habe ich ihre Adresse, ich konnte es aber noch nicht finden. Dir will ich nur sagen: Wenn bis zu ihr die Gefahr kommt, dann ist fast alles verloren. Ich schließe die Möglichkeit keineswegs aus, aber heute muß man sich mit solchen Sorgen noch nicht herumschlagen. Jedenfalls werde ich ihr schreiben. – Die Klarstellung der Zukunft Deiner Mutter wollte ich, Felice, nicht eigentlich meinetwegen (ich dachte, um die Wahrheit zu sagen, nur an die Wohnungsfrage), trotzdem es auch gut ist darüber zu sprechen, sondern der Mutter wegen[1]. Deine Ersparnisse sind mir eine vollständige und fast (nicht böse sein!) unbegreifliche Überraschung. Darüber noch nächstens.

Franz

[Postkarte]   [Prag,] 7. Sept. 16

Liebste, drei Tage ohne Nachricht, dafür heute der Brief mit den Bildern. Sie sind wohl nicht sehr gut und das eine scheint eine Vorprobe aus dem Trauerchor der Troerinnen darzustellen, aber sie gehn mir doch sehr nahe und ich umfasse sie ganz und gar. Mach mir öfters solche Freude. – Die Kinderfrage, die Du stellst, gehört zu den schwierigsten und ist wahrscheinlich überhaupt unlösbar. Sie gehört sogar wesentlich zu meinen Verzweiflungsanfällen. Sie ist weder zu lösen noch zu vernachlässigen. Was für eine Peitsche ist aus dieser höchsten Ermächtigung gedreht worden! – Die Wendung übrigens, die Du der Frage gibst, ist nicht so schwer zu beantworten. Für jede der drei Ehen ergibt sich offenbar eine besondere Erklärung oder vielmehr ein Versuch der Rechtfertigung. Ungerechtfertigt will keiner bestehn oder wenigstens ohne den Versuch gemacht zu haben, sich zu rechtfertigen oder vielmehr nicht so sehr sich als die Verbindung. Den Frauen ist es beides, Schuld und Mangel, den Männern wohl nur Schuld, die aber vielfach gebüßt wird. Ist das halbwegs klar?
Gerade will ich zuhause die Karte beenden, da sehe ich vor mir im Berliner Tageblatt (Abend, 5. IX.) die Ankündigung der Ausstellung »Mutter und Säugling« und der Vorträge, die dort gehalten werden.

Viele Grüße   Franz

[am Rande] Ich bin durchaus nicht gegen die Maschinenschrift.

[Postkarte]   [Prag,] 8. Sept. 16

Liebste, heute kamen die Briefe vom 5. und 6., vielen Dank. Du schreibst von Wohnungen. Wie habe ich mich gestern nach Stille

---

[1] Vgl. Karten vom 19. und 26. August 1916, S. 684 und S. 688.

gesehnt, nach vollkommener, undurchdringlicher Stille. Glaubst Du, daß ich sie jemals haben werde, solange ich Ohren zum Hören und einen Kopf habe, der den unentbehrlichen Lärm des Lebens in Überfülle selbst vollführt. Ich glaube die Stille weicht mir aus, wie das Wasser vor dem an den Strand ausgeworfenen Fisch. Nachmittag gestern hatte ich eine fast glückselige Stunde mit einem Buch »Dostojewski« von Otto Kaus[1]. Ich habe Dir in Marienbad ein Bild Blei's gezeigt. Neben ihm steht ein junger Mann in Uniform, das ist Kaus. Empfehlen kann ich es Dir nicht, weil es wenigstens anfangs ganz unverständlich scheint, bei einer gewissen Einstellung aber, die allerdings jedem, der sich in der Zeit und Literatur herumtreibt, möglich ist, sehr, fast allzu einfach wird.

Franz

[Postkarte]   [Prag,] 9. Sept. 16

Liebste, die Adresse Deiner Schwester habe ich noch nicht, Du wirst aber auch wohl über die erste Aufregung schon hinweggekommen sein. Dringend ist das Ganze nicht, nur wünschenswert. – Da Du mit Feigls so gut ausgekommen bist, könntest Du vielleicht, da sie ja wohl wegfahren werden, noch einen Abschieds- und Trostbesuch bei ihnen machen. Oder vielleicht schreibst Du ihnen, was noch besser ist, vorläufig nur eine entsprechende Karte. Mir hat er noch nicht geschrieben, auch die Bilder sind noch nicht hier. Übrigens soll er mit Rücksicht auf seine graphischen Leistungen vom Direktor der Nationalgallerie (Bode?) ein außerordentlich liebenswürdiges Schreiben erhalten haben, ausdrücklich zu dem Zweck, um den Grund seiner Depression zu beseitigen. Außerdem kann es aber mit der Frau noch nicht so schlecht stehn, solange sie so ausdauernden Sinn für Kleider hat, besonders da Dein Kleid doch kein Trauerkleid war. Mit der Bemerkung über die Gleichheit der Frauen willst Du mir wohl Angst machen? Als ein Zeichen des Vertrauens nehme ich auch diese Bemerkung hin. – Ungemein freue ich mich auf den Bericht über den Donnerstag Abend. – An Papieren brauche ich wohl nur Geburts- und Heimatsschein. Sie sind, wie ich höre, ganz

---

[1] Otto Kaus, *Dostojewski. Zur Kritik der Persönlichkeit.* Ein Versuch, München 1916.

leicht zu bekommen. Ich muß mich nur paar Stunden dafür frei machen.

Viele Grüße   Franz

[am Rande] Eben brachte mir der jüngere [Ernst] Feigl seine Gedichte, nicht leicht zugängliche, sehr ernsthafte Dinge.[1]

[Postkarte]   [Prag,] 10. Sept. 16

Liebste, in der Sonntagseile. Gehe wieder mit Ottla. Vorgestern war Feiertag, wir waren an zwei wunderbaren Orten, die ich auch letzthin entdeckt habe, wieder in der Nähe von Troja, aber noch viel schöner als jener Waldrand[2]. Der eine Platz im noch tiefen Gras von niedrigen Böschungen aber ringsherum, unregelmäßig näher und ferner, aber vollständig umgeben und ganz der glückseligen Sonne ausgesetzt. Der andere nicht weit davon, ein tiefes, schmales, wechselvolles Tal. Beide Orte still wie das Paradies nach der Vertreibung der Menschen. Ich las zur Störung der Ruhe Ottla Plato vor, sie lehrt mich Singen. Ich muß irgendwo in der Kehle Gold haben, wenn es auch nur wie Blech erklingen will.

Viele Grüße   Franz

11. Sept. 16

Liebste, noch sehr früh, Arbeit wartet, Chef wartet, ein wieder einmal schlecht ausgeschlafener Kopf will vielleicht lieber an der Stuhllehne liegen, aber doch sitze ich hier an der Schreibmaschine für Dich. Es scheint mir nämlich, daß ich die Freude, die mir Dein Brief macht, nur auf größtem Raume ausdrücken kann, mit Freiheit für alle Ellenbogen. Daß Ihr endlich zusammengekommen seid, Du und das Heim, ist natürlich das Wichtigste, alles andere wird, als die gute und allerbeste Sache, die es ist, sich von selbst ergeben. Deiner Beurteilung des Äußerlichen stimme ich, soweit das von der Ferne erlaubt ist, im Lob wie im Tadel vollständig zu (das Klavier will ich

---

[1] Vgl. Wolff, *Briefwechsel,* S. 40 f.
[2] Vgl. Karte vom 9. August 1916, S. 677.

allerdings nicht als Muster für unsere Wohnungseinrichtung anerkennen), aber das alles ist ja nur ein Vorher und Nebenbei. Die
Hauptsache sind die Menschen, nur sie, die Menschen. Darüber
möchte ich noch sehr gern etwas hören. Über Dr. Lehmann und
doch auch über seinen Vortrag paar Worte. Was bedeutet z. B. der
Widerspruch, der darin liegt, daß Du sagst, das Gehörte hätte Dich
weniger überrascht (das soll doch wohl etwas abfällig klingen) und
daß Du dann wieder sagst, daß Du den Ideen des Vortrags seit langer Zeit fremd gegenüberstehst (das will doch eigentlich eher ein
Zuviel an Überraschung als ein Zuwenig ausdrücken). Übrigens
scheinst Du insofern hinsichtlich des Vortrags ein besonderes Glück
gehabt zu haben, als er die Kernfrage behandelt hat, die meiner Meinung nach nie ruhen wird, immer wieder aufleben, immer wieder
den Boden des Zionismus in Unruhe bringen muß. Aber gerade die
Arbeit, um die es sich hier zuerst, auch für Dich handelt, ist noch
verhältnismäßig am besten vor den Störungen jener Unruhe ge-
schützt und vielleicht – zuviel vielleicht, das Wort will gar nicht aus
mir heraus. Jedenfalls genügt für die Arbeit, die dort zunächst zu
tun ist, schon ein Hauch der Geistesverfassung, die etwa in den Memoiren[1] wirkt, die ich Dir einmal geschickt habe und die ich Dir
wieder und immerfort ans Herz legen möchte. Also von den Menschen möchte ich noch etwas hören, die dort waren, auch von den
Mädchen, die ich Deiner Meinung nach so schön gefunden hätte.
Waren auch Pfleglinge des Heims dabei? Gab es eine Debatte, in
deren Ablauf man irgendwelchen Menschen auf die Spur kam?
Sehr gut, daß auch Frl. Bloch dabei war. Was sagte sie dazu? Das
freut so besonders mich an dem Ganzen, daß ich irgendwie ahnungsweise (es ist sehr unvorsichtig von mir, daß ich es Dir sage, aber es
ist sowohl die Sache zu wichtig, als auch wir einander zu nahe, als
daß Vorsichtigkeit zwischen uns und hier noch Platz hätte) also daß
ich irgendwie zu erkennen glaube, daß Du hier in dem, was sich da
vor Dir aufmacht, sehen mußt, daß Du zum Teil (nur zum Teil, vollständig verleugnen kann sich niemand, der Meinung mußt Du ja
auch über mich sein, wenn Du zu mir hältst) bisher vom eigentlich
Wichtigen, das das Beste Deiner Kraft aufzurühren imstande war,
abgelenkt gewesen bist, daß das Geschäft, die Familie, die Literatur,
das Theater, ihrem Wesen nach nur Teile jenes Besten in Anspruch

---

[1] *Memoiren einer Sozialistin.* Vgl. Anm. S. 638.

nehmen konnten, daß jedoch hier vielleicht die eigentliche Anknüpfung liegt, die wiederum auch im Besten allen andern, der Familie u.s.w. zugute kommen wird. Ich habe hiebei absichtlich das, was uns zwei und unsere Verbindung betrifft, nicht berührt, das wollen wir schweigend halten. Aber wenn wirklich irgendein Abglanz jenes Gedankens, nicht gleich von dem einen zufälligen Abend, aber von dem Ganzen und von seinen Möglichkeiten auf Dich (und um auch Deine bisherige Umgebung damit zu erfüllen, auch auf Frl. Bloch) gefallen wäre, dann wäre ich sehr glücklich.

Was meine Kopfschmerzen betrifft, so sind sie in letzter Zeit im allgemeinen wechselnd und daher auch im Durchschnitt zu ertragen, so schlimm sie auch an einzelnen märtyrerhaften Tagen sind. Der Arzt, bei dem ich war und der mich so genau als im allgemeinen Ärzte untersuchen können, untersucht hat, war mir sehr angenehm. Ein ruhiger, etwas komischer aber durch Alter, Körpermasse (wie Du zu einem so mageren, langen Ding wie ich es bin Vertrauen bekommen konntest, wird mir immer unbegreiflich bleiben) also durch Körpermasse, (dicke Lippen, breit mahlende Zunge) durch nicht allzu große, aber auch gar nicht gespielte Teilnahme, durch medizinische Bescheidenheit und noch durch anderes vertrauenerweckender Mann. Er erklärte, nichts anderes vorzufinden als eine allerdings außerordentliche Nervosität. Seine Ratschläge waren nun allerdings sehr komisch: Wenig rauchen, wenig trinken (gelegentlich aber doch) mehr Gemüse als Fleisch, am Abend lieber kein Fleisch, ein wenig auf die Schwimmschule gehen u.s.f. und am Abend mich ruhig niederzulegen und zu schlafen. Besonders diesen letzten Ratschlag verstand er überaus appetitreizend zu geben. Das war etwa alles.

Nun ist aber höchste Zeit, daß ich aufhöre, etwa 5 mal bin ich schon unterbrochen worden und immer drohender.

War auch jenes bisher nur angedeutete Fräulein Schwabe im Heim? Was die mit dem Heim für Dich verbundenen notwendigen wie die auch nur wünschenswerten Ausgaben anlangt, so läßt Du mich sie doch meiner Bitte gemäß tragen? Die Memoiren übrigens habe ich vor kurzem auch Max geschenkt und schenke sie nächstens Ottla, schenke sie nach rechts und links. Sie sind, soweit meine Kenntnis reicht, der zeitlich nächstliegendste und sowohl sachlichste als lebendigste Zuspruch.

Herzlichste Grüße   Franz

Liebste, etwas von dem, wonach Du mich fragst, ist in meinem gestrigen Antwortbrief angedeutet, allerdings nicht einmal das Wichtigste. Ich kann es nicht schreiben, mein Trost ist, daß ich es nicht einmal mündlich zu sagen imstande wäre. Diese Klarheit, die Du Deinem Wesen nach vielleicht mit Recht verlangst, habe ich über diesen Gegenstand nicht, nicht einmal im Negativen und hätte ich sie, ich glaube, ich würde mich scheuen sie zu übertragen. Es wäre mir ja möglich gewesen, durch Vorlage von Zeitschriften und Büchern zu versuchen, Dich irgendwohin zu lenken, wo mir im Geistigen ein guter Aufenthalt für Dich bereitet schien. Ich habe es nicht getan, es wäre auch nichts gewesen, solche an sich schwache Lenkungen ergeben nur Schwaches, abgesehen davon, daß Du Dich ihnen durch eine Kopfwendung entziehen konntest, wie z.B. den Memoiren. Ich füge hinzu: mit Recht entziehen konntest, denn dieser Versuch der fernen, zusammenhanglosen Berührung war fast leichtfertig. Deshalb freute ich mich so, als Du in Marienbad, ohne daß ich es erwartet oder beabsichtigt hätte, den Gedanken des Heims so frei und gut aufgriffst und Dich jetzt von ihm weiterführen lassen willst. Nur die Wirklichkeit dort kann Dich wesentlich belehren, die kleine und kleinste Wirklichkeit. Mache Dir keine Vorurteile weder gute noch schlechte, auch der Gedanke an mich soll hiebei nicht als Vorurteil wirken. Du wirst dort Hilfsbedürftigkeit sehn und Möglichkeit vernünftiger Hilfe, in Dir aber Kraft zu dieser Hilfe, also hilf. Das ist sehr einfach und doch abgründiger als alle Grundgedanken. Alles andere, wonach Du fragst, wird, wenn es so sein soll, aus diesem Einfachen sich von selbst ergeben. Was mich betrifft, so bedenke, daß Du durch diese Arbeit im einzelnen Dich gewissermaßen von mir entfernst, denn ich wäre, wenigstens jetzt – und hiebei denke ich nicht etwa an meinen Gesundheitszustand – einer solchen Arbeit gar nicht fähig, ich hätte die Hingabe für eine solche Arbeit nicht. Das ist aber nur im einzelnen, im ganzen und darüber hinaus weiß ich geradezu keine engere geistige Verbindung zwischen uns, als die, welche durch diese Arbeit entsteht. Von jedem Handgriff, den Du dort tun wirst, von jeder Mühe, die Du dort auf Dich nimmst (Deiner Gesundheit darf sie allerdings nicht schaden), von jeder solchen Sache werde ich zehren, so wie von Deinem letzten Brief. Es ist, soviel ich sehe, der absolut einzige Weg oder die

Schwelle des Weges, der zu einer geistigen Befreiung führen kann. Und zwar früher für die Helfer, als für die, welchen geholfen wird. Vor dem Hochmut der entgegengesetzten Meinung hüte Dich, das ist sehr wichtig. Worin wird denn dort im Heim geholfen werden? Man wird, da man doch für dieses Leben schon einmal in seine Haut eingenäht ist und zumindest mit eigenen Händen und unmittelbar an diesen Nähten nichts ändern kann, versuchen, die Pfleglinge, bestenfalls unter möglichster Schonung ihres Wesens, der Geistesverfassung der Helfer und in noch weiterem Abstand der Lebenshaltung der Helfer anzunähern, d. h. also dem Zustand des gebildeten Westjuden unserer Zeit, Berlinerischer Färbung und, auch das sei zugegeben, dem vielleicht besten Typus dieser Art. Damit wäre sehr wenig erreicht. Hätte ich z. B. die Wahl zwischen dem Berliner Heim und einem andern, in welchem die Pfleglinge die Berliner Helfer (Liebste, selbst Du unter ihnen und ich allerdings obenan) und die Helfer einfache Ostjuden aus Kolomea oder Stanislau wären, ich würde mit riesigem Aufatmen, ohne mit den Augen zu zwinkern, dem letzteren Heim den unbedingten Vorzug geben. Nun glaube ich aber, diese Wahl besteht nicht, niemand hat sie, etwas, was dem Wert der Ostjuden ebenbürtig wäre, läßt sich in einem Heim nicht vermitteln, in diesem Punkt versagt in letzter Zeit sogar die blutsnahe Erziehung immer mehr, es sind Dinge, die sich nicht vermitteln, aber vielleicht, das ist die Hoffnung, erwerben, verdienen lassen. Und diese Möglichkeit des Erwerbes haben, so stelle ich es mir vor, die Helfer im Heim. Sie werden wenig leisten, denn sie können wenig und sind wenig, aber sie werden, wenn sie die Sache begreifen, alles leisten, was sie können, und daß sie eben alles leisten, mit aller Kraft der Seele, das ist wiederum viel, nur das ist viel. Mit dem Zionismus hängt es (dies gilt aber nur für mich, muß natürlich gar nicht für Dich gelten) nur in der Weise zusammen, daß die Arbeit im Heim von ihm eine junge kräftige Methode, überhaupt junge Kraft erhält, daß nationales Streben anfeuert, wo anderes vielleicht versagen würde, und daß die Berufung auf die alten ungeheuern Zeiten erhoben wird, allerdings mit den Einschränkungen, ohne die der Zionismus nicht leben könnte. Wie Du mit dem Zionismus zurechtkommst, das ist Deine Sache, jede Auseinandersetzung (Gleichgiltigkeit wird also ausgeschlossen) zwischen Dir und ihm, wird mich freuen. Jetzt läßt sich darüber noch nicht sprechen, solltest Du aber Zionistin einmal Dich fühlen (einmal hat es Dich ja schon angeflogen, es war aber nur Anflug, keine Auseinandersetzung) und dann erkennen, daß ich kein Zionist bin – so würde es sich bei einer Prüfung wohl ergeben – dann fürchte ich mich nicht und auch Du mußt Dich nicht fürchten, Zionismus ist nicht etwas, was Menschen trennt, die es gut meinen.

Es ist spät geworden, auch will sich Kopf und Blut seit zwei Tagen wieder gar nicht beruhigen.

Franz

[Postkarte]   [Prag,] 13. IX. 16

Liebste, heute keine Nachricht. Wenn in meinen 2 Briefen nur wenig von dem steht, was Du wolltest, so schadet es doch nicht. Wir werden ja hoffentlich noch oft über die Sache zu schreiben haben. Wie ist die Wohnungssuche gelungen, die ich natürlich außerordentlich billige? Die Beibehaltung der alten Wohnung war ein Wahn, wenn auch ein pietätvoller, das ist der Wahn sehr oft. Was ist das für eine Inspektion, zu der Du Freitag gehn mußtest? Und warum taucht wieder der Zahnarzt auf, vor dem mir immer ein Grauen angeht. – Ich staunte natürlich über die unbegreifliche Höhe Deiner Ersparnisse. Du mußt zauberhafte Finger haben, das hinausgerollte Geld muß auf Umwegen wieder zurückrollen. Ich habe darin ganz entzauberte wahrhaft beamtenmäßige Hände.

Franz

[Am Rande] Freitag spätestens hoffe ich den Bericht über den Montag zu haben.

[Postkarte]   [Prag,] 15. Sept. 16

Liebste, heute kamen Karten vom 11, 12, 13 und der Brief vom 12. Durch diesen Zusammenlauf glichen sich die schlechten Nachrichten ein wenig aus, wenn auch noch genug Kopfschmerzen, Zahnschmerzen und Trauer blieben. Für den regelmäßigen Besuch des Heims (ein übertriebenes Wort für die erste Woche, aber Du wirst es rechtfertigen) danke ich Dir für mich und Dich und uns beide.

Es ist ein großer Vorteil, daß das Äußere des Ganzen Dir gefällt, es wäre ja eben so leicht möglich gewesen, daß es Dich äußerlich abgestoßen hätte, ohne deshalb etwa eine schlechtere Sache gewesen zu sein. Diese Prüfung ist Dir also erspart geblieben, womit natürlich nicht gesagt sein soll, daß auch alle andern ausbleiben werden. Zu Deiner Frage schreibe ich Dir nächstens, ich bin heute auf eine schlechte Schreibmaschine angewiesen und habe wenig Zeit. – Das noch: Letzthin bekam ich eine Einladung zu einer Vorlesung in München innerhalb eines Cyklus »Abende für neue Literatur«. Es wäre nicht übel, ich lese gern und vielleicht könntest Du (am 6. oder 11. Oktober) auch hinkommen. Aber die Paßschwierigkeiten, die vielleicht für einen solchen Zweck nicht unüberwindbar sind, sind doch zu groß für meine Energie und Zeit. Ich werde also wohl absagen müssen. Sehr schade. Ich hätte mit Wolfenstein[1] an einem Abend vorlesen sollen.

Viele Grüße   Franz

[Vier Postkarten]   [Prag,] 16. Sept. 16

Liebste, wieder nur paar Worte, aber nahe gesprochen. Es ist das Heim, das uns so nahe bringt. Vor den Fragen der Mädchen fürchte Dich nicht, oder vielmehr fürchte Dich vor ihnen und halte diese Furcht als den wichtigsten Nutzen des Heims fest. Es ist ja nicht eigentlich das Fragen, vor dem Du Dich fürchtest, es ist auch das Nichtfragen, das Dich manchmal beengen wird und es ist nicht nur das Fragen dieser Mädchen, sondern auch jenes der drohenden oder segnenden »brauchbaren Menschen« von denen Du lieb und ergeben schriebst. Im übrigen wird es Deine Sache sein, ihr Vertrauen zu Dir auf anderes zu stellen als auf Religiöses und wo darin ein Gemeinsames nötig wird, den dunklen Komplex des allgemeinen Judentums, der so vielerlei Undurchdringliches enthält, wirken las-

---

[1] Der Dichter Alfred Wolfenstein (1888–1945). – Außer Kafka, der dann doch am Abend des 10. November 1916 in München las, trugen folgende Autoren in dieser Reihe aus eigenen Werken vor: S. Friedländer (Mynona) am 8. und E. Lasker-Schüler am 26. September; A. Wolfenstein am 10. und Th. Däubler am 27. Oktober; J. R. Becher und W. Herzfelde am 17. November und G. Kölwel am 4. Dezember 1916.

sen. Dadurch soll natürlich nichts verwischt werden, wie man es z. B. hier nicht ungerne macht. Das wäre durchaus unrecht, glaube ich. Es fällt mir nicht ein, in den Tempel zu gehn. Der Tempel ist nicht etwas, an das man sich heranschleichen kann. Man kann es jetzt nicht, wie man es nicht als Kind konnte; ich erinnere mich noch, wie ich als Kind in der fürchterlichen Langweiligkeit und Sinnlosigkeit der Tempelstunden förmlich ertrunken bin; es waren Vorstudien, welche die Hölle für die Gestaltung des spätern Bureaulebens machte. Diejenigen welche sich nur infolge ihres Zionismus an den Tempel herandrängen, kommen mir vor wie Leute, die sich hinter der Bundeslade und durch sie den Eingang in den Tempel erzwingen wollten, statt ruhig durch den allgemeinen Menscheneingang zu gehn. Aber bei Dir verhält es sich, soweit ich sehe, gar nicht so wie bei mir. Während ich den Kindern sagen müßte (natürlich ist es nicht gut, solche Gespräche hervorzulocken und sie werden von selbst nur sehr selten entstehn, denn Großstadtkinder haben genug Umblick in der Welt und verstehn es, wenn sie Ostjuden sind, gleichzeitig sich zu bewahren und den andern hinzunehmen), daß ich infolge meiner Herkunft, Erziehung, Anlage, Umgebung nichts, was man aufzeigen könnte, mit ihrem Glauben gemeinsam habe (das Halten der Gebote ist nichts Äußeres, im Gegenteil der Kern des jüdischen Glaubens), während ich also das ihnen irgendwie eingestehen müßte (und ich würde das offen tun, ohne Offenheit ist hier alles sinnlos), bist Du vielleicht nicht ganz ohne aufzuzeigende Verbindung mit dem Glauben. Es sind freilich vielleicht nur halbvergessene Erinnerungen, begraben unter dem Lärm der Stadt, des Geschäftslebens, des Wustes aller in den vielen Jahren eindringenden Gespräche und Gedanken. Ich will nicht sagen, daß Du noch bei der Tür stehst, aber vielleicht glänzt Dir doch noch irgendwo in der Ferne die Klinke der Tür. Ich meine, vielleicht kannst Du den Kindern auf ihre Frage wenigstens eine traurige Antwort geben, ich könnte auch das nicht. Das aber wäre genug, um Dir in jedem Fall Vertrauen zu gewinnen. Und wann beginnst Du nun, liebe Lehrerin?

Deiner Schwester habe ich geschrieben. Da Du mir einerseits meine Gegenargumente nicht widerlegt hast, andererseits aber auch nicht vom Schreiben abgeraten hast, habe ich einen lau überzeugten und entsprechend überzeugenden Brief geschrieben.

Franz

Liebste, das Mittagessen soll warten, ich muß Dir zuerst kurz antworten. – Du faßt die Sache gleichzeitig ruhig und eifrig an, so ist es
gut. Der Sonntagsausflug kann für Dich Bedeutung gehabt haben.
Hier war es übrigens ein schöner Tag. Wir, ich und Ottla, saßen, ein
wenig trotz der starken uns gerade gegenüberstehenden Sonne frie-
rend, über einem schönen, nicht allzu breiten, wechselvoll sich bie-
genden Tal, mit großer Fernsicht nach allen Seiten. Wir lasen Strachoffs Erinnerungen an Dostojewski[1]. Jetzt aber werde ich nur
Foersters Jugendlehre[2] lesen. Ich kenne Foerster nicht, habe aber
viel Gutes von ihm gehört, wenn mich auch das, was ich an Beispielen aus dem Buch (Felix schätzt es sehr) gehört habe, etwas betrof-
fen gemacht hat. Es ist hier aber so, wie bei dem Wesen der ganzen
Arbeit für das Heim: Man kann Pädagogik wesentlich für wirkliche
Arbeit nicht lernen, man kann aber an der Hand eines vernünftigen
pädagogischen Buches die eigenen pädagogischen Fähigkeiten auf-
rühren, kennen lernen und messen; mehr kann ein Buch nicht und
mehr soll man von ihm nicht erwarten. Dein erster Vorschlag, der
angenommen wurde, scheint mir sehr richtig, der zweite anzweifel-
bar. Würde Foerster im Kurs gelesen, so würde das wahrscheinlich
dazu verlocken, ihn zuhause nicht oder nur flüchtig zu lesen, während es bei der Methode, die angenommen wurde, selbstverständlich ist, daß jeder, der mitkommen will, das Buch, und zwar das
ganze, nicht nur sein zugeteiltes Stück liest. Deine Bedenken sind
deshalb nicht so schwerwiegend. Den Foerster wird jeder aus dem
Foerster kennen lernen und wenn er dann aus dem Referat außer
dem Foerster auch noch einen Schimmer z. B. von Felice bekommt,

---

[1] Vermutlich die Einleitung N. N. Strachoffs zu den Literarischen Schriften
Dostojewskis; F. M. Dostojewski, *Sämtliche Werke,* Abt. 2, Bd. 12, München
1913.
[2] Friedrich Wilhelm Foerster, *Jugendlehre.* Ein Buch für Eltern, Lehrer und
Geistliche, Berlin 1904 (Im weiteren zitiert als ›Foerster, *Jugendlehre*‹). In
einer Broschüre des Jüdischen Volksheims heißt es dazu: »Zur pädagogischen Ausbildung studiert die Helferschaft zur Zeit in einem Kurse Fr.
W. Försters Jugendlehre, da es an einem auf jüdischer Ethik aufgebauten
pädagogischen Werke fehlt. An den Sonnabend-Abenden ... besteht Gelegenheit, die im Förster-Seminar behandelten Erziehungsprobleme vom
jüdisch-religiösen Standpunkte aus zu beleuchten.« Vgl. *Das Jüdische Volksheim Berlin.* Erster Bericht, Mai/Dezember 1916, [Berlin 1917], S. 15.

so ist ja dagegen gar nichts einzuwenden, besonders wenn ich an den erwähnten Sinn denke, den meiner Meinung ein pädagogisches Buch für die Arbeit haben kann. Du scheinst übrigens einen der wichtigsten Abschnitte, dem Titel nach zu schließen, übernommen zu haben. Warum erst nach Sträuben? Arbeiten denn nicht alle mit? – Die Literatur über das Volksheim in Wien werde ich mir zu verschaffen suchen. Vielleicht könntest Du mir darüber noch einige genauere Angaben machen. Gern würde ich auch noch paar Worte über den früheren Vortrag über religiöse Erziehung hören[1]. – War Frl. Bloch mit?
Ich verlange vielleicht zu viel Schreibarbeit von Dir neben der Unmenge sonstiger Arbeit, die auf Dir liegt. Ich kann nur sagen, wie groß auch die Arbeit ist, die ich Dir verursache, die Freude, die mir die Briefe machen, ist unendlich größer und nur eben durch den Gedanken an Deine Überarbeitung gedrückt. Ist Dein Chef in Berlin? Hast Du ein Hilfsmädchen?

Franz

[Postkarte]   [Prag,] 19. IX. 16

Liebste, heute keine Nachricht. Die Jugendlehre von Foerster habe ich Dir gestern schicken lassen, und zwar ungebunden, damit Du, selbst wenn Du sie gebunden schon besitzen solltest, ein Exemplar hast, das Du auseinandernehmen kannst, und nicht gezwungen bist, immer mit dem ganzen schweren Buch herumzulaufen. Ich habe gestern schon darin geblättert, Dein Kapitel sogar ganz gelesen (trotz geradezu strahlenden Kopfschmerzen). Es ist in seiner Art ein bewunderungswürdiges Buch, wenn auch in meinem Sinn einiges darunter, darüber und daneben zu sagen ist. Ich saß gestern wohl eine Stunde noch am Bettrand, ohne mich zu legen und dachte daran. Jetzt nach einem Bureauvormittag ist es mir allerdings nicht mehr so gegenwärtig. Dein Abschnitt ist ja in 30 Sätzen leicht zusammenzufassen. Schick mir die Kopie des Referates und wir sprechen dann weiter darüber. Sag mir auch paar Worte zu dem, was ich Dir schrieb. – Wie war es möglich, daß Du trotz der Vorbereitung keine Wohnung gefunden hast? Das gibt schlechte Aussichten für spätere

---

[1] »Das Problem der jüdisch-religiösen Erziehung«, ein Vortrag, den Siegfried Lehmann vor der Helferschaft des Heims und ihren Gästen gehalten hatte.

Wohnungssuche. Ich werde doch vielleicht fahren können[1]. Allerdings habe ich heute erfahren, daß Max die Einladung vermittelt hat; meine Lust zu fahren ist entsprechend geringer geworden. Wolltest Du die riesige Reise machen? Nicht um bei der Vorlesung zu sein, das wollte ich gar nicht, aber um paar Stunden, es kann sich etwa um 5 Stunden handeln, mit mir beisammen zu sein. Es ist aber noch nicht sicher.

Franz

[Postkarte]   [Prag,] 20. IX. 16

Liebste, gutund sehr gut, daß Du den Ausflug mitgemacht hast. 4 Stunden Gehn ist allerdings fast zu viel für das von der Woche ermüdete Mädchen, wenn es auch wieder einen Luft- und Bewegungsersatz für die Abende im Heim gibt. Jedenfalls: nimm Dich in acht, übernimm nicht zu viel, ein Abend Foerster und ein Abend Unterricht in der Woche soll jedenfalls das Äußerste sein, wenn Du dann noch jeden 2ten Sonntag hinzugibst, ist das Maß voll. Einen Abend leichten Turnens in der Woche, mit dieser schon in Marienbad angesagten Programmnummer könntest Du mir noch Vergnügen machen. – Hast Du noch etwas von [Friedrich] Feigl gehört oder ihm geschrieben? Er kommt wohl nach Prag, trotzdem ist es sonderbar, daß er mir weder schreibt noch das Bild schickt. Von Samstag hatte ich keine Nachricht von Dir; verloren?

Franz

[Am Rande] Was macht der Zahnarzt?

[Postkarte]   [Prag,] 22. Sept. 16

Liebste, daß Du auch zu dem andern Kurs noch gehst, habe ich eigentlich gar nicht erwartet. Wirst Du das alles umfassen können, einerseits ohne Dich überanzustrengen, andererseits ohne Deine Aufnahmfähigkeit und Deine Leistungen dort zu schwächen? Die Debatte, von der Du erzählst, ist charakteristisch, ich neige im Geiste immer zu Vorschlägen wie denen des Hr. Scholem, die das Äußerste

---

[1] Zu der im Brief vom 15. September erwähnten Dichter-Lesung in München. Vgl. Anm. S. 699.

verlangen und damit gleichzeitig das Nichts. Man muß eben solche Vorschläge und ihren Wert nicht an der tatsächlichen Wirkung messen, die vor einem liegt. Übrigens meine ich das allgemein. Der Vorschlag Scholems ist ja an sich nicht unausführbar. – Daß Du mit den Mädchen gut auskommst und Hoffnung hast, ihnen näher zu kommen, freut mich sehr. Sehr schädlich wäre dem eine Art Selbstzufriedenheit, deren allerdings kleinste und vielleicht nur für mein ängstliches und besonders nahe gebrachtes Auge sichtbare Spitzen in Deinem Brief hervortreten, etwa: »ihnen recht viel sein und geben möchte und könnte.« Nur nicht glauben, Dank der Kinder zu verdienen und immer wissen, daß man zu danken hat. Wenn man nicht zu danken hat, dann ist man in der traurigen Lage einer Volksschullehrerin, die für ihre Qual nicht einmal bezahlt wird. Eine Figur der Hölle. – Dabei erinnere ich mich: Nächstens erscheint Deine alte Geschichte. Ich habe die veraltete Widmung ersetzt durch: »Für F.« Ist es Dir recht?[1]

Viele Grüße   Franz

[Postkarte]   [Prag,] 23. IX. 16

Liebste, keine Nachricht, hatte diese Woche nur Karte und Brief vom Montag. – Der schöne Tag, der heute ist, macht mich wieder ein wenig lebendiger. Vielleicht wirst auch Du wieder einen schönen, aber hoffentlich weniger anstrengenden Sonntag mit den Kindern haben. Ich wollte auch neben Dir im Koupé sitzen und fragen, ob ich fragen darf. Vielleicht würde dann die ewige Unruhe aufhören. Mir ist viel zu oft im Geiste, wie dem Schiffbrüchigen im Körper ist, wenn er zwischen den unübersehbaren Wellen auf und ab geschwemmt wird ohne alle Barmherzigkeit. – Schon öfters wollte ich Dir davon schreiben: Erinnerst Du Dich an das kleine Prosastück, das im »Juden« hätte erscheinen sollen im Anhang an einen Aufsatz von Max? Die Sendung ging damals verloren, später wurde es dann noch einmal geschickt und schließlich hat Buber, wie es auch in meinem Sinn das allein Vernünftige war, den Aufsatz von Max mit einigen Vorbehalten angenommen, auf meinen »Traum« aber verzichtet, allerdings in einem Brief, der ehrenvoller war, als

---

[1] Die der ersten Veröffentlichung im Jahrbuch *Arkadia* vorangestellte Widmung lautete: ›Für Fräulein Felice B.‹. Vgl. Brief vom 18. Oktober 1912, S. 53.

eine gewöhnliche Annahme hätte sein können[1]. Ich erwähne das aus zwei Gründen: erstens weil mich der Brief gefreut hat und zweitens um Dir an dieser Kleinigkeit in beamtenhafter Ängstlichkeit zu zeigen, wie unsicher meine materielle und geistige Existenz ist. Selbst unter der Voraussetzung, daß ich etwas werde leisten können (ich kann vor Unruhe keine Zeile schreiben) ist es sehr leicht möglich, daß selbst Leute, die es mit mir gut meinen, mich abweisen werden, die andern natürlich umso mehr.

Herzlichste Grüße   Franz

[Postkarte]   [Prag,] 24. IX. 16

Liebste, so schöner Tag, daß ich sogar vormittag aus dem Bett herauskam und im Vorübergehn im Bureau nachfragte, nicht umsonst, es waren Briefe vom 21. u. 22. da. Ich weiß nicht, wie ich die Freude begreiflich machen soll, die sie mir verschaffen. Es ist etwa so, als wären die Mädchen meine Kinder und bekämen eine Mutter (nachträglich?) oder als wärest Du mein Kind und bekämest in Deiner Gruppe eine Mutter oder als säße ich irgendwo in Frieden und der unentbehrliche Regen strömte auf meine Felder. Und das eigentlich Wunderbare bei dem allen wäre, daß ich es nicht verdiene, daß mir aber aus diesem Nichtverdienen infolge eines ganz verborgenen Weltgesetzes keine Schuld gedreht werden kann. – Morgen schreibe ich ausführlich oder schicke das Referat, wie ich es mir denke. Schlemihl halte ich als Einleitung für recht gut und lasse Dir morgen 10 Exempl. Schlemihl mit Zeichnungen aus der »Weltliteratur« schicken[2]. – Ich wandere in Gedanken mit langen Schritten neben Dir nach Mühlbeck.

Franz

---

[1] Das aus der Arbeit am *Prozeß* hervorgegangene Prosastück »Ein Traum«, das schließlich im *Almanach der Neuen Jugend auf das Jahr 1917,* Verlag Neue Jugend Berlin, S. 172 ff. erschien. Es hätte ursprünglich wohl im Anschluß an Max Brods Aufsatz »Unsere Literaten und die Gemeinschaft« in die Monatsschrift *Der Jude* I, 7 (Oktober 1916) aufgenommen werden sollen, wurde dann aber in der von Martin Buber mitherausgegebenen Sammelschrift *Das jüdische Prag,* Prag, Verlag der ›Selbstwehr‹ (Dezember 1916) veröffentlicht und am 6. Januar 1917 noch einmal im *Prager Tagblatt* (Unterhaltungs-Beilage) abgedruckt.

[2] Adalbert von Chamissos Erzählung *Peter Schlemihls wundersame Geschichte.*

Liebste, also das Referat, hoffentlich bekommst Du es noch rechtzeitig, es wird nicht sehr gut werden, ich improvisiere es in aller
Eile, da ich heute unerwartet viel zu tun hatte und überdies aus verschiedenen Gründen und Nichtgründen seit dem damaligen ersten
Lesen im Foerster mich nicht weiter mit [ihm] abgegeben habe und
deshalb heute, um das Referat Deines Kapitels machen zu können,
auch noch die ersten 48 Seiten, die Zähne in den Lippen, durchrasen
mußte. Also fangen wir an: Nein, vorher noch etwas: Auch ich
glaube, daß es richtig ist, zuerst das Ganze dreiviertel lesend, ein-
viertel redend durchzunehmen, dann aber als Referent, der seinen
Teil besonders gründlich gelesen hat und diesen Vorteil den andern
mitteilen will, das Ganze in kurzen Sätzen zusammenzufassen.
Außerdem glaube ich nicht, daß es die Sache des Referenten ist,
Zweifel, die er an der Berechtigung mancher Foersterscher Aufstel-
lungen hat, bei dieser Gelegenheit vorzubringen, wohl aber halte
ich es für nötig, daß ein eigener Abend oder Vortrag am Ende des
ganzen Kurses oder vielleicht schon am Ende des theoretischen Teiles einer Besprechung der Bedenken gegen einzelnes im Foerster
vorbehalten wird. Ich würde Dir dann sehr gern einen in meinem
Sinne gelegenen Entwurf dazu machen. Also jetzt das Referat:
Bisher wurden die allgemeinen Gesichtspunkte der Methode einer
Morallehre aufgezeigt, und zwar in 2 Hauptgruppen, in der Führung der Kinder vom Leben empor zu den Sittengesetzen und in
der Führung von den Sittengesetzen zum Leben hinab. Beide, natürlich organisch zu vereinigende Methoden gelten sowohl für die
eigentliche Morallehre als auch für den Wissensunterricht. In dem
heute zu besprechenden Abschnitt ist die Untersuchung auf den
Moralunterricht innerhalb der einzelnen Gegenstände des Wissens-
unterrichts eingeschränkt. Behandelt werden die Naturwissenschaf-
ten, besonders Physik, Physiologie, Astronomie, dann der Sprachunterricht, Geschichtsunterricht, Literaturgeschichte, Gesang- und
Musikunterricht; der Geographieunterricht wird nur gestreift.
In der Naturwissenschaft ist die Anknüpfung an die Sittengesetze
wichtiger als anderswo, denn hier ist die eigentliche, an sich nicht
notwendige, aber tatsächlich vorhandene Ursache des Abirrens von
ihnen. Es werden zwei Beispiele der moralischen Gegenwirkung
gezeigt: Eine Darstellung (für Kinder von 11–14 Jahren) der Sinn-

losigkeit, welche alle Entdeckungen und Erfindungen bekommen müssen, wenn der sittliche Mensch nicht vorhanden ist, der sich ihrer bedienen soll. Und dann für Schüler der obersten Klassen eine Darstellung der Tat und Strafe des Prometheus als der Erreichung der Macht in Auflehnung gegen die höhere Ordnung und Abbüßung dieser Schuld.

Die Anknüpfungsmöglichkeiten in der Astronomie sind etwa: Die Untersuchung der Entdeckung des Kopernikus als einer Tat des tiefen Mißtrauens gegen den Augenschein, dieses wohltätigen Mißtrauens, das man auch bei Beurteilung des eigenen sittlichen Verhaltens wahren soll. Die Demut welche die Anerkennung der subjektiven Störungsursachen in der astronomischen Forschung zu Folge haben muß, soll auch in der Anerkennung der subjektiven Fehlerquellen im sittlichen Verhalten erstrebt werden.

Der Sprachunterricht kann begründet werden auf der Feststellung, daß es sich hier um die erste Stufe angewandter Menschenliebe handelt, die sich äußert in der Verwirklichung innerlicher Gastfreundschaft, in der Loslösung von der Beschränktheit des eigenen Empfindens, in dem Eindringen in fremde Anschauungswelt, also im Wachsen an Toleranz und Bescheidenheit. Ohne das Erleben dessen ist durch bloßes Anlernen der Sprache wenig erreicht. Das sieht man an den unversöhnlichen Gegensätzen, die innerhalb der gleichen Sprachgemeinschaft herrschen, z.B. unter den Ständen oder verschiedenen Generationen. In diesem Sinne ist auch Aneignung der Sprache des Sprachgenossen nötig.

Im gewöhnlichen Geschichtsunterricht ist ein Mißbrauch der Morallehre sowohl, als auch der Geschichte sehr häufig. Die üblichen Versuche, die Geschichte als das Beweismaterial des Satzes: Die Weltgeschichte ist das Weltgericht hinzustellen, sind verfehlt und gefährlich. Man soll vielmehr unter Verzicht auf die an sich unmögliche historische Beweisführung sich nur auf die psychologische Darstellung der Verwüstung beschränken, welche die Gewalt in der Seele des Täters und des Vergewaltigten anrichtet. Nur auf diese Weise kann man den blendenden Schein des historischen Geschehens machtlos machen. (Jedenfalls Zweck heiligt die Mittel und Seite 66, zweiter Absatz, als für Foerster charakteristisch vorlesen!) Der sittliche Grundfehler des weithin verführerischen gewalttätigen Freiheitsstrebens wird an dem Beispiel Christi klar gemacht.

Zur Fortsetzung ist leider schon zu spät. Ich bin also etwa bis zu

Seite 71 gekommen, bleibt also nur noch Literatur und Kunst, Musikunterricht ist ja nur auf Beispiele beschränkt, die wenigstens zum Teil wie das gute: die zweite Stimme[1] vorgelesen werden müssen. Zum Schluß wäre dann vielleicht noch zu sagen, daß man sich natürlich im Geist des Buches von den notwendigerweise unzusammenhängenden Beispielen, welche allerdings im praktischen Teil (auf den auch oft verwiesen wird) noch sehr vermehrt werden, nicht von der Hauptlehre beirren lassen darf, welche auf Seite 68 (Anfang des letzten Absatzes) wieder einmal neu gefaßt wird. Alle Beispiele haben natürlich nur den Zweck in dieser Hauptlehre zu festigen.

Franz

Nicht zu viel Arbeit übernehmen, Felice! Warum mußt Du z. B. den Bericht[2] schreiben?

26. IX. 16

Liebste, gestern und heute keine Nachricht. – Zuerst einige kurz zu beantwortende Fragen: Wieviel Abende bist Du jetzt wöchentlich im Heim und wieviel Stunden? Wie weit ist das Heim und wie fährst oder gehst Du hin? Um was handelt es sich in dem Vortrag des Dr. Lehmann über religiöse Erziehung? Du schreibst, die Mädchen wählen ihre Helferin selbst. Wo haben sie denn die Möglichkeit der Auswahl? Du bist doch nicht gewählt worden oder ist Deine Berufung nur eine versuchsweise? Und warum ist Mirjam nicht mehr Führerin? Kennst Du sie persönlich? Und was macht die zweite Dame, die sich um die Gruppe beworben hat, wahrscheinlich ist es die, die Du Rotstein nennst. Ihr teilt die Arbeit zwischen Euch und in welcher Weise? Wie verhalten sich zum Heim Deine Freundinnen, Deine Schwestern und Deine Mutter, der schon zwei Sonntage entzogen worden sind? Warum übernimmst Du das Schreiben des Jahresberichtes, eine Arbeit, die doch gewiß ein anderer hätte besorgen können und die eine außerordentlich unnötige Mehrbelastung für Dich darstellt, selbst wenn der Bericht nur eine Seite lang sein sollte? (Bei dieser Frage ist auch Eigennutz, denn diese Seite hätte besser für mich verwendet werden können). Ist

---

[1] Kapitelüberschrift in Foerster, *Jugendlehre,* S. 78 ff.
[2] Felice schrieb das Typoskript der schon erwähnten, von der Leitung des Jüdischen Volksheims herausgegebenen Broschüre. Vgl. Anm.[2] S. 701.

Dein Chef in Berlin? Hast Du ein Hilfsmädchen und wie bewährt es sich? Warum mußtest Du wieder übersiedeln? Wohnung wird keine mehr gesucht nach dem ersten Mißerfolg? Sind Nachrichten über den Herrn Danziger gekommen? Hast Du etwas von Feigl gehört oder ihm geschrieben? Hast Du Nachricht von Deiner Schwester? (Ich nicht) – Genug gefragt für heute.

Ich habe Dir gestern schicken lassen: 10 Schlemihl aus der Weltliteratur auf dem bessern Papier, auf dem sich, wie ich hoffe, die Bilder besser ausnehmen werden. Übrigens kenne ich dieses Heft gar nicht. Außerdem wirst Du 2 Exemplare Schlemihl von Schaffstein bekommen. Diese Büchlein sind vielleicht hübscher als die aus der Weltliteratur, besonders infolge der alten Bilder, aber ich glaube, der Text ist hier nicht vollständig. Ich denke nicht, daß die Mädchen in ihren Exemplaren mitlesen sollen, sondern daß Du ihnen nach Beendigung des Schlemihl die Hefte zur Erinnerung gibst. Die Wahl ist für den Anfang schon infolge des Beziehungsreichtums der Geschichte eine gute. Allerdings kann ich mir leider die Fähigkeiten und Bedürfnisse dieser glückseligen 11- bis 14-jährigen gar nicht vorstellen. Hast Du übrigens bemerkt, daß Foerster wenigstens anfangs gar keine besondere Rücksicht auf Mädchenunterricht [nimmt]? Hier bleibt Dir die Möglichkeit der Ergänzung nach Deinen Erfahrungen. Mit Max habe ich über die Lektüre Deiner Gruppe noch nicht eigentlich sprechen können, ich fürchte, für dieses Alter wird auch er nicht viel angeben können. Das einzige, was ich augenblicklich weiß, wären Geschichten aus der Bibel (oder ähnlich) von Schalom Asch[1]. Ich kenne es nicht und was ich sonst von ihm an Kleinigkeiten gelesen habe, habe ich immer ziemlich unleidlich gefunden, dieses Buch soll aber recht gut sein. Ich werde es Dir nächstens schicken lassen. Dann denke ich, daß Du einmal mit ihnen das kleine Buch von Lichtwark: Übungen im Bilderbetrachten (oder ähnlich) durchnehmen könntest, ein im Wert dem Foerster nicht unähnliches Buch, nämlich ausgezeichnet in seiner Art, darüber hinaus aber genug anzuzweifelbar. Auch das werde ich Dir schicken lassen[2]. Wenn ich von allzuviel Arbeit im Heim abriet (und was Du über-

---

[1] Schalom Asch, *Kleine Geschichten aus der Bibel,* Berlin, Jüdischer Verlag, 1914.
[2] Alfred Lichtwark, *Übungen in der Betrachtung von Kunstwerken nach Versuchen mit einer Schulklasse,* hrsg. von der Lehrervereinigung zur Pflege der künstlerischen Bildung, Dresden 1898.

nommen hast scheint schon zuviel), so dachte ich nicht etwa an das naheliegendste Bedenken, nämlich daß der allzu rasch ins Wasser Springende allzu rasch wieder herausspringt. Darin vertraue ich Dir, daß Du das nicht tust. Es ist nur die Befürchtung, daß Du Dich überarbeitest und daß bei der Vielheit Deiner Leistungen Ihre Intensität geringer werden muß. Sag mir bitte etwas darüber.

Die singende Einleitung der Stunde und den singenden Abgang halte ich für sehr gut, weiß aber nicht, warum Du selbst Dich zu singen weigern solltest. In Karlsbad hast Du doch recht gut gesungen, ich meine recht ungezwungen, während ich Dir gegenüber bei hellem Tag von Albdrücken geplagt wurde. Was soll gesungen werden?

Was die Freiübungen anlangt, erinnere ich Dich an das Müllersche System. Du hast doch das Buch? Ich mache Dich aber darauf aufmerksam, daß die Übungen sich nicht improvisieren lassen, sondern studiert werden müssen, vorher studiert werden müssen.

Ich werde vielleicht doch in München vorlesen. Daß Du hinkommen willst (ich mache aus der bedingten Zusage im Handumdrehn eine unbedingte) ist ein starker Antrieb. Es wird aber erst im November sein. Der Umweg über Berlin ist aus einigen Gründen unmöglich, ist übrigens von mir gar nicht sehr erwünscht. Ich sehe Dich in München lieber als in Berlin, wenn ich auch Deine Reisemühe beklage, und auch das Heim sehe ich lieber durch Dich, als in Wirklichkeit. Halte das meinem ganzen Zustand und vielleicht auch meinem Wesen zugute.

Franz

[Postkarte. Stempel: Prag – 27. IX. 16]

26. IX. 16

Liebste, vorgestern, gestern, heute keine Nachricht, etwas lange, nicht? Allerdings verstehe ich es beiläufig, Du hattest eben Samstag und Sonntag keine Zeit. Nun ist aber auch sonst heute ein sehr schlechter Tag. Gestern allerdings war er desto besser, es war so schönes Wetter und ich hatte einen Ausflug gemacht, ganz allein, zu dieser Hochfläche mit der großen Aussicht, von der ich Dir schon einmal geschrieben habe. Es war wie im bessern Jenseits. Kennst Du eigentlich die Freuden des Alleinseins, Alleingehns, Allein-in-der-

Sonne-Liegens? Damit ist wahrhaftig nichts gegen das Zuzweitsein und nicht viel gegen das Zudrittsein gesagt. Aber was für ein Glück für die Gemarterten, für Herz und Kopf ist das! Kennst Du es? Bist Du allein schon weit gegangen? Die Fähigkeit dazu setzt viel vergangenen Jammer und auch viel Glück voraus. Ich weiß, als Junge war ich viel allein, aber es war mehr Zwang, selten freies Glück. Jetzt aber laufe ich in das Alleinsein, wie das Wasser ins Meer.

Viele Grüße   Franz

Mit Max habe ich schon gesprochen, das einzige Buch, das er vorläufig nennen konnte, war eines von Scholem Aleichem. Mir aber – und schließlich auch ihm – scheint es zu ironisch und kompliciert für Kinder. Dagegen werde ich ein gutes Rätselbuch und vielleicht auch ein Beschäftigungsbuch Dir schicken, ich muß es nur finden.

[Postkarte]   [Prag,] 28. IX. 16

Liebste, heute kam Dein Brief vom Samstag, Dein Glückwunsch noch nicht. Bei diesen Verhältnissen ist es nicht wahrscheinlich, daß mein Referat rechtzeitig angekommen ist, allerdings dürftest Du Dich geirrt haben, der Abend wird doch nicht am Neujahrstag abgehalten werden. Das, was mich am meisten ungeduldig macht, ist, daß Dein Kinderabend schon so lange vorüber ist und ich vielleicht noch lange auf Nachricht werde warten müssen. Schreiber[1] kenne ich natürlich, habe immer, trotzdem ich nur ein, zweimal mit ihm beisammen war, Zuneigung zu ihm gehabt. Ein immer verlorener und immer wieder sich herausziehender Mensch. Auch unglückliche Ehe, glaube ich. Grüße ihn natürlich herzlich von mir. Das Heim wird eine gute Vereinigung, über seinen nächsten Zweck sogar hinaus. Diesen Menschen vertraue ich Dich wirklich gerne an.

Franz

---

[1] Der Komponist Adolf Schreiber (1883–1920). Max Brod schrieb ein Buch über ihn: *Adolf Schreiber. Ein Musikerschicksal*, Berlin 1921.

Liebste, ich dachte heute besondere Ruhe zu haben, der Foerster liegt neben mir, ich wollte den Rest des Referates schreiben, womöglich das Ganze besser, aber es geht nicht, es ist hier lebendiger als sonst. Ich werde froh sein, wenn man mich paar Zeilen zu Ende schreiben läßt. Heute kam Dein Brief vom Dienstag. Diese Briefe von Dir binden uns stärker und tiefer aneinander, als die besten Briefe aus der besten alten Zeit. Es tut mir nur leid, daß ich Dir nur so flüchtig und vage antworten kann, d. h. vager noch, als es meinem Wesen in diesen Dingen entspricht. Es ist die Schreibmaschine, die mich zu Flüchtigkeit und Geschwätzigkeit verführt, während sie Dich klarer schreiben läßt als sonst. Nun, es wird auch die Notwendigkeit der Schreibmaschinenschrift einmal vorübergehn. Nervös werde ich auch, wenn ich daran denke, daß mir irgendeine Nachricht verlorengehen könnte. So schreibst Du z. B., daß Du letzten Montag nicht geschrieben hast, wegen Sophie und hebst dies besonders hervor. Aber von Sonntag habe ich auch keine Nachricht und es hätte vielleicht, trotzdem ich mir dies eigentlich nicht vorstellen kann, in einem Sonntagsbrief eine Nachricht über den Samstagabend, Deinen ersten Abend mit den Mädchen, sein können, von dem Du Dienstag nicht mehr schreibst, ebenso allerdings nicht von dem angesagten Sonntagsausflug. Ist einmal eine Nachricht verloren gegangen und weiß ich es bestimmt, so finde ich mich ja damit ab, aber die Ungewißheit stört mich. Gib mir also darüber die Möglichkeit des Überblicks. Hast Du übrigens meine flüchtige Antwort auf Deine Glaubensfragen bekommen? Das war ja ein großes Thema, das Lemm auf sich genommen hat, fast zu groß, als daß es auch die schönste Wohnung in Friedenau zu umfassen imstande sein sollte. Wer waren die Zuhörer? Könntest Du mir über den Vortrag, die Diskussion und vielleicht auch über den alten Vortrag des Dr. Lehmann über religiöse Erziehung etwas sagen, nur in paar Worten natürlich? Lemm[1] kenne ich natürlich aus seinen Aufsätzen hie und

---

[1] Der Schriftsteller Alfred Lemm [Pseud. für Alfred Lehmann] (1889 – 1918), Bruder des bereits genannten Dr. Siegfried Lehmann (vgl. Anm.² S. 673), wurde durch Erzählungen, Romane und eine Reihe kulturpolitischer Aufsätze bekannt. Zur »Idee des Mittellandes«, auf die sich Kafka hier offenbar bezieht, vgl. A. Lemm, »Wir Deutschjuden«, *Die Tat*. Sozial-religiöse Monatschrift für deutsche Kultur, 7. Jg., Heft 11 (Februar 1916), S. 946 ff.

da. Er ist phantastisch bis zum Vertrakten (ich weiß nicht, ob Du von seiner Lehre vom Zwischenland gehört hast?), aber wahrhaftig, konsequent und zu vielem fähig. So scheint er mir. Wie alt ist er? Mit wem hast Du dort gesprochen?

Daß Du die Lesung von »Minna von Barnhelm« weiter übernehmen mußt, ist allerdings eine schwere Erbschaft. Sind denn so kleine Mädchen überhaupt der Auffassung eines kompliziert Dramatischen fähig und könnte man nicht, wenn die Lesung nicht zu weit vorgeschritten war, und übrigens auch in diesem Fall, mit einer passenden Erklärung das Lesen des Stückes abbrechen. Es müßte denn sein, daß Deine Vorgängerin – doch gewiß nicht Mirjam – in ihnen den Sinn für das Stück wirklich geweckt hat. Es wäre mir das aber eine unbegreifliche Tat. Wenn diese Mädchen sich aber schon an Dramen heranmachen, dann wird vielleicht das Buch von Asch zu kindlich für sie sein (was allerdings nicht unbedingt ein Fehler sein müßte), denn dann müßten sie eigentlich auch zum Lesen der Bibel in ihrem Sinne schon irgendwie fähig sein, wenn ich auch von meiner Seite davon abraten würde. Ich werde Dir jedenfalls zur weitern Auswahl des Richtigen ein Buch von Perez: »Volkstümliche Erzählungen« schicken lassen[1].

Im Stundenplan verstehe ich den Begriff Kameradschaft nicht. Sind diese Mittwochstunden etwas anderes als das Lesen und Spielen am Samstag? Und wie kommt es, daß Deine Stunden am Mittwoch um 6, am Samstag sogar schon um 5 beginnen; kannst Du denn um diese Zeit schon dort sein, gar Samstag, wo Auszahlung ist? Sehr gut, daß auch Frl. Bloch eine Möglichkeit zum Eingreifen gefunden hat.

Gestern sind 2 Bilder von Feigl gekommen, darunter gerade das, welches ich wollte, ohne es aus der Erinnerung beschreiben zu können.

Dein Glückwunschbrief kam heute. Das Blumengeschenk entspricht meinen Familienverhältnissen nicht; wenn ich die Blumen hätte kaufen sollen, hätte ich mich vorher zerbrechen müssen. Das wolltest Du doch nicht. Auch wären dann die Blumen erst recht ungekauft geblieben. Jedenfalls segne ich Neujahr dafür, daß es Dir vielleicht zwei ruhige Tage verschafft hat.

Franz

---

[1] Jizchok Leib Perez, *Volkstümliche Erzählungen,* 3. Bd. der Sammlung jüdischer Bücher *Vom alten Stamm,* Berlin 1913.

[Postkarte] [Prag,] 30.IX.16

Liebste, heute keine Nachricht. Über die Reise nach München werden wir uns noch verständigen. Der Tag ist noch nicht bestimmt, nur der November. Natürlich ist auch meine Reise noch durchaus nicht gesichert. Im ganzen hätte ich für die Reise nur zwei Tage Zeit, also außerordentlich wenig, besonders da die Verbindung mit München eine sehr schlechte ist, man fährt den ganzen Tag und an dem gleichen Abend müßte ich lesen, am nächsten Morgen dann aber schon wieder wegfahren. Es müßte denn sein, daß sich ein Sonntag oder Feiertag auf eine geschickte Weise dazwischenschieben läßt, dann – und das wäre das eigentlich Wünschenswerte an der ganzen Reise – hätten wir einen Tag für uns. Du erwähnst in dem Glückwunschbrief die Möglichkeit einer Reise nach Prag. Ist das ernsthaft und siehst Du die Möglichkeit? Allerdings muß ich auch hier wieder gestehn, Du nimmst es mir nicht übel, ich hätte Dich lieber, etwa in Bodenbach, als hier, aber, auch das ist richtig, lieber hier als nirgends. Wie hast Du es gemeint?

Franz

[Postkarte] [Prag,] 1.X.16

Liebste, heute wieder nichts. Schlechte, schlechte Nacht, an der Du zum Teil Schuld, Traumschuld hast. Folgender Angsttraum: Aus der Portierloge der Anstalt wird mir telephoniert, daß ein Brief für mich dort liegt. Ich laufe hinunter. Finde dort aber nicht den Portier, sondern den Vorstand der Einlaufstelle, in welche regelmäßig die Post zuerst kommt. Verlange den Brief. Der Mann sucht auf dem Tischchen, wo der Brief noch vor einem Augenblick gelegen haben soll, findet ihn aber nicht, sagt, die Schuld habe der Portier, der unberechtigter Weise den Brief dem Briefträger abgenommen hat, statt ihn in die Einlaufstelle geben zu lassen. Jedenfalls muß ich nun auf den Portier warten, sehr lange. Schließlich kommt er, ein Riese an Größe wie an Einfältigkeit. Er weiß nicht, wo der Brief ist. Ich, verzweifelt, werde mich beim Direktor beklagen, werde Konfrontation des Briefträgers und Portiers verlangen, bei der sich der Portier verpflichten soll, niemals mehr Briefe anzunehmen. Ich irre halb besinnungslos durch Gänge und Treppen, suche vergeblich den Direktor.

Franz

714

[Postkarte]   [Prag,] 2. Oktober 16

Liebste, endlich eine Nachricht, der Brief vom 29. – Die Verwendung der zweiten Jugendlehre habe ich ja im Vorhinein gewußt, sie
ist natürlich sehr richtig. Aber auseinandernehmen könntest Du das
Buch ruhig, Du machst Deine Anmerkungen, wie sie Dir aus dem
Nachdenken und der Praxis entstehn, auf Blätter in der Buchgröße,
legst die Blätter an passenden Stellen ein und wir lassen dann das
Buch mit diesen Blättern binden. Denke nur, das schöne Buch, das
es dann wäre! (Fast hätte ich geschrieben: Denke nur mal an.) Die
Notizen, die Du Dir für den Vortrag machst, könntest Du mir vielleicht schicken, nicht? – Die von Dir erwähnte Eigentümlichkeit
des Heims, einen zu beherrschen, erfahre sogar ich hier in meiner
Ferne. – Vielleicht sagst Du mir nächstens paar Worte noch über die
Leiterin. Sehr instruktiv wäre für mich natürlich irgendein Bildchen
von einer Wanderung oder Zusammenkunft oder sonstwas. – Das
Buch, das ich Dir von Schalom Asch habe schicken lassen, ist eher
zu kindlich als zu schwer. Warum aber nicht mit Chamisso anfangen? *Niemals und nimmermehr aber mit Wildenbruch, und so groß ist die
Verlegenheit auch nicht, daß man bis zu Rossegger greifen müßte. Sehr
gut wäre zeitweilig Hebel. Hast Du ihn?* – Die Vorlesung wird,
wenn sie überhaupt zustande kommt, Freitag, den 10. November
sein, Samstag hätten wir für uns. Entscheide!

                                                              Franz

[Postkarte]   [Prag,] 3.x.16

Liebste, wieder nichts, ich werde streng gehalten. Also in der Nähe
des Alexanderplatzes (vielfach unseligen Angedenkens) ist das Heim[1].
Nicht oft, aber übergenug habe ich ihn durchlaufen, durchirrt,
durchnachtwandelt. Wieder kommen mir ins Gedächtnis die Telephongespräche oder Telephonmonologe, geführt von dem armen
Gefangenen in der Telephonzelle des Askanischen Hofes: Nein, ich
will sie doch nicht wiederholen. Dieses Gepäck wurde wirklich
gerne abgeworfen in den Strom der Zeit, aber es ist doch nützlich,
wenn der vielgewundene wieder zufällig einmal vorüberkommt,

---

[1] Das Jüdische Volksheim befand sich in einem Wohnviertel des Berliner
Proletariats, in der Nähe des Alexanderplatzes. Vgl. Klara Eschelbacher,
»Die Wohnungsfrage«. *Neue Jüdische Monatshefte* Jg. IV, Heft 11–12.

die alten Dinge noch einmal in die Hand zu nehmen. Doch soll man es allerdings nicht mit den Kopfschmerzen, die ich seit paar Tagen nach einer kleinen aber genügend ruhigen Zeit herumtrage. – Der Vorwurf in der ersten Zeile ist nur aus der unvernünftigen Schreibmaschine geglitten, die vernünftigere Feder erklärt sich mit einem Brief wöchentlich zufrieden und bewertet außerdem jeden Weg ins Heim als etwas dem Brief Gleichwertiges. – Hast Du die Briefe des Hirsch[1]? Ich glaube, es ist ein orthodoxes Hauptwerk der deutschen Juden, ich kenne es gar nicht. Welche Ausgabe? –

Viele Grüße   Franz

Max läßt danken und freut sich mit mir (es ist aber eine andere Freude) über Deine Arbeit im Heim.

Franz

[Postkarte]   [Prag,] 4.X.16

Liebste, wieder nichts, ich werde es lieber gar nicht mehr hervorheben, es wird schon zur Selbstverständlichkeit. –
Das war der Morgengedanke, später kam dann doch der Sonntagsbrief. Ich persönlich, d. h. im tiefer Persönlichen, bin durchaus gegen die Unersättlichkeit, aber es schlüpft doch immer wieder durch, besonders wenn man sich nach elenden Nächten nicht zum tausendsten Teil in der Hand hat. Mach Dir nichts daraus!
Du schreibst, in Berlin könnten wir vielmehr beisammen sein als in München. Das verstehe ich nicht und es stimmt doch auch nicht. In München können wir, wenn die Vorlesung überhaupt zustandekommt und Du Zeit hast, Samstag, den 11. November vollständig für uns haben, eine solche Vollständigkeit wäre in Berlin nicht zu erreichen. – Heute kam ein Brief Deiner Schwester. Sie will natürlich nicht weg, ist verhältnismäßig sehr zufrieden und bittet, so wie Du mich gebeten hast, ihr Angst zu machen, jetzt mich, Deine Angst zu verscheuchen. Übrigens habe ich mich gewundert, daß Du nach der ersten Aufregung nichts mehr von der Sache geschrieben hast, trotzdem ich öfters darauf zurückgekommen bin. Ich glaube auch weiterhin, es ist am besten, sie bleibt vorläufig dort.   Franz

---

[1] Ben Usiel [Pseudonym für Samson Raphael Hirsch], *Neunzehn Briefe über Judentum,* herausgegeben von Samson Raphael Hirsch, 1863; 4. Auflage, Frankfurt am Main 1911.

716

Liebste, endlich bei der Schreibmaschine, aber mit schlechtem Kopf, unbegreiflich, nach welchen Gesetzen das Blut in mir wütet, seit paar Tagen sind wieder alle Nerven in Aufruhr und kein Schlaf ist mir erlaubt. Gestern abend war ich bei Dr. Bergmann, er ist auf Urlaub hier, er war mein Mitschüler, ich habe ihn gern und wollte wieder einmal bei ihm sein. Kennst Du übrigens den Namen? Er hat für den Zionismus große Bedeutung. Hugo Bergmann[1]. Jetzt wollte ich übrigens nur sagen, daß ich dort gestern abend mit meinem Kopf wie ein Verurteilter gesessen bin. Und eine kleine Zeit ging es mir doch wieder zuletzt recht gut. Nein, an Arbeit ist jetzt für mich nicht zu denken. Besonders leid tut es mir aber, daß ich infolgedessen nicht, so wie ich wollte und wie es mein Glück wäre, Dich bei Deiner Arbeit in Briefen unterstützen kann. Du dankst mir, aber ich will unvergleichlich mehr; was ich wirklich tue, ist ja nichts und jämmerlich.

Auch ein Zeichen meines Kopfes, ich frage nach Danziger und meine Steinitz. Nun ist aber wenigstens die Sache selbst gut ausgefallen.

Erst gestern habe ich erfahren, daß die gute Ausgabe der Schlemihl-Nummer der Weltliteratur nicht mehr zu haben ist, die gewöhnliche Ausgabe ist aber wohl nicht gut genug, um als Geschenk für die Kinder zu gelten. Jedenfalls werde ich Dir von ihr nur 5 Exemplare schicken lassen und mir außerdem die Ausgabe in der Inselbücherei ansehn, ob diese nicht brauchbar wäre. Doch möchte ich zuerst gerne wissen, wieviel Mädchen Du eigentlich hast.

Dein Lob der Ausstellung[2] ist vielleicht an dem gleichen Tag geschrieben worden, wie in einer meiner letzten Karten das Lob des Alleinseins. Ich will nur hinzufügen, daß die 2 Elemente nicht miteinander kämpfen müssen, sondern vielleicht sehr gut miteinander bauen können. Was die Ausstellung betrifft, so mag sie wohl sehr schön sein, aber vollständig ist sie gewiß nicht. Es fehlt ihr eine Schreckenskammer, deren Hauptstück z. B. eine Gruppe sein müßte,

---

[1] Hugo Bergmann, Prager Philosoph, Zionist, später Bibliothekar der Hebräischen Nationalbibliothek in Jerusalem und Professor an der Hebräischen Universität.

[2] Das bezieht sich wahrscheinlich auf die in der Karte vom 7. September 1916 erwähnte Berliner Ausstellung ›Mutter und Säugling‹.

wie sie etwa eine Kusine von mir mit ihrem Mann und dem Kinder-
wagen darstellt. Ein gutes Mädchen, sogar außergewöhnlich klug,
ist sie mit zunehmendem Alter und gleichbleibender Armut irgendwie verwirrt geworden, hilflos, sie mußte heiraten und heiratete,
allerdings mit Zustimmung der verschiedenartig informierten Verwandtschaft, einen Menschen, den sie bei ruhigen Sinnen gewiß
nicht geheiratet hätte. Ich persönlich habe nichts gegen ihn, er
kommt mir in den paar Augenblicken, in denen ich mit ihm beisammen war, sehr unterhaltend komisch vor, aber so komisch, daß
man nicht etwa durch ihn blamiert würde, wenn man seine Frau ist.
Die Komik ist durchaus nicht allgemein zugänglich. Es würde zu
langwierig und gegenüber dem Interesse, das er für mich bis jetzt
hatte, unwahr werden, wenn ich ihn ausführlich beschreiben wollte.
Jedenfalls sieht er erträglich aus, eher zu gesund als krank, immer
sehr zufrieden, und ist kaum älter als sie. Und nun haben sie ein
Kind. Es ist ungewöhnlich stark, etwa 2 Jahre alt, weißes unschul-
diges Fleisch, reiches blondes Haar, klare blaue Augen, es ist Vater
und Mutter ähnlich, aber hübscher als beide. Aber es ist ganz leblos,
es liegt breit und unbeweglich im Wägelchen, die Augen dreht es
ziellos und gleichgültig. Es kann gar nicht sitzen, um den Mund
gibt es kein Lächeln, kein Wort ist ihm zu entlocken. Wenn nun die
Eltern zu beiden Seiten des Kindermädchens und des Wagens
spazieren gehn, von einem Bekannten (etwa mir) wider Willen an-
gehalten werden, die Mutter mit diesem Vater und diesem Kind
belastet stehen bleibt, mit Tränen in den Augen zwischen dem
Bekannten und dem Kind hin und herschaut und doch auch ein
Lächeln aufbringt, um den immer zufriedenen Mann mit seinem
Lachen nicht ganz allein zu lassen – kurz das gehört wohl auch in
jene Ausstellung.
Aber weg davon und herzlichste Grüße

Franz

[Postkarte]   [Prag,] 6. x. 16

Liebste, gestern kam Dein Montags-, heute Dein Mittwochsbrief,
der letztere, nach dessen Beendigung sich vielleicht die Tür zu dem
Mädchenzimmer öffnet, in das ich Dich mit aller Kraft des Wün-
schens begleite. – Heute wurde ich wieder an unsere Erdmuthe erinnert, denn die Universitätsbibliothek mahnt das Buch ein. Erd-

muthe gehört auch irgendwie in die Ausstellung, wenn auch auf einen ganz andern Platz als meine Kousine. Sie hatte jedenfalls 12, vielleicht noch mehr Kinder, alle starben aber ganz jung, nur eines glaube ich kam über das zwanzigste Jahr hinaus und starb dann bald. Und außer dieser Kinderschaft leitete sie finanziell vollständig (ein bei den Verhältnissen ihres Mannes und der Brüderschaft fast übermenschliches Werk) und geistig teilweise die sich damals rasch vergrößernde, über ganz Europa und Nordamerika ausgebreitete Brüderkirche. Starb 56 Jahre alt. Ihr Mann heiratete bald nach ihrem Tode ein Mädchen, mit dem er geistig schon längst und tief verbunden war. – Heute habe ich Dir den Schlemihl in der Inselbücherei geschickt. Leider hat jede Ausgabe Fehler. Schaffstein ist wahrscheinlich nicht vollständig, Weltliteratur ist zu ärmlich, Insel ist zu kleingedruckt und Fischer ist zu teuer. Ohne Bilder gibt es allerdings noch andere gute Ausgaben. Also wähle und schreibe, was Du noch brauchst. Den Brief von Buber schicke ich Dir bei Gelegenheit, wenn Du willst. – Viele Grüße, Liebste und Beste

Franz

[Postkarte]   [Prag,] 7. x. 16

Liebste, heute nichts, das Beste, der Bericht über den ersten Heimabend will natürlich erwartet sein, kommt nicht so ohne weiters im Fluge. Durch die Berechtigung, welche die Mädchen offen bekommen (wenn ich Dich richtig verstanden habe), wird die Sache vielleicht unnötig heikel gemacht, eine Kritik der doch an sich überkritischen herausgefordert. Das Gleiche und Besseres ließe sich doch erreichen, wenn man ihnen das Wahlrecht zwar wirklich aber nicht ausdrücklich zugestehen würde. Vielleicht geschieht das aber in der Weise und ich habe Dich nur nicht richtig verstanden. – Gerade daß es sich bei dem Bericht nur um Abschreiben handelt, hat mich geärgert. Abschreiberinnen finden sich doch leicht. Aber vielleicht ließ es sich dem Frl. gegenüber doch nicht gut ablehnen. In der Ferne ist man leicht streng. – Der Aufsatz von Max: Unsere Literaten und die Gemeinschaft wird vielleicht im nächsten Juden erscheinen[1]. Willst Du mir übrigens nicht auch sagen, was ich eigentlich bin. In der letzten Neuen Rundschau wird die »Verwandlung« er-

---

[1] Brods Aufsatz erschien in *Der Jude* I, Nr. 7 (Oktober 1916), S. 457ff.

wähnt, mit vernünftiger Begründung abgelehnt und dann heißt es etwa: »K's Erzählungskunst besitzt etwas Urdeutsches.« In Maxens Aufsatz dagegen: »K's Erzählungen gehören zu den jüdischesten Dokumenten unserer Zeit.«[1]

Ein schwerer Fall. Bin ich ein Cirkusreiter auf 2 Pferden? Leider bin ich kein Reiter, sondern liege am Boden.

Franz

[Postkarte] [Prag,] 8.x.16

Liebste, heute bin ich sehr froh, es kam der Brief, die Karte und die Bilder vom Donnerstag. Man übertreibt leicht den neuesten Besitz, aber ich glaube, ich habe kein besseres Bild von Dir als dieses mit den Kindern zu Deiner linken Seite und dem (Waggon-?) Fenster hinter Dir. Vielleicht bist Du ein wenig zu düster (hantiert man etwa schlecht mit Deinem Apparat?) dafür aber, versteh mich recht, sinnvoll wie auf keinem Bild. Die Gruppe wiederholt sich noch einmal, allerdings ohne Dich, das dort erscheinende Mädchen mit der Masche hat wohl das erstere Bild aufgenommen. Bist Du auch in der Gruppe des Frl. Welkanoz? Wenn ich nicht irre, hat sie ein zartes, kleinzusammengesetztes, aber durch strengen Umriß bedeutendes Gesicht. Das Sabinchen erinnert mich an ein sehr ähnliches, allerdings älteres Blumenmädchen, das Ottla schon seit langer Zeit Deutsch unterrichtet. – Bitte, bitte noch mehr über den ersten Abend.

[am Rande] Ich schreibe seit langem täglich.

Franz

Frau Julie Kafka an Fräulein Felice Bauer

Prag 8.10.1916

Meine liebe Tochter!

Besten Dank für Deine lieben Zeilen mit den guten Wünschen, die wir, wenn auch etwas verspätet, aufs herzlichste erwiedern. Wir hat-

---

[1] Robert Müller hatte in seinem Rezensionsaufsatz »Phantasie« *Neue Rundschau,* 1916, Bd. 2, S. 1421 ff. geschrieben: »Die sonst absichtslose Erzählerkunst Kafkas, die etwas Urdeutsches, rühmlich Artiges, im Erzählenden Meistersingerliches besitzt, wird durch hypothetische Flicke auf ihrem schönen Sachgewande deformiert.« In Max Brods Aufsatz »Unsere Literaten und die Gemeinschaft« heißt es über Kafka: »Obwohl in seinen Werken niemals das Wort ›Jude‹ vorkommt, gehören sie zu den jüdischesten Dokumenten unserer Zeit.«

ten vor den Feiertagen im Geschäfte sehr viel zu thun und darum war ich verhindert Dir früher zu schreiben.

Wir hielten die jüdischen Feiertage wie rechte Juden. Neujahr hatten wir beide Tage das Geschäft gesperrt und gestern am Versöhnungstage haben wir gefastet und fleißig gebetet. Das Fasten wurde uns nicht schwer, da wir uns schon das ganze Jahr dazu trainierten. Übrigens ist es mit dem Hunger bei uns in Prag noch nicht so arg und es würde uns sehr freuen, Dich bei uns recht bald begrüßen zu können. Vielleicht könntest Du Dich für einige Tage frei machen. Vom l. Karl u. Peppo haben wir gottlob gute Nachrichten. Peppo war vor 8 Wochen auf 14-tägigem Urlaub und Karl hofft einen baldigen Urlaub zu bekommen. Wir hoffen auf ein baldiges Wiederseh'n mit Dir und indem ich, so auch der Vater Dich herzlichst begrüßen umarmt Dich innigst

                    Deine treue Mutter   Julie Kafka

Von allen unseren Kindern folgen die herzlichsten Grüße.

[Postkarte]   [Prag,] 9. Okt. 16

Liebste, heute nichts, aber das wisse, den Schluß des Berichtes über den ersten Heimabend muß ich noch bekommen. Die Hauptaufgabe wird zunächst vielleicht die böse Hertha bilden. Sie muß doch irgendeinen Grund für ihr Benehmen haben. Der Auftrag, den Du den Mädchen gegeben hast, wird wohl kaum genügen, da doch die Mädchen nicht gern mit ihr sprechen. Wäre es nicht gut, wenn Du geradezu an sie schreiben würdest? Dagegen finde ich das Benehmen des andern Mädchens am Schluß des Abends nicht so unbegreiflich, das hätte ich unter Umständen auch gemacht. Für die vorzeitige Beendigung der Minna von Barnhelm hast Du ja meine Zustimmung schon im voraus bekommen. Gewiß ist es das beste. In das ihnen ganz und gar Unbegreifliche soll man die Kinder nicht treiben. Zwar soll man nicht vergessen, daß selbst das gelegentlich sehr gute Wirkungen erzielen kann, nur sind sie vollständig unberechenbar. Ich denke dabei an einen Professor, der während der Lesung der Ilias oft sagte: »Sehr schade, daß man das mit Euch lesen muß. Ihr könnt es ja nicht verstehn, selbst wenn Ihr glaubt, daß Ihr es versteht, versteht Ihr es gar nicht. Man muß viel erfahren haben, ehe man auch nur einen Zipfel davon versteht.«[1] – Diese Bemerkungen (der ganze Mann war allerdings auf diesen Ton eingestellt) haben damals auf mich kalten Jungen mehr Eindruck gemacht als Ilias und Odyssee zusammen. Vielleicht einen allzu demütigenden aber doch wesenhaften wenigstens.

Franz

[Postkarte]   [Prag,] 10.x.16

Liebste, heute wieder nichts, traurig. Ich weiß noch nicht alles vom ersten Heimabend, nichts von Deinem Referat, nichts von Deinem Sonntag. Warst Du letzten Sonntag oder den vorletzten mit den Kindern? Wars am letzten, dann bist Du ja wahrscheinlich in dem großen Regen (»nichts bleibt ihm verborgen«) naß geworden, während wir, ich und Ottla, vor dem hier bloß drohenden Regen anders als bei unsern bisherigen sommerlichen Märschen ein wenig im Zickzack geirrt sind, durch meine Schuld, denn Ottla fürchtet sich natürlich vor dem Regen gar nicht. Ich übrigens auch nicht, wenn irgendwo vor dem Moorbad eine Veranda ist und unter ihr eine Bank und auf der Bank Du. –Was München betrifft, um rechtzeitig vorbereitet zu sein: Wann kämest Du dort an? In welchem Hotel wohnst Du? Wann müßtest Du zurückfahren? Ich würde, wenn es geht, die Geschichte lesen, die Du noch nicht kennst. »In der Strafkolonie«, so heißt sie. – Gestern habe ich Dir ein Handbuch der Bewegungsspiele für Mädchen geschickt, vielleicht kannst [Du] es brauchen, es scheint recht vernünftig. Ich schicke Dir nächstens in [der] Art noch etwas. – Zum Lesen mit den Kindern gebe ich Dir (außer Schlemihl, mit dem Du anfangen sollst) noch zu bedenken: Hebel, Volkserzählungen von Tolstoi, Galoschen des Glücks, Andersen. Wähle und ich schicke es dann.

Franz

[Postkarte]   [Prag,] 11.x.16

Liebste, heute kamen die Briefe vom Samstag, Sonntag und später der vom Montag. – Habe ich die Störung Deines Zustandes ver-

---

[1] Vermutlich ein Ausspruch von Kafkas Latein- und Griechischlehrer Emil Gschwind. Vgl. Wagenbach, *Biographie*, S. 39.

schuldet? Nimm es mir nicht übel, wenn es wirklich so ist. Ich beherrsche mich so wenig und dieses Wenige ist das Äußerste, was ich leisten kann. Nochmals: verzeih! – Dagegen kann ich wegen der Unterlassung des Wunsches nicht um Verzeihung bitten, so gut ich einsehe, daß Deine Mutter den Kopf schütteln muß und wahrscheinlich mehr als das. Aber über den Rand meines Wesens kann ich bei größter Anstrengung besten Falls hinausschauen, darüber hinausgehn kann ich nicht. Du mußt das nicht verstehn, kannst es auch nicht mitfühlen, sollst es nur mitahnen können. Deine Mutter allerdings muß und kann und soll nichts von dem allen. Hier muß ich, muß es notwendigster Weise, muß versagen. Und es tut mir leid, aber allerdings nicht so stark, daß ich diese Hemmung, deren Beseitigung auch nicht in meiner Macht liegt, fortwünschen würde. Ich habe übrigens kaum zuhause ein Wort über Neujahr gesagt und Dir gar nicht[s], ganz entsprechend der Bedeutungslosigkeit, welche das Datum jetzt für mich hat. Alles andere wäre Lüge, die sich ihrer besonderen Art nach weit in mir verzweigen würde. Allerdings habe ich Deiner Mutter gegenüber eine freilich sehr äußerliche Entschuldigung. Sie hat mir auf meinen Brief aus Marienbad nicht geantwortet, das soll ihr aber keinesfalls entgegengehalten werden, denn selbst wenn sie geantwortet hätte, hätte ich nicht gratuliert[1]. Liebste, nimm mich so wie ich bin.

Franz

[Postkarte]   [Prag,] 12.IX.16
[12. Oktober 1916]

Liebste, so ist es schön, wenn auch auf die Dauer unmöglich: heute kam Dein Dienstagbrief. – Wäre meine Reise nur schon so gesichert, wie es Deine glücklicherweise scheint, aber da gibt es noch widerlich viel Hindernisse, entschieden ist es noch lange nicht. Übrigens ist auch die Reiseverbindung gerade mit München recht schlecht. Ich fahre, glaube ich, um 8 Uhr früh etwa weg (einzige Verbindung) und komme um 6 Uhr 24 abend erst an, also erst Freitag abend. Über die Rückfahrt bin ich noch nicht im klaren, ich fürchte aber,

---

[1] Kafka unterließ offenbar, Felicens Mutter zum jüdischen Neujahrsfest zu gratulieren.

ich muß schon Sonntag um 7 Uhr früh wegfahren, es gibt keine Nachtverbindung und mehr als 2 Tage darf ich nicht verlangen. Über die Weihnachtsreise sprechen wir dann, ich will uns vor niemandem verstecken, ich fürchte niemanden, nur meine Eltern, diese aber gewaltig. Mit Dir beim Tische der Eltern sitzen (jetzt natürlich, später mag es ganz einfach werden) muß mich bis ins Innerste quälen. Aber auch diese Augenblicke werden nebensächlich sein neben dem Glück Dir, Dir allein Prag zu zeigen, besser, näher, ernster als jemals früher. – Schlechte Nachrichten vom Heim, darüber nächstens. Bin ich übrigens nicht musikalisch? Der Satz: »Ich fühle mich unter den Kindern sehr wohl und eigentlich viel besser am Platze als im Bureau« klingt mir als allerbeste Musik im Ohr. Wie findet sich Frl. Bloch mit ihnen ab?
Von der Volkshochschule weiß ich noch nichts, ich bat Dich einmal um nähere Angaben, Du hast sie mir nicht geschickt.

Franz

[am Rande] Den Jahresbericht habe ich noch nicht bekommen.

[Postkarte]   [Prag,] 13.X.16

Liebste, heute keine Nachricht, auch der Jahresbericht ist noch nicht gekommen. Mit der von Dir gegebenen Begründung billige ich das Schreiben natürlich, nur müßte man dann eigentlich bei vollständiger Konsequenz etwa auch den Foerster oder – ewige und jetzt überdies ganz unangebrachte Geißel! – auch die Memoiren[1] abschreiben, wenn man sich lebendiges Lesen nur durch Anbinden an den Schreibmaschinentisch abzwingen könnte. Übrigens für mich bei manchen Dauerzuständen ein leider noch zu schwaches Mittel. Aber für den Foersterkurs, über den Du so enttäuschte und enttäuschende Mitteilungen machst, müßte man wirklich irgendein Mittel der Erweckung finden. Jedenfalls ist man bei diesen Verhältnissen noch mehr als sonst gezwungen, den ganzen Foerster zu lesen unabhängig von der persönlichen Zuteilung. Den Nutzen des Alleinlesens des Foerster kann doch auch ein noch so schlechter Kurs nicht zerstören. Hätte ich doch die dauernde Ruhe des Kopfes, um mich mit Dir

---

[1] *Memoiren einer Sozialistin,* vgl. Anm. S. 638.

schriftlich über den Foerster Abschnitt für Abschnitt zu verständigen! Denn wichtig ist er, daran ist kein Zweifel. – Ich schicke Dir heute ein Rätselbuch, ich hätte es reichhaltiger gewünscht, aber mit der lebendigen großen Freundin hinter sich wird es die Mädchen gewiß unterhalten. – Wie wird es werden ohne Lehmann, Lemm und vielleicht ohne Welkanoz? Muß alles Gute jetzt in quälenden Provisorien leben, wobei ich zu dem Guten auch unser Gemeinsames rechne.

Franz

[Postkarte]   [Prag,] 14.X.16

Liebste, heute kam die Karte und der Bericht[1]. Was für eine persönliche Bedeutung diese Blätter für mich haben! Eine allzukleine Arbeit war das allerdings für Dich nicht. Vorläufig habe ich es nur flüchtig gelesen, finde es aber sehr verständig und reichhaltig. Nur in der Besprechung der jüngeren Knabengruppen wird ein wenig gefabelt. Das ist aber verzeihlich insbesondere beim ersten Bericht. Was für mich fehlt, ist mehr Rücksichtnahme auf die Leiter und Helfer, hier genügt nicht Zionismus und schweifende Begeisterung. Aber ein entschuldigender Hinweis findet sich auch für diesen Zweifel in der Bemerkung, daß nach dem Krieg das Zusammenleben der Helfer und der Pfleglinge viel näher werden soll. Jetzt fehlt in dieser Hinsicht gewiß noch viel, Deine Klage, die ich gerne in einer Einzelheit kennen lernen wollte, ist ja eine Bestätigung dessen. Man merkt übrigens, daß die Mädchengruppen in ihrer Entwicklung hinter den Knabengruppen noch zurückstehn. Vor allem aber immer wieder: Hochmut ist in dem Bericht. Wenn man aber von der Arbeit nicht abläßt, wird ihn die Zeit schon ausbrennen. – Störe ich Dich nicht mit dem Schicken der Bücher? Nehme ich dem Lesen des Foerster nicht zuviel Zeit weg? Was gibt Dir übrigens das Recht zu glauben, daß ich Erdmuthe nicht schon längst ausgelesen habe? Schon in Marienbad, bis auf die Anmerkungen, die nicht wesent-

---

[1] Die schon erwähnte Broschüre *Das Jüdische Volksheim Berlin*, Erster Bericht: Mai/Dezember 1916 [Berlin 1917]. Dieser 20 Seiten umfassenden Veröffentlichung ist eine Widmung vorangestellt: »Den Förderern unserer Arbeit, den Herren Dr. Max Brod, Dr. Martin Buber, Gustav Landauer, Siegbert Stern, Rabbiner Dr. Warschauer herzlichen Dank.«

lich sind. Büße diesen ungerechten Vorwurf durch baldige Sendung der Bilder vom Ausflug.

Franz

[Postkarte] [Prag,] 15.X.16

Liebste, ein so schöner Tag und ich im Bureau. Mein Trost ist, daß Du in Mühlenbeck [b]ist. – Heute wieder keine Nachricht. Du schreibst öfters, daß Du keine Nachricht bekommst, erwähnst dann aber nicht, ob die ausgebliebene nächsten Tag nachkommt. Es muß aber so sein, denn ich schreibe jeden Tag. – Den Bericht mußte ich ohne ihn zum zweitenmal gelesen zu haben Max borgen, er braucht ihn für den Mädchenklub, dieses heikle, brüchige, aber gewiß nicht wertlose Wesen[1]. Deine Klage: es wird alles persönlich genommen, ist geradezu der Wahlspruch dieses Klubs. Aufgefallen ist mir in dem Bericht die Güte des Teiles, der von der ältern Knabengruppe handelt, offenbar stammt er von Lehmann. Hier stehen ein wenig Tatsachen und Ergebnisse, während das Übrige doch zum großen Teil Dinge enthält, die man von vornherein annehmen konnte, die aber allerdings im ersten Bericht am Platze sind. Sehr gut muß übrigens auch der Kindergarten sein, über den so bescheiden berichtet wird. – Heute bin ich allein, Ottla ist aufs Land gefahren, ich habe die Wahl, Felix und seine Frau, denen ich es zugesagt habe, abzuholen oder allein zu gehn. Was werde ich tun?

Franz

[Postkarte] [Prag,] 16.X. [1916]

Liebste, ärgerlicher Tag, durch Deinen Brief vom 13. gemildert. – Für den Fall als Du es gestern nicht erraten haben solltest, ich war allein. Bin sehr weit gegangen, 5 Stunden etwa, allein und nicht genug allein, in ganz leeren Tälern und nicht genug leer. Ich spüre

---

[1] Gemeint ist offenbar die Mädchengruppe der von Alfred Engel in Prag gegründeten Notschule für galizische Flüchtlinge. Max Brod hielt vor dieser Mädchengruppe Vorlesungen über Weltliteratur. Kafka besuchte diese Vorlesungen von Zeit zu Zeit. Vgl. *Tagebücher* (14. April 1915), S. 468 und Max Brods Bericht in der *Jüdischen Rundschau*, XXI, Nr. 29 (21. Juli 1916), S. 241 f.

manchmal die Sorgen, als wenn sie mir das Blut aus den Schläfen trinken würden. – Der Fall Sabinchen ist allerdings heikel. Nur versteh ich einige Voraussetzungen nicht. Wozu ist die Kassa im allgemeinen bestimmt? Hat S. die 2 M entliehen und dann erst den andern davon erzählt? Wer bestimmt, wie das Geld aus der Kassa zu verwenden ist? Woher stammt das Geld? Hat die frühere Leiterin von der Sache nicht gewußt? An Sabinchens Ehrlichkeit und Hilfsbedürftigkeit zweifle ich natürlich nicht im geringsten, wenn aber nicht die Formalitäten für die Entlehnung erfüllt worden sind, so muß man doch gegenüber den andern Mädchen bedenken, daß sie ebenso ehrlich und hilfsbedürftig sein können und sich dadurch vielleicht geschädigt fühlen, daß sie nicht so nahe bei der Kassa sitzen. Allerdings darf S. deshalb ihre Ehrenstelle keineswegs verlieren. Aber das Ganze wäre unmöglich, wenn alle genug Vertrauen zueinander hätten, und Du wirst, das sehe ich, viel Arbeit haben. Sabinchen und Hertha wären wohl zunächst zu besuchen.

Franz

[Postkarte]   [Prag,] 17.X.16

Liebste, Wunder über Wunder, es bekommt den zwar noch nicht vollständigen, aber schon recht großen Anschein, daß ich werde fahren können. Jetzt möge die Sache nach Beseitigung der voraussehbaren Hindernisse nicht an unvorhergesehenen unmöglich werden. Es ist übrigens nicht ausgeschlossen, daß die Vorlesung statt am 10. erst am 17. November stattfindet. Im Laufe der nächsten Woche entscheidet es sich. Sollte es am 10. sein, dann mußt Du auf eine Vorlesung Milan[1], die ich glaube am 9. November im Choralionsaal sein wird, mir zuliebe verzichten, sonst aber mußt Du mir zuliebe in den Choralionsaal gehn. Es ist vielleicht nicht das Programm (Ebner-Eschenbach, Keller, Storm), das ihn in seiner ganzen Stärke zeigt, es wird vielleicht mit Ausnahme Kellers, etwa dem Vorlesen einer Novelle von Jacobsen entsprechen, das ich gehört habe und das (natürlich nur verhältnismäßig) am schwächsten verlief, aber trotzdem, Du mußt, Felice, hingehn und es hören. – Mit Deiner Vorlesung der Galoschen des Glücks bin ich sehr einverstanden, Du kannst auch noch viel mehr von Andersen lesen, aber keineswegs Teile, die Du

---

[1] Der Vortragskünstler Professor Emil Milan (1859–1917).

das nächste Mal nicht zuende lesen willst. Schon bei der Minna von Barnhelm werden die Kinder (richtiger Weise) um den Eindruck des Ganzen gebracht, das sollte sich aber nicht mehr wiederholen. – Heute kam keine Nachricht.

Franz

[Postkarte]   [Prag,] 18. X. [1916]

Liebste, arme Strafportozahlerin, verzeih, aber ich bin fast ganz unschuldig, wovon ich Dich durch eine sehr ausführliche Darstellung, die Du mir aber gewiß erläßt, unbedingt überzeugen könnte, selbst Max der Postbeamte hat bis heute nur solche Karten verschickt. Heute kam Dein Brief vom Samstag und später der vom Montag. Besonders der letztere war mir sehr trostreich. Es ist der Waggon mit der gestrigen Berliner Nachmittagspost gestern hier ausgebrannt und ich ging heute den ganzen Morgen sehr nachdenklich und nebelhaft herum, immer in Sorgen wegen dieses ausgebrannten Waggons, in dem aller Voraussicht nach Dein Montagsbrief mit dem Bericht über den Heimausflug mit verbrannt sein mußte. Erst später kam Dein Brief, also nicht verbrannt! – Max bekommt die Erlaubnis nach München zu fahren überhaupt nicht, ich werde vielleicht im ersten Teil des Abends, der also vielleicht doch zustandekommt, Gedichte von ihm vorlesen. Bin zwar kein sehr guter, viel eher ein sehr schlechter Gedichtvorleser, werde es aber, wenn sich kein besserer findet, doch gern übernehmen. Das aber sage ich gleich: Wenn Du nicht fahren könntest, fahre ich selbst lieber auch nicht. Ich habe mich schon allzusehr an den Gedanken gewöhnt, Dich dort zu sehn. Du wirst es doch nach dem 22. Oktober, bis zu welchem Dein Chef Urlaub hat, mit Bestimmtheit sagen können, ob die Fahrt möglich sein wird oder nicht.

Franz

19. IX. 16
[vermutlich 19. Oktober 1916][1]

Liebste, so einfach ist es nicht, daß ich das, was Du über Mutter, Eltern, Blumen, Neujahr und Tischgesellschaft sagst, einfach hin-

---

[1] Vgl. *Tagebücher* (18. Oktober 1916), S. 513 ff.

nehmen könnte. Du schreibst, daß es auch für Dich »nicht zu den größten Annehmlichkeiten gehören wird«, bei mir zuhause mit meiner ganzen Familie am Tisch zu sitzen. Du sagst damit natürlich nur Deine Meinung, ganz richtiger Weise ohne Rücksicht darauf, ob es mir Freude macht oder nicht. Nun, es macht mir nicht Freude. Aber es würde mir gewiß noch viel weniger Freude machen, wenn Du das Gegenteil dessen geschrieben hättest. Bitte sag mir so klar als möglich, worin wird diese Unannehmlichkeit für Dich bestehn und worin glaubst Du ihre Ursachen zu sehn. Wir haben ja, soweit ich in Frage komme, schon oft über diese Sache gesprochen, aber es ist eben schwer hier das Richtige nur ein wenig zu fassen. Man muß es immer wieder von neuem versuchen. In Schlagworten – und deshalb mit einer der Wahrheit nicht ganz entsprechenden Härte – kann ich meine Stellung etwa so umschreiben: Ich, der ich meistens unselbständig war, habe ein unendliches Verlangen nach Selbständigkeit, Unabhängigkeit, Freiheit nach allen Seiten; lieber Scheuklappen anziehn und meinen Weg bis zum Äußersten gehn, als daß sich das heimatliche Rudel um mich dreht und mir den Blick zerstreut. Deshalb wird jedes Wort, das ich zu meinen Eltern oder sie zu mir sagen, so leicht zu einem Balken, der mir vor die Füße fliegt. Alle Verbindung, die ich mir nicht selbst schaffe, sei es selbst gegen Teile meines Ich, ist wertlos, hindert mich am Gehn, ich hasse sie oder bin nahe daran sie zu hassen. Der Weg ist lang, die Kraft ist klein, es gibt übergenug Grund für solchen Haß. Nun stamme ich aber aus aus meinen Eltern, bin mit ihnen und den Schwestern im Blut verbunden, fühle das im gewöhnlichen Leben und infolge der notwendigen Verranntheit in meine besonderen Absichten nicht, achte es aber im Grunde mehr als ich weiß. Das eine Mal verfolge ich auch das mit meinem Haß; der Anblick des Ehebettes zuhause, der gebrauchten Bettwäsche, der sorgfältig hingelegten Nachthemden kann mich bis nahe zum Erbrechen reizen, kann mein Inneres nach außen kehren, es ist, als wäre ich nicht endgiltig geboren, käme immer wieder aus diesem dumpfen Leben in dieser dumpfen Stube zur Welt, müsse mir dort immer wieder Bestätigung holen, sei mit diesen widerlichen Dingen, wenn nicht ganz und gar, so doch zum Teil unlöslich verbunden, noch an den laufenwollenden Füßen hängt es wenigstens, sie stecken noch im ersten formlosen Brei. Das ist das eine Mal. Das andere Mal weiß ich aber wieder, daß es doch meine Eltern sind, notwendige, immer wieder Kraft gebende Bestandteile meines eigenen Wesens, nicht nur als Hindernis, sondern auch als Wesen zu mir gehörig. Dann will ich sie so haben, wie man das Beste haben will; habe ich seit jeher in aller Bosheit, Unart, Eigensucht, Lieblosigkeit doch vor ihnen gezittert – und tue es eigentlich noch heute, denn damit kann man doch niemals aufhören – und haben sie, Vater von der einen Seite, Mutter von der andern, meinen Willen, wiederum notwendiger Weise, fast gebrochen, so will ich sie dessen würdig sehn. (Ottla scheint mir zuzeiten so, wie ich eine Mutter in der Ferne wollte: rein, wahrhaftig, ehrlich, folgerichtig, Demütigkeit und Stolz, Empfänglichkeit und Abgrenzung, Hingabe und Selbständigkeit, Scheu und Mut in untrüglichem Gleichgewicht. Ich erwähne Ottla, weil doch auch in ihr meine Mutter ist, ganz und gar unkenntlich allerdings). Ich will sie also dessen würdig sehn. Infolgedessen ist für mich ihre Unreinlichkeit hundertfach so groß, als sie es vielleicht in der Wirklichkeit, die mich nicht kümmert, sein mag; ihre Einfältigkeit hundertfach; ihre Lächerlichkeit hundertfach, ihre Roheit hundertfach. Ihr Gutes dagegen hunderttausendfach kleiner als in Wirklichkeit. Ich bin deshalb von ihnen betrogen und kann doch ohne verrückt zu werden, gegen das Naturgesetz nicht revoltieren. Also wieder Haß und fast nichts als Haß. Du nun gehörst zu mir, ich habe Dich zu mir genommen; ich kann nicht glauben, daß in irgendeinem Märchen um irgendeine Frau mehr und verzweifelter gekämpft worden ist als um Dich in mir, seit dem Anfang und immer von neuem und vielleicht für immer. Also Du gehörst zu mir. Deshalb ist mein Verhältnis zu Deinen Verwandten ähnlich meinem Verhältnis zu den meinen, allerdings natürlich im Guten wie im Bösen unvergleichlich lauer. Auch sie geben eine Verbindung ab, die mich hindert (hindert, selbst wenn ich niemals ein Wort mit ihnen reden sollte), und sie sind im obigen Sinn nicht würdig. Ich rede hierin zu Dir so offen, wie ich zu mir rede. Du wirst es mir nicht übelnehmen und auch keinen Hochmut darin suchen, er ist zumindest dort, wo Du ihn suchen könntest, nicht vorhanden. Wenn Du nun hier in Prag sein solltest und an dem Tisch meiner Eltern sitzest, ist natürlich die Angriffsfläche, welche das mir Feindliche in meinen Eltern mir gegenüber hat, eine viel größere geworden. Meine Verbindung mit der Gesamtfamilie scheint ihnen dann eine viel größere geworden (sie ist es aber nicht und darf es nicht sein) und sie lassen es mich fühlen; ich scheine ihnen eingefügt in diese Reihe, deren ein Posten das

Schlafzimmer nebenan ist (ich bin aber nicht eingefügt); gegen meinenWiderstand glauben sie in Dir eine Mithilfe bekommen zu haben (sie haben sie nicht bekommen) und ihr Häßliches und Verächtliches steigert sich, da es in meinen Augen einem Größeren überlegen sein sollte. Wenn es sich aber so verhält, warum freue ich mich dann über Deine letzte Bemerkung nicht? Weil ich förmlich vor meiner Familie stehe und unaufhörlich die Messer im Kreise schwinge, um die Familie immerfort und gleichzeitig zu verwunden und zu verteidigen. Laß mich in diesem ganz Dich vertreten, ohne daß Du mich Deiner Familie gegenüber vertrittst. Ist Dir, Liebste, dieses Opfer nicht zu schwer? Es ist ungeheuerlich und wird Dir nur dadurch erleichtert, daß ich, wenn Du es nicht gibst, kraft meiner Natur es Dir entreißen muß. Gibst Du es aber, dann hast Du viel für mich getan.

Ich werde Dir absichtlich ein, zwei Tage nicht schreiben, damit Du es, von mir ungestört, überlegen und beantworten kannst. Als Antwort genügt auch – so groß ist mein Vertrauen zu Dir – ein einziges Wort.

Franz

[Postkarte]   [Prag,] 21.x.16

Liebste, ich bin also schon wieder hier. Vorgestern und gestern bekam ich Deine Briefe vom Dienstag und Mittwoch, der Bericht über den Ausflug war aber noch nicht darin. Vielleicht kommt er gleichzeitig mit den sehr erwarteten Bildern, unter denen nur recht viele von Dir sein mögen. (Eben mußte ich zum Telephon laufen, wo ich verständigt wurde, daß ich den Paß und Grenzüberschreitung bewilligt habe, jetzt ist noch der Sichtvermerk nötig.) Du fragst nach Frau Hauschner[1]. Ich kenne sie persönlich nicht, habe nur einmal einen gar nicht sehr unvernünftigen Roman ungeheueren Umfanges von ihr gelesen und vor nicht langer Zeit zwei, drei Briefe an Max, die infolge einer Verwirrung, die die alte Dame angerichtet hatte, unendlich komisch aber durch die Art, wie sie sie ehrlich zu lösen suchte, auch rührend und angenehm waren. Von Max habe ich jetzt weiter erfahren, daß sie außerdem ungemein reich, menschenfreundlich und wohltätig ist, sich von diesem Stand-

---

[1] Die Romanschriftstellerin Auguste Hauschner (1852–1924). Der Roman ist vermutlich *Die Familie Lowositz,* Berlin 1908.

punkt (von keinem andern, sie ist ganz unzionistisch) auch für das Volksheim interessiert und bei passender Veranstaltung etwa durch Einladung zu einem charakteristischen Nachmittag oder Abend ins Heim für größere Unterstützungen (sie ist auch Präsidentin eines großen Berliner Frauenvereins) gewonnen werden könnte. Übrigens bleibt sie bis Anfang November in Prag, Max spricht mit ihr Dienstag, dann schreibe ich.

Franz

[Postkarte]   [Prag,] 22.X.16 7 Uhr

Liebste, ganz unwahrscheinlich früh am Morgen und außerdem nach schlechter Nacht. Ich fahre nämlich mit Ottla aufs Land. Nicht zum Laubhüttenfest, nur zu einer frühern Lehrerin Ottlas. Was Ottla betrifft: Ich wollte aus ihr nicht etwa ein hohes Muster machen, habe nur ihre guten, zum Teil ausgezeichneten Eigenschaften, wie sie neben der Mutter auffallen, genannt. Daß sie daneben vielleicht genug selbstgefällig, im Geistigen rechnerisch und manches andere ist, wollte ich nicht verschweigen, trotzdem ich in Anbetracht meines eigenen Standes nicht sehr viel Recht, weder zum Loben noch zum Tadeln habe.

Viele Grüße   Franz

[Postkarte]   [Prag,] 23.X.16

Liebste, heute kam Dein Brief vom Donnerstag. Gerne würde ich gegenüber Deinen häufigen Klagen über Fehlen von Nachrichten erfahren, wie es sich im ganzen ausgleicht, denn ich schreibe doch schon seit langer Zeit, den letzten Freitag ausgenommen, täglich. – Was die alte Verabredung mit Felix betrifft, so hast Du das Richtige erraten. Es war allerdings bei der Art der Fragestellung nicht sehr schwer. Und nun drohst Du mir? Glücklicherweise schreckt mich Trost fast mehr als Drohungen. Deine Drohung, Felice, wird unausführbar sein, es müßte denn mit Hilfe einer Zwangsjacke geschehn. Und das wirst Du gewiß nicht tun, sondern mich so lassen, wie ich leider Gottes und glücklicherweise bin. Gestern auf dem Lande war es sehr schön. Ich bin heimlich, ohne es zu merken im Laufe der Jahre aus einem Stadtmenschen ein Landmensch oder wenigstens etwas ihm sehr Ähnliches geworden. Wir waren in einem verlorenen Ort, so ländlich, so schön! Bei einer Volksschullehrerin, die dort mit einem Gehalt von etwa 600.- K jährlich glücklich, zufrieden lebt. Um nicht zu übertreiben, sie ist eine Hochschülerin, die dort für sich und die Schule aushilfsweise unterrichtet, durch Deutschunterricht noch etwa 50 K monatlich verdient und zufällig für das erste halbe Jahr die Wohnung umsonst hat. Unterrichtet 55 Kinder, 10- und 11 jährige Buben und Mädchen. – Hast Du eigentlich den Insel-Schlemihl und das Rätselbuch bekommen?

Franz

[Postkarte]   [Prag,] 24.X.16

Liebste, heute wieder nichts. – Im gestrigen Brief hat mir besonderes Vergnügen die Stelle gemacht: »Du bist ein Mensch, der sich so unendlich klar über sich selber ist, daß Du vom Alleinsein sicher noch viel trauriger wirst, als Du es sonst bist.« D.h. also Alleinsein oder richtiger ruhiges Sich-klar-werden über sich selbst (hoher Vorzug des Menschen), Einblick in mich muß mich traurig machen. Es sieht also sehr schlimm in mir aus. Hast Du es so gemeint? Recht hättest Du. – Übrigens gibt es hier eine Richterin über mir (ich erwähnte in Marienbad flüchtig ihren Ausspruch, nach dem ich nicht moralisch bin)[1], von der ich gestern wieder gehört habe. Sie soll vor einigen Tagen gesagt haben, erstens sei ich unnatürlich, d.h. was ich sage, entspringt nicht einem Impuls, sondern der auf Wirkung berechneten Überlegung und zweitens sei ich kein guter Mensch. Es ist ein kluges Mädchen, welches das gesagt hat, und in dem ersten Augenblick, wenn ich das höre, klingt es mir wirklich wie von weit her gesagt. – Beim Ausflug waren alle Mädchen, also auch die Hanff? – Hat Dein Chef Urlaubsverlängerung? – Den Vorlesungstag kann ich noch nicht mit Bestimmtheit angeben. Neue Schwierigkeiten. – Ich habe Dir 4 Liederheftchen aus dem Inselverlag schicken lassen, sehr schöne Heftchen. Außerdem ein Blauweißliederbuch[2]. – Du nimmst statt des Religionskurses den Fröbelkurs? – Wie sind die Märchenabende? – Wer leitet den Foersterkurs?

Franz

---

[1] Vgl. Brief aus Marienbad an Max Brod, *Briefe*, S. 140.
[2] Das Liederbuch des zionistischen Jugendbundes Blau-Weiß, hebräisch Techeleth-Lawan.

[Postkarte. Stempel: Prag – 25.x.16]

Liebste, heute kam Dein Brief vom Samstag. Die Mädchen nehmen Dich mir also ein wenig weg. Ich wäre ihnen böse, wenn sie nicht wieder Dich mir tausendfach zurückgeben würden. Heute nichts weiter, ich habe verschiedene eilige, nervös machende Geschäfte.

Franz

Max hat also gestern mit der Frau Hauschner gesprochen und den Besuch angekündigt. Zunächst will sie nur von der Ferne unterstützen, wird sie aber zu einer guten Veranstaltung persönlich und herzlich eingeladen, wird sie vielleicht auch sonst zu fassen sein.

[Postkarte]   [Prag,] 26.x.[1916]

Liebste, heute kamen die Briefe von Montag und Dienstag. Sie finden mich nach erstaunlich langer fast ganz ohne Kopfschmerzen verbrachter Zeit wieder einmal in sehr schlechtem Stand. Wenn es eine Ausnahme ist, will ich es gerne tragen. – Auf Deinem Ausflug hat ja nichts gefehlt, was zu Ausflügen gehört, dafür war aber manches dabei, was sonst bei Ausflügen nicht ist, und das war vielleicht das Gute. Nein, von Fräulein Blumstein hast Du mir noch nicht erzählt. Nun aus den Bildern wird alles deutlich werden. – Die Vorlesung ist also am Freitag, den 10. November um 8 Uhr, die genaue Stunde meiner Ankunft in München schreibe ich Dir morgen, schreibe mir bitte auch, wann Du ankommst und wo Du wohnst. Die Vorlesung ist jetzt endgiltig bestimmt, aber ein ganz kleines Häkchen (unabhängig von mir) ist noch darin, aber vielleicht besteht es nur für meine überängstlichen Augen und wird sich zu keinem Haken auswachsen. – Daß Du nun auch noch regelmäßig einen Vortragscyklus besuchst, scheint mir nun wirklich zu viel. Und gar Vorträge über Strindberg! Wir sind seine Zeitgenossen und Nachkommen. Nur die Augen schließen und das eigene Blut hält Vorträge über Strindberg. Trotzdem, schreib mir hie und da ein Wort über die Vorträge, wenn Du wirklich hingehst. – Mit Frau Hauschner habe ich nicht gesprochen, sie kennt mich nicht, aber Max hat Euren Besuch angekündigt und ist sehr von ihr geliebt.

Franz

Liebste, ich danke Dir für Deine guten Worte vom Mittwoch. Im
Grunde zweifle ich kaum daran, daß wir in dieser Sache einig sind
und einig leben werden, aber es ist doch vielleicht gut, einmal von
Zeit zu Zeit diese Hausglocke, diese Glocke in unserem Haus zu
läuten. – Die Vorlesung ist also am 10. November. Max und ich,
jeder hätte einen Abend haben sollen. Da aber Maxens Urlaubs-
gesuch für die zwei Tage und für diesen Zweck abgelehnt worden
ist, er also nicht fahren kann, habe ich es übernommen, paar Gedichte von ihm vorzulesen, so gut und so schlecht ich es kann. Er
soll nicht in der Reihe der Abende völlig fehlen, lieber schlecht vorgelesen erscheinen als gar nicht. Die einzige absehbare Verhinderung meiner Vorlesung wären jetzt nur Schwierigkeiten, welche
die Münchner Zensur machen könnte. Ich wüßte allerdings nicht,
was sie einwenden könnte. – Daß Du am Abend vor der Abreise
noch zur Vorlesung Milan gehst, wäre wohl übertrieben. Erstens hat
er jeden Winter einige Vorlesungen, zweitens ist trotz der Größe
seiner Kunst guter Schlaf ihr an Wert doch ebenbürtig und drittens
sollst Du aus seiner Vorlesung nicht frisch mit übertriebenen Forderungen in meine Vorlesung kommen, falls Du das überhaupt tun
willst, was noch zu überlegen wäre. Ich komme um 6 Uhr 24 in
München an und fahre Sonntag um 7 Uhr wieder zurück. – Der
Briefträger schon zufrieden? Er hat mir aber Unrecht getan.

Franz

[am Rande] Wird Foerster noch gelesen?

Liebste, wieder von den Nächten und vom Kopf gequält oder vom
Kopf und den Nächten, wie Du willst; sie reichen sich die quäleri-
schen Hände. – Letzthin habe ich »Ritualmord in Ungarn«, eine
Tragödie von Zweig, gelesen; sie ist in den überirdischen Szenen so
angestrengt und schwächlich, wie ich es nach dem, was ich von
Zweig kannte, erwartet habe. Die irdischen Szenen dagegen haben
bezwingendes Leben, es stammt wohl zum großen Teil aus den
großartigen Akten des Processes. Immerhin, sondern läßt [es sich]
bis ins Einzelne kaum, er hat sich mit dem Proceß verbunden und

steht jetzt in seinem Zauberkreis. Ich sehe ihn jetzt anders an als früher. Bei einer Stelle mußte ich zu lesen aufhören und mich auf das Kanapee setzen und laut weinen. Ich habe schon seit Jahren nicht geweint[1].

Franz

[am Rande] Fahren wir nicht die letzte Strecke im gleichen Zug? Ich fahre über Eger.

[Postkarte. Stempel: Prag – 29.x.16]

Liebste, heute kam der Donnerstagbrief. Du hast recht, wir müssen endlich miteinander sprechen. Wenn nur die Vorlesung zustande-käme. Ein anderes Programm, als das vorgelegte, habe ich nicht und will auch nichts anderes lesen. Wenn es also von oben nicht genehmigt würde, müßte ich absagen. Darum fürchte ich mich vor diesem Hindernis, sonst wäre es gar nicht der Rede wert. Sehr gut wäre es, wenn wir schon auf der Reise zusammenkämen; für mich sehr gut, denn Du würdest dann in die III. Klasse hinübergezogen, hinuntergezogen. – Mit Feigl habe ich letzthin gesprochen, er muß einrücken. Deinen Brief haben sie wie auch andere Post nicht bekommen, da sie ihre Wohnung vermietet hatten und ihre neue Adresse bei der Post unrichtig angegeben war. – Wozu brauchst Du die Literatur über die Volkshochschule? Ich weiß nicht, wie sie verschaffen. – Die Bilder noch nicht gekommen, doch nicht mit der Filmpakkung aufgenommen?

Franz

30. Oktober 16

Liebste, keinen Brief, bitte verlange keinen Brief; hätte ich so Verdienstliches von mir mitzuteilen, wie Du im letzten Brief, wie würde meine Feder fliegen, Dir das zu schreiben. So aber – Mein Leben besteht aus zwei Teilen, der eine Teil nährt sich mit vollen Backen von

---

[1] Arnold Zweig, *Ritualmord in Ungarn*. Jüdische Tragödie in 5 Aufzügen, Berlin 1914.

736

Deinem Leben und wäre an sich glücklich und ein großer Mann, der andere Teil aber ist wie ein losgemachtes Spinngewebe, Freisein von Rüttelung, Freisein von Kopfschmerzen ist seine höchste, nicht allzu häufige Seligkeit. Was fangen wir mit diesem zweiten Teile an? Jetzt wird es zwei Jahre, daß er zum letzten Mal gearbeitet hat und ist doch nichts anderes als Fähigkeit und Lust zu dieser Arbeit. Nun, wir kommen ja hoffentlich bald, in 10, 11 Tagen zusammen, auch aus dieser glücklichen Erwartung kommt zu viel Unruhe, um viel zu schreiben. Käme nur kein Hindernis dazwischen!

In der Beilage einige Kleinigkeiten:

1.) Bild Ottlas, allerdings außerordentlich schlecht. Die einretouchierten Zähne und der offengelassene Mundwinkel sind nicht einmal die ärgsten Fehler.

2.) Brief Bubers, an dem ich heute bei nochmaligem Lesen eigentlich gar nichts Bemerkenswertes finde. Ich weiß nicht, warum ich davon geschrieben habe und ich schicke ihn nur, weil Du, durch meine Bemerkung irregeführt, ihn immer wieder verlangst.

3.) Als Beispiel der Beschäftigung jenes andern Teiles einen Aufruf[1]. Du findest mich unter den Unterzeichnern, ursprünglich hätte ich oben im vorbereitenden Ausschuß sein sollen, bin dann aber, allerdings ohne allzu große Mühe, in die große Gruppe hineingeschlüpft. Auch der Text (wie so vieler anderer) ist von mir. Nun, darüber nichts weiter.

4.) Das Programmbüchlein der Vorlesungen. Auf der vorvorletzten Seite findest Du das »Urteil« angezeigt. Wolff scheint es aber, ohne mir übrigens darüber geschrieben zu haben, wieder zu unterdrücken[2]. Wenn ich selbst leblos bin und nur auf das Leben in meinen Schläfen horche, ist es ja auch gleichgültig.

Über meine Richterin mach' Dir keine Gedanken, Liebste[3]. Das ist ja das Beruhigende (wenn man will, auch das Beunruhigende) dabei, daß sie den Tatbestand aus 5–10 kurzen, seit einem ½ Jahr nicht mehr wiederholten Gesprächen hernimmt. Auf Wiedersehn, auf Wiedersehn.

Franz

---

[1] Siehe Anhang S. 764. Die übrigen Beilagen sind nicht erhalten.
[2] Kafkas Verdacht war unbegründet. »Das Urteil «erschien noch Ende Oktober als Band 34 in Kurt Wolffs Bücherei *Der jüngste Tag*.
[3] Vgl. Karte vom 24. Oktober 1916, S. 733. »Übrigens gibt es hier eine Richterin über mir…«

Liebste, in den letzten Tagen hatte ich im Bureau nicht einmal Zeit zu schreiben. Dein letzter Brief war vom Freitag, heute kam nichts. – Die Kinderbibliothek darf natürlich unter Deiner Leitung nicht so arm bleiben, ich habe Dir heute deshalb als kleinen Grundstock die blauen Bändchen von Schaffstein schicken lassen. Sie werden so kartoniert sein wie Dein Peter Schlemihl, gebunden wären sie natürlich besser, aber zu teuer. Vielleicht können sie in den Werkstätten des Heims gebunden werden, ehe sie in Gebrauch kommen. Es sind Bücher für alle Altersstufen, allzu ängstliche Trennung ist ja nicht nötig. Für Knaben sind allerdings die grünen Bücher von Schaffstein, meine Lieblingsbücher, das Beste, aber alles auf einmal wollte ich nicht schicken, also diese später einmal. Unter ihnen ist z.B. ein Buch, das mir so nahegeht, als handelte es von mir oder als wäre es die Vorschrift meines Lebens, der ich entweiche oder entwichen bin (dieses Gefühl habe ich allerdings oft), das Buch heißt der Zuckerbaron, sein letztes Kapitel ist die Hauptsache[1]. Übrigens ist es so schwer, sich zwischen Kinderbüchern zu entscheiden. Sollte ich aus meiner Erfahrung die besten Kinderbücher nennen, so werden es etwa die kleinen Hoffmannschen Bändchen[2] sein, ein offenbarer Schund. Wie schön werden uns im Jenseits die Bücher erscheinen, die wir jetzt lesen!
Über tatsächliche Vorschläge für die Bibliothek schreibe ich Dir noch.

　　　　　　　　　　　　　　　　　　　　　　　　Franz

[Postkarte]　　　　　　　　　　　　　　　　　[Prag,] 1.xi.16

Liebste, wie, jetzt drohst auch Du mit Nichtfahren? Nach den endlosen kleinen Schwierigkeiten, von denen jetzt nur noch eine möglich ist, soll auch diese große kommen? Das darf nicht sein. Über

---

[1] Oskar Weber, *Der Zuckerbaron*. Schicksale eines ehemaligen deutschen Offiziers in Südamerika. Mit Zeichnungen von Max Bürger. Schaffstein's Grüne Bändchen, Nr. 54, Köln 1914. Kafka las die Bändchen dieser Reihe besonders gern. Außer den bei Wagenbach (*Biographie*, S. 263) aufgeführten Nummern kannte er auch Nr. 18: *Förster Flecks Erlebnisse in Rußland 1812 bis 1814* und Nr. 32: *Wir Jungen von 1870/71*. Vgl. *Tagebücher* (16. September 1915), S. 479 bzw. (15. Dezember 1913), S. 344.
[2] Gemeint sind die Kinderbücher Heinrich Hoffmanns, Verfasser des *Struwelpeter*.

den Urlaub Deines Chefs muß doch schon längst entschieden sein. – Heute kamen die Bilder und Dein Montagsbrief. Schönes Gruppenbild im Walde. Das sind also Deine 9 Mädchen und die Hanff ist mit dabei. Diesmal ist S. die einzige, die nicht lächelt. Die schönste ist wohl die kokette links in der Gürtelbluse. Ein wenig gestört ist das Bild durch die waldschneckenartige Lagerung der vordersten. Große Mädchen übrigens und bis auf 2, 3 scheinbar typische Gesichter. Allerdings, ein Gesicht ist etwa in 1000 Bildern erst zu fassen. Auf den 2 Reigenbildern sind ja auch Deine Mädchen zu sehn, mit einiger Mühe auch sicherzustellen, sehen aber doch ganz anders aus. Die Güte Deines Bildes in der Gruppe läßt das mißratene und ziemlich unverständliche Bild mit den Blumen ein wenig verschmerzen. Das 5. Bild, in dem ich nur S. erkenne, mußt Du mir noch erklären. – Ob ich das Chanukaspiel[1] werde auftreiben können, weiß ich nicht. Versuchen werde ich es natürlich gleich. – Was sagst Du zu der Demütigung (falls Lüge nur Demütigung ist), in der Du mich in dem übersendeten Blatt siehst? Es ist durchaus nicht der tiefste Punkt meiner Demütigung, es gibt noch tiefere auf allen Seiten, aber tief genug ist er[2]. – Nicht mehr mit Nichtfahren drohn!

Franz

[Postkarte]   [Prag,] 3.XI.16

Liebste, also es war nur Drohung, die Angst machen sollte. Das hat sie auch gemacht. Aber nun kommst Du also. Die Genehmigung ist allerdings noch nicht ganz gesichert, die Manuskripte sind ja erst Montag dort angekommen. Es macht mich noch immer nervös und um die Wahrheit zu sagen, ich kann mir gar nicht vorstellen, daß es genehmigt wird, so unschuldig es in seinem Wesen ist. Jedenfalls telegraphiere ich Dir im Falle einer Verhinderung, vorläufig freue ich mich in der Hoffnung, Dich so bald zu sehn. Unsere Züge vereinigen sich – ich habe leider das große Kursbuch nicht bei der Hand und urteile nur beiläufig nach der Karte – etwa bei Wiesau, also etwa zwischen 1 und 2 Uhr mittags. Ein großer Zeitgewinn, wenn

---

[1] Offenbar der Text eines der vielen Theaterstücke, welche die Chanukkah-Geschichte – vgl. Anm.[1] S. 168 – zur Darstellung bringen.
[2] Das übersendete Blatt ist nicht erhalten, es sei denn Kafka meint den Aufruf, der dem Brief vom 30. Oktober beigelegt war; siehe Anhang S. 764.

ich Dich schon im Zuge treffe. Natürlich wohne auch ich (aus Aberglauben mache ich hier wieder den obigen Vorbehalt) im Bayerischen Hof. – Das Chanukafestspiel werde ich kaum auffinden können. Das einzige Mädchen, von dem ich erhoffen konnte, daß sie etwas haben wird (sie hat voriges Jahr im hiesigen ostjüdischen Kindergarten ein Spiel mit den Kindern eingeübt; ich war damals mit meinem Neffen dort, das für ganz kleine Kinder berechnete Stück war übrigens recht unbrauchbar, das Mädchen selbst ist allerdings außerordentlich), also auch dieses Mädchen hat nichts. Im Jüdischen Verlag soll ein Chanukabuch erscheinen, vielleicht zeigt man Dir die Bürstenabzüge.

Franz

[Postkarte]   [Prag,] 5. XI. 16

Liebste, wieder früh morgens vor einem Ausflug aufs Land. Gestern kam nichts von Dir, ich habe allerdings auch nicht geschrieben. Die Reise wird jetzt wahrscheinlicher mit jedem Tag. Jedenfalls telegraphiere ich Dir noch Mittwoch oder Donnerstag die schönen Worte: »Wir fahren also« oder das traurige Wort: »Nein«.

Franz

Franz Kafka an Felicens Mutter, Frau Anna Bauer

14. Nov. 16

Liebe Mutter!

Du hast, wie mir Felice erzählt hat, meinen Marienbader Brief freundlich aufgenommen, ich kann Dir deshalb zu Deinem Geburtstage heute freieren Herzens schreiben als damals. Es ist, wie ich oft gesehn, gehört und gesagt habe, nicht ganz leicht mit mir auszukommen, nicht einmal für mich selbst; wenn daher selbst Du, die Du mir Deine Tochter gibst und daher nur Forderungen zu stellen berechtigt wärest, Dir die Mühe nimmst, so ist das desto großherziger. Hab also bitte (so mischt sich Eigensucht selbst in Geburtstagswünsche) auch künftig Geduld mit mir und bleib in Deiner fast jugendlichen Frische, mit der Du in meiner Erinnerung lebst, Felice und durch sie auch mir weiterhin und lange erhalten. –

Einen ehrerbietigen Handkuß für Dich und herzliche Grüße für Erna und Toni

von Deinem   Franz

Liebste, seit Tagen, Tagen keine Nachricht mehr. Warum? Wollen Dir meine letzten Karten nicht eingehn?[1] Aber sie betreffen doch den Kernpunkt des Zusammenlebens. Ich kann mir – um jetzt nur davon zu reden – gerade von Dir den Vorwurf der Eigensucht nicht immer wieder, so leicht, so nebenbei, so selbstverständlich und mit der dahinterstehenden Drohung der Unaufhörlichkeit machen lassen. Er trifft mich ja schwer, denn er ist richtig. Unrichtig ist nur, daß Du, gerade Du mir ihn machst, daß Du damit, vielleicht viel weniger durch die Tat als durch Worte, eine Berechtigung dieser Eigensucht leugnest, die weniger, unvergleichlich weniger auf die Person als auf die Sache geht. Der Glaube daran, daß ich in dieser letztern Hinsicht die Grenze richtig ziehe, ist allerdings Sache des Vertrauens zu mir. Jedenfalls: mein Schuldbewußtsein ist immer stark genug, es braucht keine Nahrung von außen, aber meine Organisation ist nicht stark genug, um häufig solche Nahrung hinunterzuwürgen.

Franz

Liebste, das glaube ich eben auch, wie könnte ich sonst in diesem Zustande weiterleben (Kopfschmerzen mit eingerechnet). Ich bin zwar nicht überzeugt, daß solche Streitigkeiten (gräßliche Konditorei!)[2] nicht wieder vorkommen werden, aber sie werden nicht die Spannung des kurzen Beisammenseins, des vagen und gespensterreichen Provisoriums als Verstärkung der Bitternis haben und deshalb als allgemeine menschliche Not ertragen werden müssen. Du wirst auf den Stein schlagen, und der Stein wird ein wenig geritzt werden. Zerbröckelt er nicht vorzeitig, wird er es ertragen, ebenso wie es die Hand wird ertragen müssen. – Was mich augenblicklich betrifft, so beherrschen mich, von den heutigen ausnahmsweisen (seit München) Kopfschmerzen abgesehn, fast ausschließlich

---

[1] Die unmittelbar vorhergegangenen Karten, auf welche sich diese Bemerkung bezieht, sind offenbar nicht erhalten.

[2] Die Bemerkung bezieht sich auf den gemeinsamen Aufenthalt in München, 10.–12. November 1916.

die Gedanken an den Wohnungswechsel und die kleinen, aber innerhalb des allgemeinen Negativums, in dem ich lebe, wenigstens positiven Hoffnungen, die sich daran knüpfen. Schon mein Gang in das Wohnungsbureau war eine nicht zu verachtende Leistung. Seitdem umschweben mich 3 Frauen in unverdienter Freundlichkeit, die Inhaberin des Wohnungsbureaus, die Hausmeisterin des Hauses, in dem ich wohnen will, und das Dienstmädchen der Partei, die mir ihre Wohnung überlassen will. Seit gestern hat sich ihnen noch meine Mutter, wirklich sehr gütig, angeschlossen. Mehr verrate ich nicht, erst übermorgen, bis es sich entscheidet. – Morgen gehn die Bücher an Dich ab.

Franz

[Postkarte]   [Prag,] 24. XI. 16

Früh habe ich eine Karte an Dich zu schreiben begonnen, wurde dann gestört und kann nun die begonnene Karte nicht finden. Sonst geschieht mir das nur mit Akten. Unangenehm ist es. – Liebste, so wie Du es meinst ist es aber nicht gewesen. Du scheinst tatsächlich mein Geburtstagstelegramm nicht bekommen zu haben. Die Unzuverlässigkeit der Beförderung ist jetzt so groß. Ich gab es am 17. abends auf. Es lautete: – Umarmung aus der Ferne –. Vielleicht war dieser Text zu ungewohnt und wurde deshalb nicht befördert. Ich werde es vielleicht reklamieren. Augenblicklich sind meine Hauptgedanken, und zwar recht traurige, wieder bei meiner Wohnung. Die Entscheidung mußte wieder um paar Tage hinausgeschoben werden und es ist wieder ein wenig unsicherer geworden, ob ich sie bekomme. Du mußt wissen, es handelt sich um eine Wohnung, aus zwei Zimmern ohne Küche bestehend, die in allem meinen ausschweifendsten Wunschträumen zu entsprechen scheint. Ich würde es schwer tragen, wenn ich sie nicht bekäme. Diese Wohnung würde mir, zwar nicht die innere Ruhe wiedergeben, aber doch eine Möglichkeit zu arbeiten; die Paradiestore würden nicht wieder auffliegen, aber ich bekäme vielleicht in der Mauer zwei Ritzen für meine Augen. – Heute las ich einen Brief des Grenadiers Lehmann an Max, in welchem er Deine fleißige Arbeit besonders hervorhebt. – Weihnachten? Ich werde nicht fahren können.

Franz

Liebste, heute kam der ältere an Dich zurückgegangene Brief. Wir sind also vertrauenswürdiger. Meine Meinung über Weihnachten bleibt die alte, ich weiß, es wird mir einen Stich geben, wenn ich endgiltig höre, daß wir einander nicht sehn, aber an dem im Grunde Richtigen meiner Meinung werde ich nicht zweifeln. – Deine Kopfschmerzen bedrücken mich sehr. Ist uns nur eine einzige Ruhe gemeinsam zugeteilt, so daß, wenn es bei mir ein wenig ruhiger zugeht, dies gleich Deinen Ruheanteil kleiner macht? Und die Gründe? Die Unsicherheit war doch vor einem Monat nicht größer als heute. Und das Heim? Hält und macht es Dich nicht fest? – Das Drama des Bekannten kann ich nicht mehr lesen. Max hat es vor paar Tagen, ohne daß ich überhaupt etwas davon gehört hätte, weggeschickt. Er hält es nicht für wesentlich. Ich hätte es natürlich gern gelesen, da Du es wolltest, aber nun, da es weg ist, hat es keinen Sinn, es wieder zu verlangen, mein Urteil oder gar meine Hilfe hätte für den Verfasser gewiß keine Bedeutung. Übrigens war Max in letzter Zeit gerade mit ähnlichen Bitten überhäuft und mag es also nicht allzugenau gelesen haben.

Franz

Liebste, schon einige Tage nichts. Mußt nicht etwa glauben, daß ich paradiesisch ununterbrochen lebe. Vielleicht ist die verhältnismäßige Ruhe nur Aufspeicherung der Unzufriedenheit, die dann in einer Nacht wie z.B. der letzten gesammelt hervorbricht, daß man heulen möchte und daß man den nächsten Tag also den heutigen herumzieht wie sein eigenes Begräbnis. – Du fragst nach Kritiken über die Vorlesung. Ich habe nur noch eine aus der Münchner-Augsburger Zeitung bekommen[1]. Sie ist etwas freundlicher als die erste, aber, da sie in der Grundansicht mit der ersten übereinstimmt,

---

[1] Kritik der Münchner Vorlesung Kafkas (Kunst-Salon Goltz, 10. November 1916) in der *München-Augsburger Abendzeitung,* Mittagsblatt, 13. November 1916, S. 2. (Die zweite, Kafka bekannte Kritik war in den *Münchener Neuesten Nachrichten,* 11. November 1916, S. 3f. erschienen.) Eine weitere Kritik erschien in der *Münchener Zeitung,* 12. November 1916, S. 2f. Vgl. *Kafka-Symposion,* S. 151ff.

verstärkt die freundlichere Stimmung noch den tatsächlich großartigen Mißerfolg, den das Ganze hatte. Ich bemühe mich gar nicht,
auch noch die andern Besprechungen zu bekommen. Jedenfalls
muß ich die Berechtigung der Urteile fast bis zu ihrer Wirklichkeit
zugeben. Ich habe mein Schreiben zu einem Vehikel nach München,
mit dem ich sonst nicht die geringste geistige Verbindung habe,
mißbraucht und habe nach 2jährigem Nichtschreiben den phantastischen Übermut gehabt, öffentlich vorzulesen, während ich seit
1½ Jahren in Prag meine[n] besten Freunden nichts vorgelesen habe.
Übrigens habe ich mich in Prag auch noch an Rilkes Worte erinnert. Nach etwas sehr Liebenswürdigem über den Heizer meinte
er, weder in Verwandlung noch in Strafkolonie sei diese Konsequenz wie dort erreicht. Die Bemerkung ist nicht ohne weiteres verständlich, aber einsichtsvoll[1].

Franz

[Postkarte]   [Prag,] 8.XII.16

Liebste, die Karte, in der Du von der Weihnachtsreise Deines Chefs
schreibst, kam sehr verspätet, sonst aber schon so lange nichts. Und
Kopfschmerzen auch noch nach dieser Karte. Und jetzt versinkst
Du in Schweigen. Das Heim? Das Chanukaspiel? Nächstens werde
ich Dir einige jüdische Bücher schicken. Hast Du das Bücherpaket
bekommen? Morgen schicke ich das Paket für Muzzi weg. Nein,
vielleicht warte ich noch auf einen Auftrag von Dir. Vorläufig stelle
ich zusammen: 2 Bücher, 1 Spiel, Bonbons, Karlsbader Oblaten,

---

[1] Rilke und Kafka sind einander wahrscheinlich nie begegnet. Kafka erfuhr Rilkes Urteil über seine Arbeiten wohl durch Eugen Mondt. Woher
Rilke die damals noch unveröffentlichte Erzählung »In der Strafkolonie«
kannte, ließ sich nicht ermitteln. Vermutlich hatte er sie im Manuskript gelesen – es war bereits am 30. September in München eingetroffen – und mit
Eugen Mondt darüber gesprochen. Vgl. Eugen Mondt, »München-Dachau,
ein literarisches Erinnerungsbüchlein« [Typoskript, Stadtbibliothek Mün-
chen], S. 42 f. – Ein Brief Rilkes an Kurt Wolff vom 17. Februar 1922 be-
kundet die Aufmerksamkeit, die er dem Schaffen Kafkas entgegenbrachte:
»...merken Sie mich bitte immer ganz besonders für alles vor, was von Franz
Kafka an den Tag kommt. Ich bin, darf ich versichern, nicht sein schlechtester
Leser.«, Wolff, *Briefwechsel*, S. 152; Lou Albert-Lasard berichtet, daß Rilke
ihr Kafkas »Verwandlung« vorgelesen habe. (*Wege mit Rilke*, Frankfurt am
Main 1952, S. 43.)

Chokolade. Darüber hinaus versagt aber meine Phantasie. Soll nicht auch ein Kleidchen oder etwas derartiges beigepackt werden? Darüber müßte ich aber genaue Angaben bekommen, im übrigen würde ich es mir von Ottla besorgen lassen. Ja, Kakao soll wohl noch geschickt werden; also auch Kakao bereite ich vor und warte dann nur noch auf Deine Nachricht. – Ich lebe in Ottlas Haus[1]. Jedenfalls besser als jemals in den letzten zwei Jahren. Kleine Verbesserungen werden noch ausgeführt und so nähert sich die Unterkunft von ferne der Vollkommenheit. Erreichen wird sie sie nicht, denn vollkommen wäre dort nur die Nachtwache. So aber gehe ich zu Beginn der schönen Zeit nachhause, zuerst um 8, später um ½9, jetzt auch nach 9. Sonderbar wenn man in dieser engen Gasse unter Sternenlicht sein Haus versperrt. Letzthin stand um diese Zeit mein Nachbar (Dr. Knoll) mit einer Düte Nikolozuckerzeug mitten in der Gasse, wo er auf die Kinder der Gasse wartete.

Herzliche Grüße   Franz

[Postkarte. Stempel: Prag – 9.XII.16]

Liebste, heute am 9. kam Dein Brief wegen des Handschuhs. Da die Verwandte aber schon am 10. wegfährt, nehme ich an, daß es keinen Sinn hätte, den Handschuh hinzuschicken, besonders da ich ihn erst Montag bekomme. Ich werde ihn Montag wahrscheinlich als Muster ohne Wert schicken. Es dürfte gehn. – Bedeutet die Kürze Deines Briefes Kopfschmerzen? Lese ich das Wort nicht geradezu, glaube ich nicht daran, so groß ist mein körperliches Vertrauen zu Dir (das andere nicht minder) – oder ist die Kürze Bösesein? Ich konnte doch nicht anders. – Ich lebe weiterhin in dem Häuschen, werde aber die Zeit doch anders einteilen und tiefer in den Abend dort sein. – Es gab einige wertvolle Vorträge in Berlin, ich las aber immer zu spät von ihnen, Milan, Borchardt, Blümner (Lucie von

---

[1] Seine Schwester Ottla hatte sich in dem stillen Alchimistengäßchen eins der kleinen Häuschen eingerichtet. Sie überließ es ihrem Bruder, der besonders lärmempfindlich war und dort Gelegenheit zu ungestörter Arbeit finden sollte. Er übernachtete aber nicht dort, sondern kehrte abends, zuweilen sehr spät, in sein Zimmer in der Langen Gasse, später im Schönborn-Palais zurück. Siehe die Abbildung in Janouch, *Kafka und seine Welt*, S. 130.

Essig)[1]. – Jetzt muß ich statt in mein Heim als Protokollführer in eine Sitzung.

Franz

[Postkarte. Stempel: Prag – 13. XII. 16]

Liebste, nein so schlimm wird es nicht und zwei Tage später hättest auch Du es nicht so hingeschrieben. Eine Bemerkung über das Nichtvorhandensein der Kopfschmerzen fehlt. Ich bin weiter in dem Häuschen, manchmal gut, manchmal weniger gut untergebracht, man muß vom Durchschnitt leben. – Flaubert habe ich nicht gelesen, jetzt aber muß ich ihn bald nachlesen, um Deiner Menschenkennerschaft nachzugehn. – Das Jugendschriftenverzeichnis ist leider noch immer nicht gekommen, aber es kann nicht mehr lange ausbleiben. Ich schicke übrigens morgen ein Buch zum Vorlesen. – Die Handschuhe habe ich schon, d. h. den Stoff, aber das Wegschicken ist doch nicht gut möglich. Aber in der nächsten Woche fährt ein Bekannter nach Deutschland und nimmt es mit. – Auf die Anweisung wegen des Muzzipaketes warte ich

Franz

[Postkarte]   [Prag,] 14. XII. 16

Liebste, ja die Bücher. Sie kommen allernächstens. Die jüdischen Buchhändler sind so sonderbar, die Beförderung ist sonderbar, es dauert lange. Aber ich hoffe sie noch in dieser Woche wegschicken zu können. – Gestern habe ich Dir Klein Dorrit geschickt. Du kennst es wohl. Wie konnten wir an Dickens vergessen. Man kann es wohl nicht gut vollständig mit den Kindern lesen, aber in Teilen wird es sicher Dir und ihnen große Freude machen. – Zur Chanukafeier viel Glück. Es werden dabei wohl auch Aufnahmen gemacht werden (von dem Datum habe ich keine Ahnung), auf die ich Anspruch habe. – In meinem Haus schlage ich mich mit Unmöglichkeiten herum, die ich an einem Tage mache, um sie am andern Tag mit noch

---

[1] Der schon genannte Emil Milan trug am 7. Dezember im Choraliensaal vor; Rudolf Borchardt hielt am selben Tage einen Vortrag, ›Der Krieg und die deutsche Entscheidung‹, im großen Saal der Berliner Philharmonie; Rudolf Blümner las am Abend des 6. Dezember in der Kunstausstellung ›Der Sturm‹ Hermann Essigs Novelle »Lucie« vor.

zehnmal größerer Kraft als mit der sie gemacht wurden, durchzustreichen. Aber schön das Wohnen dort, schön das Nachhausewandern gegen Mitternacht über die alte Schloßstiege zur Stadt hinunter[1].

Franz

[Postkarte]   [Prag,] 20.XII.16

Liebste, nicht traurig sein, wenn keine Nachricht von mir kommt. Das ist wirklich nicht in meinem Sinn, das beunruhigt mich und ich bin jetzt so empfindlich. Lauter Eigennutz, geht bis in die andere Seele. Immerhin nicht traurig sein. Das Ausbleiben der Nachricht ist zumindest nicht schlechter als das Sichaufhäufen der Briefe. – Mein Leben ist eben gleichförmig, verläuft eingeschlossen von meinem angeborenen gewissermaßen dreiteiligen Unglück. Kann ich nichts, bin ich unglücklich; kann ich etwas, reicht die Zeit nicht; und hoffe ich auf die Zukunft, so ist gleich die Angst, die verschiedenartige Angst hier, daß ich dann erst recht nicht werde arbeiten können. Eine fein ausgerechnete Hölle. Aber – und das ist jetzt die Hauptsache – sie ist nicht ohne gute Augenblicke. – Das Geschenk für Muzzi wird diesmal besonders hübsch, Ottla hat die Ausführung übernommen. Dumm, daß ich hinsichtlich dieser Adresse, wie Du hinsichtlich meines Onkels immer schwanke. Azstalos utca 2 bei Frau Guttmann ist hoffentlich richtig.

Du hast letzthin von irgendeiner Lösung unserer Hauptfrage geschrieben. Läßt sich darüber nichts sagen?

Franz

[Postkarte]   [Prag,] 22.XII.16

Liebste, schon einige Tage keine Nachricht. Gestern ging das Paket an Muzzi ab, sehr hübsch, nur den Fehler hat es, daß kein passendes Spiel gefunden wurde und deshalb ein Steinbaukasten geschickt wurde. Aber das Übrige macht diese Ungeschicklichkeit wieder gut. Gestern habe ich das Jugendschriftenverzeichnis Dir geschickt, heute ein Kinderbuch, nach und nach wird es sich doch zusammenfinden. Die Handschuhe allerdings liegen noch bei mir. Der Be-

---

[1] Siehe Abbildung in Janouch, *Kafka und seine Welt,* S. 127.

kannte fährt erst nächste Woche. Ich habe wieder Wohnungssorgen, die ich Dir nächstens einmal im ganzen entwicklungsmäßig erzählen muß[1]. Sonst geht es mir verschiedenartig, gesundheitlich jedenfalls besser. Gestern wurde ich an München erinnert, Kölwel schickte mir drei Gedichte[2]. Sie kommen gewiß aus einem reinen in vielem Sinn unschuldigen Herzen, aber in München schienen sie schöner zu sein als hier. Was die letzthin erwähnte Schamlosigkeit betrifft (übrigens gefällt mir der Name Blumstein als solcher: das Sanfte und das Harte nebeneinander, und außerdem hat das Sanfte zwei seiner Buchstaben geopfert, um sich weiter an das Harte zu legen), für die Schamlosigkeit in dieser Hinsicht bin ich durch einen Brief des Schauspielers Löwy (ich habe Dir doch schon oft von ihm erzählt) bestraft worden[3]. Er hat jetzt in Budapest sehr guten Erfolg und macht mir geradezu wilde (gewiß nicht ganz gerechte) Vorwürfe, ich hätte hier nicht genug für ihn getan, nur mit ihm gespielt.

Franz

Frau Julie Kafka an Frau Anna Bauer

Prag, 31. Dezember 1916

Meine liebe Anna!

Das kommende neue Jahr, giebt mir die angenehme Veranlassung an Dich wieder einige Zeilen zu richten und zugleich unsere herzlichsten Wünsche zum Jahreswechsel zu überbringen. Der Allmächtige möge schon den furchtbaren Krieg beenden, damit wir wieder ruhigeres Herz und Gedanken haben und uns und unseren Kindern das Leben wieder Angenehmes bringt. Wir sind gottlob alle gesund, arbeiten fleißig und sehen jetzt der Zukunft hoffnungsvoll entgegen. Wie geht es Dir u. Deinen lieben Kindern? Ich denke sehr oft an Euch. Ich glaubte, daß uns die l. Felice zu Weihnachten mit ihrem lieben Besuche überraschen wird, wahrscheinlich konnte sie nicht abkommen. Wir würden sie alle sehr gerne sehen und hoffen, daß sie recht bald kommt.

Unseren lieben Schwiegersöhnen geht es gottlob gut, d.h. wie es

---

[1] Vgl. Brief von Ende Dezember 1916 / Anfang Januar 1917, S. 749.
[2] Vgl. den Brief an Gottfried Kölwel vom 3. Januar 1917, in dem er sich für den Empfang der Gedichte bedankt. *Briefe*, S. 153f.
[3] Die Karte, die von dieser ›Schamlosigkeit‹ berichtet, ist offenbar nicht erhalten.

im Kriege geh'n kann. Was macht die l. Tante Emilie? Ich bitte, ihr unsere herzlichsten Grüße zu bestellen.

Indem ich hoffe, von Dir recht bald Angenehmes zu hören, bleibe ich mit besten Grüßen

freundschaftlichst Deine   Julie Kafka

An Deine lieben Kinder sende innigste Grüße, u. küsse für mich unsere l. Felice.

Von meinem l. Alten u. allen Kindern folgen die besten Grüße.

[Ende Dezember 1916 / Anfang Januar 1917][1]

Liebste, also meine Wohnungsgeschichte. Ein gewaltiges Thema. Es erschreckt mich, ich werde es nicht bewältigen können. Zu groß für mich. Nur ein Tausendstel werde ich darstellen können und davon nur ein Tausendstel wird mir beim Schreiben gerade gegenwärtig sein und davon nur ein Tausendstel werde ich Dir begreiflich machen können und so weiter. Trotzdem, es muß sein, ich will Deinen Rat hören. Also lies genau und rate gut: Mein zweijähriges Leid kennst Du, klein zum gleichzeitigen Leid der Welt, für mich aber genügend. Ein bequemes freundliches Eckzimmer, zwei Fenster, eine Balkontüre. Aussicht auf viele Dächer und Kirchen. Erträgliche Leute, da ich sie bei einiger Übung überhaupt nicht sehen muß. Lärmende Gasse, Schwerfuhrwerke am frühesten Morgen, an das ich aber schon fast gewöhnt bin. Das Zimmer aber doch für mich unbewohnbar. Zwar liegt es am Ende eines sehr langen Vorzimmers und ist äußerlich abgesondert genug, aber es ist ein Betonhaus, ich höre oder vielmehr hörte bis über 10 Uhr hinaus das Seufzen der Nachbarn, die Unterhaltung der Tieferwohnenden, hie und da einen Krach aus der Küche. Außerdem ist über der dünnen Zimmerdecke der Boden und es ist unberechenbar, an welchen Spätnachmittagen, da ich gerade etwas arbeiten wollte, ein wäschehängendes Dienstmädchen mir förmlich, ganz unschuldig, mit dem Stiefelabsatz in den Schädel trat. Hie und da gab es auch ein Klavierspiel und im Sommer aus dem Halbkreis der andern nahegerückten

---

[1] Der Durchschlag dieses Briefes – oder Briefentwurfs – fand sich im Nachlaß Kafkas und wurde bereits von Max Brod *(Biographie,* S. 193 ff.) veröffentlicht.

Häuser Gesang, eine Violine und ein Grammophon. Annähernd vollständige Ruhe also erst von 11 Uhr nachts. Also Unmöglichkeit zum Frieden zu kommen, vollkommene Heimatlosigkeit, Brutstätte allen Wahnes, immer größere Schwäche und Aussichtslosigkeit. Wie viel ist darüber noch zu sagen, aber weiter. Im Sommer einmal ging ich mit Ottla Wohnung suchen, an die Möglichkeit wirklicher Ruhe glaubte ich nicht mehr, immerhin ich ging suchen. Wir sahen einiges auf der Kleinseite an, immerfort dachte ich, wenn doch in einem der alten Palais irgendwo in einem Bodenwinkel ein stilles Loch wäre, um sich dort endlich in Frieden auszustrecken. Nichts, wir fanden nichts Eigentliches. Zum Spaß fragten wir in dem kleinen Gäßchen nach. Ja, ein Häuschen wäre im November zu vermieten. Ottla, die auch, aber in ihrer Art, Ruhe sucht, verliebte sich in den Gedanken, das Haus zu mieten. Ich in meiner eingeborenen Schwäche riet ab. Daß auch ich dort sein könnte, daran dachte ich kaum. So klein, so schmutzig, so unbewohnbar, mit allen möglichen Mängeln. Sie bestand aber darauf, ließ es, als es von der großen Familie, die drin gewohnt hatte, ausgeräumt war, ausmalen, kaufte paar Rohrmöbel (ich kenne keinen bequemeren Stuhl als diesen), hielt es und hält es als Geheimnis vor der übrigen Familie. Zu jener Zeit etwa kam ich aus München mit neuem Mut zurück, ging in ein Wohnungsbüro, wo mir als erstes fast eine Wohnung in einem der schönsten Palais genannt wurde[1]. Zwei Zimmer, ein Vorzimmer, dessen eine Hälfte als Badezimmer eingerichtet war. Sechshundert Kronen jährlich. Es war wie die Erfüllung eines Traumes. Ich ging hin. Zimmer hoch und schön, rot und gold, wie etwa in Versailles. Vier Fenster in einen ganz versunken stillen Hof, ein Fenster in den Garten. Der Garten! Wenn man in den Torweg des Schlosses kommt, glaubt man kaum, was man sieht. Durch das hohe Halbrund des von Karyatiden flankierten zweiten Tores sieht man von schön verteilten, gebrochen verzweigten steinernen Treppen an den großen Garten eine weite Lehne langsam und breit hinaufsteigen bis zu einer Gloriette[2]. Nun hatte die Wohnung einen kleinen Fehler. Der bisherige Mieter, ein getrennt von seiner Frau lebender junger Mann, hatte in der Wohnung mit seinem Diener nur ein paar Mo-

---

[1] Das Schönborn-Palais auf der Kleinseite, Marktgasse (Tržiště) 365/15, in dem Kafka von Anfang März bis Ende August 1917 wohnte. Siehe Abbildungen in Janouch, *Kafka und seine Welt*, S. 132 f.
[2] Siehe Abbildung in *Kafka a Praha*, Nr. 28.

nate gewirtschaftet, war dann überraschend versetzt worden (er ist Beamter), mußte von Prag weg, hatte aber in der kurzen Zeit schon so viel in der Wohnung investiert, daß er sie nicht ohne weiters aufgeben wollte. Er behielt sie deshalb und suchte jemanden, der ihm die Auslagen (Einführung des elektrischen Lichtes, Einrichtung des Badezimmers, Einbau von Schränken, Einführung eines Telephons, einen großen aufgespannten Teppich) wenigstens teilweise ersetzen würde. Ich war dieser jemand nicht. Er wollte dafür (sicherlich wenig genug) sechshundertfünfzig Kronen. Es war mir zu viel, auch waren mir die überhohen kalten Zimmer zu prachtvoll, schließlich hatte ich ja auch keine Möbel, kleinere Rücksichten kamen noch dazu. Nun fand sich aber in dem gleichen Schloß, direkt von der Verwaltung zu mieten, eine andere Wohnung, im zweiten Stock, etwas niedrigere Zimmer, Gassenaussicht, vor den Fenstern ganz nahegerückt der Hradschin. Freundlicher, menschlicher, bescheiden eingerichtet, eine zu Gast hiergewesene Komtesse, wahrscheinlich mit bescheideneren Ansprüchen, hatte hier gewohnt, die mädchenhafte, aus alten Möbeln zusammengesetzte Einrichtung stand noch da. Es waren aber Zweifel, ob die Wohnung zu haben sein wird. Das machte mich damals verzweifelt. Und ich ging in diesem Zustand in Ottlas Haus, das damals gerade fertig geworden war. Es hatte viele Mängel des Anfangs, ich habe nicht Zeit genug, um die Entwicklung zu erzählen. Heute entspricht es mir ganz und gar. In allem: der schöne Weg hinauf, die Stille dort, von einem Nachbar trennt mich nur eine sehr dünne Wand, aber der Nachbar ist still genug; ich trage mir das Abendessen hinauf und bin dort meistens bis Mitternacht; dann der Vorzug des Weges nach Hause: ich muß mich entschließen aufzuhören, ich habe dann den Weg, der mir den Kopf kühlt. Und das Leben dort: es ist etwas Besonderes, sein Haus zu haben, hinter der Welt die Tür nicht des Zimmers, nicht der Wohnung, sondern gleich des Hauses abzusperren; aus der Wohnungstür geradezu in den Schnee der stillen Gasse zu treten. Das Ganze zwanzig Kronen monatlich, von der Schwester mit allem Nötigen versorgt, von dem kleinen Blumenmädchen (Ottlas Schülerin) so geringfügig als es nötig ist bedient, alles in Ordnung und schön. Und gerade jetzt entscheidet es sich, daß die Wohnung im Schloß mir nun doch zur Verfügung steht. Der Verwalter, dem ich eine Gefälligkeit getan, ist mir sehr freundlich gesinnt. Ich bekomme jene Gassenwohnung um sechshundert, allerdings ohne Möbel, auf die ich gerechnet hatte. Es sind zwei Zimmer, ein Vorzimmer. Elektrisches Licht ist da, allerdings kein Badezimmer, keine Wanne, aber ich brauche sie auch nicht. Nun kurz die Vorteile des gegenwärtigen Standes gegenüber der Schloßwohnung: 1. der Vorteil des Alles-bleibt-beim-alten, 2. ich bin doch jetzt zufrieden, warum mir doch möglicherweise Reue schaffen, 3. Verlust des eigenen Hauses, 4. Verlust des Weges in der Nacht, der mir den Schlaf bessert, 5. ich müßte mir Möbel von der jetzt bei uns wohnenden Schwester ausborgen, für das eine Zimmer, das riesenhaft groß ist, hätte ich eigentlich nur ein Bett. Kosten der Übersiedlung, 6. jetzt wohne ich um zehn Minuten dem Büro näher. Die Schloßwohnung geht, glaube ich, nach Westen, mein Zimmer hat Morgenlicht. Dagegen Vorteile der Schloßwohnung: 1. der Vorteil des Wechsels überhaupt und des Wechsels im besonderen, 2. der Vorteil einer eigenen stillen Wohnung, 3. in der gegenwärtigen Arbeitswohnung bin ich doch nicht ganz unabhängig, eigentlich nehme ich sie doch Ottla weg; so lieb und aufopfernd sie zu mir ist, bei schlechter Laune läßt sie es wider Willen doch einmal in der Zeit merken. Allerdings wird es ihr gewiß leid tun, wenn ich nicht mehr in das Häuschen komme, im Grunde genügt es ihr, hie und da, mittag und Sonntag bis 6 Uhr dort zu sein, 4. den Nachhauseweg werde ich allerdings nicht haben, auch herausgehn wird in der Nacht schwer sein, da das Tor nicht von außen aufsperrbar ist, aber dafür kann ich in der Nacht in dem sonst nur den Herrschaften vorbehaltenen Teil des Parkes gern und gut ein Weilchen spazieren gehn, 5. nach dem Krieg will ich doch versuchen, zunächst ein Jahr Urlaub zu bekommen, gleich wird das, wenn überhaupt, wohl nicht möglich sein. Nun, dann hätten wir zwei die wunderbarste Wohnung, die ich in Prag denken kann, für Dich vorbereitet, allerdings nur für verhältnismäßig kurze Zeit, während welcher Du auch auf eigene Küche und sogar aufs Badezimmer verzichten müßtest. Trotzdem wäre es in meinem Sinn und Du könntest Dich zwei, drei Monate tief ausruhn. Und der unbeschreibliche Park etwa im Frühjahr, Sommer (Herrschaft ist weg) oder Herbst. Sichere ich mir die Wohnung aber nicht gleich jetzt, sei es daß ich hinziehe oder (wahnsinnige, alle Beamtenbegriffe übersteigende Verschwendung!) sie nur bezahle, hundertfünfzig Kronen vierteljährig, bekomme ich sie kaum mehr, eigentlich habe ich sie ja schon genommen, aber der Verwalter entläßt mich gewiß gern aus dem Wort, besonders da für ihn die Angelegenheit begreiflicherweise nicht den winzigsten Teil der Bedeutung hat wie für mich. Wie wenig habe ich gesagt. Nun aber urteile, und bald.

[Prag, 9. September 1917]

Liebste, gerade Dir gegenüber keine Ausflüchte und allmähliche Enthüllungen. Die einzige Ausflucht ist die, daß ich erst heute schreibe. Ich schwieg nicht wegen Deines Schweigens. Dein Schweigen war selbstverständlich, erstaunlich war nur Deine liebe Antwort. Meine 2 letzten Briefe[1] waren zwar charakteristisch, aber ungeheuerlich und es ließ sich weder geradezu noch an ihnen vorbei etwas antworten, das wußte ich ja, nur im Augenblick des Schreibens schlafe ich, dann wache ich rasch genug, freilich doch zu spät auf. Das ist übrigens nicht meine schlechteste Eigenschaft. Der Grund meines Schweigens war aber der: 2 Tage nach meinem letzten Brief, also genau vor 4 Wochen, bekam ich in der Nacht, um 5 Uhr etwa, einen Blutsturz aus der Lunge. Stark genug, 10 Minuten oder länger dauerte das Quellen aus der Kehle, ich dachte es würde gar nicht mehr aufhören. Nächsten Tag war ich beim Doktor, wurde diesmal und später öfters untersucht, röntgenisiert, war dann auf Drängen des Max bei einem Professor. Das Ergebnis ist, ohne daß ich mich hier auf die vielen doktoralen Einzelheiten einlasse, daß ich in beiden Lungenspitzen Tuberkulose habe. Daß eine Krankheit ausbrach, hat mich nicht erstaunt, daß Blut kam, auch nicht, ich locke ja durch Schlaflosigkeit und Kopfschmerzen die große Krankheit schon seit Jahren an und das mißhandelte Blut sprang eben hinaus, aber daß es gerade Tuberkulose ist, überrascht mich natürlich, jetzt im 34. Jahre kommt sie, ohne weit und breit in meiner Familie die geringste Vorgängerin zu haben, über Nacht. Nun, ich muß sie hinnehmen, auch scheint sie mit jenem Blut die Kopfschmerzen mir weggeschwemmt zu haben. Ihr Verlauf läßt sich heute nicht absehn, ihre künftige Gangart bleibt ihr Geheimnis, mein Alter mag eine gewisse Hemmung für sie sein, vielleicht. Ich gehe zumindest für 3 Monate aufs Land, schon nächste Woche, und zwar zu Ottla nach Zürau (Post Flöhau), ich wollte Pensionierung, man glaubt in meinem Interesse, sie mir nicht geben zu sollen, die ein wenig sentimen-

---

[1] Nicht erhalten.

talen Abschiedskomödien, die ich nach alter Gewohnheit auch jetzt mir nicht versagen kann, wirken hiebei auch etwas gegen meine Bitte, also bleibe ich aktiver Beamter und gehe auf Urlaub. Während ich sonst die ganze Sache natürlich nicht als Geheimnis behandle, verschweige ich sie doch vor meinen Eltern. Zuerst dachte ich gar nicht daran. Als ich aber zum Versuch meiner Mutter nebenbei sagte, ich fühle mich nervös und werde einen großen Urlaub verlangen, und sie ohne den geringsten Verdacht die Sache äußerst glaubhaft fand (sie ist eben für ihren Teil immer grenzenlos gern bereit, mir auf die geringste Andeutung hin Urlaub in alle Ewigkeit zu geben), ließ ich es dabei und so bleibt es vorläufig auch gegenüber dem Vater.

Das ist es also, was ich 4 Wochen, oder eigentlich nur eine Woche lang (die ganz bestimmte Diagnose ist nicht viel älter) verschwieg. Arme liebe Felice – schrieb ich zuletzt; soll es das ständige Schlußwort meiner Briefe werden? Es ist kein Messer, das nur nach vorne sticht, es kreist und sticht auch zurück.

Franz

Zur Ergänzung, damit Du nicht etwa glaubst, mir wäre augenblicklich besonders übel: durchaus nicht, im Gegenteil. Ich huste zwar seit jener Nacht, aber nicht stark, habe manchmal ein wenig Fieber, schwitze manchmal ein wenig in der Nacht, fühle etwas Kurzatmigkeit, sonst aber ist mir durchaus besser als im Durchschnitt der letzten Jahre. Die Kopfschmerzen sind vorüber und seit damals 4 Uhr nachts schlafe ich fast besser als früher. Kopfschmerzen und Schlaflosigkeit sind, wenigstens vorläufig, das Ärgste, was ich kenne.

[Zürau, 30. September oder 1. Oktober 1917]

Liebste Felice, vorgestern kam ein Brief von Dir. Wie, schon ein Brief, fragte ich mich, und las ihn lange nicht[1]. Dann aber war es nur ein Brief vom 11. September, in dem Du unbestimmt von der Möglichkeit Deiner Reise sprachst und der nur deshalb so lange

---

[1] Felice hatte Kafka erst jüngst, nämlich vom 20.-21. September, in Zürau besucht. Über den Abend vor Felicens Abreise vgl. den folgenden Brief und *Tagebücher* (21. September 1917), S. 531 f.

herumgewandert war, weil Du zu Flöhau Mähren statt Böhmen geschrieben hattest. Dadurch erklärt sich auch mein damaliges scheinbares Nichtantworten.

Heute aber, Sonntag, kamen Deine Briefe vom 24. und 26. Sept., sie kamen früh, ich öffnete sie nicht (auch ein fremder Brief war dabei und blieb uneröffnet), tagsüber war dann die Mutter hier (sie erzählte, sie habe Dich gefragt, ob ich schon in besserer Laune wäre und Du habest gesagt, das hättest Du nicht bemerkt), aber auch abends wollte ich die Briefe noch nicht lesen, sondern Dir zuerst zum Aufatmen, zu meinem Aufatmen einen Brief schreiben, der unabhängig wäre von dem, was in Deinen Briefen stand. Schließlich aber nahm ich die Briefe doch vor.

Es steht in ihnen, was dort stehn mußte und was mich so beschämt, wie Du es nur begreifen könntest, wenn Du nicht das tun müßtest, was Du tust, und nicht so sein müßtest, wie Du bist.

So wie Du mich diesmal gesehen hast, habe gleichzeitig auch ich mich gesehn, nur schärfer noch, seit langer Zeit und deshalb kann ich Dir den Anblick erklären:

Daß zwei in mir kämpfen, weißt Du. Daß der bessere der zwei Dir gehört, daran zweifle ich gerade in den letzten Tagen am wenigsten. Über den Verlauf des Kampfes bist Du ja durch 5 Jahre durch Wort und Schweigen und durch ihre Mischungen unterrichtet worden, meistens zu Deiner Qual. Fragst Du mich, ob es immer wahrhaftig war, kann ich nur sagen, daß ich keinem Menschen gegenüber bewußte Lügen so stark zurückgehalten habe oder, um noch genauer zu sein, stärker zurückgehalten habe als gegenüber Dir. Verschleierungen gab es manche, Lügen sehr wenig, vorausgesetzt, daß es überhaupt »sehr wenig« Lügen geben kann. Ich bin ein lügnerischer Mensch, ich kann das Gleichgewicht nicht anders halten, mein Kahn ist sehr brüchig. Wenn ich mich auf mein Endziel hin prüfe, so ergibt sich, daß ich nicht eigentlich danach strebe, ein guter Mensch zu werden und einem höchsten Gericht zu entsprechen, sondern, sehr gegensätzlich, die ganze Menschen- und Tiergemeinschaft zu überblicken, ihre grundlegenden Vorlieben, Wünsche, sittlichen Ideale zu erkennen, sie auf einfache Vorschriften zurückzuführen, und mich in dieser Richtung möglichst bald dahin zu entwickeln, daß ich durchaus allen wohlgefällig würde, und zwar (hier kommt der Sprung) so wohlgefällig, daß ich, ohne die allgemeine Liebe zu verlieren, schließlich, als der einzige Sünder, der nicht gebraten wird, die mir innewohnenden Gemeinheiten offen, vor aller Augen, ausführen dürfte. Zusammengefaßt kommt es mir also nur auf das Menschengericht an und dieses will ich überdies betrügen, allerdings ohne Betrug[1].

Wende dies auf unsern Fall an, der kein beliebiger ist, vielmehr mein eigentlich repräsentativer Fall. Du bist mein Menschengericht. Diese zwei, die in mir kämpfen, oder richtiger, aus deren Kampf ich bis auf einen kleinen gemarterten Rest bestehe, sind ein Guter und ein Böser; zeitweilig wechseln sie diese Masken, das verwirrt den verwirrten Kampf noch mehr; schließlich aber konnte ich, bei Rückschlägen bis in die allerletzte Zeit doch glauben, daß es zu dem Unwahrscheinlichsten (das Wahrscheinlichste wäre: ewiger Kampf), das dem letzten Gefühl doch immer als etwas Strahlendes erschien, kommen werde und ich, kläglich, elend geworden durch die Jahre, endlich Dich haben darf.

Plötzlich zeigt sich, daß der Blutverlust zu stark war. Das Blut, das der Gute (jetzt heißt er uns Guter) vergießt, um Dich zu gewinnen, nützt dem Bösen. Dort wo der Böse, wahrscheinlich oder vielleicht, aus eigener Kraft nichts entscheidend Neues mehr zu seiner Verteidigung gefunden hätte, wird ihm dieses Neue vom Guten geboten. Ich halte nämlich diese Krankheit im geheimen gar nicht für eine Tuberkulose, oder wenigstens zunächst nicht für eine Tuberkulose, sondern für meinen allgemeinen Bankrott. Ich glaubte, es ginge noch weiter und es ging nicht. – Das Blut stammt nicht aus der Lunge, sondern aus dem oder aus einem entscheidenden Stich eines Kämpfers.

Dieser eine hat nun an der Tuberkulose eine Hilfe, so riesengroß etwa, wie ein Kind an den Rockfalten der Mutter. Was will der andere noch? Ist der Kampf nicht glänzend zuende gefochten? Es ist eine Tuberkulose und das ist der Schluß. Was bleibt dem andern übrig, als schwach, müde und in diesem Zustand Dir fast unsichtbar, hier in Zürau, an Deiner Schulter zu lehnen und gemeinsam mit Dir, der Unschuld des reinen Menschen, verblüfft und trostlos, den großen Mann anzustaunen, der, nachdem er sich im Besitze der Liebe der Menschheit oder der ihm zugewiesenen Stellvertreterin fühlt, mit seinen scheußlichen Gemeinheiten beginnt. Es ist eine Verzerrung meines Strebens, das doch schon an sich Verzerrung ist.

[1] Vgl. *Tagebücher* (September-Oktober 1917), S. 534f. und Brief an Max Brod von Anfang Oktober 1917, *Briefe*, S. 177ff.

Frag nicht, warum ich eine Schranke ziehe. Demütige mich nicht so. Auf ein solches Wort hin, bin ich wieder zu Deinen Füßen. Nur sticht mir auch gleich wieder die wirkliche oder vielmehr weit vor ihr die angebliche Tuberkulose in die Augen und ich muß es lassen. Es ist eine Waffe, neben der die fast zahllosen früher verbrauchten, von der »körperlichen Unfähigkeit« bis zur »Arbeit« hinauf und bis zum »Geiz« hinunter in ihrer sparsamen Zweckhaftigkeit und Primitivität dastehn.

Im übrigen sage ich Dir ein Geheimnis, an das ich augenblicklich selbst gar nicht glaube (trotzdem mich das bei Arbeitsversuchen und beim Denken rings um mich in der Ferne fallende Dunkel vielleicht überzeugen könnte), das aber doch wahr sein muß: ich werde nicht mehr gesund werden. Eben weil es keine Tuberkulose ist, die man in den Liegestuhl legt und gesund pflegt, sondern eine Waffe, deren äußerste Notwendigkeit bleibt, solange ich am Leben bleibe. Und beide können nicht am Leben bleiben.

Franz

[Stempel: Zürau, Post Flöhau – 16.x.17]

Liebste Felice, ich schreibe Dir den Anfang des letzten Briefes von Max ab, weil er für meine oder unsere Lage bezeichnend ist:
»Würde ich nicht fürchten, daß ich Dich dadurch beunruhige, so würde ich Dir sagen, daß Deine Briefe von großer Ruhe zeugen. Nun habe ich es schon gesagt, – ein Beweis, daß ich nicht einmal recht fürchte, Dich könnte dies oder sonst etwas beunruhigen. Du bist in Deinem Unglück glücklich.«
Ehe ich sage, was ich ihm etwa geantwortet habe: Ist das nicht etwa Deine Meinung auch? Nicht so grob, aber andeutungsweise? Ist sie es, so gebe ich Dir aus unaufhörlich einander folgenden *ein* Beispiel: Du tratest abend in Zürau vor das Haus, es war kurz vor der Abreise. Ich saß noch lange im Zimmer, dann ging ich in den Garten Dich zu suchen, kam zurück, erfuhr von Ottla, daß Du vor dem Haus bist und ging zu Dir. Ich sagte zu Dir: »Hier bist Du? Ich habe Dich überall gesucht.« Du sagtest: »Ich habe Dich doch noch vor einem Augenblick im Zimmer reden hören.« Bis auf paar ganz belanglose Worte sprachen wir wohl kaum mehr etwas miteinander, trotzdem wir noch genug lange auf der Treppenstufe standen und auf den Ringplatz sahen. Du warst unglücklich über die sinnlose

Reise, mein unbegreifliches Verhalten, über alles. Ich war nicht unglücklich. »Glück« wäre allerdings für meinen Zustand eine sehr unrichtige Bezeichnung gewesen. Ich war gequält, aber nicht unglücklich, ich fühlte den ganzen Jammer weniger, als ich ihn sah, erkannte, ihn in seiner alle meine Kräfte (zumindest meine Kräfte als die eines Lebendigen) übersteigenden Ungeheuerlichkeit feststellte, und in dieser Erkenntnis verhältnismäßig ruhig dabei verblieb, die Lippen fest, sehr fest geschlossen zu halten. Daß ich auch dabei wahrscheinlich noch ein wenig Komödie spielte, verzeihe ich mir am leichtesten, denn der Anblick, den ich hatte (freilich nicht zum erstenmal), war zu höllisch, als daß man den Anwesenden nicht mit ein wenig ablenkender Musik hätte zuhilfe kommen wollen; es gelang nicht, wie es kaum jemals gelingt, immerhin fand es statt. Ähnlich habe ich Max geantwortet, ich meine natürlich nur: in ähnlichem Sinn[1]. Seine Feststellung des »im Unglück Glücklichseins« geht allerdings über mich hinaus und ist eine Art zeitgenössischer Kritik. Ich weiß nicht, ob er sie schon in einem Aufsatz geschrieben hat, aber er trägt sie schon lange in sich. Was immer er daraus macht: eine Feststellung, ein Bedauern, selbst eine Mahnung äußersten Falles – er bleibt wohl im Recht, nur für eine Anklage, einen Vorwurf darf er es nicht ansehn, wie er es gerne tut. »Im Unglück Glücklich-sein«, was ja gleichzeitig bedeutet »Im Glück Unglücklich-sein« (aber das erste ist vielleicht das Entscheidendere), war vielleicht der Spruch, mit dem Kain das Zeichen aufgedrückt worden ist. Es bedeutet den Verlust des Gleichschrittes mit der Welt, es bedeutet, daß der, welcher das Zeichen trägt, die Welt zerschlagen hat und, unfähig sie wieder lebend aufzurichten, durch ihre Trümmer gejagt wird. Unglücklich ist er allerdings nicht, denn Unglück ist eine Angelegenheit des Lebens und dieses hat er beseitigt, aber er sieht es mit überhellen Augen, was in dieser Sphäre etwas ähnliches wie Unglück bedeutet.

———

Was meinen Körperzustand betrifft – er ist ausgezeichnet, nach Deinem wage ich kaum zu fragen.

Nächsten Samstag hält Max in Komotau, ganz nah von hier, einen zionistischen Vortrag, ich steige in ihren Zug, Sonntag mittag fah-

[1] Vgl. Brief an Max Brod vom 12. Oktober 1917, *Briefe,* S. 181 ff

ren wir nach Zürau und abend alle nach Prag, ich, um zum Professor, zum Zahnarzt und ins Bureau zu gehn. Alle 3 Besuche fallen mir schwer, am schwersten die Reise selbst. Hoffentlich komme ich in 2–3 Tagen wieder zurück.

Nur durch diesen Zufall des Komotauer Vortrags bekomme ich Maxens Besuch hier, denn ich habe schon früher Max, Felix und Baum mit ausführlicher Begründung gebeten, mich nicht zu besuchen.

Kant kenne ich nicht, der Satz aber soll wohl nur für die Völker gelten, auf Bürgerkriege, auf »innere Kriege« bezieht er sich kaum, hier ist der Friede wohl nur jener, den man der Asche wünscht.

Franz

ANHANG

Dem Brief Kafkas vom 24. November 1912 (vgl. S. 121) beigelegt:
Notiz aus dem *Prager Tagblatt* vom 25. September 1912.

Seligsprechung der Märtyrer von Uganda.
Ein Dekret der Ritenkongregation vom 13. August veröffentlicht die Einleitung des Seligsprechungsprozesses der sogenannten »Märtyrer von Uganda«, 22 christliche Negerjünglinge, die als erste Blutzeugen vor 26 Jahren für den Glauben den Verbrennungstod erlitten. Wie aus Rom von der Zentrale der St. Petrus Claver-Sodalität gemeldet wird, waren die Kardinäle, welche die Angelegenheit zu beraten hatten, über den Heldenmut der jugendlichen Märtyrer bis zu Tränen ergriffen. Es herrscht über die Nachricht des eingeleiteten Seligsprechungsverfahrens allenthalben bei den Negern und besonders bei denen von Nord-Viktoria-Nyanza, der Heimat der ersten Märtyrer, der größte Jubel, den sie in Tänzen und Sprüngen zum Ausdruck brachten.

Dem Brief Kafkas vom 1. Juni 1913 (vgl. S. 392) beigelegt: Notiz aus dem *Prager Tagblatt* vom 1. Juni 1913.

Ein ostjüdischer Schauspieler.
Am 2. Juni wird (im Hotel Bristol, 8 Uhr abends) den Pragern Gelegenheit geboten werden, einen bedeutenden Vertreter jener Kunst kennen zu lernen, die, in unzugängliche Gebiete verbannt, nur selten in Mitteleuropa zu unmittelbarer Wirkung gelangt. Viele werden sich noch jener seltsamen Abende erinnern, die uns im Vorjahr beschieden waren, als in einem kleinen Saal der Altstadt ein Jargon-Theater seine primitive Bühne aufgeschlagen hatte. Man war in eine fremde Welt geraten, wo Menschen von kindlicher Gewalt der Phantasie lebten, Enthusiasten, denen es genügte, einen Bretterboden unter den Füßen, paar bunte Lappen am Körper zu haben – und nun unentwegt zwischen anderthalb Kulissen und etwa einem Lehnstuhl-Thronsessel und einem Tischchen dramatisches Erleben zu agieren. *Isaac Löwy,* das war nach allgemeinem Urteil der prägnanteste Vertreter einer Schauspielkunst, die sich in den Dienst der dramatischen Jargonliteratur gestellt hat. Noch hat man seine vorjährigen Leistungen nicht vergessen, seine Darstellung verstockter Bösewichter zerknirschter Halunken, seine Dienerrollen, die er als orientalisch-pfiffiger Sampo [sic!] Pansa spielte, das zapplige Spiel seiner Hände, sein durchfurchtes Gesicht, in das sich sein hinreißendes Lächeln eingrub, seinen Gang, seine wandlungsfähige, im Gesang männlich schöne Stimme. Am 2. Juni wird uns Gelegenheit geboten werden, I. Löwy zum zweitenmal als Rezitator, Liedersänger und Schauspieler zu begrüßen und neuerdings eine Ahnung noch unerlösten fernen Künstlertums zu empfangen.

Dem Brief Kafkas vom 30. Oktober 1916 (vgl. S. 737) beigelegt: Text eines von Kafka verfaßten Aufrufs *Deutscher Verein zur Errichtung und Erhaltung einer Krieger- und Volksnervenheilanstalt in Deutschböhmen in Prag.*

Volksgenossen!

Der Weltkrieg, der alles menschliche Elend gehäuft in sich enthält, ist auch ein Krieg der Nerven, mehr Krieg der Nerven als je ein früherer Krieg. In diesem Nervenkrieg unterliegen nur allzuviele. So wie im Frieden der letzten Jahrzehnte der intensive Maschinenbetrieb die Nerven der in ihm Beschäftigten unvergleichlich mehr als jemals früher gefährdete, störte und erkranken ließ, hat auch der ungeheuerlich gesteigerte maschinelle Teil der heutigen Kriegshandlungen schwerste Gefahren und Leiden für die Nerven der Kämpfenden verursacht. Und dies in einer Weise, von der sich selbst der Unterrichtete kaum eine zureichende Vorstellung machen kann. Schon im Juni 1916 konnte man in Böhmen auf Grund vorsichtiger statistischer Daten über 4000 nervenkranke Kriegsbeschädigte allein aus Deutschböhmen zählen. Und was steht uns noch bevor? Wieviel Nervenkranke liegen noch in den außerböhmischen Spitälern? Wieviel Nervenkranke werden aus der Kriegsgefangenschaft zurückkommen? Unübersehbares Elend wartet hier auf Hilfe. Der nervöse Zitterer und Springer in den Straßen unserer Städte ist nur ein verhältnismäßig harmloser Abgesandter der ungeheueren Leidensschar.

Was sollen wir tun? Wir haben die Wahl: Wir können alles seinen bisherigen Weg gehen lassen. Wir können zusehen, wie die Nervenkranken aus der Front in die militärischen Spitäler strömen und wie sie dort nur zum geringsten Teil in die beschränkten besonderen Nervenabteilungen kommen, im Übrigen aber nur in die allgemeinen militärischen Unterkünfte gelangen. In den besonderen Abteilungen werden ja gewiß Besserungs- und Heilerfolge erzielt, so vorzüglich, als dies bei den unvollständigen Behelfen dort möglich ist. Aber wie wenig Glückliche erhalten diese Behandlung! Und die Überzahl der in den allgemeinen Spitälern untergebrachten Nervenkranken, was geschieht mit diesen? Ihnen kann heute der beste Wille und die größte medizinische Kunst nichts helfen. Für sie ist in ihrer Heimat, die sie mit ihrem Leben verteidigt und für die sie ihre und ihrer Angehörigen Zukunft eingesetzt haben, keine Hilfe vorhanden, denn Hilfe kann nur eine sorgfältige Behandlung in einer neuzeitlich eingerichteten Heilanstalt bringen. Da diese aber nicht vorhanden ist, ist auch das Schicksal dieser Unglücklichen besiegelt. Sie werden ungeheilt in ihre Heimat entlassen, als Vermehrung der ungeheilten Nervenkranken aus der Friedenszeit, als Opfer endloser, stetig sich verschärfender Leiden, als Qual ihrer Familien, als Verlust der deutschböhmischen Volkskraft, als Anwärter der Irrenhäuser. Soll das der Lohn sein, mit dem Deutschböhmen seine Söhne lohnt?

Aber es gibt noch eine andere Möglichkeit! Deutschböhmen, das heißt die Gesamtheit der deutschen Volksgenossen, kann aus eigenen Mitteln eine große *Volksnervenheilanstalt* errichten, allerdings mit entsprechenden Beiträgen der im Krieg wie im Frieden an einer solchen Anstalt wesentlich interessierten

Regierung, sowie der sozialen Versicherungsanstalten, der privaten Versicherungsgesellschaften, der Eisenbahnverwaltungen, des Großgrundbesitzes, der Großbetriebe, und überhaupt aller, die mit warmem Herzen und selbst der geringsten Gabe helfen wollen. Von einer solchen, mit allem Nötigen reichlich versehenen, nach dem mustergiltigen reichsdeutschen Beispiel eingerichteten *Volksheilanstalt* könnte ein reicher Segen über Deutschböhmen ausgehen. Jetzt und so lange dies nach dem Kriege nötig wäre, könnte die Anstalt Kriegsbeschädigten aus Deutschböhmen vorbehalten bleiben, dann aber ihrem eigentlichen *Dauerzweck,* nämlich der Unterbringung und Behandlung *unbemittelter* nervenkranker deutschböhmischer Volksgenossen gewidmet werden. Hier bietet sich die Möglichkeit, eines großen Elends des Krieges wie des Friedens mit den Waffen der Menschenliebe und der Wissenschaft, wenn nicht völlig, so doch zum großen Teile, Herr zu werden.

Zwischen diesen zwei Wegen haben wir zu wählen oder vielmehr es gibt hier gar keine Wahl. Es wäre unser aller selbstverständliche menschliche, vaterländische und volkliche Pflicht, hier mit allen Kräften einzugreifen, selbst wenn der mögliche Erfolg unserer Hilfe nicht so groß und verheißend vor unseren Augen stünde wie hier. Da dem so ist, so tut Eile umso mehr not.

Der Anfang ist schon gemacht. Am 14. Oktober hat im Deutschen Haus in Prag eine Versammlung von Vertretern aller Parteien, Stände und Stellen Deutschböhmens stattgefunden. Mit seltener Einmütigkeit und Opferwilligkeit wurde die Notwendigkeit werktätiger Hilfe anerkannt und beschlossen, einen *Deutschen Verein zur Errichtung und Erhaltung einer Volksnervenheilanstalt in Deutschböhmen* mit dem Sitze in Prag zu gründen. Dieser Verein ist als ein Teil der volklichen deutschböhmischen Kriegsfürsorge gedacht und wird vorläufig durch den gefertigten, in jener Versammlung gewählten, *vorbereitenden Ausschuß* vertreten.

Die erste Arbeit ist die Beschaffung der Mittel. Zu diesem Zwecke ergeht an Sie die ergebene Bitte, sich an diesem großen deutschböhmischen Werk, dem in Österreich noch nichts ähnliches an der Seite steht, soweit nur möglich, zu beteiligen und in ihren Kreisen dafür einzutreten.

Diese Beteiligung kann im Sinne der Satzungen auf folgende Weise erfolgen:

1. Durch freiwillige Spenden.

2. Durch Beitritt zum Verein als Stifter, indem Sie einen Beitrag von K 5000.– oder mehr spenden; *Stifter* können in der Art beitreten, daß sie sich für den Betrag von je K 5000.– das Recht erwerben, einen bestimmten Pflegling jeweils zur Anstaltspflege vorzuschlagen.

3. Durch Beitritt zum Vereine als *Gründer* mit einer einmaligen Spende von K 1000.– oder mehr. Die Namen der Stifter und Gründer werden auf einer in der Nervenheilanstalt aufgestellten Gedenktafel zum ewigen Gedächtnis verzeichnet.

4. Durch Beitritt zum Vereine als *ordentliches Mitglied* durch Leistung eines Jahresbeitrages in der Höhe von mindestens K 5.–. Dieser fortlaufende Jahresbeitrag kann auch durch eine einmalige Widmung von mindestens K 200.– ersetzt werden.

Wir hoffen zuversichtlich, daß wir uns mit unserer Bitte, *welche zugleich die Bitte unserer geliebten Heimat ist,* nicht vergebens an Sie wenden.

Geldsendungen können mittels *beiliegenden Erlagscheines* überwiesen werden, Briefe sind vorläufig an folgende Adresse zu richten: »Deutscher Verein zur Errichtung und Erhaltung einer Krieger- und Volksnervenheilanstalt in Deutschböhmen, Prag-Pořič 7, Arbeiterunfall-Versicherungsanstalt«.

Prag, im November 1916.

Dieser Aufruf war von weit über hundert Personen des öffentlichen Lebens von Deutschböhmen unterschrieben, unter ihnen Robert Marschner, Otto Přibram und Franz Kafka selbst.

ZEITTAFEL

1912

13. August	Erste Begegnung mit Felice Bauer im Hause der Familie Brod in Prag.
20. Sept.	Erster Brief an Felice.
22./23. Sept.	*Niederschrift der Erzählung »Das Urteil« in einer Nacht.*
14. u. 18. Okt.	Briefe Kafkas an Sophie Friedmann: da Felice ihm nicht antwortet, bittet er ihre Verwandte um Fürsprache.
23. Okt.	Antwort Felicens nach der »dreiwöchigen Warte-zeit«.
15. u. 22. Nov.	Max Brod schreibt an Felice über Kafka
17. Nov.–7. Dez.	*Entstehung der »Verwandlung«; am 24. November Vorlesung eines Teils der noch nicht abgeschlossenen Erzählung im Hause Oskar Baums.*
4. Dez.	*Öffentliche Vorlesung des »Urteils« während des Autorenabends der Prager Herder-Vereinigung.*
Mitte Dezember	*»Betrachtung« erscheint im Rowohlt Verlag.*

1913

1. März	*Vorlesung der »Verwandlung« im Hause Max Brods.*
23./24. März	Erste Zusammenkunft mit Felice in Berlin. Am 24., auf der Rückreise nach Prag, Begegnung mit Kurt Wolff in Leipzig.
7. April	Beginn der Gärtnerarbeit in Troja bei Prag. Felice vertritt vom 7.–17. April ihre Firma auf einer Ausstellung in Frankfurt am Main.
11./12. Mai	Zweiter Besuch in Berlin während der Pfingst-feiertage.
Mai	*»Der Heizer« erscheint als Bd. 3 von Kurt Wolffs Bücherei ›Der jüngste Tag‹.*
Anfang Juni	*»Das Urteil« erscheint im Jahrbuch ›Arkadia‹.*
10./16. Juni	Brief, in dem er Felice zum erstenmal um ihre Hand bittet.

28. Juni	Erste Begegnung mit dem Arzt und Schriftsteller Ernst Weiß in Prag.
August	Felice verbringt ihren Sommerurlaub (1.–17.) in Westerland auf Sylt.
6. Sept.	Gemeinsame Reise mit Direktor Marschner nach Wien zum Internationalen Kongreß für Rettungswesen und Unfallverhütung; Aufenthalt in Wien bis zum 13. September; Besuch des XI. Zionisten-Kongresses; Zusammenkunft mit Albert Ehrenstein, Lise Weltsch, Felix Stössinger und Ernst Weiß.
14. Sept.	Reise von Wien nach Triest, Dampferfahrt Triest-Venedig.
15./16. Sept.	Aufenthalt in Venedig; Reise über Verona und Desenzano nach Riva am Gardasee. Ab 22. September im Sanatorium von Dr. von Hartungen; Begegnung mit G. W., der »Schweizerin«.
29. Okt.	Wiederaufnahme des Briefwechsels mit Felice, der seit dem 20. September ruhte.
1. Nov.	Erste Begegnung mit Grete Bloch in Prag; Beginn der Korrespondenz mit ihr am 10. November.
8./9. Nov.	Kurze Zusammenkunft mit Felice in Berlin; Besuch bei Ernst Weiß.
Mitte Dez.	Ernst Weiß sucht Felice in ihrer Firma auf und bittet im Auftrage Kafkas um eine Erklärung für ihr langes Schweigen.
Ende Dez.	Zusammenkunft mit Ernst Weiß in Prag.

1914

Anfang Jan.	Kafka bittet in einem Brief erneut um ihre Hand; ausweichende Antwort Felicens.
28. Feb./1. März	Zusammenkunft in Berlin; Felicens Einwände gegen die Ehe mit ihm.
Ende März	Kafka entschließt sich, Prag zu verlassen, falls Felice sich nicht bereit erklärt, ihn zu heiraten.

12./13. Apr. (Ostern)	Zusammenkunft in Berlin; inoffizielle Verlobung; Felice erklärt sich bereit, im September zu heiraten.
1. Mai	Felicens Ankunft in Prag; gemeinsame Wohnungssuche. (Mitte Mai mietet Kafka eine 3-Zimmerwohnung in der Langengasse 923/5.)
26. Mai	Kafkas Mutter und seine Schwester Ottla treffen als Gäste der Familie Bauer in Berlin ein.
30. Mai	Reise nach Berlin – in Begleitung des Vaters – zur offiziellen Verlobungsfeier. Am 1. Juni (Pfingstmontag) Empfangstag bei der Familie Bauer.
Mitte Juni	Ernst Weiß kommt nach Prag und kehrt am 19. Juni wieder nach Berlin zurück.
2. Juli	Entschluß, am Wochenende 11./12. Juli zu einer Aussprache nach Berlin zu fahren.
12. Juli	Aussprache im Hotel ›Askanischer Hof‹ in Gegenwart von Grete Bloch, Erna Bauer und Ernst Weiß; Lösung des Verlöbnisses.
13. Juli	Reise von Berlin an die Ostsee; 14-tägiger Urlaub zuerst in Travemünde, dann, gemeinsam mit Ernst Weiß und Rahel Sansara im dänischen Ostseebad Marielyst. Am 26. Juli Rückreise über Berlin (Zusammenkunft mit Erna Bauer) nach Prag
Anfang August	*Beginn der Arbeit am Prozeß-Roman.*
5.–19. Okt.	*Urlaub ausschließlich dem Schreiben gewidmet: Weiterarbeit an den Romanen »Der Prozeß« und »Der Verschollene«; neu entsteht die Erzählung »In der Strafkolonie«.*

1915

23./24. Jan.	Zusammenkunft in Bodenbach. (Erstes Wiedersehen seit der Lösung des Verlöbnisses.) *Kafka liest ihr u. a. die Türhüterlegende (»Vor dem Gesetz« vor)*

März	Kündigung des Zimmers in der Bilekgasse (Bílkova ulice) 868/10 und Übersiedlung in ein neues Zimmer in der Langengasse (Dlouhá třida) 705/18, Haus ›Zum goldenen Hecht‹.
Ende April	Reise mit seiner Schwester Elli zu ihrem Mann, der als Soldat im ungarischen Karpathengebiet stationiert ist.
23./24. Mai	Mit Felice und Grete Bloch während der Pfingstfeiertage in der Böhmischen Schweiz.
Juni	Mit Felice in Karlsbad.
20.–31. Juli	Aufenthalt in einem Sanatorium in Rumburg (Nordböhmen).
Oktober	»Die Verwandlung« erscheint im Heft 10 (Okt. 1915) der ›Weißen Blätter‹.
November	»Die Verwandlung« erscheint als Doppelband 22/23 in Kurt Wolffs Bücherei ›Der jüngste Tag‹.

1916

9. April	Mit Ottla in Karlsbad.
9. Mai	Gesuch um Beurlaubung von der Arbeiter-Unfall-Versicherungsanstalt, für den Fall, daß der Krieg im Herbst zu Ende ist; andernfalls Bitte um Aufhebung der für die Angestellten der Anstalt geltenden Dispensierung vom Heeresdienst.
13.–15. Mai	Dienstreise nach Karlsbad und Marienbad.
3.–13. Juli	Mit Felice in Marienbad; am 13. mit Felice in Franzenbad, Zusammenkunft mit Kafkas Mutter und seiner Schwester Valli. Felice fährt von dort nach Berlin zurück, Kafka verbringt noch weitere zehn Tage in Marienbad.
September	Kafka fördert die Mitarbeit Felicens im Jüdischen Volksheim Berlin.
Oktober	»Das Urteil« erscheint als Bd. 34 in Kurt Wolffs Bücherei ›Der jüngste Tag‹.
10.–12. Nov.	Mit Felice in München; Kafka trägt dort am Abend des 10. November seine Erzählung »In der Strafkolonie« öffentlich vor. (›Abende für neue Lite-

Dezember	ratur‹ in der *Galerie Goltz*); Begegnung mit Gott-fried Kölwel, Max Pulver und Eugen Mondt. Seit Anfang Dezember schreibt Kafka täglich mehrere Stunden in dem von Ottla eingerichteten kleinen Haus im Alchimistengäßchen (Zlatá ulička) 22.

1917

Anfang März	Wohnung im Schönborn-Palais, Marktgasse (Tržiště) 365/15.
Anfang Juli	Zweite Verlobung. Felice in Prag. Gemeinsame Reise zu Felicens Schwester über Budapest nach Arad. Kafka reist allein über Wien zurück; Besuch bei Rudolf Fuchs.
9./10. August	Blutsturz.
1. Sept.	Aufgabe der Wohnung im Schönborn-Palais.
4. Sept.	Mit Max Brod bei Prof. Pick: Konstatierung der Lungentuberkulose.
12. Sept.	Übersiedlung zu Ottla nach Zürau in Nordwest-böhmen.
20./21. Sept.	Besuch Felicens in Zürau.
Okt./Nov.	*Im Oktoberheft der Monatsschrift ›Der Jude‹: »Scha-kale und Araber«, im Novemberheft »Ein Bericht für eine Akademie«.*
25.–27. Dez.	Besuch Felicens in Prag; zweite und endgültige Lösung des Verlöbnisses.

REGISTER

I. ERWÄHNTE PERSONEN UND WERKE ANDERER AUTOREN

Die kursiv gesetzten Seitenzahlen verweisen auf Briefe, die nicht an Felice Bauer gerichtet sind, bzw. auf Briefe anderer Absender

II. WERKE KAFKAS

INHALT

Fotonachweis: Die Aufnahme S. 576 (Grete Bloch) stellte Wolfgang
A. Schocken, Tel Aviv, zur Verfügung, die Einladung der Herder-Vereini-
gung (S. 161) und das Verlobungsbild (S. 592) Schocken Books Inc., New
York. Alle anderen Aufnahmen und Dokumente stammen aus dem Archiv
Jürgen Born, Amherst, Massachusetts.